W9-COY-713

WIRKUNG DER LITERATUR

Deutsche Autoren im Urteil ihrer Kritiker

Herausgegeben von Karl Robert Mandelkow

Band 5 : Goethe II

Goethe
im Urteil seiner Kritiker

Dokumente zur Wirkungsgeschichte Goethes
in Deutschland
Teil II 1832–1870
Herausgegeben, eingeleitet und kommentiert
von Karl Robert Mandelkow

Verlag C. H. Beck München

CIP-Kurztitelaufnahme der Deutschen Bibliothek

Goethe im Urteil seiner Kritiker : Dokumente zur Wirkungsgeschichte Goethes in Deutschland / hrsg., eingel. u. kommentiert von Karl Robert Mandelkow. – München : Beck.

NE: Mandelkow, Karl Robert [Hrsg.]

Teil 2. 1832 – 1870. – 1. Aufl. – 1977.
(Wirkung der Literatur ; Bd. 5)
ISBN 3 406 06162 1

ISBN 3 406 06162 1

Gesamtherstellung: Kösel, Kempten
Printed in Germany

INHALT

ABKÜRZUNGEN UND SIGLEN

B.a.G. = Briefe an Goethe. Hamburger Ausgabe in 2 Bänden. Gesammelt, textkritisch durchgesehen und mit Anmerkungen versehen von Karl Robert Mandelkow. Hamburg 1965–1969.

D = Druckvorlage.

E = Erstdruck.

Fambach = Oscar Fambach, Goethe und seine Kritiker. Düsseldorf 1953.

Goethe im Urteil I = Goethe im Urteil seiner Kritiker. Dokumente zur Wirkungsgeschichte Goethes in Deutschland. Teil I 1773–1832. Herausgegeben, eingeleitet und kommentiert von Karl Robert Mandelkow. München 1975. = Wirkung der Literatur 5. I.

H.A. = Goethes Werk. Hamburger Ausgabe in 14 Bänden. Herausgegeben von Erich Trunz u. a. Hamburg 1948–1960.

H.A.Briefe = Goethes Briefe. Hamburger Ausgabe in 4 Bänden. Herausgegeben von Karl Robert Mandelkow unter Mitarbeit von Bodo Morawe. Hamburg 1962–1967.

Holzmann = Michael Holzmann, Aus dem Lager der Goethe-Gegner. Mit einem Anhange: Ungedrucktes von und an Börne. Berlin 1904.

J.A. = Goethes sämtliche Werke. Jubiläums-Ausgabe in 40 Bänden. In Verbindung mit ... herausgegeben von Eduard von der Hellen. 40 Bde u. Registerband. Stuttgart o.J. [1902–1912].

Ruppert = Goethes Bibliothek. Katalog. Bearbeiter der Ausgabe Hans Ruppert. Weimar 1958.

Schulte-Strathaus = Die Bildnisse Goethes. Herausgegeben von Ernst Schulte-Strathaus. München o.J. [1910]. = Propyläen-Ausgabe von Goethes Sämtlichen Werken. Supplement. 1.

W.A. = Goethes Werke. Weimarer Ausgabe. 143 Bände. Weimar 1887–1919.

VORWORT

Das Erscheinen des vorliegenden zweiten Bandes der Dokumentation von Texten zur Geschichte der Deutung und Wirkung Goethes in Deutschland, der den Zeitraum von Goethes Tod bis zur Reichsgründung umfaßt, ist nur ermöglicht worden durch das Interesse, das der Verlag C. H. Beck diesem Unternehmen und der ganzen Reihe »Wirkung der Literatur« entgegengebracht hat. Ihm gilt, auch im Namen der Herausgeber der neuen, in Arbeit befindlichen Bände der Reihe, mein herzlicher Dank.

Der Arbeitsstelle des Goethe-Wörterbuchs in Hamburg und ihrem Leiter, Herrn Horst Umbach, möchte ich danken für die Hilfe beim Nachweis von Goethe-Zitaten. In besonderem Maße gilt mein Dank Walther Kummerow, der an der Arbeit an diesem Band in allen Phasen mit kritisch-produktivem Engagement teilgenommen hat.

Die Prinzipien der Auswahl, der editorischen Behandlung der Texte und der Kommentierung entsprechen den im ersten Band mitgeteilten Richtlinien.

Hamburg, im April 1977 *Karl Robert Mandelkow*

EINLEITUNG

Wirkungsgeschichte im Spannungsfeld von Negation und Apotheose

Der im vorliegenden Band dokumentierte Zeitraum der Wirkungsgeschichte Goethes ist bis in die jüngste Zeit hinein von der akademischen Goethephilologie zumeist abwertend als Epoche der Goetheferne und der Goethefeindschaft kritisiert worden, eine Zeit, in der die Kenntnis, die Pflege und die Verehrung des größten Dichters der Deutschen auf einzelne Goetheadepten oder verstreute Goethegemeinden beschränkt geblieben sei, um erst nach 1870/71 zum zentralen Gegenstand einer nationalen Öffentlichkeit aufzurücken. Vielzitiert sind die Sätze, mit denen Viktor Hehn in seiner Abhandlung »Goethe und das Publikum« 1888 die Kluft zwischen Goethe und dem deutschen Volk im Jubiläumsjahr 1849 umrissen hat: »Ja, man darf behaupten: das hundertste Jahr nach Goethes Geburt bezeichnete den tiefsten Stand seines Ansehens in der Nation: es war von der Nichtachtung fast bis zur Verachtung gesunken.«[1] Ohne schon hier auf das ideologische Moment dieses Beurteilungsschemas der Wirkungsgeschichte Goethes im zweiten Drittel des 19. Jahrhunderts, das eine folgenreiche Nachgeschichte gehabt hat, einzugehen, muß festgestellt werden, daß es vom Standpunkt einer historisch-kritischen Goethewissenschaft, die erst in den 80er Jahren des 19. Jahrhunderts sich entwickelte, kaum oder wenig Anknüpfungspunkte gab, die einen Rückgriff auf die Zeugnisse der Deutung und Wirkung in der Zeit von 1832 bis 1870 ermöglichten oder als sinnvoll und förderlich erscheinen ließen. Dies gilt über den Positivismus der sog. »Goethephilologie« der 80er und 90er Jahre hinaus bis in die jüngste Zeit der stilanalytischen und strukturalistischen Beschäftigung mit Goethe. Zu recht ist darauf hingewiesen worden, daß in dem hier dokumentierten Zeitraum keine einzige Goethebiographie von bleibendem Wert geschrieben worden sei, und daß die Deutschen sich stattdessen mit englischem Import hätten begnügen müssen.[2] Die positivistische Goethephilologie berief sich auf die Tatsache, daß erst mit der Eröffnung des Weimarer Archivs im Jahre 1885 die Grundlage für eine philologisch exakte, auf dem reichen Fundus der handschriftlichen Quellen fußende wissenschaftliche Beschäftigung mit Goethe geschaffen worden sei, wie sie sich in der großen »Weimarer Ausgabe« von Goethes Werken (1887–1919), den Quellenpublikationen des 1880 begründeten Goethejahrbuchs

1 Viktor Hehn, Gedanken über Goethe. Berlin 1888. S. 170. Ähnlich auch Otto Harnack in seinem Vortrag »Wandlungen des Urteils über Goethe«: »Goethes 100. Geburtstag, der mitten in das Gewühl der Revolutionsjahre hineinfiel, bedeutete vielleicht den Tiefpunkt in der Schätzung des Dichters.« Harnack, Aufsätze und Vorträge. Tübingen 1911. S. 38.

2 Vgl. T. 33, Anmkg. 4.

und der seit 1886 erscheinenden »Schriften der Goethegesellschaft« dokumentiere. Von diesen neuen Fundamenten aus mußte die gesamte vorangegangene Beschäftigung mit Goethe als »vorwissenschaftlich« erscheinen. Gerade im Vergleich mit dem neuen positivistischen Wissenschaftsideal der Objektivität und den an den Naturwissenschaften orientierten Maßstäben der Exaktheit und der Nachprüfbarkeit wird die Eigenart und die Andersartigkeit der im vorliegenden Band gesammelten Rezeptionstexte deutlich. Was sie, bei aller Unterschiedlichkeit der Standorte, charakterisiert, ist gerade nicht jene erst aus der historischen Distanz zum Gegenstand sich herstellende, durch methodisches Vorgehen abgesicherte und kontrollierbare Objektivität, sondern die bewußte Parteilichkeit dem Gegenstand gegenüber, das Eingebundensein in die aktuelle, oft tagespolitische Diskussion und Auseinandersetzung. Ob als Goethenegation bei den Gegnern oder als Goetheapotheose bei seinen Verteidigern: Goethe bleibt auch über seinen Tod hinaus Zeitgenosse einer Auseinandersetzung, der es primär nicht um die nurwissenschaftliche Erklärung und Analyse seines Werkes und seiner Person geht, sondern um die Funktion, die beides für die nachgoethezeitliche Geschichte der Deutschen in einem umfassenden, das nur Literarische transzendierenden Sinne gehabt hat. Die Nachgeschichte Goethes im zweiten Drittel des 19. Jahrhunderts ist *Wirkungs*geschichte in jenem wörtlichen Sinne, der die Möglichkeiten der Urteilsfindung über den Gegenstand an die Reflexion auf seine bisherigen und seine gegenwärtigen Vermittlungen knüpft. Demgegenüber bedeutet der positivistische Ruf ad fontes die Suspendierung der bisherigen Wirkungsgeschichte, die aus ihrer erkenntnisstiftenden Funktion entlassen wird und zur bloßen Illustration von Fehlurteilen degeneriert. An ihre Stelle tritt »das Streben nach der Wahrheit an sich, nach dem Echten, Ursprünglichen, Authentischen«, wie Wilhelm Scherer in seinem programmatischen Aufsatz »Goethe-Philologie« von 1877 es formuliert hat.[3] Die Bedingungen, an die im Falle Goethes jenes »Streben nach der Wahrheit an sich« geknüpft waren, hat Herman Grimm in seiner Rezension des »Leben Schleiermachers« von Wilhelm Dilthey 1870 scharfsichtig genau bezeichnet: »Goethe ist nun ganz in der Vergangenheit untergetaucht. Die Wellen eines neuen Daseins rollen ruhig über die Stelle hin, wo vor kurzem seine Stirne noch emporragte. Wir fragen nicht mehr: wie würde Goethe dazu sich gestellt haben? Wir fragen überhaupt nach dem Urteil derer nicht mehr, qui ante nos fuere. Aus Epigonen sind wir plötzlich wieder Deukalionen geworden. Wir meinen zum erstenmale aus dem Stein zu erwachen, sehen uns mit einer gewissen Ruhe (die gleichfalls diesen Ursprung nicht verleugnet) Gegenwart und Zukunft an und wissen bestimmt, daß das Vergangene für immer abgetan sei.«[4] Die radikale Historisierung des Gegenstandes erst ermöglicht seine objektive Analyse, schafft jene distanzierte Ruhe des Blicks, die sich selbstvergessen ins Detail verlieren kann, ohne durch die Frage nach dessen Funktion abgelenkt zu werden. Dieser Versuch, Goethes Werk zu historisieren, es vom Standpunkt der Gegenwart aus

3 Wilhelm Scherer, Aufsätze über Goethe. Zweite Aufl. Berlin 1900. S. 21.
4 Vorliegende Dokumentation S. 499 f.

als vergangen zu betrachten, hat eine lange Vorgeschichte; sie beginnt mit dem Protest der Romantik gegen den Dichter und findet ihre erste schlagkräftige Formulierung in Heines Diktum vom »Ende der Kunstperiode«. Im Unterschied zu jenen frühen Abgrenzungs- und Abschiedserklärungen, die in Theodor Mundts Rezension von Goethes »Wanderjahren« von 1830 zum erstenmal mit den Argumenten des heraufziehenden Historismus gestützt werden[5], geht die nach 1870 erfolgte Historisierung Goethes und der Goethezeit gepaart mit einer beispiellosen Aufwertung, ja Kanonisierung seiner Gestalt zur »auf Jahrhunderte hinaus unvergleichlichen Persönlichkeit.«[6] Erst jetzt erfolgt jene Versetzung des »Olympiers« Goethe, zumeist vereint mit seinem Dichterkollegen Schiller zum »Dioskurenpaar« oder »Zwillingsgestirn« der deutschen Literatur, in den überzeitlichen Dichterhimmel, wo er lange als unantastbarer Klassiker thronen sollte.

Die im vorliegenden Band abgedruckten ausgewählten Zeugnisse dokumentieren jenen widerspruchsvollen, antithesen- und konfliktreichen Prozeß, der von der Heineschen Proklamation vom Ende der Kunstperiode zur Kanonisierung Goethes als der alles überragenden Gestalt der deutschen Literatur und der kulturellen Geschichte der Deutschen führt. Dieser Abschnitt der Wirkungsgeschichte Goethes im Spannungsfeld zwischen Negation und Apotheose spiegelt die wandlungsreiche Geschichte der deutschen Literatur, Literaturkritik und Ästhetik zwischen dem Jungen Deutschland und den Gründerjahren, sie spiegelt sie nicht nur, sondern wird integrales Moment der Konstitution und der programmatischen Selbstdefinition der verschiedenen einander ablösenden Bewegungen, Gruppen und Zirkel. In einer in diesem Ausmaß weder vorher noch nachher derart bestimmenden Weise ist die Wirkungsgeschichte Goethes zwischen 1832 und 1870 politische Wirkungsgeschichte. Der zuerst von der nationalen Opposition gegen Goethe nach 1806 geltend gemachte Grundwiderspruch: die Diskrepanz zwischen dem der Suprematie und Autonomie des Ästhetischen verpflichteten klassischen Kulturentwurf und dem mit der Französischen Revolution eingeleiteten, nach der Julirevolution von 1830 auch für Deutschland akuten Prozeß der Politisierung aller Lebensbereiche, bleibt bis 1870 das zentrale Thema der Auseinandersetzung mit Goethe. Stolz verkündet Herman Grimm an der Schwelle des neuen Reiches, daß dieses Problem im Hinblick auf eine Beurteilung Goethes und der um ihn herum sich gruppierenden Heroen der klassischen Epoche endgültig ein vergangenes, weil gelöstes, sei. »Noch vor zwanzig Jahren klagten wir diese Männer an, die Erbschaft der Freiheitskriege übel verwaltet zu haben: heute verstummen solche Vorwürfe. Deutschland ist in seinen Anfängen auf dem besten Wege. Wir haben nicht mehr zu trauern über vergebliches Ringen nach einem Ziele, das offen zu nennen früher polizeilicher Hochverrat war. Wir besitzen so viele Freiheiten, daß wir oft Mühe haben, uns selber darin zurecht zu finden: wir werfen niemandem mehr vor, daß durch seine Schuld uns deren Genuß eine Reihe von

5 Vgl. Goethe im Urteil I, S. LXXIII f.

6 Wilhelm Scherer, Bemerkungen über Goethes Stella. In: Scherer, Aufsätze über Goethe. Zweite Aufl. Berlin 1900. S. 124.

Jahren zu spät zuteil geworden sei. [...] Gerade die Abwesenheit des politischen Lebens im heutigen Sinne gibt diesen Bestrebungen für unseren Anblick das Allmächtige. Man kannte nichts als das. Nur dieser einzige Weg schien eröffnet, um den Fortschrit der Menschheit zu bewirken. Nach dieser einzigen Richtung hin schärfte sich alle Auffassung, alle Produktionskraft.«[7]

Was einer am Maßstab strenger Wissenschaftlichkeit, Objektivität und philologischer Exaktheit orientierten Goetheaneignung und Klassikerpflege bei der Einschätzung der Goetherezeption zwischen 1832 und 1870 als Mangel erscheinen mußte, gibt sich im Lichte der nunmehr über zehn Jahre geführten, kontroversen Klassikdiskussion, die z. T. die Formen schroffer Kritik und rigider Negation angenommen hat, eher als ein Vorzug.[8] Der Rückgriff gerade auf diese Epoche der Goethekritik und Goetherezeption bietet die Möglichkeit, den durch die akademische Goethewissenschaft vielfach verbarrikadierten Zugang zu dem Dichter aufzubrechen, Klischees eines verdinglichten Goethekultes aufzulösen und die Konfrontation mit einem Goethebild herzustellen, das – noch jenseits von eindeutigen Fixierungen und Kanonisierungen – Einblick gewährt in die widersprüchliche Genesis von Urteilsbildungen und Urteilsfindungen. Nur so ist es möglich, einen klassisschen Autor aus dem Getto vermeintlicher Überzeitlichkeit und unantastbarer Vorbildlichkeit zurückzuholen in die Geschichtlichkeit, die sich nicht nur produktionsästhetisch als die Geschichtlichkeit der Werke, sondern auch wirkungsästhetisch als deren Nachgeschichte konstituiert. Der Legitimationszwang, unter den die deutsche Klassik in der Gegenwart geraten ist, findet in der hier dokumentierten Phase der Wirkungsgeschichte Goethes seine Entsprechung in der Infragestellung des Anspruchs, den seine Person und sein Werk an die Mitwelt und die Nachwelt gestellt hat. Galt es noch vor nicht allzu langer Zeit als selbstverständlich, diejenigen zu kritisieren, die Goethe diesen Anspruch streitig gemacht haben, so scheint das Pendel jetzt in das andere Extrem auszuschlagen. Nicht Goethe gilt es vor seinen Kritikern in Schutz zu nehmen, sondern seine Kritiker werden vor Goethe gerechtfertigt, beziehungsweise vor dem noch immer lastenden Druck einer Tradition, die sich unter Berufung auf die unanfechtbare Autorität des Klassikers jeder Insurrektion gegen ihn widersetzt. Diese heute schon modisch gewordene »fortschrittliche« Parteinahme gegen Goethe beruft sich auf das Gegenmodell der Jakobinerliteratur[9], beruft sich auf Heine, Jean Paul, Kleist und Hölderlin, zitiert das Junge Deutschland, den Naturalismus, den Expressionismus und die avangardistische Moderne als Gegenentwürfe zu Goethe und einer mit seinem Namen verbundenen Klassik. Nur ein normatives Literaturverständnis wird die Legitimität derartiger Konfrontationen bestreiten wollen. Ja, es scheint mir geradezu die Aufgabe künftiger Wirkungsgeschichtsforschung zu sein, diese

7 Vorliegende Dokumentation S. 501.

8 Vgl. meinen Aufsatz »Wandlungen des Klassik-Bildes in Deutschland im Lichte gegenwärtiger Klassik-Kritik«. In: Deutsche Literatur zur Zeit der Klassik. Hg. von Karl Otto Conrady. Stuttgart 1977.

9 Vgl. Inge Stephan, Literarischer Jakobinismus in Deutschland (1789–1806). Stuttgart 1976. Abschnitt 8.4: Klassik oder Jakobinismus? – Eine falsch gestellte Alternative.

von dem Parteilichkeitszwang autorzentrierter Isolation zu befreien und das zu verwirklichen, was ich an anderer Stelle »konstellative Wirkungsgeschichte« genannt habe.[10] Konstellative Wirkungsgeschichte zielt ab auf die dialektische Gleichzeitigkeit von miteinander konkurrierenden und sich gegenseitig in Frage stellenden Phänomenen. Sie grenzt sich ab sowohl von einem apologetischen Verfahren, das Wirkungsgeschichte als Vehikel der »Rettung« eines Autors einsetzt, wie von einem Verfahren des antithetischen Ausspielens von Traditionen, das bestenfalls zu bloß dezisionistischen Umbesetzungen führt und an die Stelle der alten eine neue Klassik setzt.

Die folgenden Ausführungen erheben nicht den Anspruch, einen Abriß der Wirkungsgeschichte Goethes im zweiten Drittel des 19. Jahrhunderts in allen für diesen Zeitraum relevanten Aspekten zu bieten. Sie wollen primär eine Orientierungshilfe zum besseren Verständnis der abgedruckten Rezeptionstexte geben. Wenn das in dieser Einleitung herangezogene Material z.T. weit über das im Dokumentationsteil Gebotene hinausgreift, so macht diese Diskrepanz nur die grundsätzliche Problematik der Auswahl von Texten deutlich, die im Fall der unermeßlich reich dokumentierten Rezeptionsgeschichte Goethes den Bearbeiter vor unlösbare Schwierigkeiten stellt. Die Einleitung unternimmt daher zusätzlich den Versuch, die mit der Auswahl notwendig verbundene Blickbeschränkung aufzubrechen und dem Leser Möglichkeiten einer umfassenderen Information zu eröffnen. Erkenntnisleitendes Ziel meiner Darstellung war es, den Bezug der historischen Texte zur gegenwärtigen Goethe- und Klassikdiskussion herzustellen, um – mit Walter Benjamin zu sprechen – »der kritischen Konstellation sich bewußt zu werden, in der gerade dieses Fragment der Vergangenheit mit gerade dieser Gegenwart sich befindet.«[11] Daß der vorliegende Abriß den umfassenderen Begriff Wirkungsgeschichte auf die Dimension einer eher konventionellen Urteilsgeschichte verengt hat, ist ein kritischer Einwand, dessen ich mir vollauf bewußt bin.

Die Weimarischen Kunstfreunde

Goethes Tod kann nur sehr bedingt als ein Einschnitt in der Geschichte seiner Rezeption bezeichnet werden. Die Polarisierung der Wirkungsträger in Goetheaner einerseits und Goethegegner anderseits, die die Rezeptionsgeschichte des Dichters bis 1848 bestimmt, datiert, wie ich in der Einleitung zum ersten Band zu zeigen versucht habe, bereits von der Mitte der 20er Jahre her. Waren es jedoch bisher vereinzelte, wennschon wirkungsmächtige, Stimmen, die die Opposition gegen Goethe eröffneten, so erhält diese jetzt, unter der Fahne des Jungen Deutschland, Gruppen- oder Parteicharakter. Dennoch verbietet es sich, wie wir sehen werden, von *den* Goethegegnern der 30er Jahre als von einer in sich homogenen,

10 In meinem Anmkg. 8 genannten Aufsatz.

11 Walter Benjamin, Eduard Fuchs, der Sammler und der Historiker. In: Benjamin, Angelus Novus. Ausgewählte Schriften 2. Frankfurt am Main 1966. S. 303.

von gleichen Voraussetzungen und Interessen geleiteten Gruppe zu sprechen. Eher ist dies der Fall bei den Goetheanern, den Verteidigern, den Apologeten des Dichters. Unter ihnen hebt sich zunächst der Kreis der engeren Mitarbeiter Goethes heraus, die »Weimarischen Kunstfreunde«, die gleich nach Goethes Tod den ersten »Goethe-Verein« gründen und in gemeinsamer Arbeit das Schlußheft von Goethes Zeitschrift »Über Kunst und Altertum« herausgeben.[12] Sie alle, der Kanzler Friedrich von Müller, der Philologe Friedrich Wilhelm Riemer, Johann Peter Eckermann, der Oberbaudirektor Coudray, der Direktor des Oberkonsistoriums Peucer, der Schweizer Arzt und Prinzenerzieher Soret, der Kunsthistoriker Heinrich Meyer und Goethes Arzt Dr. Vogel, sind als Herausgeber von Goethes Nachlaß, als Verfasser von Gesprächssammlungen oder als Dokumentatoren hervorgetreten, einer unter ihnen, Eckermann, hat sich die bescheidene Nische eines zeitüberdauernden Ruhms neben seinem Meister durch seine »Gespräche mit Goethe« erobern können. Diese fleißigen Philologen, Literaten und Kunsthistoriker haben mit ihren Editionen und Dokumentationen das erste Fundament einer Goethephilologie geschaffen und das von Goethe gut und planvoll vorbereitete Erbe der Nachlaßverwaltung für mehr als ein Jahrzehnt übernommen. Der nach Goethes Tod ihres Mittelpunktes beraubten Runde fehlen nicht die Züge sektiererhafter Skurrilität. So berichtet Stephan Schütze am 15. Juni 1832 in seinem Tagebuch über eine Zusammenkunft des Goethe-Vereins: »Bei Tische ist nur immer von Goethen die Rede: wie er auch Courage gehabt, tollkühn gewesen. Riemer: wie er in Breslau bei einer Feuersbrunst hat kommandieren wollen. Wie Goethe in Karlsbad einen Jungen angefahren, der den Schluchzen gehabt. Der Kanzler: wie der Großherzog nach s. Mutter Tode durch Goethen eine Gesellschaft habe errichten wollen; aber da macht er den Streich zu heiraten. Der Großherzog hat einmal Schillersche Verse korrigiert. In Goethes späteren Briefen käme öfters vor, daß er noch als Hausvater sorgen müsse. In einem Jahre wäre für Sirup 300 Thlr. ausgegeben. Halb 12 Uhr zu Hause. Eckermann begleitete mich; er hätte es ganz satt; wir bauten am Turm zu Babel.«[13] Daß nicht nur Eckermann es bisweilen »satt« hatte, lehrt eine Tagebuchaufzeichnung von Riemer, noch vor Goethes Tod, am 4. November 1830: »Goethe hat mich und uns andere was ehrliches geärgert. Er hat uns in unserem Wesen auf alle Weise eingeschränkt. Wir haben uns nach ihm genieren müssen und – setze ich hinzu – auch wollen.«[14]

Die Weimarischen Kunstfreunde beriefen sich auf die Authentizität ihres Goethe-Bildes, die durch die persönliche Erfahrung des Umgangs mit ihrem Meister gesichert schien. Richtete sich der Protest der jungen oppositionellen Literatur gegen den aristokratischen Kult der großen Persönlichkeit, gegen die Autorität einer alles beherrschenden Dichtergestalt, an deren Stelle, wie Theodor Mundt

12 Vgl. Goethes Tod und die »Weimarischen Kunstfreunde«. Aus dem unveröffentlichten Tagebuch eines Weimarischen Zeitgenossen, des Schriftstellers Dr. Stephan Schütze. Mitgeteilt von Richard Wolff. In: Alere flammam. Georg Minde-Pouet zum 50. Geburtstage. Leipzig 1921. S. 149–168.

13 Goethes Tod und die »Weimarischen Kunstfreunde«. A. a. O. S. 161.

14 Jahrbuch der Sammlung Kippenberg 4 (1924), S. 61.

1830 schreibt, »eine mehr republikanische Literaturverfassung getreten ist«[15], so ist für den Kreis der engsten Mitarbeiter Goethes gerade der Glaube an die große, Autorität ausstrahlende Individualität Goethes das eigentliche Movens ihrer Goetheverehrung geworden. So notiert Riemer am 22. Februar 1833 in seinem Tagebuch: »Ich weiß nicht, wie es kommt: wenn ich auch bei andern Schriftstellern neue, gute Gedanken lese, so weiß ich nicht, wer sie sagt: es sind mir nur geschriebene Worte; es fehlt sozusagen die Persönlichkeit und noch mehr die Autorität.« Vier Monate später heißt es bei Riemer: »Wir Deutschen feiern in Goethe eigentlich unsere Verklärung und Glorifikation. Das ist die Blüte und Frucht des deutschen Wesens bis jetzt.«[16] In dieser Eintragung ist der Goethe-Mythos, der bis heute seine vielfältig dokumentierte Nachgeschichte gefunden hat, von einem Zeitgenossen auf die knappste Formel gebracht worden. In ihr ist die Überzeugung formuliert, der die beiden bedeutendsten Werke dieses Kreises ihre Herkunft verdanken: Eckermanns »Gespräche mit Goethe« (1836/48) und Riemers »Mittheilungen über Goethe« (1841). Man hat beide Werke lange Zeit ausschließlich als Quellenpublikationen Goethescher Aussprüche oder Gespräche gewürdigt und benutzt, ihre Verfasser als wichtige meinungsbestimmende Faktoren und Potenzen im Rahmen einer Wirkungsgeschichte Goethes jedoch nicht eigentlich ernst genommen, sie als bloß zufällige Medien des Meisters heruntergespielt und sich nicht selten über sie lustig gemacht. Nichts wird dem Anspruch und der Intention beider Autoren indessen weniger gerecht als ihre schon sprichwörtlich gewordene Degradierung zu lebendigen Tonträgern Goethescher Auslassungen. Beide wollen einen durchaus individuellen Beitrag leisten zur aktuellen Goethe-Diskussion, der polemische Gestus ihres apologetischen Eintretens für den Dichter bildet die Folie, die auch die scheinbare Objektivität und Authentizität des von ihnen aufgezeichneten Goetheworts noch einfärbend bestimmt. Das Wegschneiden dieses zeitgenössischen und zeitpolemischen Kontextes, die Eliminierung der Medien zugunsten der Herauspräparierung der Goetheschen Substanz, käme einer Verarmung der durch Riemer und Eckermann vor allem vermittelten Kenntnis der Bedingungen und des soziologischen Umfeldes von Goethes Altersexistenz gleich, die durch andere Quellen nicht kompensiert werden könnte. Es ist das Verdienst der 1921 durch Arthur Pollmer veranstalteten Neuausgabe der Riemerschen »Mittheilungen«[17], diesen skurril-pedantischen, von Philologen-Borniertheit nicht freien Autor, der bei aller Philistrosität die Gabe hellsichtig genauer Beobachtung hatte, wiederentdeckt und seinen eigenen Mitteilungen neben dem von ihm Mitgeteilten breiten Raum gelassen zu haben.

Man hätte erwarten können, in dem Kreis der Weimarischen Kunstfreunde einen ästhetisierenden Zirkel zu finden, der sich ausschließlich dem Kult der von Heine verabschiedeten Goetheschen Kunstidee gewidmet hätte. Das Gegenteil ist

15 Goethe im Urteil I, S. 454.

16 Jahrbuch der Sammlung Kippenberg 5 (1925), S. 36 u. 37.

17 Friedrich Wilhelm Riemer, Mitteilungen über Goethe. Auf Grund der Ausgabe von 1841 und des handschriftlichen Nachlasses herausgegeben von Arthur Pollmer. Leipzig 1921.

der Fall. Wenn der Kanzler von Müller unmittelbar nach Goethes Tod diesen in seiner »practischen Wirksamkeit« (T. 2) und seiner »ethischen Eigenthümlichkeit« (1832) darstellt, so ist dies eine sehr entschiedene und sehr bewußte Korrektur eines Bildes, das Goethe ausschließlich als Künstler und Dichter fixieren und festlegen möchte. Ganz in diesem Sinne hat Goethes Arzt Dr. Vogel 1834 die Dokumentensammlung »Goethe in amtlichen Verhältnissen« veröffentlicht, die das Bild des Ministers Goethe zum erstenmal in Umrissen sichtbar werden läßt. Nicht die Goetheaner sind es gewesen, die Goethe auf die Bereiche von Kunst und Literatur haben festlegen helfen, sondern ihre Gegner. Und so ist es kein Zufall, wenn ein Geistesverwandter der Weimarischen Kunstfreunde, Carl Gustav Carus, in seinem Goethebuch von 1843 schreibt: »Hat es mir doch überall so herrlich an Goethe geschienen, daß er nie und nirgends es so etwa besonders darauf angelegt hat, ein großer Dichter zu werden!«[18] Die Betonung und Rechtfertigung der Vielseitigkeit und Totalität von Goethes Existenz ist ein Hauptargument seiner Apologeten von Beginn an gewesen. Aber selbst wenn die Goetheaner derart auf den Vorwurf der Apolitizität Goethes parieren wollten, taten sie dies doch so ungeschickt, daß der von ihnen gezeichnete Goethe diesen Vorwurf eher bestätigte. Neben das Bild des Nur-Künstlers stellen sie das Bild des vielseitigen Individuums, des tüchtigen, in vielen Lebenssituationen erprobten und erfahrenen Mannes. Der Vorwurf, daß Goethe seine nationale Stellung und die politische Verantwortung, die sich aus ihr ergab, nicht reflektiert habe, wird durch ihr Bild nicht entkräftet. Obwohl Eckermann selbst einige Zeugnisse von Goethes höchst komplexer und zwiespältiger Position der individuellen Selbstverwahrung gegenüber dem Bereich des Politischen und gegenüber der politischen Inanspruchnahme des einzelnen in seinen »Gesprächen« überliefert hat, ist er, und sind die Goetheaner, doch letzthin gespürlos für die vielfältig gebrochene Reflektiertheit dieser Position. An sie wird eine Darstellung der politischen Existenz des Dichters nur höchst bedingt anknüpfen können.

Die Hegelianer

Beschränkten sich die Weimarischen Kunstfreunde im ersten Jahrzehnt nach Goethes Tod im wesentlichen auf die Publikation von Quellen aus dem Nachlaß des Dichters, so wurden die Berliner »Jahrbücher für die wissenschaftliche Kritik« in diesem Zeitraum das eigentliche Forum der positiven Goethekritik und -apologetik. In diesem Zentralorgan der Hegelianer waren noch zu Goethes Lebzeiten die große Rezension von Varnhagen von Ense über den Goethe-Schillerschen-Briefwechsel[19], Heinrich Gustav Hothos Abhandlung über die »Wanderjahre«[20], Wilhelm von Humboldts vermächtnishafte Rezension über Goethes »Zweiten

18 Vorliegende Dokumentation S. 253.
19 Goethe im Urteil I, T. 77.
20 Vgl. T. 4, Anmkg. 2.

Römischen Aufenthalt«[21] und Carl Gustav Carus' Anzeige der Übersetzung des »Versuchs über die Metamorphose der Pflanzen« von Soret[22] erschienen. Nach Goethes Tod wird diese imponierende Kette der positiven Goethe-Kritik durch neue Namen, wie die der Philosophen Christian Hermann Weiße und Karl Rosenkranz, erweitert und fortgesetzt. Auch der junge Gustav Kühne beteiligt sich hier als Goethe-Rezensent. Seine im Geist der »Jahrbücher« 1835 veröffentlichte einfühlsame Besprechung der Teile 4 bis 6 des Goethe-Zelterschen-Briefwechsels[23] kontrastiert höchst merkwürdig mit der im oppositionellen Jargon des Jungen Deutschland verfaßten, im gleichen Jahr veröffentlichten programmatischen Rede »Wie die Kunst bei den Deutschen nach Brot geht!« (T. 15) Zum Kreis der Hegelianer gehörend und als Rezensent den »Jahrbüchern« verbunden, trat Carl Friedrich Göschel, der nachmalige Magdeburger Oberkonsistorialpräsident, 1832 mit seinem Buch »Hegel und seine Zeit. Mit Rücksicht auf Göthe« hervor. Seine 1834 in zwei Bänden erschienenen »Unterhaltungen zur Schilderung Götherscher Dicht- und Denkweise«, denen 1838 ein dritter Band folgte, fanden bei den Zeitgenossen große Beachtung. Sein Ziel, die Goethesche »Dicht- und Denkweise« mit der Philosophie und dem Christentum zu versöhnen, bleibt zentrales Motiv der Hegelianischen Goethe-Deutung bis zu Rosenkranz' Werk »Göthe und seine Zeit« (T. 31). Karl Rosenkranz, der bedeutendste Goethe-Interpret unter den Alt-Hegelianern, hat in seiner Hegelbiographie von 1844 die Affinität zwischen dem Werk Goethes und der Philosophie Hegels klar ausgesprochen: »Die Einheit Hegelscher Spekulation und Goethescher Poesie wurde ein förmliches Dogma der Hegelschen Schule. Den Dichter erklärte man mit dem Philosophen, den Philosophen bewahrheitete, belegte man mit dem Dichter, wie vorzüglich *Göschel* dies getan hat, der dann freilich zu beiden noch die Bibel hinzufügte. Der Zufall, daß die Geburtstage beider Männer aneinander grenzten, gab ihrer geistigen Verwandtschaft vollends einen mystischen Schimmer und den poetischeren Genossen des Weimar-Berlinschen Kreises viel glücklichen Gesangsstoff zu enkomiastischen Versen.«[24] Bevorzugte Domäne der spekulativen Goethe-Kritik der Hegelianer war das Werk des klassischen und – vor allem – des späten Goethe. Hegel selbst hatte hier in seinen »Vorlesungen über die Ästhetik« (T. 17) die Maßstäbe gesetzt. »Hermann und Dorothea« und der »West-östliche Divan« sind für ihn die herausragenden Zeugnisse der Meisterschaft des reifen, klassischen und des alten Goethe. Seine z. T. schroffen Verdikte über die Jugenddichtungen waren zugleich polemische Abgrenzung gegen deren einseitige Kanonisierung in der Romantik, z. B. durch Tieck[25], sie kontrastierten mit der emphatischen Betonung des revolutionären Charakters von Goethes Sturm und Drang im Jungen Deutschland, vor allem bei Wienbarg. Nur Heine befindet sich mit dem unvergleichlichen Abschnitt über

21 Goethe im Urteil I, T. 80.

22 Goethe im Urteil I, T. 82.

23 Berliner »Jahrbücher für wissenschaftliche Kritik«, Jg. 1835, Bd. 1, Sp. 953–965; 969–972.

24 Karl Rosenkranz, Georg Wilhelm Friedrich Hegels Leben. Berlin 1844. S. 340.

25 Goethe im Urteil I, T. 76.

den Sensualismus des »West-östlichen Divans«[26] in Übereinstimmung mit Hegel. Es ist nicht zuletzt das Verdienst der Hegelianischen Goethe-Interpretation, sich zum Anwalt des Goetheschen Alterswerks gemacht zu haben, das bald nach dem Tod des Dichters zum Gegenstand aggressiver Kritik und erbarmungsloser Negation wurde. Gervinus formuliert bereits einen Topos der zeitgenössischen Goethe-Auseinandersetzung, wenn er in seiner Frühschrift »Ueber den Göthischen Briefwechsel« von 1836 schreibt: »Es gehörte das deutsche Volk dazu, dem großen Künstler nachzusehen, daß er ihm nach der ersten Darlegung seines ungemeinen Vermögens, Dichtungen hinwarf, die ihm meinethalb der Ungeschmack des Publikums schreiben heißen konnte, von denen ihn aber die Achtung vor der Würde der Kunst ewig hätte abhalten müssen; es gehörte unsere Gutmütigkeit hierzu, daß wir uns an den Spätfrüchten seiner Muse die Zähne ausbissen, die uns, mit deutlichen Worten, zum Schaden unserer Zähne geboten waren, und daß wir uns durch des Dichters kontemptive Behandlung in unserer Vergötterung nicht irren ließen.«[27] Für die »Wanderjahre«, das vielzitierte Beispiel von Goethes seniler Altersimpotenz, hatte Hotho in seiner Analyse das große Muster gegeben, das bis über die Jahrhundertmitte hinaus positiver Orientierungspunkt der vielverzweigten Diskussion dieses Romans blieb. Einem gängigen Vorurteil widersprechend, das besagt, erst im 20. Jahrhundert sei dieses zentrale Alterswerk in seiner Bedeutung erkannt und in seinem Wert gewürdigt worden, muß mit Nachdruck auf die intensive Auseinandersetzung mit gerade diesem Werk in den ersten drei Jahrzehnten nach Goethes Tod hingewiesen werden. Sie wurde geführt unter der thematischen Dominante »Goethe und der Sozialismus«, und es ist kein Zufall, daß mit diesem Thema auch das Werk, anhand dessen es vorrangig diskutiert worden war, nach 1870 aus dem Gesichtskreis der Goethe-Kritik und der Goethe-Forschung verschwindet. Erst Gustav Radbruch hat in seinem Aufsatz »Wilhelm Meisters sozialistische Sendung«, der erstaunlicherweise noch 1944 in seinem Aufsatzband »Gestalten und Gedanken« in Leipzig bei Koehler & Amelang erscheinen konnte, auf die frühe Tradition der »sozialistischen« »Meister«-Deutung wieder aufmerksam gemacht.

Daß Goethes »Faust« sich als geradezu idealer Gegenstand für eine philosophisch-spekulative Deutung anbietet, ist bis auf den heutigen Tag durch die zahlreichen »Faust«-Kommentare von Philosophen bestätigt worden. Die spezifische Kompetenz der Philosophie für dieses Werk, dessen Titelgestalt zu einem Symbol für das Wesen des deutschen Menschen schlechthin avancieren sollte[28], wird durch die frühe prophetische Äußerung des Philosophen Schelling über das »Faust«-Fragment vorweggenommen. Über dieses »eigentümlichste Gedicht der Deutschen« heißt es am Schluß der elften von Schellings »Vorlesungen über die Methode des akademischen Studiums« von 1803: »Wer in das Heiligtum der Natur

26 Vorliegende Dokumentation S. 77 f.

27 Georg Gottfried Gervinus, Ueber den Göthischen Briefwechsel. Leipzig 1836. S. 150.

28 Vgl. Hans Schwerte, Faust und das Faustische. Ein Kapitel deutscher Ideologie. Stuttgart 1962.

eindringen will, nähre sich mit diesen Tönen einer höheren Welt und sauge in früher Jugend die Kraft in sich, die wie in dichten Lichtstrahlen von diesem Gedicht ausgeht und das Innerste der Welt bewegt.«[29] Die philosophische »Faust«-Deutung lag bis 1840 fast ausschließlich in den Händen der Hegelianer. Im zweiten Teil seines kritischen Autodafés über die »Faust«-Literatur von 1839 (T. 20) hat Friedrich Theodor Vischer fünf dieser Werke exemplarisch analysiert und die »spekulative Deutungswut« dieser Versuche, die »immer Hegel statt Goethes Faust im Auge hat«[30], ad absurdum geführt und damit eine neue Phase der »Faust«-Interpretation eingeleitet. Zwei Hegelianische »Faust«-Deuter allerdings verdienen es, angemessen in einer Dokumentation der Wirkungsgeschichte Goethes im 19. Jahrhundert vertreten zu sein: Christian Hermann Weiße und Karl Rosenkranz. Ist Weiße nach Vischers Urteil der erste *Kritiker* des Gedichts[31], der den scharfsinnigen Nachweis der unterschiedlichen Werkschichten zur Grundlage einer Analyse macht, die in die genetische »Faust«-Interpretation in der zweiten Hälfte des 19. Jahrhunderts hinüberführt, so verdanken wir Rosenkranz die erste größere Abhandlung über den zweiten Teil von Goethes »Faust«, der 1832 im 41. Band der »Ausgabe letzter Hand« erschienen war und die Reihe der »Nachgelassenen Werke« des Dichters eröffnet. »Faust II«, dessen Bekanntmachung Goethe den Zeitgenossen zu seinen Lebzeiten verweigert hatte, wurde zum eigentlichen Schibboleth des Urteils der Nachwelt über das Spätwerk des Dichters. Vischer, die alle überragende Autorität in Sachen »Faust« im zweiten Drittel des 19. Jahrhunderts, wurde der erbittertste Gegner des zweiten Teils und hat durch seinen bis ins hohe Alter mit neurotischer Beharrlichkeit fortgesetzten Kampf mit »diesem frostigen, allegorischen, didaktischen, totgeborenen Kinde einer welken Phantasie«[32] viele Zeitgenossen wie Mörike, G. Keller, C. F. Meyer u. a. maßgeblich beeinflußt und wesentlich dazu beigetragen, den Zugang zu diesem zentralen Alterswerk Goethes zu blockieren.[33] Er fand hierbei in Gervinus einen gewichtigen Bundesgenossen und in Lewes, den Verfasser einer lange Zeit einflußreichen Goethebiographie, einen willfährigen Popularisator.[34] Gegen diese Phalanx von meinungsbestimmenden Autoritäten war es schwer, ein positives Verständnis eines Werkes durchzusetzen, das dem Rezipienten kaum Möglichkeiten des Vergleichs und der Anknüpfung an Vorhandenes bot, so daß auch Rosenkranz schon 1833 feststellen zu müssen glaubte, »daß der zweite Teil des ›Faust‹ nie die Popularität des ersten erlangen, daß er nicht, wie dieser, die Nation entzücken, sie über sich selbst zum Bewußtsein bringen, fortbilden, sondern stets ein gewisses esoterisches

29 Friedrich Wilhelm Joseph Schelling, Schriften von 1801–1804. Darmstadt 1968. S. 560 = Schelling, Ausgewählte Werke.

30 Vorliegende Dokumentation S. 270 u. 294.

31 Ebenda S. 300.

32 Friedrich Theodor Vischer, Dr. Strauß und die Württemberger (1838). In: Vischer, Ausgewählte Werke. Bd. 3. Prosaschriften. Stuttgart und Berlin 1918. S. 172.

33 Vgl. Ernst Beutler, Der Kampf um die Faustdichtung. In: Beutler, Essays um Goethe. Bd. 1. Wiesbaden o. J. [1948], S. 365–386.

34 Vgl. Anmkg. 2.

Dasein haben werde.«[35] Rosenkranz' Versuch, die Einheit der Goetheschen Faustdichtung als konsequente Entwicklung von der Subjektivität zur Objektivität, vom Gefühl zur Reflexion, vom Symbol zur Allegorie darzustellen, ist zweifellos orientiert an der Entwicklungsgeschichte der Goetheschen Romane vom »Werther« bis zur 2. Fassung der »Wanderjahre«, wie sie Hotho zwei Jahre zuvor in den gleichen »Jahrbüchern« gegeben hatte.[36] Das strukturbestimmende Prinzip von »Faust II« ist für Rosenkranz nicht mehr die »in sich abgerundete Handlung«[37], sondern das unendliche Streben Fausts nach Selbstverwirklichung in der Idee der Freiheit. So ist er »für die Nation, ja für Europa der Repräsentant der weltumfassenden, selbstbewußten Innerlichkeit des Geistes geworden.«[38] Die Darstellung dieses, nach der Hegelschen Philosophie notwendigen Prozesses der auf Freiheit gerichteten Selbstbewegung der Idee in der allegorischen Bildlichkeit des Werkes muß nach Rosenkranz die Grenzen der klassichen Kunst und Ästhetik sprengen. Rosenkranz' indirekte Rechtfertigung der Allegorie, der Reflexion, der Didaxe, des Häßlichen und des grotesken Humors als Formen der dichterischen Darstellung in »Faust II« entspricht formal der Verteidigung der von dem Jungdeutschen Mundt als Grenzverletzung des Poetischen gerügten Einbeziehung der »ökonomischen, technischen und landwirtschaftlichen, haushälterischen und handwerkszünftigen Darstellungen« in den »Wanderjahren« durch den Hegelianer Hotho.[39] Die Möglichkeiten, die Hegel selbst in seiner »Ästhetik« für eine Kunstpraxis nach dem »Ende der Kunst« eröffnet hatte, werden von den Alt-Hegelianern Hotho und Rosenkranz genutzt zur ästhetischen Rechtfertigung einer nicht mehr klassischen, einer die Gesetze der klassischen Kunstperiode überschreitenden Kunstpraxis. Der politisch »progressivere« Junghegelianer Vischer dagegen argumentiert in seinem Kampf gegen das Spätwerk Goethes von der Grundlage der klassischen Ästhetik aus, die Goethe selbst in seiner Alterspraxis längst hinter sich gelassen hatte. Sein emphatischer Einspruch gegen das Allegorische, das Reflexive und Esoterische in »Faust II« ist der Einspruch des klassischen gegen den nachklassischen Goethe, ist die postume Restitution der Ästhetik der klassischen Kunstperiode. Gervinus hat dieses Verfahren zur Achse seiner Kanonisierung des klassischen Jahrzehnts als dem eigentlichen Gipfel der deutschen Literatur gemacht. Die Verbindung von fortschrittlichem politischen Bewußtsein und restaurativer Ästhetik hat auch in der Wirkungsgeschichte Goethes eine lange Tradition!

Daß sich gerade die Hegelianer, die in der Restaurationsepoche als Vertreter der offiziellen preußischen, staatserhaltenden Philosophie, einer den status quo verteidigenden Rechts- und Gesellschaftslehre galten, zum Anwalt Goethes, und zudem noch von dessen Spätwerk, machten, wurde für die junge oppositionelle Literatur ein wichtiges zusätzliches Motiv ihres Angriffs auf den Dichter und die gesamte Literatur der Kunstperiode. Schon Ludwig Börne hatte in seinem Sodener

35 Vorliegende Dokumentation S. 56.
36 Vgl. T. 4, Anmkg. 2.
37 Vorliegende Dokumentation S. 56.
38 Ebenda S. 68.
39 Vgl. Goethe im Urteil I, S. LXXIV.

Tagebuch 1830 Goethe den »gereimten« neben Hegel den »ungereimten« Knecht gestellt.[40] Der Junghegelianer und 48er Demokrat Karl Biedermann hat in seinem 1838 in den »Hallischen Jahrbüchern« erschienenen Aufsatz »Die junge Literatur und die Reform des Geschlechtsverhältnisses« die Gemeinsamkeit der Frontstellung der Autoren des Jungen Deutschland gegen Goethe *und* Hegel unvergleichlich genau formuliert. Nach Biedermann war die jungdeutsche Forderung nach Emanzipation der Sinnlichkeit und nach einem natürlichen, vom christlichen Spiritualismus sich befreienden Lebensgenuß bereits in Goethes und Hegels Rückgriff auf die Antike und die griechische Naturbetrachtung vorbereitet, ja verwirklicht worden, allerdings in der Form einer Integration dieses emanzipativen Moments in die Totalität und Objektivität einer Weltbetrachtung, die jeden einseitigen Anspruch einer sich absolut setzenden Subjektivität ausschloß. »So überwand Goethe die beschränkende Macht übergewaltiger sinnlicher Eindrücke oder Gefühlsregungen dadurch, daß er diese selbst nur als ein Moment seiner Lebensentfaltung, als ein Objekt künstlerischer Gestaltung behandelte und so seiner Totalbildung einordnete; und Hegel fand seine Hauptstärke in der dialektischen Würdigung geschichtlicher Entwickelungsphasen. Dieser Schein wahrhaft selbständigen Fortschritts, der in den Augen der Menge für Wesen galt, schützte sie vor dem Verdacht subjektiven Beliebens und abstrakt-formaler Beschränktheit; der gemessene, streng in sich gehaltene Gang ihrer Lebensanschauung gab dieser zugleich diejenige Sicherheit wieder, welche sie durch Lossagung von dem gewohnten Prinzipe des Spiritualismus leicht hätten verlieren können. Diese Gemessenheit aber und Strenge fand die junge Literatur unerträglich, pedantisch, aristokratisch; Goethes Kunstform widerte sie an; Hegels starre, die lustigen Sprünge genialer Individualität zügelnde Objektivität empörte sie. Daß beide das Absolute flüssig gemacht, den abstrakten Gott verlebendigt und verkörpert hatten, war wohl ganz gut; aber daß dieser lebendige Gott nun doch bloß in der Person des Geheimrats von Goethe oder des preußischen Hofphilosophen Hegel zur vollendeten Erscheinung gekommen sein sollte, und daß jede natürliche Lebensregung, die nicht in das System dieses oder in die ästhetische Anschauung jenes paßte, hier vornehm ignoriert, dort dialektisch vernichtet ward, das schien der neuen Schule ein Absolutismus nicht viel besserer Art.«[41] Die Hegelianer der Berliner »Jahrbücher« haben die Herausforderung der jungen Literatur, nicht ohne den Hochmut der akademisch Etablierten und Befugten, beantwortet mit dem Vorwurf der Frivolität, des gedanken- und haltlosen Dilettantismus und des franzosenfreundlichen Verrats an der deutschen Kultur und Literatur. Paradigmatisch für eine solche professorale Abfuhr eines in dieser Form in Deutschland ungewohnten Journalismus, der sich witzig und tabuverletzend in die Diskussion um die geheiligten Güter der Nation einzumischen begann, ist die große Rezension von Heines Schrift »Zur Geschichte der neueren schönen Literatur in Deutsch-

40 Goethe im Urteil I, S. 512.

41 Zitiert nach: Alfred Estermann (Hrsg.), Politische Avangarde 1830–1840. Eine Dokumentation zum »Jungen Deutschland«. Bd. 1. Frankfurt/M. 1972. S. 286 f.

land« durch Christian Hermann Weiße, die 1833 in den Berliner »Jahrbüchern« erschien.[42] Hier heißt es: »Ein geistreich desultorisches Hin- und Herreden über national-literarische Gegenstände, wie es in unsern Tagen von Hunderten versucht, und mit mehr oder minder Glück geleistet worden ist, kann man sich innerhalb der Grenzen der Literatur selbst, welche besprochen wird, gefallen lassen; es mag hier auf diesem Wege selbst manches Anregende und früher oder später Fruchtbringende zutage gefördert werden. Aber in die Geschichte dieser Literatur, in ihren Geist und ihre Tendenzen andere Nationen belehrend einzuführen, ist ein ernsthafteres Geschäft, und wir glauben nicht zu viel zu sagen, wenn wir behaupten, daß hier an jedem unnütz oder leichtfertig gesprochenen Worte die strengste Verantwortlichkeit haftet. Wie aber soll man den Charakter eines Schriftstellers bezeichnen, der, in der seligen Zuversicht, selbst einer der ersten seiner Nation zu sein, seit geraumer Zeit Überdruß an allem, was von diesem Volke ausging, und Verachtung gegen das Volk selbst in Wort und Tat laut vor sich tragend, jetzt vor das Ausland tritt, und in oberflächlich spirituellem, nur das Pikante suchendem und reich mit Persönlichkeiten aller Art durchzogenem, ja, wo es die Gelegenheit gibt, auch die skurrilsten Späße nicht verschmähendem Räsonnement über die Geschichte der Literatur seines Volkes berichtet.« Weißes Resumée über den Goethe-Abschnitt der Heineschen Schrift lautet: »Mit Ekel wenden wir uns von diesem Räsonnement weg, welches für sich allein wohl hinreichen möchte, den völligen Unberuf des Verfs. zum Geschichtsschreiber der Literatur zu erweisen.«[43]

Heinrich Heine und das Junge Deutschland

Ist die von Heinrich Heine entlehnte Bezeichnung Goetheaner für die Vertreter eines ästhetischen Ancien regimes unter der Autorität Goethes bereits eine höchst problematische Vereinfachung, so entpuppt sich der Begriff Goethe-Gegner, angewandt auf das erste Jahrzehnt nach Goethes Tod, bei genauerem Zusehen als eine bloß formale Kategorie, die inhaltlich Widersprüchlichstes, ja Gegensätzlichstes umfaßt. Es ist im Zusammenhang der antiautoritären Attacken auf Goethe und die deutsche Klassik in jüngster Zeit Mode geworden, jeder Opposition gegen Goethe fortschrittliches Bewußtsein zu vindizieren. Diesem Unfug ist nur durch eine genaue und differenzierende Auseinandersetzung mit den historischen Texten zu begegnen. Dabei läßt sich leicht zeigen, daß die liberale und die radikaldemokratische Goethekritik der 30er und 40er Jahre an keiner Stelle – vielleicht mit der einen Ausnahme Börnes – auf das platte Niveau einer mechanischen Konfrontation von progressiv contra reaktionär zurückfällt. Für die Beurteilung des vielschichtigen und widersprüchlichen Phänomens der Goetheopposition in der ersten Hälfte der 30er Jahre ist es wichtig, noch einmal auf ihre Vorgeschichte

42 Jg. 1833, Bd. 1, Nr. 97–99.
43 A. a. O. Sp. 772 f. u. 786.

zurückzublicken. Sie reicht, wie ich in der Einleitung zum ersten Band meiner Dokumentation zu zeigen versucht habe, in die Anfänge des Jahrhunderts zurück. Die Absage an die Schiller-Goethesche Kunstperiode, wie sie Friedrich und August Wilhelm Schlegel in den Jahren 1803 bis 1806 zuerst formuliert haben[44], bildete die Grundlage von Pustkuchens falschen »Wanderjahren« und Wolfgang Menzels Programmschrift »Die deutsche Literatur« von 1828. In diesen Zeugnissen dokumentiert sich der Protest der Romantik gegen Goethe, gestützt auf den Gewährsmann Novalis, dessen Goethe-Fragmenten bei Menzel eine zentrale Funktion zukommt. Theodor Mundt hat in seinem jungdeutschen Manifest »Ueber Bewegungsparteien in der Literatur« (T. 12) diesen Zusammenhang exakt beschrieben, und zwar in der Nachfolge Menzels, den er als den »erste[n] Vorkämpfer der neuen Bewegung, die unternommen wurde, um an alten hergebrachten Pedanterien des deutschen Wesens niederzureißen«[45] bezeichnet. Anders Heine. Er hatte schon früh erkannt, daß die Goethefeindschaft Menzels ein Trojanisches Pferd war, dem alsbald die »Narren« der Romantik entsteigen sollten, um ihr christlich-nationales Banner aufzupflanzen. Die vielerörterte Ambivalenz Heines dem Phänomen Goethe gegenüber, sein vermeintliches Schwanken zwischen einer politischen und einer ästhetizistischen Funktionsbestimmung von Kunst, ist wesentlich durch seine entschiedene Frontstellung gegen die pietistische (Pustkuchen) und die nationalistisch-burschenschaftliche (Menzel) Variante der zeitgenössischen Goethe-Opposition mitbestimmt, deren illegitimer Erbe Ludwig Börne für ihn wurde. Menzel ist auch nach Goethes Tod nicht müde geworden, den mit seiner Programmzeitschrift von 1828 spektakulär eröffneten Kampf gegen den Dichter fortzusetzen. Neben den Aufsätzen im »Literaturblatt« sind hier vor allem die Neubearbeitung seiner »Geschichte der Deutschen« (1834/35) und die wesentlich erweiterte zweite Auflage der »Deutschen Literatur« von 1836 zu nennen, in der die Goethe-Kritik gegenüber der ersten Auflage radikalisiert und um zahlreiche gehässige Pointen ergänzt wurde. Eine Art Zusammenfassung von Menzels Goethebild in dieser Zeit bietet der folgende Passus aus einer Besprechung von Lerminiers »Au-delà du Rhin«, die am 9. September 1835 im »Literaturblatt« erschien: »Goethe war eine Macht in Deutschland, eine dem äußern Feind in die Hände arbeitende, innere erschlaffende, auflösende Kraft, unser böser Genius, der uns mit einem phantastischen Egoismus, mit den Genüssen des Scheins und der Selbstvergötterung über den Verlust der Religion, des Vaterlandes und der Ehre täuschte, der da machte, daß wir uns wie der weichliche Narcissus im Quell bespiegelten, während man hinter uns Ketten und Dolche bereitete; mit einem Worte, der uns zu Schwächlingen machte, während wir des Heldenmutes am meisten bedurften: aus diesem Gesichtspunkte konnte Herr Lerminier unserem berühmten Goethe allerdings eine welthistorische Bedeutung zuerkennen.«[46] Die Rede von Goethes Egoismus, seinem genüßlichen Quietismus

44 Vgl. Goethe im Urteil I, S. LVI ff.
45 Vorliegende Dokumentation S. 95.
46 Zitiert nach: Walter Dietze, Junges Deutschland und deutsche Klassik. Zur Ästhetik und Literaturtheorie des Vormärz. Berlin (DDR) 1957. S. 27.

und seinem apolitischen Ästhetizismus war also besetzt; sie ungeschützt und undialektisch zu gebrauchen, hieß, sich die Prämissen, die ihr bei Menzel zugrunde lagen, zu eigen zu machen. Neben Heine ist es vor allem Karl Gutzkow gewesen, der diesen Zusammenhang erkannt und kritisch aufgebrochen hat. Er hatte sich als junger Kritiker und als Eleve Menzels kurz nach der Julirevolution an der Rebellion gegen den Geist der Restaurationszeit beteiligt, der auch für ihn der leblose Geist einer musealen Klassikerpflege gewesen war, gegen den er im Namen der Jugend protestierte: »Jene alte klassische Periode unsrer Literatur wurde statt fortgesetzt, angebetet. Man verwandelte ein Andenken, welches lebenskräftig auf den Nachwuchs der Nation wirken sollte, in Marmor; Goethe und Schiller wurden als Büsten ausgerufen, und eine Herrschaft begann, welche die demütigendste ist, die Herrschaft des Ruhms. Die Schulen unterwiesen uns in deutscher Literatur, sie erzählten uns von unsern Vätern wie von alten Helden, welche längst dem Plutarch anheim gefallen waren, alles wurde in eine nebelhafte mythische Ferne gerückt, und es blieb uns, der Jugend, der frischen, die alle Privilegien hatte, der Jugend voll Energie, Tatkraft, Prädestination, nichts zurück, als eine zitternde Andacht. Das haben wir alle erlebt. Die Restaurationsperiode überlieferte uns eine abgeschlossene Vergangenheit, einen Despotismus des Ruhms, eine Religion Schiller und Goethe. Die Anbetung brachte die Nachbetung, die Nachbetung die Mittelmäßigkeit, die Mittelmäßigkeit den Plunder«.[47] Im Unterschied zu den Jungdeutschen Mundt, Kühne und Laube, deren Goethe-Bild bis 1835 in den durch Menzel vorgegebenen Bahnen bleibt, gelingt es Gutzkow verhältnismäßig früh, »in der Auseinandersetzung mit den Anti-Goetheanern und der Goethe-Vergötterung eine Konzeption zu schaffen, die auf eigenen Füßen steht und mit möglichst objektiven Maßstäben zu arbeiten bemüht ist.«[48] Bestimmendes Vehikel dieser Selbständigkeit ist die Auseinandersetzung mit seinem einstigen Lehrer und Mentor Menzel. In seinem wichtigen Aufsatz »Wolfgang Menzel und der deutsche Tiersparti« im »Literatur-Blatt« zum »Phönix« vom 30. April 1835 macht Gutzkow das Goethe-Bild Menzels zum Kriterium seiner scharfen Polemik gegen den Tugendterror und den bornierten Patriotismus der durch ihn vertretenen Tiersparti. Menzels »Werther«-Deutung ist das Modell, anhand dessen Gutzkow seine Einwände formuliert. »Siehe, der Riese Menzel naht sich deinem Hofe, kratzt sich sauber den Kot von den Stiefeln draußen an der Tür ab, und tritt hinein, dich demütig grüßend und findet die großen Metallknöpfe deiner Weste schön, Werthers Leiden aber nennt er ein niederträchtiges Buch. Das ist ein arger Ausdruck! Das ist ein Wort, was die Diskussion aufhebt, und nur durch Pistolen rektifiziert werden kann. Warum ist Werther ein niederträchtiger Mensch? Weil er liebt? Weil er da liebt, wo keine Hoffnung ist? Weil er in Kleidern geht, wie sie 1770 Mode waren? Weil er die Residenz wegen ihres Übermutes und aus Verzweiflung, daß man in ihm den bürgerlich Gebornen verachtet, floh? Weil er sich

47 Phönix. Frühlings-Zeitung für Deutschland. Literatur-Blatt Nr. 1. 7. Januar 1835. S. 21.

48 Walter Dietze, Junges Deutschland und deutsche Klassik. A. a. O. S. 107.

nicht auf der Stelle totschießt? Oder weil er es überhaupt tut? Warum ist Werther ein niederträchtiger Mensch? Ich will es gleich sagen, weil er eine sanfte, weiche Seele ist, und im Jahre 1770 nicht hinging und beim Bundestag eine Petition wegen des 13ten Artikels einreichte.«[49] Gutzkow verallgemeinert diesen Einspruch, indem er ihn in eine zentrale Aussage über die Legitimität einer »Poesie der Schwäche« überführt, die ihre Bedeutung erst im Lichte der seit Pustkuchens falschen »Wanderjahren« geführten Diskussion über die schwächlich-weibischen Helden der Goetheschen Werke erfährt. »Das Poetische der Schwäche, die moralische Unentschlossenheit, die ganze weibliche Seite des menschlichen Geistes, die Goethe in so herrlichen Gedichten zur Anschauung gebracht hat, wird mit dem kurzen Ausdrucke Niederträchtig! angespien.«[50] Der Forderung Pustkuchens und Menzels nach einem »positiven Helden« steht Gutzkows Verteidigung der »Poesie der Schwäche« gegenüber. Friedrich Engels spätere rigide Polemik gegen den »schwärmerischen Tränensack« Werther[51] steht in einer Tradition und hat selber wiederum eine Tradition begründet, gegen die mit Gutzkow eine »Poesie der Schwäche« aufzubieten auch heute noch keineswegs an Aktualität verloren hat.

Im Kampf gegen die patriotisch-demagogische Goethe-Negation wußte sich Gutzkow mit Heine solidarisch: »Gegen diese Titanen im Schlafrock, diese patriotischen Pinsel, welche ihren Kindern z.B. die Lektüre Goethes verbieten, diese Bilderstürmer, welche mit dem Ruhm auch die Erinnerung zerschlagen wollen, hat niemand so vortrefflich debütiert als Heine in seinen Heften zur deutschen Literatur.«[52] Der Goethe-Abschnitt in Heines Schrift »Zur Geschichte der neueren schönen Literatur in Deutschland« von 1833 (T. 9), der mit nur wenigen Veränderungen in die »Romantische Schule« von 1836 übernommen wurde, ist nach Menzels »Die deutsche Literatur« (1828) die erste umfassendere, programmatische Auseinandersetzung der jungen Literatur mit dem Weimarer Dichter. Heines Abhandlung ist immer wieder, neben Ludolf Wienbargs »Ästhetischen Feldzügen«, als Manifest der jungdeutschen Ästhetik und ihrer Forderung nach Politisierung der Dichtung angesehen worden. Man hat sich dabei auf die Heinesche Kritik des Autonomieprinzips berufen, die den Angelpunkt seiner kritischen Einwände gegen Goethe und die ihm folgenden Goetheaner bildet. Unmißverständlich heißt es bei Heine, daß die Goetheschen Meisterwerke »unser teueres Vaterland wie schöne Statuen einen Garten zieren, aber es sind Statuen. Man kann sich darin verlieben, aber sie sind unfruchtbar: die Goetheschen Dichtungen bringen nicht die Tat hervor, wie die Schillerschen. Die Tat ist das Kind des Wortes, und die Goetheschen schönen Worte sind kinderlos. Das ist der Fluch alles dessen was bloß durch die Kunst entstanden ist.«[53] Der Bezug auf Schiller als das Gegenmodell zum Goetheschen Autonomieprinzip folgt der Tradition einer antithetischen Ge-

49 Phönix. Frühlings-Zeitung für Deutschland. Literatur-Blatt Nr. 17. 30. April 1835. S. 407.

50 Ebenda.

51 Vorliegende Dokumentation S. 300.

52 Literatur-Blatt vom 7. Januar 1835. A. a. O. S. 23.

53 Vorliegende Dokumentation S. 73.

genüberstellung beider Dichter, wie sie Pustkuchen begründet und wie sie Menzel bereits 1824 zur Achse seiner antigoetheanischen Argumentation gemacht hatte.[54] Heines Übereinstimmung mit diesem Deutungsschema, das bis zu Gervinus eine fast unbestrittene Geltung hatte, ist jedoch nur eine scheinbare. Ein Vergleich mit der starr antithetischen Konzeption des Verhältnisses zwischen Goethe und Schiller bei Menzel erst läßt den dialektischen Charakter der Auseinandersetzung bei Heine klar hervortreten. Während Goethe und die Goetheaner nach Heine »die Kunst als eine unabhängige zweite Welt« betrachten und von »jener ersten wirklichen Welt, welcher doch der Vorrang gebührt«, sich abwenden[55], hat nach ihm Schiller »sich jener ersten Welt viel bestimmter angeschlossen als Goethe, und wir müssen ihn in dieser Hinsicht loben. Ihn, den Friedrich Schiller, erfaßte lebendig der Geist seiner Zeit, er rang mit ihm, er ward von ihm bezwungen, er folgte ihm zum Kampfe, er trug sein Banner, und es war dasselbe Banner worunter man auch jenseits des Rheines so enthusiastisch stritt, und wofür wir noch immer bereit sind unser bestes Blut zu vergießen. Schiller schrieb für die großen Ideen der Revolution, er zerstörte die geistigen Bastillen, er baute an dem Tempel der Freiheit, und zwar an jenem ganz großen Tempel, der alle Nationen, gleich einer einzigen Brüdergemeinde, umschließen soll; er war Kosmopolit.«[56] Womit jedoch hat Schiller jene größere Nähe zur Wirklichkeit, jene Einbeziehung der Ideale der Zeit in seine Dichtung erkauft? Heine sagt es unmißverständlich in jenem Abschnitt, wo er gegen »die Geringschätzung Goethes zugunsten des Schiller« polemisiert und feststellt: »Oder wußte man wirklich nicht, daß jene hochgerühmten hochidealischen Gestalten, jene Altarbilder der Tugend und Sittlichkeit, die Schiller aufgestellt, weit leichter zu verfertigen waren als jene sündhaften, kleinweltlichen, befleckten Wesen, die uns Goethe in seinen Werken erblicken läßt?«[57] Mit unüberhörbarer Ironie und mit einer deutlichen Spitze gegen Menzels patriotisches Lob der Schillerschen »Altarbilder der Tugend und Sittlichkeit« hat es Heine hier formuliert: Was Schillers Kunst an politischer Aktualität und Zeitverbundenheit der Goetheschen voraus hat, ist erkauft durch einen Verrat an den unerbittlichen Forderungen des handwerklichen Gewissens und einer auf ästhetische Vollendung und Abrundung des Kunstwerks gerichteten Kunstauffassung, wie sie Goethe in seinen Propyläen-Aufsätzen entworfen hatte. In Heine hat diese klassische Ästhetik Goethes noch einmal ihren beredtesten Verteidiger gefunden. Wenn Heine fünf Jahre später in seinen Briefen »Über die französische Bühne« bei Gelegenheit der Besprechung der Dramen von Victor Hugo ein Bekenntnis »für die Autonomie der Kunst« ablegt, so wird man hier nicht unbedingt, wie Peter Uwe Hohendahl meint, »einen Umschwung in Heines ästhetischer Position ansetzen müssen.«[58] In den Angriffen auf Victor Hugo, so schreibt Heine 1837,

54 Vgl. dazu Menzels Aufsatz »Göthe und Schiller« von 1824. In: Goethe im Urteil I, T. 67.

55 Vorliegende Dokumentation S. 71.

56 Ebenda S. 71 f.

57 Ebenda S. 75.

58 Peter Uwe Hohendahl, Kunsturteil und Tagesbericht. Zur ästhetischen Theorie des

»begegnen wir denselben einseitigen Vorwürfen, die schon Goethe von unseren Frommen zu ertragen hatte, und wie dieser muß auch Victor Hugo die unpassende Anklage hören, daß er keine Begeisterung empfände für das Ideale, daß er ohne moralischen Halt, daß er ein kaltherziger Egoist sei usw. Dazu kommt eine falsche Kritik, welche das Beste, was wir an ihm loben müssen, sein Talent der sinnlichen Gestaltung, für einen Fehler erklärt, und sie sagen: es mangle seinen Schöpfungen die innerliche Poesie, la poésie intime, Umriß und Farbe seien ihm Hauptsache, er gäbe äußerlich faßbare Poesie, er sei materiell, kurz sie tadeln an ihm eben die löblichste Eigenschaft, seinen Sinn für das Plastische.«[59] Heines Berufung auf das Autonomieprinzip steht in beiden Fällen, in der Programmschrift von 1833 und in den Briefen »Über die französische Bühne« von 1837, in engstem Zusammenhang mit seinem Plädoyer eines sensuellen, plastischen Realismus der Darstellung, der zur idealistischen Forderung nach außerästhetischen Zwecken der Kunst in einen scheinbar unaufhebbaren Widerspruch gerät. Materialistische Darstellungspraxis ist für Heine an die strengsten Forderungen der »reinen«, autonomen Kunst geknüpft. In seiner Polemik gegen die politischen Vormärzlyriker hat er diese Grundüberzeugung noch einmal aktualisiert. Wiederum hat er sich dabei auf Goethe berufen.[60] Es hieße allerdings Heine gründlich mißzuverstehen, wollte man ihn deshalb zu einem verkappten Goetheaner oder gar zu einem Adepten der L'art-pour-l'art-Theorie machen. Es fällt vielmehr auf, daß sich in dem Maße, in dem Heine sein Insistieren auf der Freiheit der Kunst von jeglichen außerkünstlerischen Zwecken radikalisiert, wie in der »Lutetia«, die politische Schlagkraft und die handlungsorientierte Konkretheit seiner Dichtungen sich intensiviert. Artistik und politisches Engagement stehen bei Heine nicht in einem aporetischen Verhältnis zueinander, die Menzelsche Dichotomie zwischen Goethe und Schiller ist im Urteil Heines aufgehoben zur dialektischen Synthese, allerdings um den Preis der theoretischen Formalisierung beider Positionen. Das Orientierungsmodell Goethe–Schiller, das Heine in den frühen 30er Jahren zur Klärung seiner ästhetischen Position diente, ist zu diesem Zeitpunkt materialiter von seiner ästhetischen Praxis bereits längst überholt, die seit den »Reisebildern« eine Praxis jenseits der »Kunstperiode« war.[61] Heines theoretischer Rückgriff auf Goethe und Schiller geschah unter Ausklammerung des konkreten inhaltlich-politischen Anspruchs ihres Werkes, war ein wichtiger Schritt hin zur Ästhetisierung beider zum Synthesemodell einer mit der Praxis der Gegenwart nicht mehr zu vermittelnden »Klassik«, dessen Schöpfer Gervinus wurde.

späten Heine. In: Wolfgang Kuttenkeuler (Hrsg.), Heinrich Heine. Artistik und Engagement. Stuttgart 1977. S. 225.

59 Heinrich Heine, Sämtliche Schriften. Hg. von Klaus Briegleb. Bd. 5. Schriften 1831 bis 1837. München/Wien 1976. S. 317.

60 Vgl. Lutetia, Zweiter Teil, Kap. LV.

61 Vgl. Wolfgang Preisendanz, Der Funktionsübergang von Dichtung und Publizistik. In: Preisendanz, Heinrich Heine. Werkstrukturen und Epochenbezüge. München 1973. S. 21–68.

62 Vorliegende Dokumentation S. 88.

Das Goethebild des Cheftheoretikers des Jungen Deutschland, Ludolf Wienbarg, teilt mit Heine die Frontstellung gegen die radikale Goethe-Negation Menzels und Börnes, die ihr jungdeutsches Pendant in Gustav Kühnes programmatischer Rede »Wie die Kunst bei den Deutschen nach Brot geht!« (T. 15) gefunden hat. Auch bei Wienbarg steht neben der Apotheose Goethes als des »geistigen Befreiers der Deutschen«[62] das Verdikt, Goethe habe sich nach der Französischen Revolution mit den politischen und gesellschaftlichen Zuständen in Deutschland »redlich versöhnt«.[63] Im Unterschied zu Heine jedoch, der seine dialektische Haltung zu Goethe bereits in »Ideen. Das Buch Le Grand« bewußt verrätselt hat[64] und in den Schriften der 30er Jahre hinter Ironie versteckt, ist die antithetische Argumentation Wienbargs von griffiger Eindeutigkeit. Mit seiner Formel von Goethes »doppelten Charakter, als Servilen und Liberalen, als Großen und als Kleinen, als Genie und als Weltmann«[65] hat er in Friedrich Engels einen einflußreichen Nachfolger gefunden.[66] Nach Wienbarg ist es das größte Verdienst Goethes gewesen, die Forderung einer Verbindung von Kunst und Leben zum Leitfaden seiner dichterischen Praxis gemacht zu haben. »Diesen Goetheschen Grundsatz nennen wir das große Goethesche Samenkorn, ausgestreut in die Literaturen des neunzehnten Jahrhunderts, so lange kritisch-polemisch wuchernd, in liebender Sehnsucht keimend, in zürnender Ungeduld drängend, bis es herausschlägt an den hellen Tag und die Welt mit ungeahnter Schönheit überrascht.«[67] Die futurische Form der Wienbargschen Formulierung hebt ab auf das utopische Moment, das seiner Grundforderung einer Verbindung von Kunst und Leben inhärent ist. Kunst hat die Aufgabe, gegen die unpoetisch-prosaische Wirklichkeit zu protestieren mit dem Ziel, die Wirklichkeit selber zum Kunstwerk umzuschaffen. Nur der junge Goethe hat nach Wienbarg dieses Postulat in seinem Werk eingelöst, während der nachrevolutionäre Goethe den utopischen Anspruch zugunsten der Widerspiegelung tatsächlicher sozialer und gesellschaftlicher Verhältnisse zurückgenommen und damit die Poesie an das Leben verraten habe. Wiederum ist es, wie schon bei Menzel, die »Wilhelm-Meister«-Kritik von Novalis, die zur Stützung dieser These eingesetzt wird. »Goethe erniedrigt die Poesie«, schreibt Wienbarg in seinem Aufsatz »Goethe und die Weltliteratur«, »indem er sie zur Begleiterin der Trivialität machte. In diesem Verstand hatte Novalis recht zu äußern: man weiß nicht recht, wer sich mehr darüber zu beklagen, ob der Adel, daß er zur Poesie gerechnet wird, oder die Poesie, daß sie zum Adel gehören soll.«[68] Allerdings – und an dieser Stelle erreicht er das Niveau der Heineschen Auseinandersetzung – anerkennt und erkennt Wienbarg die innere Konsequenz

63 Ebenda.

64 Vgl. Goethe im Urteil I, S. LXXI f.

65 Vorliegende Dokumentation S. 89.

66 Ebenda S. 297 f.

67 Ludolf Wienbarg, Goethe und die Weltliteratur (1835). Zitiert nach: Wienbarg, Ästhetische Feldzüge. Textredaktion Jürgen Jahn. [Einleitung: Walter Dietze]. Berlin und Weimar 1964. S. 201.

68 Wienbarg, a. a. O. S. 204 f.

von Goethes realistischem Verfahren: »Hätte denn nicht aber Goethe mit viel leichterer Mühe der Poesie in Deutschland einen erhabenen Charakter andichten können, ihr Heldenliebhaber und fabelhafte Ideenprinzen andichten können? In diesem Fall, das muß man einräumen, wäre Goethe nicht Goethe geblieben, das Schicksal hätte sich an ihm vergriffen, als es seiner einzigen Naivetät den Wendepunkt einer Literaturepoche anvertraute, wir besäßen zwei Schiller statt einem.«[69] Gegenüber der Menzelschen und Börneschen Forderung des idealen, positiven Helden stellt Wienbarg fest: »Goethe dichtete keine Helden, keine großen Charaktere, er schilderte seine Zeitgenossen.«[70] Daß dieser Goethesche Realismus den Widerspruch von Kunst und Leben ungelöst läßt, ist nach Wienbarg die Grenze, die das Programm der jungen Literatur und die nachrevolutionäre Kunstpraxis Goethes trennt. »Die Poesie, die nur das Gestaltete liebt und aus diesem Gehalt und Stoff zu höheren Gestaltungen entlehnt, ist grenzenlos unglücklich und im Begriff, an sich selber zu verzweifeln.«[71] Das jungdeutsche Postulat einer Verbindung von Poesie und Leben ist an dieser Stelle noch weit vom Programm des poetischen Realismus entfernt.

Hatte der Hegelianer Hotho gerade die Versöhnung von Poesie und Prosa als die eigentliche Leistung des »Wilhelm-Meister«-Romans hervorgehoben und damit einem »realistischen« Goethe-Verständnis vorgearbeitet[72], so bleibt für die jungdeutsche Ästhetik die Kunst das regulative Prinzip einer Wirklichkeit, die erst als schöne Wirklichkeit wieder legitimer Gegenstand widerspiegelnder Nachahmung werden konnte. Dieses Insistieren auf dem Postulat einer »Poesie der ideellen Wahrheit und reellen Unwirklichkeit«, wie es, ähnlich wie bei Wienbarg, in dem programmatischen Abschnitt »Wahrheit und Wirklichkeit« von Gutzkows Roman »Wally, die Zweiflerin« heißt[73], mußte die jungdeutsche Literaturpraxis in einen unaufhebbaren Widerspruch zu den realen Bedingungen des nachrevolutionären Zeitalters bringen, das Hegel als den »prosaischen Weltzustand« beschrieben hatte. In ihm habe sich, so Hegel, die Kunst der prosaischen Objektivität des gewöhnlichen täglichen Lebens in seiner Veränderlichkeit und endlichen Vergänglichkeit zu stellen, wenn sie nicht Gefahr laufen wolle, in leerer Subjektivität und Reflexivität sich aufzulösen.[74] Von dieser Gefahr war die Literatur des Jungen Deutschland in besonderem Maße bedroht. In seinem Eröffnungsartikel zur ersten Nummer des »Literatur-Blatts« zum »Phönix« vom 7. Januar 1835 hat Karl Gutzkow sie ausgesprochen: »Es ist eine Literatur der Negation im Anzuge, welche *alles* zerbröckelnd und auseinander schälend, die Schranken der Objektivität niederreißen will, und *alles* auflöst in Reflexion. Das Urteil und die Meinung sind an die Stelle der Kunst getreten. Hier ist der Punkt, wo die jüngere Generation

69 Wienbarg, a. a. O. S. 205.
70 Wienbarg, a. a. O. S. 205.
71 Wienbarg, a. a. O. S. 201.
72 Vgl. Goethe im Urteil I, S. LXXIII f.
73 Gutzkows Werke. Hg. von Peter Müller. Bd. 2. Leipzig und Wien o. J. [1911]. S. 311.
74 Vgl. den Abschnitt »Die Auflösung der romantischen Kunstform« der »Vorlesungen über die Ästhetik«

die Fortführung unserer literarischen Interessen übernehmen wird. Bis hieher sind wir im Augenblick gekommen, bis zu dem Grundsatze: die kritische Periode ist vorüber.«[75] Integratives Moment der »kritischen Periode« war die polemische Negation Goethes gewesen. Jetzt habe die »junge Generation [...] die Aufgabe, positiv zu verfahren, selbst zu schaffen; zu lärmen und zu perhorreszieren würde ihr schlecht stehen.«[76] Gutzkows Abhandlung »Ueber Göthe im Wendepunkte zweier Jahrhunderte« (T. 16), nach dem Verbot des Jungen Deutschland durch den Beschluß des Bundestages vom 10. Dezember 1835 begonnen und während einer vierwöchigen Gefängnishaft des Autors im Januar/Februar 1836 vollendet, liest sich wie die Einlösung dieses Programms einer neuen, positiven Kritik. Sie ist der großangelegte Versuch, der künftigen Literatur ein tragfähiges Fundament zu geben im Rückgriff auf Goethe, der für den jungdeutschen Verfasser nun das alle Zeitgenossen überragende Paradigma für die problematische und widerspruchsvolle Situation der Literatur an der Wende vom 18. zum 19. Jahrhundert geworden ist. Gutzkows Schrift ist nicht nur Kritik der bisherigen Goethe-Kritik, sie ist in wesentlichen Punkten auch Revision und Zurücknahme eigener ästhetischer Positionen. Dem antirealistischen Programm der »Wally« wird jetzt der Konkretismus der Goetheschen Poesie gegenübergestellt, am Maßstab der Bestimmtheit und Individualität der Goetheschen Werke werden die Prävalenz des Allgemeinen und die Rhetorik der Tendenz in der Literatur der Gegenwart abgewertet. Goethe ist für Gutzkow der Dichter der Kategorie der Besonderheit. Seine Werke sind ein Korrektiv für eine Zeitliteratur der »Jahrhundertfragen«, die das Kainsmal der Abstraktheit und »Produktionsohnmacht«[77] trägt. Goethes Dichtung dagegen geht aus vom Haus und der Familie, der »stille[n] Sittlichkeit und Naivität der bescheidenen Existenz«, ja, »das Philisterhaftdeutsche ist der Leib, aus welchem die höhere Psyche der Goethischen Lebensanschauung emporsteigt.«[78] Zentrale Bedeutung erhält das Studium der Werke Goethes im Hinblick auf eine formelle Bändigung der Phantasie. In dem bereits erwähnten Aufsatz »Wahrheit und Wirklichkeit« aus der »Wally« hatte es geheißen: »Es ist wahr, die Dichter fangen an, auf immer luftigeren Bahnen zu wandeln: sie schaffen sich ihre eignen Welten mit Thronen, die ihre Phantasie erbaute, mit Richterstühlen, die ihre eigne Gesetzgebung haben, mit einem Gottesdienst, dessen Priester nur noch die kleine Gemeinde selbst ist. Es baut sich eine Wahrheit der Dichtung auf, der in den uns umgebenden Institutionen nichts entspricht, eine ideelle Opposition, ein dichterisches Gegenteil unsrer Zeit, das einen zweifachen Kampf wird zu bestehen haben, einen gegen die Wirklichkeit selbst als konstituierte Macht mit physischer Autorität, sodann einen gegen die Poesie der Wirklichkeit, welche so viel Dichter und so viel Kritiker für sich hat.«[79] Der schon hier leicht distanzierten und von Skepsis gebrochenen Bestandsaufnahme der modernen

75 S. 22.
76 S. 24.
77 Karl Gutzkow, Ueber Göthe im Wendepunkte zweier Jahrhunderte. Berlin 1836. S. 230.
78 Vorliegende Dokumentation S. 135.
79. Gutzkows Werke. A. a. O. Bd. 2. S. 310 f.

Literatur setzt die Goethe-Schrift von 1836 entgegen: »Durch Goethes Studium soll sich jede ausschweifende luxurierende Phantasie im Zügel ergriffen fühlen, und auf jene Bahn einlenken, wo selbst das Willkürlichste nicht ohne innere Formation ist, jenen Blumen gleich, welche der Frost auf Fensterscheiben zeichnet.«[80] Dieser Satz liest sich wie die Vorwegnahme der fundamentalen Erfahrung, die Gottfried Keller knapp zwanzig Jahre später den Helden seines »Grünen Heinrich« in der Begegnung mit Goethes Werken machen läßt. Eine ähnliche Antizipation einer neuen Etappe der Wirkungsgeschichte Goethes liegt vor, wenn Gutzkow das Naturhaft-Organische von Goethes empirischen Welt- und Wahrheitsverständnis hervorhebt und aus seinem »Egoismus der Gesundheit« ableitet. »Es wäre eine Aufgabe, die ein geistreicher Arzt noch zu lösen hätte«, heißt es in diesem Zusammenhang, »den Anteil zu bestimmen, welchen an der allmählichen Entwickelung des Geschichts- und Menschheitszweckes das Befinden des Körpers und der Seele hat.«[81] Carl Gustav Carus hat diese Aufgabe in seinem Goethebuch von 1843 als erster in Angriff genommen und Goethes »Gesundheit« zur Basis einer morphologischen Interpretation seiner Persönlichkeit und seiner Werke gemacht (T. 25). Hatte Heine dem Indifferentismus der naturhaft-pantheistischen Weltansicht Goethes noch die auf Geschichte fundierten Werke Schillers gegenübergestellt[82], so ist mit der einseitigen Pointierung Goethes als einem kritischen »Regulativ für jede zukünftige Schöpfung«[83] zugleich die Weiche für ein »konservatives« Goethebild gestellt, das Geschichte durch Natur, historische Veränderung durch Metamorphose ersetzt. Ein Jahr nach Gutzkows Schrift erscheint die Abhandlung »Göthe's naturwissenschaftliche Ansichten« des österreichischen Arztes Feuchtersleben (T. 19), in der das Gesetz der Metamorphose als Grundgesetz auch der dichterischen Werke Goethes in Anspruch genommen wird. Im Rahmen dieses Deutungsmodells ist jede politische Kritik am Dichter immunisiert. Metamorphosen können nur beschrieben, nicht aber in Frage gestellt werden.

Georg Gottfried Gervinus und das Synthesemodell der deutschen Klassik

War Gutzkows fast uneingeschränkt positives Goethebild in seiner Abhandlung von 1836 die Einlösung seiner kurz zuvor verkündeten These vom Ende der »kritischen Periode« der jungdeutschen Literatur, so markiert die im gleichen Jahr erschienene Schrift »Ueber den Göthischen Briefwechsel« von Georg Gottfried Gervinus den Beginn einer neuen Phase der Goethekritik, die von vielen Zeitgenossen als radikaler und den Nerv des Goetheschen Werkes empfindlicher treffend als die Goethe-Opposition der Jungdeutschen registriert wurde. Der Verfasser,

80 Gutzkow, Ueber Göthe im Wendepunkte zweier Jahrhunderte. A. a. O. S. 249.
81 Ebenda S. 187 f.
82 Vorliegende Dokumentation S. 72.
83 Ebenda S. 139.

der ein Jahr zuvor mit dem ersten Band seiner »Geschichte der poetischen National-Literatur der Deutschen« berechtigtes Aufsehen erregt hatte, definiert im Vorwort seine Position als eine, die sich in gleichem Maße gegen die »wunderliche Goethomanie unserer Tage« wie gegen den »Antigoethianismus« richte. Die Voraussetzung dieser Position eines archimedischen Punktes jenseits der Polarisierungen und Frontstellungen der Goetherezeption der 30er Jahre liegt in dem ersten Versuch einer radikalen Historisierung Goethes und Schillers als den Gipfel- und Endpunkten der deutschen Nationalliteratur, deren Geschichte Gervinus zu schreiben begonnen hatte mit dem Ziel, die Deutschen aus dem idealen Reich ästhetischer Kontemplation heraus und hin zur Wahrnehmung und Realisierung ihrer politischen Interessen durch die gesellschaftlich verändernde Tat zu führen. Im Unterschied zu Heinrich Heine, dessen Proklamation des Endes der »Kunstperiode« die produktive Auseinandersetzung mit ihr auf dem Wege der experimentellen Erprobung einer neuen, auf gesellschaftliche Veränderung gerichteten Kunstpraxis nicht ausschloß, ist Gervinus an der Aufrechterhaltung der dialektischen Kontinuität von »klassischer« und »moderner« Literatur nicht mehr interessiert, da Kunst und Literatur im Rahmen seines aktivistischen Programms einer politischen Neugestaltung der gesellschaftlichen Verhältnisse in Deutschland funktionslos geworden ist. Diese politisch motivierte Suspension des Ästhetischen zugunsten der Forderung des Tages, der klassischen Poesie der Deutschen eine klassische Politik folgen zu lassen, ist die Bedingung der erst durch Gervinus vollzogenen Kanonisierung Goethes und Schillers zum Dioskurenpaar einer deutschen Klassik. Dieses Hinaufkatapultieren beider in den Raum überzeitlicher, kanonischer, d. h. klassischer Geltung konnte erst in dem Augenblick erfolgen, wo ihr Anspruch auf wirkungsgeschichtliche Vermittlung mit der Gegenwart und – wie bei Gutzkow – der Zukunft grundsätzlich in Frage gestellt wurde. Wie aber verträgt sich diese Absolutsetzung Goethes und Schillers, wie sie die berühmte Einleitung zum ersten Band der »Geschichte der poetischen National-Literatur der Deutschen« von 1835 vollzieht[84], mit der z. T. unbarmherzig scharfen Kritik, die Gervinus vor allem an Goethe übt und die viele Goetheaner wie z. B. Varnhagen von Ense als den eigentlichen Beginn der »Verdunklung« von Goethes Ruhm empfanden?[85]

Gervinus' Schrift »Ueber den Göthischen Briefwechsel« greift noch einmal den seit Pustkuchen und Menzel zum zentralen Thema gewordenen Vergleich zwischen Goethe und Schiller auf und macht ihn zur Achse einer eindringlichen Analyse des Briefwechsels beider. Die antithetische Konzeption ihres Verhältnisses, in der bisherigen Wirkungsgeschichte in vielfältigen Varianten vorgebildet, wird bei Gervinus bis zum Extrem radikalisiert: »Nie hat die Welt vielleicht zwei so total und in aller Hinsicht verschiedene Menschen in so naher und in einer so

84 »Goethe und Schiller führten zu einem Kunstideal zurück, das seit den Griechen niemand mehr als geahnt hatte.« Georg Gottfried Gervinus, Schriften zur Literatur. Hg. von Gotthard Erler. Berlin (DDR) 1962. S. 155.

85 Vorliegende Dokumentation S. 350 f.

ganz eigentümlichen Verbindung gesehen.«[86] Das Neue des Ansatzes von Gervinus liegt weniger in seiner Charakteristik der gegensätzlichen Naturen beider Dichter – hier folgt er weithin der schon zum Klischee gewordenen Gegenüberstellung des Realisten und des Idealisten, des Dichters der Natur und des Dichters der Geschichte, des geborenen Lyrikers und des geborenen Dramatikers usw. – als in seiner Art der Zuordnung beider zueinander. Wennschon in der Schrift von 1836 noch eine deutlich spürbare Parteinahme für Schiller, den männlichen Dichter der Tat und der Geschichte, gegenüber Goethe, der »das handelnde Leben verachtet«[87], durchschlägt, so ist die Grundtendenz der Bewertung bereits hier auf die Synthese beider gerichtet, die nach Gervinus allererst den Anspruch auf Klassizität gibt. Der Abschnitt über die »Gemeinsame Tätigkeit« Schillers und Goethes im fünften Band seiner Literaturgeschichte (T. 23) hat diesen Aspekt stärker und ausgewogener als die noch stark polemische Frühschrift herausgearbeitet. Das Fazit der Analyse lautet hier: nur beide Dichter zusammen repräsentieren die Totalität künstlerischer und menschlicher Möglichkeiten. Gerade ihre Verschiedenheit als Typos drängt auf Vereinigung, die biographisch durch den einzigartigen Kairos ihres zehnjährigen Zusammenwirkens in Weimar gewissermaßen leibhafte Parusie für die Deutschen geworden ist. »Und so durchkreuzen sich die Linien des doppelseitigen Wesens in beiden so vielfach, daß sie uns gleichsam erst in dieser verschlungenen Gestalt ein gemeinsames Ganzes darstellen, an dem wir uns ungetrennt freuen und aufbauen sollen, wie es in der Absicht der Männer selber lag. Wer wollte zwischen beiden wählen! wer die Grundlehre beider, die wir so wiederholt, so nachdrücklich, wie sie sich in ihren Schriften selbst findet, auch in unserer Darstellung wieder und wieder bringen mußten, die Lehre von der vereinten totalen Menschennatur, so blind aus dem Auge lassen! wer möchte das *eine* als das Ausschließliche preisen, da sie selbst uns auf ein Drittes wiesen, das größer ist als beide!«[88] Diese Sätze könnte man als das Gründungsmanifest eines wirkungsgeschichtlichen Klassikbegriffs bezeichnen, auch wenn der Begriff von Gervinus selbst nicht gebracht wird. Mit seinem Synthesemodell hat Gervinus den Totalitätsanspruch der Weimarer Klassik begründet, die jede nur denkbare Möglichkeit künstlerischer Aussage umgreift und in der jede vorhandene und künftige Polarität künstlerischer Tätigkeit aufgehoben ist. Die gesamte nachklassische Produktion (auch und vor allem die Goethesche!) mußte demzufolge ein Abfall von diesem durch eine glückliche Konstellation einmal erreichten und musterhaft realisierten Ideal sein. Der Junghegelianer Friedrich Theodor Vischer hat sich dieser Auffassung angeschlossen und sie zur theoretischen Basis seiner Angriffe gegen die politische Vormärzdichtung gemacht.[89] In seinem Aufsatz »Noch ein Wort darüber, warum ich von der jetzigen Poesie nichts halte« von 1844 hat er

86 Gervinus, Ueber den Göthischen Briefwechsel. A. a. O. S. 56.

87 Ebenda S. 96.

88 Vorliegende Dokumentation S. 213 f.

89 Das läßt sich unschwer anhand seiner berühmten Herwegh-Kritik von 1843 nachweisen.

den Kern der Gervinusschen Klassikideologie hervorgehoben: »Den Mittelpunkt unserer letzten poetischen Blüte, das Verhältnis zwischen Schiller und Goethe, hat noch kein Historiker so festgestellt wie Gervinus. Es ist die *erste Kritik* dieser Dichter, welche in unserer Literatur zum Vorschein kam. Er zuerst hat gezeigt, daß Goethe den weniger großen Stoff, die subjektiven Kämpfe der Persönlichkeit, voller in poetische Form umsetzt; Schiller den größeren Stoff, die politischen Kämpfe des handelnden Willens, unvollkommener, und stets mit einem Bruche der Abstraktion zur poetischen Gestaltung bringt.«[90]

Die Reduktion einer deutschen Klassik auf das sog. »klassische Jahrzehnt« der Zusammenarbeit zwischen Goethe und Schiller bedeutete die isolierende und abgrenzende Hervorhebung dieser Schaffensperiode gegenüber dem Frühwerk und – im Falle Goethes – dem Spätwerk beider Dichter. Sie bedeutete zugleich die dem Zwang dieses Synthesemodells inhärente Stilisierung Goethes zum reinen, geschichtsfremden Dichter, dessen universelles Streben nach Überschreitung des Nur-Ästhetischen in seiner amtlichen Tätigkeit und in seinen naturwissenschaftlichen Forschungen von Gervinus bereits in der Schrift »Ueber den Göthischen Briefwechsel« beckmesserisch kritisiert wird.[91]

Das von Gervinus geschaffene Synthesemodell einer deutschen Klassik hat bis in die Gegenwart hinein eine folgenreiche Nachgeschichte gehabt. Noch 1964 heißt es bei Benno von Wiese: »Denn die Synthese der deutschen Klassik ruht auf dem tiefen Gegensatz dieser beiden Naturen [Goethes und Schillers] und seiner Überwindung. Solange uns überhaupt noch ›Synthese‹ von Widersprüchen aufgegeben ist, können wir die damals erreichte Leistung nicht entbehren.«[92] Früh jedoch auch ist dieser Syntheseformel widersprochen worden. So hat Vischer in unmittelbarer Anknüpfung und Weiterführung von Gervinus die Synthese Goethe–Schiller durch einen dritten Namen überboten, der als der wahre Klassiker die in Goethe und Schiller verkörperten Gegensätze in *einer* Person vereinigt und damit in idealer Weise geeignet sei, als Anknüpfungspunkt einer noch erst zu schaffenden politischen Dichtung der Deutschen zu fungieren: Shakespeare. In Vischers Aufsatz »Shakespeare in seinem Verhältnis zur deutschen Poesie, insbesondere zur politischen« von 1844 heißt es: »Goethe hat das Sein, aber der Wille als reine Selbstbestimmung fehlt. [...] Schiller hat den Willen, aber er kann ihn nicht mit dem Sein zusammenbringen, sondern es bleibt bei dem Sollen. [...] Shakespeare aber vereinigt, was Goethe hat, mit dem, was Schiller hat, und füllt aus, was dem letzteren fehlt. Man muß Goethe und Schiller nicht bloß miteinander vergleichen, sondern beide mit Shakespeare, wenn man sie richtig messen

90 Friedrich Theodor Vischer. Kritische Gänge, Zweite, vermehrte Auflage. Hg. von Robert Vischer. Bd. 2. Leipzig 1914. S. 146.

91 Vgl. dazu das Vorwort von Gotthard Erler zu der Ausgabe der »Schriften zur Literatur« von Gervinus. A. a. O. S. XL ff.

92 Benno von Wiese, Friedrich Schiller. Erbe und Aufgabe. Pfullingen 1964. Hier zitiert nach dem Wiederabdruck in: Schiller – Zeitgenosse aller Epochen. Dokumente zur Wirkungsgeschichte Schillers in Deutschland. Teil II: 1860–1966. Hrsg., eingel. und kommentiert von Norbert Oellers. München 1976. S. 450.

will.«[93] So hat auch Gervinus selbst mit seinem vierbändigen Werk über Shakespeare (1849/50) einen Kontrapunkt gesetzt zur Klassik Goethes und Schillers. Im Vorwort zum ersten Band heißt es über den englischen Dichter: »Selbst an unseren eigenen großen Dichtern, an unseren Goethe und Schiller, hat er uns zweifeln gemacht; es ist bekannt genug, daß in einer jungen Schule in Deutschland der messianische Glaube an die Zukunft eines zweiten, deutschen Shakespeare herrscht, der eine größere dramatische Kunst begründen werde als jene beiden.«[94] Die Einsetzung Shakespeares in den Rang eines mit Schiller und Goethe konkurrierenden, ja beide übertreffenden Klassikers ist ein wichtiges Moment der nach der gescheiterten Revolution von 1848 sich durchsetzenden realistischen Kunsttheorie. Neben Shakespeare standen für die Zeitgenossen noch andere Alternativen zur Hegemonie des Synthesemodells Goethe–Schiller zur Debatte. So schreibt Karl Gutzkow 1860 in seinem Aufsatz »Nur Schiller und Goethe?« (T. 49), daß diese beiden Dichter »zu sehr zwei Begriffe geworden [sind], die sich gegenseitig ergänzen und die volle, von allen Seiten mögliche Betrachtung der Literatur ausdrücken sollen. Diese Allheit bestreiten wir. ›Schiller und Goethe‹ drücken nicht das ganze Gebiet des dichterischen Schaffens aus, bezeichnen nicht die Bahnen, in denen allein die deutsche Literatur zu wandeln hat. Es gibt Notwendigkeiten im geschichtlichen Gang unserer Literatur, für welche sich *weder* bei Schiller *noch* bei Goethe der entsprechende Ausdruck findet.«[95] Gutzkow nennt als Alternative, um »aus dem Bann des Begriffs ›Schiller und Goethe‹ herauszukommen«, zwei Namen: Heinrich von Kleist und Jean Paul. Während er Kleist keine Chance einräumt, als Kontrapunkt zu Goethe und Schiller zu fungieren (hier hat ihn die weitere Wirkungsgeschichte gründlich widerlegt!), ist für ihn Jean Paul »in der Tat in gewissem Sinne mehr als Schiller und Goethe der Vater der ganzen neuern Literatur von Bedeutung geworden.«[96] Die Einsetzung Jean Pauls als dritte, die kanonische Geltung des Doppelgestirns der Weimarer Dioskuren relativierende Kraft hatte im Jahre 1860 bereits ihre eigene, genau beschreibbare Vorgeschichte. Sie beginnt mit Joseph Görres' großer Jean-Paul-Rezension in den »Heidelbergischen Jahrbüchern der Literatur« von 1811[97], dem bedeutendsten antiklassischen Manifest der Hochromantik, sie führt über Börnes »Denkrede auf Jean Paul« (1825) und Wolfgang Menzels Literaturgeschichte (1828) zu den Jugendaufsätzen von Georg Herwegh. Das wichtigste Dokument der Inthronisation Jean Pauls als dem eigentlichen Gegenpol zur Klassik Goethes und Schillers im 19. Jahrhundert ist das Buch von Karl Christian Planck »Jean Pauls Dichtung im Lichte

93 Vischer, Kritische Gänge. A. a. O. Bd. 2. S. 53. Zur rivalisierenden Gegenüberstellung von Shakespeare und Goethe vgl. vor allem Theodor Mundts Programmartikel »Ueber Bewegungsparteien in der Literatur«. Vorliegende Dokumentation S. 93. Vgl. bereits Goethe im Urteil I, T. 78b, Anmkg. 13.

94 Gervinus, Schriften zur Literatur. A. a. O. S. 407.

95 Vorliegende Dokumentation S. 464.

96 Ebenda S. 465.

97 Abgedruckt in: Oscar Fambach, Ein Jahrhundert deutscher Literaturkritik (1750–1850). Ein Lesebuch und Studienwerk. Band V. Der romantische Rückfall (1806–1815). Berlin (DDR) 1963. S. 650–686. Vgl. Goethe im Urteil I, S. LXI.

unserer nationalen Entwicklung« von 1868, in dem der Anwalt eines modernen prosaischen Realismus der verkümmerten deutschen bürgerlichen Verhältnisse, Jean Paul, gegen den Idealismus der Klassik ausgespielt und verteidigt wird. Diese Tradition läßt sich über weitere wichtige Zwischenglieder bis hin zu Martin Walsers Aufsatz »Goethe hat ein Programm, Jean Paul eine Existenz« von 1974[98] weiterverfolgen.

Klassik als Synthese von Polaritäten: dieses von Gervinus geschaffene Modell, das er an die Stelle der Alternativdiskussion Goethe oder Schiller gesetzt hat, wurde in den mit Diltheys Arbeiten eröffneten großen geistesgeschichtlichen Synthesen unter Aufhebung der restriktiven Beschränkung auf das klassische Dioskurenpaar erweitert zu dem, was Hermann August Korff später »Goethezeit« und Hermann Nohl »Deutsche Bewegung« genannt haben. In diesen großen Entwürfen wurde Klassik zu einem Systemzusammenhang, der in seinem Totalitätsanspruch auch jene Alternativen mitumgriff, die in der Folgezeit gegen die Festschreibung der Klassik auf das klassische Jahrzehnt des Zusammenwirkens von Goethe und Schiller geltend gemacht worden sind. Damit wurde zugleich die der Alternativdiskussion inhärente politische Antithetik entschärft zugunsten einer auf Harmonie abzielenden Konzeption. Daß auch der Erbe-Begriff der marxistischen Literaturwissenschaft in der DDR längst von einem restriktiven Klassik-Begriff abgerückt ist, zeigt die Definition von Klassik durch Helmut Holtzhauer, die in seinem Synthesemodell allerdings einen Autor wie Heinrich Heine miteinschließt, dem die bürgerliche Forschung den Titel »Klassiker« zumeist vorenthalten hat. Bei Holtzhauer heißt es: »Wir nennen den gesamten Zeitraum von Lessing bis Heine ›Epoche der klassischen deutschen Literatur‹, weil wir ihn [...] als Einheit betrachten, innerhalb derer für Kunst und Literatur die Aufnahme und Verarbeitung des humanistischen Gedankenguts, die hellenische, heidnische Sinnenfreude, die Wertschätzung des Wirklichen vor dem Eingebildeten, die Priorität des Lebens vor der Idee das Kennzeichnende ist. Wie abwegig muß es unter diesem Gesichtswinkel betrachtet anmuten, wenn der Begriff der Klassik auf das Jahrzehnt des Freundschaftsbundes zwischen Goethe und Schiller beschränkt wird und die Einheit der Epoche in eine Aufeinanderfolge von gegensätzlichen oder verwandten Erscheinungen wie Aufklärung, Sturm und Drang, Klassik, Romantik, Biedermeier, Vormärz usw. aufgelöst wird, so daß die kausalen Zusammenhänge verloren gehen und Wirkungen sowie Gegenwirkungen unverständlich bleiben!«[99]

Die »sozialistische« Goethe-Interpretation

Hatte Gervinus den Wirkungsanspruch Goethes für eine politische Neugestaltung der gesellschaftlichen Verhältnisse in Deutschland bestritten, so formuliert die

98 In: Literaturmagazin 2. Von Goethe lernen? Fragen der Klassikrezeption. Hg. von Hans Christoph Buch. Reinbek bei Hamburg 1974. S. 101–111.

99 Einleitung zu: Das Jahrhundert Goethes. Kunst, Wissenschaft, Technik und Ge-

»sozialistische« Goethedeutung die Gegenposition. Ihr zu Unrecht vielgeschmähter und vermutlich nur noch als Anlaß von Friedrich Engels berühmter Rezension bekannter Ahnherr ist der Sozialist und Linkshegelianer Karl Grün, dessen Buch »Ueber Göthe vom menschlichen Standpunkte« von 1846 (T. 29) den ersten Versuch darstellt, das Werk Goethes mit der Bewegung des Sozialismus zu vermitteln. In scharfer Frontstellung gegen kunstfeindliche Tendenzen im Frühsozialismus, wie sie vor allem im Babouvismus vertreten wurden, der auch für Heine die Folie seines die Kunst verteidigenden Einspruchs gegen den Kommunismus war [100], will Grün den Gegensatz zwischen Goethe und seinen politischen Gegnern in Deutschland überwinden helfen. Es geht ihm um die Versöhnung von Goethe und Börne, die Georg Herwegh schon Anfang der 40er Jahre als »die nächste Aufgabe, das nächste Ziel unserer Literatur« bezeichnet hatte.[101] Die Kunst war nach Grün bisher »des Menschen einziger, ehrlicher Tröster, sie hat einzig die Nacht der Geschichte mit freundlich lichten Bildern erhellt, mit Bildern, die keine Traum- und Trugbilder waren.«[102] Nur in der Kunst war der Vor-Schein eines humanen Lebens aufbewahrt, sie war »die eigentlich menschliche Sprache, die wahre Offenbarung des Menschentums«[103], die Realisierung dieser Offenbarung allerdings steht noch aus, da die Kunst sich idealistisch im »Kunsthimmel«[104] abgesondert hat und damit für die Gesellschaft abstrakt geblieben ist. Nach Grün ist jetzt der Zeitpunkt gekommen, den utopischen Vorlauf der Kunst durch ihre Realisation in der Wirklichkeit einzuholen, die Abstraktheit des bisherigen Verhältnisses von Kunst und Gesellschaft aufzuheben und die Welt selber zum Kunstwerk umzuschaffen. Es gilt, Goethe als die höchste Verkörperung der Kunst in Deutschland aus dem Kunsthimmel, in den die Goetheaner und Goethomanen ihn erhoben haben, auf die Erde zurückzuholen, ihn vom Kopf der Aristokratie auf die Füße des Proletariats zu stellen. Denn Goethe hat »in seiner ästhetischen Welt bereits die ganze Entwicklung antizipiert [...], welche eben jetzt am Gären und Keimen ist. [...] Goethe trifft erst mit der heutigen Bewegung zusammen. Der heutige Goethe – und das sind seine Werke – ist ein wahrer Koran des Menschentums, ein Kodex für die radikale Umgestaltung der Gesellschaft; Goethe ist so wenig veraltet, daß er vielmehr eben erst geboren wird.«[105] Die positive Bedeutung dieses Programms, einen Ausweg aus der nur affirmativen Goethe-Rezeption der Konservativen und der Goethe-Negation der Radikalen zu suchen mit der Forderung, die im schönen Schein der Kunst enthaltene Wahrheit des Goetheschen Werkes

schichte zwischen 1750 und 1850. Hg. von den Nationalen Forschungs- und Gedenkstätten der klassischen Literatur in Weimar. Berlin und Weimar o. J. [1967]. S. 9.

100 Vgl. Leo Kreutzer, Heine und der Kommunismus. Göttingen 1970.

101 Herwegh, Goethe, Börne Gutzkow. In: Die Waage. Blätter für Unterhaltung, Literatur und Kunst, Jg. 1841, Nr. 15. Hier zitiert nach: Georg Herwegh, Literatur und Politik. Hg. von Katharina Mommsen. Frankfurt am Main 1969. S. 121. = sammlung insel 37.

102 Karl Grün, Ueber Göthe vom menschlichen Standpunkte. Darmstadt 1846. S. VII.

103 Ebenda S. XV.

104 Ebenda S. 291.

105 Vorliegende Dokumentation S. 288.

in der Realität zu verwirklichen, wird auf dem Hintergrund der radikalen Trennung von Politik und Ästhetik bei Gervinus deutlich. Als verfehlt dagegen muß das Grünsche Verfahren bezeichnet werden, den vermeintlichen Sozialismus Goethes materialiter in seinem Leben und Werk selbst nachzuweisen. Dies führte zu so absurden Behauptungen wie der, daß Wilhelm Meister Kommunist sei[106] oder daß Goethe aus einer Arbeiterfamilie stamme.[107] Hier bot das Werk von Grün der Kritik mehr als eine offene Flanke. Friedrich Engels hat sie mit überlegener Schärfe genutzt. Seine Rezension (T. 30) muß in dem größeren Rahmen der Auseinandersetzung mit dem »wahren Sozialismus« gesehen werden, die ein wesentlicher Teil der Abgrenzungsstrategie gegenüber konkurrierenden Sozialismusmodellen war, die die polemische Publizistik von Marx und Engels in den 40er Jahren bestimmten.[108] Für Marx und Engels ist der »wahre Sozialismus« »weiter nichts als die Verklärung des proletarischen Kommunismus und der ihm mehr oder minder verwandten Parteien und Sekten Frankreichs und Englands im Himmel des deutschen Geistes und [...] des deutschen Gemütes.«[109] Der Hauptvorwurf, den die Verfasser der »Deutschen Ideologie« an die Adresse der »wahren Sozialisten« richten, ist, daß es ihnen »nicht mehr um die wirklichen Menschen, sondern um ›*den* Menschen‹ zu tun ist, [der] alle revolutionäre Leidenschaft verloren hat und an ihrer Stelle allgemeine Menschenliebe proklamiert.«[110] Damit sei der Klassenstandpunkt zugunsten eines abstrakten Humanitätsideals verlassen, das sich, so Marx und Engels, bei genauerem Zusehen als das Ideal des deutschen Kleinbürgers entpuppe. Das ist auch der Kern von Engels Rezension des Grünschen Goethebuches, der innerhalb der marxistischen Literaturwissenschaft bis heute kanonische Geltung für eine parteiliche Goethe-Interpretation zugesprochen wird. In ihrem Lichte erscheint das Buch von Grün für den marxistischen Literaturwissenschaftler Walter Dietze als der »erste Versuch einer Verfälschung Goethes«, wähend »alle vor seinem Buche erschienenen Schriften [...] mehr oder weniger ernsthafte und deshalb mehr oder weniger erfolgreiche Bemühungen [sind], sich über Goethe klar zu werden.«[111] Auch die spätere, in kritischer Nachfolge zu Karl Grün stehende »sozialistische« »Wilhelm-Meister«-Deutung[112] verfällt dem Verdikt des marxistischen Kritikers,[113] denn auch die

106 Grün, Ueber Göthe vom menschlichen Standpunkte. A. a. O. S. 254.

107 Ebenda S. 293.

108 In der großen Analyse von Grüns Werk »Die soziale Bewegung in Frankreich und Belgien« (1845) im zweiten Teil der »Deutschen Ideologie« wird der Autor in die Nähe »mit jungdeutschem Literatentum« gerückt. »Welch graziöser Mutwille! Welche schnippische Naivität! Welch heroisches Durchwühlen durch die Ästhetik! Welche Heinesche Noncholance und Genialität!« Karl Marx/Friedrich Engels, Werke Bd. 3. Berlin 1969. S. 475.

109 Karl Marx/Friedrich Engels, Werke. Bd. 3. Berlin 1969. S. 442.

110 Ebenda S. 442 f.

111 Dietze, Junges Deutschland und deutsche Klassik. A. a. O. S. 258.

112. Vgl. Pierre-Paul Sagave, »Les années de voyage de Wilhelm Meister« et la critique socialiste (1830–1848). In: Etudes Germaniques 8 (1953), S. 241–251.

113 Dietze, a. a. O. S. 349.

Arbeiten von Rosenkranz, Gregorovius und Hettner überschreiten an keiner Stelle die Grenzen eines bürgerlichen Humanismus.

Varnhagen von Ense ist der erste gewesen, der in der sozialen Thematik das prophetisch in die Zukunft Weisende von Goethes Altersroman erkannt hat.[114] In seinem 1832 im letzten Heft von »Kunst und Altertum« erschienenen Aufsatz »Im Sinne der Wanderer« (T. 4) heißt es, daß die »Wanderjahre« nicht mehr ein Spiel heiterer Willkür und einer selbstgenügsamen Einbildungskraft seien, sondern durch »den ganzen Ernst und die volle Schwere der Wirklichkeit«[115] ihr Gepräge erhalten hätten. Für Varnhagen sind die »Wanderjahre« »ein umfassendes Gebild neuer Lebensordnungen«, in ihnen sind »fruchtbare Keime für die *Zukunft* ausgestreut.«[116] Wennschon die Vokabeln »sozial« oder »sozialistisch« bei ihm noch nicht gebraucht werden, ist der Orientierungsrahmen seiner Betrachtungen das frühsozialistische Modell des Saint-Simonismus, der seit 1830 in Deutschland bekannt geworden war und großes publizistisches Echo gefunden hatte. Während bei den Jungdeutschen und bei Gervinus die »Wanderjahre« dem allgemeinen Verdikt über Goethes Alterswerke zum Opfer fielen, ist es wiederum ein Goetheaner, Karl Rosenkranz, gewesen, der in den 30er Jahren mit Nachdruck die epochale Bedeutung des Werkes in Erinnerung brachte. In seiner 1838 in den »Hallischen Jahrbüchern« erschienenen Abhandlung »Ludwig Tieck und die romantische Schule« heißt es, daß die »Wanderjahre« »über alles das, was unsere moderne Belletristik in Ansehung der Auffassung der sozialen Zustände produziert hat, weit hinaus sind.«[117] Goethe habe mit diesem Werk »in die *Zukunft* zu dringen« gesucht »und ein *positives Bild neuer Zustände* entworfen.«[118] In seiner großen Goethemonographie von 1847 hat Rosenkranz eine ausführliche Interpretation der Goetheschen »Socialromane«, wie er sie nennt, gegeben.[119] Die Bezeichnung »sozial« wird bei Rosenkranz noch ausdrücklich auf das Bedeutungsfeld »Geselligkeit und Gesellschaftlichkeit«[120] eingeschränkt. In diesem Sinne hatte sich das Wort in den 40er Jahren zur Kennzeichnung des am Modell des französischen Romans, speziell der Werke von George Sand, orientierten Gesellschaftsromans durchgesetzt, so etwa in Ludwig Meyers Aufsatz »Der sociale Roman« von 1844.[121] Die Ersetzung von »sozial« durch »sozialistisch« im Titel des Buches des Rosenkranz-Schülers Ferdinand Gregorovius »Göthe's Wilhelm Meister in seinen socialistischen Elementen entwickelt« von 1849 (T. 34), hat programmatische Funk-

114 Vgl. Klaus F. Gille, »Wilhelm Meister« im Urteil der Zeitgenossen. Ein Beitrag zur Wirkungsgeschichte Goethes. Assen 1971. S. 306–312.

115 Vorliegende Dokumentation S. 31.

116 Ebenda S. 30.

117 Vgl. T. 41, Anmkg. 3. Vorliegender Band S. 553.

118 Ebenda.

119 Karl Rosenkranz, Göthe und seine Werke. Zweite verbesserte und vermehrte Auflage. Königsberg 1856. S. 351–396.

120 Ebenda S. 353.

121 Wigand's Vierteljahrsschrift, Bd. 1, Leipzig 1844, S. 132–163. Auszug in: Hartmut Steinicke, Romantheorie und Romankritik in Deutschland. Band II. Quellen. Stuttgart 1976. S. 173–177,

tion. So lautet der erste Satz des »Vorworts«: »Das vorliegende Buch über Goethes Wilhelm Meister ist durch die Bewegung hervorgerufen worden, welche seit einem Jahrzehnt unsre Literatur vielseitig nach dem Sozialismus hindrängt.«[122] Der Staatsrechtler und Nationalökonom Lorenz von Stein hatte mit seinem 1842 erschienenen Buch »Der Sozialismus und Kommunismus des heutigen Frankreichs« die Auseinandersetzung mit den Theorien der Frühsozialisten für die bürgerliche Öffentlichkeit in Deutschland eröffnet. Im Lichte dieser Diskussion hat Gregorovius den »Wilhelm-Meister«-Roman neu entdeckt. Diese Entdeckung war zugleich scharfer Widerspruch gegen die herrschende Goethe-Kritik, vor allem gegen Gervinus, der die politisch-soziale Relevanz einer Beschäftigung mit den klassischen Autoren bestritten hatte. »Die Literatur der neuesten Zeit hat daher im Angesichte des französischen Sozialismus in ihren eigenen Schatzkammern erst nachforschen müssen, und man darf es sagen, an Goethes Wilhelm Meister nun erst eine neue Entdeckung gemacht. Daß Wilhelm Meister seiner innersten Natur nach eine soziale Dichtung sei, hat die deutsche Wissenschaft vor zehn Jahren erst bescheidentlich angedeutet, dann entschiedener ausgesprochen und, man wird es einst schwer begreiflich finden, gegen die härtesten Angriffe der *herrschenden* Kritik erkämpfen müssen.«[123] Für Gregorovius bilden die »Wanderjahre« mit ihrer Einbeziehung sozialer und gesellschaftlicher Themen, vor allem aber durch die Gestaltung der Arbeit und der Arbeitswelt, den »direkte[n] Gegensatz zum Hellenismus«, für den der »Kultus der Schönheit« charakteristisch sei.[124] Mit dieser Parteinahme für ein gegenklassisches Werk setzt sich Gregorovius in schroffe Opposition zu Gervinus und zu dessen Klassikmodell, das den Gipfelpunkt der deutschen Literatur auf das »klassische Jahrzehnt« des Zusammenwirkens von Goethe und Schiller festgeschrieben hatte.

Der Tradition der »sozialistischen« »Meister«-Interpretation vor allem ist es zu danken, daß der Gegenstandsbereich Arbeit und Arbeitswelt in der literarischen Kritik des 19. Jahrhunderts ein Diskussionsforum erhalten hat. Zugleich jedoch wird an diesen Texten die Richtung deutlich, in die diese Diskussion durch den Rückgriff auf Goethes Altersroman gelenkt worden ist. Die Einsetzung der Arbeit und des Arbeiters als legitimer Gegenstände des nachklassischen Sozialromans bei Goethe wird von Gregorovius nicht in verfälschend aktualisierender Weise als Emanzipation des Proletariats als Klasse oder als realistische Beschreibung von Entfremdungs- und Verdinglichungsphänomenen im Sinne von Marx und Engels gedeutet. Nach Gregorovius hat Goethe vielmehr die Arbeit in den »Wanderjahren« zum eigentlichen Vehikel der Überwindung der Klassengegensätze gemacht, durch sie sei das »traurige Los des Proletariats« zur »schönen Menschlichkeit« poetisch verklärt worden, in der Gestalt des Lastträgers Sankt Christoph sei es zur »Legende geheiligt und idealisiert.«[125] Die apologetische Funktion dieser ver-

122 Ferdinand Gregorovius, Göthe's Wilhelm Meister in seinen socialistischen Elementen entwickelt. Königsberg 1849. S. III.

123 Ebenda.

124 Vorliegende Dokumentation S. 323.

125 Ebenda S. 324.

meintlich »sozialistischen« »Wanderjahre«-Deutung gegenüber einem revolutionären Sozialismus wird hier schlagend deutlich. Die vor allem auf Fourier und Cabet gestützte These von der weltbefreienden und welterlösenden Macht der Arbeit konnte denn auch unverändert von Alexander Jung in seine »Wanderjahre«-Analyse übernommen werden (T. 44), die sich offen gegen den Sozialismus erklärt und dem »gefährliche[n] und fanatische[n] Losungswort: Freiheit und Gleichheit« das neue, nachrevolutionäre Losungswort »Zucht und Ehrfurcht vor dem Gesetz« entgegenstellt.[126] Dem »Nivellement« des Sozialismus setzt Jung im Einklang mit dem Liberalismus die »Würde des Individuums« entgegen. Ein Jahr nach Jungs Buch erscheint Gustav Freytags Roman »Soll und Haben«, das Manifest des gegenrevolutionären liberalen Bürgertums in der zweiten Hälfte des 19. Jahrhunderts, ein Roman, der nach dem Motto von Julian Schmidt das »deutsche Volk da suchen [soll], wo es in seiner Tüchtigkeit zu finden ist, nämlich bei seiner Arbeit.« Wenn Gregorovius trotz seines progressiven Anspruchs Schrittmacher eines antisozialistischen Gesellschaftsentwurfs werden sollte, so wird man seiner »Wanderjahre«-Deutung jedenfalls nicht den Vorwurf machen dürfen, den man Karl Grün nicht ersparen kann, sie hätte das Werk in Anpassung an den Zeitgeist verfälschend aktualisiert. Erst die blicköffnende und erkenntnisschärfende Perspektive der französischen Frühsozialisten hat Gregorovius befähigt, eine mit den Gegenwartsinteressen vermittelte Gesamtdeutung des »Wilhelm-Meister«-Romans zu geben und mit ihr einen wichtigen Kontrapunkt zu setzen gegen die einseitige Fixierung Goethes als des zeitentrückten ästhetisierenden Klassikers des durch Gervinus kanonisierenden Jahrzehnts von 1795 bis 1805. Was die »Wanderjahre« selbst betrifft und ihre Inanspruchnahme für den »Sozialismus«, so ist sicherlich dem Urteil von Klaus F. Gille zuzustimmen, wenn er schreibt: »Von den ›Wanderjahren‹ aus gesehen, muß die Frage nach Goethes ›Sozialismus‹ negativ beantwortet werden. Der Feudalismus soll nicht abgeschafft, sondern von oben her reformiert werden. Der Auswandererbund bewahrt die ständische Scheidung wie selbstverständlich: Die Kommandogewalt liegt beim Kapital, von demokratischer Repräsentation der Mitglieder ist keine Rede, die Polizei (Exekutive) ist autonom, die Religionsfreiheit problematisch. Im ganzen gleichen Goethes Staatsprojekte mehr einem agrarisch-handwerklich fundierten, kameralistischen Wohlfahrtsstaat des achtzehnten als einem verfassungsmäßigen Industriestaat des neunzehnten Jahrhunderts.«[127]

Der repräsentative Goetheverehrer: Carl Gustav Carus

Wurde für Friedrich Engels der Versuch einer »Rettung« Goethes für den Sozialismus, wie ihn Karl Grün unternommen hatte, immerhin zum Anlaß eines energischen Einspruchs, so war ein solches Unternehmen für den Goetheverehrer Carl

126 Vorliegende Dokumentation S. 418.
127 Gille, a. a. O. S. 312.

Gustav Carus allenfalls eine Kuriosität, mit der ernsthaft sich auseinanderzusetzen einer Zumutung gleichgekommen wäre. In seinen »Lebenserinnerungen und Denkwürdigkeiten« registriert Carus seit der Mitte der 40er Jahre eine erfreuliche Zunahme von Goethe-Schriften, wobei er vor allem an die jetzt einsetzende Flut von Quellenpublikationen, vor allem der zahlreichen Briefwechsel des Dichters, denkt. »Selbst ein Brief von Friederike von Sesenheim wurde jetzt noch bekannt«, heißt es hier, »und versetzte ganz in die erste idyllische Periode des Dichters.« Und dann fährt Carus, in vermutlich ungewollter Kontrapunktik zum Entzücken über das aufgetauchte Dokument, das die Euphorie einer erst jetzt einsetzenden sammelgierigen Goethephilologie vorausblickend beleuchtet, fort: »Das kurioseste Buch aber brachte jedenfalls ein junger Mann, Karl Grün, und zwar aus Paris! Dem Verfasser fehlte es nicht an glühender Liebe für den Dichterfürsten, aber tollerweise stellte er ihn jetzt so ziemlich an die Spitze des Kommunismus und mißverstand ihn natürlich in den meisten Beziehungen vollkommen.«[128] Auf Carus trifft jene Selbstcharakteristik zu, wie sie David Friedrich Strauß in einem Brief an seinen Freund Vischer im Jahre 1848 gegeben hat: »Einer Natur wie der meinigen war es unter dem alten Polizeistaat viel wohler als jetzt, wo man doch Ruhe auf den Straßen hatte und einem keine aufgeregten Menschen, keine neumodischen Schlapphüte und Bärte begegneten. Man konnte in Gesellschaft noch ein Wort von Literatur und Kunst [...] sprechen. [...] Ich lerne mich in diesen Tagen deutlicher als jemals dahin kennen, daß ich ein Epigone der Individualbildung bin, deren Typus Goethe bezeichnet und aus diesen Schranken weder heraus kann noch will. Gegen diesen Ausguß des Geistes auf Knechte und Mägde gegen diese jetzige Weisheit auf allen Gassen, kann ich mich nur schneidend ironisch, schnöde verachtend verhalten. Odi profanum vulgus et arceo ist und bleibt mein Wahlspruch.«[129] Es ist kein Zufall, daß von den frühen Goethe-Schriften nur die von Carus eine aktualisierende Nachgeschichte gehabt hat. Allein im Jubiläumsjahr 1949 erschienen vier konkurrierende Ausgaben![130] Der Rückgriff auf Carus nach 1945, vorbereitet durch die Carus-Renaissance im Kreise von Ludwig Klages und seiner Schüler, entsprach in idealer Weise einem entpolitisierten, organologisch-biologistischen Dichtungsverständnis, wie es die gleichzeitige morphologische Literaturwissenschaft eines Günther Müller und Horst Oppel mit großer Breitenwirkung in die 50er Jahre hinein propagierte. Die Authentizität von Carus' Goethebild schien gesichert durch die Tatsache, daß der billigende Blick des Meisters auf den wissenschaftlichen Werken des jungen Gynokologen und vergleichenden Anatom geruht hatte, seine Objektivität durch die von keinem Parteiinteresse getrübte, dem gegenständlichen Denken Goethes verwandte morphologische Schau. »Ich habe ihn zu schildern versucht«, heißt es

128 Carl Gustav Carus, Lebenserinnerungen und Denkwürdigkeiten. Nach der zweibändigen Originalausgabe von 1865/66 neu herausgegeben von Elmar Jansen. Zweiter Band. Weimar 1966. S. 143.

129 Brief vom 13. 4. 1848. In: Briefwechsel zwischen Strauß und Vischer. In zwei Bänden hg. von Adolf Rapp. Bd. 1. Stuttgart 1952. S. 213.

130 Vgl. Hans Pyritz, Goethe-Bibliographie Nr. 2133.

bei Carus, »wie ich als Naturforscher gewohnt bin, irgend ein bedeutendes organisches Wesen – eine Pflanze, eine Palme, einen Adler, einen Löwen – zu betrachten und schildernd darzustellen.«[131] Dieser scheinbar überparteilich-sachorientierte Blick des Naturwissenschaftlers auf seinen Gegenstand mußte nach 1945 einem Verständnis von Literatur entgegenkommen, das diese aus dem pervertierten Raum der Geschichte herausnehmen und ins zeitlos Übergeschichtliche stellen wollte. Der Versuch von Carus, mit Hilfe der morphologischen Gestaltschau ein jenseits der Parteiungen stehendes Bild Goethes und seines zeitlosen Werkes zu geben, enthüllt sich bei genauerem Zusehen als durchaus zeitgebunden und auf politische Wirkung in der Zeit abzielend. Das von ihm unter Berufung auf die Berichte von Goethes Ärzten Hufeland und Vogel entworfene Bild des Dichters als der schönen, einzigartigen und in sich stimmigen Individualität, als deren Basis er eine »vollkommene Gesundheit«[132] bezeichnet, ist eine Konstruktion, entworfen am Reißbrett seiner Polemik gegen die moderne, nachgoethesche Epoche, die er – in auffälliger Übereinstimmung mit Heine – als eine von Krankheit, Zerrissenheit und biologischer Dekadenz bedrohte charakterisiert. Sein Kult der Individualität trägt offen antidemokratische Züge. Nicht zufällig lautet der Titel seiner Denkschrift zum hundertjährigen Geburtsfeste Goethes: »Über ungleiche Befähigung der verschiedenen Menschheitsstämme für höhere geistige Entwicklung«.[133] Wenn Carus die »organische Notwendigkeit« des Schaffensprozesses bei Goethe betont, der »frei von allen Rücksichten auf Äußerliches, Weltliches, Zeitliches« geblieben sei[134], so ist dies ein Gegenbild zur restlosen Vermarktung der Kunst in der Gegenwart, unter deren Diktat stehend er die moderne Literatur sieht: »Wahrhaftig! sollte man heraussuchen aus der ganzen Flut eines Dezennium, was frei und rein bloß um sein selbst willen und abgesehen von allem äußern Vorteil und Gewinn ans Licht tritt, die Zahlen würden ausnehmend zusammenschmelzen!«[135] Als Gegenentwurf zur kranken und von Dekadenz bedrohten Gegenwart erhält das Goethebild bei Carus mythische Züge. Dieses Bild zum Kolossalgemälde einer zeitentrückten Olympiergestalt auszuformen, war allerdings erst einer späteren Zeit vorbehalten. Carus blieb vor dieser Versuchung bewahrt durch einen ausgeprägten psychologischen Realismus, der seine noch ganz der romantischen Kunstphilosophie verpflichteten ästhetischen Verallgemeinerungen mit scharfsinnigen und treffenden Detailbeobachtungen überlagert. Hier ist er den meisten zeitgenössischen Goetheinterpreten überlegen, so etwa in der äußerst differenzierten Analyse des Verhältnisses Goethes zu Schiller, die vom Schematismus der Gervinusschen Textkollage gleich weit entfernt ist wie vom Heroenkitsch wilhelminischer Klassikverehrung.

In einem früheren Zusammenhang haben wir bereits darauf hingewiesen, daß eine morphologische Betrachtungsweise Kritik am analysierten Gegenstand weit-

131 Carus, Göthe. Zu dessen näherem Verständniß. A. a. O. S. 148.
132 Vorliegende Dokumentation S. 241.
133 Leipzig 1849.
134 Carus, Göthe. Zu dessen näherem Verständniß. A. o. O. S. 160.
135 Ebenda.

gehend ausschließt, da naturgesetzliche Werdeprozesse nur verstehend nachvollzogen, nicht aber kritisiert werden können. Der Maßstab und das Kriterium der Carusschen Goetheanalyse ist Goethe selbst, jeder Außenstandpunkt muß diesem methodischen Ansatz zufolge zu Verzerrungen und ungerechtfertigten Eingriffen führen. Von anderen Voraussetzungen herkommend, gelangt der junge Theodor Wilhelm Danzel in seiner im gleichen Jahr wie die Carussche Goethedarstellung erschienenen Schrift »Ueber Goethe's Spinozismus. Ein Beitrag zur tiefern Würdigung des Dichters und Forschers« zu der gleichen Feststellung. Bei Danzel heißt es in Bezug auf Goethe: »Dagegen kann ein bedeutendes Individuum nur nach eigenem Maß gemessen werden; es wird wegen dessen geschätzt, was es geleistet hat; wer darf daneben nach dem fragen, was es hätte leisten können, wenn es ein anderes gewesen wäre.«[136] Es ist kein Zufall, daß bei beiden Autoren, bei denen sich der Funktionswechsel von der Goethe-Kritik zum Goethe-Verstehen ankündigt, ein Phänomen zum erstenmal eine positive Würdigung erfährt, das in der politischen Goethe-Rezeption Angelpunkt der Kritik gewesen war: Goethes Begriff der Entsagung. Die in der kritischen Auseinandersetzung mit Goethe leitmotivisch wiederkehrende Interpretation dieses Begriffs als Ausdruck von Goethes politischem Quietismus, seiner Flucht ins Private und seiner Resignation den geschichtlichen Ereignissen der nachrevolutionären Epoche gegenüber, wird bei Carus und Danzel ins Positive gewendet. Ist bei Carus die Goethesche Entsagung die »edle und freiwillige Selbstbeschränkung«[137], die sich das Individuum zur Erlangung des ihm werdegesetzlich eigenen Telos auferlegen muß, so leitet Danzel den Begriff aus Goethes Verhältnis zu Spinoza ab. Entsagung oder Resignation ist für ihn die Negation des Negativen als der inhaltlosen Endlichkeit, sie ist identisch mit »aller wahren Theorie«[138], die zur Grundlage von Goethes anschauender Erkenntnis der Objektivität der Wirklichkeit geworden ist, die ihn von allem »befriedigungslosen Sehnen und Streben« erlöst und ihn befähigt habe, »das Dasein in seiner Fülle als ein *präsentes* zu ergreifen.«[139] Mit seiner Goethedeutung im Lichte des Spinozismus ist Danzel der Vorläufer Wilhelm Diltheys geworden. Die Suspension der Kritik zugunsten des Verstehens, die Carus und Danzel mit ihren Goetheschriften eingeleitet haben, ist für den jungen Dilthey bereits zu einer Selbstverständlichkeit geworden. »Den Entwicklungsgang einer großen Individualität der Kritik zu unterwerfen«, heißt es bei ihm 1861 in Auseinandersetzung mit Adolf Schölls Vortrag »Goethe als Staatsmann« (vgl. T. 51), »überschreitet überall die Grenzen unseres historischen Wissens.«[140]

Mit werbendem Enthusiasmus hat Carus in seinem Goethebuch noch einmal den Wert der liebenden Hingabe an eine große schöpferische Individualität, wie

136 Theodor Wilhelm Danzel, Zur Literatur und Philosophie der Goethezeit. Gesammelte Aufsätze zur Literaturwissenschaft. Neu hg. von Hans Mayer. Stuttgart 1962. S. 58.

137 Carus, a. a. O. S. 128.

138 Danzel, a. a. O. S. 60.

139 Ebenda S. 75.

140 Preußische Zeitung Nr. 129 vom 17. 3. 1861. Auch: Dilthey, Gesammelte Schriften XVI, S. 46.

die Goethes, beschworen. »Wer fähig ist, in die Betrachtung der Natur oder in die eines einzelnen mächtigen Genius sich so zu versenken, daß er das wahrhaft erfahren kann, was wir oben das ›Außersichsein‹ nannten und als die eigentümliche Seelen-Entwicklung der Liebe bezeichneten, wie kann dem das triviale Getriebe des täglichen Lebens, wie können ihm vereitelte Hoffnungen, entwichene Neigung, Widerwärtigkeit der Verhältnisse an seinem bessern Selbst schaden, wie können sie ihm die Freude am Leben verleiden! – Das Glück der Begeisterung, das Außersichsein, legt sich wie die schirmende Ägis der Minerva über ihn und gibt ihm eine Weihe, ein inneres Genügen und eine irdische Seligkeit, die ihm oft genug beneidet werden würde, wenn die in das Treiben des Tages versunkenen Menschen fähig wären, sie zu verstehen.«[141] Goethekult als säkularisierte religiöse Extasis, als Überwindung der Widerwärtigkeit der Verhältnisse im mystischen Hinaussein über alle Geschichte: erst auf der Folie des von Carus ausgeplauderten Schulgeheimnisses der Goetheaner erhält der Protest der jungen Literatur gegen die Kunstperiode nachträglich sein volles Relief. Im Jahre 1843 allerdings war dieser Protest schon weithin verstummt und nicht wenige seiner einstigen Wortführer waren inzwischen nur allzu geneigt, eine Literatur der Gesundheit und der schönen Individualität, wie Carus sie am Beispiel Goethes beschrieben hatte, herbeiführen zu helfen.

Die Trivialversion des Carusschen Goethebildes hat August Friedrich Christian Vilmar in seiner Literaturgeschichte (T. 28) geliefert, die, in zahlreichen Auflagen bis ins 20. Jahrhundert hinein verbreitet, vor allem dazu beitragen wollte, das protestantische Bürgertum des 19. Jahrhunderts mit dem »Heiden« Goethe zu versöhnen, Christentum und Klassik kommensurabel zu machen.[142] Auch für Vilmar ist der erste Eindruck, den Goethes Dichterpersönlichkeit macht, der einer »starken, vollkommenen *Gesundheit*«[143], wobei »stark« ein bezeichnender Zusatz Vilmars ist. Die konservative Haltung von Carus schlägt bei Vilmar ins Reaktionäre um, wenn er die heilende, beruhigende und versöhnende Wirkung von Goethes Wesen als Dichter als Einübung in kritiklose Affirmation ans Bestehende beschreibt: »Wir verlernen durch ihn unsere unruhige krankhafte Krittelei, mit welcher wir an die Gegenstände heftig heranzugehen und sie nach unserm Belieben herumzuzerren und aufzustutzen pflegen; wir verlernen an ihm die Hast des vorschnellen Urteilens und Aburteilens; wir lernen an ihm unsere Vorurteile ablegen und uns gleich ihm vor allem den Dingen die uns gegenüberstehen, mit Liebe zu öffnen, sie anzuerkennen und gelten zu lassen; wir lernen an ihm, daß wir zuvörderst und immer wieder zu *lernen* und uns unterzuordnen haben.«[144] Goethe ist bei Vilmar zum Handlanger einer gegenrevolutionären Politik gewor-

141 Carus, a. a. O. S. 156.

142 Vgl. Richard Behm, Aspekte reaktionärer Literaturgeschichtsschreibung des Vormärz. Dargestellt am Beispiel Vilmars und Gelzers. In: Literaturwissenschaft und Sozialwissenschaften 2. Germanistik und deutsche Nation 1806–1848. Zur Konstitution bürgerlichen Bewußtseins. Hg. von Jörg Jochen Müller. Stuttgart 1974. S. 227–271.

143 Vorliegende Dokumentation S. 272.

144 Ebenda S. 273 f.

den, seine vielzitierte »Objektivität« pervertiert bei ihm zum Pendant christlicher Demut, die an die Wirklichkeit keine Forderung zu stellen, sondern diese in ihrem Sosein hinzunehmen hat. »Diese Entäußerung vom Egoismus, welcher die Dinge nur sich selbst, nur seiner zufälligen Neigung und Bildung gerecht machen, diese Entäußerung vom Eigensinn, welcher die Erscheinungen nur so haben will, wie er sie sich gedacht hat, diese großartige *Uneigennützigkeit*, welche an den Gegenstand keine dessen Natur fremdartige Anforderungen stellt, diese *Wahrhaftigkeit*, die nur ausspricht, was sie wirklich gesehen und erfahren, diese *Treue*, welche heilige Scheu trägt, an der dargebotenen Erscheinung willkürlich etwas zu verrücken – alles dies ist es nicht aus Goethes Sinnes- und Denkweise in die Sinnes- und Denkweise der besten unserer Zeitgenossen übergegangen?«[145] Mit seiner verfälschenden Verchristlichung des Goetheschen Werkes fällt es Vilmar nicht schwer, die Vorwürfe, er sei ein »Jugendverführer und Christenverstörer«[146] gewesen, zu entkräften. Wenn Vilmar mit Nachdruck betont, daß es die eigentliche Leistung der Goetheschen Dichtungen gewesen sei, daß »sie die Gemüter geheilt hat von der Unruhe und Ungeduld, den Ereignissen vorauszulaufen, die Objekte zu meistern, ehe man sie kennt, die Sachen zu verwerfen, ehe man sie begriffen und genossen hat«[147], so standen solche Sätze nach der gescheiterten Revolution von 1848 im Einklang mit der Absage an jegliche utopischen und revolutionären Gesellschaftsmodelle, waren Bestätigung der illusionslosen Hinwendung des um seine politischen Ideale und Forderungen betrogenen Bürgertums zur Realität, deren Gesetzen sich anzupassen das ökonomische und gesellschaftliche Leitziel der 50er Jahre wurde.

Goethes Realismus und die »realistische« Goethe-Kritik

Markierte die Julirevolution nur sehr bedingt einen Einschnitt in der Wirkungsgeschichte Goethes, so kann das Jahr 1849 als ihre wichtigste Zäsur in dem durch den vorliegenden Band dokumentierten Zeitraum gelten. Es war nicht nur das Jahr des Scheiterns der bürgerlichen Revolution, sondern zugleich das Jahr von Goethes Jubelfeier, das Jahr der hundertjährigen Wiederkehr seines Geburtstages. Die bürgerliche Goetheforschung ist nicht müde geworden, in Nachfolge Hehns auf die Tatsache hinzuweisen, daß dieses Jubiläumsjahr der eigentliche Tiefpunkt der Wirkungsgeschichte Goethes in Deutschland gewesen sei. Man verwies, aus der Perspektive Goethes, nicht ohne Neid auf jenes andere Jubiläum, das zehn Jahre später stattfand und ganz Deutschland zu Ehren Schillers in einem großen Nationalfeste vereinigte, ohne dabei zu berücksichtigen, daß das allgemeine Interesse der bürgerlichen Öffentlichkeit im Jahre 1849 durch Wichtigeres in Anspruch genommen war als der Jubiläumsfeier eines Klassikers, dessen Werk ohnehin nur schwer mit den politischen Ereignissen dieses Schicksalsjahres zu vermitteln war.

145 Ebenda S. 281 f.
146 Ebenda S. 283.
147 Ebenda S. 281.

Der Umschwung, der sich in der politischen und ästhetischen Einschätzung Goethes nach 1849 vollzieht, steht in engstem Zusammenhang mit der Herausbildung einer realistischen Welt- und Kunstauffassung, die die beiden nachrevolutionären Jahrzehnte in der Theorie und in der Praxis bestimmen sollten. Vergleichbar der Funktion, die Goethe als polemischer und affirmativer Bezugspunkt für die jungdeutsche Ästhetik gehabt hat, wird sein Werk nun integratives Moment einer programmatischen Neufundierung der Literaturtheorie des Frührealismus und – in weitaus stärkerem Maße als nach 1830 – Vorbild der literarischen Praxis. Die Auseinandersetzung mit Goethe im Zeichen des Realismus verläuft dabei keineswegs einheitlich, es handelt sich vielmehr um einen komplizierten und widerspruchsvollen Prozeß, der die Parteiungen und Antithesen der Rezeptionsgeschichte in den 30er Jahren gewissermaßen wiederholt.

Noch im Revolutionsjahr veröffentlicht Julian Schmidt seine große Rezension von Heinrich Düntzers Sammelband »Zu Goethe's Jubelfeier. Studien zu Goethes Werken« (T. 36), die im Grundriß das Goethebild des national-liberalen Flügels des programmatischen Frührealismus entwickelt, der in der von Schmidt und Gustav Freytag seit 1848 herausgegebenen einflußreichen Zeitschrift »Die Grenzboten« seine journalistische Plattform erhalten hat. Die in der Düntzer-Rezension aufgestellten Thesen bestimmen die weitere Auseinandersetzung mit Goethe und der deutschen Klassik, wie sie Schmidt als der einflußreichste Literarhistoriker zwischen 48er Revolution und Reichsgründung in den verschiedenen Auflagen seiner 1853 zuerst erschienenen Literaturgeschichte gegeben hat. In einem kritischen Resümee der bisherigen Wirkungsgeschichte Goethes definiert der frührealistische Programmatiker in der Düntzer-Rezension seinen eigenen Standpunkt. Er grenzt sich ab gegen die sensualistische Inanspruchnahme Goethes durch Heine, den er den »unbedingten Verehrern« des Dichters zuzählt, wie gegen den durch Rosenkranz repräsentierten Goethekult der Hegelianer; er kritisiert die »sozialistische« Goethe-Deutung von Karl Grün und wendet sich gegen den Versuch Düntzers, die politischen Ansichten Goethes gegen die Vorwürfe des modernen Liberalismus zu retten. Schmidts eigene Position scheint derjenigen von Gervinus am nächsten zu sein, im Unterschied zu dem Verfasser der »Geschichte der poetischen National-Literatur der Deutschen« stellt er jedoch kategorisch fest, daß die Blütezeit der deutschen Literatur an der Wende vom 18. zum 19. Jahrhundert keine »klassische« Periode war, vielmehr nur »die notwendige, aber krankhafte Übergangsphase zu einer neuen Bildungsform«[148], die zu realisieren zur vordringlichen Aufgabe der Gegenwart geworden sei. Anders als Gervinus, der die Kontinuität zwischen Klassik und politischer Umgestaltung der Verhältnisse in Deutschland aufgehoben und damit die klassische Periode der deutschen Literatur nur als ästhetisches Phänomen hatte gelten lassen, fragt Schmidt nach ihrem politisch-gesellschaftlichen Gebrauchswert für die Gegenwart. Sein Urteil lautet negativ, ist doch »bei Goethe die angeborene Unart der deutschen Nation, die subjektive Willkür, das charakterlose Verschwimmen im Meere zufälliger

148 Vorliegende Dokumentation S. 337.

Empfindung, das Auflehnen gegen Regel und Gesetz, auf die Spitze getrieben«[149], seine Werke seien daher denkbar ungeeignet, Anknüpfungspunkt für die Gegenwart zu sein. In der zweiten Auflage seiner Literaturgeschichte von 1855, die gegenüber der ersten von 1853 die Darstellung der deutschen Literatur im 19. Jahrhundert um die Vorgeschichte des klassischen Jahrzehnts erweitert, hat Schmidt seine Fundamentalkritik an der deutschen Klassik ausgebaut. Der Idealismus der Klassik, so heißt es jetzt, war »der Wirklichkeit entgegengesetzt«[150], der Rückgriff auf die Antike mußte Goethe und Schiller ersetzen, was ihnen die deutschen Verhältnisse vorenthielten. Ihren Dichtungen ermangelte es daher des verpflichtenden Ernstes, der nur im Bezug auf die konkreten Fundamente nationaler Lebenswirklichkeit sich herstellt. Indem die Klassik vor der Gestaltung dieser Wirklichkeit resignierte, wurden ihre Werke zum schönen unverbindlichen Spiel, letztlich zu einer »Flucht aus der Wirklichkeit.«[151] Die Rezeption dieser Werke durch das deutsche Publikum kam nach Schmidt der Einübung in ein illusionäres, unrealistisches Verhalten der Wirklichkeit gegenüber gleich: »Um uns an den Werken unserer Dichter so zu erfreuen, wie sie es wert waren, mußten wir uns vorher die Wirklichkeit aus dem Sinn schlagen.«[152] Eine ähnliche fundamentalkritische Position der deutschen Klassik gegenüber hatte gleichzeitig Hermann Hettner, wie Schmidt ein programmatischer Wegbereiter des Realismus, in seiner Schrift »Die romantische Schule in ihrem inneren Zusammenhange mit Goethe und Schiller« (1850) vorgetragen. Die Gemeinsamkeit von Klassik und Romantik wird hier damit begründet, daß beide Bewegungen auf der gleichen Grundlage stehen, beide an der gleichen Krankheit kranken: »Sie leiden daran, daß sie nicht aus dem Bewußtsein ihrer Zeit schreiben, von ihr gehoben und getragen, sondern im bewußten Gegensatz und Widerstreit zu dieser. Ein *falscher Idealismus* ist ihnen gemeinsam.«[153]

Die im Lichte gegenwärtiger Klassikkritik äußerst aktuell anmutenden Ausführungen Julian Schmidts haben den germanistischen Ideologiekritiker Bernd Peschken bewogen, dem von der offiziellen, nach-Diltheyschen Literaturwissenschaft vielfach verketzerten Literarhistoriker des nachrevolutionären Liberalismus bis zu dessen Einschwenken auf die Reichsideologie nach 1866 ein gesellschaftskritisch-fortschrittliches Bewußtsein zu vindizieren.[154] Schmidts Kritik an der Klassik, schreibt Peschken, »geht über das hinaus, was Engels gedacht hat und was Marx zu äußern gewagt hätte.«[155] Die vermeintlich »progressive« Klassikkritik Julian Schmidts ist allerdings, das wird bei Peschken verschwiegen, an

149 Ebenda S. 335.

150 Ebenda S. 472.

151 Ebenda S. 428.

152 Ebenda S. 426 f.

153 Hermann Hettner, Schriften zur Literatur. Zusammengestellt und Textrevision von Jürgen Jahn. Berlin (DDR) 1959. S. 61.

154 Bernd Peschken, Versuch einer germanistischen Ideologiekritik. Goethe, Lessing, Novalis, Tieck, Hölderlin, Heine in Wilhelm Diltheys und Julian Schmidts Vorstellungen. Stuttgart 1972. = Texte Metzler 23.

155 Peschken, a. a. O. S. 83.

Maßstäben orientiert, deren Fortschrittlichkeit noch erst zur Diskussion gestellt werden sollte. Die Düntzer-Rezension benennt als Kriterium der neuen, nachrevolutionären Kritik den »gesunden Menschenverstand«[156], und Schmidt hat sich dieses Kriterium in seiner Auseinandersetzung mit Goethe, vor allem im großen »Wilhelm-Meister«-Abschnitt der Literaturgeschichte von 1855, reichlich bedient. Hier wird der abenteuernde und zwecklos herumlungernde Wilhelm des Goetheschen Romans, der sträflicherweise nach dem Tode seines Vaters die Familie, dieses Fundament sittlicher Entwicklung, verläßt, mit dem Ideal des »strebsamen Bürgers, der die wahre Bildung«[157] sucht, konfrontiert. Anton Wohlfahrt und Sabine Schröter, die braven Helden seines Freundes Gustav Freytag aus »Soll und Haben« stehen als die neuen positiven Helden hinter dem spießbürgerlichen Verriß von Goethes Roman, der eine in seiner gesund-biderben Tüchtigkeit, die andere in ihrer ihre Aussteuer zählenden Frigidität. Nach Schmidt hat Goethe im »Wilhelm Meister« mit der Darstellung der »Ausbrüche der wildesten Sinnlichkeit«[158] den Leser bis hart an die Grenze des Erträglichen geführt. »Einen Schritt weiter, und wir wären im Schmutz. Man denke sich z. B. die Nachgeschichte der Philine, die Vorgeschichte der Marianne.«[159] Eine andere Ideologiekritik der Klassik-Rezeption als diejenige, die Julian Schmidt ihr hat angedeihen lassen, hat Bertolt Brecht hundert Jahre später gegeben. In seinem Arbeitsjournal heißt es Pfingsten 49: »blättere im WILHELM MEISTER. diese bücher wurden uns auf der schule verleidet, indem sie von den langweiligsten menschen in der langweiligsten weise gerühmt wurden. wie konnte man vermuten, daß ein roman, den die deutschlehrer, diese geschlechtslosesten aller wesen, uns aufdrängten, etwas enthalten könnte wie die szene, in der philine ihre *pantöffelchen* vor das bett des *helden* stellt, damit er glaube, sie liege in seinem bett, ahnend, dies könnte ihn verstören, müßte ihn aber vorbereiten auf den wirklichen besuch? die deutschlehrer haben sich mit ihren langen bärten vor das einzige ruhelager der sinnlichkeit der deutschen literatur gestellt!«[160]

Die negative Klassik-Kritik in der ersten Hälfte der 50er Jahre, wie sie in der Position von Julian Schmidt ihre radikalste Ausprägung gefunden hat, bot kaum Anknüpfungspunkte für eine produktive Einbeziehung Goethes in die realistische Kunsttheorie oder Möglichkeiten der Vermittlung mit realistischer Kunstpraxis. In diesem Sinne schreibt auch Gottfried Keller am 4. März 1851 an seinen Freund Hermann Hettner: »Bei aller inneren Wahrheit reichen für unser jetziges Bedürfnis, für den heutigen Gesichtskreis, unsere alten klassischen Dokumente nicht mehr aus, und ich glaube keine krasse Dummheit zu sagen, wenn ich behaupte,

156 Vorliegende Dokumentation S. 335.

157 Julian Schmidt, Weimar und Jena in den Jahren 1794–1806. Supplement zur ersten Auflage der Geschichte der deutschen National-Literatur im neunzehnten Jahrhundert. Leipzig 1855. S. 231.

158 Schmidt, a. a. O. S. 227.

159 Schmidt, a. a. O. S. 228.

160 Bertolt Brecht, Arbeitsjournal. Zweiter Band 1942 bis 1955. Hg. von Werner Hecht. Frankfurt am Main 1973. S. 900.

daß die Lessingische ›Dramaturgie‹ uns mehr in historischer und formeller Hinsicht noch berührt, fast wie sein Kampf mit dem Pastor Goeze. Und was ist seither geschrieben worden? Die praktischen, ebenfalls klassischen Erfahrungen und Beobachtungen von Goethe, Schiller und Tieck! aber diese Leute sind längst gestorben und ahnten nicht den riesenschnellen Verfall der alten Welt. Es verhält sich ja ebenso mit den Meisterdichtungen Goethes und Schillers; es ist der wunderliche Fall eingetreten, wo wir jene klassischen Muster auch nicht annähernd erreicht oder glücklich nachgeahmt haben und doch nicht mehr *nach ihnen zurück*, sondern nach dem unbekannten Neuen streben müssen, das uns so viele Geburtsschmerzen macht.«[161] Wie ein Echo auf diesen Brief heißt es am Ende der 50er Jahre bei Robert Prutz, dem vormaligen Theoretiker einer politischen Literatur des Vormärz, der nach 1848 der neuen realistischen Literatur kritische Schützenhilfe erteilt hat: »Es ist den Vertretern der realistischen Richtung [...] einzuräumen, daß auch unsere klassischen Dichter den heutigen Anforderungen nicht völlig und nicht in allen Punkten genügen, um deswillen nämlich, weil der heutige Bildungsstand über den damaligen hinausgeschritten ist und weil wir seitdem Bedürfnisse kennen gelernt und Ideen in uns genährt haben, von denen jenes klassische Zeitalter noch keine Ahnung hatte und denen wir jetzt auch in unserer Poesie wiederbegegnen wollen.«[162] Trotz dieser von ihm geteilten Vorbehalte will Prutz jedoch die Kluft, die die frührealistische Klassikkritik zwischen Goethe und Schiller und der Gegenwart aufgerissen hatte, wieder schließen. Es kann sich nach ihm »jetzt unmöglich darum handeln, diese erhabenen Ideen gleich unnützem Ballast über Bord zu werfen.« Worum es vielmehr gehe, sei die Verknüpfung des goethezeitlichen Humanismus mit dem erwachenden Nationalgefühl, damit der Kosmopolitismus zum Patriotismus sich geselle und der Bürger Mensch bleibe. »Auch haben eben unsere klassischen Dichter uns einen köstlichen Fingerzeig hinterlassen, wie diese Schwierigkeiten zu beseitigen, diese scheinbar so unlösbaren Widersprüche zu versöhnen sein werden. Was sie auf ästhetischem Gebiete vollbracht, genau dasselbe muß die Nation jetzt auf dem Gebiete der Geschichte und der politischen Praxis tun. Das ist der eigentliche Charakter unserer klassischen Epoche, darum führt sie diesen Namen und darin vor allem besteht die unverlierbare und unschätzbare Erbschaft, die sie uns hinterlassen: daß sie die fremde hellenische Form mit deutschem Geist erfüllte und eben dadurch ein neues Drittes erschuf, das eben so sehr deutsch ist wie griechisch und in dem die edelsten und liebenswürdigsten Eigenschaften der modernen wie der antiken Zeit sich durchdringen und versöhnen.«[163] Der Weg zu einer Synthese von nationalstaatlicher Einigung und positiver Klassikrezeption, den auch Julian Schmidt und Hermann Hettner nach 1866 eingeschlagen haben, wird hier am Ende der 50er Jahre von Robert Prutz als der politische Rahmen definiert, innerhalb dessen in

161 Der Briefwechsel zwischen Gottfried Keller und Hermann Hettner. Hg. von Jürgen Jahn. Berlin und Weimar 1964. S. 46.

162 Robert Prutz, Die Literaturgeschichte und ihre Stellung zur Gegenwart. In: Prutz, Die deutsche Literatur der Gegenwart. 1848 bis 1858. Erster Band. Leipzig 1859. S. 22.

163 Prutz, a.a.O. S. 20 u. 21.

den 60er Jahren der Durchbruch zur »realistischen« Entdeckung oder Wiederentdeckung Goethes erfolgen sollte. Bevor wir uns dieser Phase der Goetherezeption, die mit den Namen von Adolf Schöll, Herman Grimm, Leo Cholevius, Berthold Auerbach, Friedrich Spielhagen u. a. verbunden sind, müssen wir einen Blick auf den Verfasser des eigentlichen Manifestes der »realistischen« Goethedeutung werfen, auf Viktor Hehn. Sein schmales Buch über Goethes »Hermann und Dorothea«, aus Vorlesungen hervorgegangen, die er 1851 in Dorpat gehalten hat und während seiner Verbannung in der Nähe von Moskau zur Abhandlung ausformte, ist nicht nur eine der bedeutendsten Interpretationen eines Goetheschen Werkes im 19. Jahrhundert, sondern zugleich ein überragendes literaturtheoretisches Schlüsseldokument an der Wende der vorrevolutionären und nachrevolutionären Epoche in Deutschland. Die im Schatten seiner berühmten »Gedanken über Goethe« erfolgte postume Veröffentlichung im Jahre 1893 hat die so eminent zeitbezogene und zeitorientierte Hehnsche Arbeit um ihre zeitgenössische Wirkung gebracht, die ihr aller Voraussicht nach in hohem Maße zuteil geworden wäre.

Die neue Qualität der um die Jahrhundertmitte entstandenen Goethe-Arbeiten Viktor Hehns, seines Kommentars »Über Goethes Gedichte« (T. 42 a), seiner Abhandlung über »Hermann und Dorothea« (T. 42 b) und seines Fragments einer »Faust«-Vorlesung[164], leitet sich nicht zuletzt ab aus einer neuen Einstellung dem literarischen Gegenstand gegenüber, die der Autor als »Entzücken des poetischen Genusses und das Streben, auch andere daran teilnehmen zu lassen« in Opposition gegen die bisherige Praxis von »Goethe-Auslegern« bezeichnet hat.[165] In der »Faust«-Vorlesung heißt es: »Wie die genaueste Naturkenntnis, die genaueste empirische Geschichtsforschung das notwendige prius für die denkend begreifende Wissenschaft dieser Gebiete ist, so verlangen wir von dem Erklärer eines Kunstwerks, daß er dieses in seiner eigenen Natur mit aller Macht der Schönheit und der bestimmten Schönheit auf sich wirken lasse, daß er es, wie es in untrennbarer Einheit der Idee und des Bildes von der Phantasie eingegeben ist, so auch mit der Phantasie aufnehme und sich zuerst rein genießend verhalte.«[166] Diese Forderung nach ästhetischer Sensibilisierung als Voraussetzung eines adäquaten Umgangs mit den Dichtungen Goethes, die Hehn zum Anwalt einer einfühlenden, textimmanenten Interpretation werden läßt, ist nicht Ausdruck eines naiven, unreflektierten Kunstenthusiasmus, der die Auseinandersetzung mit Goethe aus dem Zusammenhang der politischen und sozialen Kritik entläßt, sondern Resultat gerade einer intensiven Auseinandersetzung mit ihr. Der Radikaldemokrat, der Hehn bis zur 48er Revolution war[167], hat wie kaum ein anderer die Börneschen

164 Goethe-Jahrbuch 15 (1894), S. 129–139.

165 Viktor Hehn, Ueber Goethes Hermann und Dorothea. Aus dessen Nachlaß herausgegeben von Albert Leitzmann und Theodor Schiemann. Stuttgart 1893. S. 1.

166 Goethe-Jahrbuch 15 (1894), S. 135.

167 Mein Hamburger Kollege Dr. Klaus Bartels wird über diese Zusammenhänge in Kürze eine ausführliche Abhandlung vorlegen. Gesprächen mit ihm verdanke ich viele Anregungen und weiterführende Hinweise zu dieser Frage.

Verdikte über Goethe ernst genommen, er hat ihre Berechtigung anerkannt und zugleich die Gefahr eines »drohenden Verlust[es] aller ästhetischen Güter«[168] als Konsequenz der Kunstfeindlichkeit der Radikaldemokraten und der Kommunisten gesehen.

Hehns Interpretation von Goethes idyllischem Epos »Hermann und Dorothea« ist ästhetische, historische und philosophische Analyse zugleich.[169] Sie will Goethes Werk aus den spezifischen Bedingungen und Möglichkeiten des 18. Jahrhunderts heraus erklären und steht damit in Opposition zu allen Versuchen, Goethe aktualisierend dem Verständnis und den Erwartungen der Gegenwart anzunähern. Dieser polemische Akzent betrifft vor allem die seine Abhandlung durchgängig bestimmende Auseinandersetzung mit der sozialistischen Goethedeutung, die Hehn in der Form des Grünschen Versuches vor Augen hatte. Nicht politische Revolution war nach Hehn die Aufgabe eines von den Fesseln des Feudalismus sich befreienden Bürgertums im 18. Jahrhundert, dem »Hermann und Dorothea« seine Entstehung verdankt, sondern Emanzipation von toten konventionellen Formen gesellschaftlichen Verhaltens, von einer zur Scholastik erstarrten Aufklärung, einer supranaturalen Theologie und einer von Orthodoxie bedrohten Kirche. Es ging darum, die »innere Freiheit und Schönheit des Gemütes«[170] zu erobern, die Innerlichkeit einer befreiten Subjektivität aus den Fesseln der Unnatur wieder in ihre natürlichen Rechte einzusetzen. »Goethe war das poetische Genie, das diese Befreiung in positiven Dichtertaten vollzog.«[171] »Hermann und Dorothea« gehört für Hehn noch ganz einem vorpolitischen und vorrevolutionären Weltzustand an. »Mit der Politik, wo im Lärm der Leidenschaft und Tat die innere Musik der Seele verhallt und die stille Entwicklung natürlichen Werdens durch die Empörung des Eigenwillens unterbrochen wird, mit dieser konnte Goethe und das ganze ihn umgebende Geschlecht nichts zu schaffen haben wollen.«[172] Die Welt von »Hermann und Dorothea« erhält in der Deutung Hehns die verklärenden Züge nichtentfremdeter, natürlicher gesellschaftlicher Verhältnisse. Dieser vorindustriellen Idylle, die auf den unerschütterten Fundamenten der Familie und des Privatbesitzes, »dieser Substanz des deutschen Geistes«[173], aufruht, wird scharf kontrastierend die abstrakt gewordene, arbeitsteilige Welt der prosaischen Gegenwart gegenübergestellt, deren inhaltliche Bestimmungen in auffälligem Einklang sich befinden mit Vischers berühmter Analyse des nachrevolutionären Weltzustandes im 1847/48 erschienenen zweiten Teil seiner »Ästhetik«.[174] Die Bedrohung der naturhaft-poetischen Welt von Goethes idyllischem Epos durch »das furchtbare

168 Vorliegende Dokumentation S. 390.

169 Zur Hehnschen Verhältnisbestimmung von ästhetischer, historischer und philosophischer Kritik vgl. seine »Faust«-Vorlesung. A. a. O. S. 135 f.

170 Hehn, Ueber Goethes Hermann und Dorothea. A. a. O. S. 32.

171 Ebenda S. 38.

172 Vorliegende Dokumentation S. 394.

173 Ebenda S. 398.

174 Friedrich Theodor Vischer, Aesthetik oder die Wissenchaft des Schönen. Zweiter Teil. Das Schöne in einseitiger Existenz. Reutlingen 1847/48. § 374 ff.

Ereignis der Revolution und des Krieges« wird nach Hehn durch »die ewig wirksame Bildungskraft« der Natur aufgefangen und überwunden. »Die Revolution tritt uns nahe, aber nur damit antipolitisch und antikommunistisch die Privatexistenz, die Familie, das Eigentum sich bewähre und aus der Zerstörung neu erzeuge.«[175] Schon der Wortgebrauch antipolitisch und antikommunistisch macht deutlich, daß Hehn hier den Standpunkt der reinen historischen Analyse des Werkes überschreitet und aktualisierend Stellung bezieht. Die Abhandlung wird zum gegenrevolutionären Manifest, befindet sich in Übereinstimmung mit der allgemeinen Abkehr vom Geist des Vormärz nach der gescheiterten 48er Revolution. Daß gerade »Hermann und Dorothea« zum vorrangigen Exempel einer gegenrevolutionären Goetheinterpretation werden sollte, ist gewiß nicht Hehns Schuld, beleuchtet jedoch eine Tendenz, die seine Gegenstandswahl zweifellos hat mitbestimmen helfen. Goethes »Hermann und Dorothea« beginnt jetzt seinen beispielhaften Siegeszug in Schule und Öffentlichkeit als Paradigma deutscher Gesinnung, als ein Werk, in dem – wie es ein Anonymus 1863 in einem Aufsatz »Goethe und der Patriotismus« formuliert hat – »Nationalismus und Humanismus versöhnt werden«, eine Dichtung, die alle politischen Verleumdungen des Dichters »siegreich zu Boden« wirft, ein »Fundament, auf dem allein ein deutsches Staatsleben ruhen kann, auf ein kräftiges und gesundes Familienleben.«[176]

Ein Manifest ist Hehns Abhandlung nicht nur in politischer, sondern auch in ästhetischer Beziehung. Goethe ist für Hehn der epische Dichter kat' exochen. Er erfüllt in »Hermann und Dorothea« beispielhaft die Homerischen Gesetze der Überparteilichkeit, der Plastik, der Objektivität und der sinnlich-realistischen Anschaulichkeit. Mit seiner Analyse hat Hehn als erster den poetischen Realismus mit dem epischen Darstellungsstil Goethes vermittelt. Ganz im Sinne der Ziele des programmatischen Frührealismus heißt es bei ihm: »Alle Gefühlsschwelgerei, alle Exzentrizität der Leidenschaft hat der Dichter durchgängig abgewiesen; in der Gesinnung echter Bürger, sowie in dem Gange ihres Lebens waltet ja nicht sowohl phantastische Überspannung als verständiger Realismus.«[177] Hatte Hehn den Goetheschen Realismus wesentlich im Rückbezug auf Homer entfaltet, so weist Leo Cholevius im zweiten Teil seiner »Geschichte der deutschen Poesie nach ihren antiken Elementen« von 1856 in systematischer Analyse die Antike schlechthin als das Fundament des Goetheschen Realismus nach. In scharfer Opposition zu Hermann Hettner und Julian Schmidt, die den Antikebezug der Klassik als Flucht vor der Wirklichkeit interpretiert hatten, formuliert nur wenige Jahre später Cholevius: »Goethes antike Dichtungsweise bestand darin, daß er stets von dem sinnlich Individuellen ausging und nur das Wirkliche darstellte. Dies gab seinen Dichtungen die höchste Lebendigkeit, Wahrheit und Bestimmtheit.«[178]

175 Hehn, Ueber Goethes Hermann und Dorothea. A. a. O. S. 74.
176 Morgenblatt für gebildete Leser. Jg. 1863, Nr. 29, 16. Juli, S. 677.
177 Hehn, Ueber Goethes Hermann und Dorothea. A. a. O. S. 96.
178 Carl Leo Cholevius, Geschichte der deutschen Poesie aus ihren antiken Elementen. Zweiter Theil. Leipzig 1856. S. 271.

Die scheinbar wirklichkeitsferne Klassik ist damit für den Realismus gerettet. »Hermann und Dorothea« vor allem wird zum beispielgebenden Modell der vom programmatischen Frührealismus geforderten Verbindung von Idealität und Realität, die wiederum Cholevius in seinem Kommentar zu »Hermann und Dorothea« von 1863 in genauer Übereinstimmung mit der zeitgenössischen Realismustheorie als das ästhetische Ideal des Goetheschen Werkes herausgearbeitet hat.[179]

Trotz seines Plädoyers für die vorrevolutionäre Idylle von Goethes Versepos bleibt das Denken Hehns der europäischen Aufklärung verpflichtet. Entschieden betont er die Kontinuität von französischer Aufklärung und deutscher Klassik, wenn er in Auseinandersetzung mit Friedrich Christoph Dahlmanns »Geschichte der Französischen Revolution« (1845) schreibt: »Auch die geniale Auflehnung in Goethe und seinen Genossen ist ohne den unmittelbar vorausgegangenen Kampf der kritischen Geister Frankreichs, der in einer positivistisch erstarrten Welt Luft und Licht schaffte, nicht denkbar.« Mit Vehemenz weist Hehn den Versuch Dahlmanns zurück, die »friedliche[n] Archäologen, Literaten und Dichter wie Winckelmann, Lessing, Goethe und Schiller höher zu schätzen, als historische Männer wie Voltaire und Rousseau« und beschließt seine Dahlmann-Kritik mit den Worten: »Nach dem Maß der Geschicke des Weltteils und der Geschichte der europäischen Menschheit im großen gemessen, ist der einzige Voltaire unendlich wichtiger als alle vier genannten Deutschen zusammen, und es müßte eine wahre Festlust für einen Historiker sein, seinen Einfluß zu schildern«[180] Diese kontrastierende Gegenüberstellung steht in einer Tradition, die Ludwig Börne begründet hatte, bei dem es im vierzehnten seiner »Briefe aus Paris« heißt: »Um so viel Rousseau mehr ist als Schiller, um so viel ist Goethe schlechter als Voltaire.«[181] Es ist der Börneaner in Hehn, der ihn diesen Vergleich aufnehmen läßt. Ein Geistesverwandter Börnes, der Schriftsteller Heinrich Mann, wird ihn 1910 in seinem Aufsatz »Voltaire – Goethe« wiederholen.[182] Es bezeichnet einen der folgenreichsten Einschnitte in der Wirkungsgeschichte Goethes und der deutschen Klassik, wenn der junge Herman Grimm, der einer der repräsentativen und einflußreichsten Goethe-Interpreten des neuen Reiches werden sollte, in seinen frühen, vor 1870 erschienenen Goethe-Schriften die von Hehn noch emphatisch betonte Zusammengehörigkeit von Aufklärung und Klassik aufhebt und eine autochthon deutsche Traditionskette konstruiert, die er chauvinistisch aus dem europäischen Kontext herauslöst. In seiner Vorlesung »Goethe in Italien« von 1861 sind es Luther, Lessing, Goethe und Schiller, über die er mit besitzstolzem nationalem Anspruch auf kulturelle Hegemonie ausführt: »Deutschland steht durch den Besitz solcher Männer einzig da unter den neueren Völkern, in deren Reihe

179 Carl Leo Cholevius, Aesthetische und historische Einleitung nebst fortlaufender Erläuterung zu Goethe's Hermann und Dorothea. Leipzig 1863. Vgl. vor allem den Abschnitt »Das ideale Element der Dichtung im Gegensatz zu dem Realismus«, S. 26–35.

180 Hehn, Ueber Goethes Hermann und Dorothea. A. a. O. S. 51.

181 Goethe im Urteil I, S. 515. Vgl. auch S. 505 u. 511.

182 Heinrich Mann, Essays. Hg. von Alfred Kantorowicz. Bd. 1. Berlin (DDR) 1954. S. 15–20.

es die erste Stelle einnimmt.«[183] In seinem zwei Jahre zuvor erschienenen Aufsatz »Schiller und Goethe« (T. 48) hatte er sich auch des Voltaire-Vergleichs bedient. Mit Bezug auf Goethe heißt es hier: »Welch ein Volk besaß einen solchen Mann? Voltaire ist eine Karikatur neben ihm. Auch dieser beherrschte seine Zeit Jahrzehnte lang, aber wie ein kleinlicher Tyrann, während Goethe ein uneigennütziger Herrscher war.«[184]

Ein Berliner Goethe-Kolloquium 1861

Herman Grimm, der 1860 mit dem ersten Band seiner Michelangelo-Biographie debütiert hatte, war mit seinem Vortrag »Goethe in Italien«[185] der jüngste von sechs Rednern, die sich im Frühjahr 1861 zu einem Zyklus von Goethevorlesungen »zum Besten des Goethedenkmals in Berlin« in der dortigen Singakademie zusammenfanden. Die Vorträge, die, bis auf einen, gedruckt vorliegen, stellen einen repräsentativen Querschnitt der Goetheauffassung am Anfang der 60er Jahre dar. Der junge Wilhelm Dilthey hat über jede Veranstaltung ausführlich in der »Preußischen Zeitung« berichtet. Seine z. T. kritischen Auseinandersetzungen mit den Vorträgen sind die ersten öffentlichen Zeugnisse, die wir über die Goethekenntnis und Goetheauffassung des jungen Wissenschaftlers und späteren Begründers der geistesgeschichtlichen Schule besitzen. Der Eröffnungsvortrag von Rudolf Virchow »Goethe als Naturforscher, besonders als Anatom«[186] ist neben dem in unserer Dokumentation abgedruckten Aufsatz von Hermann von Helmholtz »Ueber Goethe's naturwissenschaftliche Arbeiten« von 1853 (T. 43) das bedeutendste Dokument der Auseinandersetzung der nachromantischen, modernen Naturwissenschaft mit dem Naturforscher Goethe im zweiten Drittel des 19. Jahrhunderts. Charakteristisch für den Wandel des Goethe-Bildes in den 60er Jahren ist die von jeder Polemik freie Selbstverständlichkeit, mit der Hermann Hettner in seinem Vortrag »Goethes ›Iphigenie‹ in ihrem Verhältnis zur Bildungsgeschichte des Dichters«[187] die in Goethes Drama erreichte »innige Versöhnung des Antiken und Modernen«[188] als Höhepunkt seiner Entwicklung darstellt. Hettner ist damit abgerückt von seiner Kritik am »falschen Idealismus« der Klassik, die er in der Schrift über

183 Herman Grimm, Goethe in Italien. Vorlesung gehalten zum Besten des Goethedenkmals in Berlin. Berlin 1861. S. 3.

184 Vorliegende Dokumentation S. 452.

185 Vgl. Anmkg. 183. Dazu Dilthey in der »Preußischen Zeitung« Nr. 143 vom 26. 3. 1861. – Dilthey, Gesammelte Schriften XVI, S. 210–216.

186 Gedruckt u. d. T. »Göthe als Naturforscher und in besonderer Beziehung auf Schiller. Eine Rede nebst Erläuterungen«, Berlin 1861. [Neudruck: Darmstadt 1962]. Dazu Dilthey in der »Preußischen Zeitung« Nr. 69 vom 10. 2. 1861. – Dilthey, Gesammelte Schriften XVI, S. 334–340.

187 Gedruckt in: Westermanns Monatshefte 10 (1861), S. 157–166. Wiederabdruck in: Hettner, Kleine Schriften. Braunschweig 1884. S. 452–474. Dazu Dilthey in der »Preußischen Zeitung« Nr. 81 vom 17. 2. 1861. – Dilthey, Gesammelte Schriften XVI, S. 201–203.

188 Hettner, Kleine Schriften. A. a. O. S. 471.

»Die romantische Schule« von 1850 geübt hatte[189] und eingeschwenkt auf die Linie einer neuen Kanonisierung von Goethes Klassik, die jetzt beginnt und im Zusammenhang mit dem durch Jacob Burckhardts Werk »Die Kultur der Renaissance in Italien« (1860) eröffneten Renaissancismus und Renaissancekult gesehen werden muß.[190] Als Nestor der Hegelianischen Goethedeutung las Heinrich Gustav Hotho über »Goethe und Schiller«.[191] Als einziger wies er wiederum auf die zentrale Bedeutung der »Wanderjahre« hin, die den Weg geöffnet haben »auf neue Zustände in der neuen Welt, wo man frei von den mittelalterlichen Schlössern und Kulturresten, von den Besten und Erfahrensten geleitet, ein neues Leben auf ursprünglichem Boden begönne.«[192] In dem thematischen Zusammenhang einer Analyse der »realistischen« Goetheinterpretation sind die beiden Vorträge von Adolf Schöll und Berthold Auerbach von besonderem Interesse. Der Vortrag von Adolf Schöll »Goethe als Staatsmann« (T. 51)[193] ist neben der Abhandlung von Hehn über Goethes »Hermann und Dorothea« das wichtigste theoretische Dokument einer Goethedeutung im Geiste des Realismus. Schöll hatte 1848/51 die Briefe Goethes an Frau von Stein herausgegeben[194], deren Erscheinen nach Viktor Hehn einen »Wendepunkt« in der bisherigen Wirkungsgeschichte des Dichters bildete.[195] Erst jetzt schloß sich die Lücke in der Kenntnis der für Goethes Entwicklung entscheidenden zehn voritalienischen Jahre am Weimarer Hof, deren Darstellung der Dichter in seinen autobiographischen Schriften bewußt ausgeklammert hatte. Auf der Grundlage der intimen Kenntnis dieser Quellen gibt Schöll in kritischer Korrektur der vor allem durch Gervinus vorgebrachten Verdikte über Goethes amtliche Tätigkeit eine anschauungs- und faktengesättigte Analyse der frühweimarer Amtszeit Goethes, die er als eine Einübung des Dichters in eine realistische Lebenspraxis darstellt. Die amtliche Tätigkeit Goethes als Staats- und Geschäftsmann wird von Schöll nicht als Behinderung oder Ablenkung seiner dichterischen Tätigkeit bewertet, sondern im Gegenteil als deren

189 Vgl. Anmkg. 153.

190 So heißt es in Hettners Aufsatz »Goethe's Stellung zur bildenden Kunst seiner Zeit« von 1866: »Goethe, welcher als Dichter so unvergängliche Werke echtester und lebenvollster Renaissancekunst geschaffen hatte, fühlte und erkannte nunmehr wärmer als zuvor auch die tiefe geschichtliche Bedeutung und Mustergiltigkeit der Renaissance für die bildende Kunst, als der vollendetsten Einheit und Versöhnung des Antiken und Modernen.« Hettner, Kleine Schriften. A. a. O. S. 505. Der Zusammenhang von Renaissancekult und Klassikverehrung in der zweiten Hälfte des 19. Jahrhunderts verdiente eine ausführlichere Darstellung.

191 Der Vortrag ist, soweit ich sehe, nicht gedruckt. Vgl. dazu Dilthey in der »Preußischen Zeitung« Nr. 161 vom 7. 4. 1861. – Dilthey, Gesammelte Schriften XVI, S. 216–222.

192 Nach dem Bericht von Dilthey, a. a. O. S. 222.

193 Gedruckt u. d. T. »Goethe als Staats- und Geschäftsmann« in: Preußische Jahrbücher 10 (1862), S. 423–470; 585–616; 11 (1863), S. 135–161; 211–240. Wiederabdruck in: Schöll, Goethe in den Hauptzügen seines Lebens und Wirkens, Berlin 1882. S. 98–279. Dazu Dilthey in der »Preußischen Zeitung« Nr. 129 vom 17. 3. 1861. – Dilthey, Gesammelte Schriften XVI, S. 46–50.

194 Vgl. T. 24, Anmkg. 25.

195 Hehn, Gedanken über Goethe. A. a. O. S. 170 f.

Basis, als der notwendige Weg, den Goethe zur Erlangung einer »konkreten Poesie«, die alle »Höhen und Tiefen der Wirklichkeit« umfaßt, einschlagen mußte.[196] Gegenüber den stubengelehrten Dichtern der Aufklärung sei Goethe der erste gewesen, der die Poesie wieder unter den freien Himmel der Natur zurückgeführt habe. »Es war ihm Bedürfnis, immer in bewußtem Zusammenhang mit der Ökonomie der wirklichen Natur, mit Sonne und Luft, Flur und Wasser zu leben, den Witterungswechsel, den Schritt des Jahres, den Sternkreis der Nacht über sich stetig zu schauen nud zu fühlen.«[197] Im gleichen Sinne heißt es in Berthold Auerbachs Vortrag »Goethe und die Erzählungskunst«[198]: »Goethe hat zuerst die freie Natur wieder erobert; Goethe war der erste deutsche Dichter, der wieder im Grase lag. [...] Goethe war der neue Antäus, der wieder die volle Lebenskraft aus der Berührung mit der Mutter Erde sog.«[199] Für Schöll wie für Auerbach ist die Probe auf das Exempel von Goethes realistischem Verhältnis zur Wirklichkeit der Roman »Wilhelm Meisters Lehrjahre«. Die differenzierte Analyse von Goethes Romantechnik durch den realistischen Dichterkollegen Auerbach hebt als Kennzeichen der Erzählhaltung in den »Lehrjahren« vor allem die »Gelassenheit des Vortrags« hervor, die jenes »wohlige Behagen«[200] erzeuge, das zum Leitwert intendierter Rezeptionshaltung in der Frühphase des poetischen Realismus geworden war. Goethes vielberufene »Objektivität« wird von Auerbach ganz im Sinne der realistischen Forderung nach tendenzfreier Unparteilichkeit der epischen Darstellung als »Allliebe« gekennzeichnet, die »Keinen bevorzugt«[201] und die das Geheimnis seiner Charakterisierungskunst ist, »in der jede Persönlichkeit ihre eigene Lebensmelodie, ihre eigene Tonart hat.«[202] Ähnlich hatte auch Hehn schon die Kunst der individuellen Charakteristik in »Hermann und Dorothea« mit Goethes überparteilichem Darstellungsstil in Zusammenhang gebracht. In seiner Besprechung des Vortrags von Auerbach hebt Dilthey diesen Aspekt besonders hervor und leitet ihn aus Goethes Spinozismus ab: »Wenn man von Goethes Objektivität reden will, so kann damit nur jene höchste Gerechtigkeit gemeint sein, jeden Menschen nach seiner eigentümlichen Natur anzuschauen. Es entspricht ganz seinem Spinozismus, daß er positiv Böses nicht kennt; er gibt als Gegengewicht gegen die guten rein negative Figuren.«[203]

Mit den Arbeiten von Schöll und Auerbach ist Goethe konfliktlos in realistisches Kunst- und Lebensverständnis integriert worden. Damit war zugleich jede Form von politischer Kritik, die bis 1850 die Auseinandersetzung mit Goethe dominierend bestimmt hatte, stillgelegt. Wilhelm Dilthey hat die in den Berliner Goethe-

196 Vorliegende Dokumentation S. 473.
197 Ebenda S. 474.
198 Stuttgart 1861. Dazu Dilthey in der »Preußischen Zeitung« Nr. 91 vom 23. 2. 1861. – Dilthey, Gesammelte Schriften XVI, S. 203–209.
199 Auerbach, a. a. O. S. 18 f.
200 Ebenda S. 30.
201 Ebenda S. 35.
202 Ebenda S. 36.
203 Dilthey, a. a. O. S. 207.

Vorträgen von 1861 zum Ausdruck kommende neue Qualität der Goetherezeption gegenüber »den Darstellungen von Gervinus, Julian Schmidt und anderen« dahingehend charakterisiert, »daß der erste Moment des Übergangs, welcher notwendig der einer schroffen Abkehr ist, vorüber und eine unparteiische Übersicht des Zusammenhanges jener Periode möglich geworden ist. So hat, wer jetzt von Goethes dichterischem Ideal ein Bild entwirft, die Perspektive und den Hintergrund jener ganzen Zeitbildung und eine klar begrenzende, doch milde Beleuchtung vor früheren Darstellungen voraus.«[204] Deutlich ist hier der Zusammenhang formuliert, auf den ich zu Beginn dieser Einleitung verwies: Der Autor wird historisiert, indem seine Wirkungsgeschichte für die Gegenwart außer Kraft gesetzt wird. Ihm wird nicht mehr zugestanden, noch die Gegenwart wirkend zu bestimmen. Seine Wirkungsgeschichte wird nur noch als Medium verstanden, das eine objektivierende Distanz zu ihm schafft, die Bedingung seines »historischen Verstehens« im Sinne der historistischen Hermeneutik ist.

Ein wesentliches Moment der in den 60er Jahren sich herausbildenden neuen Stufe der Rezeptionsgeschichte des Dichters sind die Anfänge dessen, was Karl Gutzkow bereits 1861 Goethe-Philologie genannt hatte und was 1877 in Wilhelm Scherers gleichnamigem Aufsatz[205] zum Programm erhoben wurde. Auf sie müssen wir im letzten Abschnitt dieser Einleitung noch einen kurzen Blick werfen.

Die Anfänge der Goethe-Philologie

Neben den bisher behandelten und analysierten Texten zur Wirkungsgeschichte Goethes im zweiten Drittel des 19. Jahrhunderts nehmen die zahlreichen Erläuterungsschriften und Kommentare zu Goethes Leben und Werk einen breiten Raum ein. Sie entziehen sich zumeist völlig der Möglichkeit, in ausgewählten, repräsentativen Abschnitten in eine Dokumentation, wie die vorliegende, aufgenommen zu werden. Der Verzicht auf sie bedeutet allerdings eine nicht unbeträchtliche Verkürzung der Wirkungsfaktoren, die das Bild Goethes vor allem im Unterricht an den Schulen, aber auch für den gebildeten Hausgebrauch, im 19. Jahrhundert und darüber hinaus bis heute vermittelt haben. Eine der ersten Erläuterungsschriften zu einem Goetheschen Werk überhaupt, die 1820 von dem Prenzlauer Rektor Karl Ludwig Kannegießer veröffentlichte »Einladungsschrift« über die »Harzreise im Winter«, nahm der Dichter zum Anlaß einer Erwiderung, der wir nicht nur wertvolle biographische Aufschlüsse zum Verständnis des Gedichtes verdanken, sondern auch wichtige methodische Bemerkungen über Wert und Grenze solcher Kommentare aus der Sicht des Betroffenen. Oft genug hat Goethe betont, daß seinen Werken, vor allem den Gedichten, konkrete Anlässe zugrunde lägen, daß sie »Gelegenheitsdichtungen« seien, ein Begriff, den er in vielfältigen Variationen für diesen Sachverhalt benutzt hat. Das Aufspüren und Dokumen-

204 Dilthey, Gesammelte Schriften XVI, S. 202.
205 Vgl. Anmkg. 3.

tieren dieser »Gelegenheiten« wurde das eigentliche Anliegen der Goethe-Kommentatoren im 19. Jahrhundert. Die Gefahr, die damit verbunden war, hat Goethe in seiner Kannegießer-Besprechung bereits deutlich bezeichnet: »Weil nun aber demjenigen, der eine Erklärung meiner Gedichte unternimmt, jene eigentlichen, im Gedicht nur angedeuteten Anlässe nicht bekannt sein können, so wird er den innern, höhern, faßlichern Sinn vorwalten lassen; ich habe auch hiezu, um die Poesie nicht zur Prose herabzuziehen, wenn mir dergleichen zur Kenntnis gekommen, gewöhnlich geschwiegen.«[206] Indem Goethe in seinen eigenen Erläuterungen den Vorsatz, zu schweigen, durchbrochen hat, räumt er am Schluß die Legitimität eines die »Gelegenheit« aufschließenden und aufschlüsselnden Kommentars ein, ohne das Verständnis eines Gedichts davon abhängig zu machen: »Mein werter Kommentator wird hieraus mit eignem Vergnügen ersehen, wie er so vollkommen zum Verständnis des Gedichtes gelangt sei, als es ohne die Kenntnis der besonders vorwaltenden Umstände möglich gewesen; er findet mich an keiner Stelle mit ihm in Widerstreit, und wenn das Reelle hie und da das Ideelle einigermaßen zu beschränken scheint, so wird doch dieses wieder erfreulich gehoben und ins rechte Licht gestellt, weil es auf einer wirklichen, doch würdigen Base emporgehoben worden. Gibt man nun aber dem Erklärer zu, daß er nicht gerade beschränkt sein soll, alles, was er vorträgt, *aus* dem Gedicht zu entwickeln, sondern, daß er uns Freude macht, wenn er manches verwandte Gute und Schöne an dem Gedicht entwickelt, so darf man diese kleine gehaltreiche Arbeit durchaus billigen und mit Dank erkennen.«[207] Die zahlreichen Goethe-Kommentatoren in der zweiten Hälfte des 19. Jahrhunderts haben nur in seltenen Fällen die vom Dichter angedeutete Gefahr, die »Poesie nicht zur Prose herabzuziehen«, vermieden. Bekanntestes Beispiel hierfür ist Heinrich Düntzer, der »Goethe-Ausleger« kat' exochen in diesem Zeitraum, der zum vielzitierten und vielverlästerten Beispiel eines dichtungsfremden Kommentargewerbes geworden ist.[208] Ihm vergleichbar ist Heinrich Viehoff, der Verfasser einer Goethebiographie (T. 33) und eines

206 H.A. 1, S. 393.
207 H.A. 1, S. 399 f.
208 Vgl. Düntzers Autobiographie »Mein Beruf als Ausleger«, Leipzig 1899. Zu einer erstaunlich hohen Einschätzung Düntzers gelangt Wilhelm Scherer in seinem Programmaufsatz »Goethe-Philologie« (1877), wo es über dessen Kommentar zu Goethes Gedichten in den »Erläuterungen zu den deutschen Classikern« heißt: »Jeder gebildete Deutsche, dem es darum zu tun ist, in Goethes Gedichte wahrhaft einzudringen, sollte dieses Buch besitzen. Er wird sich nicht versucht fühlen, den Kommentar zu lesen statt der Gedichte. Er wird die Bändchen überhaupt nicht lesen, sondern aufschlagen. Er wird für alles Tatsächliche, was Nachweisung der Quellen, Beibringung von lichtgebenden Briefstellen, kurz, was Sammlung des Materials anlangt, sich keinen kundigeren Führer wünschen können, obgleich dieser Führer manchmal sehr persönliche Wege einschlägt und darauf beharrt. Er wird allerdings, was das einfache poetische Verständnis betrifft, öfters in der Lage sein, widersprechen zu müssen. Er wird auch vergeblich nähere Aufschlüsse über poetische Technik oder über die feineren Unterschiede des Stiles bei Goethe suchen. Er wird aber trotzdem für reiche Belehrung danken müssen und sich gern über das, was er vermißt, trösten mit dem, was er findet.« Scherer, Aufsätze über Goethe. Zweite Auflage. Berlin 1900. S. 11.

vielgelesenen und vielbenutzten Kommentars zu Goethes Gedichten. Die Charakteristik, die Hermann Hettner von Viehoff gegeben hat, kann auch für Düntzer gelten: »Er ist Philolog und nichts als Philolog. Hierin liegen alle seine Schwächen und Vorzüge. Gerade diesem philologischen Tick verdanken wir die genaue chronologische Sichtung und Reihenfolge, in die ich durchweg das wesentlichste Verdienst des ganzen Buches setze, diesem philologischen Tick verdanken wir auch die sorgfältige Sammlung der Varianten, die uns den lehrreichen Genuß gewähren, dem Künstler selbst beim Schaffen in die Werkstatt hineinlauschen zu können. Aber ihm verdanken wir auch andererseits die zahllosen Pedanterien und Trivialitäten der erklärenden Noten, die einem oft die Lektüre recht gründlich verleiden. Und was wichtiger als dies ist, dieser philologische Tick bannt Herrn Viehoff überall nur an das biographische Interesse und läßt ihn nirgends zu einer eigentlich künstlerischen, ästhetischen Auffassung gelangen. Dieses Buch gibt uns vortreffliche Handhaben zur Beurteilung Goethes, aber nie diese kritische Beurteilung selber.«[209]

Die erst in den 60er Jahren sich herausbildende Goethe-Philologie im engeren Sinne, die in dieser Frühphase vor allem mit den Namen Woldemar von Biedermann, Gustav von Loeper und Michael Bernays verbunden ist, hat sich von Männern wie Düntzer und Viehoff z. T. schroff distanziert, nicht ohne den Hochmut der gesellschaftlich Arrivierten gegenüber dem in seiner akademischen Laufbahn glücklosen Privatdozenten und dem pedantischen Provinzschulmeister. Für Woldemar Freiherrn von Biedermann, dem hohen sächsischen Staatsbeamten, und Gustav von Loeper, dem preußischen Juristen und Archivverwalter der Hohenzollern, war die Beschäftigung mit Goethe eine mit Leidenschaft betriebene Nebenbeschäftigung, sie waren, wie Erich Schmidt es für von Loeper formuliert hat, »Vertreter jenes unzünftigen, aber durchgebildeten Dilettantismus reiner, hoher Art, der aus innerem Drang heraus die Neigung zur Pflicht und seinen Namen von der Liebe hat.«[210] Die Erstlingsschrift von Woldemar von Biedermann, »Die Quellen und Anlässe einiger dramatischer Dichtungen Goethes« (1860), bewegt sich noch ganz im Rahmen dessen, was Düntzer und Viehoff zu ihrer Lebensaufgabe gemacht hatten. Gewicht und Wert bis heute erhalten dann die Aufsätze über »Goethes Beziehungen zum sächsischen Erzgebürge« (1862)[211] und die Werke »Goethe und Leipzig« (1865) und »Goethe und Dresden« (1875). Sie eröffnen die stattliche Reihe der nun folgenden Arbeiten, die die lokalen Lebensbeziehungen Goethes zum Gegenstand reichdokumentierter Monographien gemacht haben. Die bleibende Leistung von Woldemar von Biedermann ist seine Sammlung von »Goethes Gesprächen«, die 1889 bis 1896 in zehn Bänden erschienen ist und in der Neubearbeitung durch seinen Sohn Flodoard eines der Funda-

209 Hermann Hettner, Heinrich Viehoffs Kommentar zu Goethe Gedichten (1848). Zitiert nach: Hettner, Schriften zur Literatur. Zusammengestellt und Textrevision von Jürgen Jahn. Berlin (DDR). S. 270.

210 Erich Schmidt, Gustav von Loeper. In: Schmidt, Charakteristiken. Zweite Reihe. Zweite vermehrte Auflage. Berlin 1912. S. 256.

211 In erweiterter Form als Buch 1877 erschienen.

mente der Goethe-Wissenschaft darstellt. Gustav von Loeper, der als Autor erst nach 1870 in Erscheinung tritt[212], verdient in diesem Zusammenhang Erwähnung als der eigentliche Initiator der ersten wissenschaftlichen Goethe-Ausgabe, deren erster Band 1868 im Verlag von Gustav Hempel in Berlin erscheint. Ein Jahr zuvor, in dem sogenannten »Klassikerjahr«[213], waren alle alten Verlagsprivilegien für die vor dem 9. November 1837 verstorbenen Autoren gemäß einem Beschluß der Bundesversammlung von 1856 aufgehoben worden und damit auch Goethes Werke aus dem Monopol der J. G. Cottaschen Verlagshandlung entlassen. Die »Hempelsche Goethe-Ausgabe«, an der neben von Loeper auch Woldemar von Biedermann, Heinrich Düntzer, Salomon Kalischer, Friedrich Strehlke und Friedrich Förster mitgearbeitet haben, erschien von 1868 bis 1879 in 23 Bänden. Sie nannte sich im Untertitel eine »nach den vorzüglichsten Quellen revidirte Ausgabe« und erhob damit den Anspruch, in der Darbietung des Goethe-Textes philologisch-kritisch verfahren zu sein.[214] Diesen Anspruch allerdings hat die Hempelsche Ausgabe nur sehr bedingt erfüllt. Ihr ist noch nicht die Fundamentalkritik des in den bisherigen Ausgaben überlieferten Textes der Goetheschen Werke zugute gekommen, die Michael Bernays in seiner bahnbrechenden Schrift »Ueber Kritik und Geschichte des Goetheschen Textes« von 1866 (T. 53) geleistet hat. Erst Bernays konnte in subtiler, streng philologischer Analyse die Korrumpierungen des Textes der Jugendwerke Goethes, vor allem des »Werther«, in der Überlieferungsgeschichte der verschiedenen vorliegenden Ausgaben nachweisen und hat damit ein Fundament geschaffen, auf dem die philologische Kritik weiterbauen konnte. Bernays Arbeit ist nicht denkbar ohne die Anregung und tätige Mithilfe des Buchhändlers, Verlegers und Goethesammlers Salomon Hirzel[215], von dem vielfältige Ausstrahlungen und Einflüsse in die in den 60er Jahren sich konstituierende Goethe-Philologie ausgegangen sind.

Mit der Freigabe der vor 1837 verstorbenen Klassiker im Jahre 1867 war die Möglichkeit geschaffen worden, billige Ausgaben in Massenauflagen auf den Markt zu bringen und so den Kreis der potentiellen Leser und Rezipienten der klassischen Literatur über den bisherigen Adressatenkreis hinaus beträchtlich auszuweiten. Gustav Hempel bot in seiner »Nationalbibliothek sämtlicher deutscher Classiker« eine vollständige Gesamtausgabe der wichtigsten deutschen »klassischen« Autoren an. Sie wurde mit insgesamt 714 Lieferungen 1879 abgeschlossen. Der Verleger Anton Philipp Reclam startete im Jahre 1867 seine berühmte Universal-Bibliothek, von der im gleichen Jahre bereits 35 Hefte erscheinen konn-

212 Vor allem mit seinen bedeutenden Kommentaren zur Hempelschen Goethe-Ausgabe, deren Würdigung der Einleitung zum dritten Band dieser Dokumentation vorbehalten bleibt.

213 Vgl. dazu: Realismus und Gründerzeit. Manifeste und Dokumente zur deutschen Literatur 1848–1880. Mit einer Einführung in den Problemkreis und einer Quellenbibliographie hg. von M. Bucher, W. Hahl, G. Jäger und R. Wittmann. 2 Bde. Stuttgart 1976. Band 1, S. 178–182 (Analyse von Reinhard Wittmann). Band 2, S. 647–661 (Dokumentation).

214 Vgl. dazu: Friedrich Strehlke, Zur Textkritik von Goethe's Werken. Berlin (Gustav Hempel) 1873.

215 Vgl. T. 53, Anmkg. 3 (S. 565).

ten. Das erste Bändchen brachte »Faust I«, der zweite Teil folgte als Band zwei. Die nationalliberale Publizistik feierte die Freigabe der Klassiker als die einzigartige Möglichkeit, Hütte und Palast des deutschen Volkes im Zeichen der Erziehung durch seine Klassiker zu vereinen. So heißt es in Rudolf Gottschalls Aufsatz »Die Classiker als Nationaleigenthum« im »Börsenblatt für den deutschen Buchhandel« 1867: »Näher gerückt werden die geistigen Größen der Nation jedem einzelnen, erweitert die Kreise, denen der Zutritt in ihrer segenspendenden Nähe gestattet ist. Erst der Besitz der Werke schafft ein intimeres Verhältnis zu den Schriftstellern und Dichtern; ein dauerndes Band – und in diesen Besitz wird jetzt die Mansarde und der Salon sich teilen.«[216] Es fehlte allerdings nicht an kritischen Stimmen, die Wasser in den Wein der neuen Klassikbegeisterung schütteten. So ließ ein gewisser Christian W. Wurst als verspäteter Nachfahr Wolfgang Menzels in seiner anonym erschienenen Broschüre »Kreuz- und Querzüge in Sachen der deutschen Classiker« von 1868 die Mahnung verlauten: »Was ist das? Klingklang, schöner Klingklang ist es, hohle Phrase, weiter nichts. Denn, hilf Himmel, wo ist der Segen, den jene Geistmänner gespendet? Wie? Sollte es jemals dahin kommen, daß Kinder ihren Eltern im vertraulichen Familienkreis die ›Wahlverwandtschaften‹ vorlesen oder die Komödiantenstreiche des ›Wilhelm Meisters‹? oder daß sie sich an den polierten Versen der ›Natürlichen Tochter‹ erholen sollten und so fort. Sollte es dahin kommen, dann gute Nacht deutsches Wesen und deutsche Kraft! Aber es wird, ja es kann nie dahin kommen. Es ist noch zu viel gesunder Sinn vorhanden.«[217] Die Deutschen sollten ihre »deutsche Kraft« und ihren »gesunden Sinn« wenige Jahre später unter Beweis stellen. Wie sie beides mit der Aufnahme des »Klassikers« Goethe verbunden haben, wird der folgende Band dieser Wirkungsgeschichte dokumentieren und erläutern.

216 Realismus und Gründerzeit. A. a. O. Bd. 2. S. 654.
217 Ebenda S. 657.

DOKUMENTE

1 *Karl August Böttiger*

Göthe's Tod 1832

Man hat eine alte Volkssage, welche Plutarch erzählt, daß einem ägyptischen Schiffer von einer griechischen Insel eine Stimme zugerufen hätte: der große Pan ist tot! Da sich dies unter dem Kaiser Tiberius zugetragen haben soll, so bedarf's keiner Ausdeutung, welche Anwendung die Kirche davon gemacht hat. Man darf aber wohl ohne Furcht vor Verketzerung diese Sage auf die Nachricht von Goethes am 22. März erfolgtem Tode anwenden. Denn so wie noch in jener Sage hinzugefügt wird, es habe sich auf einmal, als der Steuermann diesen Zuruf zurückgegeben, weit und breit ein allgemeines Seufzen und Wehklagen vernehmen lassen, so mag man wohl sagen, daß jene Todesnachricht unter allen Völkern deutscher Zunge, und selbst jenseits des Rheins und der Alpen, mit immer lauter werdender Trauer vernommen worden sei.

Die Nachricht von seinem Tode ergriff zuerst die Bewohner Weimars. Goethe hatte selbst in seinem hohen Alter schon oft so bedenkliche Krisen erlitten, aber bei einer fast beispiellosen inneren Vitalität jedes ihn wohl öfter bedrängende Verkältungs- oder Eingeweideübel mehr noch durch seine ihm dann eigene Diät, als die Vorschriften seines treuen Arztes (in der letzten Zeit des Dr. Vogel) [1] so schnell überstanden, daß seine Krankheit weniger bekannt und beachtet war, und sein Tod allen wie ein aus einer kleinen Wolke herabzückender Blitzstrahl erschien. Auf den Flügeln der Eilpost durchlief er schnell alle deutschen Gaue, und das Wort: Goethe ist tot, ward von einer Million deutschfühlender Frauen und Männer zugleich ausgesprochen.

Wer jetzt wohl von *ihm* einen gewöhnlichen Nekrolog zu erhalten wünschen könnte, der mag zu seinem Konversationslexikon greifen. Oder hat der in seiner Universalität so schwer zu Begrenzende sein Jugendparadies und sein geistiges *Werden* nicht selbst schon uns aufgetan? Hat er, nachdem er den großen Wendepunkt Weimar erreicht hatte, in seinen Werken von der letzten Hand [2] nicht sein ganzes übriges Leben bald in Dichtung, bald in sorgfältig gehaltenen Tagebüchern, allen, die *sehen* können, vorgelegt, und auch die zweite italienische Reise von 1787 (im 27. bis 29. Band, des Köstlichsten mit von seinen Werken) uns erschlossen? Hat er nicht durch die offene Mitteilung seines Briefwechsels mit Schiller uns in alle häuslichen und literarischen Zustände jener letzten genialischen Zeit für ihn eingeführt?

Uns ziemt, und der Raum dieses Blattes faßt es nicht, den Parentator zu machen. Leichenredner, wie er sein soll, ist ja an der geöffneten Fürstengruft schon der freisinnige Röhr gewesen.[3] Andere werden anderes verkündigen, der Unterrichtetste von allen, Riemer, wird nicht schweigen. Hier stehe nur die Nachricht von dem, was *zuletzt* von ihm und mit ihm geschah. Doch mag vorher noch ein Blick auf sein Ganzes nicht gescholten werden, und was etwa dem, der sich zur Beschauung in den Goetheschen Hausflur hineingedrängt hatte, wo er in sinnreicher Anordnung und Umgebung fünf Stunden lang in Parade ausgestellt lag, beim Blicke auf das nun geschlossene Auge, das bis ins höchste Alter in eigener Geisteszurückspiegelung lebte und nie gemalt oder gebildet wurde, auf dies belorbeerte Haupt, die geheimnisvolle Werkstätte einer Ideenwelt drei Menschenalter hindurch für alle kommenden Geschlechter, durch die Seele ging.

Wohl war in Goethe das *All und Eins*, wie es die alten Philosophen bezeichneten, in einem so vielleicht nicht wiedergefundenen Stempel ausgeprägt. Alles, was Menschenleben, Geschichte, Natur und Kunst umschließt, hatte sein Geist erfaßt und ermessen, überall entdeckte er neue Beziehungen und Wahlverwandtschaften, nichts stand vereinzelt; aus den Stoffen, die ihm eigener Sammlerfleiß und tausend willige Handlanger zuführten, dichtete, formte, schuf er, wo nicht immer ganz Neues, doch neu und klar Dargestelltes aus überraschend reinem Gesichtspunkte. Seine Tendenz war überall plastisch, selbst sein festes, bis zur Todesstunde ihm teures Lieblingskind, seine Farbentheorie, war es, nicht trennend und prismatisch spaltend. Dabei war er fünfzig Jahre der erste und wahre Repräsentant des deutschen Volkes, unter dem er als Dichterfürst und Kunstorakel, als Goldmund und Feinhand (Chrysostomus, Eucheir)[4] zuletzt monarchisch gebot, vor dessen Tribunal sich freiwillig alles stellte, denn so wie Deutschland auch darum das Herz des zivilisierten Europas ist, weil es alle Sprachen und Redeformen, lernend und übersetzend, in sich aufnimmt, alles Wissen, Forschen und Erfinden der Vorwelt und Mitwelt in sich aufspeichert, über alles Buch hält und Rechenschaft zu geben weiß: so hatte Goethe allen Sprachen auf den Mund gesehen, und nicht bloß im ›West-östlichen Divan‹ den Osten mit dem Westen verbunden; so war er selbst der Oberbibliothekar und Oberkunstinspektor im *weitesten* Sinne, wie sich die Herren auf der Göttinger Bibliothek noch erinnern, und die jenaische und weimarische Bibliotheken dankbar anerkennen, und wie die Boisserées noch jetzt erzählen[5], aber auch im *engeren*, da sein Haus in Weimar einen erstaunenswürdigen Schatz von Büchern, Bildwerken, Handschriften, naturhistorischen und physikalischen Seltenheiten, Kleinodien, die ganz Europa ihm zollte, in sich schloß, und, von seinem alles durchdringenden Scharfblicke geordnet, sein eigentümlichstes Besitztum geworden war.

Aber dies alles hätte doch nur ein eminentes Sammlergenie bewiesen, hätte vielleicht nur als Vorbild des deutschen Fleißes gegolten, den der Ausländer oft bespöttelt. In Goethe wurde dies alles aber wiedergeboren, und ein organisch vollendetes, ein selbständiges Urbild, ein unschätzbares Erbteil seines Volks, das ihn erst später noch ganz würdigen lernen wird. Und wie die deutsche Kernsprache die weichste und folgsamste ist, dem, der sie zu handhaben versteht: so hat ihr Goethe tausend neue Formen aufgeprägt und in unnachahmlicher Klarheit sie, wie das zarteste Gewand, den verkörperten Ideen umzuwerfen gewußt.

Die Natur hatte in ihm einen ihrer seltenen Lieblinge begabt. Lebten wir noch in der Zeit der Horoskope, so würde man sagen, er müsse im Hause der Venus in der Inklination zum Jupiter geboren sein. Sie hatte ihn in die Wiege eines tüchtigen Frankfurter Patriziers und einer klugen und beredten Mutter gebettet. Einer der schönsten und vollkräftigsten Jünglinge und Männer seiner Zeit, bewahrheitete er siegreich in allen Begegnissen mit Frauen und Männern, auch mit spröden Naturen, den Vers Virgils: Anmutiger rührt aus schönem Körper die Tugend. Er konnte und wollte wohl auch zu seiner Zeit ein Faust sein – dies Weltgedicht spiegelt ihn selbst am mannigfaltigsten zurück –, aber eine kluge Mäßigungstheorie führte ihn bis zum 83. Lebensjahre. Und doch vermochte nur eine solche Natur sich solches zuzumuten. An seine Wiege trat hold lächelnd die Tyche. Er war einer der glücklichsten Menschen. Überall ebnete die ihm voreilende Göttin *Gelegenheit* [6] seine Pfade, und bereitete ihm die günstigste Aufnahme. Selbst die Jammerszene in der Champagne gab ihm nur Stoff zu den lebendigsten Schilderungen.[7] Eine seltene Gunst des Augenblicks führte ihn an der Hand Herders zur Brautschau dem edlen Herzog von Weimar Karl August zu, an dessen Hof er im seltenen Geistervereine stets der Erste und Begünstigtste war, und nie ums Irdische besorgt sein durfte. (Er bezog bis an sein Ende zwischen 4000 und 5000 Thaler, im schönen ihm vom Fürsten geschenkten und geschmückten Hause, und wo Ergänzung not tat, sorgte wohl auch im rechten Augenblicke Cotta.[8])

Der Hochbetraute selbst im Familienrat, von dem überall Rat findenden, allseitigen Voigt [9] unterstützt, in den großen dreißig Jahre lang verhandelten Weltzuständen stets besonnener Skeptiker, zog es vor, am Hofe lieber Ottavio als Tasso zu sein, war in Italien Tasso und in Weimar lange, oft in abweisender Mantelverhüllung, unter welcher doch der Stern zu sehen war, Minister. Die nur wenigen je zuteilgewordene Glückseligkeit, sich wie ein Phönix sein Nest aus den duftendsten Zweigen, die er selbst wachsen sah, zu bauen, wurde ihm dadurch zuteil, daß er noch im höchsten Alter, bei ungeschwächter Geisteskraft und fortblühender Gesundheit seine eigenen Werke sammeln, und soviel für die erste Zusammenstellung bestimmt war, zur letzten Hand herausgeben, seinen ›Faust‹ vollenden, alles, wie ers seit Jahren bedacht hatte, säuberlich ordnen, und darüber, wie es mit seinen Kunstschätzen und Handschriften gehalten werden sollte, in kluggeformter Verfügung ungetrübt und kräftig sich aussprechen konnte.

Seine dramatische Lust erging sich in selbsterschaffener Bühnengestaltung, wo ihm alles gern untertan war, und als er, weil Tiere mitspielen wollten, sich zurückzog [10], wurde er allseits angesprochener Intendant aller deutschen Bühnen, dichtete Epimenidesse [11] und wurde freudig anerkannter Diaskeuast [12] eigener und fremder Erzeugnisse.

Sein Jubiläum [13] wurde tausendstimmig auf den Bühnen gefeiert, und die Münze mit dem Doppelkopf des Herrn und der Herrin, die ihn nun auch im Alter für ebenbürtig erklärten, verkündete noch in anderen Metallen, als die im

Druckerkasten liegen, sein Glück. Jeder neue Geburtstag war eine Apotheose des nie Alternden, der Genuß empfangend und gebend unter den Seinen wandelte.

Könige und Fürsten eilten herbei, um ihn zu schmücken, oder schickten Maler, ihn zu konterfeien; ein Pariser Bildhauer [14] pilgerte nach Weimar, ihn zu bilden, und schickte seine kolossale Büste, die doch Rauchs belobte Schöpfung [15] nicht verdunkelte; sinnig gestochene Siegel kamen aus England, und noch wenige Wochen vor seinem Tode schickte der zeichnen- und farbenkundige Architekt Zahn, im Begriffe, mit einer Fürstin in den Orient zu reisen, ihm die in Pompeji frisch ausgegrabene *Casa di Goethe,* nebst dem bewunderten Mosaik daraus in Abriß und fertigem Abbilde, zugleich mit der Ankündigung eines Besuchs von Sir Walter Scott.[16]

Mußte er auch den Verlust eines Sohnes beklagen, der am 28. Oktober 1830 in Rom starb, so genoß er doch die zärtlichste Pflege seiner hochgebildeten Schwiegertochter Ottilie von Goethe, und erfreute sich täglich zweier Enkel, Walther und Wolf, die ihn mit ihrer Schwester Alma lieblich und vielversprechend umscherzten, und nicht bloß seinen Namen fortzupflanzen versprechen. Wie denn auch Tyche ihm noch das Letzte und Höchste gewährte, ein schnelles, von freundlichen Phantasien und Bestrebungen in alten Tätigkeiten erquickendes Hinüberschlummern ohne Krankenlager – er entschlief auf dem Krankenstuhl – und wie er in fürstlichem Gepränge zur Fürstengruft, wo schon Schillers Hülle ruht, neben dem erhabenen Fürstenpaare, den Angelsternen seiner Treue in Leid und Freud, eingesenkt wurde, mag später bezeichnet werden.

Es darf nicht ganz verschwiegen werden, daß dieser Günstling der Natur und des Glücks [17] doch wieder alles mit einer Klugheit – die man oft mit ungemütlicher Selbstsucht verwechselt hat, weil viel dazu gehörte, sein Zutrauen zu gewinnen und einen Blick in sein wahres Inneres tun zu dürfen – so sich anzueignen und zu benutzen verstand, daß eben ein Goethe dazu gehörte, um solchen Vorteil daraus zu ziehen. Wahr ist, daß er bei vielen seiner dramatischen, lyrischen und epischen Dichtungen, dem Zeitgeiste an den Puls greifend, sich an Vorhandenes hielt, die Katastrophe eines Verliebten in Wetzlar im ›Werther‹ ausmalte, im ›Götz‹ den Urkunden folgte, seinen ›Clavigo‹ von Beaumarchais borgte, in der ›Eugenie‹ [18] und ›Hermann und Dorothee‹ der Revolution die dichterische Seite abgewann, im ›Meister‹, in den ›Wahlverwandtschaften‹ nur eigene Zustände ins Objekt rückte, und überhaupt sich der Zeit fügte. Aber er drückte nun allem sein Siegel so kräftig auf, daß er durchs Angeeignete stets über der Zeit stand, und dadurch nach allen Seiten hin, selbst politisch, neue und wichtige Impulse gab.

Freilich kamen zu allen Stunden die unterrichtetsten Männer zu ihm und tischten dem Unersättlichen das Köstlichste, was jeder in seinem Fache hatte, auf; Wolf zerriß den Homer vor seinen Augen und kommentierte Winckelmann;[19] Zelter und Rauch brachten Gaben der Ton- und Bildhauerkunst; es war bei ihm eine Art von permanenter Gemäldeausstellung, seitdem die Aufgaben der weimarischen Kunstfreunde [20] nicht mehr einen Mittelpunkt bildeten; die größten Chemiker, Ärzte, Anatomen teilten ihm ihre Entdeckungen sogleich mit; die ganze Universität Jena war ihm dienstbar; die interessantesten Memoiren und Monographien über alles zwischen Himmel und auf der Erde strömten ihm in der Handschrift zu; dies war nie einem anderen so zugekommen, und nie hätte ein anderer es so zu benutzen gewußt. Er betrachtete nach und nach dies alles als seine Gebühr, und fragte und sagte nicht immer, von wem er es empfangen habe. Er griff zu, und wie er dies machte, zeigen seine in den Werken exzerpierten Tagebücher zur Genüge. Da war wohl eine Titanennatur im Hochgefühle der ihn umgebenden Unterwürfigkeit in ihm.

Er schlürfte Weihrauch und Fettgeruch wie die homerischen Götter, wurde aber nie, wie manche geglaubt haben, davon benebelt. Er belachte die Goethe-Koraxe [21], und ignorierte – wenn man alles, was ihn unsanft berührte, stets wegschob, und noch in den letzten Monaten das Haus des Nachbars kaufte, um den Lärm darin zu entfernen – die Goethe-Zolle. Er verdiente und hatte Freunde bis zur Sterbestunde. Schiller hatte sich ihm gleichsam vermählt und huldigte ihm aus Überzeugung. Die meisten sind vorausgegangen. Doch leben auch, außer von Müller, Riemer, Heinrich Meyer und einigen anderen Vertrauten in Weimar, auswärts noch manche, die von ihm nicht mit erheuchelter Begeisterung sprechen, Graf Reinhard, jetzt französischer Gesandter in Dresden, Friedrich Rochlitz in Leipzig, und eine große Zahl der von ihm Treuerkannten.

Wir, so schließt Tieck, der Verfasser des ›Mondsüchtigen‹, seinen am 29. auf der Dresdener Bühne gesprochenen, dramatisch plastischen Epilog [22], freuen uns, daß wir noch hier geblieben, um ihn *in uns* zu ehren und zu lieben. [...]

2 *Friedrich von Müller*

Goethe in seiner practischen Wirksamkeit — 1832

Das Andenken großer Abgeschiedenen wird nicht würdiger gefeiert als durch aufmerksames Betrachten ihres Wirkens und der Eigentümlichkeit ihrer Sinnesweise.

Wohl lebt jeder höhere Mensch ein doppeltes Leben, ein *äußeres*, offenbares, durch seine Stellung zur Welt, durch ihre Anforderungen und Gegenwirkung, durch Gelingen und Mißlingen, durch tausend Zufälligkeiten bedingt und gleichsam abgenötigt; und ein *inneres*, unsichtbares, auf den tiefsten Eigentümlichkeiten des Menschen beruhend, das er zwar in jenem äußern abzuspiegeln, auszuprägen – bewußt und unbewußt – immerfort bemüht ist, das aber nur bei den edelsten Naturen rein hervortritt und auch da noch von einem zarten, geheimnisvollen Schleier bedeckt bleibt.

Die Betrachtung eines bedeutenden abgeschlossenen Lebens darf sich daher nicht auf jenes *äußere*, leichter erkennbare beschränken, sie muß in das innere, verhüllte einzudringen streben, die einzelnen Fäden des Zusammenhangs beider aufsuchen, ihre wechselseitige Einwirkung nachweisen und – wie der echte Künstler nicht bloß durch treue Nachbildung der einzelnen Gesichtszüge, sondern durch Auffassung innern Charakters ein wahrhaft lebendiges Abbild schafft – so auch das Wollen und Wirken des Individuums in seiner Totalität uns aufschließen.

Wer böte wohl reichern Stoff zu solch einem großen Lebensgemälde dar als *Goethe,* dessen innere Geschichte und geniale Eigentümlichkeit gerade so unerschöpfliche Momente enthält, daß sie, wie ruhmvoll und bedeutend auch sein äußeres Leben war, doch dasselbe an Interesse noch weit überbietet und für Mit- und Nachwelt ewiger Anreiz zu psychologischen Forschungen bleiben wird?

Aber welche Hand wäre vermessen genug, jetzt schon eine so schwierige Aufgabe lösen zu wollen?

Zähle nur liebevolle Verehrung sich es in engern und weitern Kreisen zur Pflicht, einzelne Züge des vielseitigsten Daseins zu sammeln und aufzubewahren, wahrheitstreue Studien zu einem größern Ganzen darzubieten: so wird es dadurch gewiß am sichersten vorbereitet werden.

Aufgefordert, zum Andenken des großen Abgeschiedenen vor einer hochachtbaren Versammlung zu sprechen, deren Mitglied er war und deren vereinte Kräfte zunächst der Förderung *gemeinnütziger* Wissenschaften gewidmet sind, will es mir angemessen scheinen, hier vorzugsweise die Eigentümlichkeit seiner rastlosen praktischen Tätigkeit Ihrem geistigen Auge vorüber zu führen, je mehr ich selbst aus langjährig traulicher Nähe hierüber gewissenhaftes Zeugnis abzulegen vermag.

Geniale Menschen schweifen leicht über die Grenzen der Wirklichkeit hinaus; im Gefühl, Außerordentliches leisten zu können, verschmähen sie oftmals die eng gezogene Schranke bürgerlicher Ordnung und, einer einseitigen Richtung aufs Idelle hingegeben, das Studium der wirklichen Welt und ihrer Anforderungen.

In Goethe dagegen finden wir von früh an zwei oft sich widerstrebende Eigenschaften innig verschwistert: eine überschwenglich produktive Phantasie und einen kindlich reinen Natursinn, dem überall ein Lebendiges begegnet und der überall tätig ins Leben einzugreifen strebt.

Diese unvertilgbare Liebe zur Natur und zum praktischen Wirken schlingt sich durch das ganze Gewebe seines Lebens hindurch, sie schärft sein Auge für jede äußere Erscheinung, leitet die oft unruhige Tätigkeit seines Geistes zum Realen hin, wird ihm zum Gegengewicht und Heilmittel der Leidenschaften und bewahrt ihn, wie ein schützender Genius, mitten unter gefahrvollen Abwegen vor Verirrung, mitten unter Abenteuern vor abenteuerlicher Richtung.

Wie früh auch schon der Knabe gern eine märchenhafte Welt um sich gestaltet und poetischen Fiktionen sich hingibt, – das emsige Lebensgewühl seiner gewerb- und handelsreichen Vaterstadt zieht ihn nicht minder lebhaft an; es wird ihm leicht, sich in die Zustände anderer zu finden, jede besondere Art menschlichen Daseins sucht er mitzufühlen und den verschiedenen Beschäftigungen der Menschen Begriff, Bedingung und technischen Vorteil abzugewinnen. Mit Beharrlichkeit strebt er sich, jede imposante Naturerscheinung zu enträtseln, mit

Entzücken durchstreift er Wald und Gebirg, und was er auch erblickt, es wird ihm alsobald zum *Bilde*.

Wie er mit Wärme es in sich aufnimmt, will er auch äußerlich es wieder hervorbringen und darstellen; das Zeichnen – diese sittlichste aller Fertigkeiten, wie er sie späterhin einst nannte[1] – wird ihm zum Organ seines Verständnisses mit der Natur, zur symbolischen Sprache für innere Anschauungen.

Als späterhin die großen Probleme der sittlichen Welt und des religiösen Bedürfnisses den Jüngling zu angestrengten Forschungen aufregen, ja oftmals zu verwirren drohen, findet er den innern Frieden nur in der Erkenntnis einfacher, ewig allgemeiner Naturgesetze wieder. Jeder bedeutende äußere Anlaß entwickelt in seiner Seele ein tieferes Gefühl der großen Wahrheit, daß alle Kunst durch klare Naturanschauung bedingt ist, und wenn er von dem ungeheuern Eindruck, den der Münster zu Straßburg auf ihn macht, sich Rechenschaft zu geben versucht, kommen ihm statt bunter Phantasiebilder überall zunächst die Begriffe grenzenloser Ordnung und Harmonie entgegen, die er in dem Verhältnis zahlloser, mit Anmut ausgeführter Einzelheiten zu einem großen zweckmäßigen Ganzen verkörpert findet.[2]

Wohl war es der Lorbeerkranz des Dichters, den er sich als das wünschenswerteste Glück seiner Zukunft dachte; doch wie großen, gewaltigen Eindruck auch schon seine ersten schriftstellerischen Produktionen auf ganz Deutschland gemacht hatten, und wie verführerisch das Bild ungebundenen Dichterlebens ihm erschien, so fühlt er doch gar bald, daß er vor allem einer würdigen Stellung im bürgerlichen Leben bedürfe, und daß der Dichter nur um so freier und reicher schaffen und gestalten könne, auf eine je breitere Unterlage praktischer Wirksamkeit und Erfahrung er sich stütze. In dieser Überzeugung folgt er freudig dem ehrenvollen Rufe seines jungen fürstlichen Freundes nach Weimar, und die Welt findet sich nicht wenig überrascht, den Dichter des ›Werther‹ und des ›Götz von Berlichingen‹ ohne alle Zwischenstufe unmittelbar in den Staatsrat eines regierenden Fürsten eintreten zu sehen.

Hier nun erlangt jener angeborne Trieb zur realen Erkenntnis der Naturgegenstände und ihres Bezugs auf Förderung bürgerlicher Wohlfahrt die angemessenste Entfaltung, die Neigung wird jetzt zur Pflicht, und diese hinwiederum steigert jene zu rastloser Tätigkeit.

Goethe selbst hat uns in der ›Geschichte seiner botanischen Studien‹ aufs anmutigste erzählt, wie sie durch ein fröhliches Jagdleben zuerst angeregt, durch freundlich geselliges Verhältnis zu einsichtigen Männern gefördert und durch das wachsende Gefühl der Unzulänglichkeit überlieferter Systeme und Nomenklaturen zu jener fruchtbaren Reife getrieben worden, der wir späterhin seine ›Metamorphose der Pflanzen‹ verdanken, die er selbst als »Herzenserleichterung« bezeichnet.[2a]

Auf ähnliche Weise ward der höhere Sinn für Mineralogie und Bergbau, für Osteologie und vergleichende Anatomie in ihm geweckt und ausgebildet; überall lebendige Anlässe und aus unmittelbarer Anschauung rätselhafter Mannigfaltigkeiten die Ahndung tiefster Fundamente und Gesetzmäßigkeit, nirgends ein düsteres, trocknes Abmühen in eng begrenzter Zelle.

Mit offenem, freien Auge wird jede Landesgegend durchstrichen und wie sich ihrer Eigentümlichkeit Vorteil abgewinnen, ihrem Bedürfnisse zu Hülfe kommen lasse, erwogen; auf den Höhen uralten Waldgebirges, wie in den Tiefen der Schluchten und Stollen kommt die Natur ihrem Liebling befreundet entgegen und enthüllt ihm manches ersehnte Geheimnis.

»Und manches Jahr des stillsten Erdenlebens
Ward so zum Zeugen edelsten Bestrebens.«[3]

Jeden stillen Gewinn sucht er alsobald nutzbar für öffentliche Zwecke zu verwenden; er versucht es, neues Leben in den Bergbau zu bringen und sich mit allen technischen Hülfsmitteln dazu vertraut zu machen; chemische Versuche werden eifrig hervorgerufen, neue Straßen gebahnt, der Wasserbau nach richtigern Grundsätzen betrieben, der alten Saale bei Jena durch zweckmäßige Durchstiche fruchtbare Wiesen abgewonnen und im steten Kampfe mit der Natur der Obsieg verständig beharrlichen Willens errungen.

Aber niemals wird auch dankbar genug anerkannt werden können, wie sehr der eigene frische Natursinn und die heitere Lebens- und Tatenlust seines erhabenen Fürsten unsern Goethe begünstigten, indem seinem vielseitigen Streben und Wirken nicht nur ein weiter Spielraum eröffnet und kräftige Unterstützung gewidmet, sondern auch dafür gesorgt ward, daß die Geschäfte seines öffentlichen Berufs nirgends die Freiheit des Dichters und Naturforschers verkümmerten.

[...]

Es ist vielen der nähern Freunde und Lebensgenossen Goethes begegnet, daß er ihnen nach seiner italienischen Reise ganz umgewandelt vorkam, ja, daß sie fast irre an ihm wurden, wenn sie jenen freien, harmlosen Lebenssinn, jene unbefangene, zutrauliche, hinreißende Lebhaftigkeit, mit der sie ihn früher die verschiedensten Gegenstände ergreifen zu sehen gewohnt waren, nicht mehr an ihm zu gewahren glaubten. So kam er nun dem einen erkaltet, dem andern verschlossen oder selbstsüchtig, rätselhaft den meisten vor, und noch späterhin haben ähnliche Klagen nachgeklungen.

Halten wir doch alle gern den Eindruck fest, den eine liebenswürdige Erscheinung bei der ersten Begegnung auf uns macht; ihr Bild, wie wir es einmal mit Liebe in uns aufgenommen, soll immerfort gleichen, und wir vergessen, daß, je gehalt- und lebensreicher ein Individuum ist, umso vielseitiger es sich auch im bewegten Leben entwickeln, ausbilden, äußerlich verändern müsse.

Wohl war Goethe in gar mancher Hinsicht ein anderer aus Italien wiedergekehrt, aber nur reicher, reifer, in sich gesammelter und beruhigter. Eine lang genährte unbezwingliche Sehnsucht war gestillt, die unermeßliche Welt der Kunst in Fülle der Anschauung vor ihm aufgegangen. Seinem Naturell gemäß hatte die Reflexion stets gleichen Schritt mit dem Genuß gehalten; den großen Maßstab, den er an den ewigen Monumenten höchster Meister gewahrte, hatte er an sich selbst angelegt und so in Klarheit die Grenze menschlichen Strebens, das Unzulängliche eines gemütlichen Dilettantismus erkannt. Auf der einen Seite war ihm die Bedeutung und der Wert des Lebens in höherem Grade fühlbar, auf der andern die große Wahrheit zur Überzeugung geworden, daß, um das Möglichste zu leisten, man sich vor jedem falschen Streben nach dem Unmöglichen, Unerreichbaren, vor jeder Zersplitterung seiner Kräfte und Gefühle sorgfältig zu hüten habe.

Er wußte recht gut, welche zudringliche Anforderungen man von allen Seiten her nach seiner Heimkehr an ihn machen würde; bei dem Zauberlichte, in welchem man Italien sich vorzustellen pflegte, hatte man von der Einwirkung, die dieses Wunderland auf ein Genie wie Goethe machen würde, das Überschwenglichste, ja von seiner Heimkehr fast nichts Geringeres als die Verkündigung eines neuen Evangeliums erwartet.

Und so war es denn ganz natürlich, daß, um sich nicht nutzlos zu zersplittern und bei gesteigerter Empfänglichkeit gegen äußere Eindrücke sich gleichwohl in seiner Selbständigkeit gegen die Welt zu behaupten, er sich ihr oftmals verschließen, ja den innern Entwicklungsgang seiner edelsten Anlagen und Neigungen nicht selten verbergen und verschleiern mußte.

Von Rom her, aus der Mitte reichsten und großartigsten Lebens, datiert sich die ernste Maxime der *Entsagung*, die er sein ganzes späteres Leben hindurch geübt hat, und in der er die einzig sichere Bürgschaft innern Friedens und Gleichgewichtes fand.

Wie mächtig auch der Zauberkreis der Kunst ihn angezogen hatte, seiner Liebe zur Natur vermochte er nicht Eintrag zu tun. [. . .]

Es ist oft bemerkt worden, daß Goethe ohne seine gründlichen Naturstudien nie ein so großer Dichter werden konnte, und es ist gewiß ebenso wahr, daß er, ohne ein so großer Dichter zu sein, nie die Naturwissenschaften so tief hätte auffassen, so geistreich fördern können. Denn beide Richtungen seines Wesens waren nur Zweige eines und desselben mächtigen Grundtriebes: die innere und äußere Welt in ihrer Totalität aufzufassen und wieder aus sich heraus lebendig zu gestalten.[4] In ihm hatten Auffassungs- und Bildungsvermögen sich dergestalt durchdrungen, daß jede Anschauung ihm alsobald zum Bilde wurde, jedes Bild, das er hervorrief, alsobald Natur schien.

Wie aus seinen Liedern der frische Hauch geheimsten Naturlebens uns anweht, wie in seinen dramatischen und romantischen Schöpfungen wir überall wirklichen, lebenswarmen Gestalten begegnen, so gewinnt auch jede Tätigkeit des bürgerlichen Lebens, die seinen Blick anzieht, sofort Form, Gehalt und eine eigentümliche Bedeutsamkeit; ja die ernste Wissenschaft selbst wird gleichsam zur freien Kunst unter seiner Behandlung. Die Fähigkeit, vom Besondern schnell zum Allgemeinen aufzusteigen, das scheinbar Getrennte zu verknüpfen und für jede abweichende Erscheinung die befriedigende Formel der Gesetzmäßigkeit aufzufinden, hat nicht leicht ein Sterblicher in höherm Grade besessen. Daher denn auch bei jedem Naturstudium ihm leicht und ungezwungen ein Aperçu entgegenkam – oder, wie er es ausdrückte, das Gewahrwerden einer großen Maxime eintrat, die ihr Licht urplötzlich über seine Forschungen ausgoß.

»Ich lasse«, hörte ich ihn einst sagen, »die Gegenstände ruhig auf mich einwirken, beobachte dann diese Wirkung und bemühe mich, sie treu und unverfälscht wiederzugeben; dies ist das ganze Geheimnis, was man Genialität zu nennen beliebt.«

Es ist nicht zu verwundern, daß gerade die Theorie der *Farben,* dieser heitern, geheimnisvollen Kinder des Lichts, sein höchstes Sinnen aufrief; welcher Naturerscheinung wäre die Phantasie des Dichters inniger verwandt! Aber bewunderungswürdig ist die ausdauernde Geduld und rastlose Anstrengung, mit welcher der lebensfrische Mann in seinen besten Tagen sich unzähligen Versuchen und Forschungen in tiefer Einsamkeit unterzog, um, wie es ihm ahndend vorschwebte, die Lösung des großen Rätsels zu gewinnen. Mit strenger Selbstbeherrschung hielt er das, was ihm bereits völlig klar geworden, viele Jahre lang vor der Welt geheim, im stillen unablässig bemüht, wie er es ausbilden, durch zahllose Experimente nachweisen und der Welt als nutzbares Gemeingut überliefern wolle.

Noch in seinen letzten Lebensjahren konnte nichts ihn so innig beglücken, als wenn er bemerkte, wie seine erst so vielfach als heftig bestrittene Farbenlehre denn doch immer mehr Wurzeln faßte und auch im Auslande vollgültige Stimmen für sich zu gewinnen anfing. Keine Zerstreuung des äußern Lebens, nicht die anlockendste Geselligkeit, nicht der höchste Kunstgenuß vermochte ihn von seinen Naturbetrachtungen abzuziehen; wir sehen ihn zu Venedig auf den Dünen des Lido an einem zufällig gefundenen Schafschädel mit Entzücken die Bestätigung: die sämtlichen Schädelknochen seien aus verwandelten Wirbelknochen entstanden, gewahr werden; in Sizilien unter den Ruinen von Agrigent die Idee der Urpflanze verfolgen, zu Breslau, in Mitte bewegtester Welt- und Kriegsrüstungen, vergleichende Anatomie studieren, unter Gefahr und Trübsal in der Champagne, wie vor Mainz unter dem Donner des Belagerungsgeschützes, chromatischen Phänomenen nachspüren und bei Fischers ›Physikalischem Wörterbuch‹ alle Not des Augenblicks vergessen.[5]

Friedlichen Zuständen zurückgegeben, eilt er alsobald, seine Verhältnisse zu den Lehrern der Naturwissenschaften in Jena wieder anzuknüpfen und zu befestigen, gründet, ordnet und fördert die Museen und Sammlungen jeder Art, schafft dem botanischen Garten erweiterten Umfang und ausreichende Mittel und wohnt selbst in den frühsten Morgenstunden des Winters Loders anatomischen Vorlesungen im Geleite seines Freundes Heinrich Meyer eifrig bei. An die lebhafte Teilnahme, die er den Sitzungen der naturforschenden Gesellschaft widmet, knüpft ein freundliches Geschick den ersten Anlaß zu jenem innigen Freundschaftsbund mit Schiller, der eine der schönsten Epochen seines Lebens begründet.

Alles was die Gunst der Umstände nur gewähren kann, vereinigte sich damals in Jena, einen Blütenzustand geistiger und wissenschaftlicher Entwicklung hervorzurufen, wie er nicht leicht irgendwo schöner wiederkehren wird.

Berühmte, tüchtige Lehrer in allen Fächern, kühn und kräftig aufstrebende Talente, rastlose Forschungen in Philosophie, Naturlehre, Ästhetik, eine zahlreiche, höchst empfängliche Jugend, und neben diesem allen im Kreise gebildeter Frauen eine heitre, lebensfrische Geselligkeit.

Aus jedem dieser Elemente wußte Goethe das ihm Zusagende, Wahlverwandte mit Leichtigkeit anzuziehen und in den Kreis seiner Tätigkeit geschickt zu verweben, auf solche Weise die eignen Schätze des Wissens bald zu mehren, bald am rechten Orte auszuspenden, der ältern Männer geregelten Gang zu beachten, die freiern Schritte der jüngern zu begünstigen, überall ein lebendiges Streben zu fördern und anzuregen, jedoch in Mitte so vielseitig abweichender Richtungen gleichwohl die absolute Unabhängigkeit der eigenen Stellung immerfort zu bewahren.

Wilhelm und *Alexander v. Humboldt* waren für längere Zeit in Jena einheimisch; liebevolle Neigung, unversiegliche Lust des Forschens und Ergründens, die edelsten Interessen der Bildung schlossen sie fest und innig an Goethe und Schiller an, die hinwiederum im freisten Ideentausch mit dem edlen Brüderpaare Erfrischung und Belohnung fanden.

Es ist genugsam kund, wie viel die Welt jenem harmonischen Zusammenwirken verdankt, wo jedes Gelingen gesteigerte Anforderung hervorrief, und jeder Triumph des Freundes zum eignen, tief empfundenen wurde.

Der schönste Lohn für alle Aufopferung an Zeit und Mühe, die Goethe vieljährig dem Theater zu Weimar gewidmet, ward ihm in Schillers Teilnahme und regem Anerkenntnis zuteil. Des ernsten Mannes tiefsinniges Streben wandte sich mit Heiterkeit dem Bühnenspiele, und in diesem Bilde des Lebens dem Leben selbst mit neuem Wohlgefühle zu; mit Überraschung gewahrte er, wie aus den Darstellungen der Schauspieler, die Goethe herangebildet, ihm selbst die reinere Gestalt seiner dramatischen Schöpfungen entgegenkam.

Zu stets erhöhten Leistungen angelockt, wetteiferten Dichter und Schauspieler im edelsten Bemühen, jene, das Großartig-Kühnste zu ersinnen und zu formen, diese, es klar aufgefaßt zu würdigster Erscheinung zu bringen. Da ward keine Art persönlicher Hingebung gespart, mit unermüdlicher Geduld Lese- und Darstellungsproben abgewartet und wiederholt, jeder Charakter genau begrenzt, entwickelt, lebendig hingestellt, die Harmonie des Ganzen immer schärfer ins Auge gefaßt, erspäht und gerundet.

Nirgends vermochte Goethe den Zauber seiner imposanten Persönlichkeit freier zu üben und geltend zu machen, als unter seinen dramatischen Jüngern; streng und ernst in seinen Forderungen, unabwendlich in seinen Beschlüssen, rasch und freudig jedes Gelingen anerkennend, das Kleinste wie das Größte beachtend, und eines jeden verborgenste Kraft hervorrufend, wirkte er im gemessenen Kreise, ja meist bei geringen Mitteln, oft das Unglaubliche; schon sein ermunternder Blick war reiche Belohnung, sein wohlwollendes Wort unschätzbare Gabe. Jeder fühlte sich größer und kräftiger an der Stelle, wo er ihn hingestellt, und der Stempel seines Beifalls schien dem ganzen Leben höhere Weihe zu gewähren.

Man muß es selbst gesehen und gehört haben, wie die Veteranen aus jener Zeit des heitersten Zusammenwirkens von Goethe und Schiller noch jetzt mit heiliger Treue jede Erinnerung an diese ihre Heroen bewahren, mit Entzücken einzelne Züge ihres Waltens wiedergeben, und schon bei Nennung ihrer Namen sich leuchtenden Blicks gleichsam verjüngen, wenn man ein vollständiges Bild der liebevollen Anhänglichkeit und des Enthusiasmus gewinnen will, die jene großartigen Naturen einzuflößen wußten.

Als mit Schillern der schönste Reiz aus Goethes Leben schwindet, sucht und findet er in seinen Naturstudien den einzigen Trost, der seiner würdig war, und gewinnt den Mut des Fortlebens nur durch verdoppelte Anstrengung, die er der Aufklärung dunkelster Naturprobleme widmet.

Die Schlacht von Jena trifft ihn, wie er eben den ersten Teil seiner ›Farbenlehre‹ abschließt, und kaum hat er sich von den Greueln und Schrecknissen, die unsere stillen Täler erfüllten, einigermaßen erholt, als er, von äußern Bedrängnissen sich vollends loszureißen, die ›Metamorphose der Pflanzen‹ frisch überarbeitet und in die tiefste Betrachtung organischer Naturen eingeht.

Mit jedem neuen Vorschritt bestätigen sich mehr und mehr die stillen Ahndungen seiner nach Ordnung, Folge und Zusammenhang verlangenden Seele. Sah er im wilden Kriegsgetümmel die festesten Verhältnisse gelöst, wohlangelegte Pläne durchschnitten, den Bau der Jahrhunderte plötzlich erschüttert, und Zufall und Willkür übermächtig herrschend: so erblickt er im Reiche der Natur überall das friedliche Walten gesetzmäßig bildender Kräfte, die ununterbrochene Kette lebendiger Entwickelungen, und durchgehends, selbst in scheinbaren Abweichungen, die Offenbarung einer heiligen Regel.

So wird mitten unter den Stürmen der Außenwelt der innere Friede ihm wieder gewonnen, sein geistiges Besitztum erweitert, seine wissenschaftliche Tätigkeit erfrischt und gefördert.

Alexander v. Humboldt widmet ihm seine ›Ideen zur Geographie der Pflanzen‹;[6] hoch erfreut über die Fülle neuer Ansichten, die sie ihm darbieten, kann seine Ungeduld die dazu verheißene Profilkarte nicht erwarten, augenblicklich komponiert er nach den Andeutungen des Verfassers eine symbolische Landschaft und sendet sie dem Freunde zu willkommenster Gegengabe.

Wie denn überhaupt jede bedeutende äußere Erscheinung, jedes befreundete fremde Gelingen ihm alsobald die eigene Tatkraft aufruft und jedes Auffassen fremder Ideen sofort ein eignes Produzieren ihm gleichsam abnötigt.

So weiß er auch bei schmerzlichen oder bedrohlichen Ereignissen sich nicht besser als durch irgend eine neue geistige Schöpfung oder anstrengende Unternehmung zu helfen; ja die meisten seiner Schriften entstanden aus dem Bedürfnis, sich von diesem oder jenem innern Zwiespalt oder übermächtigen Eindruck zu befreien, und sie sind wohl gerade darum von so lebensfrischer Wärme und Wahrheit. [...]

Man hat Goethen oft vorgeworfen, daß er an der politischen Gestaltung seines Vaterlandes wenig Interesse genommen, in großen Momenten patriotischen Aufschwungs seine Stimme nicht erhoben, ja der Entwicklung freisinniger Ideen sich nicht selten abhold gezeigt habe. Es lag allerdings nicht in seinem Naturell, nach einer politischen Wirksamkeit zu streben, deren Vorbedingungen seinem Lebenskreise nicht zusagten, deren Folgen seinem Blicke nicht ermeßbar waren. Von der Höhe seines Standpunktes erschien ihm die Geschichte nur als ein ewig wiederholter, ja notwendiger Kampf der Torheiten und Leidenschaften mit den edleren Interessen der Zivilisation; er kannte zu gut die Gefahren oder mindestens zweideutigen Erfolge unberufener Einmischung, er wollte das reine Element seines Denkens und Schaffens nicht durch die wirren Erscheinungen des Tages trüben lassen und noch weniger sich zum Wortführer irgend einer Partei aufwerfen, wenngleich Gall das Organ des Volksredners in höchster Ausbildung an ihm entdeckt haben will.[7]

Er war überzeugt, daß dem Menschen weniger von außen als von innen heraus zu helfen stehe, und daß ein reines tüchtiges Wollen sich in jeder Form staatsbürgerlicher Existenz Bahn zu machen und nützlich zu wirken vermöge.

In diesem Sinne hielt er fest an Ordnung und Gesetzmäßigkeit, als an den Grundsäulen bürgerlicher Wohlfahrt, und nur alles dasjenige, was den stetigen Fortschritt sittlicher und intellektueller Ausbildung, geregelter Benutzung der Naturkräfte aufzuhalten und zu verkümmern, die edelsten Güter des Daseins dem wilden Spiele ungezügelter Leidenschaften, der Herrschaft roher Massen preiszugeben drohte, war ihm das wahrhaft Tyrannische, Freiheitvernichtende, durchaus Unerträgliche.

Und in diesem Sinne hat er allerdings in Wort und Schrift immerfort zu wirken gestrebt, ermahnt, belehrt, ermutigt und beruhigt, das Falsche, Naturwidrige, Gemeine in seiner Nichtigkeit dargestellt, edlen Geistern sich tätig angeschlossen und jene höhere Freiheit des Gedankens und vernünftigen Wollens standhaft behauptet, die den Menschen erst zum Menschen macht.

Wie schon dem Jüngling Mösers ›Patriotische Phantasien‹ reichen Genuß und Ausbeute gewährten, ja einer der ersten Anlässe waren, die ihn dem jugendlich aufstrebenden Herzog von Weimar befreundeten[8], so hat der gereifte Mann die Früchte ernster Beobachtung und tiefen Nachdenkens über den Charakter, die Gebrechen und Heilmittel öffentlicher Zustände vielfach in seinen Schriften, bald verhüllter und symbolisch, bald augenfälliger niedergelegt, vielleicht nirgends absichtlicher und reichhaltiger als im ›Wilhelm Meister‹, in den ›Wanderjahren‹ und in seinen kleinen poetischen Denksprüchen; aber freilich, ohne sie als Universalrezepte am öffentlichen Markte auszubieten.

Gerade die tiefe Bedeutung, die er in jeder politischen Erscheinung wahrnahm, der hohe Ernst, mit welchem er von Regierenden und Regierten ein verständiges, wohlwollendes Auffassen und Üben ihrer Rechte und Pflichten forderte, von jedem frechen, verwirrten, haltungslosen Treiben sich abwandte, gerade diese edelste politische Sinnesweise war es, die ihm ein nichtiges Radotieren oder leidenschaftliches Parteistreben so widerwärtig, so verhaßt machte. [...]

Und welcher geistigen Statistik möchte es gelingen, die Kreise alle aufzuzählen, die Goethe in seinem langen tatenfrischen Leben auf solche Weise gebildet, oder Ring an Ring die geistige Kette seiner Wirksamkeit zu berechnen, wie sie endlos sich um Gegenwart und Zukunft schlingt?

Um ihn her mußte Alles lebendig werden, sich gestalten, bewegen, zu frischem Handeln gewöhnen. Das Gleichmäßige sollte herangezogen, in sich aufgenommen, zu neuen Formen übergebildet werden. Ohne pädagogisch oder pedantisch zu verfahren, drückte er allen seinen Umgebungen und Gehilfen einen eigentümlichen Stempel auf; er wußte jeden beschränkt auf seiner Sphäre zu erhalten, aber in dieser zu vorzüglichen Leistungen anzuregen, zuverlässige Maximen der Ordnung, Stetigkeit und Folge einzuimpfen, aus denen sich stufenweise die Keime höherer Bildung von selbst entwickeln konnten.

Der Großherzog Carl August hatte alle einzelne Museen und Institute für Kunst und Wissenschaft in ein besonderes Departement vereinigt und ausschließlich unter Goethes oberste Leitung gestellt, bei der ihm die freiste, unabhängigste Wirksamkeit gegönnt war. Hier nun konnte er seine praktischen Zwecke in planmäßigster Richtung verfolgen. Es war keine geringe Aufgabe, mit doch immerhin – wenn man auf den grenzenlosen Umfang der Gegenstände sieht – sehr beschränkten Mitteln, den Anforderungen fortschreitender Ausbildung auch nur einigermaßen Genüge zu tun. Es galt ein sorgsames Abwägen des Notwendigen, wahrhaft Gedeihlichen, ein standhaftes Ablehnen des nur scheinbar Nützlichen, bloß der augenblicklichen Neigung Zusagenden.

Goethe ging, wie bei seinen eignen Kunstsammlungen, von der Maxime aus, lieber aus kleinen Anfängen jedes Institut sich folgerecht entwickeln, allmählich heranwachsen und ausbilden zu lassen, als mit unverhältnismäßiger Anstrengung von vornherein nach dem Imposanten streben, ein Ausgezeichnetes gleichsam improvisieren zu wollen. Nicht um den äußern Schein und Prunk, sondern darum war es ihm zu tun, daß es in jedem Fache nicht an Gelegenheit und zweckmäßiger Anleitung zu stufenweiser Fortbildung fehle, daß in jungen aufstrebenden Männern Sinn und Geschick erweckt und befestigt werde, auf individuell zusagender Bahn frisch und kräftig vorzuschreiten.

So konnte denn im ruhig stetigen Fortgang aufmerksamster Fürsorge allmählich nach allen Seiten hin ein wirklich Bedeutendes geleistet und jene so verschiedenen Institute, Museen, Bibliotheken, Sammlungen aller Art auf einen verhältnismäßig hohen Grad innern Gehalts und praktischer Nutzbarkeit gebracht werden.

Wie viele hochachtbare Männer, die jetzt in weitesten, ehrenvollen Kreisen wirken, haben bei ihren frühern Bestrebungen sein erfrischendes Wohlwollen, seine belehrende und belebende Ermunterung und Förderung erfahren!

Entschieden aber zog er sich zurück, sobald er ein vages, willkürliches Umhertappen, ein abenteuerliches, schrankenloses Wollen bemerkte, wo denn der Ausspruch: »gute Menschen, ihnen ist nicht zu helfen!« seine Resignation auf gedeihliche Einwirkung lakonisch genug bezeichnete.

Es mag wohl sein, daß ein kräftiges Zurechtweisen, ein imponierendes direktes Mißbilligen von seiner Seite gar manches irrende oder verirrte Talent vielleicht noch zu rechter Zeit von Abwegen zurückgebracht hätte; fruchtlose Bemühungen früherer Jahre und manche schmerzliche Erfahrung mochten ihn wohl mehr Mißtrauen, als uns andern gerechtfertigt schien, in die Gewalt haben fassen lassen, die seine Persönlichkeit und sein Urteil so leicht über jeden gewann, dem er Rat und Teilnahme widmete. Momentane Einwirkungen verschmähend und jeder Polemik abhold, hatte er sich zur Maxime gemacht, nur durch immerfort erneutes Aufstellen und Ausüben des Wahren und Rechten zu wirken, aber so selten als möglich durch Bestreiten und Opponieren.

»Es gibt nur zwei Wege« – hörte ich ihn oftmals behaupten –, »ein bedeutendes Ziel zu erreichen und Großes zu leisten: Gewalt und Folge. Jene wird leicht verhaßt, reizt zu Gegenwirkung auf und ist überhaupt nur wenigen Begünstigten verliehen; Folge aber, beharrliche, strenge, kann auch vom Kleinsten angewendet werden und wird selten ihr Ziel verfehlen, da ihre stille Macht im Laufe der Zeit unaufhaltsam wächst. Wo ich nun nicht mit Folge wirken, fortgesetzt Einfluß üben *kann,* ist es geratener, gar nicht wirken zu *wollen,* indem man außerdem nur den natürlichen Entwicklungsgang der Dinge, der in sich selbst Heilmittel mit sich führt, stört, ohne für die bessere Richtung Gewähr leisten zu können.«

Die Zeit war ihm das kostbarste Element, er wußte sie wie keiner zu nutzen, wahrhaft auszubeuten und mitten im Andrang zahlloser Einzelheiten Sammlung genug zu gewinnen, um den Faden tiefster Forschung oder dichterischer Schöpfungen festzuhalten.

Hat er doch einst, als der Besuch eines erhabenen Königs ihn beglückte [9], sich mitten aus den anziehendsten Gesprächen auf einige Minuten abgeschlichen, um schnell für seinen ›Faust‹ eine eben in ihm aufgetauchte Idee niederzuschreiben.

»Der Tag ist grenzenlos lang, wer ihn nur zu schätzen und zu nutzen weiß«, hörte man ihn oftmals sagen. Dabei ging seine Ordnungsliebe fast bis ins Unglaubliche. Nicht nur, daß alle eingegangene Briefe und ebenso die Konzepte oder Kopien aller abgesendeten monatlich in gesonderte Bände geheftet und über einzelne Unternehmungen, z. B. selbst über jeden Maskenzug, den er anordnete, wieder eigne Aktenstücke gebildet wurden, – er entwarf auch periodische Tabellen über die Ergebnisse seiner vielseitigen Tätigkeit, Studien und Fortschritte persönlicher oder innerer Verhältnisse, aus denen dann am Jahresschlusse wieder gedrängte Hauptübersichten zusammengestellt wurden.

Nie unterließ er, jeden nur irgend bedeutenden Gegenstand seiner Bearbeitung zuvörderst genau zu schematisieren, um so nicht nur die Momente der ersten glücklichen Inspiration festzuhalten, sondern auch die Ausführung der einzelnen Teile je nach Neigung und günstiger Stimmung vornehmen und gleichwohl des folgerechten Zusammenhangs stets sicher bleiben zu können.

Jeder schriftliche Erlaß, das kleinste Einladungsbillet mußte aufs reinlichste und zierlichste geschrieben, gefaltet, besiegelt werden. Alles Unsymmetrische, der geringste Fleck oder falsche Strich war ihm unausstehlich, ja der Genuß des schönsten Kupferstichs verkümmert, wenn er ihn ungeschickt angefaßt oder gar verknüllt sah. Denn alles um ihn her und alles, was von ihm ausging, sollte in Einklang mit der Klarheit und Reinheit seiner innern Anschauungen stehen und nichts die Harmonie des Eindrucks stören.

Wechsel der Tätigkeit war ihm die einzige Erholung, und wenn man aus seinen Tagebüchern, die er regelmäßig in zweien Abschnitten des Tags diktierte, ersieht, wie noch im höchsten Lebensalter er von frühster Morgenstunde an in ruhig abgemessener Folge sich einer Unzahl von literarischen Arbeiten, brieflichen Mitteilungen, geschäftlichen Expeditionen, Prüfung und Beschauung von eingesendeten Produktionen und Kunstwerken, ernster und heiterer Lektüre der mannigfachsten Art gewidmet, so muß man es ihm hoch anrechnen, ja bewundern, daß er gleichwohl sich geneigt finden ließ, fast täglich einige Stunden besuchenden Freunden oder Einheimischen hinzugeben. Zwar sucht er sich von Zeit zu Zeit streng von der Welt abzuschließen; doch immer von neuem fühlt er das Bedürfnis wieder, sich im Kontakt mit ihr zu erhalten, um, wie er es ausdrückte, nicht bei lebendigem Leibe zur Mumie zu werden und von dem Interesse des Tags in Ferne und Nähe notdürftig Notiz zu nehmen.

»Melde mir ja vom Alten und Neuen, auch vom Augenblick Mannigfaches« – schreibt er an seinen geliebten Zelter –, »denn wenn ich gleich meine Zugbrücken aufziehe und meine Fortifikationen immer weiter hinausschiebe, so muß man doch zuweilen auch wieder Kundschaft einziehen.«[10]

Dem Gegenstande, der ihn beschäftigte, gehörte er jedesmal an, identifizierte sich mit ihm nach allen Seiten und wußte, während er irgend eine wichtige Aufgabe sich gesetzt, alles seinem Ideengang Fremdartige standhaft abzulehnen.

»In den hundert Dingen, die mich interessieren« – äußert er –, »konstituiert sich immer eins in der Mitte als Hauptplanet, und das übrige Quodlibet meines Lebens treibt sich indessen in vielseitiger Mondgestalt umher, bis es einem und dem andern auch gelingt, gleichfalls in die Mitte zu rücken.«[11]

Nicht immer jedoch gelang ihm jene augenblickliche Konzentration, und seiner übermächtigen Empfänglichkeit und Reizbarkeit wohl bewußt, griff er dann oft zu den extremsten Mitteln und schnitt plötzlich, wie im Belagerungszustande, alle Kommunikation nach außen gewaltsam ab. Kaum aber hat die Einsamkeit ihn von der Fülle anströmender Ideen entbunden, so erklärt er sich wieder befreit, neuen Interessen zugänglich, knüpft die frühern Fäden sorgsam an und schwimmt und badet in frischen Elementen weit ausgebreiteten Daseins und Wirkens, bis ein neuer unbezwinglicher Moment innerer Metamorphose ihn abermals zum Einsiedler umschafft.

Bei den zahllosen Verbindungen, die er in und außerhalb Deutschlands hatte, bei der Legion von stillen und lauten Verehrern, die ihm in jeder Generation neu erwuchs, strömten ihm von allen Seiten in Kunst, Wissenschaft und Literatur die frischesten Gaben zu, mehr oft, als er aufzunehmen vermochte. Da geschah es denn wohl, daß er auch die interessantesten Sendungen wochen- und monatelang unentsiegelt ließ, wenn sie ihn in einem jener Momente notgedrungener Isolierung trafen. Denn nichts war ihm verhaßter, als etwas zur unrechten Zeit tun oder genießen, und manches erfreuliche, manches köstliche Besitztum hat er der Teilnahme der Seinen lange vorenthalten, bloß weil der passende Moment der Mitteilung, das schickliche Licht für die Betrachtung ihm noch nicht gekommen oder entschlüpft schien.

So kam er denn auch, gerade weil seine Tätigkeit stets auf ein bestimmtes Ziel gerichtet war, nicht selten mit Dank und Erwiderung auf freundlichste Zuschriften in Rückstand und erklärte sich dann in humoristischer Verzweiflung für bankerott. Späterhin schmerzte es ihn wohl, unfreundlich erschienen zu sein, und er ergriff gern jeden Anlaß wohlwollender Ausgleichung.

Wie hätte er aber auch, ohne sich selbst zu vernichten, all den unsäglichen, oft unsinnigen Anforderungen und Zumutungen genügen können, die so oft, gleich einem Wogenschwall, auf ihn eindrangen?

Daß fast jeder deutsche Jüngling, der einige glückliche Verse oder vollends ein

Trauerspiel geschaffen zu haben vermeinte, Rat oder Urteil von ihm begehrte, möchte noch für ganz natürlich gelten; daß aber auch seinem geistigen Kontakt wildfremde Personen sich oft in den wunderlichsten Fällen, z. B. um eine Heirat, die Wahl eines Lebensberufs, eine Kollekte, einen Hausbau zustande zu bringen, zuversichtlich an ihn wendeten, könnte in der Tat höchst komisch erscheinen, wenn es nicht zugleich bewiese, wie unbeschränktes Vertrauen man weit umher ihm zollte, ja für einen Universalhelfer in geistigen und leiblichen Nöten ihn zu halten geneigt war.

Lag es außer dem Kreise der Möglichkeit, alle jene Zusendungen in Kunst und Literatur sofort zu würdigen, so kam doch immer früher oder später eine Zeit, wo er die wahrhaft tüchtige oder doch hoffnungsreiche Leistung freudig anerkannte, förderte, ermunterte, und wie manchen, der die Hoffnung auf seine Teilnahme schon aufgegeben, hat unvermutet ein liebevolles Blatt seiner Hand, ein ehrendes Zeichen seines Beifalls überraschend beglückt!

Wie es denn überhaupt seine Weise war, auf jede bedeutende Erscheinung zwar im stillen höchst aufmerksam zu sein, doch eine Weile ganz unteilnehmend und gleichgültig sich zu stellen, dann aber, je nachdem sie sich bewährte und ihren Gehalt entwickelte, sie mit Lebhaftigkeit zu ergreifen, zu verfolgen und in die Kreise seines Sinnens und Wirkens zu verweben, oder auch mit Nachdruck abzuweisen, mindestens beharrlich zu ignorieren.

Man darf wohl behaupten, daß mit jedem höhern Lebensjahre auch seine Teilnahme an allem, was in dem weitesten Weltkreise sich Löbliches und Gemeinnütziges in Erfindung, Industrie, Technik und Naturkunde hervortat, statt abzunehmen, immer noch sich steigerte.

Kühne Unternehmungen, wie z. B. die des Tunnels zu London oder des Erie-Kanals in Amerika zogen ihn unwiderstehlich an, und er ruhte nicht eher, bis er sich durch die genauesten Zeichnungen, Risse und Beschreibungen eine möglichst klare Anschauung des Gegenstandes, seiner Schwierigkeiten und Hilfsmittel verschafft hatte. [...]

Was auch im Laufe der Woche an interessanten Gegenständen in Kunst, Literatur und Naturwissenschaften bei Goethe einlief, – das erfreulichste war ihm stets dasjenige, was er seinen erhabenen Fürstinnen vorzeigen, erläutern, ihrer Teilnahme daran gewiß sein konnte. Trat zuweilen eine unwillkürliche Verhinderung jener Besuche ein, so war es ihm, als fühle er eine Lücke in seinem Dasein; denn gerade das Beständige, genau Wiederkehrende jener Tage und Stunden verlieh ihnen noch einen besondern Reiz, der die ganze Woche hindurch erfrischend auf ihn wirkte. Bei der großen Mannigfaltigkeit äußerer Eindrücke und innerer Erfahrungen fand er in der Sicherheit dieses schönen, reinen Verhältnisses gleich sehr ein heiteres Ziel als einen wohltätigen Ruhepunkt, von welchem aus er sich wieder seinen stillen Weltbetrachtungen um so vielseitiger hingeben konnte.

Denn ihm war es Bedürfnis, von jedem noch so heterogenen Zustande einen deutlichen Begriff zu gewinnen, und die unglaubliche Fertigkeit, mit der er jedes Ereignis, jeden persönlichen Zustand in einen *Begriff* zu verwandeln wußte, ist wohl als das Hauptfundament seiner praktischen Lebensweisheit anzusehen, hat sicher am meisten beigetragen, ihn, den von Natur so Leidenschaftlichen, so leicht und tief Erregbaren, unter allen Katastrophen des Geschicks im ruhigen Gleichgewicht zu erhalten. Indem er stets das Geschehene, Einzelne sofort an einen höhern allgemeinen Gesichtspunkt knüpfte, in irgendeine erschöpfende Formel aufzulösen suchte, streifte er ihm das Befremdliche oder persönlich Verletzende ab und vermochte nun, es in der Form naturmäßiger Gesetzlichkeit ruhig zu betrachten, ja als ein Geschichtliches, gleichsam nur zur Erweiterung seiner Begriffe Erscheinendes, zu neutralisieren. Wie oft hörte ich ihn äußern: »Das mag nun werden wie es will, den Begriff davon habe ich weg, es ist ein wunderlicher komplizierter Zustand, aber er ist mir nun doch völlig klar.«

So gewöhnte er sich denn immer mehr, alles, was im nähern und weitern Kreise um ihn vorging, als Symbol, ja sich selbst nur als geschichtliche Person zu betrachten, ohne darum an liebevoll persönlicher Teilnahme für Freunde und Gleichgesinnte abzunehmen. Vielmehr milderte ihm nur jene eigentümliche Weise der Weltbetrachtung die störenden Eindrücke einer wildbewegten, verhängnisvollen Gegenwart. Mochte er auch im Gewahrwerden der fieberhaften Erschütterung, mit der jenes Pariser Erdbeben von 1830 ganz Europa durchzuckt, mitunter halb verzweifelnd sich auslassen: »Außerhalb Trojas versieht man's und innerhalb Trojas desgleichen«[12], so rief er doch gleich darauf seinem Zelter wieder beruhigend zu: »Man bedenke, daß mit jedem Atemzuge ein ätherischer Lethestrom unser ganzes Wesen durchdringt, so daß wir uns der Freuden nur mäßig, der Leiden und Sorgen kaum erinnern. Diese hohe Gottesgabe habe ich von jeher zu schätzen, zu nützen und zu steigern gewußt. Hierin bekräftigt mich das mir eben wieder erneuerte Wort jenes Alten: ›Ich lerne immerfort, nur daran merk' ich, daß ich älter werde.‹ Darf ich mich doch nicht beklagen, da mir noch der Sinn bleibt, das Gute, Schöne und Vortreffliche mit Enthusiasmus anzuerkennen. Friede mit Gott! und ein Wohlgefallen an wohlwollenden Menschen.«[13]

In diesem mehr als dreißigjährigen Briefwechsel mit Zelter – dem aufrichtigsten Geistes- und Herzenstausch, der je zwischen so originellen Naturen stattgefunden – legte er treulich alles nieder, was ihn freute und quälte, und schöpfte aus der Gegenbeichte des Freundes Erfrischung und Stärkung. Selten verging eine Woche, ohne daß diese inhaltreichen Briefe und Spiegelungen des innersten Daseins hin und her wechselten; mit gemütlicher Befriedigung abgesendet, als hätte man dem gegenwärtigen Freunde ins offne Auge geblickt, mit Ungeduld erwartet, zu stets erhöhtem Genusse empfangen, waren sie für beide ein unversieglicher Quell der Verjüngung. Wie das Ein- und Ausatmen dem Leben, so war beiden diese ununterbrochene Mitteilung zum notwendigsten Bedürfnis geworden; – nun, als die Pulse des einen stockten, wie konnte da der andere noch fortleben? – –

Als Goethe das Hinscheiden seines einzigen Sohnes erfahren muß, schreibt er an Zelter: »Hier nun kann allein der große Begriff der Pflicht uns aufrecht erhalten. Ich habe keine Sorge, als mich im Gleichgewicht zu erhalten. Der Körper muß, der Geist will, und wer seinem Wollen die notwendigste Bahn vorgeschrieben sieht, der braucht sich nicht viel zu besinnen.«[14]

So drängt er denn den tiefsten Schmerz in sich zurück, greift rasch zu einer lang verschobenen Arbeit, »sich ganz darin zu absorbieren«.[15] In vierzehn Tagen hat er den vierten Band seines Lebens fast ganz vollendet, als die gewaltsam bekämpfte Natur sich rächt und ein heftiger Blutsturz ihn an den Rand des Grabes bringt.

Kaum ist er wundersam genesen, als er sein Haus aufs sorgsamste bestellt, seinen literarischen Nachlaß mit Heiterkeit ordnet und sich mit der Welt völlig abzuschließen eifrig bemüht.

Aber indem er seine Leistungen überblickt, verdrießt es ihn, den ›Faust‹ unvollendet zu verlassen; noch fehlt in der zweiten Abteilung der größte Teil des vierten Aktes; ihn würdig zu ergänzen, macht er sich zum Gesetz, und am Vorabend seines letzten Geburtstages darf er die höchste Aufgabe seines Lebens für vollendet erklären. Er verschließt sie mit zehnfachem Siegel, entflieht den Glückwünschen der Freunde und eilt, nach vielen, vielen Jahren den Ort frühster Bestrebungen und Sorgen wie genußreichster Lebensstunden, *Ilmenau*, wieder zu sehen. Die tiefe Ruhe der Wälder, der frische Hauch der Berge weht ihm neuen Lebensatem zu, gestärkten Sinnes kehrt er zurück und fühlt sich zu erneuten Naturbetrachtungen ermuntert.

Die Theorie der Farben wird rekapituliert, ergänzt, befestigt, die Natur des Regenbogens schärfer erforscht, über die Spiraltendenz der Pflanzenformation unermüdlich nachgesonnen.

»Von allen Geistern, die ich jemals angelockt« – hört man ihn sagen –, »fühl' ich mich rings umsessen, ja umlagert.«[15a]

Zur Erholung läßt er sich den Plutarch vollständig vorlesen[16], doch auch an den neusten Weltzuständen will er sein Urteil prüfen und nimmt die neuere französische Literatur – diese »Literatur der Verzweiflung«[17], wie er sie nannte – mit einer Geduld und einem Eifer vor, als gelte es noch Dezennien dem bunten Spiel des Lebens zuzusehen. Dabei gewahrt er, wie der Streit zwischen *Cuvier* und *Geoffroy St. Hilaire* über den Urtypus der Tierwelt seine eigene Lieblingslehre berührt[18]; sogleich drängt es ihn, sich noch einmal frisch und keck darüber auszusprechen; er sendet seinen Aufsatz an *Varnhagen v. Ense*, läßt an dem nämlichen Tage noch Briefe reichsten Inhalts an Wilhelm v. Humboldt, Zelter, Graf Caspar v. Sternberg und andere Freunde abgehen: – da naht unerwartet der stille Genius, und in Mitte heiterster Tätigkeit, liebevollen Schaffens und Waltens sehen wir ihn abgerufen zu höherem, schönerm Wirken, auf daß jenes große Losungswort erfüllt werde, was er vor Jahresfrist den Seinen zurief:

»Es gilt am Ende doch nur vorwärts.« [19]

3 *Johannes Falk*

Aus: Goethe aus näherm persönlichen Umgange dargestellt
1832

Allgemeiner Umriß von Goethes Charakter als Mensch und Künstler.

Von Goethes Vielseitigkeit (Objektivität) sowohl in Kunst als in treuer Auffassung der Charaktere und aller Gegenstände überhaupt ist häufig, zuletzt auch freilich unter denen, die der heutigen Allerweltsbildung mit dem Heißhunger eines leeren Innern nachjagen, die Rede gewesen. Ein ganz eigentümlicher Vorzug seines Genies ist es ohne Zweifel, daß er sich gleichsam in den Gegenstand, auf dessen Betrachtung er sich in diesem oder jenem Zeitpunkte beschränkt, mag es nun ein Mensch, ein Tier, ein Vogel oder eine Pflanze sein, sinnig verliert, ja sich gewissermaßen in denselben träumend verwandelt. Man darf nicht in Abrede stellen, daß Goethes Größe als Naturforscher und Dichter, sein Stil, seine Denkart, seine Darstellung, seine Originalität, fast möcht' ich sagen die ganze Schwäche sowie die ganze Stärke seines sittlichen Wesens, auf dem Wege einer solchen objektiven Entwickelung zu suchen ist. Wie oft hörte ich ihn, wenn er sich irgendeiner Betrachtung dieser Art hingeben wollte, mit Ernst seine Freunde ersuchen, ihn ja mit den Gedanken anderer über diesen Gegenstand zu verschonen, weil es eine strenge, ja unabweichliche Maxime bei ihm war, in solcher Stimmung allen fremden Einflüssen zu wehren. Erst dann, wenn er seine eigne Kraft an einem solchen Objekt durchversucht, sich gleichsam ihm gegenübergestellt und allein mit ihm gesprochen hatte, ging er auch auf fremde Vorstellungen ein; ja es ergötzte ihn sogar, zu wissen, was andere lange vor ihm über diesen nämlichen Gegenstand gedacht, getan oder geschrieben hatten. Er berichtigte sich sodann redlich in diesem oder jenem Stücke, sowie es ihn auf der andern Seite kindlich freute, wenn er sah, daß er hier oder da in seinem rein originellen Bestreben den Erscheinungen eine neue Seite abgewonnen hatte. Wie manches hat die Natur auf diesem Wege des einsamen Forschens und Selbstgespräches, den so wenige zu betreten imstande sind, ihrem Liebling entdeckt! Und wenn es in alten Märchen vorkommt, daß Greife, Pflanzen, Steine, Blumen, Licht, Wolken ihre eigne Sprache führen, so kann man nicht leugnen, daß unser alter deutscher Magus, um im Bilde fortzufahren, gar vieles von der Vogel- und Blumensprache verstanden und auch andern zu verdeutlichen gewußt hat. Seine ›Metamorphose der Pflanzen‹, seine ›Farbenlehre‹ sind schöne Denkmäler seines ruhigen Forschungsgeistes; sie sind, sozusagen, erfüllt mit begeisterten Seherblicken, die tief in die Jahrhunderte und in das Gebiet der Wissenschaften hineinreichen, sowie auf der andern Seite seine biographischen Darstellungen zwei so völlig von ihm verschiedener Naturen, wie Wieland und Johann Heinrich Voß, nicht sowohl seine Kunst als vielmehr seine eigne schöne Natur hinlänglich beurkunden, die alles, was ihr begegnete, rein aufzufassen und wie ein klarer, unbefleckter Spiegel wiederzugeben wußte.[1] Wielands Biographie verwandelt sich gleichsam in Wieland selbst, und Johann Heinrich Voß erscheint in der Goetheschen Darstellung ohne alle Ecken und Härten, womit sich das Leben so schwer aussöhnt. Gleichsam als ob Goethe selbst dieser Johann Heinrich Voß wäre, so trefflich versteht es der große Meister die schwer und mühselig den äußern Umständen abgewonnene Bildung dieses gelehrten und seltenen Mannes vor unsern Augen zur Entwickelung zu bringen und mit allen ihren Eigenheiten begreiflich zu machen.

So wie diesem hohen Talent Goethes eine allgemeine Anerkennung zuteil geworden ist, so laut haben sich auch auf der andern Seite tadelnde Stimmen wegen Lauheit in sittlichen Gesinnungen, soweit sie in seinen Schriften vorliegt, erhoben. Seine Verehrer suchten gleich anfangs diese Vorwürfe dadurch zu entkräften, daß sie der Kunst den Rat erteilten, sich ganz und gar von der Moral und ihren so belästigenden Vorschriften loszusagen. Zufolge dieser Maxime wurden nun alle diejenigen, welche ihre Unzufriedenheit mit gewissen allzu freien Darstellungen der Goetheschen Muse äußerten, ohne weiteres für beschränkte Köpfe erklärt. Von nun an schien eine Losung zu einer Menge verwegener Produkte gegeben zu sein, worin das Heilige und Höchste nur allzu oft zu einem frechen Spiel der niedrigsten menschlichen Leidenschaft, ja zu einem Deckmantel der rohesten Sinnesbegierden ausartete. Man übersah, wie mich dünkt, in diesem ganzen Streite von beiden Seiten einen Hauptpunkt. Die angeborene ruhige Betrachtung aller Dinge, wie sie Goethe eigen ist, konnte in ihm jenen sittlichen Enthusiasmus unmöglich aufkommen lassen, wie ihn die Zeit forderte, und den sie nur allzubald als den einzig beneidenswerten Vorzug der menschlichen Natur anerkannte.

Goethe war geboren, sich den Dingen, nicht aber die Dinge sich anzueignen. Von dem Augenblicke an, wo eine Zeit gegen das wirklich vorhandene oder auch nur vermeinte Böse leidenschaftlich in die Schranken tritt, befaßt sie sich wenig oder gar nicht mit Untersuchung der guten Seiten, die dies nämliche Böse, mit Ruhe betrachtet, einem unparteiischen Auge etwa darbieten möchte.

Somit war Goethe, und zwar eben durch den eigensten Vorzug seiner Natur, selbst mit seiner Zeit in einen heftigen Widerspruch geraten. Goethe wollte *betrachten*, seine Zeit wollte *handeln* und jeden, auch den seichtesten Beweggrund, der sich ihr zu solchem Vorhaben darbot, in sich aufnehmen. Darum sagte er einmal zu mir: »Religion und Politik sind ein trübes Element für die Kunst; ich habe sie mir immer, soweit als möglich, vom Leibe gehalten.« Nur eine Partei war es, für die er sich unter diesen Umständen erklärte, nämlich diejenige, in deren Gefolge eine, wenn auch nur mutmaßliche Ruhe zu hoffen war, gleichviel alsdann, auf welchem Wege sie gefunden wurde.

Nun traf es sich aber gerade, daß Religion und Politik, Kirche und Staat die beiden Pole wurden, zwischen denen sich das Jahrhundert, worin er lebte, neu gestalten sollte. Alles Wissen und alles Handeln wurde von dem Zeitgeiste gewaltig ergriffen und sozusagen auf diesen Mittelpunkt hingedrängt. Durch die verworrensten Vorstellungen wurde Bahn gebrochen, und die an sich unklare Menge teilte die allgemeine Richtung, ohne daß sie eigentlich wußte, was mit ihr vorging.

Der klare Goethe sah dies wohl ein, und das ist auch der Grund, warum ihm alles von dieser Art am Ende so widerlich wurde, und warum er vorzugsweise in einer Gesellschaft lieber von einer Novelle des Boccaccio als von Gegenständen sprach, worauf das Gesamtwohl Europas zu beruhen schien. Viele legten ihm diese Denkart als kalte und lieblose Gleichgültigkeit seines Wesens aus; aber gewiß mit Unrecht. Um anders zu sein und den allgemeinen Rausch für die neue Ordnung der Dinge, wie Wieland, Klopstock und selbst Herder, zu teilen, hätte Goethe sich selbst aufgeben und der vielseitigen Betrachtung, womit er jedes Ding, folglich auch diese historische Erscheinung, auffaßte und gar reiflich erwog, plötzlich entsagen müssen. Gewiß, der ruhige Beobachter aller Vorgänge dieses bewegten Lebens und der in die Handlung desselben entweder leidend oder tätig Verflochtene sind zwei völlig verschiedene Charaktere. Die letzten beiden haben durchaus kein richtiges Urteil über ihren eignen Zustand. Dazu fehlt ihnen der Standpunkt. Der Taube darf und soll man keine Naturgeschichte des Adlers abfordern; sie würde allzu einseitig ausfallen. Es muß daher notwendig etwas über beide Zustände Erhabenes, echt Göttliches vorhanden sein, das weder Taube noch Adler ist, aber beide ruhig auf seinem Schoße hält und ihre gegenseitigen Vorzüge und Mängel ausmittelt, die ersten anerkennt, die andern aber, wo nicht zu lieben, doch zu dulden und mitunter auch wohl zu entschuldigen beflissen ist.

Nur mit unverrückter Feststellung dieses höhern Gesichtspunktes, der das niedere Spiel der Welterscheinung mit allen seinen Gegensätzen, wie etwa einen buntgemalten Theatervorhang, unter sich abrollen läßt, ist uns wie die Seele aller Goetheschen Darstellung so auch das Recht zu einer eignen Beurteilung des so seltenen und einzig großen Mannes gegeben. Goethe bewegte wohl auch seine Flügel und war emsig genug wie eine Biene; aber seine Tätigkeit war reine Kunsttätigkeit, folglich von ganz anderer Art. Das Reich der Wissenschaften, wie es sich durch Jahrhunderte aufgebaut, die Reiche der Natur und der Kunst, sowohl in ihrem ersten Werden als in ihrer stufenweisen Entwickelung, das waren die Gegenstände, die er unausgesetzt durchflog, und was er auf diesen weiten Entdeckungsreisen von Schätzen in Besitz nahm, oder von dorther mitbrachte, sollte ihm und seinen Freunden zu einer angenehmen Beschauung dienen.

Mit weitern Anforderungen gedachte er die ohnehin von allen Seiten hinlänglich geplagte Menschheit seinerseits zu verschonen und begehrte dafür weiter nichts zum Danke von ihr, sofern er anders durch seine Untersuchungen einige Teilnahme bei ihr erregte, oder ihr ein lehrreiches Ergötzen bereitete, als daß sie ihn und alle seiner Denkart nahverwandte sinnige Geister und gleichbeschauliche Naturen nicht unsanft mit dem eisernen Arme der Wirklichkeit anrühre, oder gar aus den schönen Träumen der Vorwelt, welchen sie sich hingaben, in die Wirklichkeit aufschrecke. Geschah dieses dennoch, so hörte man jene anmutig rauhe Weise des Zigeunerhauptmanns im ›Jahrmarkt zu Plundersweilern‹ wieder aus seinem Munde klingen:

Lumpen und Quark
Der ganze Markt!
Kinder und Affen
Feilschen und gaffen,
Gaffen und kaufen!

Bestienhaufen!
Möcht all' das Zeug nicht,
Wenn ich's geschenkt kriegt'!
Könnt' ich nur über sie!
Wetter, wir wollten sie!
Wollten sie zausen!
Wollten sie l – n!
Mit zwanzig Mann
Mein wär' der Kram![2]

Dies Hauptthema, nur etwas abgeändert, sowie jener Hymnus:

Ich hab' mein Sach auf Nichts gestellt[3] etc.

der eigentlich auch weiter nichts als eine Variation dieses Liedes ist, gingen bei Goethe durch und durch und machten sozusagen ein Stück seiner eigentlichen Lebensbetrachtung aus. Völlig ungerecht, beinahe neidisch verkleinernd ist übrigens der Vorwurf, daß sich Goethe dem Zeitgeiste mit Veruntreuung seines eigentlichen Talents absichtlich und knechtisch zugewendet. Hat ihm ja doch niemand so sinnig in allen Stücken durch die Maximen, die er aufstellte, durch die Anregungen, die von ihm ausgingen, gerade nur in seiner weltgeschichtlichen Bedeutsamkeit vorgegriffen. Wahrlich, die Kirche wie der Staat werden sich der Früchte dieses majestätischen Baumes echt deutscher Abkunft und Beschaffenheit in der Folge zu erfreuen haben, wiewohl er sich, seltsam genug, ihre einwirkende Nähe in den Augenblicken seiner Entwickelung dringend verbat, ja es geradehin ableugnete, daß er Blüten oder Früchte für so verworrene Lebensbestrebungen, wie sie ihm schienen, beabsichtige. Wir können daher mit Recht sagen, daß wir allen Einfluß, den Goethe von dieser Seite in Zukunft ausüben wird, rein und lediglich der Natur danken, weil in ihm selbst, wie schon bemerkt, ein völlig absichtsloses Wirken von dieser Seite vorhanden war. Indem er die Gegenwart fast gleichgültig aufgab und sich von jeder Leidenschaft in ihrer Betrachtung freimachte, ist er eben dadurch der Zukunft um ein Großes nähergerückt, und dieselbe wird ihm gewiß in allem, was Kunst und Wissenschaften betrifft, als einen ihrer unverdächtigsten Zeugen, ja Vorläufer abhören und begrüßen. Fingerzeige und Data genug, um den verworrenen Knäuel dieser Gegenwart abzuwickeln, sind in seinen Schriften überall zerstreut, und die Nachwelt wird sie zu sammeln wissen.

Ich rechne ihm diese Richtung, wie schon früher gesagt, keineswegs zu einem besondern Verdienste an, sondern will sie nur als einen ganz eigentümlichen Vorzug seiner klaren Natur geltend machen, in welcher sich alle Gaben der Beschaulichkeit wie in einem Kristall vereinten; umso mehr, da diese Betrachtung allein imstande ist, ihn gegen die oft unverdienten Vorwürfe seiner bessern und edlern Freunde, sowie aller derer zu schützen, die ihm Dinge abforderten, welche ihn in einen schmerzlichen Widerspruch gerade mit dem schönsten Teile seines eignen Wesens versetzten, nicht bedenkend, daß es ebenso ungereimt sein möchte, wenn man von dem Verfasser des ›Götz von Berlichingen‹ erwartete, daß er auf dem Rathause zu Heilbronn seine eiserne Hand gegen den Magistrat und seine verächtlichen Helfershelfer mit zerschmetterndem Gewicht und Nachdruck in die politische Waagschale legen sollte, als wenn man dem wackern Götz von Berlichingen selbst zumutete, er möchte uns mit seiner eisernen Hand ein anmutiges Festspiel oder eine ›Iphigenie‹ und einen ›Tasso‹ schreiben. Will man dagegen, wie man allerdings muß, naturgemäß dem Götz seinen Götz und dem Goethe seinen Goethe vorgeben, so wird wohl der rechte Standpunkt zur Beurteilung beider gefunden sein.

Merkwürdig ist mir immer ein Wort, das Goethe einmal im Gespräch über unsern gemeinschaftlichen, edeln Freund, den Maler und Kunstkenner Meyer, sagte, und das man vielleicht mit noch größerm Rechte auf ihn selber anwenden könnte: »Wir alle«, hub er an, »so viel wir unser sind, Wieland, Herder, Schiller, haben uns von der Welt doch irgend etwas und von irgendeiner Seite weismachen lassen, und ebendeshalb können wir auch noch einmal wiederkommen, sie wird es wenigstens nicht übelnehmen. Dergleichen aber konnte *ich* an Meyer, so lange ich ihn kenne, niemals wahrnehmen. Er ist so klar und in allen Stücken so ruhig, so grundverständig, sieht, was er sieht, so durch und durch, so ohne alle Beimischung irgendeiner Leidenschaft oder eines trüben Parteigeistes, daß das Zuunterst (dessous) der Karten, was die Natur hier mit uns spielt, ihm unmöglich verborgen bleiben konnte. Ebendeshalb aber ist auch für seinen Geist an keine Wiederkunft hiesigen Ortes zu denken; denn die Natur liebt es nun einmal nicht, daß man ihr gleichsam unaufgefordert so tief in die Karten blickt, und wenn auch deshalb von Zeit zu Zeit einer kommt, der ihr eins und das andere von ihren Geheimnissen ablauscht, so sind auch wieder schon zehn andere da, die es geschäftig zudecken.«

Goethe kann, darf und will seiner ganzen Natur nach keinen einzigen Schritt tun, der ihn das Reich der Erfahrungen, wo er so freudig festen Fuß gefaßt und über ein halbes Jahrhundert gewurzelt hat, plötzlich zu verlassen zwänge.

Alle Schlüsse, Beobachtungen, Lehren, Meinungen, Glaubensartikel haben in seinen Augen nur Wert, insofern sie sich an dieses von ihm so glücklich eroberte Reich anknüpfen. Der blaue Horizont, der dieses Reich begrenzt, den sich der Mensch so lieblich bemalt, kümmert ihn wenig. Er flieht ihn sogar, weil er aus Erfahrung weiß, daß dort die Hirngespinste wohnen und alle Phantome eines dunkeln Aberglaubens, den er haßt, ihren Sitz haben.

Das Mögliche, Gutes und Böses, wie es im Reiche der Erfahrung nach allen Richtungen geleistet wird, läßt er, mit großer Duldung, ja Anerkennung, gewähren. Ängstlich angelernt ist ihm selbst die Tugend zuwider, und fast möchte ich behaupten, daß ein halbweg tüchtiger Charakter, sobald ihm nur irgendeine wahrhafte Naturanlage zur Basis dient, sich, in seinen Augen, einer größern Nachsicht erfreuen kann, als ein Wesen, das in keinem Momente seines Lebens wahr ist, das sich selbst überall auf das unlieblichste zwingt und eben dadurch andern im Umgange einen unerfreulichen Zwang auflegt. »O«, seufzte er bei solchen Gelegenheiten, »wenn sie doch nur das Herz hätten, einen einzigen dummen Streich zu machen, so wäre die Sache abgetan und sie würden doch wenigstens, frei von Heuchelei und Verstellung, ihrem eignen, natürlichen Boden wiedergegeben! Wo das geschieht, darf man doch allemal für die Keime des Guten, die man der Natur anvertraut, einer fröhlichen Hoffnung Raum geben; auf dem Grunde aber, wo sie jetzt stehen, wächst gar nichts!« – »Süße Puppe!« war in solchen Fällen sein Lieblingswort; so wie der Ausdruck: »Es ist eine Natur!« in Goethes Munde für ein bedeutsames Lob galt.

Mit Untersuchungen über Zeit, Raum, Geist, Materie, Gott, Unsterblichkeit mochte sich Goethe nur wenig befassen. Nicht etwa, daß er höhere Wesen, als wir sind, ableugnete. Keinesweges; nur blieben sie ihm fremd, weil sie außer dem Reiche aller Erfahrung liegen, das ihn, seiner Maxime getreu, ganz ausschließend anzog und beschäftigte. Die Flucht des Übersinnlichen war mit ihm geboren; und wer unter uns ist so kühn, daß er Grenzstreitigkeiten mit der Natur anzetteln wollte? Wäre Goethe ein Leibniz, ein Kant gewesen, so hätten wir freilich statt der ›Iphigenie‹ und des ›Faust‹ eine sinnreiche Metaphysik erhalten; jetzt aber, da er eben Goethe geworden ist, sollten wir ihm auch billig, und zwar in allen Stükken, erlauben, Goethe zu sein und zu bleiben. Wie er selbst einmal im Gespräche mit mir sehr schön bemerkte, »in der Reihe so mannigfaltiger Produkte, wodurch die schaffenden Kräfte der Natur sichtbar würden, sei der Mensch gleichsam das erste Gespräch, das die Natur mit Gott halte«, ebenso könnte man von ihm selbst sagen, daß bei seinem eigensinnigen Beharren im Reiche der Erfahrung er gleichsam das letzte Produkt der plastischen Natur darstelle, das mit ihren Geheimnissen zugleich die zwei Richtungen ausplaudere, die von Ewigkeit in ihr verborgen liegen, und die trotz allen scheinbaren Gegensätzen doch erst beide zusammengenommen die eine wahrhafte, ganze und vollständige Welt und Natur ausmachen; eine Ansicht der Dinge, die keinen verwerflichen Beitrag zur Definition dessen, was wir Genie in der Natur nennen, abgeben dürfte. Denn sowie das Genie von dem Augenblicke an, wo es sich von der Natur lossagt, auf die unerfreulichsten Abwege gerät und nicht selten den Hirngespinsten und Traumgeburten zu verfallen pflegt, ebenso teilt es mit der Natur jene beiden großen Richtungen: die eine in das stille Reich der Sitte und des Gesetzes, wo es alsdann in lieblicher Ruhe und Selbstbeschauung eine unabsehbare Reihe stiller Bildungen ausprägt; die zweite dagegen in die gewaltsame Bewegung des Sturmwindes, der Blitze und des Erdbebens, womit die Mutter aller Dinge jene etwaigen Gegensätze, die sich in ihr vorfinden, dem Anscheine nach völlig regellos, im Grunde aber doch wohl gesetzmäßig schnell beseitigt und so Zerstörung aus Leben und Leben aus Zerstörung schafft.

Goethe zumuten, daß er sich in seinen Betrachtungen einer von diesen Richtungen ganz einseitig ergeben soll, heißt im Grunde nichts Geringeres, als von ihm verlangen, daß er aufhören sollte, Goethe zu sein, was er freilich nicht anders, als dadurch bewerkstelligen könnte, daß er aufhörte die Gesetze der Natur seinerseits als einzig gültige Richtschnur für sich und Seinesgleichen anzuerkennen. Wenn man daher diesem großen und anmutigen Genius zuweilen das Gefühl für das Sittliche abgesprochen hat, so hat man ihn nach fremdem Maßstabe gemessen und nicht bedacht, daß er es nicht lieben konnte, aus der Sittlichkeit eine Art von

Gewerbe zu machen. Ihm war auch hier alles nicht Ursprüngliche, alles Angelernte zuwider, wie jede angelernte Erhebung der Seele, angelernte Philosophie, eingelerntes Gebet usw., dergestalt, daß er nicht selten, wenn er ganz unbefangen diese Abneigung gegen flächere Gemüter aussprach, sich den größten Mißverständnissen aussetzte. Wir werden aber in der Folge sehen, wie tief, richtig, wahrhaft und mild, ja hingegeben er jede Richtung einer sittlichen Natur erfaßte, wenn er z. B. über Ludwig, König von Holland, und dessen Bruder Napoleon urteilte. Wenn aber ein Gesetz der englischen Verfassung, welches dahin lautet, daß Pairs jederzeit nur von Pairs gerichtet werden können, auch auf Gegenstände der Geisterwelt übertragbar ist, so dürfte eine solche Anerkennung des wahrhaft Eigentümlichen und Großen durch einen großen Zeitgenossen gar manches einseitige Urteil beschämen und verwirren und somit bewahrheiten, was im ›Tasso‹ gesagt wird:

– wo du das Genie erblickst,
Erblickst du auch zugleich die Marterkrone.[4]

4 *Karl August Varnhagen von Ense*

Im Sinne der Wanderer 1832

Als vor beinahe dreißig Jahren, im Gedränge so vieler Urteile, Betrachtungen, Studien und Deutungen, zu welchen ›Wilhelm Meisters Lehrjahre‹ damals in der deutschen gebildeten Welt den unerschöpflichen Stoff boten, auch zuerst der Spruch verlautete: Das ganze Buch sei gleichsam eine Frucht, reich und schön um den Kern herumgewachsen, der in ihm durch Textstellen gebildet werde, von denen die eine bedeutungsvoll ausdrückt, wie die Erde in der alten Welt überall schon in Besitz genommen sei, und die andere schmerzlich beklagt, daß dem Menschen nicht allein so manches Unmögliche, sondern auch so manches Mögliche versagt worden; – als dieser Spruch zuerst vernommen wurde, konnte er fast nur befremden: denn der leichte Sinn der meisten Leser wird im Genusse des einzelnen durch jede Hindeutung auf ein inneres Ganze fast immer unangenehm gestört, und selbst der tiefere scheut gar oft vor dem Gedanken zurück, der ihm als ungewohnte Gestalt und auf noch unbetretenem Pfade erscheint. So wurde denn jene Äußerung, obwohl von einer Seite herkommend, der man sonst gern ursprüngliche und lichte Wahrheit, einfaches und geradedurchgehendes Erschauen anzuerkennen gewohnt war, von den meisten als ein seltsames, nicht zu verstehendes Paradoxon mit bloßem Verwundern angehört, oder als ein willkürlicher, nicht begründbarer Einfall mit Kopfschütteln beseitigt.

Doch hätte schon damals ein weiteres Entfalten der hier zum Grunde liegenden Gedankenverbindung sehr gut geschehen und der Eingang zu allgemeinerem Verständnisse sich leicht eröffnen lassen, wenn jemand des Sinnes gewesen wäre, auf den *Gehalt* jenes Werkes ebenso kritisch Augenmerk und Fleiß zu richten, als bis dahin vorzugsweise nur dem *Stoffe* und der *Gestalt* desselben zuteil geworden war. In dem Buche selbst lagen noch Elemente und Beziehungen genug aufzufinden und zu vereinigen, welche jenen Gedanken tragen und haben mußten, und die beiden Textstellen konnten in mehr oder minder verhüllten Variationen dem leisen Aufmerken noch oft vernehmbar durchklingen. Wessen Sinn auf inneren Zusammenhang und tiefere Bedeutung gerichtet war, mußte wohl dunkel fühlen, daß es mit den merkwürdigen Bekenntnissen und Ausbrüchen, welchen die Alte bei Erzählung von Marianens Tod über deren und ihre eignen Verhältnisse sich überläßt, und worin der Zustand der Proletarier, der Verwahrlosten und Bedrückten, in erschütternder Nacktheit gezeigt wird, noch etwas ganz anderes auf sich hat, als durch ein groteskes Nachtstück die dichterische Wirkung wechselvoll zu erhöhen.

Auffallend und bedeutend mußte es auch erscheinen, als unvermutet nachgewiesen wurde, was einer neuen Entdeckung gleichkam, daß jene beiden Texte, auf welche ein so großer Wert gelegt werden sollte, von Goethen selbst im stillen schon mit einem besonderen Nachdruck versehen waren, indem er solche bei anderem Anlasse wiederholt, und beide an verschiedenem Orte nochmals der Betrachtung ausgestellt hatte, den einen nämlich in den ›Unterhaltungen deutscher Ausgewanderten‹, und den anderen in den Beilagen zu ›Cellinis Lebensbeschreibung‹. Vieler nicht so unmittelbaren Hindeutungen oder Anklänge zu geschweigen, die sich in seinen Schriften auch sonst für dieses Thema zahlreich finden ließen.

Eine starke Sammlung würde es geben, wollte man alles vereinigen, was über ›Wilhelm Meisters Lehrjahre‹, seit der ersten Erscheinung dieses Romans, geschrieben und vorgetragen, mit einsichtiger Würdigung gedacht und belehrend ausgesprochen, oder auch mit unzugänglichem Vermögen gefabelt und vernünftelt worden. Der Dichter hat alles dieses, den Tadel wie das Lob, den guten wie den bösen Willen, schweigend vorübergehen lassen, und sich niemals über ein Urteil, wiefern er ihm beistimme oder nicht, erklärt. Die richtige Deutung und das hellere Verständnis seines Werkes bereitete er auf die sicherste und bündigste Weise durch dessen Fortsetzung, die denn auch endlich, nach mehr denn zwanzigjährigem Zwischenraume, als ›Wilhelm Meisters Wanderjahre‹ an das Licht trat.

Hier fand sich unvermutet, zum Wunder und Staunen derer, welche jener Textstellen eingedenk waren, die eine derselben, die Betrachtung über den schon genommenen Besitz alles Bodens, in neuer Wendung wiederholt, und die Bestätigung, welche dadurch für die Wichtigkeit jener Stelle ausgedrückt wurde, mußte um so größer sein, als Goethen nicht unbekannt geblieben war, zu welchem Werte man sie hatte erheben wollen. Als nach abermaligem Verlauf einer Reihe von Jahren das ganze Werk in veränderter und vollerer Gestalt nochmals erschien, kam jene Wiederholung darin sogar doppelt vor.

Mehr aber, als dieses buchstäbliche Zeugnis, sprach nunmehr der gesamte Gang und Inhalt des Werkes, wie solche nun jedem Auge sichtbar werden konnten, für das Dasein eines tief eingreifenden, aus dem Zustande der Welt geschöpften und in das Leben zurückwirkenden Gedankens, wie er in jenen Textworten allerdings nach beiden Hauptseiten, nach der materialen und nach der idealen hin, ausgedrückt worden.

Und auch auf die ›Lehrjahre‹ fiel jetzt eine neue Beleuchtung zurück; ein bisher wenig vortretender, ein oft ganz übersehener Inhalt erschien inmitten der zarten Herzens- und Geistesangelegenheiten wirksam, und zeigte sich in unmittelbarer, strenger Beziehung mit den deutlicher herausgearbeiteten derartigen Bestandteilen der ›Wanderjahre‹. Wir haben dies schon vor längerer Zeit ausgesprochen und die Meinung aufgestellt: die zwei letzten Bücher der ›Lehrjahre‹ sonderten sich bereits merklich von den früheren ab, und reiheten sich fast schon den ›Wanderjahren‹ zu.[1]

Bevor wir nun weiterschreiten, lassen wir einige allgemeine Betrachtungen, die sich aufdrängen, hier vorangehen, da sie unseren Weg auf diese Art nur erleichtern.

Was man von Shakespeare gesagt hat, daß er auf den Scheidewegen und Übergängen zweier Zeitalter stehe, gilt im Grunde von jedem Dichter, dem dieser Name im großen Sinne des Wortes zukommt, und diese Stellung gehört recht eigentlich zu den Bedingungen, welche sein Erscheinen tragen, seiner Ausbildung und Wirksamkeit die Mittel darbieten, und ihm die reife widerstrebende Welt, so wie die unreife harrende, gleichsam als die Stoffe seiner Kunst in die Hände liefern.

Goethes Leben und Dichten gehört ohne Frage einem der Zeitabschnitte an, die im Gegensatze des Erbauens und Vereinens mit Recht vom Zerfallen und Zersetzen den Namen erhalten können, und die letzte Hälfte des achtzehnten nebst dem Anfange des neunzehnten Jahrhunderts sind unstreitig als ein Gipfel solcher weither vorbereiteten Epoche anzusehen. Man glaubte die Reformation des sechzehnten Jahrhunderts längst abgeschlossen, ihrem Weiterwirken feste Schranken gestellt, als dieses gerade mit Riesenschritten sich fort und fort ausbreitete. Dasselbe hatte den kirchlichen Boden, den es der früher allgemeinen Kirche glücklich abgekämpft, nur verlassen, um sich mit voller Kraft in alle weltlichen Gebiete zu ergießen, und dort gleicherweise aufzuräumen. Von dem in jener Bewegung empfangenen Anstoße lassen sich in strenger Folge alle fernere Bewegungen ableiten, welche die Mitte des europäischen Lebens seitdem ergriffen und gegen Ende des vorigen Jahrhunderts in einen allgemeinen Kampf gedrängt haben, der noch keineswegs geschlichtet ist, sondern seinen Zwiespalt nur stets in höhere Grundsätze und Interessen überleitet. Es darf uns nicht irren, daß der Gegensatz zweier Zeitalter, eines weichenden und eines andringenden, selber zu einer hohen Bildung gedient hat, indem der Geist der Wissenschaft und der Dichtung sich des Kampfes bemeisterte und sich über ihn erhob; das wirkliche Leben mußte darum nicht weniger die tiefsten Leiden überstehen, mußte vom Sturm hart ergriffen und vielfältig zerschellt werden.

Das Bild dieses Lebens konnte deshalb nur um so reicher ausfallen, die Poesie vor allem erfüllte den Auftrag, dasselbe zu erfassen und in ihren ewigen Gestalten veredelt aufzubewahren, so redlich als glänzend.

Goethes ganze Dichtung ist fast nur das Bild der Zerrüttungen einer mit sich selber in Zwiespalt geratenen Welt, und wenn er auf der einen Seite die Gestaltungen dieses Zwiespalts durch den Zauber und die Anmut seines künstlerischen Genius mildert, jedes Vorhandene durch die ihm inwohnende Wahrheit in seiner Berechtigung zum Dasein darstellt, und somit gleichsam versöhnt und harmonisiert, so wird ihm von anderer Seite nicht erlassen, kraft eben derselben Kunst und Wahrheit auch manchen noch im Verborgenen ruhenden Widerstreit aus dem geheimen Dunkel hervorzuziehen und grell und scharf an das Tageslicht zu bringen. In dieser Stellung und Aufgabe des Dichters liegt vollständig der Schlüssel zu allen verkehrten Anforderungen und Vorwürfen, welche ein beschränkter und von allem Unverstandenen beunruhigter Sinn von jeher dem Dichter in betreff der Sittlichkeit machen will, die doch seinen Werken im höchsten Grade inwohnt, auch wo er sie für blöde Augen zu verletzen scheint.

Denn gerade die Zerrüttung und Auflösung der alten Lebensformen, welche längst krank und schadhaft das frische Leben an ihren Tod fesseln möchten, und dieses neue Werdende, welches noch keine Sanktion hat, die unerkennbar gewordene Verwickelung der ewigen Legitimität mit deren zeitlicher Usurpation, gerade dies ist ja der Stoff, den die Poesie einer solchen Epoche aufnehmen und verarbeiten muß, wenn sie selber nicht auf das Leben verzichten will. Die Masse der Zeitgenossen vermag daher den Dichter wohl zu bewundern, aber nicht vollständig zu verstehen; sie wird seine Berichte wie seine Intentionen tadeln; doch eine spätere Zeit stellt unfehlbar auch in dieser Hinsicht die Gerechtigkeit her, und erkennt an, wie in allen Wagnissen des Herzens und Freveln des Geistes der Künstler unschuldig und fromm, in aller Sinnlichkeit keusch und rein bleibt, gleich dem geistlichen Lehrer, der ohne Scheu jedem Übertritt und Irrtum nachgeht, ihre Namen und Eigenschaften nennt, und selbst in die Abgründe der Nacht sich versenkt, um mit dem ihnen entrissenen Leben bereichert zu dem Lichte wieder aufzutauchen. Nicht anders tut der Dichter, insofern er es wahrhaft ist; er kann nur aufhören sittlich zu sein, wo er aufhört Dichter zu sein.

Frühzeitig empfand Goethe die Verwickelungen einer in sich selbst uneinigen Welt, in deren Mitte sein eignes Leben erwacht war und emporstieg. Die ersten Werke seines Genius, ›Werther‹, ›Götz‹, ›Faust‹, ›Stella‹, enthalten den Drang eines inneren Lebens, das mit den ihm von der äußeren Welt angebotenen Formen unruhig kämpft, sie nicht mehr erfüllen noch von ihnen umfaßt werden kann, und doch der neuen Formen noch durchaus entbehrt, in welchen es sich frei entfalten und befriedigen dürfte. Dieser Kampf, ein unaufhörlich wiederkehrendes Grundthema, setzt sich durch alle folgenden Goetheschen Werke in den mannigfachsten und höchsten Gestalten fort; ›Egmont‹, ›Tasso‹, ›Hermann und Dorothea‹, die ›Natürliche Tocher‹, ja sogar ›Iphigenia‹ – durch dasjenige, was in diesem schönen Aufruf antiker Welt doch als geheimer Lebensatem der Gegenwart weht und wirkt – die ›Wahlverwandtschaften‹, und besonders ›Wilhelm Meister‹, sind in solchem Betracht nur engverbundene Glieder einer und derselben Reihe.

Daß der Mensch unseres Zeitalters nicht in ein naturfreies Leben, sondern in eine künftige Welt hineingeboren wird, die, überall von Schranken durchschnitten und abgeteilt, zum voraus längst in Besitz genommen und durch Anhäufung toter Stoffe beengt, den Ansprüchen der Entwickelung und des Berufs taub oder gar feindlich ist, daß das neueintretende Dasein ohne Boden in künstlich schwebende vielfach verworrene Gewebe abgesetzt wird, worin dessen bester Teil nur allzuoft untergeht oder traurig dahinsiecht, diese Einsicht war schon dem Verfasser des ›Werther‹ eigen. Hier aber stehet die Verzweiflung noch ohne anderen Ausweg, als den die gewaltsame Selbstzerstörung ihr bietet. In späteren Werken gesellt sich ihr schon eine Beigabe von Trost und Heil. In ›Faust‹ und ›Wilhelm Meister‹ arbeitet sich diese Richtung vollständig zutage. Dort wird im Geistigen der Sieg bis zur Rückführung und Versöhnung des zuerst Abtrünnigen gesteigert; hier werden dem Irdischen neue Formeln eines nach innen und nach außen gleichmäßig befriedigten Daseins angedeutet.

Der Dichter, in dessen mittlere Lebenshöhe das ungeheure Ereignis der Französischen Revolution fällt, die mit ihm in gleichem Stoffe, jedoch mit den gewaltsamsten und furchtbarsten Werkzeugen, arbeitet und wühlt, nimmt im steten Gegensatze derselben nur die Bildung, die Einsicht und das Wohlwollen in Anspruch, um die große Aufgabe zu lösen, welche der Welt vorliegt, und wenn er Waffen führt, so ist es nur gegen die revolutionären Gewalten selbst, die ihm unter jeder Form verhaßt sind, weil sie die eigne Sache nur zerstörend fördern. Aber das Fortschreiten in lebendiger Entwickelung, die Veredlung und Erhebung alles dessen, was besteht, die Reinigung und Harmonisierung der Welt beseelen seinen Eifer unausgesetzt, und das Vorwärtsschauen in eine reiche Zukunft trennt ihn für immer von den Wahnvollen, welche einer verschwindenden Vergangenheit als einem wiederzugewinnenden Heile nachstarren. Die Lichtstrahlen, welche schon in den ›Lehrjahren‹ auf den Unterschied der Stände, auf die Verhältnisse des Grundbesitzes und auf die Übereinstimmung der Fähigkeiten und Berufswahlen hingeworfen sind, haben selten gehörige Beachtung, oft völlige Mißdeutung erfahren. Der Dichter will nicht das Veraltete dem Gange der Natur zum Trotz festhalten, nicht die Forderungen eines neuen Aufstrebens abweisen, aber er will das Vorhandene ergreifen, das Neue ihm sicher verknüpfen und beides auf sein wahres Ziel richten. Er schätzt und preist das Dauernde, und gönnt ihm Ausdehnung, nur weiß er dasselbe auch im Wechsel zu finden, und erkennt als das eigentliche Element der Menschheit das Bewegliche, worin ihre höchsten Güter schweben, wie das ganze Weltsystem ja selber nur auf ununterbrochenes allgemeines Umschwingen und Kreisen gegründet ist.

In den ›Wanderjahren‹ wird dies klar ausgesprochen, und überhaupt ein umfassendes Gebild neuer Lebensordnungen in festen, doch nicht ängstlichen Umrissen mit dichterischer Freiheit aufgezeigt. Hier liegen fruchtbare Keime für eine *Zukunft* ausgestreut, welche den Dichter, nach Maßgabe, daß jene aufgehen, noch weithinaus ebenso für den *ihrigen* halten wird, als *er uns* durch die schon entfalteten Blüten der Gegenwart angehört. Die eindringliche und erläuternde Übersicht, welche Hotho in den Berliner ›Jahrbüchern für wissenschaftliche Kritik‹ von dem Inhalt und der Gestalt dieses Werkes so glücklich gegeben hat[2], überhebt uns des Versuchs einer neuen Analyse, da wir auf jene als auf eine durchaus gelungene und genügende zurückweisen können.

Wir wollen nur erinnern, wie das Buch nun nicht mehr als ein Spiel heiterer Willkür, die Einbildungskraft zu vergnügen, dasteht, sondern den ganzen Ernst und die volle Schwere der Wirklichkeit in seine Dichtung hinübergezogen hat, ein im größten Sinne didaktisches Werk geworden ist. Die Notwendigkeiten des irdischen Lebens nehmen darin ihren Rang neben den höchsten Vergeistigungen; in geläuterter Frömmigkeit wirkt das Christentum; die Erziehung breitet ihre Anstalten auf eignem Boden mächtig und allumfassend aus; die Bildung zur Kunst, reich ausgestattet im besonderen, wird allgemeine Gabe; das Gewerbliche, aus zerstörendem Wetteifer in weise Ordnung geleitet, rückt ohne Scheu zu seiten der Kunst heran, seiner Berechtigung und Ehre neben dieser gewiß; Beruf und Fähigkeit bestimmen und adeln jede Verrichtung; in richtigen Ehebündnissen, hier vorzugsweise die ungleichen Stände zusammenfügend, schwindet das Mißverhältnis der Frauen, deren Erscheinung sogar zum freien, priesterlichen Segenswirken gesteigert ist; eine neue Würdigung der Dinge und Tätigkeiten, eine neue Wahl und Austeilung der Lebenslose, ein neuer Sinn des Schönen und Guten, eröffnen, – vermittelst einer großen, über den Erdboden hin sich verbreitenden, nach allen Richtungen edel tätigen, die höchsten Gegenstände und die geringsten beachtenden, Not und Schlechtigkeit überall tilgenden, frei beweglichen und dabei hierarchisch geordneten Assoziation, – die reiche Aussicht einer in Arbeit und Bildung fortschreitenden Menschheit, deren höchsten Ausdruck wir zuletzt allerdings wieder auf die zwiefache Textformel zurückführen mögen: Im Irdischen für jedes ihrer Mitglieder einen richtigen Anteil am Besitze und Genusse der vorhandenen Güter zu gewähren, im Geistes- und Gemütsleben aber, bei so vielem Unmöglichen, welches ewig versagt bleiben muß, das versagte Mögliche aus den zerbrechbaren Fesseln zu befreien.

Wir gedenken schließlich auch der wunderbaren Erscheinung, daß mit diesen Bildern gleichzeitig, doch völlig unabhängig von ihnen und einander gegenseitig völlig unbekannt, aus ganz anderen Kräften und Regionen, unter demselben Nachthimmel der Weltereignisse fortschreitend verhüllt, nachbarliche Gedankenreihen verwandten Geistes aufstiegen, als Lehre sich gestalteten, und sogar den Versuch wagten, in ausübender Verwirklichung die Welt unmittelbar anzusprechen.

Hier aber halten wir inne. Für Betrachtungen aller Art erweitert sich der Raum unabsehbar; die Urteile und Einsichten jedoch, welche hier zu gewinnen sind, werden nur demjenigen fruchtbar sein, welcher diesen Raum mit eignen Schritten zu durchmessen keine Mühe scheut. –

5 *Christian Hermann Weiße*

Aus einer Rezension der Vorlesungen »Ueber Goethe's Faust« von Karl Ernst Schubarth 1832

[...]
Die Zeit, in welcher die Goethesche Dichtung *Faust* entworfen, und ein Teil ihrer Szenen ausgeführt ward, ist jene, in welcher, gegenüber der leeren Abstraktionserkenntnis, und der gegen allen hohen Gehalt sich verneinend verhaltenden Verstandesaufklärung, die schöpferische Götterkraft des Dichtergenius unter der deutschen Nation in einem denkwürdigen Kreise begabter Individuen zum Bewußtsein ihrer selbst gelangte, und, ihrer Fesseln entledigt, wild und ungezügelt, einem Strome gleich, der durch seine Dämme bricht, hervorstürzte. Es war, im Gegensatze aller bestimmt begrenzten Richtungen und Bildungsformen, die unmittelbare, chaotische Naturkraft des Genius, die als solche sich Luft machte, und die Anerkenntnis für sich, daß sie allein und schlechthin durch sich selbst den Inhalt der Welt und die Bedeutung des Lebens ausmache, zu erstürmen suchte. Den konventionellen Formen der bürgerlichen, kirchlichen und literarischen Wirklichkeit gegenüber erschien dieses Streben als ein Niederreißen aller Schranken, welche Gesetz und Sitte der Leidenschaft und dem ungebändigten Naturtriebe gezogen haben. Die Verstandesaufklärung jener Zeit, so sehr sie allen höhern Gehalt aus dem Leben hinwegzuräumen beflissen war, hatte diese Schranken zu stürzen nicht vermocht, sie hatte im Gegenteil, um ihre Blöße zu bergen, sich hinter sie geflüchtet, und erst ihre allmählich erfolgende Durchdringung mit dem höhern, nach neuen Geburten ringenden Genius, vermochte später das gewaltige, welterschütternde Werk jenes Umsturzes zu vollbringen. – Von dem schöpferischen Geiste entleert, der in früheren Jahrhunderten sie gegründet hatte, konnten diese Formen allerdings auch jenen frühesten Lebensregungen des neu erwachenden Genius nur fremd und hemmend gegenüberstehen, und das Ankämpfen gegen sie mußte mit dieser Lebensregung selbst zusammenfallen. Aber jeder Kampf gegen diese Mächte, in denen auch nach ihrer Entartung noch die Kraft ihres göttlichen Ursprungs fortwirkt, rächt sich an dem Kämpfenden durch die Gefahr der Verwilderung und Entsittlichung. Wohl hatte auch das Streben und Treiben jener denkwürdigen Literaturperiode seine tragische Seite; wir sehen die Strebenden statt die rohe Naturkraft ihres Talentes zu zügeln und durch den Ernst und die Arbeit angestrengter Selbstbildung allmählich zu dem Ideale sich emporzuarbeiten, auf jene Naturkraft trotzen und allen wilden Begierden und Leidenschaften Raum geben, und in dieser Richtung, wie der unglückliche *Lenz* [1], der eigentliche Repräsentant, gleichsam die wurmstichige, frühzeitig abgenutzte Blüte dieses rauhen und stürmischen Geisterfrühlings, bis zum Wahnsinn fortgetrieben werden.

Von dem eben genannten Dichter, und von manchen andern seiner Zeitgenossen unterscheidet sich der höhere, edlere und reinere Genius jener Zeit, der Dichter, den wir, nach Verlauf eines halben Jahrhunderts, an geistigen Entwicklungen reicher, als sonst Jahrhunderte sind, noch vor wenigen Monaten den Unsrigen, den Chorführer unsers eigenen Zeitalters im höchsten geistigen Sinne nannten, – dadurch, daß er die geistige Bewegung jener Epoche zwar nach ihrem ganzen Umfange und ihrer vollen Tiefe in seinem Innern durchlebte und reiner und vollständiger als irgendein anderer, in seinen Schöpfungen ausprägte, aber nicht sein höheres Selbst durch sie fortreißen ließ, sondern sie bezwang und durch sie hindurch zu jener höhern Ruhe und Verklärung des Geistes gelangte, in welcher die dort wild und regellos durcheinander wogenden Elemente geschieden, und zur lebendigen Harmonie im höhern Sinne organisch verbunden sind. – Wir wissen wohl, daß vor kurzem, und zwar von einer Seite her, wo man das tiefste Verständnis unsers großen Dichters zu erwarten gewohnt und berechtigt war, Stimmen verlautet sind, die jene früheste Periode des Goetheschen Genius für die reichste, reinste und herrlichste erklären, für die einzige, in der er eigentlich der Dichter unserer Nation genannt werden dürfe;[2] sein späterer Umschwung aber und seine Einkehr in die Welt des antiken und zugleich, – denn wirklich erblikken wir in ihm dieses beides auf wunderbare Weise vereinigt, – des sittlichen Ideales für einen Abfall von seiner eigentlichen Bestimmung, für einen Verrat an der Natur, die ihn so herrlich begabte, und deren milden, mit üppiger Gewalt fortreißenden Zug er darum, – so will man uns überreden, – blindlings hätte folgen, vor dem Rufe der Idealschönheit aber, und vor der Stimme des Gewissens, die beide Zügelung der Natur und edlere Sitte von ihm forderten, sein Ohr, wie vor einem Sirenengesange verstopfen sollen. Wir lassen uns nicht blenden durch den Glanz des Namens, der neuerdings diesen und ähnlichen Meinungen Gewicht zu geben versucht hat; in der Tat scheinen dieselben aus einer vielfach getrübten, ja vergifteten Quelle zu fließen, aus einer solchen, in welcher die nämlichen unreinen und bösartigen Elemente, die in der erwähnten Epoche aufgeregt wurden, nicht nur vorhanden, sondern noch gesteigert sind. Unsere Überzeugung ist die entgegengesetzte, die zu unserer lebhaften Freude neuerlich ein geistvoller, in das Heiligtum deutscher Poesie gründlich eingeweihter Ausländer (*Carlyle* im ›Foreign Review‹) ausgesprochen und trefflich durchgeführt hat.[3] Nicht ein Rückschritt, sondern ein Vorschritt ist die Wiedergeburt zu nennen, die Goethes Genius um die Zeit erfuhr, als er in der Welt Italiens und der alten Hellas heimisch ward, und dort das Bewußtsein eines Ideales schöpfte, welches zu seinen frühern Idealen sich wie die gediegene Klarheit des Geistes und der Vernunft zu der ungebändigten Kraft der Leidenschaft und des Naturtriebes verhält. In der auf den Moment dieser Wiedergeburt nachfolgenden Periode seines Schöpfergeistes ist die frühere, aber nicht umgekehrt in der früheren die spätere, verklärt enthalten, und ›Iphigenie‹, ›Tasso‹, ›Meister‹ sind die goldenen Blüten in Goethes Dichterkranze, während ›Berlichingen‹, ›Werther‹ und ›Faust‹ nur eben im Aufbrechen begriffene Knospen sind.

Es liegt in den ewigen Gesetzen, denen die Geisterwelt ebenso, wie die Natur gehorcht, daß ein Geist, der jene unreife und chaotische Periode des genialen Strebens nur durchging, um sich über sie zu erheben, auch innerhalb ihrer selbst keineswegs den Geistern gleichartig erscheinen konnte, die auf dem niederen

Standpunkte stehenzubleiben, oder in jenem neusten Treiben unterzugehen bestimmt waren. Vorzeichen und Ankündigungen der späteren Erhebung und Verklärung sind schon den frühesten Werken Goethes deutlich aufgeprägt, und sie eigentlich sind an diesen Werken das Siegel ihrer Unsterblichkeit. Vor allen gilt dies von dem Fragmente des ›Faust‹, einer Dichtung, in welcher recht eigentlich das Ende und der Abschluß jener frühen Periode des Goetheschen Dichterlebens niedergelegt, und das Bewußtsein, welches der Geist dieser Periode, ohne noch, wie er später in Goethe tat, sich aufzugeben und an einen höhern Geist zu entäußern über sich selbst gewonnen hatte, ausgesprochen ist. Schon die Wahl des Stoffes (die indessen nicht Wahl, sondern unwiderstehlicher Drang des Genius war) scheint aus diesem Bewußtsein hervorgegangen; wiewohl wir freilich auf diese nicht allzugroßes Gewicht zu legen haben, da um dieselbe Zeit auch ein anderer Dichter [4] diesen Stoff, ohne sich über seine Zeit zu erheben, bearbeitet hat. Dieses aber unterliegt keinem Zweifel, daß Goethe in der Sage vom Faust die Lösung eines Rätsels verborgen ahnete, welches auf jener Stufe selbst noch ein Rätsel bleiben mußte. Der Sinn der Sage ist die Verwerfung dessen, was der Sinn jener Zeit für das Edelste und Höchste nahm, und Goethe, ohne selbst noch zu dieser Verwerfung sich zu entschließen, und hierin allerdings, – wir wagen es auszusprechen, – hinter dem Sinne der Sage zurückbleibend, fühlte sich doch um so mächtiger und geheimnisvoller von ihr angezogen, als in ihm eben das Bewußtsein von der finstern Seite jenes genialen Treibens aufzudämmen begann.

Goethes ›Faust‹ trat zuerst in Gestalt eines Fragmentes auf [5], und alles vom Dichter bis jetzt Hinzugegebene hat – trotz aller kunstreichen und scharfsinnigen Versuche der Ausleger, eine Ausfüllung und einen Abschluß darin zu finden, – nicht den Erfolg gehabt, für den, zwar nicht der Dichter, aber das Publikum, es bestimmte. Die Dichtung ist Fragment geblieben, und es liegt, wie schon vorlängst ein trefflicher Kritiker bemerklich gemacht, in ihrer ersten Anlage und Natur, Fragment zu bleiben. Man hat in diesem Umstande den Ausdruck oder die notwendige Folge eines Mißverhältnisses finden wollen, in welchem sich der Dichter, nicht als Dichter, sondern als Mensch überhaupt, zu seiner riesenhaften Aufgabe befinden soll. Diese Aufgabe nämlich pflegt man für keine andere, als die einer *Theodizee* zu halten, in ähnlichem Sinne, wie in welchem Leibniz eine solche wissenschaftlich zu liefern versuchte; – ein Unternehmen, die Gottheit wegen des Übels, das in der Welt sich findet, zu rechtfertigen, dergestalt, daß solches Übel als notwendiges Mittel zum höchsten Guten dargestellt werde. Setzt man hierbei voraus, wie manche jener Deuter dies voraussetzten, daß die dem Menschen vergönnte Erkenntnis zu einer befriedigenden Lösung dieses Rätsels nicht ausreiche: so wäre die Nichtvollendung eines Werkes, welches diese Lösung nicht nur zu finden, sondern, was unstreitig mehr ist, dichterisch auszusprechen und zu verkörpern sich unterfing, nur die unvermeidliche Folge des ungehörigen Unternehmens. Wie man wegen eines solchen die Aufgabe der dramatischen Poesie doch wohl mit der Aufgabe der spekulativen Wissenschaft verwechselnden Versuche, den Genius des Dichters rechtfertigen will, muß jenen nachzuweisen überlassen bleiben, die in aller Dichtung nur reflektierende Weltweisheit zu finden sich gefallen. Wir unsrerseits halten die fragmentarische Gestalt der Goetheschen Tragödie für die Folge eines anderen, leichter zu entschuldigenden und zu erklärenden Mißverhältnisses, nämlich dessen, welches obwaltet zwischen dem Sinne seiner Dichtung und dem Sinne der Sage, die den Stoff der Dichtung gab. Ein Mißverhältnis nennen wir diese Entfernung von dem Sinne der Sage (welche in anderen Dichtungen, z. B. der ›Iphigenia‹, eine Umbildung und sogar eine Verklärung der Sage durch das Gedicht genannt werden kann) darum, weil der Dichter hier nicht, wie anderwärts allerdings der Fall ist, den Sinn der Sage und die gesamte Weltanschauung, aus der dieselbe hervorgegangen, beherrscht, und frei darüber schwebt. Wir möchten vielmehr sagen, daß der Dichter, von seinem persönlichen und dem Standpunkte seines Zeitalters aus die Gestalten der Sage neu schaffend und den reichen Inhalt seiner Lebenserfahrung in sie hereinbildend, – nichtsdestoweniger ihre eigentliche innerste Bedeutung erst *sucht* und durch die Betrachtung der Sage zu gewinnen trachtet, deren vollständig gefundenes Verständnis ihm – so scheint er zu glauben – erst den Schlüssel zu dem Sinne seiner eigenen Dichtung und den springenden Punkt, um diese zur organischen Einheit zu gestalten, geben würde. Aber die Gestalten der Dichtung sind gleich von vornherein in einem der Sage fremd bleibenden Sinne, obgleich mit ausdrücklichem Bezug auf die Sage und mit dem Hinstreben nach deren Mittelpunkt, entworfen: darum vermag auch die Sage nicht ihnen zu geben, was sie doch ohne dieselbe, dieser ihrer wunderbaren Anlage zufolge, nie erlangen können.

Es ist kein Zweifel, daß Faust, wie Goethe ihn uns darstellt, als ein, seinem innersten Wesen und Selbst nach, edler Charakter erscheint, an dem das Böse nur als oberflächlicher Anflug haften, und den Mephistopheles nur für eine Zeitlang als Diener und Gesell begleiten soll. Davon muß jeden, auch der aus dem Geiste der Darstellung im ganzen es zu schließen Anstand nähme, der ›Prolog im Himmel‹ überzeugen, der ja, wenn Faust wirklich untergehen sollte, eine Beleidigung der Gottheit wäre. Was insonderheit das Streben nach Wissenschaft, nach dichterisch-philosophischer Weltansicht betrifft, so zeigt sich, wie Goethe dieses Streben durchaus rein hält, und den Fall seines Helden nicht als ein Umschlagen des idealen Strebens selbst, sondern als ein Herabsinken zu Sinnlichkeiten angesehen wissen will, auf das deutlichste darin, daß dieser Faust nicht, wie der Faust der Sage, vom Teufel Wissenschaft und Lösung der höchsten Rätsel verlangt, sondern ausdrücklich dieser entsagt und in den Strudel glühenden Lebensgenusses gestürzt zu werden begehrt. Hier nun, auf diesem, in Begleitung des Mephistopheles neu angetretenen Lebenslaufe, ist freilich nicht zu leugnen, daß der Dichter ihn mit Entsagung aller sittlichen, und nur vorübergehendem Anklingen der intellektuellen Interessen bis nahe an die Stufen der Frivolität und verbrecherischen Selbstsucht fortgeführt werden läßt. Es fragt sich: wie sollen wir dies deuten, ohne auf jenen Abweg Schubarths und anderer Ausleger zu geraten, nach deren Ansicht alle Verirrungen, alle Sünden und Verbrechen Fausts nichts Schlimmeres wären als »Verfehltes auf der Erde, woran sich Faust außer Schuld weiß, sich also auch nicht darüber abhärmen und den Kopf zerbrechen darf, da das

Universum, der Herr, ja überreich ist, um die Lücken eines ganzen Erdendaseins sofort zu supplieren«.

Ist es wahr, oder ist es wirklich die Meinung des Dichters, daß »ein in seiner allgemein menschlichen Begrenztheit sich unbehaglich fühlender Charakter das Recht hat, sich über alle Grenzen und Schranken, die dem Menschen notwendiger- und zufälligerweise gezogen sind, hinauszuversetzen, um mit der Phantasie in jener ungebundenen, doch gefälligen, Willkürlichkeit und Zügellosigkeit den nie endenden Wettstreit zu beginnen«? [6]

Wir unsrerseits glauben nicht, dem unsterblichen Dichter zu nahe zu treten, wenn wir behaupten, daß seine herrliche Dichtung, was die, philosophisch ihr zum Grunde liegende, ethische Weltansicht betrifft, von einem skeptischen Standpunkte aus entworfen ist, von einem solchen, den er zu überwinden rang, aber zur Zeit der ersten Konzeption des Werks noch nicht überwunden hatte, und auch, wiefern er ihn später überwand, die Resultate dieses Sieges nicht mehr in dasselbe hineinzubilden vermochte. Wie allenthalben aus dem Zweifel, aus der noch unsicher und haltlos umherirrenden Betrachtung sich die Wahrheit und die klare Zuversicht emporarbeitet: so bezeichnet das Goethesche Dichterwerk eben dadurch den Abschluß jener Periode der wüsten Naturkraft des dichterischen Genius, und den nahenden Beginn einer höheren Periode, daß es, hervorgegangen zunächst nur aus dem allgemeinen Bewußtsein der Möglichkeit einer Beimischung bösartiger Elemente in die Reinheit des idealen Strebens, solche Vereinigung streitender und widersprechender Elemente nur problematisch hinstellt, als eine Tatsache, die schwerlich geleugnet werden könne, deren Bedeutung aber noch unklar sei. Die Sage von jenem finstern Magus klang in tief bedeutsamen Tönen zu dem Genius herüber, der wenigstens nach einer Seite hin die Schilderung der Elemente, die damals in trüber Mischung durcheinander goren, zu vollbringen berufen war; es drängte ihn, sie zu gestalten, zum Symbol nicht sowohl der auszuscheidenden Elemente, als vielmehr eben jener wüsten Periode ihrer Vermischung. Denn, wie die eigentliche Bestimmung unsers Dichters wesentlich diese war, durch Heranziehung und schöpferische Gestaltung eines positiven Ideals der Schönheit und aller edlern Geistesbildung die Nebel zu zerstreuen und die Geister seines Zeitalters zu beleben und zu erfrischen: so blieb ihm das eigentliche Element des Gegensatzes jederzeit fremd, und die Darstellung desselben ward von ihm unwillkürlich in den milderen Äther jener Idealwelt, in der er selbst immer mehr und mehr heimisch ward, hinübergespielt. So oft daher der Dichter später zu dem Werke seiner Jugend zurückkehrte: so konnte er dasselbe nie auf die Weise umgestalten, wie es hätte umgestaltet, ja von Grund aus umgeschaffen werden müssen, um in entsprechend tiefem, klarem und vollständigem Sinne die tragische Darstellung des bösen Genius zu enthalten, wie einige der edelsten Werke seiner reifsten Periode das Ideal und den Genius des Guten und Schönen dichterisch verwirklichen. Die Anschauungen und Erlebnisse seiner Jugendzeit, die er in diesem Werke niedergelegt und mit den Erfahrungen und Reflexionen eines spätern Alters durchwoben hat, sind so tiefe und gewaltige, ihre Darstellung eine so frische, urkräftige und tief poetische, die Gedankenfülle endlich, die sich in einem solchen Geiste an diesen Inhalt knüpfen, und durch ihn, bei jedem neuen Hinzutreten zu demselben, immer neu angeregt werden mußte, eine so reiche und umfassende, daß in allen diesen Beziehungen die Tragödie ›Faust‹ den höchsten Werken Goethes würdig zur Seite steht, und mit vollem Rechte ihnen beigezählt wird. Allein daß dieselbe, bei all ihrer Herrlichkeit im einzelnen, der eigentlich dramatischen Einheit und Abgeschlossenheit entbehre: dieses Urteil, wie wir es auf einer gediegenen Anschauung der Grundidee sowohl der Sage, als auch der Dichtung begründet glauben, wird auch bei unbefangener, nicht reflektierender, sondern dem unmittelbaren Eindruck rein sich hingebender Auffassung des Poetischen bewährt.[7] In dem ersten Fragmente war Stil und Darstellung noch völlig aus *einem* Gusse, und dieses hatte sonach wenigstens die Einheit, die ein Bruchstück als solches haben kann. Die bei der späteren Überarbeitung eingeflochtenen Szenen, von so hohem und seltenem Werte sie für sich betrachtet sind, haben dem Werke jene Einheit des Grundtones entzogen, ohne die eigentlich künstlerische Einheit, die es zum dramatischen Organismus gestalten würde, ihm geben zu können. Den vom Dichter zwar sogenannten »zweiten Teil« der Tragödie und das Zwischenspiel Helena kann Referent, wie er anderwärts (in den letzten Blättern der im Jahre 1828 eingegangenen ›Dresdner Morgenzeitung‹) [8] umständlicher auseinandergesetzt, nicht einmal als Fortsetzung des früheren Gedichts, sondern muß sie als selbständige Dichtungen betrachten; was höchstwahrscheinlich auch von den noch nicht bekannten, aber sehnlich von allen Verehrern des großen Abgeschiedenen erwarteten nachgelassenen [9] gelten wird, durch dessen bloße Ankündigung übrigens die Meinung Schubarths sich widerlegt, als ob das Ganze mit Helena beschlossen sei. – Noch können wir, um unsere Ansicht zu unterstützen, nicht unbemerkt lassen, daß der Genuß und die Geistesnahrung, die alle Gebildete unserer Nation in so überschwenglich reichem Maße aus der unsterblichen Dichtung ziehen, ungleich mehr das Resultat des unablässigen, von früher Jugend an mit begeisterter Liebe gepflogenen Studiums ist, als, wie bei andern Werken unsers Dichters, und noch auffallender bei den Shakespeareschen eines gewaltigen, augenblicklich mit *einem* Schlage sich ergebenden Totaleindrucks. Freilich liegt es umso näher, das, was durch solchen Totaleindruck nicht gewährt wird, verborgen und verhüllt in dem Werke zu glauben, und ihm wie einer geheimnisvollen nur dem emsigsten Studium sich offenbarenden Weltweisheit nachzugehen. Auch leugnen wir nicht, daß die Blüten und die Früchte solcher Weltweisheit in üppiger Fülle durch die Dichtung ausgestreut sind, und daß, ihnen eifrig nachzuspüren, allerdings der Mühe lohne. Nur vor dem Abwege zu warnen, hielten wir für Pflicht, auf den die Meinung, als sei das Ganze eine in sich abgeschlossene, zugleich poetische und philosophische Einheit, ein System der tiefsten und vollendetsten Erkenntnis und Wissenschaft, so viele schon hingeführt hat.

6 *Ludwig Börne*

Aus: Briefe aus Paris. Dritter Theil 1833

Einundfünfzigster Brief

Paris, Samstag, den 8. Oktober 1831.

Goethes ›Tagebuch‹, von dem ich Ihnen neulich geschrieben, habe ich nun geendigt. So eine dürre leblose Seele gibt es auf der Welt nicht mehr, und nichts ist bewundernswürdiger als die Naivität, mit welcher er seine Gefühllosigkeit an den hellen Tag bringt. Das Buch ist eine wahre Bibel des Unglaubens. Ich habe beim Lesen einige Stellen ausgezogen, und ich lege das Blatt hier bei. Viele Bemerkungen hierüber waren gar nicht nötig; Goethes klarer Text macht die Noten überflüssig. Und solche Konsuln hat sich das deutsche Volk gewählt! Goethe – der angstvoller als eine Maus, beim leisesten Geräusche, sich in die Erde hineinwühlt, und Luft, Licht, Freiheit, ja des Lebens Breite, wonach sich selbst die totgeschaffenen Steine sehnen – alles, alles, hingibt, um nur in seinem Loche ungestört am gestohlenen Speckfaden knuppern zu können – und *Schiller*, der edler aber gleich mutlos, sich vor Tyrannei hinter Wolkendunst versteckt, und oben bei den Göttern vergebens um Hülfe fleht, und von der Sonne geblendet die Erde nicht mehr sieht, und die Menschen vergißt, denen er Rettung bringen wollte. Und so – ohne Führer, ohne Vormund, ohne Rechtsfreund, ohne Beschützer – wird das unglückliche Land eine Beute der Könige und das Volk der Spott der Völker.

Tag- und Jahrs-Hefte als Ergänzung meiner sonstigen Bekenntnisse, von 1789 bis 1806.

(Goethes Werke 31ster Band.)

»Der Geist nähert sich der wirklichen, wahrhaften Natur, durch Gelegenheits-Gedichte.« – Wie einen Gelegenheits-Gedichte zur wahrhaften Natur führen können, begreife ich nicht, Goethe müßte denn auch die *Liebe* zu den Gelegenheiten rechnen – was ihm leicht zuzutrauen ist. Aber wer ein so wetterwendisches Herz hat, daß ihn die Gelegenheit leicht in ihre Kreise fortzieht, wenn die Gelegenheit das Herz nicht *bricht*, der hat die Dichtkunst gefunden, gestohlen, erworben vielleicht mit seiner Händearbeit, geschenkt wurde sie ihm nie.

1789

Kaum hatte sich Goethe nach seiner Rückkehr aus Italien in die weimarischen Verhältnisse wieder eingesponnen, als die Revolution losbrach. »Schon im Jahre 1785 hatte die Halsbandgeschichte einen unaussprechlichen Eindruck auf mich gemacht. In dem unsittlichen Stadt-, Hof- und Staatsabgrunde, der sich hier eröffnete, erschienen mir die gräulichsten Folgen gespensterhaft, deren Erscheinung ich geraumere Zeit nicht loswerden konnte; wobei ich mich so seltsam benahm, daß Freunde, unter denen ich mich eben auf dem Lande aufhielt, als die erste Nachricht hievon zu uns gelangte, mir nur spät, als die Revolution längst ausgebrochen war, gestanden, daß ich ihnen damals wie wahnsinnig vorgekommen sei. Ich verfolgte den Prozeß mit großer Aufmerksamkeit, bemühte mich in Sizilien um Nachrichten von Cagliostro und seiner Familie, und verwandelte zuletzt, nach gewohnter Weise, um alte Betrachtungen los zu werden, das ganze Ereignis unter dem Titel: ›Der Groß-Cophta‹, in eine Oper, wozu der Gegenstand vielleicht besser als zu einem Schauspiele getaugt hätte«. Die Ausbrüche der Revolution zu einer Oper begeistert! Wer jedes Gefühl, sobald es ihm Schmerzen verursacht, gleich ausziehen läßt wie einen hohlen Zahn, den wird freilich nichts in seinem Schlafe stören; aber mit Gefühllosigkeit, mit einer hohlen Seele, ist der Schlaf doch etwas zu teuer bezahlt!

O welch' ein *Klein-Cophta!* Statt in der Hofgeschichte eine Weltgeschichte zu sehen, sieht er in der Weltgeschichte eine Hofgeschichte. Und wie ihn seine Philister-Ehrfurcht vor den Großen wie blind und taub, so auch stumm gemacht. Den Kardinal Rohan [1] verwandelt er in einen Domherrn. Die Königin in eine unvermählte Dame! Es ist gar kein Sinn in dieser Geschichte, so dargestellt. Aber *Cagliostro!* Es ist nicht zu leugnen, daß ihn Goethe mit Freundschaft behandelt. Es war Dankbarkeit. Einem moralischen Gourmand wie Goethe mußte Cagliostros Lehre, die er im höchsten Grade seiner Mysterien, nach langer, langer Prüfung endlich dem Eingeweihten offenbarte – die Lehre: – »Was du willst, das die Menschen für dich tun sollen, das tue für sie *nicht*«, – diese Lehre des Anti-Christs mußte wohl einem Goethe munden.

1790

Kehrte mit der Fürstin Amalie von seiner zweiten Reise in Italien zurück. »Kaum nach Hause gelangt, ward ich nach Schlesien beordert, wo eine bewaffnete Stellung zweier großen Mächte den Kongreß von Reichenbach begünstigte. Erst gaben Kantonierungsquartiere Gelegenheit zu einigen *Epigrammen* ... In Breslau hingegen, wo ein soldatischer Hof und zugleich der Adel einer der ersten Provinzen des Königsreichs glänzte, wo man die schönsten Regimenter ununterbrochen marschieren und manövrieren sah, beschäftigte mich unaufhörlich, so wunderlich es auch klingen mag, die *vergleichende Anatomie*, weshalb mitten in der bewegtesten Welt ich als Einsiedler in mir selbst abgeschlossen lebte. Dieser Teil des Naturstudiums war sonderbarlich angeregt worden. Als ich nämlich auf den Dünen des Lido, welche die venezianischen Lagunen von dem adriatischen Meere sondern, mich oftmals erging, fand ich einen so glücklich geborstenen Schafschädel, der mir ... jene große früher von mir erkannte Wahrheit: die sämtlichen Schädelknochen seien aus verwandelten Wirbelknochen entstanden, abermals bestätigte ...«

Was? Goethe ein reich begabter Mensch, ein Dichter; damals in den schönsten Jahren des Lebens, wo der Jüngling neben dem Manne steht, wo der Baum der Erkenntnis zugleich mit Blüten und mit Früchten pranget – er war im Kriegsrate, er war im Lager der Titanen, da, wo vor vierzig Jahren der zwar freche, doch erhabene Kampf der Könige gegen die Völker begann – und zu nichts begeisterte ihn dieses Schauspiel, zu keiner Liebe, zu keinem Hasse, zu keinem Gebete, zu keiner Verwünschung, zu gar nichts trieb es ihn an, als zu einigen Stachelgedichten, so wertlos, nach seiner eigenen Schätzung, daß er sie nicht einmal aufbewahrte, sie dem Leser mitzuteilen? Und als die prächtigsten Regimenter, die schönsten Offiziere an ihm vorüberzogen, da – gleich der jungen blassen Frau eines alten Mannes – bot sich seinem Beobachtungsgeiste kein anderer, kein besserer Stoff der Betrachtung dar, als die vergleichende Anatomie? Und als er in Venedig am Ufer des Meeres lustwandelte, – Venedig, ein gebautes Märchen aus ›TausendundeinerNacht‹; wo alles tönt und funkelt: Natur und Kunst, Mensch und Staat, Vergangenheit und Gegenwart, Freiheit und Herrschaft; wo selbst Tyrannei und Mord nur wie Ketten in einer schauerlichen Ballade klirren; die Seufzer-Brücke, die Zehen-Männer; es sind Szenen aus dem fabelhaften Tartarus–Venedig, wohin ich sehnsuchtsvolle Blicke wende, doch nicht wage ihm nahe zu kommen, denn die Schlange *österreichische Polizei* liegt davor gelagert, und schreckt mich mit giftigen Augen zurück – dort, die Sonne war untergegangen, das Abendrot überflutete Meer und Land, und die Purpurwellen des Lichtes schlugen über den felsigen Mann und verklärten den ewig Grauen – und vielleicht kam Werthers Geist über ihn, und dann fühlte er, daß er noch ein Herz habe, daß es eine Menschheit gebe um ihn, einen Gott über ihm, und dann erschrak er wohl über den Schlag seines Herzens, entsetzte sich über den Geist seiner gestorbenen Jugend; die Haare standen ihm zu Berge, und da, in seiner Todesangst, »nach gewohnter Weise, um alle Betrachtungen loszuwerden« – – verkroch er sich in einen *geborstenen Schafs-Schädel* und hielt sich da versteckt, bis wieder Nacht und Kühle über sein Herz gekommen! Und den Mann soll ich verehren? Den soll ich lieben? Eher werfe ich mich vor Fitzli-Putzli in den Staub; eher will ich Dalai-Lamas Speichel kosten. Hätte Deutschland, ja hätte die ganze Welt nur zwei Dichter, nur zwei Brunnen, ohne die das Herz verschmachten müßte in der Sandwüste des Lebens – nur Kotzebue und Goethe – tausendmal lieber labte ich meinen Durst mit Kotzebues warmer Tränen-Suppe, die mich doch wenigstens schwitzen macht, als mit Goethes gefrorenem Weine, der nur in den Kopf steigt, und dort hinauf alles Leben pumpt.

1792

»In der Mitte des Sommers ward ich abermals ins Feld berufen, diesmal zu ernsteren Szenen. Ich eilte über Frankfurt, Mainz, Trier und Luxemburg nach Longwy, welches ich den 28. August (Goethes Geburtstag – das vergißt er nie) schon eingenommen fand; von da zog ich mit bis Valmy, sowie auch zurück bis Trier; sodann, um die unendliche Verwirrung der Heerstraße zu vermeiden, die Mosel hinab nach Koblenz, Mannheim. Naturerfahrungen schlangen sich, für den Aufmerksamen, durch die bewegten Kriegsereignisse. Einige Teile von *Fischers* ›Physikalischen Wörterbuche‹ begleiteten mich; manche Langeweile, stockende

Tage betrog ich durch fortgesetzte chromatische Arbeiten...« Kein Wort über die Kriegsereignisse! Interessiert ihn auch die Politik nicht, konnte ihn doch als Dichter und Beobachter das Kriegsleben, dem es an beliebter plastischer Dickleibigkeit gewiß nicht fehlt, Stoff zu Wahrnehmungen und künstlerischen Darstellungen geben. Aber die ehrfurchtsvolle Scheu, von höchsten und allerhöchsten Personen und ihren höchsten und allerhöchsten Dummheiten zu reden, läßt ihn noch nach vierzig Jahren verstummen.

1793

Während der Blockade von Mainz, der er bis zum Ende der Belagerung beiwohnte, beschäftigte er sich mit ›Reineke Fuchs‹ und übte sich im Hexameter. Warum sagt er nicht, was er zu jener Zeit so oft im Hauptquartier gemacht? Hat er vielleicht an der Abfassung des berühmten Manifests des Herzogs von Braunschweig [2] teilgehabt? Auch fuhr er fort am Rhein unter freiem Himmel die Farbenlehre zu treiben.

»Und so hielt ich, für meine Person wenigstens, mich immer fest an diese Studien, wie an einem Balken im Schiffbruch; denn ich hatte nun zwei Jahre unmittelbar und persönlich das Zusammenbrechen aller Verhältnisse erlebt.«

»Einem tätigen, produktiven Geiste, einem wahrhaft vaterländisch gesinnten, und einheimische Literatur befördernden Manne wird man es zugute halten, wenn ihn der Umsturz alles Vorhandenen schreckt, ohne daß die mindeste Ahndung zu ihm sprach, was denn besseres, ja nur anderes daraus erfolgen solle. Man wird ihm beistimmen, wenn es ihn verdrießt, daß dergleichen Influenzen sich nach Deutschland erstrecken, (die Französische Revolution eine *verdrießliche Geschichte!*) und verrückte, ja unwürdige Personen das Heft ergreifen. In diesem Sinne war der ›Bürgergeneral‹ geschrieben, ingleichen die ›Aufgeregten‹ entworfen, sodann die ›Unterhaltungen der Ausgewanderten‹.«

Der ›Bürgergeneral‹ ward gegen Ende von 1793 in Weimar aufgeführt, »aber die Urbilder dieser lustigen Gespenster waren zu furchtbar, als daß nicht selbst die Scheinbilder hätten beängstigen sollen«.

Nun wahrhaftig, die in Weimar müssen unerhört schwache Nerven gehabt haben, wenn sie dies Scheinbild der Französischen Revolution, das Goethe im erwähnten Lustspiele darstellt, in Angst versetzt hat. Ich glaube es aber nimmermehr. Sie werden sich wohl bei der Aufführung jener Possen ebenso gelangweilt haben, als ich es beim Lesen getan, mit dem ich soeben fertig geworden; und Goethe schrieb das Gähnen statt der Langeweile den Vapeurs zu. Des ›Bürgergenerals‹ großer Inhalt ist folgender: *Gevatter Schnaps,* ein Dorfbarbier, ließ sich weismachen: Zu den Jakobinern in Paris, welche alle gescheite Leute in allen Ländern aufsuchten, an sich zögen und benutzten, wäre sein Ruf erschollen, und seit einem halben Jahre gäben sie sich alle erdenkliche Mühe, ihn für die Sache der Freiheit und Gleichheit zu gewinnen. Man kenne in Paris seinen Verstand und seine Geschicklichkeit. Ein Spaßvogel, der sich für einen Abgesandten der Jakobiner ausgibt, ernennt den Barbier zum Bürgergeneral und beauftragt ihn, in seinem Dorfe die Revolution anzufangen. Man gibt ihm eine Freiheitsmütze, Säbel, Uniform und einen falschen Schnurrbart. Die ganze Freiheits-Komödie geht aber darauf hinaus, den Bauer Martin *um einen Topf Milch zu prellen.* Und in diese alberne Milchsuppengeschichte wollte Goethe den Weimaranern einen Abscheu vor der Französischen Revolution einbrocken! Und die Weimarer sollen wirklich Krämpfe davon bekommen haben! Es ist nicht möglich.

Noch lächerlicher ist das Lustspiel ›Die Aufgeregten‹. Auch in diesem dramatischen Bilde wollte Goethe die Greuel der Französischen Revolution darstellen, um die Deutschen vor Freiheitsschwindel zu bewahren. Nun lese man die Folgen, welche das unglückselige Revolutionsfieber in einem Dörfchen gehabt. *Erste Folge.* Luise sagt: sie habe vergangenen Winter ein Paar Strümpfe mehr gestrickt, weil ihr Vater, der Barbier, ihr Muße dazu gegeben, da er wegen der Zeitungen später nach Hause gekommen. *Zweite Folge.* Das Kind der Gräfin fällt sich ein Loch in den Kopf, weil sein Hofmeister, der die Zeitungen las, nicht auf dasselbe achtgegeben. Und das ist alles! Die Berliner freilich werden manches in diesem Drama sehen, was einem kurzsichtigen Süddeutschen entgeht. Sie haben einen Herschelschen Goethoskop [3] – – wir nur unsere Augen.

1794

»Man sendete mir aus dem südlichen und westlichen Deutschland Schatzkästchen, Spartaler, Kostbarkeiten mancher Art, zum treuen Aufbewahren, die mich als Zeugnis großen Zutrauens erfreuten, während sie mir als Beweise einer beängstigten Nation traurig vor Augen standen.«

Guter Gott, welche Gewichte sind es, die den zentnerschweren Haß Goethes gegen die Französische Revolution bildeten! Seine liebe Mutter in Frankfurt hatte ein bequemes Haus mit schönen Möbeln, mit wohlversorgtem Keller, mit Büchern, Kupferstichen und Landkarten. Durch die Feindseligkeiten der Franzosen geängstigt, wollte die Mutter ihren Besitz veräußern, sich eine Wohnung mieten; aber eben wegen der unruhigen Zeiten wurden unvorteilhafte Kaufanträge gemacht; das Beraten mit Freunden und Mäklern war von unendlicher Verdrießlichkeit. Und das der Schmerz eines Dichters! Ist der ein Mann des Jahrhunderts, der mit solchem Herzen einer Eintagsfliege die Welt umfaßt?

Er erzählt, wie er sich über Fichtes Lehrweise in Jena entsetzte, daran verbrannte; wie Fichte sich in seinen Schriften »nicht ganz gehörig über die wichtigsten Sitten- und Staatsgegenstände erklärt habe«. Wie »*uns* dessen Äußerungen über Gott und göttliche Dinge, *über die man freilich besser ein tiefes Stillschweigen beobachtet,* von außen beschwerende Anregungen zugezogen.«

1795

Mit Kapellmeister Reichardt [4] zerfiel er, mit dem er, »ungeachtet seiner vor- und zudringlichen Natur, in Rücksicht seines bedeutenden Talents in gutem Vernehmen gestanden; er war der erste, der mit Ernst und Stetigkeit meine lyrischen Arbeiten durch Musik ins Allgemeine förderte ... ohnehin lag es in meiner Art, aus herkömmlicher Dankbarkeit unbequeme Menschen fortzudulden, wenn sie mir es nur nicht gar zu arg machen, alsdann aber meist mit Ungestüm ein solches Verhältnis abzubrechen. Nun hatte sich Reichardt mit Wut und Ingrimm in die Revolution geworfen; ich aber die greulichen unaufhaltsamen Folgen solcher gewalttätig aufgelösten Zustände mit Augen schauend und zugleich ein ähnliches Geheimtreiben im Vaterlande durch und durch blickend, hielt ein für allemal am Bestehenden fest, an dessen Verbesserung, Belebung und Richtung zum Sinnigen, Verständigen, ich mein Leben lang bewußt und unbewußt gewirkt hatte, und konnte und wollte diese Gesinnung nicht verhehlen.«

Goethe, wie alle Grenz-Menschen das Stadttor seiner Welt, sie schließend, verteidigend. Die Gemeinde erweitert sich, das Tor wird niedergerissen oder überbauet und dient zum Durchgange wie früher zur Abwehr.

»Reichardt war von der musikalischen Seite unser Freund, von der politischen unser Widersacher, daher sich im stillen ein Bruch vorbereitete, der zuletzt unaufhaltsam an den Tag kam.«

Ich kannte Reichardt etwas. Er war ein Preuße, das heißt ein Windbeutel. Wo er sich befand, entstand gleich ein Luftzug, selbst im verschlossensten Zimmer. Er hatte bewegliche Gefühle, doch er fühlte; man konnte ihn herbeiziehen und wegschieben. Er stand nicht, gleich Goethe, wie eine Mauer im Leben da, die wenn auch mit Obstspalieren bedeckt und verziert, doch unbeweglich, undurchsichtig bleibt, uns die Aussicht versteckt, und uns zu einem Umwege nötigt, sooft wir in Gottes freie Welt gehen oder sehen wollen. Und naiv ist Goethe! Er gesteht, er habe Reichardt lieb gehabt, solang er ihm nützlich gewesen, indem er durch Kompositionen seiner Lieder diese verbreiten half; den Reichardt außer Diensten aber habe er gehaßt. Das ist *sachdenklich!*

1799

Entwurf der ›Natürlichen Tochter‹. »In dem Plane bereitete ich mir ein Gefäß, worin ich alles, was ich so manches Jahr über Französische Revolution und deren Folgen geschrieben und gedacht, mit geziemendem Ernste niederzulegen hoffte.« Ich will die ›Natürliche Tochter‹, dieses vieljährige Werk geziemenden Ernstes wieder einmal lesen; aber jetzt nicht, nicht in diesen rauhen Herbsttagen. Im nächsten Sommer, im Juli, in den Tagen, wo man Gefrornes liebt.

1800

»Der ›Propyläen‹ drittes und letztes Stück ward bei erschwerter Fortsetzung aufgegeben. Wie sich bösartige Menschen diesem Unternehmen entgegenstellt, sollte wohl zum Troste unserer Enkel, denen es auch nicht besser gehen wird, gelegentlich näher bezeichnet werden.«

Nun, warum bezeichnet er es nicht näher? Warum? Darauf ist leicht die Antwort gegeben. Goethe besann sich, daß etwas zum Troste der Enkel zu sagen, wie jede Menschenfreundlichkeit, *nebulistischer* Natur und eines so *realen* Mannes, wie er, ganz unwürdig sei.

1892

Goethes Gesinnung über Preßfreiheit spricht sich hier gelegentlich aus. Schlegels ›Jon‹ [5] kam zur Aufführung und schon am Abende der Vorstellung trat »ein Oppositions-Versuch unbescheiden hervor: in den Zwischenakten flüsterte man von allerlei Tadelswürdigem, wozu denn die freilich etwas bedenkliche Stellung der Mutter erwünschten Anlaß gab. Ein sowohl den Autor als die Intendanz angreifender Aufsatz war in das Mode-Journal projektiert, aber ernst und kräftig zurückgewiesen; denn es war noch nicht Grundsatz, daß in demselbigen Staat, in derselbigen Stadt es irgendeinem Glied erlaubt sei, das zu zerstören, was andere kurz vorher aufgebauet hatten.«

1803

Nichts Lächerlicheres, als bald der ernste dürre Ton, bald die breite kunstschmausende Behaglichkeit, mit welchen Goethe in diesem seinen Büchelchen über das kleinstädtische Hof- und bürgerliche Stadtbauwesen in Weimar sich so oft ausläßt. Was der Kunstfreund an solcher Puppen-Architektur so Erquickliches finden mochte, daß er noch nach vielen Jahren sich damit beschäftigt, wäre ganz unerklärlich, wenn man Goethes Charakter nicht kennte. Des Lebens Behaglichkeit war ihm das Leben selbst. Darum ist ihm nichts klein, was diesen Kreis berührte, darum ist ihm alles klein, was von diesem Kreise ablag.

1805

Und in diesem Büchelchen auch, wie in den größten und bedeutendsten Werken Goethes, trat mir was mich immer beleidigt, halb lächerlich, halb ärgerlich entgegen. Zuvörderst die holländische *Reinlichkeit* des Stils, die jeden Zimmerboden mit gekräuselten Sande bedeckt, und oft die Bäume vor den Häusern mit Ölfarbe anstreicht. Dann die aufgenötigte *Ruhe*, das Bleigewicht, das Goethe an jede Empfindung, jeden Gedanken seiner Leser hängt. Endlich die tyrannische *Ordnung*, die Geist und Herz nach dem Takte eines Mälzelschen Metronomen [6] sich bewegen heißt.

1806

Man dachte daran, Oehlschlägers Tragödie ›Hakon Jarl‹ auf die Weimarische Bühne zu bringen [7], und schon war alles dazu vorbereitet. »Allein späterhin schien es bedenklich, zu einer Zeit, da mit Kronen im Ernst gespielt wurde, mit dieser heiligen Zierde sich scherzhaft zu gebärden.«

Denkwürdigkeiten, die Goethe von diesem wichtigen Tage bemerkt. Am 30. Januar der Geburtstag unserer Großherzogin, und wie das Trompeter-Chor eines preußischen Regiments in dem Theater Proben seiner außerordentlichen Geschicklichkeit gegeben. – Theater-Repertoir – geschenkte Zeichnungen und andere Kunstnachrichten. – Vollständiges Verzeichnis der von Goethe durch Gefälligkeit erworbenen Kunstgegenstände. – Reise nach Karlsbad und dort genossene Kupfersammlungen. Farbenlehre. Bei jeder Gefahr hält Goethe ein Prisma vor die Augen, um jene nicht zu sehen, und sonderbar genug versteckt er sich vor dem Lichte hinter Farben. – In Karlsbad: »Fürst Reuß XIII., der mir immer ein gnädiger Herr gewesen, befand sich daselbst, und war geneigt, mir mit diplomatischer Gewandtheit das Unheil zu entfalten, das unsern Zustand bedrohte. – Mineralien.«

»Über eine pädagogisch-militärische Anstalt bei der französischen Armee gab uns ein trefflicher aus Bayern kommender Geistlicher genaue Nachricht. Es werde nämlich von Offizieren und Unteroffizieren am Sonntage eine Art von Katechisation gehalten, worin der Soldat über seine Pflichten sowohl als auch über ein gewisses Erkennen, soweit es ihn seinem Kreise förderte, belehrt werde. Man sah wohl, daß die Absicht war, durchaus kluge und gewandte, sich selbst vertrauende Menschen zu bilden; dies aber setzte freilich voraus, daß der sie anführende große Geist demungeachtet über jeden und alle hervorragend blieb und von Raisoneurs nichts zu fürchten hatte.« Daß man ja nicht denke, indem er solche Schulen lobend erwähnt, er sei der Meinung, daß man aus einem Soldaten einen denkenden Menschen machen sollte. Der Unterricht ist nur das Öl, womit man das Rad einer Maschine schmieret, daß diese besser gehe. Raisonieren soll das Rad nicht, sondern nur geschmeidiger werden, um der lenkenden Hand zu folgen. –

»Die prägnante Unterhaltung mit meinem Fürsten im Hauptquartier zu Niederroßla« möchte schwer auszusprechen sein.

Und als beim Herankommen des Ungewitters jedermann ängstlich einen Schlupfwinkel suchte, rief Goethe, als man eben die ersten Lerchen speiste, aus: *»Nun, wenn der Himmel einfällt, so werden ihrer viele gefangen werden.«* –

1807

Schrieb in Karlsbad eine kleine mineralogische Abhandlung. »Ehe der kleine Aufsatz nun abgedruckt werden konnte, mußte die Billigung der obern Prager Behörde eingeholt werden, und so hatte ich das Vergnügen, auf einem meiner Manuskripte das Vidi der Prager Zensur zu erblicken.«

In Karlsbad erwies ihm die Fürstin Solms »ein gnädiges Wohlwollen«.

1808

Bekennt, *daß er seit einigen Jahren keine Zeitungen gelesen.* Nach Karlsbad aber nahm er die Jahrgänge 1805 bis 1807 der ›Allgemeinen Zeitung‹ mit, ein Blatt, das er wegen seiner *klugen Retardation* noch leiden mag.

Schrieb ein Gedicht »zu Ehren und Freuden der Frau Erbprinzessin von Hessen-Kassel.«

1810

»Die Gegenwart der Kaiserin von Österreich Majestät in Karlsbad, rief gleich angenehme Pflichten hervor, und manches andere kleine Gedicht entwickelte sich im stillen.«

1811

Er und andere gingen nach Wehnditz [8], einem Dorfe bei Karlsbad, und tranken Ungarwein. »Man trug sich über eine solche Wallfahrt mit folgender Anekdote: »Drei bejahrte Männer gingen nach Wehnditz zum Weine!

Obrist Otto, alt	87 Jahre
Reimschneider Müller	84 "
Ein Erfurter	82 "
	253 Jahre

Sie zechten wacker und nur der letzte zeigte beim Nachhausegehen einige Spuren von Bespitzung; die beiden andern griffen dem Jüngern unter die Arme, und brachten ihn glücklich zurück in seine Wohnung.«

1813

Durch die Kriegsereignisse geängstigt suchte er Ruhe, indem er sich mit ernstlichstem Studium dem chinesischen Reiche widmete.

»Hier muß ich noch einer Eigentümlichkeit meiner Handlungsweise gedenken. Wie sich in der politischen Welt irgendein ungeheures Bedrohliches hervortat, so warf ich mich eigensinnig auf das Entfernteste.«

Unter den kleinen Bemerkungen über die Ereignisse des Tages findet sich: »Die Freiwilligen betragen sich unartig und nehmen nicht für sich ein.«

1816

Man verzeiht Goethe fast die kindische Aufregung, in welche ihn jeder Widerspruch seiner Farbenlehre versetzt, weil er doch da einmal aus seinem engen Egoismus, wenn auch auf verbotenem Wege, heraustritt, weil ihn doch da einmal das Urteil der Menschen kümmert. »Professor *Pfaff* sandte mir sein Werk gegen die ›Farbenlehre‹, nach einer den Deutschen angebornen unartigen Zudringlichkeit.« Das kann doch den Deutschen wahrlich ihr ärgster Feind nicht nachsagen, daß sie unartig zudringlich wären. Nur zu schüchtern und artig sind sie! Goethe legte das Buch ungelesen beiseite!

Goethe war vergnügt und wie in Baumwolle gehüllt, als ihn ein Donner aufschreckte. »Ein solcher innerer Friede ward durch den äußern Frieden der Welt begünstigt, als nach ausgesprochener Preßfreiheit die Ankündigung der ›Isis‹ erschien, und jeder wohldenkende Weltkenner die leicht zu berechnenden weitern Folgen mit Schrecken und Bedauern voraussah.« [9]

1817

»Ein Symbol der Souveränität ward uns Weimaranern durch die Feierlichkeit, als der Großherzog vom Thron den Fürsten von Thurn und Taxis, in seinem Abgeordneten, mit dem Postregal belieh, wobei *wir, sämtlichen Diener* in geziemenden Schmuck, nach Rangsgebühr erschienen.«

»Zu jener Zeit studierten in Jena und Leipzig viele junge Griechen. Der Wunsch, sich besonders deutsche Bildung anzueignen, war bei ihnen höchst lebhaft, sowie das Verlangen, allen solchen Gewinn dereinst zur Aufklärung, zum Heil ihres Vaterlandes zu verwenden. Ihr Fleiß glich ihrem Bestreben; nur war zu bemerken, daß sie, was den Hauptsinn des Lebens betraf, mehr von Worten als von klaren Begriffen regiert werden!«

»Papadopulos, der mich in Jena öfters besuchte, rühmte mir einst im jugendlichen Enthusiasmus den Lehrvortrag seines philosophischen Meisters. Es klingt, rief er aus, so herrlich, wenn der vortreffliche Mann von *Tugend*, *Freiheit und Vaterland* spricht. Als ich mich aber erkundigte, was denn dieser vortreffliche Lehrer eigentlich von Tugend, Freiheit und Vaterland vermelde, erhielt ich zur Antwort: Das könne er so eigentlich nicht sagen, aber Wort und Ton klängen ihm stets vor der Seele nach: Tugend, Freiheit und Vaterland.« Gott welch' ein Spott! Die Griechen haben es wohl gezeigt, was sie darunter verstehen, wenn auch der edle Jüngling Tugend, Freiheit und Vaterland nach Goethes dürrer Weise nicht zu *schematisieren* verstand.

»Hierauf ward mir das unerwartete Glück, Ihro des Großfürstin Nikolaus und Gemahlin Alexandra Kaiserliche Hoheit, im Geleit[10] unserer gnädigsten Herrschaften bei mir im Haus und Garten zu verehren. Der Frau Großfürstin Kaiserliche Hoheit vergönnten einige poetische Zeilen in das zierlich prächtige Album verehrend einzuzeichnen.« Das schrieb er in seinem 71sten Jahre. Welche Jugendkraft!

7 *Carl Vogel*

Aus: Die letzte Krankheit Goethe's 1833

[...]

Goethe * war groß und von starkem, regelmäßigem Knochenbau; nur die untern Gliedmaßen hätten, um eines schönen Verhältnisses zum Rumpfe willen, ein geringes länger sein dürfen. Wahrscheinlich trug dieser Mangel dazu bei, daß *Goethe'n*, wie er in ›Dichtung und Wahrheit aus meinem Leben‹ erzählt, das Schließen zu Pferde weniger gelingen wollte, als seinen Mitscholaren auf der

* Unter den käuflichen Abbildungen *Goethes* stellen seine Gesichtszüge in den Jahren 1820 bis 1829 *Rauchs* meisterhafte Büste und das nach *Stielers* vortrefflichem Ölgemälde von *Schreiner* in München lithographierte, in technischer Hinsicht jedoch nicht durchaus wohlgeratene Portait am treuesten dar. Wer sich *Goethes* Züge zu vergegenwärtigen wünscht, wie sie in der letzten Zeit erschienen, dem ist das in jeder Hinsicht äußerst gelungene, in Linienmanier 1832 gravierte und erst nach *Goethes* Tode beendigte Bild von *Schwerdgeburth* zu empfehlen. Die Körperhaltung *Goethes* kann man am besten durch die kleine Statue kennen lernen, welche wir gleichfalls *Rauch* verdanken, und bei welcher nur die geringe Ähnlichkeit des Antlitzes zu bedauern bleibt.[1]

Reitbahn.[2] Noch in den letzten Jahren hielt er sich mit etwas vorragendem Unterleibe und rückwärts gezogenen Schultern sehr gerade, ja etwas steif, und schob dies auf die von ihm, behufs besserer Ausdehnung der Brust, frühzeitig angenommene und auch andern zu gleichem Zwecke häufig empfohlene Gewohnheit, die Hände möglichst viel hinter dem Rücken vereinigt zu tragen. Seine Brust war breit und hoch gewölbt, der Atem meistens ruhig und kräftig, dann und wann mit Seufzern untermischt; der Puls weich, mäßig voll, im Verhältnis zum Alter immer frequent, etwa wie bei einem Manne von vierzig Jahren. Nur bei dem mehr erwähnten Lungenblutsturze[3] zeigte sein Puls eine wahre Holzhärte und schlug kaum 50 mal in der Minute, bis etwa auch zwei Pfund Blut durch Aderlässe entzogen worden waren, nachdem schon zuvor das bis zum Ersticken stromweise aus den geborstenen bedeutenden Blutgefäßen durch den Mund fließende Blut ein tiefes und weites Waschbecken halb angefüllt hatte. Die Venen bildeten an den Unterschenkeln nicht sehr bedeutende Varikositäten und schimmerten überall durch die an allen, in der Regel bekleideten Teilen des Körpers bis an den Tod ungemein feine, weiche, weiße, zu vermehrter Transpiration, so wie auch zu Hautkrisen noch in hohen Jahren sehr geneigte Haut deutlich durch. Das greise Haupt war mit seideweichem grauem, täglich sorgfältig gekräuseltem Haar dicht besetzt. Der Hals fiel durch bedeutende Torosität auf. Den ganzen Körper, mit Ausnahme des Kopfes bekleidete reichliches Fleisch. Gesicht, Geruch, Geschmack und Gefühl blieben bis zum Tode sehr fein und scharf; das Gehör sagte dagegen immer mehr ab, und besonders bei trübem, naßkaltem Wetter mußte man oft sehr laut sprechen, wenn man von *Goethe* gehörig verstanden sein wollte. Die Geistesverrichtungen, mit Ausnahme des Erinnerungsvermögens, zeigten sich noch kräftig. Die früher so große Beweglichkeit der Gedanken nahm, wie die Leichtigkeit der Muskelaktionen, von Jahr zu Jahr sehr merklich ab. Es wurde *Goethen*, der, von seiner frühen Jugend abgesehen, vielleicht jederzeit zur Bedächtigkeit und Umständlichkeit neigte, im höhern Alter ungemein schwer, Entschlüsse zu fassen. Er selbst war der Meinung, diese Eigentümlichkeit, welche er geradezu als Schwäche ansprach, rühre daher, daß er niemals in seinem Leben rasch zu handeln genötigt gewesen sei, und er pries den Stand eines praktischen Arztes gelegentlich auch deshalb, weil dem Arzte nie erlaubt sei, seine Resolutionen zu vertagen. Auf der andern Seite übertraf ihn aber wohl nicht leicht jemand an Beharrlichkeit und selbst Kühnheit im Ausführen des einmal Beschlossenen, wobei er, als Geschäftsmann, die päpstliche Kommissorialformel: *non obstantibus quibuscunque,*[4] gern im Munde führte, und vorkommenden Falles darnach zu verfahren liebte. Waren schnelle Entschließungen nicht zu umgehen, häuften sich gar die Veranlassungen dazu in kurzer Zeit zusammen, so machte ihn das leicht grämlich. Dies war besonders der Fall, als er nach dem Ableben seines einzigen Sohnes die längst entwohnte Verwaltung seiner weitläuftigen Privatangelegenheiten von neuem übernehmen mußte. Arbeiten gingen ihm nicht mehr recht geläufig von der Hand. Er klagte in spätern Jahren nicht selten, daß er sich selbst zu solchen Geschäften, die ihm ehemals ein Spiel gewesen, jetzt häufig zwingen müsse. Nur der Sommer 1831 machte hierin eine Ausnahme, und *Goethe* versicherte damals oft, er habe sich zur Geistestätigkeit, zumal in produktiver Hinsicht, seit dreißig Jahren nicht so aufgelegt gefunden. Rühmte *Goethe* seine Produktivität, so machte mich das stets besorgt, weil die vermehrte Produktivität seines Geistes gewöhnlich mit einer krankhaften Affektion seiner produktiven Organe endigte. Dies war so sehr in der Ordnung, daß mich schon im Anfange meiner Bekanntschaft mit *Goethe* dessen Sohn darauf aufmerksam machte, wie, so weit seine Erinnerung reiche, sein Vater nach längerem geistigen Produzieren noch jedesmal eine bedeutende Krankheit davongetragen habe.

Goethes Phantasie blieb bis zum letzten Moment empfänglich und wirksam. Das Schöne und Heitere machte sein, das ganze Leben hindurch mit unablässigem Streben entwickeltes, eigenstes Element aus; ihn verstimmte alles Häßliche und Düstere. »Es verdirbt mir die Phantasie auf lange Zeit« pflegte er bei Ablehnung solcher Gegenstände entschuldigend zu äußern. Seinem Schönheitssinn Widerstrebendes vermochte er nur dann aufmerksam ins Auge zu fassen, wenn er davon für den in ihm noch regeren Trieb zur Bereicherung seines Wissens Befriedigung erwartete. Durch sein Naturell gezwungen, sich in die ihm bekannt werdenden Zustände anderer lebhaft und oft zu großem, eignem Nachteil zu versetzen, strebte er vorsichtig und fortwährend, unerfreuliche Nachrichten von sich abzuhalten.

Der zweiundachtzigjährige Greis erfreute sich bis an seinen Tod eines nur selten gestörten nächtlichen Schlafes. Gewöhnlich schlummerte er den Tag über einigemal auf kurze Zeit und dann abends von neun Uhr an, ohne leicht vor fünf Uhr morgens wieder munter zu werden. Brütete sein Geist über sehr interessanten Aufgaben, so erwachte *Goethe* in der Nacht wohl auf eine oder zwei Stunden und führte während der Zeit die Reihe seiner Ideen weiter fort. Bei solcher Veranlassung nächtlichen Wachens beklagte er sich nicht; wurde aber seine Nachtruhe ohne ähnlichen Vorteil unterbrochen, so machte ihn das sehr ungehalten, und er verlangte am nächsten Morgen Abhülfe. Meistens war Stuhlverstopfung die Ursache, und eine geringe Dosis Rhabarbertinktur stellte die Ordnung wieder her. Nur selten verschrieb ich zu diesem Zwecke einen Gran Bilsenkrautextrakt, ein Mittel, dem *Goethe* sehr zugetan war, weil es ihm jedesmal erquicklichen Schlaf mit ergötzlichen, im Gedächtnis auch noch nach dem Erwachen zurückbleibenden Träumen verschaffte.

In frühern Jahren trank *Goethe* viel Wein und andere geistige Getränke. Als ich ihn kennenlernte, war er in Genüssen dieser Art schon sehr mäßig, ja man könnte behaupten, zu furchtsam. So versagte er sich z. B. ohne alle Not die Befriedigung eines, abends um 6 Uhr, – zu welcher Zeit er früher viele Jahre hindurch im Theater stets Punsch getrunken hatte, – nicht selten wiederkehrenden, manchmal sehr lebhaften Verlangens nach diesem Getränk; so wagte er ferner aus ganz unbegründeter Furcht in den allerletzten Jahren nicht mehr, Champagner auch nur zu kosten, obschon er denselben sehr liebte. Oft mit ihm allein zu Tische, habe ich, – was das Trinken anbelangt, – den Kampf zwischen Appetit und Besorgnis ohne Ausnahme für die letztere siegreich ausfallen sehen, obgleich ich mich selbst meistens mit auf die Seite des Appetits schlug. Einen Tag, wie den andern, begnügte sich *Goethe* bei dem Frühstück mit einem Glase Madeira, und bei dem Mittagessen mit einer gewöhnlichen Flasche leichten Würzburger Tischwein. Nur selten nahm er auch wohl noch ein ganz kleines Gläschen *Tinto di Rota* zum Nachtisch. Kaffee und zwar mit Milch trank er nur zum Frühstück. Nach der Mahlzeit genossen, verursachte ihm derselbe von Jugend an Beängstigungen. Bier und andere Getränke, dann und wann ein Glas Wasser ausgenommen, habe ich *Goethe,* wenn er sich wohl befand, in den letzten fünf Jahren seines Lebens niemals trinken sehen.

Einer gleichen Abstinenz befliß er sich weder hinsichtlich der Auswahl noch hinsichtlich der Menge der von ihm genossenen Speisen. In der Tat aß *Goethe* sehr viel, und selbst dann, wenn er sich über Mangel an Appetit ernstlich beklagte, häufig doch noch weit mehr, als andere, jüngere, gesunde Personen. Er liebte vorzugsweise Fische, Fleisch, Mehlspeisen, Kuchen und Süßigkeiten. Diätfehler begangen zu haben, räumte er niemals ein, wie häufig er sich derselben auch schuldig machte. Seine Unenthaltsamkeit im Essen bewirkte natürlich nicht gar selten Indigestionen. Dem häufig überfüllten Unterleibe kam man täglich durch Pillen aus *Asa foetida,* Rhabarber und Jalappenseife und durch Klistiere zu Hülfe; nach den Umständen wurden zuweilen auch noch etliche Teelöffel weinige Rhabarbertinktur, oder auch eine Portion Bittersalz notwendig. Jeden Druck auf den Unterleib vermied *Goethe* sorgsam, und trug zu diesem Ende nicht nur sehr weite Kleidungsstücke, sondern er bediente sich stets eines, durch mehrere Kissen erhöhten Sitzes, auf welchem er mit rückwärts gebogenem Oberleibe Platz nehmen konnte. Einen sehr großen Teil des Tages verbrachte er entweder im Zimmer umhergehend und dann gewöhnlich diktierend, oder er beschäftigte sich auf andere Weise im Stehen.

Merkwürdig war, – neben der Richtigkeit seines unter gesunden und krankhaften Verhältnissen sehr feinen Instinkts, – in wie ungemein kleinen Gaben alle Mittel auf *Goethes* Organisation ihre gehörige Wirkung ausübten. Ein Teelöffel voll Rhabarbertinktur verursachte stets mit Sicherheit einen, auch wohl zwei Stuhlgänge. Zwei Quentchen Bittersalz führten immer schnell 6–8mal ab. Dabei wirkten alle Mittel auf seinen Organismus wahrhaft paradigmatisch, so normal, wie ich bei andern Individuen aus höhern Ständen nur selten beobachtet habe. Deshalb, und weil *Goethe* niemals Krankheitszustände darbot, welche nicht einfache Arzneimittel jederzeit mit größter Bestimmtheit angezeigt hätten, war derselbe meist leicht zu heilen. Und selbst in der letzten tödlich ausgelaufenen Krankheit zeigte sich die Vortrefflichkeit seiner Organisation in dem so sanften und natürlichen Sterben, bei welchem die Kunst nur durch Abhaltung äußerer Störungen des Auflösungsprozesses wirksam zu werden brauchte.

Krankheit hielt *Goethe* für das größte irdische Übel. Kranke durften auf sein tätiges Mitleiden vorzugsweise mit Sicherheit rechnen. Vor dem Tode hatte er eigentlich keine Furcht, wohl aber vor einem qualvollen Sterben. Das Leben liebte er; – und schmückte es sich nicht für ihn mit allen seinen Reizen?

Schmerzen waren ihm unter allen körperlichen Leiden am peinlichsten, nächst ihnen affizierten ihn am mächtigsten entstellende Übel. Im Preisen der Schmerzlosigkeit wetteiferte er mit Epikur, und häufig rühmte er als ein gewiß von vielen beneidetes Glück, daß er niemals an Zahn- oder Kopfweh gelitten habe. Seine Zähne hatten sich bis in das höchste Alter in gutem Zustande erhalten.

Wie sein Freund *Schiller* die Ausdünstungen faulender Äpfel *, so liebte *Goethe* eingeschlossene Zimmerluft. Nur mit großer Mühe konnte man ihn bewegen, ein Fenster öffnen zu lassen, damit sich die Luft in seinem Schlaf- und Arbeitszimmer erneuere. Gegen üble Gerüche war er nicht besonders empfindlich, wohl aber gegen die geringste Unordnung in dem Arrangement seiner Stube. So war ihm z. B. aufs äußerste zuwider, wenn ein Buch, eine Lage Papier u. dergl. mit seinen Rändern den benachbarten Rändern des Tisches nicht parallel lag. Als eine wenig bekannte Eigenheit *Goethes* erwähne ich hier noch, daß ihm sehr unangenehm war, wenn jemand in seiner Gegenwart das Licht putzte. Niemand konnte ihm diese Operation zu Danke machen.

Licht und Wärme waren für ihn die unentbehrlichsten Lebensreize; bei hohem Barometerstande befand er sich am wohlsten. Den Winter detestierte er und behauptete oft scherzend, man würde sich im Spätsommer aufhängen, wenn man sich da von der Abscheulichkeit des Winters eine rechte Vorstellung zu machen imstande wäre.

Während der sechs Jahre, da mir die Fürsorge für *Goethes* Gesundheit oblag, habe ich denselben nur an zwei Krankheiten behandelt, von welchen er nicht bereits in jüngern Jahren und zum Teil zu öftern malen heimgesucht worden war. Diese zwei Übel bestanden in einem am rechten untern Augenlide beginnenden, durch den mehrjährigen Gebrauch einer feinen Zinksalbe immer in Schranken gehaltenen *Ectropium senile* [5] und in einer kirschkerngroßen Wucherung mehrerer Schleimbälge der Stirnhaut, entstanden in Folge des durch einen fast fortwährend getragenen Augenschirm von schlechter Beschaffenheit bewirkten Drucks. Dieser Auswuchs war mir lange verborgen geblieben, da ich *Goethen* meistens nur mit dem, die Excreszenz verdeckenden Schirme sah. Später war es mir nicht möglich, die Vertauschung des untauglichen Schirmes mit einem zweckmäßigern durchzusetzen. Ich suchte deshalb den Druck mittels einer Leinwandkompresse wenigstens zu verringern. Dabei und bei der gleichzeitigen Anwendung von Mandelöl-Einreibungen verlor sich die kleine, stets schmerzlose Deformität in wenigen Wochen. Außer diesen beiden findet man alle, mir vorgekommenen Krankheiten *Goethes* von ihm selbst in seiner Lebensbeschreibung mehr oder minder ausführlich berücksichtigt. Auch ist dort ihr Ursprung meistens deutlich nachgewiesen. Indigestionen abgerechnet, litt *Goethe* am häufigsten an Lungenkatarrhen und an Zapfenbräunen.

* Ich habe dies von *Goethe* selbst. Eines Tages will er *Schiller* besuchen, findet ihn nicht zu Hause und setzt sich, in Erwartung von dessen Rückkehr an den Schreibtisch. Da wird ihm zuerst ein eigner Geruch lästig und bald befällt ihn Betäubung, welche sich schnell bis zur Bewußtlosigkeit steigert und nicht eher wieder verschwindet, bis man ihn an die freie Luft gebracht hat. Als Ursache dieses Unwohlseins wird dann bald eine große Anzahl faulender Äpfel entdeckt, die *Schiller* aus Wohlgefallen an der sich aus ihnen entwickelnden Luft in den Fächern zu beiden Seiten seines Arbeitstisches angehäuft hatte. – Mir ist in meiner Praxis ein ähnlicher Fall von Betäubung durch Äpfeldunst vorgekommen.

Goethe hatte in Folge seiner durchaus produktiven Tendenz in jedem Lebensalter viel Blut erzeugt. Früher war jedoch die Blutbereitung mit der Blutkonsumtion in einem ziemlich günstigem Verhältnisse geblieben. In den letztern Lebensjahren jedoch entstanden aus beinahe gänzlichem Mangel an körperlicher Bewegung bei fortwährend reichlich zuströmender Nahrung Vollblütigkeiten, welche starke künstliche Blutentleerungen, Aderlässe von Zeit zu Zeit dringend erheischten.

Wenn *Goethe* sich in den 6 letzten Jahren seines Lebens auffallend viel gesünder befand, als selbst eine kurze Zeit vorher, so rührte dies zum großen Teile gewiß mit daher, daß es mir bald gelang, seinem unangemeßnen, eigenmächtigen Medizinieren ein Ende zu machen. Ungeachtet vieler Einsicht in die Wirkungsart der Heilmittel, konnte sich *Goethe* doch immer nur sehr schwer entschließen, von dem Gebrauche eines seinem Gefühle besonders wohltätig gewesenen Medikamentes wieder abzulassen. So war ihm z. B. der Kreuzbrunnen einige mal vortrefflich bekommen, und nun trank er, noch als ich sein Arzt wurde, Jahr aus, Jahr ein und Tag für Tag Kreuzbrunnen und zwar jedes Jahr über 400 Flaschen.

Finden wir nicht auch oft genug Ärzte, die den Wiedergebrauch eines Mittels, und zwar vorzugweise den Gebrauch der Mineralquellen, bloß deshalb raten, weil – es dem Kranken zu der und der Zeit schon einmal so gut getan habe? Wird nicht gar oft übersehen, daß ein Mittel zuweilen gerade deshalb nicht mehr angemessen ist, weil dasselbe eben schon gut getan *hat?*

Über seine Gesundheitsumstände sprach sich *Goethe* gegen andere, als den Arzt, nicht gern aus. Eine spezielle Nachfrage nach seinem Befinden, aus bloßer Teilnahme, konnte ihn, vornehmlich, wenn er sich wirklich in dem Augenblick nicht ganz wohl fühlte, leicht verdrießlich machen. Oft äußerte er launig, es sei geradezu unverschämt, einen Menschen zu fragen, wie er sich befinde, wenn man weder die Macht, noch die Lust habe, ihm zu helfen. Noch unerträglicher waren ihm die gewöhnlichen Beileidsbezeigungen, zumal wenn sie umständlich und jammerhaltig ausfielen. »An eigner Angst und Sorge hat man in solchen Fällen schon genug, dazu aber noch die Wehklage zu dulden, ist mir wenigstens ganz unmöglich«, fuhr er dann wohl heraus, sobald die ihn belästigende Person nicht mehr zugegen war.

Die Heilkunst und ihre echten Jünger schätzte *Goethe* ungemein hoch. Er liebte es, medizinische Themata zum Gegenstand seiner Unterhaltung zu wählen. In seinen Tagebüchern findet man den Inhalt ihn besonders interessierender medizinischer Unterredungen, die ich mit ihm hatte, nicht selten angemerkt. Er war ein sehr dankbarer und folgsamer Kranker. Gern ließ er sich in seinen Krankheiten den physiologischen Zusammenhang der Symptome und den Heilplan auseinandersetzen. Dies war auch bei seinen bedeutenden Einsichten in die Gesetze der Organisation weder besonders schwierig, noch übte es auf die Kur einen hemmenden Einfluß. Die Prognose eigner Übel ließ er unberührt, weil ihm einleuchtete, daß Aufrichtigkeit in diesem Punkte vom Arzte nicht immer füglich gewährt werden könne und dürfe. Konsultationen mehrerer Ärzte betrachtete er mit mißtrauischen Blicken und dachte darüber ungefähr wie *Molière*.[6]

Die Gabe, seine Empfindungen dem Arzte zu beschreiben, hat wohl nicht leicht ein Kranker in höherem Grade besessen, als *Goethe*. Nur hinsichtlich eines einzigen Zustandes, kam hierin eine beständige Ausnahme vor. War nämlich die Gabe irgendeines sogenannten Reizmittels etwas zu stark gegriffen worden, – wie das im Anfange meiner Bekanntschaft mit ihm, ehe ich mich von seiner ganz ungewöhnlichen Empfänglichkeit überzeugt hatte, einige mal geschah, – so pflegte er die dadurch erregte Empfindung mit den Worten zu bezeichnen: »Es ist ein Stillstand in meinen Funktionen eingetreten.« Er vermochte niemals diesen Zustand deutlicher mitzuteilen.

Im Begriff zu schließen, wüßte ich dem Vorwurf des Ungenügenden der vorstehenden Andeutungen nicht angemessener zu begegnen, als mit eignen Worten dessen, den ich von einer noch weniger bekannten Seite hier zu schildern versuchte:

»Alles Bestreben, einen Gegenstand zu fassen, verwirrt sich in der Entfernung vom Gegenstande und macht, wenn man zur Klarheit vorzudringen sucht, die Unzulänglichkeit der Erinnerungen fühlbar.«[7]

8 *Karl Rosenkranz*

Goethe's Faust. Zweiter Theil der Tragödie 1833

Goethe begann nichts, wenn ihm nicht das Ganze des Werkes vorschwebte. Diese planvolle Bestimmtheit erhielt ihm unverwüstliche Anhänglichkeit an von ihm ergriffene Stoffe; es waren Elemente seines Daseins, die für ihn, weil sie sein Innerstes ausmachten, unsterblich waren. Er konnte sie in der ausführenden Entwicklung auf Jahre verlassen und doch gewiß sein, daß die Neigung zu ihnen ihm immer wiederkehren, daß das Interesse daran ihn stets von neuem beleben würde. Durch diese Tiefe der Konzeption erhielt er sich die anfängliche Stimmung bis zu Ende frisch; er brauchte nicht zu fürchten, daß ihm das Feuer der ersten Begeisterung erlöschen möchte; zu den verschiedensten Zeiten konnte er sein Werk mit immer junger Kraft wieder aufnehmen. So haben ihn im Kreise seiner poetischen Arbeiten zwei Dichtungen durch das ganze Leben begleitet, die in innerem Gegensatz zueinander stehen. Die eine schildert einen talentvollen, aber unselbständigen Menschen, der sich, der Bildung bedürftig, bald an diesen, bald an jenen anschließt, geistig selbständig zu werden. Dies Bestreben führt ihn in die Breite des Lebens, in mannigfache Verhältnisse, denen er die Seele abzugewinnen und sich anzueignen trachtet; es ist Wilhelm Meister. Die andere ist das Gemälde einer absolut selbständigen Persönlichkeit, die in einsamer Hoheit ihre Herrschermacht ausgebildet hat und die Welt sich kühn zu unterwerfen trachtet; es ist Faust. In der Gestaltung beider Stoffe findet sich ein entschiedener Wendepunkt, der in dem ersteren durch die ›Wanderjahre‹, im zweiten durch den zweiten Teil der Tragödie bezeichnet wird. Bis dahin herrschen in ›Wilhelm Meister‹ wie in ›Faust‹ subjektive Zustände, deren Stufenfolge sie nach und nach zu höheren Ansichten und Zwecken läutert; die Verlobung mit Natalien schließt für den einen, Gretchens Tod für den anderen die Welt jugendlich ungestümer Sehnsucht; der eine tritt in die bürgerliche Gesellschaft und ihre vielverzweigte Tätigkeit mit der ernsten Tendenz, alle Momente dieses Daseins zu umfassen, Erwerbung, Erhaltung, Verschönerung des Eigentums, Verklärung, Veredelung der geselligen Verhältnisse schaffen zu helfen; der andere nimmt auch eine praktische Richtung, aber vom Gipfel der Gesellschaft aus, vom Standpunkte des Staates selbst. Wenn daher in den ›Lehrjahren‹ und in der Tragödie erstem Teil wegen des Überwiegens subjektiver Zustände eine innigere Verflechtung der Personen und ein leidenschaftliches Pathos notwendig ist, so zeigt sich in den ›Wanderjahren‹ und in der Tragödie zweitem Teil eine alles ermäßigende Besonnenheit, eine kühle Absichtlichkeit; die besonderen Elemente werden scharf charakterisiert, aber die Personen erscheinen mehr als Träger allgemeiner Zwecke, in deren Vollbringung ihre Persönlichkeit und Eigenheit aufgeht; das Allgemeine und dessen Sprache ist ihr Pathos und das Interesse an ihrer Geschichte, das früherhin so bedeutend fesselt, stumpft sich ab.

›Faust‹ haben wir vor unseren Augen von Fragment zu Fragment wachsen sehen. Solange nur der erste Teil der Tragödie da war, bestanden zwei Ansichten derselben. Die eine behauptete, so, in dieser Abgerissenheit, ein wundervoller Torso, sei sie, was sie sein solle; nur als Fragment könne dies großartige Gedicht die Welt spiegeln, um anzudeuten, daß der Mensch das Universum immer nur unvollständig, einseitig ergreifen könne; wenn nun der Dichter die Geheimnisse der Welt berühre, jedoch die volle Lösung unterlasse, so sei das Rätselhafte, Ahnungsreiche eben das echt Poetische, unendlich Reizende, wahrhaft Mystische. Diese Ansicht galt besonders deshalb für geistreich, weil sie jedem Spielraum ließ, jeden aufforderte, in seiner Ahnung die Umrisse weiterzugestalten, denn weder philosophisch noch künstlerisch ließ sie sich gründlich verteidigen. [...]

Eine andere Ansicht meinte, es sei allerdings ein zweiter Teil der Tragödie möglich und es entstand die Frage, wie soll man sich diese Möglichkeit denken? Hier zeigte sich wieder entgegengesetzte Auffassung. Nach der einen mußte Faust untergehen; Versöhnung mit Gott gezieme dem nordischen Wesen dieses titanischen Charakters nicht; der zähneknirschende Trotz, die unersättliche Friedenlosigkeit, der zermalmende Zweifel, die himmelverachtende Unbändigkeit müßten ihn der Hölle überliefern. Hierin sprach man den Geist der alten Sage aus, wie das Volksbuch einfach aber erschütternd sie erzählt, wie der Engländer Marlowe sie so vortrefflich in seinem ›Doctor Faustus‹ gedichtet hatte.[1] Allein auf den Goethe'schen Faust konnte man dies nicht gut anwenden, denn dieser hatte eine Veränderung der alten Sage im Sinn; so behauptete denn eine andere Partei, Faust müsse gerettet werden. Die Andeutung des Dichters im Prolog führe dazu hin, Gott könne nicht gegen den Teufel die Wette verlieren und Fausts Untergang würde eine blasphemische Ironie der göttlichen Vorsehung sein. In einer Zeit, wie die unsrige, welche zwar nicht das Bewußtsein und die Anerkennung des Bösen, wohl aber den Glauben an einen aparten Teufel aufgegeben hat, welche nicht bloß Bestrafung, auch Besserung der Verbrecher bezweckt, welche sogar die Todesstrafe aufheben, die Sühne des Mordes als ganz in das Innere und die auflösende Macht des Geistes verlegen will, fand diese Behauptung von der Notwendigkeit einer Versöhnung Fausts vielen Anklang. Allein wie sollte die Poesie einen solchen Übergang von innerer Entzweiung zu himmlischem Frieden darstellen? Hier meinten einige, da Fausts Verzweiflung ursprünglich von der Wissenschaft ausgehe, die ihm nicht gewährt, was sie zuerst verheißen, da durch den Skeptizismus vorzüglich sein kindlicher Glaube zerstört worden, so müsse er durch den wissenschaftlichen Begriff der Wahrheit, der christlichen Religion errettet werden; echt spekulative Philosophie müsse ihn mit Gott, mit der Welt, mit sich, wieder versöhnen. Freilich, gestanden sie, sei dieser Prozeß – das Studieren und Spekulieren – poetisch nicht darstellbar und deswegen ein zweiter Teil des ›Faust‹ nicht zu erwarten. Andere, besonders Dichter, nahmen Faust allgemeiner; nicht bloß die Wissenschaft, das ganze Leben sollte er durchdringen; das vielfachste Handeln sollte ihn bewegen und der Schweiß der Arbeit die Buße sein, die ihm den Frieden brächte und ihn die vom Herrn verheißene Klarheit gewinnen ließe. Manche versuchten sich auch an einer Reihe von Szenen; Pfizer am großartigsten; Schöne zu bunt und planlos; Hoffmann sich immer vergreifend und schon durchlebte Zustände wieder erneuend[2]; denn ist wohl die fade Liebesgeschichte Fausts mit dem sentimentalen Fräulein Klara etwas anders als die formloseste Karikatur von Fausts Liebe zu Gretchen? –

Wie nun der Dichter selbst einen zweiten Teil zum ersten bringen, welchen Standpunkt er selbst einnehmen würde, blieb ein Geheimnis. Jetzt ist es entsiegelt; vollendet ist die Dichtung vor uns aufgerollt; mit staunendem Blick stehen wir vor ihr, mit klopfendem Herzen lesen wir und mit schüchternster Bangigkeit, von tausend Gefühlen und Ahnungen angeregt, wagen wir, uns die Absicht des großen Meisters vorläufig zu verdeutlichen; vorläufig, denn es werden Jahre verschwinden, bevor der Sinn des weltumfassenden Gedichtes sich völlig entschleiert.

Der erste Teil hatte uns Faust zuerst in seiner stillen Zelle, im Studium aller Wissenschaft gezeigt. Die Resultate seines Forschens befriedigten nicht den grenzenlos Strebenden und experimentierend verband er sich dem Teufel, ob dieser vielleicht ihm Stillung des rasenden Dranges schaffen möchte. So stürzte er ins Leben. Irdischer Genuß umgab, Liebe fesselte ihn, Begierde trieb ihn zu raschen, zu bösen Taten; in der tollen Walpurgisnacht erstieg er den Gipfel wüster Weltlichkeit. Aber tiefer, als der Teufel wähnte, fühlte Faust für Gretchen, er verlangte Rettung der Unglücklichen, mußte aber erfahren, wie Er nicht Rettung bringen konnte, sondern wie nur Duldung der Strafe des Verbrechens das zerrüttete Gemüt dem Frieden wieder zurückzugeben imstande war. Die einfache Liebesgeschichte hielt hier alles dramatisch zusammen. Man konnte den Prolog im Himmel, die Hexenküche, mehrere kontemplative Szenen, die Walpurgisnacht fortlassen und erhielt doch ein theatralisches Ganze von bedeutender Wirkung.

Das Verhältnis zu Gretchen, ihr Tod, hatte Faust über alles Subjektive hinweggehoben. In der Fortsetzung seines Lebens konnten nur objektive Verhältnisse den Ausgangspunkt seines Handelns bilden. Der lebendige, frische Hauch des ersten Teils entsprang eben daraus, daß alles Objektive, Allgemeine von dem subjektiven Interesse aus erfaßt wurde; im zweiten Teil steht das Allgemeine, das Objektive voran; die subjektiven Interessen treten nur unter seiner Voraussetzung auf; die Form wird allegorisch. Es fehlt an einer Geschichte, an einer sich in sich abrundenden Handlung und daher an der dramatischen Wärme, welche durch alle Szenen des ersten Teils pulsiert. Die Einheit, welche sich durch das Gewebe der mannigfaltigen Situationen hindurchschlingt, ist die allgemeine Tendenz des Faust, durch Arbeit sich ein Genügen zu schaffen. Mephistopheles hat nicht mehr die Stellung eines durch seinen großen Verstand und seine affektlose Kälte Übermächtigen, der Fausts Streben bitter verhöhnt, sondern er erscheint mehr als ein kräftiger Gesellschafter, der für die Zwecke Fausts die materiellen Mittel gewandt herbeischafft und nur auf den Augenblick lauert, wo Faust gesättigt zu sein bekennen soll. Aber Fausts Streben ist unendlich; jedes erreichte Ziel wird wieder überflogen; nirgends, nicht in der Gesellschaft, nicht in der Natur, nicht in der Kunst, nicht im Kriege, nicht in der Betriebsamkeit rastet er; nur der Gedanke der Freiheit, das Vorgefühl des Glücks, auf freiem Grund mit freiem Volk zu stehn, durchzuckt den Greis mit momentaner Befriedigung – und er stirbt. Auf Gemälden und Holzschnitten des Mittelalters findet man Darstellungen von Sterbenden, wo auf der einen Seite des Totenlagers Teufel, auf der anderen Engel die scheidende Seele begierig erwarten, sie an sich reißen. Diese uralte Vorstellung eines Neides und Zwistes der Engel und Teufel um den Menschen hat Goethe erneuet. Mephistopheles rüstet sich mit seinem teuflischen Heer, Fausts Seele zur Hölle zu entführen, vergißt sich aber in einem unnatürlichen Gelüsten und die Engel tragen Fausts Unsterbliches zur Höhe, wo die Beruhigung und Verklärung des Sterbenden beginnt.

Eine solche allegorische Anlage konnte nicht anders als in großen Massen sich entfalten; die Gliederung jeder Masse in sich, so daß alle Momente des zugrunde liegenden Hauptgedankens hervortraten, ward die eigentliche Aufgabe der Komposition. Der erste Teil konnte auch wohl allegorisch genannt werden, weil er im Einzelnen das allgemeine Wesen des Geistes reflektiert; aber man konnte es von ihm nicht in anderem Sinne, als von jeder Dichtung sagen; Allegorie in engerem Sinne war nicht da; die Gestalten hatten alle Fleisch und Blut und man fühlte keine Absicht. Im zweiten Teil treibt sich alles in das wirklich Allegorische, wozu Goethe, je älter er wurde, desto mehr Neigung bekommen zu haben scheint; die ›Xenien‹, die ›Trilogie der Leidenschaft‹, die Lieder zur Loge, die Maskenzüge, ›Epimenides' Erwachen‹, die Pflege der morgenländischen Manier, alles dies ging von einer didaktischen, sich gern in Gnomen, Bildern und symbolischen Gestalten aussprechenden Richtung aus. Mit bewundernswertem Scharfsinn hat Goethe immer die charakteristischen Bestimmungen des Begriffs zu treffen und in zierlicher, lebendiger Sprache zu enthüllen gewußt; indessen liegt es in der Natur solcher Dichtungen, daß sie mehr die Reflexion als das Gemüt ergreifen, und es dürfte sich voraussehen lassen, daß der zweite Teil des ›Faust‹ nie die Popularität des ersten erlangen, daß er nicht, wie dieser, die Nation entzücken, sie über sich selbst zum Bewußtsein bringen, fortbilden, sondern stets ein gewisses esoterisches Dasein haben werde. Manche werden auch durch die mythologische Gelehrsamkeit des zweiten und dritten Aktes abgestoßen werden, um so mehr, je weniger sie durch die Dialektik einer Handlung sich entschädigt sehen; indessen würden wir den Dichter gegen diesen Vorwurf unbedenklich in Schutz nehmen; ein Gedicht, was den unermeßlichen Weltstoff zu bezwingen hat, kann sich in dieser Hinsicht nicht beschränken. Was hat nicht Dante seinen Lesern an Gelehrsamkeit zugemutet? Demütig hat man sie sich zum Verständnis seines Gedichtes zu erwerben gesucht, in der Gewißheit, reich belohnt zu werden; der Tadel, den man deswegen krittelnd erhoben hat, ist nie durchgedrungen. Ja, solche Tadler würden hier vergessen, was schon der erste Teil des ›Faust‹ zu lernen genötigt hat. – Mit dieser Verschiedenheit der Anlage mußte auch der Stil sich ändern. Statt des dramatischen Pathos ist, weil es an Handlung fehlt, das Beschreiben, Erklären, Andeuten notwendig geworden und statt des lebendigen Wechsels des Dialogs ist das Lyrische umfangreicher geworden, um die Elemente des gewaltigen Weltlebens einfach verkörpern zu können. Die Naturschilderungen verdienen vorzüglich hervorgehoben zu werden. Die verschwenderischste Phantasie, die tiefste Empfindung, die genaueste Kenntnis und bestimmteste Anschauung bis in das Einzelne hinab waltet in allen diesen Gemälden mit unbeschreiblichem Zauber. – Wir wenden uns nun zu einer kurzen Inhaltsangabe der einzelnen Akte. Bei einer ausführlicheren Darstellung würden wir die Stellen, in welche sich die Kraft der besonderen Entwicklungen zusammendrängt, eigens hervorheben, in diesen Umrissen glauben wir uns aber mehr an die Aufspürung des allgemeinen Sinnes halten zu müssen. Durch einzelne Verse und Gesänge aber die wundervolle Schönheit der Sprache, namentlich in den lyrischen Partien darzutun, würde uns ebenso überflüssig vorkommen, als jenes Bemühen, durch Anekdoten von seltsamen Fügungen das Dasein einer göttlichen Vorsehung beweisen zu wollen.

Der erste Akt führt uns in das gesellschaftliche Leben; eine Menge Gestalten gehen an uns vorüber, die verschiedensten Wünsche, Meinungen und Stimmungen werden laut; doch waltet durch das verworrene Treiben eine geheime Einheit, die wir bald näher werden kennen lernen. – In anmutiger Gegend, auf blumigen Rasen gebettet, sehen wir Faust einsam, von wilden Schmerzen zerrissen, Ruhe, Schlaf suchend. In reinem Mitleid, gleichgültig, ob der Unglückliche heilig oder böse, umschweben ihn Elfen und wiegen ihn ein, damit, was geschehen, in die Lethe des Vergessens getaucht werde. Anders ist ein Fortleben, Fortstreben nicht möglich. Der Geist hat die Kraft, von seiner Vergangenheit sich loszumachen, sie hinter sich zu werfen und als ein Nichtgewesenes zu behandeln. Doch reicht dies negative Tun für seine Freiheit noch nicht aus, das positive muß sich ihm verbinden: die Sonne neuer Tätigkeit, frischen Wirkens, vor welchem das stille In-sich-versinken der nächtlichen Ruhe, die Verflüchtigung aller Gefühle und Gedanken im auslöschenden Schlummer verschwindet, geht mit »ungeheurem Getöse« auf. Der erwachte Faust fühlt alle Pulse frisch lebendig schlagen. Zwar blendet ihn der Glanz des reinen Sonnenlichtes, der Sturz der Wasser durch die Felsenriffe malt ihm seine Unruhe, aber aus dem Sonnenlicht und dem Silberstaub des Strudels erzeugt sich der ewig bewegte, doch ruhig schimmernde, farbenreiche Bogen: er ist das Leben. Nach dieser Ermutigung zu neuem Wagen und Wirken empfängt uns der kaiserliche Hof, wo die Mummenschanz fröhlich gefeiert werden soll. Aber zuvor schlagen dem Kaiser von allen Seiten die prosaischen Klagen des Kanzlers, Marschalls, Heermeisters, Schatzmeisters an das Ohr, wie es dem Staat am Kitt aller Verhältnisse, an Geld fehle; für den Verkehr, für den Genuß, den Luxus sei das schlichte Geld die unentbehrliche Basis. Da drängt sich Mephistopheles als Narr an die Stelle des alten eben verblichenen Hofnarren ein und macht Hoffnung, verborgene Schätze zu heben; dem Kanzler scheint ein solcher Weg nicht recht christlich, die Menge erhebt das Gemurmel des Verdachtes, der Astrolog aber erörtert die Möglichkeit – und man läßt sich den Vorschlag gefallen. Nach dieser beruhigenden Aussicht kann die Maskerade erfolgen, ohne daß heimliche Beklemmung ihren Jubel trübte. Auf heitere Weise stellt sie das Wesen der Gesellschaft dar. Keiner ist, was er zu sein scheint, jeder hat sich in ein ihn selbst verhüllendes Gewand geworfen, jeder weiß auch vom anderen, daß er nicht ist, wofür seine Form, seine Rede ihn ausgibt; dies Bemühen, sein eigenstes Dasein zu verbergen, sich in ein anderes hineinzuverstellen und hinüberzuträumen, sich anderen in aller Offenbarkeit zum Rätsel zu machen, ist der tiefste, pikanteste Reiz der geselligen Interessen.

Die Gesellschaft will sich genießen; sie vereinigt sich mit Hingebung zum festlichen Spiel und verbannt den rohen Egoismus, dessen etwaige Ausbrüche der Herold scharf abweist: aber im stillen bleibt doch bei jedem eine gewisse auf irdische Zwecke gerichtete Absichtlichkeit: die jungen Florentinerinnen wollen gefallen, die Mutter wünscht, daß das Töchterchen sich einen Mann erobere, Fischer und Vogelsteller locken den Fang, die Holzhauer, Pulcinelle und Parasiten suchen sich so gut sie können geltend zu machen, der Betrunkene vergißt alles über seine Flasche, die Poeten, die alles besingen könnten, überschreien einander in ihrer Eifersucht und dem Satiriker bleibt kaum zu einem dürftigen Sarkasmus Raum. Die folgenden allegorischen Figuren stellen uns die inneren Mächte vor, welche das gesellschaftliche Leben bestimmen. Voran erscheinen die Grazien, denn mit Anstand sich zu benehmen ist die erste Forderung der Geselligkeit; ernster sind die Parzen, der beständige Wechsel der Dauer; doch wirken sie nur mechanisch, die Furien aber, wenn sie auch als hübsche Mädchen kommen, dynamisch durch Erregung der Leidenschaften. Hier gilt es zu siegen: die Victorie thront hoch auf einem sicherschreitenden Elephanten, den die Klugheit mit gewandtem Stäbchen lenkt, während Furcht und Hoffnung an den Seiten einhergehen; zwischen ihnen schwankt die Tat, bis sie die stolze Ruhe des Sieges erreicht. Doch selbst, ist dies geschehen, so bricht der zänkische, häßliche Thersites vor, die Herrlichkeit der Victorie mit seinen bissigen Schmähungen zu begeifern. Allein die Verleumdung dringt nicht völlig durch. Der Herold, der regelnde Verstand, die Gerechtigkeit, weiß die entstehenden Unebenheiten und Verwirrungen auszugleichen und den gallichten Schwätzer so zu treffen, daß er berstend als Otter und Fledermaus davonhuscht. Allmählich kehrt die Gesellschaft zu ihrer äußeren Grundlage zurück; das Gefühl des Reichtums muß ihr das unerschöpfliche Behagen sichern. Allein der Reichtum ist ein doppelter, der irdische des Geldes, der himmlische der Poesie. Beide müssen in der Gesellschaft sich verbinden, wenn sie sich nicht matt und schwach fühlen soll. Der Knabe Lenker,

d. h. die Poesie, welche in allen Verhältnissen des Lebens ein Unendliches hervorzukehren, durch dasselbe das Gemüt zu erweitern, zu erheben, zu beruhigen versteht, wird von Plutus, dem Gott des gemeinen Reichtums selbst als der anerkannt, der da gibt, wo er geben zu können zu arm ist. In übermütiger Jugendfülle, keck mit der Peitsche umherschnippend, fährt der holde Genius, der alle Herzen lenkt, mit flügelschnellen Rossen durch die Menge. Des Plutus Hanswurst, der abgemagerte Geiz, wird von den Weibern lustig verspottet; die Poesie entzieht sich, von dem väterlich liebreichen Plutus gemahnt, dem Getümmel, das sich um die goldenen Schätze erhebt. Gnomen, Riesen, Satyrn, Nymphen dringen mit bacchantischem Toben ein; irdische Begier durchglühet die Gesellschaft und sie feiert den großen Pan, die Natur, als ihren Gott, als den Spender kräftigen Reichtums und derber Lust. Ein wirbelnder Taumel droht alle zu ergreifen, eine ungeheure Flamme leckt züngelnd überall umher, allein des Kaisers Majestät, die ihrer selbst bewußte menschliche Größe, vernichtet das gaukelnde Spiel und stellt die Besinnung wieder her.

Doch wozu Mephistopheles sich verpflichtet hat, das hält er auch; durch frische Summen die Gesellschaft wiederzubeleben gelingt ihm, doch, seinem Wesen gemäß, nicht dadurch, daß er mit der Wünschelrute im Inneren der Berge vergrabene Schätze höbe, sondern dadurch, daß er Papiergeld macht. Von reellem Metall ist freilich nichts daran, aber die Wirkung ist die nämliche, denn in der Gesellschaft beruht alles auf der Willkür der Annahme; dadurch ist ihre Erhaltung und Belebung aus ihr selbst heraus vollkommen garantiert und ihre Autorität, hier vom Kaiser repräsentiert, hat unendliche Kraft. Die papiernen Scheine, dies von der luftigen Phantasie geprägte Geld, verbreiten überall Vertrauen, Glück und heiteres Genießen. Es zeigt sich, daß es gar nicht an Mitteln zum Wohlsein, an Vorrat zum Essen und Trinken, nur an der Form gefehlt hat, den bereiten Stoff in Bewegung zu setzen und ihn in die Metamorphosen der Zirkulation einzuflechten. Mit Behagen berichten Kanzler, Marschalk, Heermeister, Schatzmeister vom vortrefflichen Zustand des Heeres und der Bürger; ungemessene Geschenke entzünden die üppigste Laune von den Großen des Reiches an bis zum Pagen und Narrn herunter und in solcher Fröhlichkeit kann man unbedenklich nach neuem Genuß sich umsehen.

Weil die Gesellschaft in der Hervorbringung des Scheines ihr Wesen hat, strebt ihre innere Unruhe zum Künstlichen; jeder fühlt sich am wohlsten, wenn er gekannt unerkannt bleibt und so entwickelt sich die Neigung zum Theatralischen; denn vom Dramatischen ist hier nicht die Rede. Das Theater versammelt die müßige Menge vor sich, sie hat nichts zu tun, als nur zu sehen, zu hören, zu vergleichen und zu urteilen. Der Kaiser wünscht, daß der große Magus Faust ihm und dem Hof ein Schauspiel gebe, Paris und Helena zeige. Unmittelbar kann Mephistopheles nichts dazu tun; auf einer finsteren Galerie im Gespräch mit Faust erklärt er ihm, daß er selbst die Gestalten schaffen und deswegen zu den Müttern gehen müsse. Faust schaudert bei diesem Namen. Mephistopheles gibt ihm einen kleinen aber gewichtigen Schlüssel, mit welchem er im Schattenreich der Mütter auf einen glühenden Dreifuß zugehen und diesen zurückbringen solle; Weihrauch darauf entzündend, würde er alsdann jede ihm beliebige Gestalt erschaffen können. Als Grund, warum er sie zu bilden unfähig sei, gibt Mephistopheles ausdrücklich an, daß er wohl mit kielkröpfigen Zwergen und Hexenfratzen zu Diensten stehe, nicht aber mit Heroinen, und daß das Heidenvolk seine eigene Hölle habe, die ihn nichts angehe. Und doch hat er den Schlüssel dazu, ist damit nicht unbekannt? Und warum schaudert Faust bei dem Namen Mütter? Wer sind diese Frauen, von denen so geheimnisvoll gesprochen wird? Wollte man sagen, es sei die Phantasie, so würde nicht von Müttern die Rede sein können; wollte man sagen, es wäre Vergangenheit, Gegenwart und Zukunft, so würde der Schauder Fausts nicht hinlänglich sich erklären, denn wie sollte ihn die Zeit so entsetzen? Nach den Prädikaten, welche den Müttern beigelegt werden, wie sie im Schrankenlosen mit allen Bildern der Kreaturen den geschäftigen Sinn ewig unterhalten, wie aus den Schatten, die sie in tausendfältigem Wandel umgeben, aus diesem Sein, das Nichts ist, alles wird, wie aus ihrer leeren, einsamsten Tiefe doch das lebendige Dasein an die Fläche der Erscheinung tritt, nach solchen Bezeichnungen hat man sich wohl kaum etwas anderes, als die Welt der reinen Gedanken unter diesem Reich der Mütter vorzustellen. Diese Erklärung könnte auf den ersten Anblick befremden; es darf aber für Gedanke nur Idee gesetzt, es darf nur an die platonische Ideenwelt erinnert werden, um sich schon besser zurechtzufinden. Sind die ewigen Gedanken, die Ideen, sind sie nicht der stille, schattenhafte Abgrund, dem das blühende Leben entkeimt, in dessen finsterer, bewegter Tiefe seine Wurzeln fußen? Mephistopheles hat den Schlüssel dazu, denn der Verstand, das negative Bestimmen ist notwendig, um nicht in der unendlichen Allgemeinheit des Denkens unterzugehen; er selbst ist aber nur das Negative und deshalb vermag er eine wirkliche Idee, die Schönheit, nicht zur Erscheinung zu bringen, sondern muß dies in seiner diabolischen Unfruchtbarkeit dem Faust überlassen; er kann ihm nur Beschränkung anempfehlen, sich nicht in die Schemen zu verlieren, und ist neugierig, ob er wiederkommen wird. Faust aber schaudert, denn er soll nicht nur irdische Einsamkeit erfahren, wie auf dem grenzenlosen Ozean, wo doch noch Stern an Stern, Welle an Welle, Fischherden an Fischherden sich reihen: die innerste Einsamkeit des Geistes, die Zurückgezogenheit in den unscheinbaren, doch allmächtigen Gedanken, die Vertiefung in die ewige Idee wird von ihm gefordert. Wer die Kühnheit dieses Denkens gehabt, wer in die Magie des Logischen und seiner weltdurchherrschenden Dialektik, in dies einfachste Element der unendlichen Gestaltung und Umgestaltung einzudringen gewagt hat, der hat alles überstanden und nichts mehr zu fürchten, wie es Homunculus späterhin ausspricht. Indessen Faust der Schönheit nachringt, wird Mephistopheles in hellerleuchteten Sälen von Weibern bestürmt, ihnen ihre Schönheit und Liebeshändel zu verbessern. Gilt es diesen Punkt, so ist ihnen kein Aberglaube zu kraß, keine sympathetische Kur z. B. ein Fußtritt, zu seltsam und der Schalk äfft sie so lange, bis sie endlich samt einem weibersüchtigen Pagen ihm doch zu fatal werden. – Hierauf gibt die Bühne durch ihre Dekoration, die griechisches Bauwerk vorstellt, Anlaß zur Besprechung des antiken und romantischen Geschmacks; Mephistopheles hat humoristisch den Souffleurkasten in

Beschlag genommen und so unterhält man sich, bis Faust wirklich erscheint und Paris und Helena im Namen der Mütter aus dem wallenden Rauch sich bilden läßt. Das Publikum ergießt sich in einen Schwall egoistischer Kritik; die Männer schmähen den unmännlichen Paris, und interessieren sich für Helena; die Weiber bespötteln die buhlerische Schöne mit neidischer Moral und verlieben sich einstweilen in den hübschen Jungen. Als aber Paris die Helena entführen will, stürzt Faust, von tiefster Inbrunst für ihre wunderbare Schönheit ergriffen, auf die Bühne, sein eigen Werk zerstörend. Die Phantome zerstieben, doch bleibt der Vorsatz, Helena zu erwerben.

Der zweite Akt führt uns von wohlbekannter deutscher Heimat bis zum Grunde des Meeres und seinen mysteriösen Heimlichkeiten. Faust sucht Helena; wo kann er sie, die vollendete Schönheit, anders finden, als in Griechenland? Er sucht sie aber erst und begegnet daher lauter Gestalten, die erst dem natürlichen Dasein sich entwinden, die noch nicht wirkliche Menschheit sind. Ja, weil er die natürliche Schönheit sucht – denn die geistige hat er in Gretchens himmlischem Gemüt genossen – so tut sich uns das ganze Reich der Natur auf; alle Elemente erscheinen nacheinander; die Felsen, worauf die ernsten Sphinxe ruhen, worin die Imsen, Daktylen, Gnomen arbeiten, geben den umzirkenden Grund; die feuchten Wasser enthalten in ihrem Schoß den Samen aller Dinge. Das heilige Feuer umflammt es mit sehnsüchtiger Glut: nach uralter Sage ging Aphrodite aus den schäumenden Wogen hervor. – Zunächst finden wir uns in Wittenberg, in der uralten Behausung, der man an Spinnengeweben, erstarrter Tinte, vergilbtem Papier und Staub wohl anmerkt, daß viele Jahre verflossen sind. Mephistopheles muß aus dem alten Flaus, in dessen Umwurf er einst den lernbegierigen Schüler hänselte, die Läuse und Farfarellen herausklopfen, die den alten Patron mit munterem Gruß umschwärmen. Faust liegt auf seinem Bette, schläft und träumt Ledas Geschichte. Während Mephistopheles sich humoristisch und, so gut der Teufel kann, selbst idyllisch amüsiert, während er teilnehmend bei dem jetzigen Famulus nach Wagner sich erkundigt, stürmt eben jener Schüler, der indessen Baccalaureus geworden, herein, um zu sehen, was der Herr mache, der ihm so weise Lehren gegeben, und ihm zu zeigen, wie er selbst ein ungeheuer vernünftiger Mensch geworden sei. Das Alter verachtend, sich als die Morgenröte eines neuen Lebens preisend, kramt er die Taschen seines idealistischen Standpunktes leer, vermöge dessen er alles, Sonne, Mond und Sterne lediglich durch die Absolutheit seines subjektiven Denkens erschafft. Mephistopheles, so barsch er ihn anläßt, hört mit Lammesgeduld die sehr weisen Reden an und geht nach dieser erbaulichen Szene in Wagners Laboratorium. Der Gute ist im Hause geblieben und hat sich auf die Chemie geworfen, durch ihre Prozesse Menschen zu schaffen. Seinem zarten, humanen, anständigen und verständigen Sinne ist die ordinäre Kinderzeugung zu schlecht und unwürdig. Die Wissenschaft muß den Menschen zeugen; ein reeller Materialismus wird ihn produzieren. Eben kommt Mephistopheles, dem Wagner ein Stillschweigen zugewinkt und ihm sein Unternehmen bedeutungsvoll zuflüstert, als in der Glasretorte das hermaphroditische Knäblein, der Homunculus, sich regt. Aber ach! das Künstliche verlangt verschloßnen Raum. Der Arme kann nur in der Glasretorte leben, die Außenwelt ist ihm zu derb und doch hat er den größten Drang, wirklich geboren zu werden. Ein lüsternes allseitiges Vorgefühl des Naturlebens sprühet mit hellem Glanz aus ihm und der Vetter Mephistopheles nimmt ihn mit zur klassischen Walpurgisnacht, wo Homunculus einen günstigen Augenblick zu finden hofft.

Diesen ironischen Szenen folgt die grauenvolle Nacht der Pharsalischen Felder, wo die antike Welt ihr freies Leben beendigte. Diese von trüben Erinnerungen, blutigen Schatten umschwebte Ebene ist das Terrain der klassischen Walpurgisnacht. Faust, von Ungeduld getrieben, Helena zu erlangen, wird von Kunde zu Kunde geschickt, bis Chiron ihn auf seinen Nacken nimmt, der einst die holdeste Schöne getragen, und, mit weidlichem Spott über die Philologen, ihm von den Argonauten, von dem schönsten Manne, von Herakles, von der schönsten Frau, von Helena erzählt, bis er seinen unbändigen Lauf bei der weissagenden Manto anhält, welche den Faust im Olympus zur Helena zu führen verspricht. Mephistopheles irrt indessen unter Greifen, Sphinxen, Sirenen usw. umher. Ihm ist auf diesem klassischen Boden gar nicht recht geheuer; er sehnt sich nach dem trefflichen Blocksberg des Nordens und seinen gespenstischen Fratzen; mit den Lamien denkt er sich einen lüsternen Spaß zu machen, wird aber neckisch ausgehöhnt; endlich kommt er zu den scheußlichen Phorkyaden und staffiert sich nach ihrem musterhaften Vorbild mit einem Auge und Raffelzahn zum Amüsement aus, d. h. er wird zum absolut Häßlichen, während Faust der höchsten Schönheit sich vermählt. In allen diesen Szenen ist ein Gemisch von Hoheit und Niedrigkeit, von Grausigem und Lächerlichem, von Verdrießlichkeit und Laune, von Rätselhaftem und verständig Klarem, daß man für eine Walpurgisnacht nicht bessere Widersprüche wünschen kann. Der Homunculus seinerseits mühet sich zur Geburt zu kommen und schließt sich an Thales und Anaxagoras, welche sich streiten, ob die Welt auf nassem oder trockenem Wege entstanden. Thales führt den Kleinen zum Nereus, der aber seine Macht den Bittenden verschließt, teils weil er den Menschen gram geworden, die, wie Paris und Odysseus, immer gegen seinen Rat gehandelt, teils weil er ein großes Fest feiern will. Hierauf gehen sie zum Proteus, der anfänglich auch zurückhaltend ist, sich aber sogleich für Homunculus interessiert, als er seinen leuchtenden Glanz erblickt, denn dem verwandelnden Feuer fühlt er sich verwandt und nimmt ihn mit sich, mahnend, wie er alles werden könne, nur Mensch zu werden soll er sich in acht nehmen, denn es sei die traurigste Existenz. Dazwischen rauscht der Peneios; der erderschütternde Seismos bricht brummend und polternd hervor; die verschwiegen und emsig arbeitenden Berggeister werden wach. Aber immer deutlicher verkündet sich das Wasser als der Schoß der Dinge; der Festzug der Telchinen weist auf die ehrwürdigen Kabiren; lockend erschallen die Lieder der Sirenen; Hippokampen, Tritonen, Nereiden, Psellen und Marsen tauchen aus dem grünen, perlengeschmückten Grunde hervor; Galathees und Nereus' Thron wölbt sich über der kristallnen Tiefe; zu ihren Füßen zerschellt der sehnsüchtige Homunculus und strömt, der allbewegende Eros, in strahlenden Flammen aus. Entzückende Gesänge rauschen auf zur Feier der heiligen Elemente.

Der Unterschied dieser Walpurgisnacht von der im ersten Teile liegt darin, daß für diese das Verhältnis des Geistes zu Gott das Prinzip war. In der christlichen Welt ist die erste Frage die nach der Stellung des Menschen zu Gott und darum erschienen hier sich in sich selbst widersprechende, geistig zerrissene, von dem Fluch der Verdammnis zu allem Greuel verzerrte Gestalten. Das klassische Leben hatte zu seiner Basis das Verhalten zur Natur; die Götter gingen aus ihr hervor; die geheimnisvollen Kabiren waren nichts als Werkmeister der Natur. Die Natur findet aber im Menschen ihr höchstes Ziel; in seiner holden Gestaltung, in der Majestät seiner Form beendigt sie ihr Streben und daher sind die Widersprüche der klassischen Walpurgisnacht dem Mephistopheles, der mit Gutem und Bösem zu schaffen hat, zwar nicht so fremd, daß er nicht seinen Kontakt mit ihnen fühlte, aber sie sind ihm doch nicht recht heimisch. Der allgemeine Widerspruch, den wir treffen und der auch bei Mephistopheles wenigstens im Pferdefuß sich äußert, ist die Verknüpfung der menschlichen Gestalt mit der tierischen; die menschliche ist erst zur Hälfte da, auf der Erde in den Sphinxen, Oreaden, Sirenen, Zentauren, im Wasser in den Hippokampen, Tritonen, Nymphen, Doriden usw. Denn die glänzenden Leiber der letzteren teilen noch die feuchte Wollust ihres Elementes. So breitet sich die Natur in zahllosen Schöpfungen aus, um in dem Menschen, dem seiner selbst bewußten Geist, sich zu verklären, in ihm den unendlich schwellenden Trieb der Gestaltung zu beruhigen und abzuschließen, weil sie über ihn zu keiner neuen Form hinausgeht. Der eingeschlossene Homunculus mit seiner feurig zitternden Strebsamkeit, in eine selbständige Wirklichkeit überzutreten, ist gleichsam die scherzhaft-wehmütige Abbreviatur dieser Tendenz, bis er das enge Glas zerbricht und nun ist, was er sein soll, die Vereinigung der Elemente.

Im dritten Akt hat sich Goethe an die alte Sage angeschlossen, wonach Faust durch Mephistopheles Helena zur Konkubine nahm und mit ihr einen Sukkubus, Justus Faust, erzeugte. Gewiß war die Benutzung dieses Zuges sehr schwierig; noch eben in unseren Tagen ist ein Dichter, L. Bechstein, in seinem Faustus daran gescheitert.[3] Er läßt die Helena dem Faust vermählen, sie zeugen auch ein Kind miteinander, aber am Ende, als Faustus sein Testament macht und lieblos von Weib und Kind sich abwendet, entdeckt sich, daß die griechische Helena, die auf den Kupfertafeln auch völlig antik kostümiert ist, eine vom Teufel untergeschobene, leibhaftige, mit gesundem Fleisch begabte deutsche Gräfin ist, eine Enttäuschung, die Mitleid erwecken soll. Goethe hat diese Sage auf herrliche Weise idealisiert, er hat die Vereinigung der antiken und romantischen Kunst darin ausgedrückt. Der dritte Akt, diese Phantasmagorie, möchte wohl von allen der vollkommenste, am lebendigsten durchgeführte sein. So vortrefflich die Diktion des ersten und zweiten Aktes ist, namentlich in den lyrischen Partien, so wird sie doch hier noch bei weitem übertroffen. Eine solche Pracht und Einfalt, eine solche Stärke und Milde, Einheit und Mannigfaltigkeit auf so engem Raum sind erstaunenswürdig. Erst ertönt der Wechsel aeschylisch-sophokleischer Würde und aristophanischer witzgestählter Schärfe; dann erklingt spanischer Romanzenton, einschmeichelnder jambischer Takt, süßer, schmachtendkräftiger Wohllaut; endlich aber stürmen neue Weisen auf, wie abgebrochene Weissagung; antike und moderne Rhythmen schlagen aneinander und die Harmonie zerreißt. – Helena kehrt nach dem troischen Brande zur Heimat des Gatten Menelaos; die Schaffnerin, alt, runzlich, häßlich, aber erfahren, vielwissend, verständig, Phorkyas empfängt nach Geheiß die Herrin in der Burg. Der Schönheit gegenüber kann Mephistopheles nur als Häßlichkeit auftreten, weil im Reich der schönen Formen, der Kunst, das Häßliche das Böse ist.[4] Es erhebt sich ein Streit der anmutigen, anspruchsvollen Jugend des Chors mit dem redesüchtigen, klugdenkenden, widrigen Alter. Helena muß besänftigend eingreifen und erfährt mit Schaudern von Phorkyas, wie Menelaos sie dem Tode opfern wolle. – Doch die alte Schaffnerin rettet sie durch die Luft samt ihrem jugendlichen Gefolge zur gotischen Burg des Faust, wo die Zierlichkeit des Benehmens gegen die Frauen im Gegensatz zur harten Behandlung an den Ufern des Eurotas die weiblichen Herzen sogleich gewinnt. Der Turmwächter Lynkeus, in staunendes Entzücken über die nahende wunderbare Schönheit verloren, hat ihre Meldung vergessen und schwere Strafe verwirkt, doch Helena, die Ursach seines Vergehens, soll selbst über ihn entscheiden und begnadigt ihn. Faust und alle Vasallen huldigen der allmächtigen Schönheit, der das antike Pathos bald entschwindet. In der neuen Umgebung, im Wechselgespräch schneller und trauter Liebe fließt der süße Reim bald von der küssenden Lippe. Da unterbricht ein Angriff des Menelaos das minnigliche Kosen, aber die Tapferkeit, welche im Kampf für Schönheit und Frauenhuld ihre höchste Ehre und Bestimmung sucht, ist unüberwindlich und dem Menelaos wird rasche Heeresmacht entgegengestemmt. – Hierauf schwinden die Tage den Liebenden in heimlichen Grotten unter schäferlichem Tändeln; doch der Sohn, den sie zeugen, Euphorion, sehnt sich aus dem arkadischen Leben hinweg. Der Mutter und des Vaters Wesen jagt ihn vom Boden auf, schnellt ihn der Decke zu. Schön und anmutig wie Helena, glüht in ihm unzähmbarer Drang nach Freiheit, wie in Faust. Er schlägt die Leier mit wunderbar fesselnder Gewalt; er tummelt sich wild mit den jauchzenden Mädchen; er dringt von den Gründen des Tals auf die Spitzen der Berge, weithin zu schauen in die Welt und frei unter Freien zu atmen. Der elastische Drang hebt ihn, einen zweiten Ikarus, in die Lüfte, aber bald stürzt er tot zu den Füßen der Eltern, indes eine Aureole kometenartig durch den Himmel streift. So ging Lord Byron unter.[5] Die göttlichste Poesie besänftigte nicht den wilden Schmerz seines Gemütes und sein Opfertod für die Freiheit des geliebten Volkes und Landes konnte die klassische Schönheit nicht wiedergebären. Die schöne Mutter, die freilich des Sohnes stürmisches, selbstbewußtes Wesen nicht verstanden hat, sinkt ihm nach in die Unterwelt. Nur Faust, der alles in sich versammelnde, der über Natur und Kunst, über Gegenwart und Vergangenheit hinausstrebende, überlebt sie; auf den wolkenartig sich ausbreitenden Gewanden Helenas schwebt er fort. Was ist nun, da der Trieb des geistigen Lebens, da die Verklärung der Natur in der Kunst, da die unmittelbar geistige Schönheit verschwunden sind, noch übrig? Nichts als die nackte Natur, deren Chöre von Oreaden, Dryaden und Nymphen in die Berge, Waldungen, Weingeländer fortschwärmen zum bacchantischen Rausche. Es ist die Gutmütigkeit des Teufels, wenn

Phorkyas sich schließlich als Mephistopheles enthüllt und, wo es Not sei, zum Kommentator sich anbietet.

Das Leben der Kunst, der Schönheit, der anmutigen Sitte verdunstet wie eine Wolke; auf der Höhe des Gebirges tritt Faust aus der zerflatternden hervor und sieht ihr nach, wie sie in immer anderen Formen sich auflöst. Sein unruhiger Sinn sehnt sich nach neuer Tätigkeit. Das Wasser möchte er bekämpfen und ihm Land abgewinnen, d. h. das Land soll sein eigenstes Eigentum werden. Wie jenes Geld, was er dem Kaiser gab, nicht aus vorgefundenem Metall geprägt ward, sondern ein Produkt des Gedankens war, wie jene Schönheit, die ihn entzückte, eine mühsam gesuchte, der Natur abgerungene war und wie er, zum Schutz der Schönheit das Schwert ergreifend, die Liebe zur Arbeit des Minnedienstes wandelte, so soll auch das Land, der neue Stoff seines Wirkens, noch nicht da sein, sondern er selbst will es sich erst hervorbringen. Ein Krieg des Kaisers mit einem Gegenkaiser gibt ihm Gelegenheit zur Realisierung seines Wunsches. Er unterstützt den Kaiser in der entscheidenden Schlacht. Mephistopheles ist gegen das Recht, gegen die eigentliche Freiheit indifferent; der materielle Gewinn des Krieges ist ihm die Hauptsache und so nimmt er denn die drei Gewaltigen, Raufebold, Habebald und Haltefest aus Samuel II. 23,8. mit sich. Die Elemente müssen ebenfalls mitfechten, die Schlacht wird gewonnen und der dankbare Kaiser gewährt Faust die Bitte, den Saum des Meeres zum Lehen zu nehmen. Der Staat ist durch Vernichtung des Gegenkaisers wieder beruhigt; eine reiche Beute im Lager desselben hat manche Entschädigung gebracht; die vier Erzämter versprechen ein frohes Genießen, aber die Kirche kommt noch, Grundbesitz, Kapital und Zins zu fordern, damit der Kaiser von der Schuld gereinigt werde, sich einst mit dem verdächtigen Magus eingelassen zu haben. Demütig verspricht der Kaiser alles; wie aber der Erzbischof sogar von dem noch nicht existierenden Meeresstrande den Zins sich versprechen läßt, wendet er sich mit verdrießlichem Unwillen ab. Dieser Akt ist ohne das lyrische Feuer der vorigen; die Handlung, wenn man das Kriegführen so nennen kann, ist gedehnt; die Schlacht, so breit sie sich macht, ist ohne wahre Spannung; die drei Gewaltigen sind allegorisch wahr, wenn man auf den Begriff sieht, den sie ausdrücken sollen, sonst aber wenig anziehend. Bei allen herrlichen Einzelheiten, tiefsinnigen Gedanken, treffenden Wendungen, pikantem Witz, kluger Anordnung, das Gemälde des Kriegs vollständig zu entwerfen, fehlt ein lebendiger Hauch, ein innerer Zusammenhalt. Und doch möchte man nach einigen Zeichen glauben, daß diese Langweiligkeit Absicht gewesen sei, das schleppende Einerlei, das geistig öde des äußeren Staatslebens ironisch zu malen (denn es ist hier vom Bürgerkrieg die Rede; der eigentliche poetische Krieg, wo sich Volk gegen Volk stellt, fällt in die Phantasmagorie). Die letzte Szene dürfte in dieser Beziehung die gelungenste sein. Die unablässige Beharrlichkeit des geistlichen Herrn, im Namen der himmlischen Kirche irdisch Gut zu fordern, die anfängliche Ergebenheit des Kaisers, die endliche Verstimmtheit über die schrankenlos wachsende Unverschämtheit des Pfaffen sind vortrefflich gezeichnet und das philisterhaft Feierliche des Alexandriners hat nie bessere Dienste getan.

Im fünften Akt erblicken wir einen Wanderer, der einst von einem Schiffbruch zu einem alten Ehepaar, Philemon und Baucis, ins Haus gerettet ward. Er besucht die alten Leute, speist an ihrem frugalen Tisch, sieht sie noch immer glücklich in ihrer Beschränktheit, vernimmt aber von ihnen mit Erstaunen die Anlagen ihres reichen Nachbars schildern; auch äußern sie ihm ihre Befürchtung, von ihm verdrängt zu werden. Doch ziehen sie das Glöcklein ihrer Kapelle, vor dem alten Gotte zu knien und zu beten. – Der Nachbar ist Faust. Er hat Dämme erhoben, Kanäle gegraben, Paläste gebauet, Ziergärten angelegt, Volk herangezogen, Flotten ausgesendet. Die Industrie unserer Zeit beschäftigt ihn rastlos; er schwelgt im Handelsreichtum, Menschengewimmel, Weltverkehr. Daß die alten Leute mitten in seinem Besitz noch ein Eigentum haben, ist ihm fatal, denn gerade diesen erhabenen Fleck, wo das alte morsche Kirchlein steht, dessen Glockenklang ihm das Herz durchschneidet, wo die duftigen Linden sich breiten, möchte er zu einem Belvedere haben, alle seine Schöpfungen mit einem Blick zu übersehen. Er meint es gut mit den Leuten, will ihnen größeren Besitz geben, wo sie den Tod behaglich abwarten können und sendet Mephistopheles ab, mit ihnen zu unterhandeln. Doch die Alten wollen ihre glückselige Hütte nicht verlassen; über ihre Weigerung kommt es zur Härte und die Wohnung samt den Alten und den Linden geht in Feuer auf. Faust ist zwar ärgerlich über diese Wendung, besonders über den Verlust der Linden, tröstet sich aber mit dem Vorsatz, sich eine Warte zum Spähen zu erbauen. Da erscheinen todverkündend in der Nacht vier graue Weiber vor dem Palast, Not, Mangel, Schuld und Sorge. Doch nur die Sorge kann bei dem Reichen durch das Schlüsselloch dringen und steht erschütternd plötzlich neben ihm. Allein Faust hat sich sogleich wieder gefaßt; mit besonnener Klarheit spricht er sich über sein Leben, über den Wert des irdisch Gegenwärtigen aus; die Sorge haßt er und erkennt sie für sich nicht an. Sie will sich ihm noch am Ende des Lebens bemerklich machen und fährt ihm über das Gesicht und macht ihn blind. Doch Faust, obschon der Augen beraubt, äußert keine Sorge darüber; man bemerkt keine Veränderung an ihm, er ist nur auf seine Zwecke gerichtet; der Geist, der Gedanke ist das wahrhafte Auge; wenngleich das äußere erblindet, so bleibt doch das innere wach und offen.

Mephistopheles läßt nach diesem Vorgange von schlotternden Lemuren dem Greise das Grab graben, Faust meint, als er das Klirren der Spaten hört, seine Arbeiter seien beschäftigt. Eifrig bespricht er mit Mephistopheles seine Pläne und vertieft sich endlich in das Glück, auf freiem Grund mit freiem Volk zu stehn. Täglich, fühlt er, müsse der Mensch die Freiheit und das Leben neu erobern und die Vorempfindung, daß die Spuren seines ununterbrochenen Strebens auch in Äonen nicht untergehn würden, sei von allen durchlebten Momenten der höchste Augenblick. Dies Geständnis der Befriedigung tötet ihn und er stürzt tot zu Boden. Mephistopheles glaubt seine Wette gewonnen, läßt den gräulichen Höllenrachen sich auftun und befiehlt den Dick- und Dürrteufeln, auf Fausts Seele wohl acht zu haben. Doch Engel kommen Rosen streuend von oben; die Rosen schmerzen, wo sie hinfallen, die Teufel gewaltig und selbst Mephistopheles klagt. Er schlägt sich mit den schwebenden Rosen herum, die sich ihm wie Pech und Schwefel, weit spitziger als Höllenfeuer im Nacken klemmen. Erst schilt er die

Engel gleißnerische Laffen mit bübisch-mädchenhaftem Gestümper, doch näher angesehen, findet er nun in ihnen allerliebste Jungen, gar heimlich kätzchenhaft-begierlich. Nur stünden ihnen die langen Faltenhemden zu übersittlich, denn von hinten besonders wären die Racker gar zu appetitlich. Indes er einen langen Burschen sich heraussucht und sich ganz in sein päderastisches Gelüsten vertieft, entführen die Engel Fausts Unsterbliches zur Höhe. Nun geht Mephistopheles in größter Unzufriedenheit mit sich selbst ab, daß er durch eine so triviale Lüsternheit so lange Arbeit sich vernichtet habe. Diese Abführung des Teufels ad absurdum muß zu den größten Meisterzügen des Humors gerechnet werden. Die heilige Unschuld der Engel ist für ihn nicht da; er sieht nur die netten Leiber, die dicken H-n; seine Gemeinheit verstrickt ihn ins Unnatürliche und Zufällige, gerade wo sein größtes Interesse und sein barster Egoismus auf dem Spiel stehen. Dieser Ausgang wird die meisten überraschen, aber, wenn sie des Teufels Natur erwägen, völlig befriedigen; er wird bei aller Pfiffigkeit zuletzt als dumm ausgelacht.

Schließlich erblicken wir eine waldige, felsige Einöde, mit Einsiedlern besetzt. Es ist noch nicht der Himmel selbst, erst der Übergang zu demselben, wo die Seele zur himmlischen Klarheit und Seligkeit sich vereinigt. Daher finden wir die glühende Andacht und Buße des Pater ecstaticus, die Kontemplation des Pater profundus, das Aufringen des Pater seraphicus, der den seligen kleinen Knaben, sie in seine Augen nehmend, weil ihre Organe für die Erde zu schwach sind, Bäume, Felsen, Wasserfall zeigt. Die Engel bringen Fausts Unsterbliches, der als Doctor Marianus in der höchsten und reinlichsten Zelle mit brünstigem Gebet zur einherschwebenden Himmelskönigin sich gnadeflehend wendet. Um Maria ist ein Chor von Büßerinnen, unter denen die Magna peccatrix, die Mulier Samaritana und die Maria Aegyptiaca. Sie bitten für die irrende Seele vor; die eine der Büßerinnen, sonst Gretchen genannt, wagt, sich anschmiegend, besondere Fürbitte. Die Mater gloriosa deutet an, daß Gretchen Fausts Seele zu höheren Sphären führen werde, denn, sie ahnend, werde er nachfolgen. Heißes Gebet strömt von den Lippen des Doctor Marianus und der Chorus mysticus schließt mit der Versicherung von der Gewißheit der Seligkeit durch die erziehende, läuternde Liebe. Die analoge Stellung Gretchens zu Faust, wie der Beatrice zu Dante, ist hier unverkennbar; auch den weiteren Fortgang von Fausts Leben muß man sich ähnlich denken, wie er gleich Dante in der Erkenntnis und Empfindung des Göttlichen bis zur vollen Anschauung desselben wachsen werde: die Trinität schauet Dante, ohne weiter von jemand geführt zu werden, vollkommen frei und selbständig. Von diesem Standpunkt aus, daß der Dichter die Versöhnung als werdende, ins Unendliche wachsende nur andeuten wollte, rechtfertigt es sich, daß er auf Gott den Vater und auf Christus unseren Erlöser nur leise hindeutet und statt dessen den Kultus der Maria, überhaupt die Andacht der Frauen so stark hervortreten läßt. Auch stimmen diese Elemente, da er das ganze Gedicht im Kostüm des Mittelalters gehalten hat, sehr wohl zu den übrigen Teilen des Dramas; sonst möchte man sich bei der offenbar protestantischen Gesinnung des Faust schwer darin finden und einen notwendigen Zusammenhang mit früheren Zuständen Fausts vermissen.

Für die Geschichte Fausts an sich, dramatisch genommen, könnten vielleicht die vier ersten Akte ganz wegfallen. Der fünfte, indem er uns zeigt, daß alles Streben, wenn nicht sein Inhalt die Religion, die göttliche Freiheit des Geistes ist, kein inneres Genügen geben kann, indem er uns zeigt, daß in dem ernsten Streben nach Freiheit, wie mannigfach es auch irre, doch der Pfad zum Himmel sich offen bewahrt, der dem nicht Strebenden allein sich verschließt, würde die Versöhnung, auf die es nach der Katastrophe ankam, hinlänglich gezeichnet haben. Allein Goethe wollte nicht bloß diesen Schluß, wie die Geschichte von Fausts Gemüt ihn forderte, er wollte auch das Werden eines solchen Resultates darstellen. Faust war einmal für ihn und durch ihn für die Nation, ja für Europa der Repräsentant der weltumfassenden, selbstbewußten Innerlichkeit des Geistes geworden und deswegen ließ er nun um diesen Mittelpunkt alle Elemente der Welt kristallisierend anschießen. So sind die Akte des zweiten Teils Bilder, die nebeneinander auf ein und derselben Wand al fresco gemalt sind und so ist Faust wirklich geworden, was man früher schon so oft von ihm gesagt hat, eine allseitige Manifestation des Universums.[6]

9 *Heinrich Heine*

Aus: Zur Geschichte der neueren schönen Literatur in Deutschland — 1833

[...]
Offen gestanden Goethe hat damals eine sehr zweideutige Rolle gespielt, und man kann ihn nicht unbedingt loben. Es ist wahr, die Herren Schlegel haben es nie ehrlich mit ihm gemeint; vielleicht nur weil sie in ihrer Polemik gegen die alte Schule auch einen lebenden Dichter als Vorbild aufstellen mußten, und keinen geeigneteren fanden als Goethe, auch von diesem einigen literarischen Vorschub erwarteten, bauten sie ihm einen Altar und räucherten ihm und ließen das Volk vor ihm knien. Sie hatten ihn auch so ganz in der Nähe. Von Jena nach Weimar führt eine Allee hübscher Bäume, worauf Pflaumen wachsen, die sehr gut schmecken, wenn man durstig ist von der Sommerhitze; und diesen Weg wanderten die Schlegel sehr oft, und in Weimar hatten sie manche Unterredung mit dem Herren Geheimrat von Goethe, der immer ein sehr großer Diplomat war, und die Schlegel ruhig anhörte, beifällig lächelte, ihnen manchmal zu essen gab, auch sonst einen Gefallen tat usw. Sie hatten sich auch an Schiller gemacht; aber dieser war ein ehrlicher Mann und wollte nichts von ihnen wissen.[1] Der Briefwechsel zwischen ihm und Goethe, der vor drei Jahren gedruckt worden[2], wirft manches Licht auf das Verhältnis dieser beiden Dichter zu den Schlegeln. Goethe lächelt vornehm über sie hinweg; Schiller ist ärgerlich über ihre impertinente Skandalsucht, über ihre Manier durch Skandal Aufsehen zu machen, und er nennt sie »Laffen«.[3]

Mochte jedoch Goethe immerhin vornehm tun, so hatte er nichtsdestoweniger den größten Teil seiner Renommee den Schlegeln zu verdanken. Diese haben das Studium seiner Werke eingeleitet und befördert. Die schnöde beleidigende Art, womit er diese beiden Männer am Ende ablehnte, riecht sehr nach Undank. Vielleicht verdroß es aber den tiefschauenden Goethe, daß die Schlegel ihn nur als Mittel zu ihren Zwecken gebrauchen wollten; vielleicht haben ihn, den Minister eines protestantischen Staates, diese Zwecke zu kompromittieren gedroht; vielleicht war es gar der altheidnische Götterzorn, der in ihm erwachte, als er das dumpfig katholische Treiben sah: – denn wie Voß [4] dem starren einäugigen Odin glich, so glich Goethe dem großen Jupiter, in Denkweise und Gestalt. Jener, freilich, mußte mit Thors Hammer tüchtig zuschlagen; dieser brauchte nur das Haupt mit den ambrosischen Locken unwillig zu schütteln, und die Schlegel zitterten, und krochen davon. Ein öffentliches Dokument jenes Einspruchs von seiten Goethes erschien im zweiten Hefte der Goetheschen Zeitschrift ›Kunst und Altertum‹ und es führt den Titel: ›Über die christlich patriotisch neu-deutsche Kunst.‹ [5] Mit diesem Artikel machte Goethe gleichsam seinen 18ten Brumaire in der deutschen Literatur; denn indem er so barsch die Schlegel aus dem Tempel jagte und viele ihrer eifrigsten Jünger an seine eigne Person heranzog, und von dem Publikum, dem das Schlegelsche Direktorium schon lange ein Greuel war, akklamiert wurde, begründete er seine Alleinherrschaft in der deutschen Literatur. Von jener Stunde an war von den Herren Schlegel nicht mehr die Rede; nur dann und wann sprach man noch von ihnen, wie man jetzt noch manchmal von Barras oder Gohier spricht [6]; man sprach nicht mehr von Romantik oder klassischer Poesie, sondern von Goethe und wieder von Goethe. Freilich es traten unterdessen einige Dichter auf den Schauplatz, die an Kraft und Phantasie diesem nicht viel nachgaben; aber sie erkannten ihn aus Courtoisie als ihr Oberhaupt, sie umgaben ihn huldigend, sie küßten ihm die Hand, sie knieten vor ihm; diese Granden des Parnassus unterschieden sich aber von der großen Menge dadurch, daß sie auch in Goethes Gegenwart ihren Lorbeerkranz auf dem Haupte behalten durften. Manchmal auch frondierten sie ihn; sie ärgerten sich aber dann wenn irgendein Geringerer sich ebenfalls berechtigt hielt Goethen zu schelten. Die Aristokraten, wenn sie auch noch so böse gegen ihren Souverän gestimmt sind, werden doch verdrießlich, wenn sich auch der Plebs gegen diesen erhebt. Und die geistigen Aristokraten in Deutschland hatten, während der beiden letzten Dezennien, sehr gerechte Gründe auf Goethe ungehalten zu sein. Wie ich selber es damals, mit hinlänglicher Bitterkeit, offen gesagt habe: Goethe glich jenem Ludwig XI., der den hohen Adel unterdrückte und den tiers état emporhob.[7]

Das war widerwärtig, Goethe hatte Angst vor jedem selbständigen Originalschriftsteller und lob und pries alle unbedeutende Kleingeister; ja er trieb dieses so weit, daß es endlich für ein Brevêt der Mittelmäßigkeit galt, von Goethe gelobt worden zu sein.

In späteren Artikeln spreche ich von den neuen Dichtern, die während der Goetheschen Kaiserzeit hervortraten. Das ist ein junger Wald, dessen Stämme erst jetzt ihre Größe zeigen, seitdem die hundertjährige Eiche gefallen ist, von deren Zweigen sie so weit überragt und überschattet wurden.

Es fehlte, wie schon gesagt, nicht an einer Opposition, die gegen Goethe, diesen großen Baum, mit Erbitterung eiferte. Menschen von den entgegengesetztesten Meinungen vereinigten sich zu solcher Opposition. Die Altgläubigen, die Orthodoxen, ärgerten sich, daß in dem Stamme des großen Baumes keine Nische mit einem Heiligenbildchen befindlich war, ja, daß sogar die nackten Dryaden des Heidentums darin ihr Hexenwesen trieben, und sie hätten gern, mit geweihter Axt, gleich dem heiligen Bonifatius, diese alte Zaubereiche niedergefällt; die Neugläubigen, die Apostel des Liberalismus, ärgerten sich im Gegenteil, daß man diesen Baum nicht zu einem Freiheitsbaum, und am allerwenigsten zu einer Barrikade benutzen konnte. In der Tat, der Baum war zu hoch, man konnte nicht auf seinen Wipfel eine rote Mütze stecken und darunter die Carmagnole tanzen.[8] Das große Publikum aber verehrte diesen Baum eben weil er so selbständig herrlich war, weil er so lieblich die ganze Welt mit seinem Wohlduft erfüllte, weil seine Zweige so prachtvoll bis in den Himmel ragten, so daß es aussah, als seien die Sterne nur die goldnen Früchte des großen Wunderbaums.

Die Opposition gegen Goethe beginnt eigentlich mit dem Erscheinen der sogenannten falschen Wanderjahre, welche unter dem Titel ›Wilhelm Meisters Wanderjahre‹ im Jahr 1821, also bald nach dem Untergang der Schlegel, bei Gottfried Basse in Quedlinburg herauskamen.[9] Goethe hatte nämlich unter eben diesem Titel eine Fortsetzung von ›Wilhelm Meisters Lehrjahren‹ angekündigt, und sonderbarerweise erschien diese Fortsetzung gleichzeitig mit jenem literarischen Doppelgänger, worin nicht bloß die Goethesche Schreibart nachgeahmt war, sondern auch der Held des Goetheschen Originalromans sich als handelnde Person darstellte. Diese Nachäffung zeugte nicht sowohl von vielem Geiste, als vielmehr von großem Takte, und da der Verfasser einige Zeit seine Anonymität zu bewahren wußte und man ihn vergebens zu erraten suchte, so ward das Interesse des Publikums noch künstlich gesteigert. Es ergab sich jedoch am Ende, daß der Verfasser ein bisher unbekannter Landprediger war, namens »Pustkuchen« was auf französisch ommelette soufflée heißt, ein Name welcher auch sein ganzes Wesen bezeichnete. Es war nichts anders als der alte pietistische Sauerteig, der sich ästhetisch aufgeblasen hatte. Es ward dem Goethe in jenem Buche vorgeworfen: daß seine Dichtungen keinen moralischen Zweck hätten; daß er keine edlen Gestalten, sondern nur vulgäre Figuren schaffen könne; daß hingegen Schiller die idealisch edelsten Charaktere aufgestellt und daher ein größerer Dichter sei.

Letzteres, daß nämlich Schiller größer sei als Goethe, war der besondere Streitpunkt, den jenes Buch hervorgerufen. Man verfiel in die Manie die Produkte beider Dichter zu vergleichen und die Meinungen teilten sich. Die Schillerianer pochten auf die sittliche Herrlichkeit eines Max Piccolomini, einer Thekla, eines Marquis Posa, und sonstiger Schillerschen Theaterhelden, wogegen sie die Goetheschen Personen, eine Philine, ein Käthchen [10], ein Klärchen und dergleichen hübsche Kreaturen für unmoralische Weibsbilder erklärten. Die Goetheaner bemerkten lächelnd, daß letztere und auch die Goetheschen Helden schwerlich als moralisch zu vertreten wären, daß aber die Beförderung der Moral, die man von Goethes Dichtungen verlange, keineswegs der Zweck der Kunst sei: denn in der

Kunst gäbe es keine Zwecke, wie in dem Weltbau selbst, wo nur der Mensch die Begriffe »Zweck und Mittel« hineingegrübelt; die Kunst, wie die Welt, sei ihrer selbst willen da, und wie die Welt ewig dieselbe bleibt, wenn auch in ihrer Beurteilung die Ansichten der Menschen unaufhörlich wechseln, so müsse auch die Kunst von den zeitlichen Ansichten der Menschen unabhängig bleiben; die Kunst müsse daher besonders unabhängig bleiben von der Moral, welche auf der Erde immer wechselt, so oft eine neue Religion emporkommt und die alte Religion verdrängt. In der Tat, da jedesmal nach Abfluß einer Reihe Jahrhunderte immer eine neue Religion in der Welt aufkommt, und indem sie in die Sitten übergeht sich auch als eine neue Moral geltend macht: so würde jede Zeit die Kunstwerke der Vergangenheit als unmoralisch verketzern, wenn solche nach dem Maßstabe der zeitigen Moral beurteilt werden sollen. Wie wir es auch wirklich erlebt, haben gute Christen, welche das Fleisch als teuflisch verdammen, immer ein Ärgernis empfunden beim Anblick der griechischen Götterbilder; keusche Mönche haben der antiken Venus eine Schürze vorgebunden; sogar bis in die neuesten Zeiten hat man den nackten Statuen ein lächerliches Feigenblatt angeklebt; ein frommer Quäker hat sein ganzes Vermögen aufgeopfert, um die schönsten mythologischen Gemälde des Giulio Romano aufzukaufen und zu verbrennen – wahrlich, er verdiente dafür in den Himmel zu kommen und dort täglich mit Ruten gepeitscht zu werden! Eine Religion, welche etwa Gott nur in die Materie setzte, und daher nur das Fleisch für göttlich hielte, müßte, wenn sie in die Sitten überginge, eine Moral hervorbringen, wonach nur diejenigen Kunstwerke preisenswert, die das Fleisch verherrlichen, und wonach, im Gegenteil die christlichen Kunstwerke, die nur die Nichtigkeit des Fleisches darstellen, als unmoralisch zu verwerfen wären. Ja, die Kunstwerke, die in dem einen Lande moralisch, werden in einem anderen Lande, wo eine andere Religion in die Sitten übergegangen, als unmoralisch betrachtet werden können, z. B. unsere bildenden Künste erregen den Abscheu eines strenggläubigen Moslem, und dagegen manche Künste, die in den Haremen des Morgenlands für höchst unschuldig gelten, sind dem Christen ein Greuel. Da in Indien der Stand einer Bajadere durchaus nicht durch die Sitte fletriert ist, so gilt dort das Drama ›Vasantasena‹ [11] dessen Heldin ein feiles Freudenmädchen, durchaus nicht für unmoralisch; wagte man es aber einmal dieses Stück im Theater Français aufzuführen, so würde das ganze Parterre über Immoralität schreien, dasselbe Parterre, welches täglich mit Vergnügen die Intrigenstücke betrachtet, deren Heldinnen junge Witwen sind, die am Ende lustig heiraten, statt sich, wie die indische Moral es verlangt, mit ihren verstorbenen Gatten zu verbrennen.

Indem die Goetheaner von solcher Ansicht ausgehen, betrachten sie die Kunst als eine unabhängige zweite Welt, die sie so hoch stellen, daß alles Treiben der Menschen, ihre Religion und ihre Moral, wechselnd und wandelbar, unter ihr hin sich bewegt.[12] Ich kann aber dieser Ansicht nicht unbedingt huldigen; die Goetheaner ließen sich dadurch verleiten die Kunst selbst als das Höchste zu proklamieren, und von den Ansprüchen jener ersten wirklichen Welt, welcher doch der Vorrang gebührt, sich abzuwenden.

Schiller hat sich jener ersten Welt viel bestimmter angeschlossen als Goethe, und wir müssen ihn in dieser Hinsicht loben. Ihn, den Friedrich Schiller, erfaßte lebendig der Geist seiner Zeit, er rang mit ihm, er ward von ihm bezwungen, er folgte ihm zum Kampfe, er trug sein Banner, und es war dasselbe Banner worunter man auch jenseits des Rheines so enthusiastisch stritt, und wofür wir noch immer bereit sind unser bestes Blut zu vergießen. Schiller schrieb für die großen Ideen der Revolution, er zerstörte die geistigen Bastillen, er baute an dem Tempel der Freiheit, und zwar an jenem ganz großen Tempel, der alle Nationen, gleich einer einzigen Brüdergemeinde, umschließen soll; er war Kosmopolit. Er begann mit jenem Haß gegen die Vergangenheit, welchen wir in den ›Räubern‹ sehen, wo er einem kleinen Titanen gleicht, der aus der Schule gelaufen ist und Schnaps getrunken hat und dem Jupiter die Fenster einwirft; er endigte mit jener Liebe für die Zukunft, die schon im ›Don Carlos‹ wie ein Blumenwald hervorblüht, und er selber ist jener Marquis Posa, der zugleich Prophet und Soldat ist, der auch für das kämpft, was er prophezeit, und unter dem spanischen Mantel das schönste Herz trägt, das jemals in Deutschland geliebt und gelitten hat.

Der Poet, der kleine Nachschöpfer, gleicht dem lieben Gott auch darin, daß er seine Menschen nach dem eigenen Bilde erschafft. Wenn daher Karl Moor und der Marquis Posa ganz Schiller selbst sind, so gleicht Goethe seinem Werther, seinem Wilhelm Meister und seinem Faust, worin man die Phasen seines Geistes studieren kann. Wenn Schiller sich ganz in die Geschichte stürzt, sich für die gesellschaftlichen Fortschritte der Menschheit enthusiasmiert und die Weltgeschichte besingt: so versenkt sich Goethe mehr in die individuellen Gefühle, oder in die Kunst, oder in die Natur. Goethe, den Pantheisten, mußte die Naturgeschichte endlich als ein Hauptstudium beschäftigen, und nicht bloß in Dichtungen, sondern auch in wissenschaftlichen Werken gab er uns die Resultate seiner Forschungen. Sein Indifferentismus war ebenfalls ein Resultat seiner pantheistischen Weltansicht. Wenn Gott in allem enthalten ist, so ist es ganz gleich womit man sich beschäftigt, ob mit Wolken oder mit antiken Gemmen, ob mit Volksliedern oder mit Affenknochen, ob mit Menschen oder mit Komödianten. Aber Gott ist nicht bloß in der Substanz, wie die Alten ihn begriffen, sondern Gott ist in dem »Prozeß«, wie Hegel sich ausdrückt und wie er auch von den Saint-Simonisten gedacht wird. Dieser Gott der Saint-Simonisten, der nicht bloß den Fortschritt regiert, sondern selbst der Fortschritt ist, und sich von dem alten, in der Substanz eingekerkerten Heidengott ebenso sehr unterscheidet, wie von dem christlichen Dieu-pur-esprit, der von seinem Himmel herab, mit liebender Flötenstimme, die Welt regierte: dieser Dieu-progrès macht jetzt den Pantheismus zu einer Weltansicht, die durchaus nicht zum Indifferentismus führt, sondern zum aufopferungssüchtigsten Fortstreben. Nein, Gott ist nicht bloß in der Substanz, wie Wolfgang Goethe wähnte, der dadurch ein Indifferentist wurde und statt mit den höchsten Menschheitsinteressen, sich nur mit Kunstspielsachen, Anatomie, Farbenlehre, Pflanzenkunde und Wolkenbeobachtungen beschäftigte: Gott ist vielmehr in der Bewegung, in der Handlung, in jeder Manifestation, in der Zeit, sein heiliger Odem weht durch die Blätter der Geschichte, letztere ist das eigentliche Buch Gottes; und das fühlte und ahnte Friedrich Schiller und er ward »ein rückwärtsgekehrter Prophet«[13] und er schrieb den ›Abfall der Niederlande‹, den ›Dreißigjährigen Krieg‹ und die ›Jungfrau von Orleans‹ und den ›Tell‹.

Freilich, auch Goethe besang einige große Emanzipationsgeschichten, aber er besang sie als Artist. Da er nämlich den christlichen Enthusiasmus, der ihm fatal war, verdrießlich ablehnte, und den philosophischen Enthusiasmus unserer Zeit nicht begriff, oder nicht begreifen wollte, weil er dadurch aus seiner Gemütsruhe herausgerissen zu werden fürchtete: so behandelte er den Enthusiasmus überhaupt ganz historisch, als etwas Gegebenes, als einen Stoff, der behandelt werden soll, der Geist wurde Materie unter seinen Händen, und er gab ihm die schöne gefällige Form. So wurde er der größte Künstler in unserer Literatur, und alles was er schrieb wurde ein abgerundetes Kunstwerk.

Das Beispiel des Meisters leitete die Jünger, und in Deutschland entstand dadurch jene literarische Periode, die ich einst als »die Kunstperiode« bezeichnet[14], und wobei ich den nachteiligen Einfluß auf die politische Entwickelung des deutschen Volkes nachgewiesen habe. Keineswegs jedoch leugnete ich bei dieser Gelegenheit den selbständigen Wert der Goetheschen Meisterwerke. Sie zieren unser teueres Vaterland, wie schöne Statuen einen Garten zieren, aber es sind Statuen. Man kann sich darin verlieben, aber sie sind unfruchtbar: die Goetheschen Dichtungen bringen nicht die Tat hervor, wie die Schillerschen. Die Tat ist das Kind des Wortes, und die Goetheschen schönen Worte sind kinderlos. Das ist der Fluch alles dessen was bloß durch die Kunst entstanden ist. Die Statue, die der Pygmalion verfertigt, war ein schönes Weib, sogar der Meister verliebte sich darin, sie wurde lebendig unter seinen Küssen, aber so viel wir wissen hat sie nie Kinder bekommen. Ich glaube Herr Charles Nodier[15] hat mal in solcher Beziehung etwas Ähnliches gesagt, und das kam mir gestern in den Sinn, als ich, die unteren Säle des Louvre durchwandernd, die alten Götterstatuen betrachtete. Da standen sie, mit den stummen weißen Augen, in dem marmornen Lächeln eine geheime Melancholie, eine trübe Erinnerung vielleicht an Ägypten, das Totenland, dem sie entsprossen, oder leidende Sehnsucht nach dem Leben, woraus sie jetzt durch andere Gottheiten fortgedrängt sind, oder auch Schmerz über ihre tote Unsterblichkeit: – sie schienen des Wortes zu harren, das sie wieder dem Leben zurückgäbe, das sie aus ihrer kalten, starren Regungslosigkeit erlöse. Sonderbar! diese Antiken mahnten mich an die Goetheschen Dichtungen, die ebenso vollendet, ebenso herrlich, ebenso ruhig sind, und ebenfalls mit Wehmut zu fühlen scheinen, daß ihre Starrheit und Kälte sie von unserem jetzigen bewegt warmen Leben abscheidet, daß sie nicht mit uns leiden und jauchzen können, daß sie keine Menschen sind, sondern unglückliche Mischlinge von Gottheit und Stein.

Diese wenigen Andeutungen erklären nun den Groll der verschiedenen Parteien, die in Deutschland gegen Goethe laut geworden. Die Orthodoxen waren ungehalten gegen den alten Heiden, wie man Goethe allgemein in Deutschland nennt; sie fürchteten seinen Einfluß auf das Volk, dem er durch lächende Dichtungen, ja, durch die unscheinbarsten Liederchen, seine Weltansicht einflößte; sie sahen in ihm den gefährlichsten Feind des Kreuzes, das ihm, wie er sagte, so fatal war wie Wanzen, Knoblauch und Tabak; nämlich so ungefähr lautet die

Xenie [16], die Goethe auszusprechen wagte, mitten in Deutschland, im Lande wo jenes Ungeziefer, der Knoblauch, der Tabak und das Kreuz, in heiliger Allianz, überall herrschend sind. Just dieses war es jedoch keineswegs was uns, den Männern der Bewegung, an Goethe mißfiel. Wie schon erwähnt, wir tadelten die Unfruchtbarkeit seines Wortes, das Kunstwesen, das durch ihn in Deutschland verbreitet wurde, das einen quietisierenden Einfluß auf die deutsche Jugend ausübte, das einer politischen Regeneration unseres Vaterlandes entgegenwirkte. Der indifferente Pantheist wurde daher von den entgegengesetztesten Seiten angegriffen; um französisch zu sprechen, die äußerste Rechte und die äußerste Linke verbanden sich gegen ihn; und während der schwarze Pfaffe mit dem Kruzifixe gegen ihn losschlug, rannte gegen ihn zu gleicher Zeit der wütende Sansculotte mit der Pike.[16a] Herr Wolfgang Menzel, der den Kampf gegen Goethe mit einem Aufwand von Esprit geführt hat, der eines besseren Zweckes wert war, zeigte in seiner Polemik nicht so einseitig den spiritualistischen Christen oder den unzufriedenen Patrioten: er basierte vielmehr einen Teil seiner Angriffe auf die letzten Aussprüche Friedrich Schlegels, der nach seinem Fall, aus der Tiefe seines katholischen Doms, sein Wehe über Goethe ausgerufen, über den Goethe, »dessen Poesie keinen Mittelpunkt habe«.[17] Herr Menzel ging noch weiter und zeigte, daß Goethe kein Genie sei, sondern nur ein Talent, er rühmte Schiller als Gegensatz usw. Das geschah einige Zeit vor der Juliusrevolution, Herr Menzel war damals der größte Verehrer des Mittelalters, sowohl in Hinsicht der Kunstwerke als der Institutionen desselben, er schmähte mit unaufhörlichem Ingrimm den Johann Heinrich Voß, pries mit unerhörter Begeisterung den Herrn Joseph Görres: sein Haß gegen Goethe war daher echt und er schrieb gegen ihn aus Überzeugung, also nicht, wie viele meinten, um sich dadurch bekannt zu machen. Obgleich ich selber damals ein Gegner Goethes war, so war ich doch unzufrieden über die Herbheit womit Herr Menzel ihn kritisierte, und ich beklagte diesen Mangel an Pietät. Ich bemerkte: Goethe sei doch immer der König unserer Literatur; wenn man an einen solchen das kritische Messer lege, müsse man es nie an der gebührenden Courtoisie fehlen lassen, gleich dem Scharfrichter, welcher Karl I. zu köpfen hatte, und, ehe er sein Amt verrichtete, vor dem Könige niederkniete und seine allerhöchste Verzeihung erbat.[18]

Unter den Gegnern Goethes gehörte auch der famose Hofrat Müllner [19] und sein einzig treu gebliebener Freund, der Herr Professor Schütz [20], Sohn des alten Schütz. Noch einige andere, die minder famose Namen führten, z.B. ein Herr Spaun [21], der lange Zeit, wegen politischer Vergehen, im Zuchthause gesessen hat, gehörten zu den öffentlichen Gegnern Goethes. Unter uns gesagt, es war eine sehr gemischte Gesellschaft. Was vorgebracht wurde habe ich hinlänglich angedeutet; schwerer ist es das besondere Motiv zu erraten, das jeden Einzelnen bewogen haben mag seine antigoetheanischen Überzeugungen öffentlich auszusprechen. Nur von einer Person kenne ich dieses Motiv ganz genau, und da ich dieses selber bin, so will ich jetzt ehrlich gestehen: es war der Neid. Zu meinem Lobe muß ich jedoch erwähnen, daß ich in Goethe nie den Dichter angegriffen, sondern nur den Menschen. Ich habe nie seine Werke getadelt. Ich habe nie Mängel darin sehen können, wie jene Kritiker, die mit ihren feingeschliffenen Augengläsern, auch die Flecken im Monde bemerkt haben; – die scharfsichtigen Leute! was sie für Flecken ansehen, das sind blühende Wälder, silberne Ströme, erhabene Berge, lachende Täler. Nichts ist törichter als die Geringschätzung Goethes zugunsten des Schiller, mit welchem man es keineswegs ehrlich meinte, und den man von jeher pries um Goethe herabzusetzen. Oder wußte man wirklich nicht, daß jene hochgerühmten hochidealischen Gestalten, jene Altarbilder der Tugend und Sittlichkeit, die Schiller aufgestellt, weit leichter zu verfertigen waren als jene sündhaften, kleinweltlichen, befleckten Wesen, die uns Goethe in seinen Werken erblicken läßt? Wissen sie denn nicht, daß mittelmäßige Maler meistens lebensgroße Heiligenbilder auf die Leinwand pinseln, daß aber schon ein großer Meister dazu gehört, um etwa einen spanischen Betteljungen, der sich laust [22], einen niederländischen Bauern, welcher kotzt, oder dem ein Zahn ausgezogen wird, und häßliche alte Weiber, wie wir sie auf kleinen holländischen Kabinettbildchen sehen [23], lebenswahr und technisch vollendet zu malen? Das Große und Furchtbare läßt sich in der Kunst weit leichter darstellen als das Kleine und Putzige. Die ägyptischen Zauberer haben dem Moses viele Kunststücke nachmachen können, z. B. die Schlangen, das Blut, sogar die Frösche; aber, als er scheinbar weit leichtere Zauberdinge, nämlich Ungeziefer, hervorbrachte, da gestanden sie ihre Ohnmacht [24], und sie konnten das kleine Ungeziefer nicht nachmachen, und sie sagten: da ist der Finger Gottes. Scheltet immerhin über die Gemeinheiten im ›Faust‹, über die Szenen auf dem Brocken, im Auerbachskeller, scheltet auf die Liederlichkeiten im ›Meister‹ – das könnt ihr dennoch alles nicht nachmachen; da ist der Finger Goethes! Aber ihr wollt das auch nicht nachmachen, und ich höre wie ihr mit Abscheu behauptet: wir sind keine Hexenmeister, wir sind gute Christen. Daß ihr keine Hexenmeister seid, das weiß ich.

Goethes größtes Verdienst ist eben die Vollendung alles dessen was er darstellt; da gibt es keine Partien, die stark sind während andere schwach, da ist kein Teil ausgemalt während der andere nur skizziert worden, da gibt es keine Verlegenheiten, kein herkömmliches Füllwerk, keine Vorliebe für Einzelheiten. Jede Person in seinen Romanen und Dramen behandelt er, wo sie vorkommt, als wäre sie die Hauptperson. So ist es auch bei Homer, so bei Shakespeare. In den Werken aller großen Dichter gibt es eigentlich gar keine Nebenpersonen, jede Figur ist Hauptperson an ihrer Stelle. Solche Dichter gleichen den absoluten Fürsten, die den Menschen keinen selbständigen Wert beimessen, sondern ihnen selber, nach eigenem Gutdünken, ihre höchste Geltung zuerkennen. Als ein französischer Gesandter einst gegen den Kaiser Paul von Rußland erwähnte, daß ein wichtiger Mann seines Reiches sich für irgendeine Sache interessiere: da fiel ihm der Kaiser streng in die Rede, mit den merkwürdigen Worten: »es gibt in diesem Reiche keinen wichtigen Mann außer denjenigen, mit welchem Ich eben spreche, und nur so lange Ich mit ihm spreche ist er wichtig.« Ein absoluter Dichter, der ebenfalls seine Macht von Gottes Gnade erhalten hat, betrachtet in gleicher Weise diejenige Person seines Geisterreichs als die wichtigste, die er eben sprechen läßt, die eben unter seine Feder geraten, und aus solchem Kunstdespotismus entsteht jene wunderbare Vollendung der kleinsten Figuren in den Werken Homers, Shakespeares und Goethes.

Wenn ich etwa herbe von den Gegnern Goethes gesprochen habe, so dürfte ich noch viel Herberes von seinen Apologisten sagen. Die meisten derselben haben in ihrem Eifer noch größere Torheiten vorgebracht. Auf der Grenze des Lächerlichen steht in dieser Hinsicht einer namens Herr Eckermann [25], dem es übrigens nicht an Geist fehlt. In dem Kampfe gegen Herrn Pustkuchen hat Karl Immermann, der jetzt unser größter dramatischer Dichter ist, seine kritischen Sporen erworben [26]; er hat da ein vortreffliches Schriftchen zutage gefördert. Zumeist haben sich die Berliner bei dieser Gelegenheit ausgezeichnet. Der bedeutendste Kämpe für Goethe war zu jeder Zeit Varnhagen von Ense [27], ein Mann, der Gedanken im Herzen trägt, die so groß sind wie die Welt, und sie in Worten ausspricht, die so kostbar und zierlich sind wie geschnittene Gemmen. Es ist jener vornehme Geist auf dessen Urteil Goethe immer das meiste Gewicht gelegt hat. – Vielleicht ist es nützlich hier zu erwähnen, daß Herr Wilhelm von Humboldt bereits früher ein ausgezeichnetes Buch über Goethe geschrieben hat.[28] Seit den letzten zehn Jahren brachte jede Leipziger Messe mehrere Schriften über Goethe hervor. Die Untersuchungen des Herrn Schubarth über Goethe gehören zu den Merkwürdigkeiten der hohen Kritik.[29] Was Herr Häring, der unter dem Namen Willibald Alexis schreibt, in verschiedenen Zeitschriften über Goethe gesagt hat [30], war ebenso bedeutend wie geistreich. Herr Zimmermann, Professor zu Hamburg, hat in seinen mündlichen Vorträgen die vortrefflichsten Urteile über Goethe ausgesprochen, die man zwar spärlich aber desto tiefsinniger in seinen ›Dramaturgischen Blättern‹ angedeutet findet.[31] Auf verschiedenen deutschen Universitäten wurde ein Kollegium über Goethe gelesen, und von allen seinen Werken war es vorzüglich der ›Faust‹ womit sich das Publikum beschäftigte. Er wurde vielfach fortgesetzt und kommentiert, er ward die weltliche Bibel der Deutschen.

Ich wäre kein Deutscher, wenn ich bei Erwähnung des ›Faustes‹ nicht einige erklärende Gedanken darüber ausspräche. Denn vom größten Denker bis zum kleinsten Markeur, vom Philosophen bis herab zum Doktor der Philosophie, übt jeder seinen Scharfsinn an diesem Buche. Aber es ist wirklich ebenso weit wie die Bibel, und, wie diese, umfaßt es Himmel und Erde, mitsamt dem Menschen und seiner Exegese. Der Stoff ist hier wieder der Hauptgrund weshalb der ›Faust‹ so populär ist; daß er jedoch diesen Stoff herausgesucht aus den Volkssagen, das zeugt eben von Goethes unbewußtem Tiefsinn, von seinem Genie, das immer das Nächste und Rechte zu ergreifen wußte. Ich darf den Inhalt des ›Faust‹ als bekannt voraussetzen; denn das Buch ist in der letzten Zeit auch in Frankreich berühmt geworden. Aber ich weiß nicht ob hier die alte Volkssage selbst bekannt ist, ob auch hierzuland, auf den Jahrmärkten, ein graues, fließpapiernes, schlechtgedrucktes und mit derben Holzschnitten verziertes Buch [32] verkauft wird, worin umständlich zu lesen ist: wie der Erzzauberer Johannes Faustus, ein gelehrter Doktor, der alle Wissenschaften studiert hatte, am Ende seine Bücher wegwarf, und ein Bündnis mit dem Teufel schloß, wodurch er alle sinnlichen Freuden der Erde genießen konnte, aber auch seine Seele dem höllischen Verderben hingeben mußte. Das Volk im Mittelalter hat immer, wenn es irgendwo große Geistesmacht sah, dergleichen einem Teufelsbündnis zugeschrieben, und der Albertus Magnus, Raimund Lullus, Theophrastus Paracelsus, Agrippa von Nettesheim, auch in England der Roger Baco, galten für Zauberer, Schwarzkünstler, Teufelsbanner.[33] Aber weit eigentümlichere Dinge singt und sagt man von dem Doktor Faustus, welcher nicht bloß die Erkenntnis der Dinge sondern auch die reellsten Genüsse vom Teufel verlangt hat, und das ist eben der Faust, der die Buchdruckerei erfunden[34] und zur Zeit lebte, wo man anfing gegen die strenge Kirchenautorität zu predigen und selbständig zu forschen: – so daß mit Faust die mittelalterliche Glaubensperiode aufhört und die moderne kritische Wissenschaftsperiode anfängt. Es ist, in der Tat, sehr bedeutsam, daß zur Zeit, wo, nach der Volksmeinung, der Faust gelebt hat, eben die Reformation beginnt, und daß er selber, die Kunst erfunden haben soll, die dem Wissen einen Sieg über den Glauben verschafft, nämlich die Buchdruckerei, eine Kunst die uns aber auch die katholische Gemütsruhe geraubt und uns in Zweifel und Revolutionen gestürzt – ein anderer als ich würde sagen, endlich in die Gewalt des Teufels geliefert hat. Aber nein, das Wissen, die Erkenntnis der Dinge durch die Vernunft, die Wissenschaft, gibt uns endlich die Genüsse, um die uns der Glaube, das katholische Christentum, so lange geprellt hat; wir erkennen, daß die Menschen nicht bloß zu einer himmlischen, sondern auch zu einer irdischen Gleichheit berufen sind; die politische Brüderschaft, die uns von der Philosophie gepredigt wird, ist uns wohltätiger als die rein geistige Brüderschaft, wozu uns das Christentum verholfen; und das Wissen wird Wort, und das Wort wird Tat, und wir können noch bei Lebzeiten auf dieser Erde selig werden; – wenn wir dann noch obendrein der himmlischen Seligkeit, die uns das Christentum so bestimmt verspricht, nach dem Tode teilhaftig werden, so soll uns das sehr lieb sein.

Das hat nun längst schon das deutsche Volk tiefsinnig geahnt: denn das deutsche Volk ist selber jener gelehrte Doktor Faust, es ist selber jener Spiritualist, der mit dem Geiste endlich die Ungenügbarkeit des Geistes begriffen, und nach materiellen Genüssen verlangt, und dem Fleische seine Rechte wiedergibt; – doch noch befangen in der Symbolik der katholischen Poesie, wo Gott als der Repräsentant des Geistes und der Teufel als der Repräsentant des Fleisches gilt, bezeichnete man jene Rehabilitation des Fleisches als einen Abfall von Gott, als ein Bündnis mit dem Teufel.

Es wird aber noch einige Zeit dauern, ehe beim deutschen Volke in Erfüllung geht was es so tiefsinnig in jenem Gedichte prophezeit hat, ehe es eben durch den Geist die Usurpationen des Geistes einsieht, und die Rechte des Fleisches vindiziert. Das ist dann die Revolution, die große Tochter der Reformation.

Minder bekannt als der ›Faust‹ ist hier, in Frankreich, Goethes ›West-östlicher Divan‹ ein späteres Buch, von welchem Frau v. Staël noch nicht Kenntnis hatte[35], und dessen wir hier besonders erwähnen müssen. Es enthält die Denk- und Gefühlsweise des Orients, in blühenden Liedern und kernigen Sprüchen; und das duftet und glüht darin, wie ein Harem voll verliebter Odalisken[36] mit schwarzen geschminkten Gazellenaugen und sehnsüchtig weißen Armen. Es ist dem Leser dabei so schauerlich lüstern zumute, wie dem glücklichen Gaspar Debureau[37], als er in Konstantinopel oben auf der Leiter stand, und de haut en bas dasjenige sah, was der Beherrscher der Gläubigen nur de bas en haut zu sehen pflegt. Manchmal ist dem Leser auch zumute, als läge er behaglich ausgestreckt auf einem persischen Teppich, und rauche aus einer langröhrigen Wasserpfeife den gelben Tabak von Turkistan, während eine schwarze Sklavin ihm mit einem bunten Pfauenwedel Kühlung zuweht, und ein schöner Knabe ihm eine Schale mit echtem Mokka-Kaffee darreicht: – den berauschendsten Lebensgenuß hat hier Goethe in Verse gebracht, und diese sind so leicht, so glücklich, so hingehaucht, so ätherisch, daß man sich wundert wie dergleichen in deutscher Sprache möglich war. Dabei gibt er auch in Prosa die allerschönsten Erklärungen über Sitten und Treiben im Morgenlande, über das patriarchalische Leben der Araber; und da ist Goethe immer ruhig lächelnd und harmlos wie ein Kind und weisheitsvoll wie ein Greis. Diese Prosa ist so durchsichtig wie das grüne Meer, wenn heller Sommernachmittag und Windstille, und man ganz klar hinabschauen kann in die Tiefe, wo die versunkenen Städte mit ihren verschollenen Herrlichkeiten sichtbar werden; – manchmal ist aber auch jene Prosa so magisch, so ahnungsvoll, wie der Himmel wenn die Abenddämmerung heraufgezogen: und die großen Goetheschen Gedanken treten dann hervor, rein und golden, wie die Sterne. Unbeschreiblich ist der Zauber dieses Buches; es ist ein Salem[38], den der Okzident dem Oriente geschickt hat, und es sind gar närrische Blumen darunter: sinnlich rote Rosen, Hortensien wie weiße nackte Mädchenbusen, spaßhaftes Löwenmaul Purpurdigitalis wie lange Menschenfinger, verdrehte Krokosnasen, und in der Mitte, lauschend verborgen, stille deutsche Veilchen. Dieser Salem aber bedeutet, daß der Okzident seines frierend mageren Spiritualismus überdrüssig geworden und an der gesunden Körperwelt des Orients sich wieder erlaben möchte. Goethe, nachdem er, im ›Faust‹, sein Mißbehagen an dem abstrakt Geistigen und sein Verlangen nach reellen Genüssen ausgesprochen, warf sich gleichsam mit dem Geiste selbst in die Arme des Sensualismus, indem er den ›West-östlichen Divan‹ schrieb.

Es ist daher höchst bedeutsam, daß dieses Buch bald nach dem ›Faust‹ erschien. Es war die letzte Phase Goethes und sein Beispiel war von großem Einfluß auf die Literatur. Unsere Lyriker besangen jetzt den Orient. – Erwähnenswert mag es auch sein, daß Goethe, indem er Persien und Arabien so freudig besang, gegen Indien den bestimmtesten Widerwillen aussprach.[39] Ihm mißfiel an diesem Lande das Bizarre, Verworrene, Unklare, und vielleicht entstand diese Abneigung dadurch, daß er bei den sanskritischen Studien der Schlegel[40] und ihrer Herren Freunde eine katholische Arrière pensée[41] witterte. Diese Herren betrachteten nämlich Hindostan als die Wiege der katholischen Weltordnung, sie sahen dort das Musterbild ihrer Hierarchie, sie fanden dort ihre Dreieinigkeit, ihre Menschwerdung, ihre Buße, ihre Sühne, ihre Kasteiungen und alle ihre sonstigen geliebten Steckenpferde. Goethes Widerwillen gegen Indien reizte nicht wenig diese Leute, und Herr August Wilhelm Schlegel nannte ihn deshalb mit gläsernem Ärger: »einen zum Islam bekehrten Heiden«.[42]

Unter den Schriften, welche dieses Jahr über Goethe erschienen sind, verdient ein hinterlassenes Werk von Johannes Falk ›Goethe aus näherem persönlichen Umgange dargestellt‹ die rühmlichste Erwähnung.[43] Der Verfasser hat uns in diesem Buche, außer einer detaillierten Abhandlung über den ›Faust‹ (die nicht fehlen durfte!) die vortrefflichsten Notizen über Goethe mitgeteilt, und er zeigte uns denselben in allen Beziehungen des Lebens, ganz naturtreu, ganz unparteiisch, mit allen seinen Tugenden und Fehlern. Hier sehen wir Goethe im Verhältnis zu seiner Mutter, deren Naturell sich so wunderbar im Sohne wieder abspiegelt; hier sehen wir ihn als Naturforscher wie er eine Raupe beobachtet, die sich eingesponnen und als Schmetterling entpuppen wird; hier sehen wir ihn dem großen Herder gegenüber, der ihm ernsthaft zürnt ob dem Indifferentismus, womit Goethe die Entpuppung der Menschheit selbst unbeachtet läßt; wir sehen ihn wie er, am Hofe des Großherzogs von Weimar, lustig improvisierend, unter blonden Hofdamen sitzt, gleich dem Apoll unter den Schafen des König Admetos[44]; wir sehen ihn dann wieder, wie er, mit dem Stolze eines Dalai-Lama den Kotzebue nicht anerkennen will[45]; wie dieser, um ihn herabzusetzen eine öffentliche Feier zu Ehren Schillers veranstaltet; – überall aber sehen wir ihn klug, schön, liebenswürdig, eine holdselig erquickende Gestalt, ähnlich den ewigen Göttern.

In der Tat, die Übereinstimmung der Persönlichkeit mit dem Genius, wie man sie bei außerordentlichen Menschen verlangt, fand man ganz bei Goethe. Seine äußere Erscheinung war ebenso bedeutsam wie das Wort das in seinen Schriften lebte; auch seine Gestalt war harmonisch, klar, freudig, edel gemessen, und man konnte griechische Kunst an ihm studieren, wie an einer Antike. Dieser würdevolle Leib war nie gekrümmt von christlicher Wurmdemut; die Züge dieses Antlitzes waren nicht verzerrt von christlicher Zerknirschung; diese Augen waren nicht christlich sünderhaft scheu, nicht andächtelnd und himmelnd, nicht flimmernd bewegt: – nein, seine Augen waren ruhig wie die eines Gottes. Es ist nämlich überhaupt das Kennzeichen der Götter, daß ihr Blick fest ist und ihre Augen nicht unsicher hin und her zucken. Daher, wenn Agni, Varuna, Yama und Indra die Gestalt des Nala annehmen, bei Damajantis Hochzeit[46], da erkennt diese ihren Geliebten an dem Zwinken seiner Augen, da wie gesagt die Augen der Götter immer unbewegt sind. Letztere Eigenschaft hatten auch die Augen des Napoleon. Daher bin ich überzeugt, daß er ein Gott war. Goethes Auge blieb in seinem hohen Alter ebenso göttlich wie in seiner Jugend. Die Zeit hat auch sein Haupt zwar mit Schnee bedecken, aber nicht beugen können. Er trug es ebenfalls immer stolz und hoch, und wenn er sprach wurde er immer größer, und wenn er die Hand ausstreckte, so war es, als ob er, mit dem Finger, den Sternen am Himmel den Weg vorschreiben könne, den sie wandeln sollten. Um seinen Mund will man einen alten Zug von Egoismus bemerkt haben; aber auch dieser Zug ist den ewigen Göttern eigen, und gar dem Vater der Götter, dem großen Jupiter, mit welchem ich Goethe schon oben verglichen. Wahrlich, als ich ihn in Weimar besuchte und ihm gegenüber stand[47], blickte ich unwillkürlich zur Seite, ob ich nicht auch neben ihm den Adler[48] sähe mit den Blitzen im Schnabel. Ich war nahe dran ihn griechisch anzureden; da ich aber merkte, daß er deutsch verstand, so erzählte ich ihm auf deutsch: daß die Pflaumen auf dem Wege zwischen Jena und Weimar sehr gut schmeckten.[49] Ich hatte in so manchen langen Winternächten darüber nachgedacht, wieviel Erhabenes und Tiefsinniges ich dem Goethe sagen würde, wenn ich ihn mal sähe. Und als ich ihn endlich sah, sagte ich ihm, daß die sächsischen Pflaumen sehr gut schmeckten. Und Goethe lächelte. Er lächelte mit denselben Lippen, womit er einst die schöne Leda, die Europa, die Danae, die Semele[50] und so manche andere Prinzessinnen oder auch gewöhnliche Nymphen geküßt hatte – –

Les dieux s'en vont. Goethe ist tot. Er starb den 22sten März des verflossenen Jahrs, des bedeutungsvollen Jahrs, wo unsere Erde ihre größten Renommeen verloren hat.[51] Es ist als sei der Tod in diesem Jahre plötzlich aristokratisch geworden, als habe er die Notabilitäten dieser Erde besonders auszeichnen wollen, indem er sie gleichzeitig ins Grab schickte. Vielleicht gar hat er jenseits, im Schattenreich, eine Pairie stiften wollen, und in diesem Falle wäre seine fournée sehr gut gewählt. Oder hat der Tod, im Gegenteil, im verflossenen Jahr die Demokratie zu begünstigen gesucht, indem er mit den großen Renommeen auch ihre Autoritäten vernichtete und die geistige Gleichheit beförderte? War es Respekt oder Insolenz weshalb der Tod im vorigen Jahre die Könige verschont hat? Aus Zerstreuung hatte er nach dem König von Spanien schon die Sense erhoben[52], aber er besann sich zur rechten Zeit und er ließ ihn leben. In dem verflossenen Jahr ist kein einziger König gestorben. Les dieux s'en vont; – aber die Könige behalten wir.

10 *Heinrich Laube*

Aus: Reisenovellen. Zweiter Band — 1834

Goethe

Wenn ein Teutscher nach Italien reist, so denkt er an Goethe. Es hat noch kein Schriftsteller das Land so treu geschildert als er, er hat es porträtiert. Goethe war das größte historische Talent was wir besessen haben, seine Augen waren so unbefangen, wie das Sonnenlicht: er sah nicht mehr und nicht weniger als da war, und in diesen Augen beruht seine Größe, wenn er Geschichte oder Reise schreibt. Die Gelehrten nennen solche Augen Objektivität.

Goethe ist für den Teutschen ein Stück Italien, und da er hier am Gardasee gesessen, und über seine ›Iphigenia‹ nachgedacht hat, so darf ich nicht am San Vigilio vorüberfahren, ohne Goethes Namen in mein Buch zu schreiben. Nebenbei glaub' ich wie die Römer an heidnische Winke und Vorbedeutungen: ich war kaum vom Wagen gestiegen, welcher mich aus Italien wieder nach Leipzig gebracht hatte, da begegnete mir mein Herr Verleger, und sagte, es wäre gut, daß ich wieder da wäre, ich müßte sogleich eine Lebensbeschreibung Goethes aufsetzen, er brauchte sie notwendig, und der Druck warte schon vierzehn Tage auf mich. – Das schien mir der Finger Gottes, nach Italien ein Kapitel Goethe zu verlegen, zumal meine ›Reisenovellen‹ teutsch geschrieben sind; denn Goethes Leben ist die wichtigste Novelle der teutschen Literatur.

Ich habe Goethe nie geliebt, selbst dann nicht, als ich es einsah, daß er unser größter Dichter sei. Es geht ein egoistischer Zug durch sein Gesicht und sein Leben, welcher für mein Herz die Liebe ausschließt, mag es auch, wie Heine sagt [1], der egoistische Zug um den Mund des Jupiter sein. Ich habe auch den Jupiter nie geliebt.

Als die bürgerliche Entrüstung losbrach über unsre Hofpoeten, als man mit donnernder Stimme all' unsre poetischen Schläfer aus ihren faulen Sorgenstühlen aufschreckte, und sie daran erinnerte, über dem feisten Mittagstische nicht die wenigen Interessen und Güter der Menschheit zu vernachlässigen, Notiz davon zu nehmen, wie es in der wirklichen Welt aussähe; als Ludwig Börne anfing, die langen Sündenzettel der teutschen Autoren zu veröffentlichen, da kreischte auch ich mit gegen den Geheimenrat Wolfgang von Goethe. Er hat nie etwas von jener humanen, schönen Begeisterung empfunden, mit welcher die besten Menschen der Weltgeschichte gestorben sind.

Und seine Partei, welche man in der teutschen Geschichte Koraxe nennt [2], war ganz geeignet, diesen Zorn zu steigern. Oft ausgezeichnet durch feine Bildung, kultivierten Geschmack, war sie doch immer eine tatlose Gesellschaft, arm an energischem Genie, an gewaltiger, überwältigender Kraft. Mit einer Art kleinlicher Sorgfalt und Ängstlichkeit scharten sie sich um ihn in jenen für sie so drangvollen Jahren, und die kompromittiertesten Bürger unsers Vaterlandes gehörten zu ihnen. Sie gaben der Poesie das Ansehn, als sei sie nur ein Spielzeug des Despotismus.

So geschah's, daß eine förmlich fanatische Verfolgung hereinbrach über alles Goethesche Wesen, daß man lange vor seinem Tode sagte, er sei gestorben; daß man den achtzigjährigen Greis mit unbändigen Schimpfnamen belegte, ja daß man Häckerling über das Grab des großen Toten warf. Die Nachricht seines Todes, die zehn Jahre früher wie ein Donnerschlag über Teutschland hingerollt wäre, schlich leise durch die Städte, und nur die offiziellen Blätter, und die Goetheschen Beamten erhoben eine verworrene Totenklage. Ich habe damals die fatalen Worte gehört: Wieder ein herzloser Aristokrat weniger! Die wilde Jugend rief sogar den Fluch des Vaterlandes auf seine Asche herab, und klagte ihn des einem Dichter unnatürlichsten Verbrechens an, die freie Volksentwicklung aufgehalten, die Knechtschaft besungen zu haben. –

Dabei bin ich schweigend zurückgetreten, und ich protestiere hiermit feierlichst gegen solche Weltgeschichte des Augenblicks. Wolfgang Goethe hat einen so weisen Blick in die Dinge zwischen Himmel und Erde gehabt, und seine Worte über das, was er gesehen, sind so tief in das Innre unsrer Nation gedrungen, daß er das teutsche Wesen mehr als tausend andre fortgebildet hat. Seine Poesie ist so wahr und echt, wie das unzweifelhafte Gold in der Erde Schoß – laßt uns anhalten, wenn wir auf dem historischen Wege an seinen Namen kommen. Nicht von heut zu morgen gehen die wichtigsten Samenkörner auf – es werden noch Blumen und Bäume seines Geistes und Herzens aus der Erde wachsen, wenn die Stätte nicht mehr zu finden sein wird, wo man seinen Sterbetag in Stein gegraben hat.

Unser Zorn war gerecht, ich werde mich seiner niemals schämen, und er hindert mich heute noch, den weimarischen Toten zu lieben. Aber man soll den Zorn, auch den gerechten Zorn einer Epoche nimmer aufzeichnen als einen welthistorischen Haß.

Goethe ist wie eine Geschichtsperiode nicht nach Einzelheiten zu beurteilen, sondern als ein sich entwickelndes Ganze. Man wird alsdann leicht die innre Notwendigkeit seines Werkes erkennen, sein Leben schuf seine Werke, und nicht diese allein, sondern seine Werke und sein Leben bilden seine Geschichte.

Und Goethes Leben ist eine welthistorische Reisenovelle.

11 *Ludolf Wienbarg*

Aus: Aesthetische Feldzüge 1834

Zwanzigste Vorlesung

[...]
Das Drama, dessen wir schon im Gegensatz des Epos erwähnt haben, ging einst unmittelbar, wie alle echte Poesie, aus dem Schoß des Volks, des nationellen Geistes, der nationellen Sitte hervor. [...] Mit Nachahmung englischer Stücke machte man unter uns den Anfang, Gryphius und andere Dichter des 17. Jahrhunderts haben vieles nur so vorderhand übersetzt, man stößt in ihren Stücken sehr oft auf guten englischen Humor, der den Deutschen in damaliger Zeit ganz ausgegangen zu sein schien. Das erste Drama von Bedeutung, das ein Jahrhundert später aus dem Studium der englischen Bühne, zumal aber aus der Bewunderung des Shakespeares entsprang, war Goethes ›Götz von Berlichingen‹, nach welchem einzigen Schauspiel die ungeheure Flut der Ritterromane sich erhob, wie nach Schillers erstem Produkt, den ›Räubern‹, die ebenso starke Literatur der Räuberromane Deutschland überschwemmte. Goethes, des Dramendichters Würdigung, Goethes Bedeutung für seine Zeit ist es nun besonders, was ich mir in diesem Abschnitt zur Aufgabe setze, der vom deutschen Drama handelt: nicht vom Drama überhaupt noch von Völkerdramen im allgemeinen, noch einmal vom deutschen Drama als von einem Stück und Fachwerk der schönen deutschen Literatur, sondern vom deutschen Drama, das nicht mehr ist, das mit Schiller und Goethe zu den Schatten hinabgestiegen ist, das mit Schiller, vornehmlich aber mit Goethe einer Zeit angehört, der wir nicht mehr angehören können, noch wollen. Wer klagt nicht über den Tod des Schönen auf der Erde, über den Hingang vorleuchtender großer Köpfe, über die Seltenheit, daß solche Verluste bald durch äquivalente Anlagen ersetzt werden, wer klagt nicht darüber, daß Deutschland

keinen Schiller mehr hat, oder daß Goethe nicht ewige Jugend zuteil wurde? Wie willig stimme ich dieser Trauer bei, die ich nur zu gerecht finde, da unsere dramatische Bühne heutigestags verödet ist und ein Raupach, ein Immermann statt Schillers und Goethes auf dem deutschen Kothurn einherstolzieren.[1] Allein man würde diesen Verlust nicht gehörig würdigen, wenn man glaubte, es sei wünschenswert oder überhaupt nur möglich, daß die kreißende Zeit uns einen andern Schiller und Goethe gebäre. Und hatten wir auch Dichter, so groß wie diese, wir hatten damit noch keine Schillersche und Goethesche Dramen. Zu jeder angebornen Kraft, die sich naturgemäß äußern soll, gehört zweierlei, ein Raum, worauf sie wirkt, eine Feder, die sie springen läßt. Beides fehlt in Deutschland dem Dramendichter. Jener rein poetische Schwung, der die Köpfe am Ende des 18. Jahrhunderts ergriff und sie erst bei der Befreiung Deutschlands und dem Sturze Napoleons fahren ließ, war in der Geschichte der Poesie einzig in seiner Art, durchaus ohne Beispiel, wenn man nicht ungehörigerweise das Augusteische Zeitalter damit vergleichen wollte, das allerdings eine pilzartig schnell aufwachsende Literatur aufzuweisen hat, die auf fremdem griechischem Boden entsprossen, mit keinem Lebensgeflecht des alten Roms zusammenhing, die aber sich doch eines nationalen Sonnenscheins erfreute, indem Rom, obgleich beherrscht, Herrscherin des Erdbodens war. Deutschland hingegen fand sich in Goethes Jugend und Mannsalter in dem aufgelöstestem Zustande, es war in seinem politischen Vermögen nach innen und außen paralysiert, ohne Anregung durch Siege oder Niederlagen, die den Blick *poetisch zu erweitern* imstande gewesen, in welche Kategorie gewiß der Siebenjährige Krieg nicht gehört, wie man an Gleim, Ramler, Kleist, den Dichtern desselben, zur Genüge ersieht. Es war jene Zeit für Deutschland, in der man durchaus nichts tat, nichts tun wollte, in der die Töchter der Tat, oder der Begeistrung für die Tat, die *Dramen* geboren wurden. Zu andern Zeiten und bei andern Nationen fachte der dramatische Dichter das Feuer seines Genies an durch den frischen begeisternden Atem, der durch die Gegenwart ging, das Volk spielte sein Drama erst selber auf dem Markt, ehe der Dichter es auf die Bretter brachte; der Schwung der Gesinnung, die Größe der Ideen und Schicksale lag in der Zeit, nicht nur im Hirn und Busen des Dichters. Allein gegen das Ende des 18. Jahrhunderts schien es in Deutschland, als ob die Poesie sich abgelöst hätte von ihrem Stamm, als ob sie ein ideelles Leben für sich beginnen wolle, ohne Gemeinschaft mit dem wirklichen. Ein Jahrhundert, das von Rechts wegen aller Poesie und aller Poeten bar und ledig hätte sein sollen, war poesie- und poetenreich, Dichter schossen an Dichtern empor und überragend blühten zwei mächtige Häupter mit den glänzendsten Lorbeeren. Der eine von ihnen, Schiller, hat sich sein ganzes Leben hindurch in dieser ideellen Richtung behauptet. Geht man die schimmernde Reihe seiner Trauerspiele durch, so findet man, die allerersten vielleicht ausgenommen, darin keine Spur, zu welcher Zeit dieselben entstanden, oder vor welchem Publikum dieselben aufgeführt, es sind Kunstdramen oder vielmehr es sind keine Dramen, sondern die Dramatik selbst, von bald abstrakten, bald historischen Personen aufgeführt. Kann man nun wirklich behaupten, daß der Charakter der ganzen Zeit dieselbe ideelle Richtung teilte, sich in Abstraktion und Historie vertiefte und die verflüchtigte Gegenwart und das leere fade Leben nicht darüber anschlug, so mag wohl Schiller eher, denn Goethe, als dramatischer Repräsentant seiner Zeit aufgestellt werden. Allein beobachten wir einen Umstand, eine Verschiedenheit in beiden Produktionen mit gehöriger Schärfe, so sind wir, wie es scheint, nicht aufgelegt, diese Meinung zu bestätigen. Es gibt keine Sukzession in Schillers Werken, keine andere, als die immer durchdachter und selbstbewußter werdende Kunst. Seine Dramen zeigen auf der einen Seite keinen innern Zusammenhang, keine organische Einheit, keine durchlebte Geschichte von Ansichten und Gemütsstimmungen, auf der andern Seite nach außen hin keinen Zusammenhang mit den Gemütsstimmungen und Ansichten seiner Zeitgenossen. Dies ist der Fall bei Goethe und diese Wahrnehmung berechtigt uns, eher Goethe denn Schiller als Repräsentanten seiner Zeit zu betrachten. Ziehen wir zuerst das berührte äußere Verhältnis in Erwägung, so finden wir, daß Goethes dramatische Meisterwerke, ebenso wie dessen Romane und Gedichte, mit der Zeit im innigsten Zusammenhang standen, insofern sie eine Idee, eine Stimmung der Zeit (die sich freilich zuletzt immer ins Abstrakte oder Philisterhafte oder Lächerliche verlor), poetisch, kräftig aussprachen und für einen gewissen Zeitraum im Publikum allgemein machten. Goethes ›Berlichingen‹, ›Egmont‹, ›Faust‹, ›Meister‹ und andere Dramen und Romane verraten die Zeit ihrer Entstehung, und ihre Schöpfung diente Goethe meistens als dichterisches Bedürfnis, sein Gemüt von einseitig heftigen Inklinationen zu befreien und ihm die verlorne poetische Freiheit wiederzugeben. Denselben geschichtlichen Charakter findet man darum auch in persönlicher Beziehung darin. Goethes Werke und Dramen waren er selbst zu irgendeiner Zeit seines Lebens, als Jüngling, Mann, Greis, als Ritter, Weltmann, Verliebter usw. Jeder Deutsche, darf ich ferner behaupten, konnte sich für seine einzelne Person in diesen Werken spiegeln, seine Bildung ging denselben Gang, wie die Goethesche. Noch vor zehn, zwanzig Jahren, vielleicht noch gegenwärtig in der überwiegenden Mehrheit, konnte man den Gang der Goetheschen Werke, in dem etwas seit der Zeit, daß sie geschrieben, beschleunigten und zusammengedrängten Leben und Bildungslauf eines Deutschen studieren. Was am Ende des vorigen Jahrhunderts sich sukzessiver in Perioden von längerer Dauer aufeinander folgte, das ging nun ebenso sukzessive in Perioden von kürzerer Dauer vor sich. Jener Zeit in Deutschland, als der ›Werther‹ gedichtet wurde, als nämlich eine unbestimmte, schmachtende, unendlich angeregte, unendlich unbefriedigte Sehnsucht sich der jugendlichen Gemüter bemächtigt hatte, entsprach und entspricht der Zustand eines Schülers, Primaners, der voll Sehnsucht und voll Hoffnungen steckt, ohne so recht eigentlich das Objekt dieser Sehnsucht zu kennen und ohne zu wissen, *was* er wünscht. Jener andern Zeit, als der ›Götz von Berlichingen‹ die übermütige, ritterliche Kraftperiode der deutschen Literatur ausdrückte und repräsentierte, entsprach wieder jenes Stadium im Leben eines jungen Deutschen, wo er auf Universitäten sich erst zurechtfand, die Sporen klingen ließ, den Flamberg schwang, etwas altertümlich und ritterlich renommierte, und, wenn es ihm wohl ward, das schönste Gefühl in sich, die angeborne Sehnsucht auf etwas Bestimmtes, auf das künftige Vaterland zu fixieren kam. Der Zeit hingegen, als Goethe jene größere Zahl von dramatischen und romantischen Gedichten schrieb, wo die Liebe zu einem Mädchen die Hauptrolle spielt, entspricht dieselbe Periode im Leben eines Deutschen, die auf die ritterliche folgt, wo der eiserne Götz in Splittern zerspringt und statt dessen ein schmachtender, sanfter Liebhaber zum Vorschein kommt, der über sein Mädchen Welt und Vaterland vergißt. Was aber die größte und letzte Reihe der Produkte Goethes betrifft, diese Romane und Dramen, welche das Philistertum, das vornehme wie das gemeinbürgerliche nicht allein erträglich und behaglich, sondern auch poetisch finden, so entsprechen sie dem Deutschen, der Ehemann geworden, ein Amt, Ehre und Titel bekommen hat und der mit einer gewissen vornehmen Ironie auf die Schwärmereien seiner Jugend, auf Sehnsucht, Rittertum, Vaterland, Jugendleben zurückblickt, des Tags bei den Akten schwitzt, des Abends eine Partie L'hombre spielt und beim Zubettegehen den Tag im Kalender durchstreicht, den er als ehrlicher Gatte und Staatsbürger durchlebt hat. So gleichen die Goetheschen Schriften, besonders seine Dramen, ihm selbst und seiner Zeit; so würden sie jeder Zeit geglichen haben, in welche Goethe hineingeboren wäre; selbst der größten, von welcher nur die Geschichte meldet. Das aber ist das Kennzeichen des echten Dramatikers, wie jedes großen Dichters, daß er der Zeit ein Spiegel ist, worin sie sich selbst erkennen mag. Wie und warum dieses nicht vom ›Faust‹ gelten könne, verdient eine besondere Betrachtung, welche ich der nächsten Vorlesung aufspare.

Einundzwanzigste Vorlesung

Wir haben in der vorigen Stunde die mancherlei Phasen des Goetheschen Geistes durchlaufen, die Erscheinung des ›Fausts‹ aber als eine zu singuläre bezeichnet, um nicht aus der Reihe der übrigen hervorzuragen. Doch, so mannigfach und vielseitig auch das Goethesche Leben und die seinem Leben entsprechenden Dramen und Gedichte sind, so lassen sich doch zwei große Partien und Abschnitte desselben unterscheiden, die den Hauptcharakter der zu ihnen gehörigen dichterischen Produkte unverkennlich an sich tragen, Goethes Jugend und Goethes Alter, die Jugend und das Alter seiner Zeitgenossen, seiner Zeit. In seiner Jugend dichtete er jene unsterblichen Dramen, die wie ein Feuerguß aus seinem Genie, aus seinem Herzen strömten und die Nation mit der ganzen Frische der Genialität, mit dem Zauber der Sympathie ergriffen und in Begeistrung setzten, den lyrischen ›Werther‹, den ritterlichen ›Götz‹, den ›Egmont‹, den ›Faust‹. Denken Sie sich einen Augenblick lebhaft in jene Zeit zurück, als Goethes Name sich zuerst dem Klopstockschen anreihte, als Goethe anfing, der Liebling der Deutschen zu werden und niemand noch die Bahn berechnen konnte, welche sein Geist in der Literatur beschreiben würde. Der große Fritz hatte ein kriegerisches Feuer in der Jugend angefacht, und während er, nach Beendigung des Siebenjährigen Krieges, wieder ruhig seine preußischen Wachtparaden in Potsdam hielt, eröffnete Klopstock die Bühne des deutschen Ruhms in den Wesergebirgen, und führte den Deutschen eine Zeit ins Gedächtnis zurück, wo die furchtbarste Macht der

Erde an der Kraft und dem Freiheitsgefühl ihrer Vorfahren zerbrochen und gescheitert war. [...]

Goethe besang weder den Siebenjährigen Krieg noch stimmte er in die Barditen Klopstocks ein.[2] Er war zu poetisch gestimmt, um beiderlei Sujets für poetisch zu halten; aber auch noch zu voll und jugendlich stürmisch, um sich, wie in späterer Zeit, jedes Sujet für die Ausübung der Dichtkunst gefallen zu lassen und die Poesie nur als die Kunst, etwas Beliebigem eine poetische Form zu geben, in Betrachtung zu ziehen. Angeregt durch die Größe des Mittelalters, seine Taten und Bauwerke, dramatisierte er die Geschichte eines deutschen Helden, dessen Lebensgeschichte in den völligen Abschluß des Mittelalters fällt, und der gleichsam noch zu guter Letzt alles Rohe und Ehrliche der deutschen Ritterlichkeit in seiner Person vereinigte. Diesen und sein Zeitalter stellte er den Deutschen zur Bewunderung auf und man weiß, wie sehr es ihm gelungen ist, die deutsche Jugend in die kurze Phantasie zu versetzen, als trüge sie noch, wie damals, eiserne Beinschienen und fühlte sich, wie Götz, berufen, die Welt aus geschlossenem Visier zu betrachten. Goethe ließ die Phantasie der Deutschen nicht rasten, er wußte ihnen beständig neuen Stoff aus dem Reich seiner Ideen und Gefühle darzubieten. Alles dies war revolutionärer Natur, stellte sich in Kontrast mit der politischen und moralischen Ordnung, wenn auch unabsichtlich. Eigentlich kann man dasselbe behaupten von Friedrichs Ruhm und Klopstocks Bardenliedern, sie konnten nur durch Nichtachtung und Überdruß des damaligen Deutschlands entstehen und blühen, Friedrich und Klopstock konnten Deutschland nie entzücken, hätte es nicht tatenlose Langeweile gefühlt. Goethe trug die unzufriedene Begeisterung in alle Gebiete des Geistigen und Sittlichen über. ›Faust‹ ist ihr Kulminationspunkt und als solchen muß man ihn auffassen, wenn man die Entstehung dieses Gedichts zu jener Zeit begreifen will, das, wie es herauskam, so wenig von der tiefen und ewigen Bedeutung desselben ahnen ließ und erst nach und nach jenen europäischen Ruf erlangt hat, in welchem es gegenwärtig steht. Dieser ›Faust‹ ist der Wendepunkt des Goetheschen Genies, von dieser höchsten Spitze der Begeisterung und Herzensfülle stieg es plötzlich wieder herunter, und begann die zweite Epoche seines Ruhms, die der ruhigen Plastik, der beschränkten, gegen Stoff gleichgültig sich verhaltenden Kunstdarstellung, welche das Tiefste, Aufregendste, Leidenschaftlichste sorgfältig vermeidet, sich mit der Gegenwart versöhnt und auf deren Niveau die Gestalten der Poesie aufträgt. Doch bezeichnen und verfolgen wir diese Richtung nicht weiter, denn wir haben noch Gelegenheit, auf sie zurückzukommen. Zunächst ist es uns um die geschichtliche Stelle, welche dem ›Faust‹ zukommt, zu tun gewesen und da wir diese ermittelt haben, so fragt es sich, nach jener übergeschichtlichen Bedeutung, die jedermann gewohnt ist, darin zu suchen. Ich habe bereits erklärt, daß sich diese nicht im Zusammenhang des Goetheschen Lebens und aus der Zeit entwickeln läßt; ›Faust‹ ist ein Werk, das weit über seiner Zeit, ja selbst über dem steht, dessen Feder wir es verdanken. Faust war einmal ein Moment im Goetheschen Geiste, Goethe war einmal Faust, nämlich in den großen heiligen Jugendstunden, als der Geist dieser Dichtung über ihn kam. Aber Goethes Geist verkörperte sich auch in einen Wilhelm Meister, in einen Schenken Hafis und Gott weiß in welcherlei bunte Gestalten, die mit Fausts Tiefe nichts zu schaffen haben. Als Goethe den ›Faust‹ empfunden und geschrieben hatte, schien es, als wüßte er nichts mehr von ihm, als kenne er ihn nicht mehr, als suche er ihn zu verleugnen und alles auf jugendliche Überspannung zu schieben. Goethes Fortsetzung des ›Faust‹ paßt auf seinen frühern ›Faust‹ wie die Faust aufs Auge, und muß einen, wenn man diesen zweiten Teil durchblättert, jene unendliche Wehmut ergreifen, die das ganz veränderte und entstellte Bild einer Geliebten erregt, wenn man sie nach jahrelangem Zwischenraum wieder sieht. ›Faust‹ ist der ›Hiob‹ und das ›Hohe Lied‹ der Deutschen, er ist, wie ich diese Worte Heines[3] schon einmal angeführt, das deutsche Volk selbst, das, geplagt und durchgemartert vom Wissen, Glauben und Entsagung an die Rechte des Fleisches appelliert, aus einem Schatten der Geschichte ein lebendiges Wesen, aus einem Träumer ein wachender, genießender Mensch werden will. Faust, der seine Studierstube und seine Studien historischer Pergamente verläßt, um sich der Welt zu nähern und der Welt Lust und Schmerzen in seiner Brust zu häufen, er ist der Deutsche, der den Staub des Mittelalters von seinen Füßen schüttelt, um sich im Tau der neuen Zeit zu baden. Faust ist das nach Befreiung ringende Deutschland, ja, das befreite, das sich des Siegs seiner Freiheit im voraus bewußte Deutschland, Faust ist der erste Verkünder dieses Siegs und zugleich die Bürgschaft dafür.

Zweiundzwanzigste Vorlesung

Goethe ist der erste Dramatiker der neuern Zeit, Byron der erste Lyriker. Die Erscheinungen dieser beiden Dichter, zu verschiedenen Zeiten, in verschiedenen Ländern sind die bedeutsamsten, welche es für die ästhetische Anschauungsweise des neuen Europa gibt. So himmelweit entfernt der aufgehende Stern Byrons vom untergehenden Goethes am Horizonte schimmert, so nah lag einst die Region ihres beiderseitigen Aufgangs. Auch Goethe erhob sich bei seinem ersten jugendlichen Aufbrausen zum Streit gegen die bestehende bürgerliche Gesellschaft, in lyrischer Wut schüttelte er die Ketten der Konvenienz von sich ab und warf sich in die Arme der Natur und der Freiheit. Seine ersten Dramen haben einen durchaus lyrischen Charakter, wie seine spätern den epischen. Wie es nun der Lyrik eigentümlich, daß sie des Dichters innerstes Wesen herauskehrt, und die ewigen Laute der Natur vernehmen läßt, die sich in ihrer Unterdrückung durch Gesang und Töne Luft verschafft, so zückt auch durch Goethes jugendliche Dramen und Romane der lyrisch-revolutionäre Schrei der Natur hindurch und bildet die schrillendsten Mißlaute mit den Satzungen einer abgelebten Geschichte, mit der Schwäche und Unnatur seines Zeitalters. Von Pietät keine Spur, unbarmherzig und schonungslos läßt er seinem Spott den Zügel schießen, keck und ritterlich gesinnt stellt er in Götz eine derbe Persönlichkeit dem aufgelösten charakterlosen Wesen seiner Zeit gegenüber, in Faust einen genialen Denker, dem Nachbetertroß der Wagner und aller der tausend und aber tausend Gewohnheitsmenschen, die vor einem selbständigen Gedanken, vor einer frischen und freien Tat erschrecken und sich lieber für ihr ganzes Leben, wie Ungeziefer auf dem Kadaver der Vergangenheit ernähren, als den Mut fassen, die Geburtswehen einer neuen Zeit auszuhalten und diese mit ihrem Mark und Blut großzusäugen. Goethes Spott traf nicht allein die Satzungen der Moral, Theologie, Metaphysik, der äußern Konvenienz, sondern auch die Satzungen der Politik, des toten Mechanismus des Staats, den Unsinn der Gesetze, wie denn jene Worte sich wie Brandmarken an den bei aller Fülle von Gesetzen gesetzlosen Zustand Deutschlands anheften, die Mephistopheles im ›Faust‹ zum Schüler spricht:

»Es erben sich Gesetz und Rechte
Wie eine arge Krankheit fort;
Sie schleppen von Geschlecht sich zum Geschlechte
Und rücken sacht von Ort zu Ort.
Vernunft wird Unsinn, Wohltat Plage;
Weh Dir, daß du ein Enkel bist!
Vom Rechte, das mit *uns geboren* ist,
Von *dem* ist *leider* nie die Frage.«[4]

Allein, wie Sie wissen, war es Goethe nicht vorbehalten, in der Politik diesen lyrisch-scharfen Charakter durchzuführen. Es lag vielleicht in seiner Natur, die mehr zum Aristokratischen und Vornehmen, als zum Demokratischen sich hinneigte, vielleicht in dem äußern Lauf seines Lebens, in der günstigen Aufnahme, die er am Hofe zu Weimar fand, in der Freundschaft, die er mit dem Herzog und der herzoglichen Familie pflegte, in einem geheimen zarten Liebesverhältnis, worin er zu einer Prinzessin stand[5], in seiner spätern Stellung als Minister, vielleicht in allem diesem motiviert und zum Überfluß in dem politischen Zustand Deutschlands, in der Unempfänglichkeit der damaligen Deutschen für Politik, ihrer ewigen unfruchtbaren Listenmacherei, ihrem tatenlosen Geschwätz und Geschreibe, ihrer politischen Kannegießerei, daß Goethe sich mit dem politischen und gesellschaftlichen Zustande, wie er nun einmal seit alters in Deutschland bestand, redlich versöhnte, und sich bis auf seinen Tod aller Revolutionsgedanken, aller Besserung des Staats, deren Impuls von unten aufkam, entschieden abgeneigt erklärte. *Er* verlangte, seltsam genug, von der Jugend, von der neuen Generation, welche den Untergang der ältesten europäischen Monarchie und die Siege der französischen Republik als ein wirklich Erlebtes schon hinter sich sah, *Pietät* gegen Gesetz, Staat und Fürsten, *er*, der in seiner Jugend die Zeiten des Faustrechts glücklich gepriesen hatte gegen die Zeit des gesetzlich wuchernden Unrechts, in der er geboren und erzogen ward. In seiner letzten Zeit schrieb er ein Journal: ›Kunst und Altertum‹ betitelt – »ob er wirklich glaubte«, fragt Heine, »daß Kunst und Altertum imstande waren, Natur und Jugend zurückzudrängen?«[6]

Allein, meine Herren, welches auch der Grund war, warum Goethe sich von den äußern Bewegungen der Zeit zurückzog und das Verdammungsurteil über sie aussprach, es wäre eine *wahre* und begründete Impietät, seiner Asche das Verdienst zu entziehen, die sterblichen Atome des größten Deutschen, des *geistigen Befreiers* der Deutschen[7] zu befassen. Es ist wahr, Goethe war ein Aristokrat in der

Politik, ein Verehrer des Hof- und Fürstenwesens, ein Panegyrist der angestammten Macht, ein Protektor der leidlichen Mißbräuche, bei denen es sich immer noch ziemlich behaglich leben läßt, ein Freund des Manierlichen und äußerlich Distinguierten, ein strenger Verteidiger des äußern Unterschiedes der Stände, des Herkömmlichen, Anstandsvollen; aber in dieser Charakteristik Goethes liegt so wenig Charakteristisches für sein Genie, daß es auf jeden Kammerherrn und Hofmarschall im deutschen Reiche paßt. Derselbe politische Aristokrat, dieser Mann, der das große geschichtliche Element der Völker von einem so kleinen höfischen Standpunkte betrachtete, übersah das religiöse, sittliche und wissenschaftliche Leben mit den Blicken eines Adlers, und vom Standpunkte einer Zeit, den Gott weiß, welche Generation unserer Urenkel erst mühsam erklettern wird. Goethe war der Luther seines Jahrhunderts [8], dessen Bibel die Natur und dessen Schüler und Anhänger die Jahrhunderte selbst sind, die nach ihm kommen.

Spreche ich also das letzte Wort über ihn aus, indem ich mir seinen doppelten Charakter, als Servilen und Liberalen, als Großen und als Kleinen, als Genie und als Weltmann, durch *eine* Grundrichtung seines Geistes in letzter Instanz zu erklären suche. Goethe trug als Jüngling die ganze neue Zeit, die kommende Weltanschauung in seiner Brust und was ihn damals im tiefsten Grund bewegte und womit er die Welt und seine Zeitgenossen überraschte, das wird früher oder später die Welt bewegen und Deutschland politisch und moralisch umschaffen. Allein Goethe gehört zu denjenigen Charakteren, welchen nicht die *unmittelbare* Gestaltung der Außenwelt, sondern *zunächst* die Bildung *ihrer eigenen Persönlichkeit* von der Natur zum Grundgesetz gemacht zu sein scheint; daher er sich auch bald aus der Gewitterregion, welche aus dem Innersten und Tiefsten der Leidenschaft Blitze in die Welt schleudert und deren Stärke einzig und allein den Luther, den Demagogen macht, zurückzog in die klarere Region eines mehr ruhigen, um die Welt scheinbar unbekümmerten Selbstbewußtseins, das, nach außen durch eine freie und würdige Stellung befriedigt, nach innen im steten Bildungsprozeß zu immer größerer Kraft und Klarheit beschäftigt wurde. Eine solche Persönlichkeit ist ganz durchaus auf sich basiert; daß andere es ebenso machen, sich ebenso unabhängig in der Welt hinstellen, mag und kann ihr nur recht sein, aber sie streckt die Hand nicht aus zu diesem Zweck, sie sucht nicht durch Umwälzungen die sittlichen und politischen Fundamente fremder Persönlichkeiten zu basieren, sie schließt sich egoistisch in ihrem Kreise ab und begrüßt jeden, der diesen durchbrechen will, unwillig mit elektrischen Schlägen. So denke und erkläre ich mir den ganzen Goethe und es sagt mir ein Etwas, daß ich dieses hohe Ziel nicht zu weit verfehlt habe.

[...]

12 *Theodor Mundt*

Aus: Ueber Bewegungsparteien in der Literatur 1835

In jedem krämerhaften Kaufmannsgeschäft wird es schon als ein Rückschritt, mithin als Verlust empfunden, sobald ein Stillstand, ein Stehenbleiben in Betrieb und Verkehr erfolgt. Wer *stehenbleibt,* kann nicht *bestehen.* Wer *bestehen* will, muß sich *bewegen.* Die Weltkörper würden aus ihren Sphären stürzen, wenn sie sich nicht bewegten, und die ganze Schöpfung zerbräche in lauter unorganische Stücke, wäre die Bewegung nicht da, die alles trennt und verbindet, schwingt und erhält.

Die Bewegung ist also wesentlich *erhaltend,* und wo sie zerstört, ist es nur, um zu erhalten. Die Bewegung erscheint als das dauernde Gesetz in der Natur, als der unsterbliche Geist im Menschen, als Staubfaden in der Pflanze, als Fallkraft im Stern, als Wahrheit in der Wissenschaft. Ich widme mich der Bewegung, denn sie ist die Wahrheit. Die Wahrheit in den Dingen ist es, die sich bewegt.

Ich widme mich der Bewegung, welche die Wahrheit ist. Eine andere kenne ich nicht, noch werde ich mich zu ihr bekennen. Der Geist der Bewegung, welcher wirkt als ewige Jugend in der Poesie, als Geißel des Aberglaubens im Staate, als auferstehungslustige Nationalkraft im Volksleben, als Systemhaß in der Philosophie, als Produktivität im Gedanken, als schönes Gleichmaß in den Formen, als Schmerz der Sehnsucht in verhüllter Gegenwart, dieser Geist der Bewegung, er ist das Banner, das ich hoch und mit Jauchzen über mir aufflattern lasse, und dem, ich weiß es, alles, was jungen Kopf und junges Herz in Deutschland hat, folgt.

Dennoch ist es das Schicksal aller menschlichen Bewegung, daß sie von Zeit zu Zeit wieder *stabil* wird und an die heilige Legitimität verfällt. Denn es geschieht auf *einmal,* daß ein Mensch alt wird. Ganze Völker werden alt, und ihren Landstrich verläßt die Geschichte, und mit der letzten Kraft graben sie sich doch bloß noch ihre Gräber. Mich gehen die Gräber nichts an; denn ich fühle mich jung. Ich mag nicht alt werden, ich ziehe einen rühmlichen Tod auf dem Schlachtfelde vor. Aber wenn ich um mich herblicke oder zurückschaue, werde ich überall gewahr, wie aus der Bewegungspartei zuletzt wieder eine legitime geworden ist. Jede Revolution trägt schon wieder die Keime zu ihrer Restauration in ihrem Schoße, die Blutentwickelung der Jugend geht in den Verknöcherungsprozeß des Alters über. Die Strahlen der Bewegung, welche eine große Ansicht ausgesendet hat in die Welt, verdichten sich ihr am Ende selbst zu einem monarchischen Thron, auf dem sie eine Zeitlang ruht und sich wiegt und herrscht, bis wieder von anderer Seite neue, junge Bewegung begonnen, welche das versteinerte Resultat der alten entthront.

Goethe war in seiner Jugend der Revolutionär in der Poesie. In morgenroter Begeisterung tauchte er auf und gab den alten abgeschmackten Formen des deutschen Lebens neue Bildung und neue Gesetze. Und als Deutschland, das Deutschland des achtzehnten Jahrhunderts, wieder so lautschallend zu singen anhub, hätte man meinen können, es gehe ihm wie dem Schwan, und es sei nur vor seinem Tode. Aber dieser Schwan war Goethe, mit einem weichen und vollen Brustton von dem Gott begabt, und mit einem klugen Blick, die gute Stunde des rechten Wirkens um sich her wahrzunehmen. Der nüchterne Sumpf des Daseins gewann wieder Wellenschlag, sein Spiegel klärte sich, die blaue Himmelstiefe in sich aufzunehmen, und sein Strom hob und trug sich in anmutigen und gewaltigen Kreisen der Bewegung. Das war die Aufgabe Goethes gewesen; er war vornehmlich der Erlöser der deutschen Form, die er vergeistigte und künstlerisch machte, aber nicht der Erlöser des deutschen Geistes, der in ihm und in seiner Zeit noch nicht zu der höchsten Freiheit aufstehen konnte, weil die Weltanschauung noch getrennt und auseinander lag vom Leben und vom Talent. Die Familie und die Persönlichkeit waren die Grenze der Dichter und des Volkes. Einen merkwürdigen und höchst naiven Kommentar zu dieser damaligen Art zu dichten besitzen wir in Goethes Selbstbekenntnissen: ›Dichtung und Wahrheit‹, wobei wir erstaunen müssen, wie diese großen Poeten keine andere Weltgeschichte kannten, als die mikrokosmische ihrer eigenen Persönlichkeit. Dieser geniale Egoismus ist uns heutzutage bereits so fremd geworden, daß wir uns auf manchen Punkten gar nicht mehr in ihn hineinzusetzen vermögen, wenn auch noch viele unter uns und in unserer Nähe an der alten Krankheit zu leiden scheinen, die aber keine neuen und erhabenen Gedichte, wie damals, mehr erzeugen wird. Nur von der metaphysischen Universalität des deutschen Geistes hatte Goethe ein Normalgedicht gedichtet in seinem ›Faust‹, ein Werk, das die größte Ewigkeit hat in der ganzen deutschen Literatur. Aber es sind auch hier, wie immer, nur die allgemeinsten elementaren Bestandteile des Lebens, die er berührt. Im ›Wilhelm Meister‹ sind es die Formen der deutschen Geselligkeit, die neu gebildet werden sollen, und in den ›Wahlverwandtschaften‹ sind es die Konflikte der Sittlichkeit, welche aus den geselligen Kulturzuständen wie ein tragisches Fatum sich entspinnen. Im ›Götz‹ war es der erste kühne Wurf des jungen Genies, das, an seinem Stoff den Kampf zwischen alter und neuer Zeit malend, diesen in dem nämlichen Moment durch sich selbst begann und ankündigte. Im ›Werther‹ weinte und schluchzte der erste Jugenddrang der Spekulation sich aus, der erst im ›Faust‹ philosophisch werden und in die Tiefe steigen konnte. In der ›Natürlichen Tochter‹ ist es das Abstraktum einer Heilighaltung der bürgerlichen Gesellschaftsform und Gesellschaftsehre, zu deren Versöhnung und Ausgleichung jedes Opfer notwendig erachtet wird, und im ›Tasso‹ tritt der Dichter als solcher selbst hervor, ein Schoßkind seiner Träume, in einer launenhaften Zerspaltung zwischen Dichter und Mensch, zwischen Innen und Außen, zwischen Welt und Gemüt befangen, die wir heut nicht mehr ganz begreifen und nachfühlen können, weil uns kein echter Dichter ohne Größe und stählerne Kraft der Weltanschauung, mithin ohne Einheit und Schwerpunkt des Daseins, mehr denkbar ist. So treffen wir bei Goethe immer noch auf auseinanderliegende Elementarstoffe des Dichtens und Lebens, aber es ist sein großes, kulturhistorisches Verdienst, dieses Elementarische des deutschen Geistes mit seinem alles verarbeitenden Talent aufgenommen und auf die fortentwickelnde Bewegungslinie der Nationalbildung hinausgestellt zu haben.

Schon in den letzten Jahren des vorigen Jahrhunderts war indes die Goethesche Poesie nicht mehr als eine Bewegungspartei der Literatur anzusehen. Da begann sie stabil zu werden, ihre Anhänger redeten von ihr wie von einer legitimen Dynastie des deutschen Parnasses, man sprach überall von Goethe dem Dichterfürsten, und es gründete sich in Weimar ein ordentlicher Dichterthron, umgeben von aristokratischen Institutionen. Nun ist es wieder das Wort *Dichterthron,* welches für unsere heutigen Begriffe bereits so fremd und lächerlich geworden ist, daß ich hier eigens die Feder stillhalten muß, um mich bei mir selbst darüber zu wundern. Eine kleine deutsche Residenzstadt gehörte dazu, um einen solchen Dichterthron in ihrer Mitte zu halten, und Goethe, der darauf saß, schüttelte nicht mehr die freiflatternden demagogischen Locken seiner Jugend, sondern gruppierte an sich mit Anmut und Würde, gerade wie ein echter Restaurationspoet, die steifen Falten des Konventionellen zu einem zierlich getragenen Königsmantel. In dem, was er dichtete, begnügte er sich jetzt oft bloß mit einem feinen Lächeln, und wie Jupiter durch ein Kopfneigen den Olymp, so glaubte er schon durch ein Lächeln die Welt in Bewegung zu setzen. Aber die Bewegung floh ihn, und hatte bereits wieder in andern jungen Geistern sich Altäre erbaut und eine Gewalt gegründet. Ich meine die *romantische Schule,* die das seltsamste Spektakel gab, das man je in einer Literatur gesehen. Denn ihrem ästhetischen Glaubensbekenntnis nach begann und entwickelte sie sich aus der Goetheschen Poesie, an deren Verherrlichung sie ihre Kritik ausbildete, und doch muß man sie zugleich von ihrer eigentümlicheren Seite her als eine Oppositions- und Bewegungs-Partei gegen Goethe bezeichnen, wenn man den Fortgang der neuern deutschen Literatur richtig auffassen will, was jedoch gar nicht hinderte, daß viele Anhänger der romantischen Schule zeitlebens Goethianer blieben. Diesem anscheinenden Widerspruch muß ich noch einige Worte widmen. In Novalis lagen schon alle Keime zu einer offenen Opposition gegen Goethe angedeutet, aber diese offene Opposition, welche hier die der spekulativen Vertiefung gegen die glückmachende Form war, erschien keineswegs so durchdringend und wesenhaft, als die, welche der ganzen Stellung der romantischen Schule unwillkürlich zum Grunde lag, und ihr selbst kaum bewußt war. Das bewußte Verdienst dieser Schule, welches sie oft genug zur Schau getragen, nämlich die Phantasie der Deutschen emanzipiert zu haben, kann man nicht einmal so hoch anschlagen, als das andere, daß sie den Blick zur Anschauung einer Weltpoesie erhob, die in Persönlichkeiten begrenzten Aussichten des deutschen Parnasses durch Hinweisung auf die übrigen Volksliteraturen und auf die eigene Vergangenheit erweiterte, und die Möglichkeit gab, die von Goethe gebildeten Formen sowohl äußerlich zu bereichern, als auch innerlich durch ein vielfältigeres und vielfarbigeres Weltleben zu befruchten. Goethe hatte, wie gesagt, nur die Elementarformen des deutschen Dichtens und Geistes, als da sind: das Gesellschaftsverhältnis und die ethischen Konflikte, erweckt und zur Harmonie erbildet, und nun schien es Zeit, der gewonnenen Harmonie großartigere und weitergreifende, womöglich nationale Stoffe zu finden. Die deutsche

Geschichte war träge, und der deutsche Geschichtssinn war noch mattherzig, als daß er hätte neue Kraft des Inhaltes gießen sollen in die Poesie unseres Volkes. Da schien es sich auf gut Deutsch in literarhistorischer Weise machen zu wollen. Die romantische Schule wurde zugleich der literarhistorische Mentor ihrer Nation. Das war früher noch nicht dagewesen. Durch Tieck und die Schlegel wurde *Shakespeare* der deutschen Poesie gewonnen, ein wichtiges und ganz neues Element für dieselbe, das die außerordentlichsten und eingreifendsten Folgen hatte. Vergeblich protestierte der alte Goethe in seinem ›Shakespeare und kein Ende‹ dagegen.[1] Ohne sich das dabei zu denken, hatte die neue Schule in Shakespeare, diesem größten Dichter aller Zeiten, den glorreichsten Bewegungsführer gegen Goethe ins Feld gestellt, aber Goethe hatte es empfunden. So werden in der Weltgeschichte, wie in der Natur, alte verlorengegangene Kräfte und Gesetze wiedergefunden und helfen dann, auf ihrem Grunde das Neue hervorbringen. Tieck war der Produktivste der ganzen Schule, und schuf, nachdem er lange an Shakespeare gelernt, neue Gesetze und Motive der poetischen Darstellung, die Goethe nicht gekannt hatte. Goethe hatte zwar im ›Wilhelm Meister‹ eine treffliche Analyse der Charaktere im ›Hamlet‹ gegeben, aber nur für die Theaterzwecke, denn mit der tiefer liegenden Bedeutung Shakespeares hat er sich nie befreundet. In Tieck, nicht in Tieck dem Kritiker, sondern in Tieck dem Dichter, findet man das größte Verständnis Shakespeares, aus dem er eine neue Kunst der Darstellung sich zueigen gemacht. Es ist die Kunst, in Gegensätzen und Kontrasten darzustellen, woraus zugleich Ironie und Humor ihr Flügelpaar entfalteten, wogegen sich Goethe die kalte Einfachheit, Ruhe und alles an sich herausstellende Plastik der Antike zum Muster der Darstellung genommen hatte. Daher bei ihm durchaus keine versteckte Feinheit der Motive, sondern, wie an einer Bildsäule, sucht er jeden Zug seines Gedichtes für die Anschauung auszumeißeln. Deshalb kennt Goethe auch das Geheimnisvolle in der Poesie nicht, oder wo es ihn überrascht, wie in der Mignon, stellt er ihm auch sogleich die ehrbare Bürgerlichkeit des achtzehnten Jahrhunderts gegenüber, die im ›Wilhelm Meister‹ zu einem so wesentlichen Zeithintergrund wird. Die Poesie der Romantik, der Ironie und des Humors, die in Shakespeare schon so frühe einen Gipfelpunkt erreichte, war den Deutschen wahlverwandter, als Goethes antik gemessene Natur, und deshalb war es in Tieck ein unwillkürlicher Oppositionsgedanke gegen Goethe, zugleich ein Bewegungsschritt in der Literatur, als er an die Darstellungselemente Shakespeares seine Poesie anknüpfte. Tieck erreichte jedoch in seinen Dichtungen, bei einer fast gleichkommenden kunstvollen Eigentümlichkeit der Darstellung, besonders der feinsinnigen Novellen, die Weltklarheit und Lebensfülle Shakespeares nie, ihm blieb diese unmittelbare Naturfrische der Gestaltung aus, denn er war und blieb ein Reflexionspoet. Gegen Tieck erscheint daher Goethe mehr als ein primitiver Genius, als ein Originalgeist, während er gegen Shakespeare eine völlig antipolare Gegend der Poesie bedeutet. Goethe und Shakespeare sind zwei entgegengesetzte Pole der modernen Poesie, was keinem klarer gewesen, als Goethen selbst, der mehrere Mal diese Antipathie seines Genius bekannt hat, mehr aber wie eine Naturregung, denn als kritische Überzeugung. Jedoch niemand hing

Goethen treuer an, als der redliche feinfühlende Tieck, der, obwohl selbst von Goethe vielfach verkannt, doch noch in dem trefflichen Vorwort zu Lenzens Schriften die glänzendste Verherrlichung des Wolfgang Apollo unternahm.[2] Dies Verhältnis ist einer der interessantesten Züge in der neueren Literaturgeschichte. Goethe konnte den Tieck nie leiden, ebenfalls wieder aus einer Naturregung, denn einen so schlechten Geschmack hatte doch Goethe nicht, daß er bloß die einfältigsten deutschen Dichter, wie Michael Beer[3], und andere, in seiner letzten Lebenszeit zu schätzen wußte. Goethe konnte den Tieck nicht lieben, weil er in ihm, wie in der ganzen romantischen Schule, einen Aufruhrstifter gegen sein legitim gewordenes Reich, gegen sein *ruhiges* Prinzip der Schönheit, erblickte. Aber der anhängliche Tieck liebte den Goethe aus alter Dankbarkeit, und noch aus tieferen Gründen. Denn seiner ganzen *Gesinnung* nach fühlte sich Tieck, wie er in der Zeit dastand, zu Goethe gehörig. Die Bewegung, die Tieck unternommen hatte, war bloß eine Bewegung des *Talents* gewesen. Er hatte das Talent der Darstellung emanzipiert aus der Goetheschen Monotonie der Formen, und in eine geistig bewegtere, von Humor und Ironie getragene Welt von Motiven hineingehoben. Daher war seine Opposition, wie die der romantischen Schule überhaupt, keine vollständige, sondern nur eine einseitige und äußerliche zu nennen, aber dennoch bedeutend und folgereich für den Fortgang unserer Poesie. Tieck und seine Freunde vergaßen nie, daß sie von Goethe hergekommen waren, das wußten und empfanden sie bis in kleine Einzelnheiten ihres Charakters. Tieck hatte nur sein Talent an Shakespeare getränkt, aber nicht seine Gesinnung an der großen Weltanschauung dieses Briten. In der Gesinnung hat er die ästhetische Vornehmheit, den künstlerischen Egoismus, die poetenhafte Absonderung, das aristokratische Lächeln und das Salonmäßige mit Goethe gemeinbehalten. So blieb Tieck zeitlebens ein Goethianer, und hat doch gegen Goethe neuere Elemente der Poesie auf den Kampfplatz gestellt, an die wir jetzt, obwohl aus einer andern Gesinnung, wieder anknüpfen müssen, nämlich die Elemente der geistig motivierten Darstellung.

Aber die Bewegung geht schonungslos vorwärts, denn sie ist die Geschichte. Gegen den legitimen Thron der Goetheschen Literaturperiode nahm bald die *Zeit* selbst Partei, und wenn Tieck eine Opposition des Talents einleitete, so rief die Zeit die unentfliehbare Opposition der *Gesinnung* wach. Das Geschlecht hat seine Goetheschen Sympathien alle verloren, es ist schon an andere gekettet, ehe es noch davon weiß. Die Erkenntnis ist gewachsen, die Ansichten haben sich vertieft, der bloß in der Ethik abgegrenzte Kreis der Goetheschen Poesie ist zu eng geworden, und eine größere Weltanschauung dringt in den deutschen Geist hinein, will ihn bewegen und eine neue Poesie daraus gebären. In der Emanzipation der deutschen Poesie von der Goetheschen Gesinnung, die sich schon lange unbewußt in den strebenden Gemütern regte, noch ehe nur ein Wort davon unter uns laut wurde, hat sich *Wolfgang Menzel* ein literarhistorisches Verdienst erworben, indem er die Gesinnung einer neuen Zeit zuerst am mutigsten in sich durchfühlte.[4] Er besaß dazu in einem hinlänglichen Grade die entschlossene Einseitigkeit, die jeden Mann der Opposition zeichnet, und die unumgänglich ist, wo zur

Erörterung von Lebensfragen Gesinnung gegen Gesinnung auf die Spitze gestellt werden muß. Justemilieumänner hat die Geschichte nie mitten in den Kampf hineingesetzt, die deuten nur immer auf bevorstehende Restaurationen. Aber Wolfgang Menzel war ein geborenes Oppositionsmitglied der Literatur, der sein großes Talent bloß für die Verfechtung der literarischen Bewegung hingab. Er stand wie ein kritischer Volksredner auf, wie ein demagogischer Sprecher für die literarische Volkssache. Seine Kritiken wurden Meisterstücke parlamentarischer Beredsamkeit, sie hatten keine ästhetisch wissenschaftliche Grundlage, aber eine geschichtliche Bedeutung und volkstümliche Begeisterung. Ein solcher Ton war in der deutschen Kritik noch nie angeschlagen worden, es wehte schon die frischere Luft des deutschen öffentlichen Wortes darin. Alle Waffen der Opposition kehrte Menzel glänzend heraus, Witz, Scharfsinn, Rücksichtslosigkeit und schonungslose Derbheit, aber zugleich eine Tugend, die höchst selten in ihren Reihen angetroffen wird, nämlich eine unerschütterliche Redlichkeit, mit der es ihm immer nur um die Sache zu tun war. So wurde er ein wahrer *literarischer Charakter*, der, so oft und so sehr er sich im einzelnen auch irren mag, doch nie um des Irrtums willen etwas gesagt und geschrieben hat, wie manche andere mit der Lüge kokettierende Wortführer der Bewegung. Allen frivolen Endzwecken fern und fremd, hat Menzel mit einem gewissen kritischen Patriotismus unendlich viel dazu beigetragen, literarischen Aberglauben und Vorurteile in Deutschland zu zerstören, und jetzt, wo die persönlichen Leidenschaften gegen ihn schweigen, und man seine eigentümliche Stellung sieht, die er in dem Übergang unserer Literaturperiode eingenommen hat, ist es doppelt an der Zeit, ihm dies für die allgemeine Aufzeichnung nachzurühmen. Er ist der erste Vorkämpfer der neueren Bewegung, die unternommen wurde, um an alten hergebrachten Pedanterien des deutschen Wesens niederzureißen. [...]

13 *[Bettina von Arnim]*

Aus: Goethe's Briefwechsel mit einem Kinde. Seinem Denkmal. Dritter Theil: Tagebuch — 1835

Schwalbach, auf der Mooshütte.

Namen nennen Dich nicht!

Ich schweige und nenne Dich nicht, ob's auch süß wär', Dich bei Namen zu rufen.

O Freund! schlanker Mann! weicher hingegoßner Gebärde, Schweigsamer! – Wie soll ich Dich umschreiben, daß mir Dein Namen ersetzt sei? – Beim Namen rufen ist ein Zaubermittel, den Entfernten zur Erinnerung aufzuregen; hier auf der Höhe, wo die waldigen Schluchten siebenfaches Echo zurückgeben, wag' ich nicht Deinen Namen preiszugeben; ich will nicht hören eine Stimme, die ebenso heiß so eindringend Dir ruft.

O Du! Du selbst! – ich will Dir's nicht sagen, daß Du es selbst bist; drum will ich dem Buch Deinen Namen nicht vertrauen, wie ich dem Echo ihm nicht vertraue.

Ach, Deinen Namen berühre ich nicht! so ganz entblößt von irdischem Besitztum nenne ich Dich mein.

*

Liebster! Gestern war ich tief bewegt, und war sehnsüchtig; weil man viel über Dich gesprochen hat was nicht wahr ist, da ich Dich besser kenne. Durch das Gewebe Deiner Tage zieht sich ein Faden, der sie mit dem Überirdischen verbindet. Nicht durch jedes Dasein schlingt sich ein solcher Faden, und jedes Dasein zerfällt ohne diesen.

Daß Dein Dasein nicht zerfalle, sondern daß alles ewige Wirklichkeit sei, das ist wonach ich verlange; Du der Du schön bist, und dessen Gebärden gleichfalls schön sind, weil sie Geist ausdrücken: Schönheit begreifen, heißt das nicht Dich lieben? – und hat die Liebe nicht die Sehnsucht, daß Du ewig sein mögest? – Was kann ich vor Dir, als nur Dein geistig Bild in mich aufnehmen! – Ja sieh, das ist mein Tagwerk, und was ich anders noch beginne – es muß alles vor Dir weichen. Dir im Verborgnen dienen in meinem Denken, in meinem Treiben, Dir leben, mitten im Gewühl der Menschen oder in der Einsamkeit Dir gleich nahe stehen; eine heilige Richtung zu Dir haben, ungestört, ob Du mich aufnimmst oder verleugnest.

Die ganze Natur ist nur Symbol des Geistes; sie ist heilig, weil sie ihn ausspricht; der Mensch lernt durch sie den eignen Geist kennen, daß der auch der Liebe bedarf; daß er sich ansaugen will an den Geist, wie seine Lippe an den Mund des Geliebten. Wenn ich Dich auch hätte, und ich hätte Deinen Geist nicht, daß *der* mich empfände, gewiß das würde mich nie zu dem ersehnten Ziel meines Verlangens bringen.

Wie weit geht Liebe? Sie entfaltet ihre Fahnen, sie erobert ihre Reiche; im Freudejauchzen, im Siegestoben eilt sie ihrem ewigen Erzeuger zu. – So weit geht Liebe, daß sie eingeht, von wo sie ausgegangen ist.

Und wo zwei ineinander übergehen, da hebt sich die Grenze des Endlichen zwischen ihnen auf. Aber soll ich klagen, wenn Du nicht wieder liebst? – ist dies Feuer nicht in mir und wärmt mich? – und ist sie nicht allumfassende Seligkeit, diese innere Glut? –

Und Wald und Gebirg und Strand am Fluß, sonnebeglänzt, lächeln mir entgegen, weil mein Herz, weil mein Geist ewigen Frühling ihnen entgegenhaucht.

*

Wenn ich nicht ganz bin, wie Du mich lieben müßtest, so ist mein Bewußtsein von Dir vernichtet. Das aber fördert mich, bringt mich Dir näher, wenn auch mein sinnliches Handeln, mein äußeres Leben sich im Rhythmus der Liebe bewegt; wenn nichts Einfluß auf mich hat als das Gefühl, daß ich Dein gehöre, durch eignen freien Willen Dir gewidmet bin.

Ich hab' Dich nicht in diesem äußeren Leben; andere rühmen sich Deiner

Treue, Deines Vertrauens, Deiner Hingebung; ergehen sich mit Dir im *Labyrinth Deiner Brust* [1]; die Deines Besitzes gewiß sind, die Deiner Lust genügen.

Ich bin nichts, ich habe nichts, dessen Du begehrst; kein Morgen weckt Dich, um nach mir zu fragen; kein Abend leitet Dich heim zu mir; Du bist nicht bei mir daheim.

Aber Vertrauen und Hingebung hab' ich in dieser Innenwelt zu Dir; alle wunderbaren Wege meines Geistes führen zu Dir; ja sie sind durch Deine Vermittlung gebahnt.

*

Am Rhein.

Hier in den Weinbergen steht ein Tempel; erbaut nach dem Tempel der Diana zu Ephesus.

Gestern im Abendrot sah ich ihn in der Ferne liegen; er leuchtete so kühn so stolz unter den Gewitterwolken; die Blitze umzingelten ihn. So denke ich mir Deine leuchtende Stirne, wie die Kuppel jenes Tempels, unter dessen Gebälk die Vögel sich bargen, denen der Sturm das Gefieder aufblätterte; so stolz gelagert und beherrschend die Umgebung.

Heute morgen, obschon der Tempel eine Stunde Wegs von meiner Wohnung entfernt ist; weil ich am Abend Dein Bild in ihm zu sehen wähnte, dacht' ich hierher zu gehen und Dir hier zu schreiben. Kaum daß der Tag sich ahnden ließ, eilt' ich durch betaute Wiesen hierher. – Und nun leg' ich die Hand auf diesen kleinen Altar, umkreist von neun Säulen, die mir Zeugen sind, daß ich Dir schwöre.

Was Liebster? – Was soll ich Dir schwören? Wohl, daß ich Dir ferner getreu sein will, ob Du es achtest oder nicht? – oder daß ich Dich heimlich lieben will, heimlich; nur diesem Buch, und nicht Dir es bekennend? Treu sein kann ich nicht schwören, das ist zu selbständig, und ich bin schon an Dich aufgegeben, und vermag nichts über mich; da kann ich für Treue nicht stehen. Heimlich Dich lieben, nur diesem Buch es bekennen? – das kann ich nicht, das will ich nicht; dies Buch ist der Widerhall meiner Geheimnisse, und an Deiner Brust wird er anschlagen. O nimm ihn auf, trink ihn, lasse Dich laben; einen einzigen heißen Mittag gehe Dein Blick unter, trunken, ein einziges Mal, diesem glühenden klaren Liebeswein.

Was soll ich Dir schwören? –

*

Heut' will ich Dir sagen, wie es gestern war: so unter Dach, einer schöneren Vorwelt, vom tausendfarbigen Morgenlicht umwebt, die Hand auf diesem Altar, der früher wohl nie unter mystischen Beziehungen berührt war; Herr! – da war mein Herz auf eine wunderliche Weise befangen; – ich fragte Dich zum Scherz, in süßem Ernst: »was soll ich schwören?« – Und da fragt' ich mich wieder: »ist *das* die Welt, in der du lebst?« und kannst du scherzen mit dir selbst, hier in der einsamen Natur, wo alles schweigt und feierlich Gehör gibt deiner innern Stimme? – Dort im fernen Gefild, wo die Lerche jubelnd aufsteigt, und am Gesimse des

Tempels, wo die Schwalbe ihr Nest birgt und zwitschert? Und ich lehnt' meine Stirne an den Stein, und dachte Dich; ich lief hinab ans Ufer, und sammelte Balsamkräuter, und legte sie auf den Altar; ich dachte: möchten die Blätter dieses Buchs voll Liebe einmal Deinem Geist duften, wie diese Kräuter, dem Geist jener schönen Vorwelt, in deren Sinn der Tempel hier gebaut ist. – Dein Geist spricht ja die heilige Ordnung der Schönheit aus wie er, und ob ich ihm was bin, ob ich ihm was bleibe, das ist dann einerlei.

Ja süßer Freund, ob ich Dir was bin: was soll ich danach fragen? – weiß ich doch, daß die Lerche nicht umsonst jubelnd aufsteigt, daß der Morgenwind nicht ungefühlt in den Zweigen lispelt, ja daß die ganze Natur nicht unbegriffen in ihr Schweigen versunken ist; was sollt' ich zagen, von Dir nicht verstanden nicht gefühlt zu sein? – Drum will ich nicht schwören Dir etwas zu sein; es ist mir gewiß, daß ich Dir bin, was in einstimmender Schönheit ein Ton der Natur, eine geistige Berührung dieser sinnlichen Welt Dir sein kann.

*

Im Juli.

Diese Tage, diese Gegenden sie tragen das Antlitz des Paradieses. Die Fülle lacht mich an in der reifenden Frucht, das Leben jauchzt in mir, und einsam bin ich wie der erste Mensch; und ich lerne wie dieser herrschen und gebieten dem Glück: daß die Welt soll sein wie ich will. Ich will es, daß Du mich selig machest, nur weil ich Dich weiß und kenne, und weil Dein sittlich Gefühl der Raum ist meiner geistigen Schöpfungen; in Dich hinein nur kann ich ja diese Welt der Gefühle legen, Dir nur kann ich diese Phänomene einer erhöhten Rührung erscheinen lassen. – Deine Schönheit ist Güte, die mich nährt, schützt, mir lohnt, mich tröstet und mir den Himmel verheißt; kann ein Christ besser organisiert sein, als ich?

*

Wo ist denn der Ruhesitz der Seele? wo fühlt sie sich beschwichtigt genug um zu atmen und sich zu besinnen? – im engen Raum ist's, im Busen des Freundes; – in Dir heimatlich sein, das führt zur Besinnung.

Ach wie wohl ist mir, wenn ich ganz wie ein Kind in Deiner Gegenwart spielen darf; wenn alles was ich beginne, von dem Gefühl Deiner Nähe geheiligt ist; und daß ich mich ergehen kann in Deiner Natur, die keiner kennt, keiner ahndet. – Wie schön ist's, daß ich allein mit Dir bin, dort wo die Sterne sich spieglen in der klaren Tiefe Deiner Seele.

Gönne es mir, daß ich so meine Welt in Dir eingerichtet habe; vernichte nicht mit Deinem Willen, was Willkür nie erzeugen könnte.

Ich küsse Deiner Füße Spuren, und will mich nicht hereindrängen in Deine Sinnenwelt, aber sei mit mir in meiner Gedankenwelt; lege freundlich die Hand auf das Haupt, das sich beugt, weil es der Liebe geweiht ist.

Der Wind rasselt am Fenster; welche Länder hat er schon durchstreift? Wo kommt er her? Wie schnell hat er die Strecke von Dir zu mir durchflogen? hat er keinen Atemzug, in seinem Rasen und Toben, keinen Hauch von Dir mit fortgerissen?

Ich habe den Glauben an eine Offenbarung des Geistes; sie liegt nicht im Gefühl oder im Schauen oder im Vernehmen; sie bricht hervor aus der Gesamtheit der auffassenden Organe; wenn die alle der Liebe dienen, dann offenbaren sie das Geliebte; sie sind der Spiegel der inneren Welt.

Ein Dasein im Geliebten haben ohne einen Standpunkt sinnlichen Bewußtseins, was kann mächtiger uns von unserer geistigen Macht und Unendlichkeit überzeugen? –

*

Heute las ich in diesen Blättern; lauter Seufzen und Sehnen.

Wie würde ich beschämt vor Dir stehen, wenn Du in diesem Buch läsest! so bleibt es denn verborgen, und nur zu eigener Schmach geschrieben? – Nein, ich muß an Dich denken und glauben, daß dies alles einmal an Deinem Geist vorüberzieht; wenn es auch manchmal in mir ist, als wollt' ich Dich fliehen; Dich und diese seltsame Laune der Sehnsucht; Laune muß ich sie nennen, denn sie will alles und begehrt nichts. Aber dieses Abwenden von Dir wird doppelter Reiz; da sprengt mich's hinaus, die Berge hinan, noch im ersten Frührot; als könnt' ich Dich erjagen, und was ist das Ende? daß ich mich wieder zum Buch wende. Nun was hat's denn auf sich? die Tage gehen vorüber so oder so, und was könnt' ich versäumen, wenn ich in diesen Blättern mich sammle?

*

Heute war ich früh draußen, ich ging den ersten Feldweg, die Feldhühner schreckten vor mir auf, so früh war's noch; die Wiesen lagen da im Morgenglanz, übersponnen mit Fäden, an denen die Tauperlen aufgereiht waren.

Manchmal hält die Natur Dir die Waage, und ich empfinde die Wahrheit der Worte: *»Weg du Traum, so gold' du bist, hier auch Lieb' und Leben ist.«* [2] So ein Gang, wenn ich wieder unter die Menschen komme, macht mich einsam.

Ach, die zahmen Menschen, ich verstehe ihren Geist nicht. Geist lenkt, er deutet, er fliegt voran auf immer neuen Wegen oder er kommt entgegen wie die Leidenschaft und senkt sich in die Brust und regt sich da. Geist ist flüchtig wie Äther, drum sucht ihn die Liebe, und wenn sie ihn erfaßt dann geht sie in ihm auf. Das ist meine List daß die Liebe dem Geist nachgeht.

Dir geh' ich nach auf einsamen Wegen, wenn's still und ruhig ist dann lispelt jedes Blatt von Dir, das vom Wind gehoben wird, da lasse ich meine Gedanken still stehen, und lausche, da breiten sich die Sinne aus wie ein Netz um Dich zu fangen, es ist nicht der große Dichter, nicht Dein weltgepriesener Ruhm! in Deinen Augen liegt's, in dem nachlässigen und feierlichen Bewegen Deiner Glieder, in den Schwingungen Deiner Stimme, in diesem Schweigen und Harren, bis die Sprache aus der Tiefe Deines Herzens sich zum Wort entfaltet; wie Du gehst und kommst und Deinen Blick über alles schweifen läßt, dies ist es und nichts anders was mich erfreut, und keine glänzende Eigenschaft kann diese Leidenschaft erregenden Zeichen überwiegen.

Da streif' ich hin zwischen Hecken, ich dräng' mich durch's Gebüsch, die Sonne brennt, ich leg' mich ins Gras, ich bin nicht müde, aber weil meine Welt eine Traumwelt ist. Es zieht mich hinüber nur Augenblicke, es hebt mich zu Dir, den ich nicht mit Menschen vergleiche. – Mit den Streiflichtern und ihren blauen Schatten, mit den Nebelwolken die am Berg hinziehen, mit dem Vögelgeräusch im Wald, mit den Wassern die zwischen Gestein plätschern, mit dem Wind, der dem Sonnenlicht die belaubten Äste zuwiegt; mit diesem vergleich ich Dich gern, da ist's als wenn Deine Laune hervorbräche! – Das Summen der Bienen, das Schwärmen der Käfer trägt mir Deine Nähe zu, ja selbst das ferne Gebell der Hunde im Nachtwind weckt mir Ahndungen von Dir; wenn die Wolken mit dem Mond spielen, wenn sie im Licht schwimmen, verklärt: da ist alles Geist, und er ist deutlich aus Deiner Brust gehaucht; da ist's als wendest *Du Geist* Dich mir entgegen und wärst zufrieden, von dem Atem der Liebe wie auf Wellen getragen zu sein.

Sieh! So lieb ich die Natur, weil ich Dich liebe, so ruh ich gern in ihr aus und versenk mich in sie, weil ich gern in Dein Andenken mich versenke.

Ach, da Du nirgends bist, und doch da bist, weil ich Dich mehr empfinde als alles andere; so bist Du gewiß in diesem tausendfachen Echo meines Gefühls.

*

Eins bewahr' im Herzen: daß Du mir den reinsten Eindruck von Schönheit gemacht hast, dem ich unmittelbar gehuldigt habe, und daß nichts dem Ursprünglichen in Deiner Natur Eintrag tun könne, und daß meine Liebe innig mit diesem einverstanden ist.

*

Komm mit Freund! scheue nicht den feuchten Abendtau, *ich* bin ein Kind und *Du* bist ein Kind, wir liegen gern unter freiem Himmel, und sehen den gemächlichen Zug der Abendwolken, die im purpurnen Gewand dahin schwimmen. O komme! – kein seligerer Traum, kein beglückenderes Ereignis als Ruhe! stille Ruhe im Dasein; beglückt daß es so ist, und kein Wähnen es könne anders sein, oder es müsse anders kommen. Nein! nicht im Paradies wird es schöner sein, als diese Ruhe ist die keine Rechenschaft gibt, kein Überschauen des Genusses, weil *jeder* Augenblick ganz selig ist. Solche Minuten erleb' ich mit Dir, nur weil ich Dich denke an meiner Seite in jenen Kinderjahren; da sind wir eines Sinnes, was ich erlebe spiegelt sich in Dir, und ich lerne es in Dir begreifen, und was erlebte ich wenn ich's nicht in Dir anschaute? – In was empfindet sich der Geist, durch was besitzt er sich, als nur dadurch, daß er die Liebe hat? – Ich habe Dich Freund! Du wandelst mit mir, Du ruhst an meiner Seite, meine Worte sind der Geist den Deine Brust aushaucht.

*

Mich und die Welt umkleidet Dein Glanz, Dein Licht ist Traumlicht der höheren

Welt, wir atmen ihre Luft, wir erwachen im Duft der Erinnerung; ja sie duftet uns, sie hebt uns, und trägt unser schwankendes Los auf ihren spiegelnden Fluten der Götter allumfassenden Armen entgegen.

Du aber hast's mir in der Wiege gesungen, daß ich Deinem Gesang, der in Träumen mich wiegt über das Los meiner Tage, träumend auch lausche bis ans End' meiner Tage.

*

Du bist gut, Du willst nicht, daß ich dies süße Geschwätz mit Dir abbreche, es ist doch allenfalls so schön und so verständlich wie das Blinken der Sterne was ich Dir hier sage, und wenn es auch nur wär' eine Melodie, die sich durch meinen Geist Luft machte! sie ist äußerst lieblich diese Melodie und lehrt Dich träumen.

O lerne schöne Träume durch mein Geschwätz, die Dich beflügeln und mit Dir den kühlen Äther durchschiffen.

Wie herrlich schreitest Du auf diesen Traumteppichen! wie wühlst Du Dich durch die tausendfältigen Schleier der Phantasie, und wirst immer klarer und deutlicher Du selber, der da verdient geliebt zu sein, da begegnest Du mir und wunderst Dich über mich, und gönnst es mir, daß ich zuerst Dich fand.

Schlafe! senke Deine Wimpern ineinander, lasse Dich umweben so leise wie mit Sommerfäden auf der Wiese. Umweben lasse Dich mit Zauberfäden, die Dich ins Traumland bannen, schlafe! *Und gib vom weichen Pfühle träumend ein halb Gehör.*

*

[...]
Wie ich zum erstenmal vor Dir stand – es war im Winter 1807[3] – da erblaßte ich und zitterte, aber an Deiner Brust, von Deinen Armen umschlossen, kam ich so zu seliger Ruhe, daß mir die Augenlider zufielen und ich einschlief.

So ist's wenn wir Nektar trinken, die Sinne sind dieser Kost nicht gewachsen. Da mildert der Schlaf den Sturm der Beseligung, und vermittelt und schützt die gebrochnen Kräfte; könnten wir umfassen, was uns in einem Moment geboten ist, könnten wir sein verklärendes Anschauen ertragen, so wären wir hellsehend; könnte sich die Macht des Glückes in uns ausbreiten, so wären wir allmächtig; drum bitte ich Dich, wenn es wahr ist, daß Du mich liebst, begrabe mich in Deinem Denken, decke mir Herz und Geist mit Schlaf, weil sie zu schwach sind, um ihr Glück zu tragen. Ja Glück! wer sich mit ihm verständigte, wie mit einem Geist, dem er sich gewachsen fühlte, der müßte durch es seine irdische Natur zur göttlichen verklären.

Gestern kam ein Brief von Dir, ich sah das blaue Kuvert auf dem Tisch liegen und erkannte ihn von weitem, ich verbarg ihn im Busen und eilte in mein einsames Zimmer an den Schreibtisch, ich wollte Dir gleich beim ersten Lesen die Fülle der Begeistrung niederschreiben. Da saß ich und faltete die Hände über dem Schatz und mochte ihn nicht vom warmen Herzen herunternehmen. Du weißt, so hab' ich mich auch nie aus Deinen Armen losgemacht; Du warst immer der erste, und ließest die Arme sinken und sagtest: »nun geh!« – und ich folgte dem Befehl

Deiner Lippen. Hätte ich dem Deiner Augen gefolgt, so wär' ich bei Dir geblieben; denn die sagten: »komme her!«

Ich schlief also ein über dem Bewachen meines Kleinods im Busen, und da ich erwachte, las ich die zwei Zeilen von Deiner Hand geschrieben: »Ich war auch einmal so närrisch wie Du, und damals war ich besser als jetzt.«[4]

O Du! – Von *Dir* sagt die öffentliche Stimme, Du seist glücklich, sie preisen Deinen Ruhm, und daß an den Strahlen Deines Geistes Dein Jahrhundert sich zum Äthergeschlecht ausbrüte, zum Fliegen und Schweben über Höhen, und den Flug nach Deinen Winken zu richten; aber doch sagen sie, Dein Glück übersteige noch Deinen Geist. O wahrlich, Du bist Deines Glückes Schmied, der es mit kühnem, kräftigem Schlag eines Helden zurechtschmiedet; was Dir auch begegne, es muß sich fügen, die Form auszufüllen, die Dein Glück bedarf, der Schmerz, der andre zum Mißmut und zur Klage bewegen würde, der wird ein Stachel für Deine Begeistrung. Was andre niederschlägt, das entfaltet Deinen Flug, der Dich den Bedrängnissen enthebt, wo Du den reinen Äther trinkst und die Empfindung des Elends Dich nicht verdirbt. Du nimmst Dein Geschick als Kost nur aus den Händen der Götter und trinkst den bitteren Kelch, wie den süßen mit dem Gefühl der Überlegenheit. Du läßt Dich nicht berauschen, wie ich mich berauschen lasse auf dem Weg, der zu Dir führt, Du würdest nicht, wie ich, der Verzweiflung hingegeben sein, wenn ein Abgrund Dich von Deinem Glück trennte. Und so hat Unglück nichts mit Dir zu schaffen, Du weißt es zu schaffen, Dein Glück, in jedem kleinen Ereignis, wie die allselige Natur auch der geringsten Blume eine Blütezeit gewährt, in der sie duftet und die Sonne ihr in den Kelch scheint.

Du gibst jedem Stoff, jedem Moment alles, was sich von Seligkeit in ihn bilden läßt, und so hast Du mir gegeben, da ich doch zu Deinen Füßen hingegeben bin; und so hab' auch ich einen Moment Deines Glückes erfüllt. Was will ich mehr! da in ihm eine Aufgabe liegt, bis zum letzten Atemzug.

*

Wir hatten einen schönen Garten am Haus, Ebenmaß und Reinlichkeit war seine Hauptzierde, an beiden Seiten liefen Spaliere hin mit ausländischen Fruchtbäumen, im mitten Gang standen diese Bäume so edel, so hoch, so frei von jedem Fehl, sie hingen ihre schlanken Äste schwertragend im Herbst an den Boden, es war so still in diesem Garten wie in einem Tempel, im Eingang waren auf beiden Seiten zwei gleichmäßige Teiche, in deren Mitte Blumeninseln waren, hohe Pappeln begrenzten ihn und vermittelten die Nachbarschaft zu den Bäumen in den angrenzenden Gärten. Denke doch wie es mir da erging, wie da alles so einfach war und wie ich Deiner bewußt ward.

Warum wühlt's mir im Herzen wenn ich mich dran erinnere, daß die Blütenkätzchen von den Pappeln und diese braunen klebrigen Schalen von den Knospen mich beregneten, wie ich da so still in der Mittagsstunde saß und dem Streben der jungen Weinranken nachspürte, wie die Sonnenstrahlen mich umwebten, die Bienen mich umsummten, die Käfer hin- und herschwirrten, die Spinne ihr Netz ins Gitter der Laube hing. – In solcher Stunde bin ich Deiner zum erstenmal innegeworden. – Da lauschte ich, da hörte ich in der Ferne den Lärm der Welt, da dachte ich: du bist außer dieser Welt, aber mit wem bist Du? – Wer ist bei dir? – Da besann ich mich auf nah und fern, da war nichts was mir angehörte. Da konnte ich nichts erfassen, mir nichts denken was mein sein könne. Da trat zufällig, oder war's in den Wolken geschrieben, Deine Gestalt hervor; ich hatte von Dir nichts weiter gehört als Tadel, man hatte in meiner Gegenwart gesagt: *Goethe* ist nicht mehr so wie sonst, er ist stolz und hochmütig, er kennt die alten Freunde nicht mehr, seine Schönheit hat gewaltig abgenommen, und er sieht nicht mehr so edel aus wie sonst; noch manches wurde von der Tante und Großmutter über Dich gesprochen, was zu Deinem Nachteil war.[5] Ich hatte es nur im Vergessen angehört, denn ich wußte nicht wer Du seist. – Jetzt in dieser Einsamkeit und abgeschloßnen Stille unter den Bäumen die eben blühen wollten, da kamen diese Reden mir wieder ins Gedächtnis; da sah ich im Geist wie die Menschen, die über Dich urteilen wollten, unrecht hatten, ich sagte zu mir selbst: Nein! er ist nicht unschön, er ist ganz edel, er ist nicht übermütig gegen mich. Trotzig ist er nur gegen die Welt, die da draußen lärmt, aber mir, die freundlich von ihm denkt, ist er gewogen und zugleich fühlte ich als ob Du mir gut seist, und ich dachte mich von Deinem Arm umfaßt, und getrennt durch Dich von der ganzen Welt, und im Herzen spürte ich Dir nach, und führte freundliche Gespräche in Gedanken mit Dir, da kam nachher meine Eifersucht wenn man von Dir sprach oder Deinen Namen sagte, es war, als habe man Dich aus meiner Brust gerufen. Vergesse nicht Goethe, wie ich Dich lieben lernte, daß ich nichts von Dir wußte als daß man Dich in meiner Gegenwart böslich erwähnt hatte; die Tante sprach von Deiner Freigeisterei und daß Du nicht an den Teufel glaubst ich glaubte auf der Stelle auch nicht an den Teufel, und war ganz Dein und liebte Dich, ohne zu wissen, daß Du der Dichter seist von dem die Welt so Großes spreche und erwarte, das kam alles später; damals wußt' ich nur, daß die Leute Dich tadelten und mein Herz sagte: Nein, er ist größer und schöner als alle, und da liebte ich Dich mit heißer Liebe bis auf heut und trotzte der ganzen Welt bis auf heut und wer über Dich sprach von dem wendete ich mich ab, ich konnte es nicht anhören. Wie ich aber endlich Deine Herrlichkeit fassen sollte, da dehnten mir große Schmerzen die Brust aus, ich legte in Tränen mein Angesicht auf das erste Buch was ich von Dir in Händen bekam, es war der ›Meister‹, mein Bruder Clemens hatte es mir gebracht. Wie ich allein war da schlug ich das Buch auf, da las ich Deinen Namen gedruckt, den sah ich an als wie Dich selber. Dort auf der Rasenbank wo ich wenig Tage vorher zum erstenmal Deiner gedachte und Dich im Herzen in Schutz nahm, da strömte mir eine von Dir geschaffne Welt entgegen, bald fand ich die Mignon wie sie mit dem Freund redet, wie er sich ihrer annimmt, da fühlt ich Deine Gegenwart, ich legte die Hand auf das Buch und es war mir in Gedanken als stehe ich vor Dir und berühre Deine Hand, es war immer so still und feierlich wenn ich allein mit dem Buch war, und nun gingen die Tage vorüber und ich blieb Dir treu, ich hab' an nichts anders mehr gedacht womit ich mir die Zeit ausfüllen solle. Deine Lieder waren die ersten, die ich kennen lernte, o wie reichlich hast Du mich beschenkt für diese Neigung zu Dir, wie war ich erstaunt und ergriffen von der Schönheit des Klangs, und der Inhalt, den ich damals nicht gleich fassen konnte, wie ich den allmählich verstehen lernte was hat dies alles in mir angeregt, was hab' ich erfahren und genossen, und welche Geschicke hab' ich erlebt, wie oft hat Eifersucht gegen diese Lieder mich erregt, und in manchen da fühlte ich mich besungen und beglückt. – Ja warum sollte ich mich nicht glücklich träumen? – welche höhere Wirklichkeit gibt es denn als der Traum? – Du wirst nie im Schoß des ersehnten Glückes finden was Du von ihm geträumt hattest. – Jahre gehen dahin, daß einer dem andern sich nahe wähnt, und doch wird sich nie die eigentümliche Natur ans Licht wagen, der erste Augenblick freier unbedingter Bewegung trennt Freundschaft und Liebe. Die ewige unversiegbare Quelle der Liebe ist ja eben daß sie Geheimnisse in ihren klaren Wellen führt. Das Unendliche, der Sehnsucht Begehrliche des Geistes ist aber, daß er ewige Rätsel darlege. Drum mein Freund, träume ich, und keine Lehren der Weisheit gehen so tief in mich ein und begeistern mich zu immer neuen Anschauungen wie diese Träume, denn sie sind nicht gebaut auf Mißverständnisse sondern auf das heilige Bedürfnis der Liebe. – Mein erstes Lesen Deiner Bücher! ich verstand sie nicht, aber der Klang, der Rhythmus, die Wahl der Worte, denen Du Deinen Geist vertrautest, die rissen mich hin ohne daß ich den Inhalt begriff, ja ich möchte sagen, daß ich viel zu tief mit Dir beschäftigt war als daß die Geschichte Deiner Dichtungen sich hätte zwischen uns drängen können; ach es hatte mir niemand von Dir gesagt er ist der größte, der einzige Mensch unter allen, ich mußte es alles selbst erfahren wie ich Deine Bücher allmählich verstehen lernte, wie oft fühlte ich mich beschämt durch diese machtausübenden Begeistrungen, da stand ich und redete im Spiegel mit mir: »Er weiß von Dir nichts, in dieser Stunde läuten ihm andere Glocken, die ihn da- und dorthin rufen, er ist heiter, der Gegenwärtige ist ihm der Liebste, armes Kind! dich nennt sein Herz nicht«, da flossen meine Tränen, da hab' ich mich getröstet, und hatte Ehrfurcht vor dieser Liebe als vor etwas ganz Erhabnem. Ja es ist wahr, es ist ein höherer Mensch innewohnend, dem sollen wir immer nachgehen, seinem Willen Folge leistend und keinem andern sollen wir Altäre bauen und Opfer bringen, nichts soll außer ihm geschehen, wir sollen von keinem Glück wissen als nur in ihm.

So hab ich Dich geliebt indem ich dieser inneren Stimme willfahrte, blind war ich und taub für alles, kein Frühlingsfest und kein Winterfest feierte ich mit, auf Deine Bücher, die ich immer lesen wollte, legte ich den Kopf und schloß mit meinen Armen einen Kreis um sie und so schlief ich einen süßen Schlaf, während die Geschwister in schönen Kleidern die Bälle besuchten, und ich sehnte mich immer früher zum Schlafen zu kommen, bloß um da zu sein wo ich Dir näher war. So ging die Zeit zwischen sechzehn und achtzehn Jahren hin, dann kam ich zu Deiner Mutter[6], mit der ich von Dir sprach, als ob Du mitten unter uns seist, dann kam ich zu Dir und seitdem weißt Du ja, daß ich nie aufgehört habe, mit Dir innerhalb dieses Kreises zu wohnen, den ein mächtiger Zauber um uns zieht. Und Du weißt von da an alles was in meinem Herzen und Geist vorgeht, drum kann ich Dir nichts andres mehr sagen als zieh' mich an Dein Herz und bewahr mich an demselben Dein Leben lang.

Gute Nacht, morgen reise ich in die Wetterau.

*

O komm herein wie Du zum erstenmal kamst vor das Antlitz des erblassenden verstummten dem Verhängnis der Liebe folgenden Kindes, wie es da zusammensank, da es das Richtschwert in Deinen Augen blitzen sah, wie Du es auffingst in Deinen Armen. Die seit Jahren gesteigerte Sehnsucht nach Dir mit einemmale lösend, der Friede, der mich überkam an Deiner Brust! der süße Schlaf, einen Augenblick, oder war's Betäubung? – das weiß ich nicht. Es war tiefe Ruhe wie Du den Kopf über mich beugtest, als wolltest Du mich in seinem Schatten bergen, und wie ich erwachte sagtest Du: »du hast geschlafen!« »lange?« – fragte ich. »Nun, Saiten die lange nicht in meinem Herzen geklungen haben, fühlt' ich berührt, so ist mir die Zeit schnell genug vergangen.« Wie sahst Du mich so mild an! – wie war mir alles so neu! – ein menschlich Antlitz zum erstenmal erkannt, angestaunt in der Liebe. Dein Antlitz, o Goethe, das keinem andern vergleichbar war, zum erstenmal mir in die Seele leuchtend. – O, Herrlicher! – Noch einmal knie ich hier zu Deinen Füßen, ich weiß, Deine Lippen träufeln Tau auf mich herab aus den Wolken, ich fühle mich wie belastet mit Früchten der Seligkeit, die all Dein Feuergeist in mir gezeitigt, ja, ich fühl's, Du siehst auf mich herab aus himmlischen Höhen, lasse mich bewußtlos sein, denn ich vertrag's nicht, Du hast mich aus den Angeln gehoben, wo steh' ich fest? – Der Boden wankt, schweben soll ich fortan, denn weil ich mich nicht mehr auf Erden fühle; keinen kenne ich mehr, keine Neigung, keinen Zweck, als nur schlafen, schlafen auf Wolken gebettet an den Stufen Deines himmlischen Thrones, Dein Auge Feuerwache haltend über mir, Dein allbeherrschender Geist sich über mich beugend im Blütenrausch der Liebeslieder. Du! säuselnd über mir, nachtigallflötend: das Gestöhn meiner Sehnsucht. – Du! stürmend über mir, wetterbrausend: die Raserei meiner Leidenschaft. Du! – aufjauchzend, himmelandringend die ewigen Hymnen beglückender Liebe, daß der Widerhall ans Herz schmettert, ja zu Deinen Füßen will ich schlafen, Gewaltiger! Dichter! Fürst! über den Wolken, während Du die Harmonien ausbreitest, deren Keime zuerst Wurzel faßten in meinem Herzen.

*

Dem Freund [7].

[...]

Wie ich ihn zum erstenmal sah, da erzählte ich ihm wie mich die Eifersucht gequält habe, seit ich von ihm wisse; es waren nicht seine Gedichte, nicht seine Bücher, die mich so ganz leidenschaftlich stimmten, ich war viel zu bewegt noch eh ich ihn gesehen hatte, meine Sinne waren viel zu verwirrt, um den Inhalt der Bücher zu fassen, ich war im Kloster erzogen und hatte noch nicht Poesie verstehen lernen; aber ich war schon im sechzehnten Jahr so von ihm hingerissen, daß wenn man seinen Namen nannte, man mochte ihn loben oder tadeln, so befiel mich Herzklopfen; ich glaub', es war Eifersucht, ich ward schwindlig, war es bei

Tisch wo meine Großmutter manchmal von ihm sprach, so konnt' ich nicht mehr essen, währte das Gespräch länger, so vergingen mir die Sinne, ich ward nichts mehr gewahr, es brauste um mich her, und wenn ich allein war dann brach ich in Tränen aus, ich konnte die Bücher nicht lesen, ich war viel zu bewegt, da war's gleichsam als erstürzte der Strom meines Lebens über Fels und Geklüft in tausend Kaskaden herab, und es dauerte lang ehe er sich wieder zur Ruh sammelte. – Da kam nun einer, der trug einen Siegelring am Finger und sagte, den habe Goethe ihm geschenkt. Das klagte ich ihm, wie ich ihn zum erstenmal sah, wie sehr mich das geschmerzt habe, daß er einen Ring so leichtsinnig habe verschenken können, noch ehe er mich gekannt. Goethe lächelte zu diesen seltsamen Liebesklagen nicht, er sah milde auf mich herab, die zutraulich an seinen Knien auf dem Schemel saß. Beim Weggehen steckte er mir den Ring an den Finger und sagte: »Wenn einer sagt, er habe einen Ring von mir, so sage du: *Goethe erinnert sich an keinen wie an diesen.*« – Nachher nahm er mich sanft an sein Herz, ich zählte die Schläge. – »Ich hoffe, du vergißt mich nicht«, sagte er, »es wäre undankbar, ich habe ohne Bedingungen alle deine Forderungen soviel wie möglich befriedigt.« – *»Also liebst Du mich«*, sagte ich, »und ewig; denn sonst bin ich ärmer wie je, ja ich muß verzweifeln.«

*

Heute morgen hab' ich einen Brief vom Kanzler Müller erhalten, der folgendes über Goethe schrieb: »Er starb den seligsten Tod, selbstbewußt, heiter, ohne Todesahnung bis zum letzten Hauch, ganz schmerzlos. Es war ein allmählich sanftes Sinken und Verlöschen der Lebensflamme, ohne Kampf. Licht war seine letzte Forderung, eine halbe Stunde vor dem Ende befahl er: ›die Fensterladen auf, damit mehr Licht eindringe.‹«

*

14 *Ludwig Börne*

Goethe's Briefwechsel mit einem Kinde — 1835

Ich Dich ehren? wofür?
Hast Du die Schmerzen gelindert
Je des Beladenen?
Hast Du die Tränen gestillet
Je des Geängstigten?
(Goethes ›Prometheus‹.)

Die mißtrauische Stimmung, mit der ich das Buch in die Hand nahm, ging sogleich in eine freundliche über, als ich auf der zweiten Seite der Vorrede das Geständnis der Verfasserin las, daß sie an orthographischen Fehlern leide und mit Komma und Punkt nicht umzugehen wisse. Bei einer gebildeten Frau ist die Unorthographie die Blüte weiblicher Liebenswürdigkeit.

Auch in jeder andern Sprache geschrieben, selbst in der gebildeten, feinen und vornehmen Literatur der Engländer und Franzosen würden diese Briefe eines Kindes die höchste Auszeichnung verdienen und erhalten; aber als ein deutsches Werk sind sie von noch größerer Bedeutung. Ist es doch das erstemal, daß wir deutschen Geist, ein Schiff mit reicher Ladung, auf offner See, bei günstigem Winde, mit geschwellten Segeln, stolz dahinfahren sehen. Soll uns das nicht freudig überraschen, uns, die wir die deutschen Schiffe nur immer im Hafen sahen, einladend oder ausladend, aber bewegungslos?

Und Goethe ist der Anker dieses Schiffes! Bettina würde sagen: er ist mein Polarstern, mein Magnet und mein Steuermann. Geschwätz eines Kindes, worauf wir nicht achten. Goethe ist der Anker, und wie freuen wir uns darüber, wenn das kalte, harte, schwere und träge Eisen, so oft das Schiff ausgeschlafen, hinaufgezogen und mit fortgeführt wird, hin in das Ungewisse, getragen von dem Schwankenden, unter sich den Abgrund, hinter sich die Launen des Windes; und alles ohne Rahmen, ohne Farbe, ohne Gestaltung!

Betet dieses Kind an, denn der Himmel ist in ihm, und erkennt, daß es einen Gott gibt und eine gerechte Vergeltung! Bettina ist nicht Goethes Engel, sie ist seine Rachefurie.

Einst vor vielen Jahren schmolz wieder einmal der Schnee in unserem rauhen Lande und die Herzen wurden wieder warm und Gedanken keimten wieder. Da ragte unter allen sprossenden Geistern einer hervor mit tausend Knospen prangend, er allein ein ganzer Frühling. Die Götter sprachen: diesen Dichter wollen wir ehren durch unsere Gunst, denn er wird uns verherrlichen, uns und sein Vaterland, und sein armes Volk wird durch ihn erfahren, daß wir noch seiner gedenken in unserer Höhe. Sie sendeten dem Dichter einen ihrer vertrautesten Geister herab, ein holdes, zauberisches Wesen, das sich in irdischer Gestalt ihm näherte. Die schönsten Blumen, die süßesten Früchte brachte sie ihm dar. Sie war ihm Tochter, Freundin, Geliebte, und sang ihm vor mit Harfenstimme von ihrem Heimatlande, wohin sie ihn zu führen versprach. Goethe fühlte sich gerührt und immer tiefer und tiefer, und da, aus Furcht zu lieben, haßte er; denn Goethe haßte die Liebe, die ihm Tod, Fäulnis war, und er fürchtete den Tod; den Haß aber liebte er, denn er liebte das Leben, und im trennenden Hasse erkannte er allein das Leben.

Goethe schlug Mignon tot mit seiner Leier und begrub sie tief, und verherrlichte ihr Andenken mit den schönsten Liedern. Die Tote versprach er sich zu lieben, behaglich, nach Bequemlichkeit, nach Zeit und Umständen, und so oft ihn die Optik, Karlsbad, und seine gnädigste Herrschaft nicht in Anspruch nähmen.

Aber Mignon war keine Sterbliche. Noch einmal weinte sie, dann ließ sie ihre Hülle sinken und entschwebte. Oben aus einer Gewitterwolke rief sie herab: Wehe dem Undankbaren, der die Gunst der Götter verschmäht! Du hast mich nicht geliebt als Jüngling, so sollst du mich lieben als Greis; du hast mich nicht umarmt in den Tagen deiner Kraft, so sollst du mich umarmen in den Jahren deiner Ohnmacht; du hast mich von dir gestoßen, da ich deine Lust wollte sein, du sollst mich an deine Brust drücken, wenn ich deine Qual werde sein. Lebe nur fort in Hochmut und Todesfurcht, einst erscheine ich dir wieder.

Und wie sie gedroht, vollstreckte sie. Nach vierzig Jahren kam sie wieder und nannte sich Bettina. Sie liebte ihn und er glaubte sie spotte seiner; er liebte sie und sie heuchelte es nicht zu glauben, und er hatte doppelten Schmerz und war sehr unglücklich.

Es fehlte der Frau v. Arnim nur an einer größern Schaubühne der Beobachtung, einer solchen, wie sie in Deutschland keiner findet; dort wo für jede Loge ein eigenes Stück aufgeführt wird – nur daran fehlt es ihr, sonst wären ihre Briefe den interessantesten französischen Memoiren zu vergleichen und wir hätten eine deutsche Sevigné [1], nur verschönert und veredelt durch jene Liebe und jene Tiefe des Gemüts, welche die deutsche Nation über die französische erheben. Die Verf. hat ein merkwürdiges Talent zu porträtieren, sowohl Zeiten als Menschen, welches sich mit ihrem nationellen Talente zu idealisieren gar wohl verträgt. Es wäre gut, sie gründete eine Unterrichts-Anstalt für die historischen Professoren der deutschen Universitäten, welche die Kunst besitzen, sehr gute Geschichtsbücher zu schreiben, aber nicht die Kunst, sie lesen zu machen. Es wäre eine Kochschule, in der man lernte, wie aus den vortrefflichen Viktualien der deutschen Literatur, alles Zähe, alle Säure und fixe Luft zu vertreiben sei, damit sie zur wohlschmeckenden und gesunden Nahrung werde.

Wer Frankfurt kennt, den Geburtsort der Verfasserin, und ihrem Buche die Bewunderung zuwendet, die es verdient, der wird nicht begreifen können, wie sie Freiheit des Geistes und des Herzens gewinnen konnte. Die Auflösung des Rätsels liegt darin: Frau v. Arnim war eine Katholikin, sie gehörte zu den unterdrückten Volksklassen, sie war also Weltbürgerin, und dieses bewahrte sie vor der Engherzigkeit und der Philisterei, von der sich der Protestant Goethe, dessen Familie zur herrschenden Partei gehörte, nie losmachen konnte. Was machte Goethe, den größten Dichter, zum kleinsten Menschen? Was schlang Hopfen und Petersilie durch seine Lorbeerkrone? Was setzte die Schlafmütze auf seine erhabene Stirne? Was machte ihn zum Knechte der Verhältnisse, zum feigen Philister, zum Kleinstädter? Er war Protestant, und seine Familie war ratsfähig. Er war schon sechzig Jahre alt, stand auf dem höchsten Gipfel seines Ruhms, und Weihrauchwolken unter seinen Füßen wollten ihn trennend schützen vor den niedern Leidenschaften der Talbewohner; – da ärgerte er sich, als er erfuhr, die Frankfurter Juden forderten Bürgerrechte, und er geiferte gegen die *»Humanitätssalbader«*, die den Juden das Wort sprächen. Ja, der Gott ärgerte sich und geiferte, und das Kind Bettina mußte ihm weiche Umschläge auf sein gichtisches Herz legen und ihn beschwichtigen, wie einen leidenden, mürrischen Onkel! [2]

Bettina liebte Goethe, wie einst Petrarca seine Laura; sie liebten beide nur die Liebe. Bettina kniete nicht vor Goethe; sie kniete in ihm; er war ihr Tempel, nicht ihr Gott.

Goethe war König, nicht der gemeinen noch der vornehmen Geister, sondern ein König bürgerlicher Seelen. Ehrfurcht und Liebe umgaben ihn nicht, aber Bettelei und Dankbarkeit. Er war der Gönner der literarischen Gewürzkrämer, die Nationalgarde der Egoisten: verschmähend alles was allen, hassend das, was den Besten gefiel. Er beschützte die Mittelmäßigkeit der Literatur und ließ sich von ihr bewachen.

Er schrieb dem Kinde: »Dein Malen des Erlebten samt aller innern Empfindung von Zärtlichkeit, und dem, was dir dein witziger Dämon eingibt, sind wahre Original-Skizzen, die auch neben den ernsteren Beschäftigungen ihr hohes Interesse nicht verleugnen; nimm es daher als eine herzliche Wahrheit auf, wenn ich dir danke.«[3] Wenn Goethe für *Original-Skizzen* dankt, kann niemand an der Aufrichtigkeit seines Dankes zweifeln. Wären diese Briefe nicht Original-Skizzen gewesen, sondern an alle geschrieben, gedruckt, dann hätte sie Goethe unleidlich gefunden. Daß er sie, selbst in ihrer ausschließlichen Beziehung zu ihm, zu würdigen verstanden, mußte er in seinem Geist, wir zweifeln nicht daran, sie als *orientalische Poesie* angesehen haben. War ihm ja der ganze Jean Paul nur unter dieser Vorstellung begreiflich und verzeihlich.[4] Diese Weise der Anschauung und des Urteils war begründet in Goethes innerster Natur. Feuer, das nichts verzehrte, Licht, das nichts beleuchtete, Wärme, die nichts erwärmte, waren ihm grauenvoll. In der Kohle, in der Farbe, in der Kälte, die sondern und sperren, sah er allein das Leben. Stoffloses Feuer, farbenloses Licht waren seinem Herzen unverständlich, und seinem Verstande, seiner Wißbegierde nur als eine Seltsamkeit wert, die aus dem Morgenlande kam.

Frau v. Sevigné, als einst Ludwig XIV. einen Menuett mit ihr getanzt, rief begeistert aus: es ist doch wahr, wir haben einen großen König! So haben gar viele Personen Goethe groß gefunden und bewundert, nur weil er so gnädig war, ihnen zu schreiben, weil er ein Brief-Menuett mit ihnen getanzt. Aber zu diesen eiteln Enthusiasten gehörte Bettina nicht, sie hatte ein zu großes Herz, um eitel zu sein. Aber wie konnte sie Goethe lieben und bewundern? Es ist das Geheimnis der Apokalypse, man kann hundert Auslegungen versuchen, und des Unerklärlichen bleibt noch viel zurück.

Bettina hatte einen bewunderungswürdigen Höhesinn und eine unstillbare Kletterlust. Sie kletterte an Goethen hinauf, wie an Türmen, Mauern und Bäumen, und oben, wenn ihr warm geworden war von der Bewegung, glaubte sie, sie hätte oben die Wärme gefunden, und die schöne Aussicht, die sie auf der Höhe gewann, sie glaubte, die Höhe hätte sie geschaffen.

Da ihr Herz heller aufloderte, so oft Goethe es berührte, wähnte sie, von ihm käme seine Glut. Und doch war es nichts anders, als daß er Wasser in ihre Flamme spritzte. Wenn aber der Kälte zu viel kam, die Glut dämpfend statt anzufachen, dann kam Bettina zur Besinnung und sie erkannte Goethen, und sie pochte mit ihrer Kinderhand zornig an seine eiserne Brust.

Wem hätte Goethe nicht wehe getan, wer hätte nichts an ihm zu rächen? Darum wird es viele Tausende erquicken, wenn sie Folgendes lesen, was Bettina, überwältigt von ihrer sich nicht bewußten Sendung, von Zeit zu Zeit an Goethe schrieb. Kinder sagen die Wahrheit und Narren verbreiten sie. Aber wer wäre nicht gern ein Kind mit diesem Kinde, ein Narr mit dieser Närrin.

»Ich habe von der Mutter viel gehört, was ich nicht vergessen werde, die Art, wie sie mir ihren Tod anzeigte, habe ich aufgeschrieben für Dich. Die Leute sagen, Du wendest dich von dem Traurigen, was nicht abzuändern ist, gerne ab; wende Dich in diesem Sinne nicht von der Mutter ihrem Hinscheiden ab, lerne sie kennen, wie weise und liebend sie gerade im letzten Augenblicke war und wie gewaltig das Poetische in ihr.«

»Bei der Hand möchte ich Dich nehmen und weit wegführen, daß Du Dich besinnen solltest über mich, daß ich Dir in einem Gedanken aufginge, als etwas Merkwürdiges, dem Du nachspürest, z. B. einem Intermaxilliarknochen, über den Du Dein Recht in so eifriger Korrespondenz gegen Sömmering behauptest; sag mir aufrichtig, werde ich Dir so wichtig sein, als ein solcher toter Knochen?«

»Ich möchte zum Wilhelm Meister sagen: Komm, flüchte Dich mit mir jenseits der Alpen zu den Tirolern, dort wollen wir unser Schwert wetzen, und das Lumpenpack von Komödianten vergessen und alle Deine Liebsten müßten dann mit ihren Prätentionen und höhern Gefühlen eine Weile darben; wenn wir wiederkommen, so wird die Schminke auf ihren Wangen verbleicht sein, und die flornen Gewande und die feinen Empfindungen werden vor Deinem sonnverbrannten Marsantlitze schaudern.«

»Ja ich glaub's, daß ich Dir lieb bin, trotz Deinem kalten Briefe; aber wenn Deine schöne Mäßigung plötzlich zum Teufel ging, und Du bliebst ohne Kunst und ohne feines Taktgefühl, so ganz wie Dich Gott geschaffen hat, in Deinem Herzen, ich würde mich nicht vor Dir fürchten wie jetzt, wenn ein so kühler Brief ankömmt, wo ich mich besinnen muß, was ich denn getan hab.«

»Ach! Du hast einen eignen Geschmack an Frauen, Werthers Lotte hat mich nie erbaut, so geht mir's auch mit Wilhelm Meister; da sind mir alle Frauen zuwider, ich möchte sie alle zum Tempel hinausjagen.«

»Ach, Goethe, laß Dir keine Liedchen vorlallen, und glaube nicht, Du müßtest sie verstehen und würdigen; ergib Dich auf Gnade und Ungnade, leide in Gottes Namen Schiffbruch mit Deinem Begriff. Was willst Du alles Göttliche ordnen und verstehen, wo's herkommt und hin will.«

»Ja, das hat Christian Schlosser gesagt: Du verstündest keine Musik, Du fürchtetest Dich vor dem Tod und habest keine Religion.« Und in einem langen herrlichen Briefe über Musik, erzählt Bettina, so oft sie spiele oder singe, kämen in ihrem Zimmer eine Maus und eine Spinne aus ihrer Verborgenheit vor und äußerten bei den Tönen das lebhafteste, freudendurchdrungenste Mitgefühl. Dann spricht sie fortfahrend zu Goethe: »Diese beiden kleinen Tierchen haben sich der Musik hingegeben; es war ihr Tempel in dem sie ihre Existenz erhöht, vom Göttlichen berührt fühlten, und Du der sich bewegt fühlt durch die ewigen Wellen des Göttlichen in Dir, Du habest keine Religion? Du, dessen Werke, dessen Gedanken immer an die Muse gerichtet sind, Du lebtest nicht im Element der Erhöhung, der Vermittlung mit Gott?«

»Du bist ein koketter zierlicher Schreiber, aber Du bist ein harter Mann; die ganze schöne Natur, die herrliche Gegend, die warmen Sommertage der Erinnerung – das alles rührt Dich nicht, so freundlich Du bist, so kalt bist Du auch.«

Einmal schickte Bettina Liebes-Äpfel an Goethe. Darauf schrieb er ihr: er habe sie nach deren Empfange an eine Schnur gereiht, ans Fenster in die Sonne gehängt und Farbenbeobachtungen dabei angestellt. Nicht einmal die Dankbarkeit konnte diesen kalten Mann erwärmen, ihn, der doch so gern Geschenke nahm. Man muß es ihm verzeihen, daß er so gern Geschenke nahm, ja oft erbettelte; Goethe war der ärmste Mann seines Landes und seiner Zeit. Er konnte nur genießen, was er besaß, und er besaß nur, was unter seinen Augen stand, was er mit den Händen fassen konnte. Sein Gaumen hatte keine Phantasie. Für ihn gab es keine Erinnerung, keine Hoffnung, keine Sehnsucht, keine Gläubigkeit.

Kein erhabner Mensch, kein großer Fürst, kein Gott hat je eine seelenvollere, glühendere, herzinnigere Anbetung gefunden, als sie Goethe von Bettinen empfing. Ihre Briefe sind Gebete des Geschöpfes an seinen Schöpfer, jedes Wort zu seiner Verherrlichung. Ein Gott selbst hätte solche Lobpreisungen nur mit Rührung und Demut aufgenommen und gesagt: ich will werden, was ich scheine. Wie aber nahm sie Goethe auf? Bettinens Gefühle fand er oft zu natürlich, ihre Gedanken zu roh, und dann schickte er sie gekocht zurück. Die Prosa ihrer Briefe putzte er in Poesie, machte Sonette daraus, und besang und verherrlichte sich selbst, mit der erstaunenswürdigsten Sachdenklichkeit. Bachus, obzwar Herr des Weins, wird doch oft sein Diener und berauscht sich selbst; aber Goethe hat einen starken, felsenfesten Kopf; er kann Fässer seines Lobes austrinken, und es schwindelt ihn nicht und er wankt nicht.

Goethe hatte weder Sinn noch Geist für edle Liebe, er verstand ihre Sprache nicht, noch ihr stummes Leiden. Die Liebe, die er begriff, die ihn ergriff, das war die gemeine, jenes Herzklopfen, das aus dem Unterleibe kömmt; und selbst in dieser galt ihm nur geliebt *werden*, lieben galt ihm nichts. Abends, wenn Goethe müde war vom Stolze, ward er eitel sich auszuruhen. Man mustere die liebenden Paare, die durch seine Dichtungen streichen, loses Gesindel, das in alten Reichsstädten dem Konsistorium zugefallen wäre. Die glückliche Liebe ist ein Verbrechen, die unglückliche ein verbrecherischer Wunsch, Sinnlichkeit, Eitelkeit, Heuchelei mit Stickereien von blumigen Redensarten als Schleier darüber. Seine geliebten Frauen sind Mätressen, seine geliebten Männer Günstlinge und bezahlt. Die Liebeswirtschaft in ›Wilhelm Meister‹ hätte die Polizei keinen Tag geduldet, wären nicht Barone und Gräfinnen dabei im Spiele gewesen.

Goethe fürchtete sich vor der Liebe, denn alles, was er nicht mit Händen greifen konnte, war ihm Gespenst. Er schlug sie tot auf seine gewohnte Weise. Die Liebe war ihm Chemie des Herzens, Sympathie nannte er Wahlverwandtschaft. Er stellte die Liebe in gut verstöpselten Gläsern in sein Laboratorium und da war ihm wohl.

Bettina erzählte Goethen von seinen Kinderjahren, was sie von seiner Mutter gehört: »Einmal stand jemand am Fenster bei Deiner Mutter, da Du eben über die Straße herkamst mit mehreren andern Knaben; sie bemerkten, daß Du sehr gravitätisch einherschrittest und hielten Dir vor, daß Du Dich mit Deinem Geradehalten sehr sonderbar von den andern Knaben auszeichnetest. Mit diesem mache ich den Anfang, sagtest Du, und später werde ich mich noch mit allerlei auszeichnen.«[5]

Knaben, die sich geradehalten, werden Männer, die sich bücken, und darin hat sich Goethe ausgezeichnet; er hat sich tief gebückt vor allen, die sich noch gerader gehalten, als er.

Seine Mutter erzählt weiter: »In seiner Kleidung, war er nun ganz entsetzlich eigen; ich mußte ihm täglich drei Toiletten besorgen. Auf einen Stuhl hing ich einen Überrock, lange Beinkleider, ordinäre Weste, stellte ein Paar Stiefel dazu. Auf den zweiten einen Frack, seidne Strümpfe, die er schon angehabt hatte, Schuhe usw. Auf den dritten kam alles vom feinsten, nebst Degen und Haarbeutel. Das erste zog er im Hause an, das zweite, wenn er zu täglichen Bekannten ging, das dritte zur Gala.«[6]

Goethe war stolz und hochmütig, aber alle seine großen Gaben berechtigten ihn zu keinem Stolze, denn die Gaben, die allein dazu berechtigen, fehlten ihm: Mut und Seelengröße. Und ist man ein Dichter ohne Mut? Wahrheit und Schönheit sind verzauberte Prinzessinnen. Gar manchen Riesen und Drachen mußte man erlegen, durch Feuer und Wasser gehen, über einen Draht reiten, um sie zu erlösen. Aber Goethe ist auch kein Dichter; die Muse war ihm nie vermählt, sie war seine Dirne, die sich ihm hingab für Geld und Putz, und Bastarde sind die Kinder seines Geistes.

Ja, wahrlich, Goethe mußte, um seine Freundin erträglich, um sie nur begreiflich, und in seinem Naturalien-Kabinett ein Schubfach für sie zu finden, sie als seine Hofnärrin betrachten.

Wenn Bettina ihre schöne Begeisterung für die Treue, den Heldenmut der Tiroler, und ihren Schmerz und Zorn bei Hofers Tod Goethen anvertraut[7], und von ihm Verständnis, Erwiderung ihrer Gefühle erwartet, muß man da nicht laut auflachen über das närrische Kind, das seiner Puppe seine Leiden vorweint? Und möchte man nicht laut aufweinen, wenn man gewahrt, wie ein so bedeutender Mann als Goethe vor jeder Empfindung bleich wird und zittert, weil er die hypochondrische Einbildung hat, das Herz wäre von Glas, und müsse brechen von einer heftigen Berührung? Ja, wahrlich, Goethe hatte eine fixe Idee, so traurig als man nur je eine im Irrenhause fand. Die Natur verwahrt alle ihre Kleinodien in Futteralen, wie der Mensch, aber für Goethe galten die Futterale selbst als Kleinodien; innen die Kostbarkeiten gewahrte er gar nicht, und wenn ja, betrachtete er sie als eingeschlossene Diebe, die seinen Schatz bedrohten. Goethe hatte eine lächerliche Schachtelwut; er nannte das Kunstliebe, seine Verehrer nannten es Kunstkennerschaft, Sachdenklichkeit. Aber es war eine betrübte Kunstliebe, eine lächerliche Kunstkennerschaft und eine wahnsinnige Sachdenklichkeit. Jedes Kunstwerk ist der sterbliche Leib eines unsterblichen Gedankens, die Versinnlichung des Übersinnlichen. Aber für Goethe war ein Kunstwerk der Sarg einer Idee, und hörte er etwas sich darin rühren, floh er entsetzt davon, ihm schauderte vor den lebendig Begrabenen.

Es gibt keine Staatsgeheimnisse mehr. Goethes ehemaligen Minister und Günstlinge werden freilich die Verwirrungen ihres Gebieters auch nach dessen Tode nicht verraten; aber mögen sie schweigen, so tief sie wollen, wer errät es nicht, daß Bettina Goethes Quälgeist war, und daß sie ihn mit ihren Briefen, mit ihren Besuchen oft zur Verzweiflung gebracht haben mußte? Mit ihrer Begeisterung, ihrer Schwärmerei, ihrer schattenlosen Mittagsglut, ihren Gedanken, Sternschnuppen gleich, dem Kometenwandel ihrer Phantasie konnte Goethes Sachdenklichkeit nicht fertig werden. Nicht in seiner Gemälde-Galerie, nicht in seinem Naturalien-Kabinette wollte sie stillhalten, ja aus dem festesten unterdischen Gedichte wußte sie zu entspringen. Das eine, was ihm mit ihr gelang und ihn vor Trostlosigkeit auf kurze Zeit schützte, war, daß er sie wie Sand auf eine Glastafel streute, und sie zu Chladnischen Klangfiguren formte. Aber wie lang hilft das, und wie wenig! Hatte sie anschwindelnd getanzt bis zur willkommenen Gestaltung – ein Lüftchen, und sie stäubte wieder auseinander.

Nach einer langen Reihe von Briefen, worin sie mit Goethe von Musik, von Liebe, von der schöpferischen Natur, von Freiheit, von Vaterland, von Andreas Hofers Tode gesprochen, schrieb ihr der betrübte Freund zurück: »Indem ich nun Deinen letzten Brief zu den andern lege, so finde ich abermals mit diesem eine interessante Epoche abgeschlossen. Durch einen lieblichen Irrgarten zwischen philosophischen, historischen und musikalischen Ansichten hast Du mich zu dem Tempel des Mars geleitet.« Um den Lichtwechsel und den launischen Gang der Liebe zu begreifen, mußte er sich das Herz als einen englischen Garten vorstellen, und um aus Andreas Hofer etwas zu machen, ließ er ihn als einen Priester des Marstempels gelten. Der unglückliche Mann, der nur in einem Kerker ruhig schlafen konnte!

Goethe hat nur das Räumliche und das Zeitliche verstanden, das Unendliche und die Ewigkeit verstand er nicht; aber unsterblich ist nur, wer die Unsterblichkeit begreift. Lächerlicheres gibt es nichts auf der Welt, als Gott und Teufel, wie sie Goethe in seinem vielgepriesenen ›Faust‹ dargestellt; Goethe hat Gott und Teufel nach seinem Ebenbilde geschaffen. Dort ist Gottes Weisheit, fünf gerade sein lassen; und des Teufels Klugheit, es mit Gott nicht zu verderben, weil er doch ein vornehmer Herr ist.

Hätte Bettina die schöne Musik ihres Herzens vor rohen Ohren hören lassen, vor einem Philister ihrer Vaterstadt, vor einem Sachsenhäuser, der aus dem Äpfelwein seine Begeisterung schöpft – es hätte uns gewundert, aber nicht verdrossen. Wir hätten gedacht: sie ist ein Sonntagskind, die einen edlen Geist da erkennt, wo wir Wochenmenschen nur die rohe Hülle sehen. Aber daß sie sich Goethen zugewendet, der seinen ganzen Schatz an den Koffer verwendet, der bei andern großen Geistern den Schatz einschließt; den jeder Alltagsmensch begreift, nach seinem vollen Werte schätzt, weil er nichts zu erraten übrigläßt, weil er sein eigener Hintergrund ist – das betrübt uns.

Goethe hat nur verstanden, was tot war, und darum tötete er jedes Leben, um es zu verstehen. Nicht die Natur, nicht den Menschen faßte er. Er zerstückelte das Leben in seine Glieder, in seine einzelnen Organe und zeichnete sie sehr richtig, wie in den besten anatomischen Kupfertafeln. Freilich findet ihr alles in seinen

Schriften, Hand und Fuß, Rumpf und Schädel, Herz und Nieren; aber setzt sie nur zusammen, macht einen lebendigen Menschen daraus, wenn ihr könnt. Ihr findet freilich Sterne und Götter in seinen Dichtungen, aber gerissen aus ihrer Liebesbahn, ihr macht nie einen Himmel daraus. Goethe lebt nur in seinen Liedern, da allein ist er ganz und vollständig; denn das Lied ist die Scheidemünze der Poesie, die sich nicht mehr teilen läßt, die nicht mehr gewechselt werden kann.

Bettina ist ein reichbegabtes, gottgesegnetes Kind, das wir lieben und verehren müssen. Sie ist glückliche Gespielin der Blumen, Vertraute der Nachtigall; sie verstand die *Sprache der Stille,* der Goethe taub war, und wußte das Mienenspiel der stummen Natur zu deuten. Ihr waren die Sterne näher, sie leuchteten ihr, wie uns Mond und Sonne. Ihr Buch ist ein Gedicht und ihr Leben ein holdes Märchen. Goethes Nachwelt ist auch die ihre, sie richtet beide. Wird Goethe verurteilt, ist Bettina freigesprochen, wird Goethe freigesprochen, ist Bettina schuldig. Goethe nannte sie eine Närrin, und er mußte wohl; denn Bettina selbst sagt es: »Narrheit ist die rechte Scheidewand zwischen dem ewig Unsterblichen und dem zeitlich Vergänglichen.«

Goethe wagte sich nicht zu berauschen im Weine der Begeisterung. Er hätte Wasser in den Nektar selbst gemischt und ihn wie Arznei getrunken in Maß und Zeit.

Bettina besiegte Goethen, aber nicht wie die Liebe besiegt: er floh vor ihr, und so eilig und angstvoll, daß er nicht einmal seinen Körper mitnahm.

Die Biene erquickt uns nicht bloß mit Honig, sie spendet uns auch das Licht der Nacht. So soll auch der Dichter sein: süß dem Freudedürstigen, leuchtend in der Dunkelheit der Trauer. Goethe war nur das erstere, der Dichter der Glücklichen, er war nicht der Dichter der Menge. Keiner weint an seinem Grabe, denn nur die Unglücklichen haben Tränen.

Goethe hat nur immer der Selbstsucht, der Lieblosigkeit geschmeichelt; darum lieben ihn die Lieblosen. Er hat die gebildeten Leute gelehrt, wie man gebildet sein könne, freisinnig und ohne Vorurteile und doch ein Selbstling; wie man alle Laster haben könne ohne ihre Rohheit, alle Schwächen ohne ihre Lächerlichkeit; wie man den Geist rein erhalte von dem Schmutze des Herzens, mit Anstand sündige, und den Stoff jeder Nichtswürdigkeit durch eine schöne Kunstform veredle. Und weil er sie das gelehrt, verehren ihn die gebildeten Leute.

Goethe hat sich mit wenigen Worten treffender und wahrer geschildert, als es irgend ein anderer vermöchte. Er sagt in seinem Leben: *»Es liegt nun einmal in meiner Natur, ich will lieber eine Ungerechtigkeit begehen, als eine Unordnung ertragen.«* [8] So war Goethe immer und überall, so hat er sich gezeigt in allen seinen Worten und Handlungen. Wenn edle Menschen sich gegen ihre böse, tyrannische Natur empören, sich von ihr frei zu machen suchen, war es Goethes Weisheit sich ihr zu unterwerfen mit Lakaien-Demut. Die Liebe, die alle Trennung aufhebt, die kunsttötende, galt ihm für Unordnung. Für Unordnung galt ihm, wenn die Macht wechselte, wie alles wechselt, und von dem Starken zu dem Schwachen, von den Unterdrückern zu den Unterdrückten überging. Goethe war ein Stabilitäts-Narr und die Bequemlichkeit war seine Religion. Er hätte gern die Zeit an den Raum festgenagelt. Das gelang ihm nicht, aber es gelang ihm, sein Volk aufzuhalten, da er lebte und noch nach seinem Tode; denn über seine Leiche muß es schreiten, will es zu seinem Ruhme und seinem Glücke kommen.

Blind ist jede Liebe, aber blinder hat sie sich noch nie gezeigt, als bei Bettina. Ihr Buch, bekannt gemacht zur Verherrlichung Goethes, hat seine Blöße gezeigt, hat seine geheimsten Gebrechen aufgedeckt. Die arme Bettina rieb sich die Hände wund, ihren Gott zu reinigen, es gelang ihr nicht; sie hat ihm manchmal den Kopf gewaschen, aber das Herz konnte sie ihm nicht waschen. Wäre die Liebe nicht blind, hätte sie statt *zu* Goethe *für* ihn gebetet, gebetet mit seinen eigenen schönen Worten:

Ist auf deinem Psalter
Vater der Liebe, ein Ton
Seinem Ohre vernehmlich,
So erquicke sein Herz!
Öffne den umwölkten Blick
Über die tausend Quellen
Neben dem Durstenden
In der Wüste.[9]

15 *F. Gustav Kühne*

Wie die Kunst bei den Deutschen nach Brot geht! Eine Rede, gehalten bei der Eröffnung eines literarischen Vereines

1835

»Musik mit ihrem Silberklang!« sagen Shak[e]speares Fiedler und lächeln pfiffig und halten die hohle Hand hin, um das Ende vom Liede, auf das ihnen alles ankommt, den Klingklang der Münze, zu vernehmen. Was die täppischen Kauze auf ihren Geigen heruntergekratzt, das galt ihnen nicht für das ganze Spiel, nur für Vorspiel, für Musik ohne Silberklang, das Nachspiel macht die klingende Münze. Darum stehen sie da und lächeln blöde, und die hohle Hand ist so trostlos nüchtern wie eine Schildkrötenschale, über deren Wölbung noch die goldenen klingenden Saiten fehlen. Die Kunst ist frei – und die Kunst geht nach Brot. Hierin liegt die Bedingung ihrer Existenz und ihrer Nichtexistenz. Als die Malerei ihre welthistorische Epoche hatte, da ging diese Kunst nicht nach Brot, vielmehr ging das Brot nach der Kunst, das Brot, das Geld, der Nektar, die Liebe, alle Elemente und Mächte des Lebens machten Wallfahrten nach den heiligen Stätten, wo der Fuß eines Malers weilte, und knieten vor der Schwelle seines Hauses, denn drinnen waltete eine Göttin. [...]

Ich sage, die Kunst darf nicht nach Brot gehen, vielmehr müssen die Früchte des Lebens in goldnen Schalen ihr ins Haus gebracht werden, und die sie bringen, müssen auf der Schwelle stehen und sich selig preisen, wenn der Künstler, der divine Mann, der mit höheren Mächten als ein König die Gemüter lenkt, ein Lächeln seinen Lippen abnötigt. Wo das nicht ist, da ist die Kunst nicht, was sie ist oder sein kann, eine irdische Gottheit, eine weltliche Religion. So etwas läßt sich nicht machen, so etwas liegt in den allgemeinen Zuständen, in der Weltanschauung einer Zeit. Die Weltzustände bedingen es, ob in Europa auf irgendeinem Punkte noch einmal ein neuer Kunstaltar erbaut werden könne oder nicht, und eine Epoche möglich ist, wo die Menschenkinder, wie von einem schönen Wahnsinn befallen, Religion und Kirche, Staat und Familie, Haus und Herd, alle ihre Liebe und Anbetung im Stiche lassen, oder nicht im Stiche lassen, sondern alles mitnehmen, um alles in leidenschaftlicher Entzückung auf die Stufen eines neuen Musentempels niederzulegen.

Es sieht nicht darnach aus, auch in Deutschland nicht, denn hier hat es leider schon eine Zeit gegeben, wo es darnach aussah und den Anschein davon hatte. Der Punkt, auf dem sich so etwas zu gestalten Miene machte, hieß Weimar. Hier wurden die Musen und Grazien die ausschließlichen Gottheiten eines sinnlich-edlen, geistig-üppigen Lebens. Der Staat war ohne politische Bedeutsamkeit, die fürstlichen Personen hatten die schönste Befähigung und ausschließlich Sinn für die Künste, die Poesie gehörte zu ihren Lebensbedürfnissen, sie schmückten mit ihren Gebilden nicht bloß die Räume ihres Daseins, die Kunst war völlig ihre Luft zum Atemholen. Eine Herzogin *Amalia* ist eine kostbare Seltenheit in der ganzen Weltgeschichte. Alles schien sich günstig zu gestalten, um hier dem deutschen Genius seine Wiege oder noch mehr als das, sein Brautbett aufzuschlagen. Die Zeiten waren stürmisch, ein Weltgewitter zog über die Häupter, aber man entwand sich diplomatisch den Wirren des kriegerischen Lebens, um seinen Gottheiten in stiller Zurückgezogenheit zu dienen. Nur so wurde es möglich: und darin liegt zugleich das Gebrochene, das Unfreie dieser Blüte der deutschen Kunstepoche. Man mußte sich den Stürmen des großen ganzen Lebens entwinden, um im Kleinen und in der Enge das Große und Ganze und Weite wiederzufinden. So ist diese Blüte eine zärtliche Treibhauspflanze gewesen in mancher Beziehung, und die Fragen des nächstfolgenden Geschlechts, schon der noch Mitlebenden jener Zeit, reichen über diesen Friedenssitz der deutschen Musen wie feuerrote Kometen hinweg, die man unter den kleinen Haus- und Himmelssternen des Weimarischen Hofes mitzuzählen vergessen hatte. Man führte in Weimar weniger ein nationales Hof-, als ein idyllisches Landleben. *Wieland* war der blöde, aber doch auch sehr lüstern lächelnde Fürstenschäfer; das Samtkäppel gab ihm in alten Tagen eine seltsame Beimischung von Ehrwürdigkeit. *Herder* sprach und radotierte schön und weise über alles und jedes; seine gefällige Humanität gab dem Fürstensalon etwas echt Patriarchalisches. *Schiller* wurde nie Hofmann, er dichtete nicht für die Schranken eines Hoftheaters, er appellierte an die allgemeine Menschheit, er hatte am meisten Beruf, eine Nation zu bilden, er war es am meisten wert, eine Nation zu haben. Wieland nannte ihn scherzhaft einen tragischen Herkules, und das bezeichnet am besten den Mißstand zwischen Schiller und einem bloßen Zirkel von ästhetischen Prinzen und Noblen. Wielands lächelnde und kichernde Sinnlichkeit, Herders weiches Räsonnieren und Schillers heißes Gelüst nach dem tieferen Aufruhr des inneren Menschen vereinigten sich am Weimarischen Hofe schließlich in *Goethes* beglückter Persönlichkeit. Er hat diese Elemente zur Harmonie in sich verschmolzen, aber hinausgegangen ist er nicht über ihre Kreise, vielmehr haben sie in ihm, nachdem der Gipfelpunkt erreicht war, sich überlebt; er hat diese Sterne über ihre Mittagshöhe ihrem erblassenden Abendrote entgegengeführt.

Goethe hat unendlich tiefe, mannigfach wunderbare Töne angeschlagen, aber einen sichern Typus hat er wohl keinem Zweige der Literatur eingeprägt, wie etwa Shak[e]speare der dramatischen Poesie seines Volkes. Der Brite hatte nur *einen* Weg eingeschlagen, weil er nur *eine* große Sache kannte, und diese eine Sache war seine Nation. Deshalb hat Shak[e]speare durch dies Verfolgen einer einzigen Richtung für das Drama Formen hervorgerufen, die seine Persönlichkeit überwuchsen und fester und objektiver scheinen, um bloß an die Bedingung seiner Subjektivität geknüpft zu sein. Goethe hat viele Wege eingeschlagen, mannigfache Richtungen eröffnet, keine einzige zu Ende verfolgt. Die Spuren, die sein Fuß gewandelt, sind leise dem Boden eingedrückt. Jedes Gebiet, das er betrat, schmiegte sich leicht und gefällig zu seinen Füßen, es war, als wenn die Geister der Natur freiwillig ihr Bestes und Schönstes zu seinen Triumphen darzubieten sich verschworen, er zog hierhin und dorthin, und trat aus allen Sphären neu verjüngt hervor wie ein ewiger Bräutigam, mit der Krone ewiger Gesundheit geschmückt, mit dem Gürtel eines unüberwindlichen Liebreizes um seine Hüfte. Er war unendlich glücklich, sein Glück war noch größer fast, als sein Talent. Alle Rosen, die er pflückte, schlangen sich zu Blumenkränzen um seine Brust. Jede Richtung, die er als Dichter einschlug, wurde ein Festzug für seine Persönlichkeit, aber er blieb keiner treu, lebte keine aus, sein Ich wand sich behende und schlank durch alle Verpuppungen, er war ein Talleyrand der deutschen Kunst und Poesie. In seiner Jugend regten sich mittelalterlich deutsche Elemente in seiner Brust; er schrieb den ›Götz‹ und nahm damit einen Anlauf zu einem echten Nationaldrama. Der ›Götz‹ war ein großer Anfang dazu; aber Goethe verfolgte diese Richtung nicht; es waren zu viel widerstreitende Anforderungen in seiner Zeit, mithin auch in ihm. Der damaligen sozialen Zustände hatte sich eine todeslustige Melancholie bemächtigt. Der blühende Wolfgang erlebte diese Krankheit mit an sich selbst, und heilte sich durch den ›Werther‹. Dann tändelte er wieder leicht und lustig in Schäferspielen und zollte der Wielandschen Schule seinen Tribut. Er kokettierte mit der französischen Sentimentalität und fand auch diesen Stoff vor in der vielfach zerspaltenen Gemütsanlage seines Volkes und seiner Zeit. ›Clavigo‹ und ›Stella‹ setzten dieser Richtung die Krone auf, und Wolfgang Goethe war berufen, von allen Anpflanzungen in den verschiedensten Kreisen des deutschen Lebens die Frucht zu brechen, denn *alles* schien ihm entgegenzublühen. Dabei lief er, wie sein Rattenfänger, unstät und lustig singend über Berg und Tal, seine Sohlen waren geflügelt, seine Stirn umspielte ein ewiger Maienglanz der Liebe, über seine Lippen flossen Lieder, süß wie Honigseim, unschuldig wie Milch, leicht und üppig, wie ein morgendlicher Hauch die reifen Blüten schüttelt. Die Lieder kamen ihm Tag und Nacht, bis ins späteste Alter, er wußte nicht wie, und ahnte kaum, daß er gerade der Lyrik weit mehr, als dem deutschen Drama und Roman einen vollendeten Typus gab. In der lyrischen Poesie hat der Deutsche auch weit weniger fehlgetappt. Zum Liede gehört der tiefe Schmerz oder die tiefe Lust der einzelnen Brust, und als einzelner hat der Deutsche unter allen Volksindividuen die tiefste, reinste, schönste Befähigung zum Höchsten. Aber zum Roman gehört ein volles, ganzes, episch entfaltetes Volksleben, zum Drama eine dramatische Nationalität.

Das Studium der griechischen Antike war durch Winckelmann und Wolf eröffnet. Goethe machte sich auch auf diesem Felde mit deutscher Liebe heimisch; dieser Richtung blieb er am treuesten. Er hatte Wärme des Herzens genug, um das Marmorbild lebendig zu küssen; er war der Pygmalion der Iphigenia. Und doch hat er gerade hier sich und sein Volk, weil es im Fürstenzirkel gefiel, am meisten vergessen, er blieb starr und kalt am Munde der glatten Steingestalt hangen und dichtete die ›Natürliche Tochter‹. Das war eben das Vermessen des großen Mannes, daß er nicht bedachte, sein Volk habe seine eigenen Götter, und daß er wähnte, er müsse für die Deutschen erst eine Gottheit suchen auf fernen Gefilden. Und der Beifall eines feingebildeten Hofes berauschte ihn. Ein edler Fürst, dem zur vollendeten Größe seines Geistes nur ein großes Reich fehlte, um das als Herrscher zu sein, was er als Mensch war; dieser Fürst war sein Freund, sein Dutzbruder, nur schade, daß dieser Herr, um den Dichter an seinem Hofe zu halten, ihn auch zu seinem Diener machen mußte. So wurde Goethe, der geadelte Bürgerssohn, ein großer Mann in einer kleinen Koterie, ein Staatsminister in einem engen Hofleben. Er war nicht, wie Rubens, wie van Dyk, der freie Fürstenfreund, der unabhängige Selbstmensch. Der Großherzog hatte in ihm den Frankfurter Doktor iuris werben, ihn zum Rat und Besitzer im geheimen Conseil, zum großmächtigen Beamten in seinem kleinmächtigen Ländchen machen müssen. Es ging nicht anders, beim ewigen Gott der Deutschen! Der krumme deutsche Buckel, der doch schon so viele materielle Lasten eselhaft geduldig getragen, will nichts Ideelles auf seinem Nacken aushalten. Als der vorige König von Bayern zum ersten Male seine Kammern berief, um die Stimme der Nation zu vernehmen, da kamen die bayerschen Bierbrauer an und steckten die dicken Köpfe zusammen und raunten sich brummend zu, es gebe im Lande einen gewissen Geheimrat von Schelling, der habe 4000 fl. zu verzehren und täte nichts, als die Hände in den Schoß legen, nicht einmal Bier trinke so ein vornehmer Müßiggänger, sondern eitel Champagner; so etwas sei nicht zu dulden, der Mann mit dem orientalischen Schlafrock sei unnütz. Damals war noch keine Universität in München. Seitdem Schelling wieder Professor ist[1], denken die bayrischen Bierbrauer, er täte mehr als sonst. Es ist ein schnurrig Ding mit dem deutschen Nationalsinn. Wenn er einmal seine Stimmen abgerissen losläßt, brummt er so inartikuliert, wie der Vierfüßer im Stande der Unschuld. Der Deutsche hat im ganzen und in seiner Gesamterscheinung nichts Großes, er hat nur diverse große Tugenden. Wir haben eine große Nationalliteratur, und doch keinen großen Nationalsinn mit ihr erhalten. Wenn die Fürsten nicht demokratisieren und die Erziehung des Volkes weiterführen, so wird nichts daraus, da es die Dichter bis jetzt nicht vermochten. Was früher Künstler und Dichter waren, sind heutzutage Schriftsteller. Die Fürsten müssen mit den Schriftstellern wetteifern, um sich die Nation zu erziehen. Thron und Volk müssen enger aneinander gerückt werden, denn sie gehören zusammen wie Kopf und Brust. Was sich zwischen beide drängt, die Kamarilla, muß gestürzt werden. Nicht die Fürsten sind verfolgungssüchtig, sondern die Kamarilla und ihre Bürokratie. Diese verkennen unsere gute Gesinnung, verschwärzen unsere harmlose Miene, verdächtigen unsern Eifer, entwenden uns heimlich unsere Liebe, und zwingen uns den Haß auf.

Goethe, sage ich – denn auf ihn muß ich zurückkommen, um zu zeigen, warum wir eine Nationalliteratur, und doch für die Formen der Poesie keinen Nationaltypus erhalten haben – Goethe hat auch dem Roman keine Normalform gegeben. Er nahm in seinem ›Wilhelm Meister‹ nur den Anlauf dazu, ohne das Werk zu vollenden, geschweige die Richtung, die er hier glücklich eingeschlagen, zu verfolgen. Wir sahen hier einen Komplex deutscher Zustände in bestimmter gesellschaftlicher Zeitentwicklung. Das Thema ist die Erziehung eines einzelnen, die durch jene Zustände und in verschiedenen Situationen bedingt wird. Wilhelms Bildung beginnt im Komödiantenleben und setzt sich in aristokratischen Zirkeln fort. Beim Ende der Lehrjahre ist aber kaum der Jüngling, geschweige der Mann fertig. Wilhelm Meister kann nicht in die Mannesjahre treten, weil er so wenig als sein Dichter sich vor den Augen einer Nation gebildet hat. Um aber Mann zu werden, dazu gehört ein Staat, den Staat kannte aber Goethe gar nicht, hatte keinen Sinn, ein öffentliches Staatsleben zu schildern, keinen Mut, offen davon zu sprechen und das fehlende Element einzugestehen. So fehlt dem Deutschen überhaupt die Stufe des Mannes, weil sein Staatsleben nicht zur freien und kräftigen Öffentlichkeit vollgültig herausgeboren ist. Nur auf einzelnen gesegneten Punkten Deutschlands ist begonnen, was dem Ganzen noch gebricht. So ist der Deutsche überhaupt gar kein Mann; wir sind Jünglinge, wir schäumen etwas und schwärmen eine Weile und sind lustig ein bissel, sinken aber plötzlich zusammen und sind Greise. Das Mannesalter ist noch nicht frei und fertig herausgeboren in deutscher Natur, der Jüngling in uns und der Greis in uns reichen sich zu schnell die Hände. So bleibt denn der Wilhelm Meister ein Stümper als Mensch. Goethe wußte keinen Mann aus ihm zu machen, weil zum Manne – ein Staat gehört. Seine Bildung ist artistisch und gesellig fertig, und doch ist er ein Pinsel geblieben. Der Roman ist ein Fragment, wie die deutsche Bildungsgeschichte, es fehlt ihm aller nationale Hintergrund. Um in Ermangelung dessen doch irgend etwas Allgemeines hinzustellen, vor dem sich die Figur des Individuums bewegen sollte, ist eine mystifizierende Logenassekuranz fingiert, ein höchst alberner Ersatz für eine sonstige kompakte Ganzheit, wie sich deren der englische Roman mit den volkstümlichen Elementen historischer Parteiung zu erfreuen hat. Die rationale Unterlage macht den Scottschen Roman so straff und sicher und gibt ihm eine Bedeutung, die der Goethesche nur durch Fiktion und psychologische Tiefe erschwingt. Von den ›Wanderjahren‹ will ich schweigen. Hier ist an allen ideellen Mächten des Lebens ein schnöder Verrat geübt; hier sinkt alles in eine ängstliche Werkeltätigkeit zusammen, in eine philiströse Versumpfung, die echt deutsch, aber eines Dichters, der eine Nation erziehen soll, wenig würdig ist. Die Materialistik Walter Scotts und Coopers [2] ist weit gesünder und bedeutsamer, weil sie nicht prätendiert, in ideeller Bedeutsamkeit hingenommen zu werden, wie die Goethesche, und weil sie sich naiv, vollsaftig und blank hingibt.

In den ›Wahlverwandtschaften‹ ist von vornherein verzichtet auf alle Bewegung in der Mitte des Volkes, auf allen Zusammenhang mit dem Strom des ganzen Lebens. Es ist ein aristokratisch abgefeimtes Quälerleben, höchst subtil, mit höchst spinnefeiner Dialektik der menschlichen Neigungen, ein Kabinettstück des vornehm abgepferchten Salonlebens, an dessen glatten Felsenwänden der Hülferuf der duldenden Menschenseele wie ein sterbendes Echo schwach verhallt. Hätte Goethe nur den ›Meister‹ und nicht auch die ›Wahlverwandtschaften‹ geschrieben, so hätte man noch über die Möglichkeit träumen können, aus seiner Poesie einen Nationalroman hervorgehen zu sehen, in welchem das ganze volle deutsche Herz zu seinem Rechte gekommen.

Mit diesem Werke brach Goethe förmlich mit seinem Volke. Er hatte nie recht an eine Gesamtheit geglaubt, es nie so zuversichtlich wie Schiller sich imaginiert, daß im Deutschen etwas Nationelles, das sich als ein Ganzes ideell fortbildet, schlummere. Dieser Glaube ist aber eine Religion für den deutschen Schriftsteller, diese Religion darf nicht aufgegeben werden. Die damalige Opposition der romantischen Schule gegen Goethe hatte auch nur darin ihren Stützpunkt, daß sie aus dem entlegnen Schoße deutscher Gesittung und deutschen Kunstlebens volkstümliche Elemente wieder ans Licht zog. Mit den ›Wahlverwandtschaften‹ gab Goethe seinem Volke als einer Gesamtheit den Scheidebrief; was sich nun geschichtlich um ihn her gestaltete, ließ ihn blind, er flüchtete mit seinem Denken und Dichten in den Orient. Es liegt eine herzschneidende Ironie darin, daß der Patriarch von Weimar den Aristokratenroman im Jahre 1809, im Tirolerjahre [3] schreiben mußte, während er hinter den Bergen, auf deren Spitzen die Wetterfahne des Aufruhrs wehte, die deutsche Kanaille für die Sache deutscher Freiheit bluten sah; aber er sah nichts mehr, was die Adern des Volkes blutigrot durchfieberte, er entwand sich »diesen verschlingenden Zeitverhältnissen« mit höfischer Aristokratenkälte. Schiller war tot, und es war niemand da, der den Dichter Goethe, welcher sich jetzt völlig mit dem Minister Goethe identifizierte, mit dem Menschen, dem Deutschen in ihm, verbrüderte. Das einzige Wesen, was an sein erkaltetes Herz schlug, war ein Mädchen, *Bettina*, das glühende, verzückte Kind der Natur.[4] Sie begriff es, was es zu sagen habe, für eine Idee, und sollte es ein Phantom sein, das Leben maßlos hinzuschleudern, es zu *wollen*, und also es zu *müssen*. Sie verstand den Hofer und den Speckbacher, sie zitterte für die Helden der Unschuld, ihre Wangen schlug der Purpur begeisterter Liebe, wenn sie an die Feuer der Freiheit dachte, die auf den Alpen loderten; sie ging zerknirscht in ihr Kämmerlein und weinte bitterlich, wenn sie sichs recht zu Herzen nahm, daß die deutsche Tugend, die dort hinter den Bergen losgelassen wurde, unter dem Konflikte damaliger Zustände doch nichts anderes als eine deutsche Dummheit sein konnte. Es muß schlimm, sehr schlimm mit uns stehen, wenn die besten Tugenden des Haufens den Anstrich von Dummheiten erhalten, weil die vornehme Welt ihre geschmackvolle Lasterhaftigkeit klugerweise für sich behält. – Daß aber in den Tiroler Bergen so etwas geschehen, der größte deutsche Dichter gleichzeitig so etwas schreiben konnte, das ist ein Faktum deutscher Entwicklungsgeschichte, das hat einen Riß gemacht, an dem wir zu flicken haben. Bettina Brentano hatte darüber eine Art instinktartiges Bewußtsein, als sie 1809 in München war, und die herzklopfenden Jubelbriefe nach Weimar schrieb. Sie fühlte so etwas davon, daß aus dem größten deutschen Poeten mehr ein Hofdichter, als ein Nationaldichter geworden sei. Daß ein Herzog ihm seine Freundschaft bot, hatte den Frankfurter Bürger so betäubt, daß er gar nicht umhin konnte, auch dessen Hofmann zu werden. Hätte er seinen Wilhelm Meister aus dem Komödiantentrödel und der aristokratischen Logenkoterie hinausjagen können in die freie Luft des Völkerlebens, um ihn im praktischen Getümmel einer Nationalsache zum Manne reifen zu lassen, hätte er ihn, wie es Bettina in der fliegenden Hitze ihrer zitternden Begeisterung dem Dichter vorhielt, auch nur in die Tiroler Berge zu schicken vermocht, um ihn für Völkerglück jubeln und bluten zu lassen: dann stände nicht zwischen deutscher Dichtung und deutscher Nationalentwickelung die ungemessene Kluft da, über die wir verzweifelnde Kinder der Jetztwelt eine Brücke schlagen müssen. Da liegt das Gebrochene unserer Zustände, da liegt unser ganzes Unglück. Die kleine Bettina hat das so kindisch und so richtig gefühlt, wie keiner. Aber das törichte Mädchen hat dem großen Dichter zu viel zugemutet; dem großen Dichter fehlte aller Sinn für weltgeschichtliche Bewegung, ihm war der Glaube versagt an freie Staatenentwickelung.

Von unsern literarischen Ahnherrn damaliger Zeit waren Schiller und Jean Paul die einzigen, die an eine Nation glaubten. Schillers Dramen waren großartige Grundzüge zu dem kühnen Entwurfe einer deutschen Bühne. Er wollte eine Nation versammelt wissen, denn nur zu einer Gesamtheit mochte er sprechen; man nennt ihn mit Recht den deutschen Pindar.[5] Jean Paul schlich weinend und lachend durch die Hütten der Armen, und stieß den Leuten das enge Dach über den Köpfen ein[6], damit der Himmel hereinsah mit den ewigen Sternenaugen. Es waren zwei göttliche Menschen, zwei echt demokratische Männer. Wären sie als Dichter so groß, wie als Menschen gewesen, die deutsche Literatur hätte eine andere Wendung genommen; aber sie waren mehr herrliche Redner, begeisterte Sprecher, als glückliche Bildner und Dichter. Schiller hatte sich, von der vorherrschenden lyrischen Ausströmung seines Geistes abgesehen, noch dazu lange in abstrakten Theorien als Poet geschwächt; Jean Paul fehlte fast alle sinnliche Gestaltenbildung. Der *Dichter* Goethe überflügelte beide, seine Verklärung der Sinnlichkeit war unwiderstehlich und verführerisch schön. Beide wurden überschattet, und mußten huldigen. Schiller fing sogar später an, sich der Goetheschen Richtung zu bequemen, und Jean Pauls sentimentale und prüde Menschenwesen erblichen zu nebelhaften Schemen, wenn eine Goethesche Mädchengestalt in aller Lust sinnlicher Begabung und aller Fülle der freiesten Heiterkeit sich neben sie stellte.

So kam es, daß in Deutschland nicht viel werden konnte aus einer demokratischen Opposition, die sich nicht auf einen Hof, sondern auf die Nation stützte. Den beiden Schlegeln fehlte die Stetigkeit einer kräftigen Gesittung und bewußten Richtung. Sie haben auf das, was man ästhetischen Geschmack nennt, eingewirkt, aber nicht auf die Gesinnung des Publikums, denn mit ihrer Gesinnung waren sie selbst in einer erschrecklichen Wirre. Auch hatten sie selbst alles von Goethe gelernt; sie konnten der Nation nicht helfen. Tieck kam an mit seinen künstlichen Operationen. Seine Waldorgeln fingen an zu flöten, er suchte mit Minneliedern, mit katholischer Mittelalterlichkeit und mit Naturkonzerten eine neue Richtung zu eröffnen; aber aus Goethes Liedern tönte schon so viel *bewußte* Natur, so viel *verklärte* Lust der Liebe, daß sich diese Opposition bald zerschlug. Es schien manchem ein beklagenswertes Ereignis, daß Tieck auch später als Novellendichter, als welcher er doch ein gewisses Shak[e]spearesches Element in deutscher Literatur zu vertreten berufen war, eine eigentümliche Gegnerschaft gegen Goethe aufgab, sobald die einbrechenden kritischen Wirren es ihm nötig machten, für ihn Partei zu nehmen. Das Zelotengeschrei kam zu spät, um Goethes Suprematie zu stürzen. Sie stürzte mehr, weil es Zeit war, als weil Pustkuchen und Menzel es so wollten. Jener unwirsche Eifer wollte auch Goethes reine Sinnlichkeit als Unmoralität verketzern. Das war ein trostloses Gezeter, und es half auch nichts. Die derzeitige Herrschaft Goethes hatten die besten Köpfe eingeräumt, sie war ein Faktum, und es blieb uns Jüngern nur eine Art Zähneknirschen und ein trostloser Schmerz, daß jene Herrschaft, zu der Goethe berufen war, sich so salonmäßig gestaltete, und dieser deutsche Dichterfürst zugleich ein Fürstendiener sein mußte. Man denke an den Ritter Rubens, den freien Bürger von Antwerpen, an van Dyk, den freien Baron von England! Man betrachte Michelangelo, Buonarotti, im Verhältnis zu Julius II. Dieser Dante der italienischen Malerei und Skulptur wußte selbst einem kriegerischen Papste die ganze Selbstständigkeit eines reizbaren Künstlerstolzes mit Glück entgegenzusetzen. Er weigerte sich, als man ihm nicht zu willen war, das Grabmal des heil. Vaters zu bauen, denn er konnte getrost auf seine Brust schlagen und die pochende Frage stellen: Was ist ohne mich ein heiliger Vater? wie kann er ohne die Allmacht der Kunst die Welt beherrschen? Man glaube doch nicht, daß Raffael im Dienste der Kirchenfürsten gestanden und etwa den Launen des zehnten Leo gehuldigt hätte! *Ihm* wurde gehuldigt, zu ihm kam man hülfeflehend, denn man wußte, wie die Tausende in frommen Schauer niedersanken, wenn Raffael eine neue Madonna vor ihren Blicken enthüllte. Das war eine unerhörte Herrschaft der Kunst; da ging die Fürstenmacht betteln bei der Künstlerfreiheit. Und als Raffael, dieser Karfreitagsmensch, seine Jünglingsflügel wieder schnell gen Himmel entfaltete, da schien die Peterskuppel zu beben, die Gestalten in den Logen des Vatikan schienen ihre Häupter zu neigen, und durch die ganze katholische Christenheit lief ein düsteres beklommenes: es ist aus mit ihm! consummatus est!

Anders war es schon am Hofe der Medicis. Jemehr eine Fürstenfamilie auf die Kunstbestrebungen mit eigener, wählerischer Schaffenslust selbst eingeht, desto mehr bemächtigt sie sich der Richtungen und Herzen der Künstler und Dichter.

So war es in Weimar; die Weimarische Fürstenfamilie waren deutsche Medicäer. In Carl August lebte eine Seele von seltener Größe. Er hat an Knebel Briefe geschrieben.[7] Da spricht auf überraschende Weise aus dem Fürsten der freie Mensch heraus, und das nenne ich Größe des Fürsten, wenn sich der Mensch in ihm regt und opponiert. Je attisch gebildeter, je feiner gestimmt aber das Weimarische Fürstenhaus war, desto mehr mußte Goethe in diese vorhandene Kulturluft der dortigen Zustände aufgehen, nicht dienerisch und ängstlich, aber desto mehr auf ideelle, durchdringende Weise und mit dem Scheine selbsteigner Neigung. War man doch daselbst durch Wielands höfische Manieren bereits verwöhnt! Auf solchen Vorgänger, der als geistreicher Zeremonienmeister lächelnd das Sammetkäppsel schwang, war schlimm zu folgen, und so mußte denn aus Goethe jene trostlose Weisheit ertönen: der Mensch verliert, was der Poet gewinnt[8], und ebenso umgekehrt.

Wir Jüngern aber, wir Saugmenschen dieser Zeit, die wir unsern Jahren nach nicht für Säuglinge mehr gelten können, obwohl wir noch immer an den Brüsten dieser Zeit wie Kinder liegen, um neue Lebensmilch einzuschlürfen, – wir scheinen so ziemlich alle verschworen, den ganzen Poeten in uns zu opfern, um nur den ganzen deutschen Menschen in uns zur Entfaltung zu bringen. Die ganze Welt arbeitet auch darauf hin, die Wirklichkeit zu ihren Rechten kommen zu lassen und die Emanzipation der deutschen Herzen zu betreiben. Was sich noch Künstler nennt, gehört nicht mehr der Fortbewegung der Zeit an; die Kunst ist Künstelei geworden. Machen wir doch auch kaum noch künstliche Verse. Hat sich das liebe Deutschland so voßmäßig gequält, einen architektonisch gebauten Hexameter zusammenzukünsteln[9], und nun jeder sein schönes Distichon machen kann, dichtet keiner mehr in diesem Maße. Wir sind auch keine Belletristen mehr, mit schöntraurigem Schmachtblick. Auch sitzen wir nicht mehr auf dem Sofa allabends und nippen Tee und schwatzen unsäglich kostbar. Nur in Berlin kommt noch derlei kombabische Schwachheit vor, nur am Ufer der Spree gibts sentimentale Hangematten für schlotternde Poetenglieder, süße Junggesellen, die leise erröten, wenn eine alte Jungfer mit Händefalten von einer ewigen innern Jugend spricht. Es gibt eine Sorte Literaten von heute, die haben weder Lust noch Zeit, ihre Gedanken in künstliche Verse zu bringen. Das sind die echten Söhne der Jetztwelt. Ihr Männer, lieben Brüder, wir können das Sitzen nicht mehr aushalten – es wäre denn, daß wir's aushalten *müßten*, – aber wir können nicht mehr in der Stube sitzen und Versfüße zählen, wir werfen alle Bande, und also auch alle Gebundenheit der Rede, zum Fenster hinaus, und springen hinterher, laufen durch die Gassen und in die weite freie Welt; unsre Dichtungen kommen angerückt in langen kriegerischen Reihen und doch in ungebundener Rede. Wir wollen nichts stürzen mit unsern Geschwadern, glaubt mirs, Ihr Männer, lieben Brüder, wir wollen nichts vernichten, als das Häßliche, das Unschöne, das Unnatürliche. Seid getrost, weiter wollen wir nichts: das andere kommt dann von selbst. Mit dem Worte Freiheit müßt Ihr keusch umgehen, Ihr sollt den Namen Eures Gottes nicht mißbrauchen. Ihr sprecht auch von Bewegung, nennt Euch Bewegungsmänner. Nun gut, aber das weitbauschige Wort wird Euch verdächtigen. Und es gibt eine Bewegung, die erstrebt nichts anderes, als die freie Wellenlinie der Schönheit in Tat wie in Wort. Das ist meine, das ist unsere Bewegung. Das Künstliche ist aber nicht mehr das Schöne, das Schöne ist die Natur, auch in der Kunst die Natur. Was der Mensch mit seiner Qual entstellt hat, müssen wir forträumen, die Züge der Mutter Natur müssen uns wieder rein und kindlich schön entgegenblicken, süß, aber nicht versüßt, kräftig, aber nicht aufgekräftigt, warm und glühend, aber nicht aufgewärmt und erhitzt. Wir müssen unsere Narrheiten fahren lassen und wieder gut und harmlos werden wie die Kinder; Kinder und Narren sprechen die Wahrheit, direkt und indirekt.

Und nun noch eins, Ihr Männer, lieben Brüder! Seid simpel, lebt einfach, werdet spartanisch, wenn Ihr unüberwindlich, wenn Ihr frei sein wollt. Den *schen Gesandten in B. hörte ich einmal von Börne sagen: »Ja, was will man mit dem Menschen anfangen? er ist ja nicht zu verwüsten. Wenn er Euch einen Morgenbesuch macht, hat er in der einen Tasche eine Brotrinde, in der andern ein geladenes Pistol!« – Wer Haare auf den Zähnen hat, braucht heutzutage weiter kein Schießgewehr, als seine offne Rede. Aber die Brotrinde steckt zu Euch! Denn seht, es könnte Zeiten geben, wo man Euch alles nimmt bis auf Wasser und Brot, diese einfachen Elemente, unfreundlich gesellt. Dann schlagt Ihr Eure Zähne in die harte Rinde, und könnt es nicht hinunterkäuen, was man Euch einbrockt. Habt Ihr Euch aber an die Brotrinde schon in guten Tagen gewöhnt, in guten Tagen, wo man Euch Eure Liebe noch nicht in Haß verwandelt, wo Euch manches schöne Auge still angelacht, und die heilige Sonne Euren Scheitel bekränzte: habt Ihr Euch an die bescheidene Kruste früh gewöhnt, dann wird Euch nichts anfechten, dann seid Ihr unüberwindlich. So eine Brotrinde ist außer der Hungerstillung auch noch zu manchen Dingen gut, auch schon in guten Tagen. Wenn Euch der Unmut die Lippen schwellt, wenn Eure Muskeln sich auf- und niederziehen, weil irgendwer irgendwo ein Götterbild zerschlug, ohne daß Ihr ihn strafen könnet, den Heiligtumsverletzter, dann beißt Euren Zorn hübsch an der harten Rinde aus, und der Schmerz zerbricht unter den klaffenden Zähnen. Und geschieht Euch, wie wir als Studenten zu sagen pflegten, ein Pech, Ihr Männer, lieben Brüder, und Ihr habt die Brotrinde in der Tasche, nun so habt Ihr doch quasi Euer Brot. Es ist ein närrisches Ding, sage ich, wenn die Kunst nach Brot, oder gar nach Wasser und Brot geht. –

Es liegt in dieser Umkehrung der Verhältnisse die schnödeste Unnatur, es ist eine himmelschreiende Sünde der Zeit, eine grenzenlose Perfidie gegen die Offenbarungen des Jahrhunderts. Der Gott, der es anfing, wird es enden! Einen Teufel gibt es nicht, wohl aber kleine Teufeleien der Menschen. Laßt uns dem Gotte gehorchen, der in uns gebietet, der auch in dem Schwachen laut wird. Laßt uns nichts stürzen, als das Häßliche. Denn das Häßliche ist die Knechtschaft der Gesinnung, die Unnatur des Herkommens, der Wahn und der Aberglaube der Zeit. Laßt uns nichts predigen, als die Schönheit. Denn in ihr liegt die Freiheit, aber nicht als Begriff, sondern als Gestalt, so im Leben, wie im Denken und Dichten. Die Freiheit, die nicht Schönheit ist, ist eine Karrikatur ihrer selber. In der Schönheit liegt die Güte des Herzens und die Größe der Seele. Was gut sein will, ohne schön zu sein, ist eine schlafmützige Tugend. Was groß sein möchte, ohne schön zu sein, ist eine Beleidigung gegen den Gott des Himmels und der Erde, der nur groß und allgewaltig ist, um schön zu sein in seinen Worten und Taten. Dieser Gott, der Gott der Schönheit, sei mit uns, dann haben wir alle Götter des Lebens um uns versammelt.

16 *Karl Gutzkow*

Aus: Ueber Göthe im Wendepunkte zweier Jahrhunderte

1836

[. . .]
Wenn man unter Literatur eine im Schatten des Friedens sich entwickelnde Vermischung tiefsinnig abstrahierter Formen oder Stoffe mit den dreisten Wagnissen prädestinierter Genies versteht, wenn alle Literatur sichere und ruhige Grenzen haben muß, um ohne den Vorwurf des Egoismus ihren Selbstzweck zu erfüllen, so konnten ihr in Deutschland die unbehaglichen Zeiten von 1815 an keine Handhabung darbieten. Es ist auch in diesen Zeiten auf dem Felde der schönen Literatur wenig erzeugt worden, das, wenigstens bis in die letzten Jahre vor der Juliusrevolution, dem deutschen Namen einen merklichen Zuwachs an Ehre gebracht hätte. Denn Hoffmann, Tieck, Müllner und Jean Paul waren bloße Reste und Luftspiegelungen vorangegangener Zeiten, wo Tieck wenigstens sein Talent retten wollte, Jean Paul die Zinsen seines tüchtigen Kapitals, Müllner das letzte Ächzen Schillers und wo die Originalität Hoffmanns darin bestand, Absude und Tafelabgänge durch pikante Saucen wieder aufzufrischen.

Und wie nun die Echos der alten klassischen Zeit allmählich verklangen, und der belletristische Ton immer dünner und schwindsüchtiger wurde, da regten sich auch schon zu gleicher Zeit hie und da vereinzelte Präludien einer neuen Entwickelung, einer Entwickelung, die im gegenwärtigen Momente schon mit Lärm und Ringen in unserem Ohre saust. Dieser jetzt hoch gesteigerte Kampf kündigte sich vor 15 Jahren erst mit ganz leisen poetischen Hornkängen an, welche hie und da aus dem Walde kamen, wieder verhallten und wie kleine Federspulen den sorglosen Riesen der Vergangenheit aus seinem Schnarchen weckten. Der Glanz der alten Zeit hatte mit der Kritik geendet, die Hoffnung einer neuen mußte mit der Kritik wieder anfangen. Sie griff einen Namen an, der die klassische Periode durch sein Genie, und die romantische durch seinen Ruhm beherrscht hatte, und den die Götter in die äußerste Zeit hinausstellen wollten als Grenzstein, in welcher das Alte enden, aber auch das Neue beginnen müßte.

Dies war Goethe.

Die Königssöhne der alten Germanen drängten sich danach, in die Hände ihrer römischen Feinde als Geiseln ausgeliefert zu werden. Die jungen Löwen schnitten ihre gelben Mähnen kurz, und folgten bereitwillig einem Sieger, von dem sie etwas lernen konnten; sie wußten, daß das Schulgeld, welches sie zahlen sollten, doch immer Fersengeld wurde, welches die Römer zahlten. Dietrich, der Ostgote, haßte die Römer gewiß, aber er verließ sein Volk, und um soviel Strategik zu lernen, daß er Italien erobern konnte, diente er gehorsam am Hofe zu Konstantinopel.

So dachten die langen Haare einer späteren Zeit nicht; sie verbrannten die alexandrinische Bibliothek, da sie, wenn nicht für, dann gegen den Koran geschrieben sein mußte. Sie ließen sich von dem schönen Enthusiasmus für Freiheit, Nationalität und Religion zu einem Despotismus hinreißen, wo Gesetze der Gegenwart eine rückgängige Wirkung auf die Handlungen der Vergangenheiten haben sollten. Wie grob und grausam, einem Alten, der mit der aufgeregten Jugend nicht um die Wette laufen kann, die Krücke auf den Kopf zu schlagen! So verloren damals unter uns die großen Namen ihre individuelle Geltung, und dienten, noch ehe sie das Zeitliche segneten, als Parteiparole. Die Jugend, auf der Flucht vor der aufgereizten bürgerlichen Gewalt, genötigt, sich in Schlupfwinkel zu verbergen, sprang aus der Politik in die Literatur, verwechselte die Begriffe der einen mit denen der andern, und tobte seine letzten Leidenschaften auf einem Tummelplatze aus, wo die Neuerung mit keiner Gefahr verknüpft war. Hinter großen Namen wählte man seinen Versteck, und eröffnete zwischen Schiller und Goethe eine fingierte Diskussion, die für die literarischen Prinzipien hätte von Wert sein können, wenn sie nicht zuletzt in eine ganz triviale Rangstreitigkeit ausgeartet wäre. –

Goethe blieb bei allen diesen Wirren unerschüttert. Die Wellen des Tages brachen sich am Fuße dieses Mannes, der vor Alter und Genüge des Lebens sich schon halb in Stein verwandelt hatte, und wie die Memnonsäule nur dann erklang, wenn der rosige Rhein irgendeiner historischen oder literarischen Zukunfts-Hoffnung, wie Byron, morgensonnig zu ihm herüberstrahlte. Wenn er die verschiedenen Stufen der Pflanzenmetamorphose belauschte, die Wirbelknochen der Tiere zählte, oder die Farbenskala des Lichtes maß, so glaubte er sich mit dem Leben der Welt immer im männlichsten Zusammenhange. Warum protestierte er nicht gegen die Karlsbader Beschlüsse?[1] oder forderte vom Bundestag die Wiederherstellung einer Preßfreiheit, wie sie Preußen unter Friedrich dem Großen so unbeschränkt und vollkommen genoß? Goethe würde eine solche Zumutung an ihn gerichtet, für Wahnsinn gehalten haben; dafür mag ihm die Gegenwart die Bürgerkrone verweigern. Durfte man Goethen den poetischen Lorbeerkranz entreißen, und ihn für einen untergeordneten Laien des Parnasses ausgeben, weil es seinem Patriotismus an der Aufregung eines jungen Mannes fehlte, und er die Hast in neuernden Versuchen mißbilligte? Diese Motive der Verketzerung zu verraten, hütete man sich auch wohl, sondern man warf sich einen ästhetischen Mantel um, auf welchem Lappen verschiedener Farben, gelbe Fetzen Nicolais, blaue Restchen Novalis aufgenäht waren, kurz jenen religiös-sittlich-poetischen Bettlermantel, von dem Goethe in einem Briefe an Zelter spricht.[2] Was müßten England und Frankreich, die recht gut kennen, was uns seit dreißig Jahren Ehre gemacht hat, von unserem Verstande urteilen, wenn ihnen jemand verriete, daß der Fanatismus Menzels so weit ging, eine deutsche Literaturgeschichte *ohne Goethe* schreiben zu wollen!

Die Ungereimtheit begann damit, daß man den Dichter für alle Charaktere seiner Poesien verantwortlich machte, und jede seiner künstlerischen Reflexionen aus dem Spiegel seines eigenen Wesens herleitete. Charaktere, über welchen der Dichter selbst stand, und die er nur aus beinahe technischen Rücksichten als Draperie seiner Schöpfungen benutzte, wurden nicht seiner tiefen Anschauung des Lebens sondern seinen praktischen Maximen zugerechnet, und solidarisch für ihn selbst in Anspruch genommen. Durften diese tellurischen Gestalten, Albert, Lotte, Jarno, Wagner usf. fehlen, wenn nicht Werther, Meister und Faust ohne Schatten bleiben sollten? sie mußten sich zu diesen künstlerisch ergänzen, um die Idee einer Dichtung in den Satz und Gegensatz zu zerlegen. –

Man ging noch weiter, und unterwarf auch die Helden welche die Lichtrollen in Goethes Werken ausführten, einer Kritik, deren Ahnherrn ich oben in Cicero bezeichnet habe.[2a] Sie hätten etwas, sagte man, nicht etwa Entmenschendes, sondern Entmannendes; gerade wie Cicero glaubte, daß die Tragödie deshalb da wäre, um Gladiatoren zu bilden.

Alle Schönheit der Kunst offenbart sich da, wo sie rührt; wie sich denn ihre Gesetze weniger aussprechen als empfinden lassen. Wer das Genie der Lektüre hat, beobachtet am treffendsten, wo die Kunst den rechten Fleck zu treffen weiß. In der Tragödie und dem Epos ist dies überall da, wo das physisch Starke dem Schmerze, das geistig Starke dem Irrtume unterliegt, oder wo das im Ruhme und in der Gesellschaft Hochgestellte sich in irgendeiner Situation und in einem Gefühle überraschen läßt, welches wir nicht gewohnt waren, bei einem mürrischen Charakter, oder bei einem Kriegsmanne vorauszusetzen. Mitten im Überfluß das Gefühl der Unzulänglichkeit ist im Leben die Quelle der Religion, und in der Kunst die Quelle der gefühlten Schönheit. Denn das Zurückstürzen aus der Region des Titanen in das Menschliche, das Gefühl einer letzlichen Unzulänglichkeit, sowohl in großen Handlungen, wie in Entschlüssen zur Tugend, überrascht, vernichtet, rührt. Die Halbheit der Goetheschen Helden, Clavigo, Egmont, diese zwischen raschen, ehrgeizigen immer feurigen Entschlüssen, und dem Gefühl einer plötzlich versiegenden Kraft schwankenden Rohre, sind die meisterhafteste Berechnung eines Dichters, der für Gladiatoren keine Trauerspiele schreiben wollte.

Das ganze Lebensprinzip des Dichters wurde angegriffen, und schon die Möglichkeit, daß man aus Schriften des verschiedensten Inhalts, aus Dichtungen mit objektiver Tendenz, ja sogar aus lyrischen Kleinigkeiten auf eine universelle Weltanschauung und einen Charakter schließen konnte, schon dieses Höchste, das nur wenig Auserwählten je gelungen ist, wurde als etwas Zufälliges und eine Kleinigkeit übersehen.

Woran hält man sich bei Schiller? Scheint nicht eine Tragödie des Dichters gegen die andere zu protestieren? Schiller, der mit der gewaltsamen Gebärde des Genies auftrat, und in seinen ›Räubern‹, im ›Fiesko‹, in ›Kabale und Liebe‹, durch Pointen und Akzente, die er auf jedes seiner Werke legte, eine kräftige Bedeutsamkeit vorzustellen schien, war im Grunde nur der kecke Partisan einer Sprache, mit der er die gewaltsam herausgepreßten Charaktere seiner Erfindungen zur Not zusammenhielt. Seine edle unerschrockene Seele, die sich auf die Kunst warf, war dabei weder mit Anschauungen, noch mit Tatsachen geschwängert. Bei jedem Werke das er schuf, verbrauchte er den ganzen Stoff der ihm zu Gebote stand, und war nach der Schlußszene des letzten Aktes so erschöpft, daß sich sein Geist erst allmählich wieder an neuen Dingen, die er von außen nahm, erholen und erfüllen mußte. Nach dem eifrigen Studium wuchs ihm wieder die gemauserte Schwinge, und nach langjähriger Vorbereitung hatte er sich wieder so weit gesammelt, und so viel zusammengelernt aus Kant, aus der Geschichte, aus Shakespeare, daß er auf fünf neue Akte für einen ganzen Mann gelten, und etwas in sich Abgeschlossenes produzieren konnte.

Wahrlich dies ist nicht der Flug des Genies! das Genie beginnt seine Laufbahn, und sagt beim Anfange schon für das Ende derselben gut. Eine neue Philosophie kann ausbrechen, eine große Entdeckung gemacht werden, ja in seinem eigenen Fache kann ein noch wilderer Komet seine Bahnen durchkreuzen, das Genie ist unerschüttert. Es lernt, o unendlich viel lernt es – was hat Goethe nicht alles gelernt! Aber kein Buch stiftet eine Revolution in seinem Innern, wiewohl Schiller oft in Jena erblickt wurde, daß er über eine neue Erscheinung, einen ganz heißen Kopf hatte, und mit Enthusiasmus seinen Freunden ankündigte, seit einer Stunde sei er ein ganz anderer Mensch geworden. Schiller war eine leicht erregte Kapazität, die keine schöpferische Einheit besaß, und dasjenige was sie an der Stelle der Einheit doch für die Poesie brauchte, nicht durch die erste Hand des Geistes, sondern durch die zweite Hand der Gesinnung empfing. Darum sollte mich ein Versuch wundernehmen, aus Schillers Werken eine Harmonie seiner Grundsätze über das Leben und die Welt, eine Konkordanz der Dinge im Himmel und auf Erden zusammenzustellen. Im ganzen Schiller liegen zahllose Sentenzen, aber kaum eine einzige Maxime. Aus diesen Jamben philosophier' ich mir noch kein Leben zusammen, und kann aus dem, was sie verbieten, nimmermehr auf das schließen, was sie erlauben. Ich leugne etwas sehr Prägnantes im Schillerschen Charakter nicht, denn seine objektive Leerheit mußte er durch eine subjektiv-edle Leidenschaft ersetzen; aber er ist ein Charakter ohne Philosophie.

Wenn man von Goethes Immoralität spricht, so soll man bedenken, daß es sich hier um drei Abstufungen handelt. Erstens um Tugenden, welche für die Kunst eine besondere Zurichtung verlangen, zweitens um Tugenden, welche für den größeren und geringeren Wert des Menschen indifferent sind, weil sie sich nach Alter, Stand und Situationen richten, und weil manches sehr männlich sein kann, was dem Weibe sehr übel stehen würde, und zuletzt endlich um Tugenden, die für nichts in der Welt umgangen werden dürfen, und die ich in Goethes Werken auch nirgends umgangen finde.

Zu diesen gehört z. B. *die Ehre*. Keine der Goetheschen Gestalten ist über diesen Punkt empfindungslos. Ferner der *Stolz;* selbst in ›Wilhelm Meister‹ siedet und kocht Stolz, und nur seine Bildungsmanie, die Goethe mit klassischer Ironie behandelt, verleitet ihn, sich Regionen anzuschließen, für die er nicht geboren war. Werther erduldet die Zurücksetzung in der Residenz mit Ingrimm, aus Stolz, aus Stolz über seinen bürgerlichen Namen; er verachtet die Aristokratie, und flieht aufs Land, um dort seinen Tod zu finden.

Und um den Übergang zu seinen Tugenden zu machen, deren Mangel Goethen besonders angerechnet wird, zur Religion usw., so ist die Brücke dort hinüber noch immer ein Fehler, der etwas ungemein Männliches und Schönes hat, nämlich, daß Goethe die *Reue* nicht kennt.

Der ganze Widerspruch zweier Meinungen, die in der Beurteilung unseres großen Dichters so verschiedene Resultate geben, wendet sich um eine Tugend, die im Grunde schon mehr passive Empfindung, als ein aktiver Besitz ist. Die einen beten die Gottheit des Momentes an, die sie so oder so bestimmte und inspirierte; die andern beziehen alles auf ein Gesetz, das außer ihnen liegen soll, und von dem sie bald mehr bald weniger ergriffen zu sein, behaupten. Jene stehen gut für sich, sind zum Handeln geneigt, und irren sich oft; diese zögern und treffen, da sie zu sich selbst kein Vertrauen haben, oft aus der Höhe auf das Richtigere. Von jenen ersten wurde die Geschichte gemacht, von diesen die Religion. Jene legen in die Entwickelungsfurchen der Menschheit höchst fruchtbare Saatkörner; diese aber ziehen den Frieden und die Gnade Gottes nach sich, und wenn jener Same durch ein Ungewitter weggeschwemmt, oder seine Frucht von einem Sturme geknickt wird, so besitzen sie Trost genug für die getäuschte Menschheit. Indem so von jenen das Licht, und von diesen die Wärme strömt, ergänzen sie sich auf wunderbare Art, und würden sich selbst durch ihre Verschiedenheit erquicken, wenn sie nicht immer in das Extrem verfielen und sich wechselweise ausschlössen.

Alle Handlungen und Meinungen Goethes beziehen sich darauf, daß er diejenige Philosophie adoptiert hatte, welche mehr antik als christlich, keine Reue kannte. Hier war ein Charakter, den das Vertrauen auf seinen Instinkt zum Handeln beseelte, und der zu stolz war, von seinen Handlungen etwas zurückzunehmen, selbst wenn der Erfolg dem Anfang nicht entsprach, oder sich wohl gar das Motiv bei einer später über den Fall erweiterten Dialektik nur mit Schwierigkeit verteidigen ließ, selbst vor der Moral. Goethe glaubte an eine augenblickliche Eingebung, die ja als poetische Inspiration recht lebhaft zu ihm sprechen mußte, selbst wenn vieles um ihn her erschrickt; ihren Konsequenzen mutig nachzuhängen schien ihm einer Offenbarung angemessen, die er für göttlich hielt. Goethe war außerdem, daß er ein Genie war, ein zu großer Künstler, als daß er zu gleicher Zeit diesen Moment des Erschreckens um ihn her nicht hätte mildern sollen; und erst von dieser Seite an, wo er etwas tat, was eine Erleichterung für seinen unbefangenen und deshalb anstößigen Genius war, beginnt der Widerspruch derer, welche, ich wette, zwar auch nicht erschrocken sind, es aber merkten, daß man hätte erschrecken sollen. Was Milderung des Schreckens war, nannte man Verführung, und eine Absicht, ein Raffinement ward aus dem, was zunächst nichts anderes ist, als das erwachende Gewissen des Dichters, der über das schlummernde, aber göttlich phantasierende und träumende Gewissen des Menschen mildernde, versöhnende, und die Augen um Verzeihung bittende Blumen wirft. Wo man glaubt, daß Goethes Unsittlichkeit beginnt, da hört sie eben auf. Wo man sagt, daß diese rosengekränzten Amoretten locken sollen, da sollen sie verscheuchen und Eure Runzeln glatt ziehen zur Vergebung!

Goethe hat es niemals darauf angelegt, eine zweideutige Situation zu entwikkeln; sondern will man einmal eine ethische Idee mit poetischer Dialektik behandeln, so wird sie auch immer zwischen Skylla und Charybdis hindurchsegeln müssen. Man spricht von den Situationen, ja sogar von der Idee der ›Wahlverwandtschaften‹, wie von einer moralischen Inkonvenienz; aber ihr Ziel ist doch nimmermehr seine mystische Verwechslung eines Gatten und eines Liebhabers gewesen; nimmermehr sind alle Vorbereitungen des Endes im Romane gemacht worden, um jene Szene malen zu können, oder am Schluß des Buches einen Schreck über die Vergleichung von Poesie und Wirklichkeit zu erzeugen, der uns nicht in die Beine ginge, um davor zu fliehen, wohl aber in die Arme, um darnach zu handeln; sondern Goethe hatte eine poetische Idee, eine Abstraktion aus der Naturwissenschaft über die Gesetze der moralischen Attraktion und Repulsion und über die Erzeugung des Entgegengesetzten, die er durchführen wollte, und wo er wohl erst am Schlusse und zu gleicher Zeit mit dem Leser über den Widerspruch zwischen der Poesie und den Institutionen der Gesellschaft erschrak.

Nur mit vieler Vorsicht darf man zugestehen, daß Goethes weitbauschige Moral und die poetischen Rosen, die auf seinem Lebensweine schwimmen, etwas dem Zeitalter Angehöriges waren.

Denn wenn die Verkleinerer des Dichters auch wohl zugeben möchten, daß ein so duldsames Zeitalter ein großes Glück ist, so würden sie doch eher geneigt sein, aus dieser Assertion zu schließen, daß Goethe von seiner Zeit lebte, daß sie ihn schuf, und daß er, das Geschöpf, dem Schöpfer schmeichelte.

Man hatte Goethe zu einem Produkt der Zeit gemacht, in dem Sinne, daß die Zeit mit seinem Talente, wie eine Kokette mit dem freien Willen ihres Anbeters gespielt hätte, und der Dichter gelaufen wäre, das herunterfallende Strickknäuel indifferenter, gleichgültiger, launischer Perioden aufzuheben. Goethe ist vorzugsweise deshalb als der Dichter des *Modernen* angegriffen worden, weil er die Unterwürfigkeit gegen die Launen des Publikums aufgebracht und begünstigt hätte. Wenn gegen diese Paradoxie sich schon von selbst der erste Blick, den man auf die Literaturgeschichte wirft, einwendet, und man im Gegenteil eine entschiedene Verachtung der Masse und des Lesepöbels bei den Dichtern der klassischen Periode, Wieland vielleicht ausgenommen, findet, so ist auch Goethes keineswegs von mir bestrittene Verzweigung in die Zeit eine organische Notwendigkeit, die seinem Ruhme nur eine neue Begründung gibt. Es ist wahr, Goethe wandte sich allem zu, was auf seine Zeitgenossen spekulierte, und er verfolgte gern eine neue Richtung, von der es etwas zu lernen gab, und sollte es nur die

Skansion des Hexameters sein, die Voß in Weimar wie ein Wundertäter lehrte. Es ist erstaunlich, mit welcher Hast Goethe noch in den besten Jahren des vorigen Jahrhunderts über die Osteologie herfiel, die mit vielem Glücke von Forster, Camper, Loder, Sömmering, Merck, damals auf die Geschichte der Natur angewandt wurde. Aber diese naive Neugier und Hingebung an den Moment war geregelt durch einen Rückhalt, der schwer von der Stelle zu bringen war und nie von ihr gebracht ist, von Goethes ganzem Charakter. Wer kann sagen, daß Goethe nicht über seiner Zeit gestanden hätte? Aber er benützte seine Zeit als Stoff und verbrauchte sie, um seine Individualität zu arrondieren, in einer Weise, die seit Menschengedenken alle großen Charaktere gemein hatten. Wenn Schiller auf die Kantische Philosophie stürzte, was lag wohl hinter ihm? auf welche liegenden und zureichenden Gründe konnte er sich wohl zurückziehen? Gewiß Schiller ging in den Stoffen, denen er sich hingab, gänzlich auf, der Stoff verschlang ihn und warf ihn dann so umgestaltet wieder heraus, daß man bei ihm immer von Zeit zu Zeit den Faden der Beurteilung verlor. Als Schiller an seine Vorarbeiten zur Abhandlung über das Erhabene ging, wie wenig lag schon in seinem Kopfe fertig! System und Gedanke bildeten sich bei ihm erst, indem er lernte und er sich aus der Verschiedenheit der fremden Meinungen eine eigene schuf.

Genie und Talent werden wohl am besten so unterschieden, daß jenes auf die Erfindung und dieses auf die Nachahmung bezogen wird. Das Talent hat aber darin fast immer einen Vorsprung vor dem Genie, daß jenes ausdauert, dieses oft verpufft. Denn nicht jeder Wurf des Genies gelingt, während das Talent nie etwas produziert, das nicht seine regelrechte, gezirkelte Abrundung hätte. Ein Genie kann zugrunde gehen vor der Reife, es kann alle Dinge mit einem göttlichen und großen Hiatus anfassen und von allen zurückgeschleudert werden, während das Talent auf berechneten Wegen zum Ziele kommt, und durch ein Zusammennehmen aller der Mittel, die ihm zu Gebote stehen, immer etwas erreicht, das ziemlich vollkommen dasjenige, was es erreichen wollte, wiedergibt. Diese Erscheinung erklärt sich daher, daß das Talent sich nicht in einzelne Tugenden auflöst, das Genie aber durch eine innere Unruhe vom einen zum andern gezogen wird, und trotz seiner großartigen Einheit sich noch immer in schwächere oder stärkere Mannigfaltigkeiten auflösen kann. Das Talent ist Anlage und Befähigung, und auf wie viele Geistesgaben es sich auch erstrecken mag, es wird in sich immer eins sein; denn ein absolutes Talent ist aller Dinge fähig, die durch Nachahmung erreicht werden können. Ein absolutes Talent kommt immer auf einen gewissen Vollendungsgrad, gleichviel ob es die Flöte oder das Waldhorn bläst, ob es Mathematik oder Philosophie studiert, ob es Jurist oder Arzt wird. Ein absolutes Talent arbeitet in allen Fächern, und setzt sich, wenn es sein Hauptgeschäft beendigt hat, des Abends in einer kurzen Jacke hin und arbeitet in Pappe, oder drechselt, oder spielt die Bratsche. Das Talent hat in seiner Einheit Vielheit oder Allheit, das Genie jedoch in seiner Einheit nur Mannigfaltigkeit. Es kann Dinge geben, für welche dem Genie der Kopf vernagelt ist, wie Goethen z. B. die Philosophie, so daß der genialste Mathematiker in einem Konzertsaale keinen Musikton hört, sondern nur in den Kreisen und Quadraten studiert, welche auf dem Plafond des Saales in Stuck gearbeitet sind. Weil das Genie erfindet, so wird es in seinen Tätigkeiten absorbiert, und muß, um sich vor seiner innern Unruhe und dem verzehrenden Drange der Schöpfung zu retten, eine Gegenwehr zu erobern suchen, die ihm den göttlichen Funken sowohl erhalte, als ihn für die leicht entzündbare und bald verkohlte Phantasie weniger gefährlich mache. Goethe fand diese Gegenwehr in einer Hauptmaxime seines Lebens und seiner Kunst, der Beschränkung. –

Goethes Vielheit war keine Allheit. Man übersah diesen Umstand und wollte im Dichter nicht das Genie, sondern nur das Talent gelten lassen. Man hat vom Genie immer nur die Vorstellung des Kometen, der mit unregelmäßiger Bahn am Horizont heraufzieht, mit seinem feurigen Schweife den Gestirnen um die Ohren klatscht und so schnell wieder verschwindet, wie jenes außerordentliche Meteor. Alles, was einen Augenblick überrascht und sich dann erschöpft hat, pflegen wir genial zu nennen, in Künsten und Wissenschaften. Das Geniale soll weder Toilette machen, noch sich konservieren, es muß unsern Begriffen zufolge schon früh graues Haar bekommen, und entweder mit dem Trunke oder dem Tollhause, oder dem Selbstmorde enden. Goethe sah es in der aufgeregten Zeit, in der er lebte, um sich, wie sich in der Tat die deutschen Genies zu entwickeln pflegten, und machte die Sophrosyne zum Präservativ gegen frühe Verpuffung. Des Genialen sich tief bewußt, nahm er eine nüchterne Eigenschaft des Talentes zu sich herüber, den Takt, und brachte in die gährende Masse seines Innern früh eine versöhnende, mildernde und zurückhaltende Neutralisation. Mit dem Salze des Taktes machte er seinen Vorrat an Genie dauerbar, und erhielt sich bis auf den letzten Lebensmoment wenigstens in Anschauungen, Begriffen, wenn auch weniger in der Produktion selbst, die jugendliche, ursprüngliche Frische. Man nennt Goethes Philosophie egoistisch: ja, verbindet diesen Egoismus der Selbsterhaltung mit seinem Genie, und man wird begreifen, warum sein Genie die Physiognomie des Talentes hatte.

Talent ist Form, Genie Stoff. Jenes steigert sich in der Anwendung; dieses kann verbraucht und muß ökonomisiert werden. Keiner der großen Geister vorangegangener Literaturen, die sich in großen Produktionen dem Gedächtnisse der Nachwelt erhalten haben, von griechischen, spanischen und englischen Männern, ist so bewußt- und taktlos gewesen, so wenig berechnet und verständig, wie man sich gewöhnlich das Genie vorzustellen pflegt. Ganz abgesehen von Pindar, von dem der Uneingeweihte kaum ahnet, daß sein dithyrambisch-ekstatischer Schwung das Produkt einer höchst vorsichtigen, gemessenen, berechneten und logisch disponierten Ausführung ist; so existierten von dem Genie des Sophokles, wie von einem talentvollen Vielschreiber, *hundert* Tragödien. Die Griechen hatten auch ihre genialen Ephemeren, ihre Lenze und Klinger, z. B. einen Stesichorus [3] und andere episch-lyrische Dichter, von denen uns die Zeit nur wenige Bruchstücke übrigließ, und deren Originalität, so ausgezeichnet sie war, ihnen dennoch nicht die Dauer sicherte. Sie zerplatzten wie bunte Seifenblasen. Und weil Shakespeare dauerte, sollte er deshalb weniger originell sein? wo ihm Mitteilung oder Lektüre eine hübsche Sage zutrug, schnitt er sie für sein poetisches Ideal zurecht, und wird als ein Meister verehrt, selbst indem er seine Stoffe von andern entlieh. Hier ist etwas vom Handwerk und wer würde sagen, daß das Genie fehlt?

Das Geniale muß also in der Tat immer erst da beginnen, wo die *Ausführung* des Dichters beginnt, und der göttliche Funke kann auch etwas sein, das in ihm wohnt, ohne ihn stündlich hinzureißen, das sich sogar einschließen, bewahren und für den vorkommenden Fall in Arbeit setzen läßt. Goethe griff nach allem, dem er eine eigentümliche, d. h. die gehörige Gestaltung zu geben wußte, und war weit entfernt von jener Gewissenhaftigkeit des Talentes, jedes Ding in allen seinen Notwendigkeiten zu erschöpfen, und es über die bloße Skizze in ein vollkommenes Gemälde hinüberzuführen. Mit den Gegenständen der Kunst kann nur derjenige spielen, welcher ihnen gewachsen ist. Das Talent wird jeden Vorteil wahrnehmen, und einen Besitz, den es erhaschen kann, nicht anders als in ganzer Vollständigkeit machen. Das Genie, seiner Zulänglichkeit sich bewußt, läßt die Dinge an sich kommen und ist sorglos genug, daß es oft vom Talent übertroffen wird. Das Talent zeigt sich immer nur in seiner Anwendung; das Genie ist etwas Solidarisches, wo eine ausströmende einzelne Anwendung, wenn sie einmal nicht gelingt, doch niemals bewirkt, daß das Ganze, was daheim bleibt, dafür verantwortlich gemacht wird, oder im entgegengesetzten Falle dem Ganzen etwas genommen scheint. So will ich einem jeden überlassen, diese Parallele noch weiter durchzuführen, und sich über Goethe der Ansicht zu nähern, welche wir noch weiter entwickeln werden.

Es soll denn auch gar nicht verschwiegen werden, daß die Opposition gegen Goethe sich aus einer Tatsache im menschlichen Gemüte herschrieb. Wir sind selten geneigt, dasjenige auch nur liebenswürdig zu finden, was von Menschen, die wir hassen, angebetet wird. So kam es, daß in der Bewunderung Goethes die Wärme der einen die Wärme der anderen erkältete.

Goethe fand eine Menschenklasse, die mir, weil sie dem Genie unentbehrlich ist, eine providentielle Bedeutung zu haben scheint. Das arme Genie, wenn es allein steht! Was sollen die großen Gedanken, wenn sie nur begaffte und unentzifferte Pyramiden sind! Jeder Prophet muß seinen Apostel, jedes Genie seinen Lustigmacher haben. Der Enthusiasmus übernimmt für die Rechnung des großen Hauses sein kleines lobpreisendes Detailgeschäft. Es reist auf die Firma seines Gottes, und bringt dessen Gold und Silber als Scheidemünze unter die Leute. Die Sprache der Götter und der Menschen muß durch Dolmetscher vermittelt, das Genie muß erklärt, auseinandergesetzt und mit Beispielen belegt werden.

Kant und Goethe haben in Deutschland die meisten Ausleger gefunden. Zahllose Zwerge kamen, welche sich aus dem Rockärmel dieser Riesen vollständige Kleider schnitten. Kant und Goethe unterscheiden sich in dieser Rücksicht nur so, daß jener vervollständigt und popularisiert, dieser hingegen ausgelegt und ins Wunderbare hinaus mißdeutet wurde. In Norddeutschland wurde Goethe zu einem System erhoben, und Herr Schubarth ist in der Tat ein recht geschickt ausgebauter Flügel desselben.[4] Was wir oben von Goethe behauptet haben, daß sich ein ganzes Leben nach ihm einrichten ließe, bewährte sich hier. Herr Schubarth lebte und webte in Goethe; *er* war die Wahrheit, die ihn frei gemacht hatte, und sein Jünger würde sich nie zu einer Handlung bekannt haben, ohne den Kalkul, was Goethe in diesem Falle denken oder tun würde. Es war ein sonderbarer Widerspruch, daß Herr Schubarth die Hegelsche Philosophie angriff, die es doch ihrerseits an enthusiastischen Beziehungen zu Goethe nicht fehlen ließ. Möchte man nicht verführt werden, hier an Eifersucht der Liebe zu denken? In der Tat, es kam Goethen ein Wettstreit der Huldigung entgegen, von dem man nur wünschen möchte, daß er weniger exklusiv gewesen wäre. Die Verketzerung solcher, welche nur selten im Tempel erschienen, um anzubeten, regte deren Unmut auf, und sie gingen hin, die Fahnen der in Süddeutschland aufgesteckten unmittelbaren Rebellion gegen Goethe zu vermehren, wenn ihnen auch wohl sonst die von einem Menzel dabei gerührte große Trommel fatal war.

Seit wenigen Jahren haben sich große Veränderungen zugetragen. Die statt Goethe empfohlenen Namen Tieck, Jean Paul und sonst die ganze romantische Schule, gewährten keine Muster für den Fortschritt derjenigen Geister, welche an die Möglichkeit einer neuen Literaturschöpfung für Deutschland glauben. Man mußte auf dasjenige zurückkommen, was befruchtet. Es mußte ein Grab nicht nur vor Hyänen, die verwesende Leichen witterten, geschützt, sondern auch an dem alten lebendigen Gedächtnis unsers großen Dichters mußten diejenigen Gesetze der Kunst, diejenigen Tatsachen der Literatur entwickelt werden, welche Saatkörner der Zukunft sind. Ein ins Meer versunkenes Schloß taucht wieder auf, und wird Pharus in der hyperboräischen Nacht. Selbst wo uns Goethe keine Resultate gibt, regt er die Dialektik an, und kann durch das, was er nicht gerade selber arbeitet, sondern nur zuläßt, die sich in Deutschland einleitenden Diskussionen dasjenige werden, was Aristoteles dem Mittelalter war. Denn auch Aristoteles wurde für Dinge angewandt, die er nicht gekannt hatte, und diente als Berufung für Philosopheme, wofür sich in seinen Schriften nur die Prinzipien finden.

Vor einiger Zeit versuchte Görres eine Genealogie Goethes [5], welche von der in den Taufbüchern der Frankfurter Kirchen notierten sehr verschieden war.

Görres teilt die Menschen in zwei goße Feldlager ein; hüben die Genialen, drüben die Philister; und fährt dann fort: Ein Fürst der Genialen, ein im Himmel apanagierter Prinz soll es gewesen sein, der sich zu einer Tochter der Erde herabließ, zu einem Aschenbrödel, ein Gott zu einer Bajadere. Mit dieser habe er in unrechter Ehe Wolfgang Goethe gezeugt.

Umgekehrt scheint es, daß man das an Goethe Prosaische, Untergeordnete, oder um ihn recht zu charakterisieren, *Bedenkliche* vielmehr auf Rechnung seines Vaters setzen muß. Von seiten der Mutter wird dem Menschen nie etwas Untergeordnetes angeboren.

Wenn Goethes Poesie durch einen Fehltritt entstand, so verirrte sich eine Fee des Himmels mit einem jungen, servilen Pagen. Dieses Umganges Frucht war ein junger, verschämter, mädchenhafter Gärtnerbursche, der am Hofe seiner Mutter lebt; ein junger Mann mit viel besorglichen Rücksichten, aber voll des naivsten Mutterwitzes, der die herrlichsten poetischen Schwingen bekömmt, wenn seine Prinzessin Mutter in seidenen Gewändern an ihm vorüberrauscht, ihn mit wunderbarer Zärtlichkeit anblickt, und den duftenden Blumenstrauß empfängt, den er ihr höflich darbietet. Verliebt sich nun Goethe sogar in seine Mutter, als Ödipus in Jokasten, wo wüßt' ich nichts, was das Eigentümliche Goethischer Lizenz über Sitte und Moral vollkommener charakterisieren könnte.

So ist Goethes Auftreten in allen bürgerlichen Beziehungen resignierend, bedächtig und die sozialen Abstände ermessend. Ist es doch, als lehnte er sich gleichsam an seine eigene heroische Gestalt, die Arme auf den Rücken zurückgelegt, freilich imponierend, aber weniger durch das, was er bei andern an freier Bewegung hinderte, als durch das, was er ihr zu gestatten schien. Seine Erscheinung vernichtete durch die Rolle, die man übernehmen, durchführen und tüchtig spielen mußte, um nicht ganz in seinen Schatten zu fallen.

Das Haus und die Familie, die stille Sittlichkeit und Naivetät der bescheidenen Existenz, ja sogar Blödigkeit, wenn ihr die Erziehung nicht einige Haltung gegeben hätte, waren an Goethe das Nächste. Doch hier begannen schon seine dichterischen Übergänge in andere Sphären. Aus der Beschränkung kleiner Kreise spann sich Goethes poetischer Faden hervor, aus dem Rocken an der schnurrenden Spindel, aus dem Leib der behäbig sich schmiegenden Katze, kurz aus echtdeutschen Elementen, wie sie im ›Götz‹, im ›Faust‹, im ›Egmont‹ zu so meisterhaften und unsere Herzen magnetisierenden Geweben sich zusammenfügen *.

Die Familie, das Häusliche, ja sogar das Philisterhaftdeutsche ist der Leib, aus welchem die höhere Psyche der Goethischen Lebensanschauung emporsteigt. Es ist ein Winken nach einem fernen Heimatlande, ein süßes Locken aus den Grotten der Natur und dem Empyreum [8] des Geistes, es ist der rauschend vorüberklingende Moment, als die Götter über die Geburt eines Genies zu Rate gingen. Und der Auserwählteste der Sterblichen schwebt dem geheimnisvollen Winken nach, mit den rauschend entfalteten Schwingen der Poesie, die Pforten des Himmels öffnen sich und werfen die glänzenden Lichtströme der Sonne in ein Auge,

* Die Poesie bildete sich hier sogleich mit einer Maxime. Der Übergang von den Erinnerungen an den mütterlichen Ursprung und dem Hause, und der von Goethe ziemlich kalt aufgeworfenen Frage: Was ist das Vaterland? ergab sich bald. Goethe leugnete das Schöne und Herrliche in den Bardentendenzen Klopstocks und Sineds [6] gewiß nicht; im Gegenteil tadelte er seine Zeitgenossen, daß sie lieber auf französische Flittern blickten, als auf jene goldenen Harfen, welche die ermüdenden großen Sänger in Deutschland aufgehängt hätten, aber er las ein Buch von Sonnenfels über die Liebe zum Vaterlande und fand es sehr lächerlich.[7] Er gestand offen, eine Erziehung zum krassen Patriotismus der Römer läge nur im Interesse gefahrvoller Zeiten und könnte, zum absoluten Gesetze erhoben, den Ruin aller Zivilisation herbeiführen. Das Schlechteste, worauf sich in der Tat eine Nation gegen die andere berufen kann, ist der bloße Patriotismus. Ein unbeholfener und deutscher Bär entschuldigt seine Verstöße gegen den Anstand sehr schlecht, wenn er brüsk sich umwendet und an seine Lenden schlägt, die von Thuiskon stammen. Sagte nicht Themistokles schon, das Liebenswerte sei niemals die Scholle des Landes, sondern treffliche Institutionen? Goethe fürchtete, daß durch Schriften, wie die von Sonnenfels, die Leerheit der Köpfe mit einem Lärm angefüllt würde, den tüchtigere Dinge, und besonders die Erkenntnis der eigenen Oberflächlichkeit, hätten ersetzen sollen. Er philosophierte mit Recht, daß man in Zeiten der Ruhe die Erziehung, statt an den Nationalhaß und den patriotischen Spektakel, an die Familie und die Bildung im Schoße der Guten und Edeln anknüpfen müsse.

das nicht erblindet, da es Verwandtes sieht. Jetzt ist Goethe der freie Göttersohn des Himmels und schreitet stolz und keck durch eine Welt, die ihm Spielzeug ist. Titanenideen ergreifen sein Hirn, während er durch die Wälder und Berge streift, die Sprache wirft den Reim von sich, seine Einfälle sind erhaben, wahnsinnig, humoristisch, bis sich an dem Versuche einen Prometheus zu dichten, endlich die wogende und schäumende Welle bricht, und in dem Moment, wo der fiebernde Trotz des Genies, Krankheit wird, die rotwangige besonnene und vom Vater geerbte Gesundheit der transzendentalen Krisis zu Hülfe kommt; dann genas er allmählich in eine Mäßigung, innerlich gesund, doch noch im Auge die Spur des Unheimlichen tragend, bis er zuletzt mit frischgesammelter und die Erinnerung des ganzen Himmels in sich tragender Kraft den ›Faust‹ schuf. ›Prometheus‹, in der Anlage, die uns fragmentarisch erhalten ist, konnte ein Titanendrama werden, das auf Deutschland vielleicht gräßlicher gewirkt hätte, als ›Werthers Leiden‹; aber wir hätten mit ihm auch den Dichter verloren. Denn die Idee dieses ›Prometheus‹ ließ sich nur mit einer Einseitigkeit durchführen, die derjenige haben muß, welcher seine Rechnung mit dem Leben und seiner Wirtin abschließt, das letzte Geld und die Uhr auf den Tisch legt, und unangenehm zu enden weiß. Goethe hat sich Zeit seines Lebens von der Prometheusfabel nicht erholen können. Sie spukte in allerlei Formen wieder in ihm durch, aber die Zurückhaltung der Leidenschaft erkältete zuletzt die Auffassung.

Geh vom Häuslichen aus und verbreite dich, so du kannst, über alle Welt![9] Hiemit bezeichnete Goethe selbst den Weg, den seine Poesie zu ihren Zielen nahm. Es ist die eigentliche Zauberformel, welche ein ganzes dichterisches Geheimnis erschließt.

Sie war das Symbol des Goethischen Lebens in auf- wie in absteigender Linie. Aus beschränkter Sphäre hinaus sich drängend wurde seine Sehnsucht schnell ein poetisches Bild, das seinen Schritten voranschwebte, und ihn lockte, und Berge und Täler vergessen ließ, die er durchwanderte, um die in immer schöneren Farben und deutlicheren Umrissen sich malende Anschauung einzufangen. Jeder Anfang in Goethe war harmlos und vom Nächsten ausgehend. Ja er versprach in erster Jugend so wenig, daß er selbst von Herder in Straßburg, der schon Standpunkte, Übersichten und Allgemeinheiten gewonnen hatte, für linkisch in der Auffassung und Schönheitsurteilung angesehen wurde. Goethes poetische Entwicklung war ein träumerisches Ausspinnen seiner häuslichen Zustände und primitiven Eindrücke, und so hinaus über die Vorurteile, Gesetze, Sitten hinweg, bis in die Alpen-Regionen des freien Gedankens und der dichterischen Wahrheit. Ein rüstiger Wanderer, zieht er von seiner Heimat aus, und lernet Schönheit, zurückblickend in ein sonniges vom gelben Strom durchschlängeltes Tal, fern der blaue Rand der Gebirge, die unvollendete Kuppel des Domes, und doch ergänzt und vollkommen, gleichsam durch ihre Herrschaft über das was unter ihr liegt, ein rauschendes Treiben, das der Dichterjüngling verlassen kann, ohne aufzuhören es zu lieben. Dies war für Goethe entscheidend, denn jeder andere Genius, pflegt die Metamorphosen seines Dichtens und Lebens in sich wechselseitig zu zerstören, und nicht selten auf das was er heute war, morgen, wie schon auf das Unwürdigste zurückzublicken. Goethe gab seine primitive Anschauung niemals auf, sein häusliches Vermächtnis, das Stilleben der bescheidenen Existenz, auf welches er sich immer wieder zurückziehen konnte, wie ein industrieller Spekulant nach großen Gewinnen oder Verlusten auf seine liegenden und für ein würdiges Dasein immer zureichenden Gründe.

Will man Goethes Steigen aus der Häuslichkeit zur Verbreitung über alle Welt mit einem Bilde vergleichen, das ihm ganz besonders gegenwärtig war; so nehme man seine Wanderung nach Erwins Grabe, eine Besteigung des Straßburger Münsters, wo er auf jeder einzelnen Station innehielt, und ein Gebet des vom Schöpfergeist durchdrungenen Dichters an den großen Meister des Baues richtete. Auf der letzten Platte blickte er in die sonnige Ebene des gesegneten Landes, weit hinaus in die blauen Ahnungen der Schweiz, und heimatlich gen Speyer und Worms; das Herz frohlockte der unermeßlichen Augenweide, und schmiegte sich dankend an das, was ihn auf diesen so wunderbar erhöhten Gipfel trug, an die Kunst, und wie ein Seher seiner eigenen Zukunft schrieb er den bedeutungsvollen Spruch, daß alle Poesie innere, individuelle Keimkraft ist, und ein dem Genius sich von selber gebendes Anschwellen der Gefühle für Maß und Verhältnis.[10]

Die absteigende Bewegung fehlte bei Goethe nicht, und in neuerer Zeit ist sie sogar mehr besprochen worden wie die aufsteigende. Hatte Goethe einmal in dem Allgemeinen vergeblich getastet, dann zog er zur rechten Stunde behutsam seine Fühlfäden zurück. Er verspätete sich niemals beim Ideale, oder genoß die Umarmungen der Phantasie länger, als der Mond am Himmel stand. Hatte er gegen die Prosa einen poetischen Feldzug geführt, so zog er es doch vor, was die Winterquartiere betraf, sie lieber in der Prosa selbst zu nehmen. Wer ihm hieraus einen Vorwurf macht, was betrachtet der? Nur das Ziel, nicht den Gang selbst.

Wenn Goethe aus der Poesie herabsteigt, so flüchtet er sich nicht in die Familie, sondern er sucht sie zu produzieren. Nicht die Prosa beginnt jetzt, sondern die Philosophie. Die Produktion der Familie ist das Himmelszeichen, durch welches die Wintersonne Goethes schreitet. Mißgunst der Zeiten, Unbehaglichkeit der öffentlichen Meinung, getäuschte Berechnung historischer Ereignisse, drängten ihn aus idealischen Anschauungen heraus, und bannten ihn in einen engen Kreis, den er unter Sturm und Ungewitter, als das letzte zu retten suchte. Die heiligen Begriffe, welche Goethe mit der Familie verband, verscheuchen den Gedanken an die winterliche Bequemlichkeit eines warmen Ofens, die ein Ermüdeter oder Träger gesucht hätte. Die Familie war Goethen, von allen menschlichen Dasein, wie Jean Paul sagen würde, die Essigmutter, das Saatkorn und die Garantie jeder andern möglichen Entwicklung im Politischen und Nationalen. Alle spätere Poesie unseres Dichters, ist von diesen Vorstellungen über die Produktion der Familie ergriffen. Bezüge des Anstandes, Zurückhaltungen mancherlei Art, mischen sich in die leidenschaftlichen Motive; aus der Geselligkeit entsteht die Gewohnheit, aus der Gewohnheit das Wohlwollen, aus dem Wohlwollen die Neigung, aus der Neigung die Liebe, und aus ihr freilich genährt durch die lange konventionelle Zurückhaltung, zuletzt die glühendste Leidenschaft. Ob Goethe positiv oder negativ verfuhr, ob er uns in späteren Jahren ebenso übermäßig vorbereitete, wie er in seiner Jugend durch die plötzliche Schläge uns überraschte; immer blieb das Resultat etwas, das uns blendete, weil es alles für sich hatte, alles in der Wahrheit und Schönheit.

Fanden wir somit im Häuslichen die genetische Grundlage der Goethischen Dichtungsweise; so können wir selbst die Entwickelung fernerer Originalitäten unseres Dichters an dies familiäre Prinzip anknüpfen. Wir werden finden, daß, wenn wir selbst über die ersten Prämissen einer literarhistorischen Kritik, über die Sprache und die Gelegenheit seiner Dichtungen sprechen, besonders aber die lyrische Empfindung Goethes zergliedern; daß sich alle unsere Urteile hierüber an die eben angeleitete Betrachtung unmittelbar anreihen können.

[...]

Die Zeit hat ihre Lieblinge. In ihren weitbauschigen Mantel hüllt sie die Auserwählten ihrer Gunst, trägt sie über die Fluten der Begebenheiten, setzt sie in sichern Gegenden aufs Trockne, und holt sie wieder, wenn der Sturm verzogen ist, und man im Schoße des Glückes sich wieder betten kann.

Goethe hatte sich einer solchen Pflege und Wartung des Schicksals nicht zu erfreuen. In den Tagen der Ruhe hatte er unterlassen, sich die Zeit zum Freunde zu machen. Statt den stolzen Nacken zu ihr emporzuheben, vermied er und beleidigte sie; er hatte es für größer gehalten, den Umständen zu trotzen, als für die Zukunft sich bei ihnen einzuschmeicheln.

Wüßten wir nicht, daß das 19te Jahrhundert um so viel poetischer ist, als das 18te prosaisch war, so würden wir nicht begreifen, wie in so kurzer Zeit sich alle Gesichtspunkte der Literatur umwerfen konnten. Früher hielt man es für genialisch, der Zeit auf den Fuß zu treten, ihr den Sand aus dem Stundenglase zu verschütten, sie zu ignorieren im gelindesten Falle; jetzt dagegen wird für die Weihe des Genies gehalten, die Freundschaft der Zeit besitzen, ihr Jünger, Vertrauter, ihr Herold und Apostel sein. Goethe hatte sowohl für seine Beurteilung, wie für den ganzen Charakter seiner Poesie das Unglück, unter diesem Wendepunkte zu leben, und von Ereignissen in einem Kreise herumgedreht zu werden, wo man nicht mehr weiß, ob im Januskopfe das jugendliche Angesicht der Zukunft, oder das Profil des Greisen der Vergangenheit angehört. Wo ist der Herrscher oder Sklave? Gehorchtest oder befahlst du?

Aus den historischen Widersprüchen, in welche auf jenem Wendepunkte die ausgezeichnetsten Befähigungen in der deutschen Geisteswelt verstrickt wurden, schreibt sich der unbehagliche Eindruck her, den noch heute die deutsche Literaturbetrachtung erzeugt. Wenn wir selbst an den glänzendsten Entfaltungen deutscher Wissenschaftsbestrebungen niemals eine recht lachende, nationale Augenweide gehabt haben, wenn uns noch immer die Zwiespältigkeit der Meinungen überall anfällt, wenn die Lust an dem einen durch die gehässige Polemik des andern vergällt wird, und zuletzt die Nation von den Ideen selbst zwar sehr viel Ehre, aber sehr wenig Vorteil zieht; so ist es, weil sich unsere glorreichsten Bestrebungen gewöhnlich in dem Charakter der Zeit irrten, und von einer Masse, die sie kalt von sich wies, eine mit den Umständen disharmonierende Hingebung verlangten. Jene schreiende Dissonanz, als die Kunst und die Geschichte so feindselig zusammentrafen, verwirrte zuerst die Kunst selbst, erzeugte jene Haarspaltungen der ästhetischen Tendenzen und künstlerischen Theoreme, welche besonders in Goethes und Schillers Briefwechsel sich in einem fortwährenden Zirkel bewegen, lähmte darauf die schöpferische Produktivität unseres größten Dichters, der in einer so unruhigen Zeit, um nicht mit fortgerafft zu werden, sich entschließen mußte, sich in sich zurückziehen und in sich den Dichter nur zu einem Teile des Menschen zu machen. Noch immer hallt diese Dissonanz in unsern Zuständen fort, und es wird lange währen, ehe wir aus diesen widersprechenden Tatsachen sowohl die richtigen Urteile, wie die weiseren Entschlüsse gezogen haben.

[...]
Jeder Cicerone der gegenwärtigen deutschen Literaturzustände wird in Verlegenheit geraten, wenn ihn ein Fremder früge: Wo ist das Genie? Du sprichst von Tendenzen, von philosophischen Sekten, von entscheidenden Sekten: wo ist das Genie? Wo ist jene Allgemeinheit, die kein anderes Credo hat, als eines auf sich selbst? Wo ist jener Funke, der hier als mildes Feuer wärmt, dort als Flamme wütet, der alles entzündet, was du willst, und der aus den größten Tollkühnheiten sich immer wieder in seine stille heimliche Glut zurückzieht? Wo ist jene Freiheit vom Gesetz, von der Meinung, von der Partei; wo jener Abenteurer, der nur sich und seine Farbe und seine Dame kennt, und die Lanze bricht mit Ideen? Klopstock, Herder, Wieland – das ist schon lange her.

Wir haben Steffens, Schelling, Raumer, Görres, wir haben aufgeweckte Köpfe, die in jedem Fache mit sicherem Erfolge arbeiten würden. Aber wie viel Erzählung, wie viel Literatur und Tendenzgeschichte brauchen wir, um jeden dieser Namen nach seinem Werte zu charakterisieren! Diese allgemeine Gefangennahme der Geister durch ihre Wunderlichkeiten, diese Erleuchtung, in die man sie erst stellen muß, ehe sie einen rechten Schatten werfen, ist das größte Hindernis der Nacheiferung. Denn wo anfassen? Wo das unmittelbare Talent von seinen Anerzogenheiten trennen? Wo sind diese Männer noch die freien Söhne der Natur, junge Waghälse, die sich mit Selbstvertrauen auf die Brust schlugen, und wo schon jene hinfälligen verschlagenen, und für die heterogensten Zwecke einer isolierten Wissenschaft gefangenen Charaktere, die nicht befürchten können, weil sie Anknüpfungspunkte haben, nicht für das Genie, sondern für die Schule?

Goethe aber ist ein Name, auf den man zu allen Zeiten zurückkommen kann. Durch nichts bestimmt, kann er jedes bestimmen. Seine Dichtungen sind ein kritisches Regulativ für jede zukünftige Schöpfung. Wer wollte seine Philosophie adoptieren! Wer kann sein Leben den Triumpf der Aufopferung nennen! Wer möchte, wenn er auch so gerecht wäre, daß er das nicht tadelte, was Goethe zu tun hinterließ, doch so tolerant sein, daß er alles billigte, was Goethe tat! Aber diese Stimmungen und Gefühle mildern sich mit der Zeit, und gehören noch weniger in die Literatur. In der Geschichte der Kunst wird sein Name sich wie eine goldhaltige Ader fortziehen, und sich mit leuchtenden Metallkörnern an die Wurzeln jener Bäume hängen, welche jetzt gepflanzt, noch schüchtern und unhaltbar vorm Winde schwanken, dereinst aber auch mit weitausgreifenden Ästen sich entfalten, und nicht bloß zeigen werden, daß sie von grünem Holze sind, sondern auch erquickende Schatten werfen können.

Weder eine Gesinnung, noch eine Manier sollte durch diese Schrift anempfohlen werden. Herrlich die Jugend, welche aufrichtiger, hingebender und feuriger empfinden kann, als Goethe konnte. Man kann hochherziger denken vom Vaterland, von der Liebe, von den Formen der Gesellschaft und den Rätseln der Geschichte. Ja selbst die Kunst war in den Händen des Dichters nicht immer ein heiliges Weihgefäß, aus dem er Segen und Gottesnähe auf die Gemeinde sprengte. Goethe hatte die größten Anschauungen, Imaginationen, deren Ausführung ihn fortwährend hoch über jenen Verhältnissen gehalten hätte, denen er unterlag; und er zog es vor, seine ungeheure Kraft an kleinen Stoffen zu verschwenden, und das natürliche Prinzip, das alle Dinge ohne Anstrengung nach einem eingebornen Organimus sich entwickeln müßten, auch auf die moralische Welt, und zum großen Schaden der Nation, auf die Imputation des ästhetischen Gewissens zu übertragen. Indem die Poesie bei ihm die augenblickliche Erregung, der Akt des Dichtens selbst Abschließung einer abweichenden Stimmung war, so bildete er in sich nicht jene innere Triebkraft aus, die den Menschen immer aus seinem Gleichgewichte herauszuheben sucht, und ihn mit Aufopferung des genossenen Momentes auf immer höhere Stufen und Terrassen der Zukunft erhebt. Über alle diese Fragen kann es keinen Zweifel mehr geben.

Doch wie man sie auch lösen mag, sie sollten uns niemals die Freude und Genüge an dem unsterblichen Teile Goethes verkümmern. In einer Zeit, die von politischen Stürmen sich beruhigend, und auf eine friedliche Weise die philosophischen Resultate derselben auf die Literatur anwenden will, ist von Vorbildern keins so beherzigenswert, wie Goethe. Wenn sich die jüngere Generation an seinen Werken bildet, so konnte sie kein Mittel finden, das so sonnig die Nebel des Augenblicks zerteilte, kein Fahrzeug, das sie über die wogenden Fluten widersprechender Begriffe so sicher hinübersetzte. Die Zeit der Tendenz kann beginnen, wenn man über die Zeit des Talentes im reinen ist. Dann kann man auch wieder anfangen, Schiller statt Goethe zu empfehlen. –

17 *Georg Wilhelm Friedrich Hegel*

Aus: Vorlesungen über die Ästhetik 1835–1838

[Der junge und der alte Goethe]

[. . .]
Die ersten Produkte Goethes und Schillers sind von einer Unreife, ja selbst von einer Rohheit und Barbarei, vor der man erschrecken kann. Diese Erscheinung, daß in den meisten jener Versuche eine überwiegende Masse durch und durch prosaischer zum Teil kalter und platter Elemente sich findet, ist es, welche vornehmlich gegen die gewöhnliche Meinung geht, als ob die Begeisterung an das Jugendfeuer und die Jugendzeit gebunden sei. Erst das reife Mannesalter dieser beiden Genien, welche kann man sagen, unserer Nation erst poetische Werke zu geben wußten, und unsere Nationaldichter sind, hat uns tiefe, gediegene, aus wahrhafter Begeisterung hervorgegangene, und ebenso in der Form durchgebildete Werke geschenkt, wie erst der Greis Homer seine ewig unsterblichen Gesänge sich eingegeben und hervorgebracht hat.

[. . .]
Nach Innen und Außen muß er [der Dichter] das menschliche Dasein kennen, und die Breite der Welt und ihrer Erscheinungen in sein Inneres hineingenommen und dort durchfühlt, durchdrungen, vertieft und verklärt haben. – Um nun aus seiner Subjektivität heraus, selbst bei der Beschränkung auf einen ganz engen und besonderen Kreis, ein freies Ganzes, das nicht von außen her determiniert erscheint, schaffen zu können, muß er sich aus der *praktischen* oder sonstigen Befangenheit in solchem Stoffe losgerungen haben, und mit freiem das innere und äußere Dasein überschauenden Blicke darüberstehn. Von seiten des *Naturells* können wir in dieser Beziehung besonders die morgenländischen muhamedanischen Dichter rühmen. Sie treten von Hause aus in diese Freiheit ein, welche in der Leidenschaft selbst von der Leidenschaft unabhängig bleibt, und in aller Mannigfaltigkeit der Interessen als eigentlichen Kern doch nur immer die *eine* Substanz festhält, gegen welche dann das übrige klein und vergänglich erscheint, und der Leidenschaft und Begierde nichts Letztes bleibt. Dies ist eine theoretische Weltanschauung, ein Verhältnis des Geistes zu den Dingen dieser Welt, das dem Alter näher liegt als der Jugend. Denn im Alter sind zwar die Lebensinteressen noch vorhanden, aber nicht in der drängenden Jugendgewalt der Leidenschaft, sondern mehr in der Form von Schatten, so daß sie sich leichter den theoretischen Bezügen gemäß ausbilden, welche die Kunst verlangt. Gegen die gewöhnliche Meinung, daß die Jugend in ihrer Wärme und Glut das schönste Alter für die dichterische Produktion sei, läßt sich deshalb, nach dieser Seite hin, gerade das Entgegengesetzte behaupten, und das Greisenalter, wenn es sich nur die Energie der Anschauung und Empfindung noch zu bewahren weiß, als die reifste Epoche hinstellen. Erst dem blinden *Greise* Homer werden die wunderbaren Gedichte zugeschrieben, die unter seinem Namen auf uns gekommen sind, und auch von

Goethe kann man sagen, daß er im Alter erst, nachdem es ihm gelungen war, sich von allen beschränkenden Partikularitäten frei zu machen, das Höchste geleistet hat.

[Behandlung historischer Stoffe]

[...]
Das allererste ist und bleibt die unmittelbare Verständlichkeit, und wirklich haben auch alle Nationen sich in dem geltend gemacht, was ihnen als Kunstwerk zusagen sollte, denn sie wollten einheimisch, lebendig und gegenwärtig darin sein. In dieser selbständigen Nationalität hat Calderon seine ›Zenobia‹ und ›Semiramis‹ bearbeitet [1], und Shakspeare den verschiedenartigen Stoffen einen englischen nationalen Charakter einzuprägen verstanden, obschon er den wesentlichen Grundzügen nach bei weitem tiefer als die Spanier auch den geschichtlichen Charakter fremder Nationen, z. B. der Römer, zu bewahren wußte. Selbst die griechischen Tragiker haben das Gegenwärtige ihrer Zeit und der Stadt, der sie angehörten, im Auge gehabt. Der ›Ödip auf Kolonus‹ [2] z. B. hat nicht nur in Rücksicht auf das Lokal einen näheren Bezug auf Athen, sondern auch dadurch, daß Ödip in diesem Lokal sterbend ein Hort für Athen werden sollte. In anderen Beziehungen haben auch die ›Eumeniden‹ des Äschylus durch die Entscheidung des Areopags ein näheres heimisches Interesse für die Athenienser. Dagegen hat die griechische Mythologie, wie mannigfaltig sie auch und immer von neuem wieder seit dem Wiederaufleben der Künste und Wissenschaften ist benutzt worden, nie bei den modernen Völkern vollkommen einheimisch werden wollen, und ist mehr oder weniger selbst in den bildenden Künsten und mehr noch in der Poesie ihrer weiten Ausbreitung unerachtet kalt geblieben. Es wird z. B. keinem Menschen jetzt einfallen, ein Gedicht an Venus, Jupiter oder Pallas zu machen. Die Skulptur zwar kann immer noch nicht ohne die griechischen Götter auskommen, aber ihre Darstellungen sind deshalb auch größtenteils nur Kennern, Gelehrten und dem engeren Kreise der Gebildetesten zugänglich und verständlich. In dem ähnlichen Sinne hat Goethe sich viel Mühe gegeben die Philostratischen Gemälde den Malern zu näherer Beherzigung und Nachbildung vorstellig zu machen [3], doch hat er wenig damit ausgerichtet; dergleichen antike Gegenstände in ihrer antiken Gegenwart und Wirklichkeit bleiben dem modernen Publikum, wie den Malern immer etwas Fremdes. Dagegen ist es Goethen selber in einem weit tieferen Geiste gelungen, durch seinen ›Westöstlichen Divan‹ noch in den späteren Jahren seines freien Innern den Orient in unsere heutige Poesie hineinzuziehn, und ihn der heutigen Anschauung anzueignen. Bei dieser Aneigung hat er sehr wohl gewußt, daß er ein westlicher Mensch und ein Deutscher sei, und so hat er wohl den morgenländischen Grundton in Rücksicht auf den östlichen Charakter der Situationen und Verhältnisse durchweg angeschlagen, ebenso sehr aber unserem heutigen Bewußtsein und seiner eigenen Individualität das vollständigste Recht widerfahren lassen. In dieser Weise ist es dem Künstler allerdings erlaubt, seine Stoffe aus fernen Himmelsstrichen, vergangenen Zeiten und fremden Völkern zu entlehnen, und auch im ganzen und großen der Mythologie, den Sitten

und Institutionen ihre historische Gestalt zu bewahren, zugleich aber muß er diese Gestalten nur als Rahmen seiner Gemälde benutzen, das Innre dagegen dem wesentlichen tiefern Bewußtsein seiner Gegenwart in einer Art anpassen, als deren bewundrungswürdigstes Beispiel bis jetzt noch immer Goethes ›Iphigenie‹ dasteht.

[Goethe als Lyriker]

[...]
Den Griechen ist die schönste Ausgestaltung der epischen Dichtkunst, und vor allem die Vollendung der Skulptur eigen, wogegen die Römer keine eigentlich selbständige Kunst besaßen, sondern sie erst von Griechenland her in ihren Boden verpflanzen mußten. Am allgemeinsten verbreitet ist daher überhaupt die Poesie, weil in ihr das sinnliche Material und dessen Formierung die wenigsten Anforderungen macht. Innerhalb der Poesie ist wiederum das Volkslied am meisten nationell und an Seiten der Natürlichkeit geknüpft, weshalb das Volkslied auch den Zeiten geringer geistiger Ausbildung angehört und am meisten die Unbefangenheit des Natürlichen bewahrt. Goethe z. B. hat in allen Formen und Gattungen der Poesie Kunstwerke produziert, das Innigste aber und Unabsichtlichste sind seine ersten Lieder. Zu ihnen gehört die geringste Kultur. [...]

In dem ganzen Umkreis lyrischer Gedichte stellt sich [...] die Totalität eines Individuums seiner poetischen innern Bewegung nach dar. Denn der lyrische Dichter ist gedrungen, alles, was sich in seinem Gemüt und Bewußtsein poetisch gestaltet, im Liede auszusprechen. In dieser Rücksicht ist besonders Goethe zu erwähnen, der in der Mannigfaltigkeit seines reichen Lebens sich immer dichtend verhielt. Auch hierin gehört er zu den ausgezeichnetesten Menschen. Selten läßt sich ein Individuum finden, dessen Interesse so nach allen und jeden Seiten hin tätig war, und doch lebte er dieser unendlichen Ausbreitung ohngeachtet durchweg, in *sich*, und was ihn berührte, verwandelte er in poetische Anschauung. Sein Leben nach außen, die Eigentümlichkeit seines im Täglichen eher verschlossenen als offenen Herzens, seine wissenschaftlichen Richtungen und Ergebnisse andauernder Forschung, die Erfahrungssätze seines durchgebildeten praktischen Sinns, seine ethischen Maximen, die Eindrücke, welche die mannigfach sich durchkreuzenden Erscheinungen der Zeit auf ihn machten, die Resultate, die er sich daraus zog, die sprudelnde Lust und der Mut der Jugend, die gebildete Kraft und innere Schönheit seiner Mannesjahre, die umfassende frohe Weisheit seines Alters, – alles ward bei ihm zum lyrischen Erguß, in welchem er ebenso das leichteste Anspielen an die Empfindung, als die härtesten schmerzlichen Konflikte des Geistes aussprach, und sich durch dieses Aussprechen davon befreite.

[...]
In dieselbe Kategorie solcher Innigkeit, die sich nicht zur vollständigen Explikation ihrer herauszubilden vermag, gehören meistenteils auch die Volkslieder, besonders germanische, welche es in der gehaltvollen Gedrungenheit des Gemüts,

wie sehr dasselbe auch von irgend einem Interesse sich ergriffen zeigt, doch nur zu abgerissenen Äußerungen zu bringen vermögen, und hieran eben die Tiefe der Seele offenbar machen. Es ist dies eine Darstellungsweise, welche in der Stummheit gleichsam zum Symbolischen wieder zurückgeht, indem, was sie gibt, nicht die offene, klare Darlegung des ganzen Innern, sondern nur ein *Zeichen* und eine Andeutung ist. Wir erhalten jedoch hier nicht ein Symbol, dessen Bedeutung, wie früher, eine abstrakte Allgemeinheit bleibt, sondern eine Äußerung, deren Inneres eben dies subjektive, lebendige, wirkliche Gemüt selbst ist. In den späteren Tagen eines durchweg reflektierenden Bewußtseins, das jener in sich zurückgedrängten Naivität fern steht, sind solche Darstellungen von höchster Schwierigkeit, und geben den Beweis eines ursprünglich poetischen Geistes. Daß Goethe besonders in seinen Liedern auch darin Meister sei, so symbolisch zu schildern, d. i. in einfachen, scheinbar äußerlichen und gleichgültigen Zügen, die ganze Treue und Unendlichkeit des Gemüts offen zu legen, haben wir schon früher gesehen. Von dieser Art ist z. B. der ›König von Thule‹, der zum Schönsten gehört, was Goethe gedichtet hat; durch nichts gibt der König seine Liebe kund, als durch den Becher, den dieser Alte von seiner Geliebten bewahrte. Im Sterben steht der alte Zecher, um ihn her die Ritter, im hohen Königssaale, sein Reich, seine Schätze gönnt er seinen Erben, den Becher aber wirft er in die Flut, kein anderer soll ihn besitzen.

Er sah ihn stürzen, trinken,
Und sinken tief in's Meer,
Die Augen täten ihm sinken,
Trank nie einen Tropfen mehr.

Solch ein tiefes, stilles Gemüt nun aber, das die Energie des Geistes wie den Funken im Kiesel verschlossen hält, sich nicht ausgestaltet, sein Dasein und seine Reflexion über dasselbe nicht ausbildet, hat sich denn auch nicht durch diese Bildung befreit. Es bleibt dem grausamen Widerspruch ausgesetzt, wenn der Mißton des Unglücks in sein Leben hereinklingt, keine Geschicklichkeit, keine Brücke zu haben, sein Herz und die Wirklichkeit zu vermitteln, und ebenso die äußeren Verhältnisse von sich abzuwehren, gehalten dagegen zu sein und an sich zu halten. Gerät es in Kollision, so weiß es sich deshalb nicht zu helfen, geht rasch, besinnungslos zur Tätigkeit heraus, oder läßt sich passiv verwickeln. [...]

[...]
Eine zweite Art objektiver Auffassung macht sich deshalb das Äußerliche als solches nicht zum Zweck, sondern der Künstler hat seinen Gegenstand mit tiefer Innerlichkeit des Gemüts ergriffen. Dies Innere aber bleibt so sehr verschlossen und konzentriert, daß es sich nicht zur bewußten Klarheit hervorringen und zur wahren Entfaltung kommen kann. Die Beredtsamkeit des Pathos beschränkt sich deshalb allein darauf, sich durch äußerliche Erscheinungen, an welche dasselbe anklingt, ahnungsreich anzudeuten, ohne die Kraft und Bildung zu haben, die volle Natur des Inhalts explizieren zu können. Volkslieder besonders gehören die-

ser Weise der Darstellung an. Äußerlich einfach deuten sie auf ein weiteres tiefes Gefühl hin, das ihnen zugrunde liegt, doch sich nicht deutlich auszusprechen vermag, indem die Kunst hier selbst noch nicht zu der Bildung gekommen ist, ihren Gehalt in offener Durchsichtigkeit zutage zu bringen, und sich damit begnügen muß, denselben durch Äußerlichkeiten für die Ahnung des Gemütes anzudeuten. Das Herz bleibt in sich gedrungen und gepreßt, und spiegelt sich, um sich dem Herzen verständlich zu machen, nur an ganz endlichen äußeren Umständen und Erscheinungen ab, die allerdings sprechend sind, wenn ihnen auch nur eine ganz leise Wendung auf das Gemüt und die Empfindung hin gegeben wird. Auch Goethe hat in solcher Weise höchst vortreffliche Lieder geliefert. ›Schäfers Klagelied‹ z. B. ist eins der schönsten dieser Art; das von Schmerz und Sehnsucht gebrochene Gemüt gibt sich in lauter äußerlichen Zügen stumm und verschlossen kund, und dennoch klingt die konzentrierteste Tiefe der Empfindung unausgesprochen hindurch. Im ›Erlkönig‹ und so vielen anderen herrscht derselbe Ton. Dieser Ton jedoch kann auch bis zur Barbarei der Stumpfheit herunterkommen, die das Wesen der Sache und Situation sich nicht zum Bewußtsein gelangen läßt, und sich nur an die endlichsten und an sich selbst teils rohen, teils abgeschmackten Äußerlichkeiten hält. Wie es z. B. in dem ›Tambours-Gesellen‹ aus des ›Knaben Wunderhorn‹ heißt: »O Galgen Du hohes Haus!« oder: »Adje Herr Korporal«, was denn als höchst rührend ist gepriesen worden.[4] Wenn dagegen Goethe singt:

Der Strauß, den ich gepflücket,
Grüße Dich viel tausendmal,
Ich habe mich oft gebücket
Und ihn ans Herz gedrücket,
Ach wie viel tausendmal.[5]

so ist hier die Innigkeit in einer ganz anderen Weise angedeutet, die nichts Triviales und in sich selbst Widriges vor unsere Anschauung stellt. Was aber überhaupt dieser ganzen Art der Objektivität abgeht, ist das wirkliche klare Heraustreten der Empfindung und Leidenschaft, welche in der echten Kunst nicht eine verschlossene Tiefe bleiben darf, die nur leise anklingend sich durch das Äußere hindurchzieht, sondern sich vollständig entweder für sich herauskehren oder das Äußere, in welches sie sich hineinlegt, hell und ganz durchscheinen muß. Schiller z. B. ist bei seinem Pathos mit der ganzen Seele dabei, aber mit einer großen Seele, welche sich in das Wesen der Sache einlebt, und deren Tiefen zugleich aufs freiste und glänzendste in der Fülle des Reichtums und Wohlklanges auszusprechen vermag.

[...]

Indem nun aber [...] eine spezifische Art der Auffassung und Darstellung durch die stets sich erneuernde Wiederkehr zur Gewohnheit verallgemeinert und dem Künstler zur anderen Natur wird, liegt die Gefahr nahe, daß die Manier, je spezieller sie ist, um so leichter zu einer seelenlosen und dadurch kahlen Wiederholung und Fabrikation ausartet, bei welcher der Künstler nicht mehr mit vollem Geist und ganzer Begeistrung dabei ist. Dann aber sinkt die Kunst zu einer bloßen Handgeschicklichkeit und Handwerksfertigkeit herunter, und die an sich selbst nicht verwerfliche Manier kann zu etwas Nüchternem und Leblosem werden.

Die echtere Manier hat sich deshalb dieser beschränkten Besonderheit zu entheben, und in sich selbst zu erweitern, daß dergleichen spezielle Behandlungsarten sich nicht zu einer bloßen Gewohnheitssache abtöten können, indem sich der Künstler in *allgemeinerer* Weise an die Natur der Sache hält, und sich diese allgemeinere Behandlungsart, wie deren *Begriff* es mit sich führt, zu eigen zu machen versteht. In diesem Sinne kann man es z. B. bei Goethe Manier nennen, daß er nicht nur gesellschaftliche Gedichte, sondern auch sonstige ernsthafte Anfänge durch eine heitere Wendung geschickt zu beendigen weiß, um das Ernsthafte der Betrachtung oder Situation wieder aufzuheben oder zu entfernen. [...]

[...]
Dagegen ist es besonders der Orient, vorzüglich die spätere muhamedanische Poesie, auf der einen, die moderne auf der andren Seite, welche sich des uneigentlichen Ausdrucks bedient, und dessen sogar bedarf. Shak[e]speare z. B. ist sehr metaphorisch in seiner Diktion; auch die Spanier, welche darin bis zur geschmacklosesten Übertreibung und Anhäufung abgeirrt sind, lieben das Blumenreiche; ebenso Jean Paul; Goethe in seiner gleichmäßigen klaren Anschaulichkeit weniger. Schiller aber ist selbst in der Prosa sehr reich an Bildern und Metaphern, was bei ihm mehr aus dem Bestreben herkommt, tiefe Begriffe für die Vorstellung auszusprechen, ohne zu dem eigentlich philosophischen Ausdruck des Gedankens hindurchzudringen. Da sieht und findet denn die in sich vernünftige spekulative Einheit ihr Gegenbild an dem vorhandenen Leben.

[...]
Das Bild findet besonders statt, wenn zwei für sich genommen mehr *selbstständige* Erscheinungen oder Zustände in eins gesetzt werden, so daß der eine Zustand die Bedeutung abgibt, welche durch das Bild des anderen faßbar gemacht wird. Das erste, die Grundbestimmung, macht hier also das *Für-sich-sein* die *Absondrung* der verschiedenen Sphären aus, denen die Bedeutung und ihr Bild entnommen ist, und das Gemeinschaftliche, die Eigenschaften, Verhältnisse usf., sind nicht wie im Symbol das unbestimmte Allgemeine und Substantielle selbst, sondern die festbestimmte konkrete Existenz auf der einen wie auf der andern Seite.

In dieser Beziehung kann das Bild einen ganzen Verlauf von Zuständen, Tätigkeiten, Hervorbringungen, Weisen der Existenz usf. zu seiner Bedeutung haben, und dieselbe durch den ähnlichen Verlauf aus einem selbstständigen, aber verwandten Kreise veranschaulichen, ohne die Bedeutung als solche innerhalb des Bildes selbst zur Sprache zu bringen. Von dieser Art z. B. ist das Goethesche Gedicht: ›Mahomets Gesang‹. Nur die Aufschrift zeigt es an, daß uns hier in dem

Bilde eines Felsenquells, der jünglingsfrisch sich über Klippen in die Tiefe stürzt, mit herzusprudelnden Quellen und Bächen in die Ebene heraustritt, Bruderströme aufnimmt, Ländern den Namen gibt, Städte unter seinem Fuße werden sieht, bis er all diese Herrlichkeiten, seine Brüder, seine Schätze, seine Kinder dem erwartenden Erzeuger freudebrausend an das Herz trägt, daß in diesem weiten glänzenden Bilde eines mächtigen Stroms Mahomets kühnes Auftreten, die rasche Verbreitung seiner Lehre, die beabsichtigte Aufnahme aller Völker in den *einen* Glauben treffend dargestellt sei. Von der ähnlichen Art sind auch viele der Goetheschen und Schillerschen ›Xenien‹, zum Teil bittere, zum Teil lustige Worte an das Publikum und die Autoren. So heißt es z. B.

> Stille kneteten wir Salpeter, Kohlen und Schwefel,
> Bohrten Röhren, gefall' nun auch das Feuerwerk Euch![6]
>
> Einige steigen als leuchtende Kugeln und andere zünden,
> Manche auch werfen wir nur spielend das Aug' zu erfreun.[7]

Viele sind in der Tat Brandraketen und haben verdrossen, zur unendlichen Ergötzlichkeit des bessren Teils des Publikums, der sich freute, als das mittlere und schlechte Gesindel, das sich lange breit gesetzt und das große Wort gehabt, tüchtig aufs Maul geschlagen und ihm der Leib mit kaltem Wasser übergossen wurde.

[...]

Völker von gebildeter Reflexion sind beredter im Ausdruck ihrer Leidenschaft. Die Alten z. B. waren es gewohnt das Pathos, welches die Individuen beseelt, in seiner Tiefe auseinanderzulegen, ohne dadurch in kalte Reflexionen oder Geschwätz hineinzugeraten. Auch die Franzosen sind in dieser Rücksicht pathetisch, und ihre Beredtsamkeit der Leidenschaft ist nicht etwa nur immer ein bloßer Wortkram, wie wir Deutsche oft in der Zusammengezogenheit unsres Gemüts meinen, insofern uns das vielseitige Aussprechen der Empfindung als ein Unrecht erscheint, das derselben angetan werde. Es gab in diesem Sinne in Deutschland eine Zeit der Poesie, in welcher besonders die jungen Gemüter, des französischen rhetorischen Wassers überdrüssig, nach Natürlichkeit Verlangen trugen, und nun zu einer Kraft kamen, welche sich hauptsächlich nur in Interjektionen aussprach. Mit dem bloßen Ach und Oh jedoch, oder mit dem Fluch des Zorns, mit dem Drauflosstürmen und Dreinschlagen ist die Sache nicht abzutun. Die Kraft bloßer Interjektionen ist eine schlechte Kraft, und die Äußrungsweise einer noch rohen Seele. Der individuelle Geist, in welchem das Pathos sich darstellt, muß ein in sich erfüllter Geist sein, der sich auszubreiten und auszusprechen imstande ist.

Auch Goethe und Schiller bilden in dieser Beziehung einen auffallenden Gegensatz. Goethe ist weniger pathetisch als Schiller, und hat mehr eine intensive Weise der Darstellung; besonders in der Lyrik bleibt er in sich gehaltner; seine Lieder, wie es dem Liede geziemt, lassen merken was sie wollen, ohne sich ganz zu explizieren. Schiller dagegen liebt sein Pathos weitläufig und mit großer

Klarheit und Schwung des Ausdrucks auseinanderzufalten. In der ähnlichen Weise hat Claudius im ›Wandsbecker Boten‹ (B. I. p. 153) Voltaire und Shak[e]-speare so gegenüber[ge]stellt, daß der eine *sei* was der andre *scheine*; »Meister Arouet *sagt:* ich weine und Shak[e]speare *weint.*« Aber ums Sagen und Scheinen grade, und nicht um das natürliche wirkliche Sein, ist es in der Kunst zu tun. Wenn Shak[e]speare nur *weinte* während Voltaire zu weinen *schiene*, so wäre Shak[e]speare ein schlechter Poet.

Das Pathos also muß, um in sich selber, wie die ideale Kunst es fordert, konkret zu sein, als das Pathos eines reichen und totalen Geistes zur Darstellung kommen.

[. . .]

In dieser Weise [als politischer Zeitdichter] steht Klopstock groß im Sinne der Nation, der Freiheit, Freundschaft, Liebe und protestantischen Festigkeit da, verehrungswert in seinem Adel der Seele und Poesie, in seinem Streben und Vollbringen, und wenn er auch nach manchen Seiten hin in der Beschränktheit seiner Zeit befangen blieb, und viele bloß kritische, grammatische und metrische, kalte Oden gedichtet hat, so ist doch seitdem, Schiller ausgenommen, keine in ernster männlicher Gesinnung so unabhängige edle Gestalt wieder aufgetreten.

Dagegen aber haben Schiller und Goethe nicht bloß als solche Sänger ihrer Zeit, sondern als umfassendere Dichter gelebt, und besonders sind Goethes Lieder das Vortrefflichste, Tiefste und Wirkungsvollste, was wir Deutsche aus neuerer Zeit besitzen, weil sie ganz ihm und seinem Volke angehören, und, wie sie auf heimischem Boden erwachsen sind, dem Grundton unseres Geistes nun auch vollständig entsprechen. –

[. . .]

[Goethes »West-östlicher Divan«]

[. . .]

Als den wesentlichen Unterschied nun in der Ausdrucksweise des Liedes will ich nur zwei Hauptseiten herausheben, welche ich schon früher berührt habe. Eines teils nämlich kann der Dichter sein Inneres und dessen Bewegungen ganz offen und ausgelassen aussprechen, besonders die freudigen Empfindungen und Zustände, so daß er alles, was in ihm vorgeht, vollständig mitteilt; anderen teils aber kann er im entgegengesetzten Extrem gleichsam nur durch sein Verstummen ahnen lassen, was in seinem unaufgeschlossenen Gemüte sich zusammendrängt. Die erste Art des Ausdrucks gehört hauptsächlich dem Orient und besonders der sorglosen Heiterkeit und begierdefreien Expansion der muhammedanischen Poesie an, deren glänzende Anschauung sich in sinniger Breite und witzigen Verknüpfungen herüber und hinüber zu wenden liebt. Die zweite dagegen sagt mehr der nordisch in sich konzentrierten Innerlichkeit des Gemüts zu, das in gedrungener Stille oft nur nach ganz äußerlichen Gegenständen zu greifen und in ihnen anzudeuten vermag, daß das in sich gepreßte Herz sich nicht aussprechen und Luft machen könne, sondern wie das Kind, mit dem der Vater in ›Erlkönig‹ durch

Nacht und Wind reitet, in sich verglimmt und erstickt. Dieser Unterschied, der auch sonst schon im Lyrischen sich in allgemeinerer Weise als Volks- und Kunstpoesie, Gemüt und umfassendere Reflexion geltend macht, kehrt auch hier innerhalb des Liedes mit vielfachen Nüancen und Mittelstufen wieder.

[...]

Vor allem muß der Dichter bei solcher Schilderung der Gegenstände und Empfindungen nicht mehr in der Befangenheit der unmittelbaren Wünsche und Begierden stehen, sondern in theoretischer Freiheit sich schon eben so sehr darüber erhoben haben, so daß es ihm nur auf die Befriedigung ankommt, welche die Phantasie als solche gibt. Diese unbekümmerte Freiheit, diese Ausweitung des Herzens und Befriedigung im Elemente der Vorstellung gibt z. B. vielen der anakreontischen Lieder, sowie den Gedichten des Hafis und dem Goetheschen ›West-östlichen Divan‹ den schönsten Reiz geistiger Freiheit und Poesie.

[...]

[...]

Auch Goethe ist, seinen trüberen Jugendgedichten und ihrer konzentrierten Empfindung gegenüber, im späteren Alter von dieser weiten kummerlosen Heiterkeit [der persischen Gedichte] ergriffen worden, und hat sich als Greis noch, durchdrungen vom Hauch des Morgenlandes, in der poetischen Glut des Blutes, voll unermeßlicher Seligkeit zu dieser Freiheit des Gefühls hinübergewendet, welche selbst in der Polemik die schönste Unbekümmertheit nicht verliert. Die Lieder seines ›West-östlichen Divans‹ sind weder spielend noch unbedeutende gesellschaftliche Artigkeiten, sondern aus solch einer freien hingebenden Empfindung hervorgegangen. Er selber nennt sie in einem Lied an Suleika:

Dichtrische Perlen,
Die mit deiner Leidenschaft
Gewaltige Brandung
Warf an des Lebens
Verödeten Strand aus.
Mit spitzen Fingern
Zierlich gelesen,
Durchreiht mit juwelenem
Goldschmuck.

Nimm sie, ruft er der Geliebten zu,

Nimm sie an deinen Hals,
An deinen Busen!
Die Regentropfen Allahs
Gereift in bescheidener Muschel.[8]

Zu solchen Gedichten bedurfte es eines zur größten Breite erweiterten, in allen Stürmen selbstgewissen Sinnes, einer Tiefe und Jugendlichkeit des Gemüts und

Einer Welt von Lebenstrieben,
Die in ihrer Fülle Drang
Ahndeten schon Bulbuls Lieben,
Seelerregenden Gesang.[9]

[...]

[...]
Wir können in dieser Beziehung dergleichen letzte Kunstblüten dem alten griechischen Epigramm gegenüberstellen, in welchem diese Form in ihrer ersten einfachsten Gestalt hervortrat. Die Form, die hier gemeint ist, zeigt sich erst, wenn das Besprechen des Gegenstandes nicht ein bloßes Nennen, nicht eine Inschrift oder Aufschrift ist, welche nur sagt, was überhaupt der Gegenstand sei, sondern wenn eine tiefere Empfindung, ein treffender Witz, eine sinnreiche Reflexion und geistvolle Bewegung der Phantasie hinzukommen, die das Kleinste durch die Poesie der Auffassung beleben und erweitern; dergleichen Gedichte nun aber an oder über etwas, einen Baum, Mühlbach, den Frühling usf. über Lebendige und Tote, können von der unendlichsten Mannigfaltigkeit sein und unter jedem Volke entstehn, doch bleiben sie untergeordneter Art, und werden überhaupt leicht lahm, denn besonders bei ausgebildeter Reflexion und Sprache wird jedem bei den meisten Gegenständen und Verhältnissen irgend etwas einfallen, daß er nun auch, wie jeder einen Brief zu schreiben versteht, auszudrücken die Geschicklichkeit hat. Solch eines allgemeinen, oft, wenn auch mit neuen Nüancen, wiederholten Singsangs wird man bald überdrüssig. Es handelt sich deshalb auf dieser Stufe hauptsächlich darum, daß sich das Gemüt mit seiner Innigkeit, daß sich ein tiefer Geist und reiches Bewußtsein in die Zustände, Situationen usf. ganz hineinlebe, darin verweile, und aus dem Gegenstande dadurch etwas Neues, Schönes, in sich selbst Wertvolles mache.

Hierfür geben besonders die Perser und Araber in der morgenländischen Pracht ihrer Bilder, in der freien Seligkeit der Phantasie, welche sich ganz theoretisch mit ihren Gegenständen zu tun macht, ein glänzendes Vorbild selbst für die Gegenwart und die subjektive heutige Innigkeit ab. Auch die Spanier und Italiener haben hierin Vortreffliches geleistet. Klopstock sagt zwar von Petrarca:

– Laura besang Petrarca in Liedern,
Zwar dem Bewunderer schön, aber dem Liebenden nicht,[10]

doch Klopstocks Liebes-Oden sind selber nur voll moralischer Reflexionen, trübseliger Sehnsucht und heraufgeschrobener Leidenschaft für das Glück der Unsterblichkeit, während wir in Petrarca die Freiheit der in sich selbst geadelten Empfindung bewundern, welche, wie sehr sie auch das Verlangen nach der Geliebten ausdrückt, doch in sich selber befriedigt ist. Denn das Verlangen, die Begierde kann zwar bei dem Kreise dieser Gegenstände, wenn er sich auf Wein und Liebe, auf die Schenke und den Schenken beschränkt, nicht fehlen, wie denn auch die Perser z. B. von höchster Üppigkeit der Bilder sind, aber die Phantasie

entfernt hier in ihrem subjektiven Interesse den Gegenstand ganz aus dem Kreise des praktischen Verlangens, sie hat ein Interesse nur in dieser phantasievollen Beschäftigung, welche sich in ihren hundert wechselnden Wendungen und Einfällen in freiester Weise genügt, und mit den Freuden wie mit dem Grame aufs geistreichste spielt. Auf dem Standpunkte einer gleich geistreichen Freiheit, aber subjektiv innigeren Tiefe der Phantasie stehn unter neueren Dichtern hauptsächlich Goethe in seinem ›Westöstlichen Divan‹, und Rückert. Besonders unterscheiden sich Goethes Gedichte im ›Divan‹ wesentlich von seinen frühern. In ›Willkomm und Abschied‹ z. B. ist die Sprache, die Schilderung zwar schön, die Empfindung innig, aber sonst die Situation ganz gewöhnlich, der Ausgang trivial, und die Phantasie und ihre Freiheit hat nichts weiter hinzugetan. Ganz anders ist das Gedicht im ›Westöstlichen Divan‹, ›Wiederfinden‹ überschrieben. Hier ist die Liebe ganz in die Phantasie, deren Bewegung, Glück, Seligkeit herübergestellt. Überhaupt haben wir in den ähnlichen Produktionen dieser Art keine subjektive Sehnsucht, kein Verliebtsein, keine Begierde vor uns, sondern ein reines Gefallen an den Gegenständen, ein unerschöpfliches Sich-ergehen der Phantasie, ein harmloses Spielen, eine Freiheit in den Tändeleien auch der Reime und künstlichen Versmaße, und dabei eine Innigkeit und Frohheit des sich in sich selber bewegenden Gemütes, welche durch die Heiterkeit des Gestaltens die Seele hoch über alle peinliche Verflechtung in die Beschränkung der Wirklichkeit hinausheben.
[...]

[Goethe als Epiker]

[...]
Eine besondere Stimmung, und Empfindung ist eine Situation, die dichterisch gewußt und gefaßt werden kann, und auch in Beziehung auf äußere Umstände, Festlichkeiten, Siege usf. zu diesem oder jenem umfassenderen oder beschränkteren Aussprechen und Gestalten von Gefühlen und Vorstellungen treibt. Im höchsten Sinne des Worts sind z. B. Pindars Preisgesänge solche Gelegenheitsgedichte. Auch Goethe hat viele lyrische Situationen dieser Art zum Stoff genommen, ja in der weiteren Bedeutung könnte man selbst seinem ›Werther‹ den Namen eines Gelegenheitsgedichts beilegen, denn durch den ›Werther‹ hat Goethe seine eigene innre Zerrissenheit und Qual des Herzens, die Begebnisse seiner eigenen Brust zum Kunstwerk herausgearbeitet, wie der lyrische Dichter überhaupt seinem Herzen Luft macht, und das ausspricht, wovon er selbst als Subjekt affiziert ist. Dadurch löst sich das zunächst nur im Innern Festhaftende los, und wird zum äußeren Objekt, von dem der Mensch sich befreit hat, wie die Tränen erleichtern, in denen der Schmerz sich ausweint. Goethe hat sich, wie er selber sagt, durch die Abfassung des ›Werther‹ von der Not und Bedrängnis des Innern, welche er schildert, befreit.[11] Doch die hier dargestellte Situation gehört noch nicht in diese Stufe hinein, da sie die tiefsten Gegensätze in sich faßt und sich entwickeln läßt.

In solcher lyrischen Situation nun kann einerseits allerdings irgendein objek-

tiver Zustand, eine Tätigkeit in Beziehung auf die äußere Welt sich kundgeben, andrerseits aber ebensosehr das Gemüt als solches in seiner innern Stimmung sich von allem sonstigen äußeren Zusammenhang in sich zurückziehn, und von der Innerlichkeit seiner Zustände und Empfindungen den Ausgangspunkt nehmen.
[...]

[...]
Eine andere Weise der Haltungslosigkeit des Charakters hat sich besonders in neueren deutschen Produktionen zu der innern Schwäche der Empfindsamkeit ausgebildet, welche lange genug in Deutschland regiert hat. Als nächstes berühmtes Beispiel ist der Werther anzuführen, ein durchweg krankhafter Charakter, ohne Kraft sich über den Eigensinn seiner Liebe erheben zu können. Was ihn interessant macht, ist die Leidenschaft und Schönheit der Empfindung, die Verschwistrung mit der Natur bei der Ausbildung und Weiche des Gemüts. Diese Schwäche hat später bei immer steigender Vertiefung in die gehaltlose Subjektivität der eigenen Persönlichkeit noch mannigfach andre Formen angenommen. Die Schönseligkeit z. B. Jacobis in seinem ›Woldemar‹ [12] läßt sich hierher rechnen. In diesem Roman zeigt sich die vorgelogene Herrlichkeit des Gemüts, die selbsttäuschende Vorspieglung der eigenen Tugend und Vortrefflichkeit im vollsten Maße. Es ist eine Hoheit und Göttlichkeit der Seele, welche zur Wirklichkeit nach allen Seiten hin in ein schiefes Verhältnis tritt, und die Schwäche, den echten Gehalt der vorhandenen Welt nicht ertragen und verarbeiten zu können, vor sich selbst durch die Vornehmheit versteckt, in welcher sie alles, als ihrer nicht würdig, von sich ablehnt. Denn auch für die wahrhaft sittlichen Interessen und gediegenen Zwecke des Lebens ist solch eine schöne Seele nicht offen, sondern spinnt sich in sich selber ein, und lebt und webt nur in ihren subjektivsten religiösen und moralischen Ausheckungen. Zu diesem innern Enthusiasmus für die eigene überschwengliche Trefflichkeit, mit welcher sie vor sich selber ein großes Gepränge macht, gesellt sich dann sogleich eine unendliche Empfindlichkeit in betreff auf alle übrigen, welche diese einsame Schönheit in jedem Momente erraten, verstehen, verehren sollen; können das nun die anderen nicht, so wird gleich das ganze Gemüt im Tiefsten bewegt und unendlich verletzt. Da ist mit einemmale die ganze Menschheit, alle Freundschaft, alle Liebe hin. Die Pedanterie und Ungezogenheit, kleine Umstände und Ungeschicklichkeiten, über welche ein großer starker Charakter unverletzt fortsieht, nicht ertragen zu können, übersteigt jede Vorstellung, und gerade das sachlich Geringfügigste bringt solches Gemüt in die höchste Verzweiflung. Da nimmt denn die Trübseligkeit, der Kummer, Gram, die üble Laune, Kränkung, Schwermut und Elendigkeit kein Ende, und daheraus entspringt eine Quälerei der Reflexionen mit sich und andern, eine Krampfhaftigkeit und selbst eine Härte und Grausamkeit der Seele, in welcher sich vollends die ganze Miserabilität und Schwäche dieser schönseligen Innerlichkeit kund gibt. – Zu solcher Absonderlichkeit des Gemüts kann man kein Gemüt haben. Denn zu einem echten Charakter gehört, daß er etwas Wirkliches zu wollen und anzufassen Mut und Kraft in sich trage. Das Interesse für

dergleichen Subjektivitäten, die immer nur in sich selber bleiben, ist ein leeres Interesse, wie sehr jene auch die Meinung hegen, die höheren reineren Naturen zu sein, welche das Göttliche, das so recht in den innersten Falten stecke, in sich hervorbrächten und recht im Negligée sehen ließen. –

[. . .]

Suchen wir nun in neuester Zeit nach wahrhaft epischen Darstellungen, so haben wir uns nach einem anderen Kreise als dem der eigentlichen Epopöe umzusehn. Denn der ganze heutige Weltzustand hat eine Gestalt angenommen, welche in ihrer prosaischen Ordnung sich schnurstraks den Anforderungen entgegenstellt, welche wir für das echte Epos unerläßlich fanden, während die Umwälzungen, denen die wirklichen Verhältnisse der Staaten und Völker unterworfen gewesen sind, noch zu sehr als wirkliche Erlebnisse in der Erinnerung festhaften, um schon die epische Kunstform vertragen zu können. Die epische Poesie hat sich deshalb aus den großen Völkerereignissen in die Beschränktheit privater häuslicher Zustände auf dem Lande und in der kleinen Stadt geflüchtet, um hier die Stoffe aufzufinden, welche sich einer epischen Darstellung fügen könnten. Dadurch ist denn besonders bei uns Deutschen das Epos *idyllisch* geworden, nachdem sich die eigentliche Idylle in ihrer süßlichen Sentimentalität und Verwässerung zu Grunde gerichtet hat. Als naheliegendes Beispiel eines idyllischen Epos will ich nur an die ›Luise‹ von *Voß* [13], sowie vor allem an *Goethes* Meisterwerk, ›Hermann und Dorothea‹, erinnern. Hier wird uns zwar der Blick auf den Hintergrund der in unserer Zeit größten Weltbegebenheit eröffnet, an welche sich dann die Zustände des Wirtes und seiner Familie, des Pastors und Apothekers unmittelbar anknüpfen, so daß wir, da das Landstädtchen nicht in seinen politischen Verhältnissen erscheint, einen unberechtigten Sprung finden und die Vermittlung des Zusammenhanges vermissen können; doch gerade durch das Weglassen dieses Mittelgliedes bewahrt das Ganze seinen eigentümlichen Charakter. Denn meisterhaft hat Goethe die Revolution, obschon er sie zur Erweiterung des Gedichts aufs glücklichste zu benutzen wußte, ganz in die Ferne zurückgestellt, und nur solche Zustände derselben in die Handlung eingeflochten, welche sich in ihrer einfachen Menschlichkeit an jene häuslichen und städtischen Verhältnisse und Situationen durchaus zwanglos anschließen. Was aber die Hauptsache ist, Goethe hat für dieses Werk mitten aus der modernen Wirklichkeit Züge, Schilderungen, Zustände, Verwickelungen herauszufinden und darzustellen verstanden, die in ihrem Gebiete das wieder lebendig machen, was zum unvergänglichsten Reiz in den ursprünglich menschlichen Verhältnissen der ›Odyssee‹ und der patriarchalischen Gemälde des alten Testamentes gehört.

[. . .]

[. . .]

Eine solche [homerische] Darstellungsweise nun aber auf Stoffe anzuwenden, welche aus späteren nach einer entgegengesetzten Richtung hin vollkommen ausgebildeten Zeiten genommen sind, hat immer seine große Schwierigkeit und Gefahr. Doch hat uns Goethe in dieser Beziehung ein vollendetes Musterbild in ›Hermann und Dorothea‹ geliefert. Ich will nur einige kleine Züge vergleichungsweise anführen. *Voß* in seiner bekannten ›Luise‹ schildert uns in idyllischer Weise das Leben und die Wirksamkeit in einem stillen und beschränkten aber selbständigen Kreise. Der Landpastor, die Tabakspfeife, der Schlafrock, der Lehnsessel und dann der Kaffeetopf spielen eine große Rolle. Kaffee und Zucker nun sind Produkte, welche in solchem Kreise nicht entstanden sein können, und sogleich auf einen ganz anderen Zusammenhang, auf eine fremdartige Welt, und deren mannigfache Vermittlungen des Handels, der Fabriken usf., überhaupt der modernen Industrie hinweisen. Jener ländliche Kreis daher ist nicht durchaus in sich geschlossen. In dem schönen Gemälde ›Hermann und Dorothea‹ dagegen brauchten wir eine solche Beschlossenheit nicht zu fordern, denn wie schon bei einer anderen Gelegenheit angedeutet ist, spielen in dies im ganzen Tone zwar idyllisch gehaltene Gedicht die großen Interessen der Zeit, die Kämpfe der französischen Revolution, die Verteidigung des Vaterlandes höchst würdig und wichtig herein. Der engere Kreis des Familienlebens in einem Landstädtchen hält sich dadurch nicht etwa nur so in sich zusammen, daß die in den mächtigsten Verhältnissen tiefbewegte Welt bloß ignoriert wäre, wie bei dem Landpfarrer in Vossens ›Luise‹, sondern durch das Anschließen an jene größeren Weltbewegungen, innerhalb welcher die idyllischen Charaktere und Begebnisse geschildert werden, ist die Szene in den erweiternden Umfang eines gehaltreicheren Lebens hineinversetzt, und der Apotheker, der nur in dem übrigen Zusammenhang der rings bedingenden und beschränkenden Verhältnisse lebt, ist als bornierter Philister, als gutmütig aber verdrüßlich dargestellt. Dennoch finden wir in Rücksicht auf die nächste Umgebung der Charaktere durchweg den Ton angeschlagen, welchen wir vorhin verlangt haben. So sehen wir z. B., um nur an dies eine zu erinnern, den Wirt mit seinen Gästen, dem Pfarrer und Apotheker, nicht etwa Kaffee trinken, sondern

> Sorgsam brachte die Mutter des klaren herrlichen Weines,
> In geschliffener Flasche auf blankem zinnernen Runde,
> Mit den grünlichen Römern, den *echten Bechern* des Rheinweins.[14]

Sie trinken in der Kühle ein heimisches Gewächs, dreiundachtziger, in den heimischen nur für den Rheinwein passenden Gläsern, »die Fluten des Rheinstroms und sein liebliches Ufer« wird uns gleich darauf vor die Vorstellung gebracht, und bald werden wir auch in die eigene Weinberge hinter dem Hause des Besitzers geführt, so daß hier nichts aus der eigentümlichen Sphäre eines in sich behaglichen, seine Bedürfnisse innerhalb seiner sich gebenden Zustandes hinausgeht.

[...]

[Goethe als Dramatiker]

[...]
Das wahrhafte Kunstwerk muß deshalb von dieser schiefen Originalität [des Witzes und Humors] befreit werden, denn es erweist seine echte Originalität nur

dadurch, daß es als die *eine* eigene Schöpfung *eines* Geistes erscheint, der nichts von außen her aufliest und zusammenflickt, sondern das Ganze im strengen Zusammenhange aus einem Guß in einem Tone sich durch sich selber produzieren läßt, wie die Sache sich in sich selbst zusammengeeint hat. Finden sich dagegen die Szenen und Motive nicht durch sich selber, sondern bloß von außen her zueinander, so ist diese innere Notwendigkeit ihrer Einigung nicht vorhanden, und sie erscheinen nur als zufällig durch eine dritte fremde Subjektivität verknüpft. So ist z. B. Goethes ›Götz‹ besonders seiner großen Originalität wegen bewundert worden, und allerdings hat Goethe, wie schon oben gesagt ist, mit vieler Kühnheit in diesem Werke alles geleugnet und mit Füßen getreten, was von den damaligen Theorien der schönen Wissenschaften als Kunstgesetz festgestellt war, und dennoch ist die Ausführung nicht von wahrhafter Originalität. Denn man sieht diesem Jugendwerke noch die Armut eigenen Stoffs an, so daß nun viele Züge und ganze Szenen, statt aus dem großen Inhalte selber herausgearbeitet zu sein, hier und dort aus den Interessen der Zeit, in der es verfaßt ist, zusammengerafft und äußerlich eingefügt erscheinen. Die Szene z. B. des Götz mit dem Bruder Martin, welcher auf Luthern hindeutet, enthält nur Vorstellungen, welche Goethe aus dem geschöpft hat, worüber man in dieser Periode in Deutschland die Mönche wieder zu bedauern anfing; daß sie keinen Wein trinken dürften, schläfrig verdauten, dadurch mancherlei Begierden anheimfielen, und überhaupt die drei unerträglichen Gelübde der Armut, Keuschheit und des Gehorsams ablegen müßten. Dagegen begeistert sich Bruder Martin für das ritterliche Leben Götzens: »wie dieser mit der Beute seiner Feinde beladen sich erinnre, den stach ich vom Pferd', eh' er schießen konnte, den rannte ich mitsamt dem Pferde nieder, und dann auf sein Schloß komme und sein Weib finde;« er trinkt auf Frau Elisabeths Gesundheit – und wischt sich die Augen. – Mit diesen zeitlichen Gedanken aber hat Luther nicht angefangen, sondern eine ganz andere Tiefe der religiösen Anschauung und Überzeugung aus Augustin als ein frommer Mönch geschöpft. In derselbigen Weise folgen dann gleich in den nächsten Szenen pädagogische Zeitbeziehungen, die insbesondere Basedow in Anregung gebracht hatte. Die Kinder z. B. hieß es damals, lernten viel unverstandenes Zeug, die rechte Methode aber bestände darin, sie durch Anschauung und Erfahrung Realien zu lehren. Karl z. B. sagt seinem Vater ganz so, wie es zu Goethes Jugendzeit Mode war, auswendig her: »Jaxthausen ist ein Dorf und Schloß an der Jaxt, gehört seit zweihundert Jahren den Herrn von Berlichingen erb- und eigentümlich zu;« als jedoch Götz ihn fragt: »kennst du den Herrn von Berlichingen«, sieht der Bub ihn starr an, und kennt vor lauter Gelehrsamkeit seinen eigenen Vater nicht. Götz versichert, er kannte alle Pfade, Weg und Furten, eh' er wußte wie Fluß, Dorf und Burg hieß. Dies sind fremdartige Anhängsel, welche den Stoff selbst nichts angehn; während da, wo derselbe nun in seiner eigentümlichen Tiefe hätte gefaßt werden können, im Gespräch z. B. Götzens und Weißlingens, nur kalte prosaische Reflexionen über die Zeit zum Vorschein kommen.

Ein ähnliches Anfügen von einzelnen Zügen, die aus dem Inhalte nicht hervorgehn, finden wir selbst noch in den ›Wahlverwandtschaften‹ wieder: die Parkanlagen, die lebenden Bilder und Pendelschwingungen, das Metallfühlen, die Kopfschmerzen das ganze aus der Chemie entlehnte Bild der chemischen Verwandtschaften sind von dieser Art. Im Roman, der in einer bestimmten prosaischen Zeit spielt, ist dergleichen freilich eher zu gestatten, besonders wenn es wie bei Goethe so geschickt und anmutig benutzt wird, und außerdem kann sich ein Kunstwerk nicht von der Bildung seiner Zeit durchweg frei machen, aber ein anderes ist es diese Bildung selber abspiegeln, ein anderes die Materialien unabhängig vom eigentlichen Inhalt der Darstellung äußerlich aufsuchen und zusammenbringen. Denn die echte Originalität des Künstlers wie des Kunstwerks liegt nur darin, von der Vernünftigkeit des in sich selber wahren Gehalts beseelt zu sein. Wenn der Künstler diese objektive Vernunft ganz zur seinigen gemacht hat, ohne sie von innen oder außen her mit fremden Partikularitäten zu vermischen und zu verunreinigen, dann allein gibt er in dem gestalteten Gegenstande auch sich selbst in seiner wahrsten Subjektivität, die nur der lebendige Durchgangspunkt für das in sich selber abgeschlossene Kunstwerk sein will, wie überhaupt in allem wahrhaftigen Denken und Tun die echte Freiheit das Substantielle als Macht in sich walten läßt, welche dann zugleich so sehr die eigenste Macht des subjektiven Denkens und Wollens selber ist, daß in der vollendeten Versöhnung beider kein Zwiespalt mehr übrig zu bleiben vermag. So zehrt zwar die Originalität der Kunst jede zufällige Besonderheit auf, aber sie verschlingt sie nur damit der Künstler ganz dem Zuge und Schwunge seiner von der Sache allein erfüllten Begeisterung des Genius folgen, und statt der Beliebigkeit und leeren Willkür, sein wahres Selbst in seiner der Wahrheit nach vollbrachten Sache darstellen könne. Keine Manier zu haben war von jeher die einzig große Manier, und in diesem Sinne allein sind Homer, Sophokles, Raphael, Shak[e]speare originell zu nennen.

[...]

[...]
In dieser Rücksicht [der wahren Objektivität und Subjektivität, denen das Kunstwerk Genüge zu leisten hat,] lassen sich gleichfalls der echten Art der Darstellung folgende relativ mangelhafte Auffassungsweisen gegenüberstellen.

Erstens nämlich kann die Darstellung der Eigentümlichkeit einer Zeit ganz getreu, richtig, lebendig und auch dem gegenwärtigen Publikum durchweg verständlich sein, ohne jedoch aus der Gewöhnlichkeit der Prosa herauszugehn, und in sich selber poetisch zu werden. Goethes ›Götz von Berlichingen‹ z. B. gibt uns hiefür auffallende Proben. Wir brauchen nur gleich den Anfang aufzuschlagen, der uns in eine Herberge nach Schwarzenberg in Franken bringt. Metzler, Sievers am Tische; zwei Reitersknechte beim Feuer; Wirt.

Sievers. Hänsel, noch ein Glas Branntwein, und meß christlich.

Wirt. Du bist der Nimmersatt.

Metzler (leise zu Sievers). Erzähl' das noch einmal vom Berlichingen; die Bamberger dort ärgern sich, sie möchten schwarz werden usf.

Ebenso geht es im dritten Akt zu.

Georg (kommt mit einer Dachrinne). Da hast du Blei. Wenn du nur mit der Hälfte triffst, so entgeht keiner, der Ihro Majestät ansagen kann: Herr, wir haben schlecht gestanden.

Lerse (haut davon). Ein brav Stück.

Georg. Der Regen mag sich einen andern Weg suchen! ich bin nicht bang davor; ein braver Reiter und ein rechter Regen kommen überall durch.

Lerse (er gießt). Halt den Löffel. (Geht ans Fenster). Da zieht so ein Reichsmusje mit der Büchse herum, sie denken wir haben uns verschossen. Er soll die Kugel versuchen, warm, wie sie aus der Pfanne kommt. (Lädt)

Georg (lehnt den Löffel an). Laß mich sehn.

Lerse (schießt). Da liegt der Spatz. – usw.

Das alles ist höchst anschaulich, verständlich, im Charakter der Situation und der Reiter geschildert, dessenungeachtet sind diese Szenen höchst trivial und in sich selbst prosaisch, indem sie nur die ganz gewöhnliche Erscheinungsweise und Objektivität, welche allerdings jedwedem naheliegt, zum Inhalt und zur Form nehmen. Das Ähnliche findet sich auch noch in vielen anderen Jugendprodukten Goethes, welche besonders gegen alles gerichtet waren, was bisher als Regel gegolten hatte, und ihren Haupteffekt durch die Nähe hervorbrachten, in welche sie alles zu uns durch die größte Faßbarkeit der Anschauung und Empfindung heranbrachten. Aber die Nähe war so groß, und der innre Gehalt zum Teil so gering, daß sie eben dadurch trivial wurden. Diese Trivialität merkt man hauptsächlich bei dramatischen Werken erst recht während der Aufführung, indem man sogleich beim Eintritt schon durch viele Vorbereitungen, die Lichter, die geputzten Leute, in der Stimmung ist, etwas anderes finden zu wollen als zwei Bauern, zwei Reiter und noch ein Glas Schnaps. Der ›Götz‹ hat denn auch vorzugsweise beim Lesen angezogen; auf der Bühne hat er sich nicht lange erhalten können.

[...]

Unter den Neuern haben vornehmlich Shakespeare und Goethe die lebensvollsten Charaktere aufgestellt, wogegen sich die Franzosen, in ihrer früheren dramatischen Poesie besonders, mehr mit formellen und abstrakten Repräsentanten allgemeiner Gattungen und Leidenschaften, als mit wahrhaft lebendigen Individuen zufrieden gezeigt haben.

[Aber die Sache ist] mit dieser Lebendigkeit der Charaktere noch nicht abgetan. Goethes ›Ighigenie‹ und ›Tasso‹ z. B. sind beide nach dieser Seite hin vortrefflich, und dennoch, im eigentlichsten Sinne genommen, nicht dramatisch lebendig und bewegt. So sagt schon Schiller von der ›Iphigenie‹[15], daß in ihr das Sittliche, was im Herzen vorgeht, die Gesinnung, darin zur Handlung gemacht sei, und uns gleichsam vor Augen gebracht werde. Und in der Tat ist das Ausmalen und Aussprechen der innern Welt unterschiedener Charaktere in bestimmten Situationen noch nicht genug, sondern ihre Kollision von *Zwecken* muß hervorstechen und sich vorwärts drängen und treiben. Schiller findet deshalb in der ›Iphigenie‹ einen zu ruhigen Gang, einen zu großen Aufenthalt, so daß er sogar sagt, sie schlage offenbar in das epische Feld hinüber, sobald man den strengen

Begriff der Tragödie entgegenhalte. Das dramatisch Wirkende nämlich ist die Handlung als Handlung und nicht die von dem bestimmten Zweck und dessen Durchführung unabhängigere Exposition des Charakters als solchen. [. . .]

[. . .]
Die tiefere Vermittelung aber der tragischen und komischen Auffassung zu einem neuen Ganzen besteht nicht in dem Nebeneinander oder Umschlagen dieser Gegensätze, sondern in ihrer sich wechselseitig abstumpfenden Ausgleichung. Die Subjektivität, statt in komischer Verkehrtheit zu handeln, erfüllt sich mit dem Ernst gediegnerer Verhältnisse und haltbarer Charaktere, während sich die tragische Festigkeit des Wollens, und Tiefe der Kollisionen insoweit erweicht und ebnet, daß es zu einer Aussöhnung der Interessen und harmonischen Einigung der Zwecke und Individuen kommen kann. In solcher Konzeptionsweise haben besonders das moderne Schauspiel und Drama ihren Entstehungsgrund. Das Tiefe in diesem Prinzip ist die Anschauung, daß, den Unterschieden und Konflikten von Interessen, Leidenschaften und Charakteren zum Trotz, sich eine in sich einklangsvolle Wirklichkeit dennoch durch das menschliche Handeln zustande bringe. Schon die Alten haben Tragödien, welche einen ähnlichen Ausgang nehmen, indem die Individuen nicht aufgeopfert werden, sondern sich erhalten; wie z. B. der Areopag in den ›Eumeniden‹ des Äschylus beiden Seiten, dem Apoll wie den rächenden Jungfrauen das Recht der Verehrung zuteilt; auch im ›Philoktet‹ schlichtet sich auf Herakles Göttererscheinung und Rat der Kampf zwischen Neoptolemos und Philoktetes, und sie ziehn vereint gen Troja. Hier aber geschieht die Ausgleichung von außen durch den Befehl der Götter usf., und hat nicht in den Parteien selbst ihren innern Quellpunkt, während es im modernen Schauspiel die Individuen selbst sind, welche sich durch den Verlauf ihrer eigenen Handlung zu diesem Ablassen vom Streit und zur wechselseitigen Aussöhnung ihres Zwecks oder Charakters hingeleitet finden. Nach dieser Seite ist Goethes ›Iphigenie‹ ein echt poetisches Musterbild eines Schauspiels, mehr noch als der ›Tasso‹, in welchem einerseits die Aussöhnung mit Antonio mehr nur eine Sache des Gemüts und der subjektiven Anerkennung ist, daß Antonio den realen Lebensverstand besitze, der dem Charakter Tassos abgeht, andererseits das Recht des idealen Lebens, welches Tasso im Konflikt mit der Wirklichkeit, Schicklichkeit, dem Anstande festgehalten hatte, vornehmlich nur subjektiv im Zuschauer Recht behält, und äußerlich höchstens als Schonung des Dichters und Teilnahme für sein Los hervortritt.
[. . .]

[Goethes dramatische Charaktere]

[. . .]
Als Meister dagegen in Darstellung menschlich voller Individuen und Charaktere zeichnen sich besonders die Engländer aus, und unter ihnen wieder steht vor allen anderen Shakespeare fast unerreichbar da. Denn selbst wenn irgend eine bloß formelle Leidenschaft, wie z. B. im ›Macbeth‹ die Herrschsucht, im ›Othello‹ die

Eifersucht, das ganze Pathos seiner tragischen Helden in Anspruch nimmt, verzehrt dennoch solch eine Abstraktion nicht etwa die weiterreichende Individualität, sondern in dieser Bestimmtheit bleiben die Individuen immer noch ganze Menschen. Ja je mehr Shakespeare in der unendlichen Breite seiner Weltbühne auch zu den Extremen des Bösen und der Albernheit fortgeht, um so mehr gerade, wie ich schon früher bemerkte, versenkt er selbst auf diesen äußersten Grenzen seine Figuren nicht etwa ohne den Reichtum poetischer Ausstattung in ihre Beschränktheit, sondern er gibt ihnen Geist und Phantasie, er macht sie durch das Bild, in welchem sie sich in theoretischer Anschauung objektiv wie ein Kunstwerk betrachten, selber zu freien Künstlern ihrer selbst, und weiß uns dadurch, bei der vollen Markigkeit und Treue seiner Charakteristik, für Verbrecher ganz ebenso, wie für die gemeinsten plattesten Rüpel und Narren zu interessieren. Von ähnlicher Art ist auch die Äußerungsweise seiner tragischen Charaktere; individuell, real, unmittelbar lebendig, höchst mannigfaltig, und doch, wo es nötig erscheint, von einer Erhabenheit und schlagenden Gewalt des Ausdrucks, von einer Innigkeit und Erfindungsgabe in augenblicklich sich erzeugenden Bildern und Gleichnissen, von einer Rhetorik, nicht der Schule, sondern der wirklichen Empfindung und Durchgängigkeit des Charakters, daß ihm, in Rücksicht auf diesen Verein unmittelbarer Lebendigkeit und innerer Seelengröße, nicht leicht ein anderer dramatischer Dichter unter den Neueren kann zur Seite gestellt werden. Denn Goethe hat zwar in seiner Jugend einer ähnlichen Naturtreue und Partikularität, doch ohne die innere Gewalt und Höhe der Leidenschaft, nachgestrebt, und Schiller wieder ist in eine Gewaltsamkeit verfallen, für deren hinausstürmende Expansion es an dem eigentlichen Kern fehlt.

Ein *zweiter* Unterschied in den modernen Charakteren besteht in ihrer *Festigkeit* oder ihrem inneren *Schwanken* und Zerwürfnis. Die Schwäche der Unentschiedenheit, das Herüber und Hinüber der Reflexion, das Überlegen der Gründe, nach welchen der Entschluß sich richten soll, tritt zwar auch bei den Alten schon hin und wieder in den Tragödien des Euripides hervor, doch Euripides verläßt auch bereits die ausgerundete Plastik der Charaktere und Handlung, und geht zum subjektiv Rührenden über. Im modernen Trauerspiel nun kommen dergleichen schwankende Gestalten häufiger besonders in *der* Weise vor, daß sie in sich selber einer gedoppelten Leidenschaft angehören, welche sie von dem einen Entschluß, der einen Tat zur anderen herüberschickt. Ich habe von diesem Schwanken bereits an einer anderen Stelle gesprochen, und will hier nur noch hinzufügen, daß wenn auch die tragische Handlung auf der Kollision beruhn muß, dennoch das Hineinlegen des Zwiespaltes in *ein* und dasselbe Individuum immer viel Mißliches mit sich führt. Denn die Zerrissenheit in entgegengesetzte Interessen hat zum Teil in einer Unklarheit und Dumpfheit des Geistes ihren Grund, zum Teil in Schwäche und Unreifheit. Von dieser Art finden sich noch in Goethes Jugendprodukten einige Figuren: Weislingen z. B., Fernando in ›Stella‹, vor allem aber Clavigo. Es sind gedoppelte Menschen, die nicht zu fertiger und dadurch fester Individualität gelangen können.

[. . .]

[...]
[Indem sich] das Prinzip der Subjektivität selber sein Recht verschafft hat, treten eben hierdurch in allen Sphären neue Momente heraus, die der moderne Mensch zum Zweck und zur Richtschnur seines Handelns zu machen sich die Befugnis gibt.

Andererseits ist es das Recht der Subjektivität als solcher, das sich als alleiniger Inhalt feststellt, und nun die Liebe, die persönliche Ehre usf. so sehr als ausschließlichen Zweck ergreift, daß die übrigen Verhältnisse teils nur als der äußerliche Boden erscheinen können, auf welchem sich diese modernen Interessen hinbewegen, teils für sich den Forderungen des subjektiven Gemüts konfliktvoll entgegenstehn. Vertiefter noch ist es das Unrecht und Verbrechen, das der subjektive Charakter, wenn er es sich auch nicht als Unrecht und Verbrechen selber zum Zweck macht, dennoch, um sein vorgestecktes Ziel zu erreichen, nicht scheut. –

Dieser Partikularisation und Subjektivität gegenüber können sich drittens die Zwecke ebensosehr wieder teils zur Allgemeinheit und umfassenden Weite des Inhalts ausdehnen, teils werden sie als in sich selber substantiell aufgefaßt und durchgeführt. In der erstern Rücksicht will ich nur an die absolute philosophische Tragödie, an Goethes ›Faust‹ erinnern, in welcher einerseits die Befriedigungslosigkeit in der Wissenschaft, andererseits die Lebendigkeit des Weltlebens und irdischen Genusses, überhaupt die tragisch versuchte Vermittlung des subjektiven Wissens und Strebens mit dem Absoluten, in seinem Wesen und seiner Erscheinung, eine Weite des Inhalts gibt, wie sie in ein und demselben Werke zu umfassen zuvor kein anderer dramatischer Dichter gewagt hat.

[...]

[...]
Das macht überhaupt die Heiterkeit der homerischen Götter, und die Ironie in der Verehrung derselben aus, daß ihre Selbständigkeit und ihr Ernst sich ebenso sehr wieder auflösen, insofern sie sich als die eigenen Mächte des menschlichen Gemüts dartun, und dadurch den Menschen in ihnen bei sich selber sein lassen.

Doch wir brauchen uns nach einem vollständigen Beispiel der Umwandlung solcher bloß äußerlichen Göttermaschinerie in Subjektives, in Freiheit und sittliche Schönheit, so weit nicht umzusehn. Goethe hat in seiner ›Iphigenie auf Tauris‹ das Bewundrungswürdigste und Schönste, was in dieser Rücksicht möglich ist, geleistet. Bei Euripides raubt Orest mit Iphigenien das Bild der Diana. Dies ist nichts als ein Diebstahl. Thoas kommt herzu, und gibt den Befehl, sie zu verfolgen und das Bildnis der Göttin ihnen abzunehmen, bis dann am Ende in ganz prosaischer Weise Athene auftritt und dem Thoas innezuhalten befiehlt, da sie ohnehin Orest schon dem Poseidon empfohlen, und ihr zulieb dieser ihn weit ins Meer hinausgebracht habe. Thoas gehorcht sogleich, indem er auf die Ermahnung der Göttin erwidert: (V. 1442 und 43) »Herrin Athene, wer der Götter Worten, sie hörend, nicht gehorcht, ist nicht rechten Sinnes. Denn wie wär' es mit den mächtigen Göttern zu streiten schön.«

Wir sehn in diesem Verhältnis nichts als einen trocknen äußerlichen Befehl von

Athenes, ein ebenso inhaltsloses bloßes Gehorchen von Thoas Seite. Bei Goethe dagegen wird *Iphigenie* zur Göttin, und vertraut der Wahrheit in ihr selbst, in des Menschen Brust. In diesem Sinne tritt sie zu Thoas und sagt:

> Hat denn zur unerhörten Tat der Mann
> Allein das Recht? drückt denn Unmögliches
> Nur Er an die gewalt'ge Heldenbrust?

Was bei Euripides der *Befehl* Athenes zu Wege bringt, die Umkehrung des Thoas, sucht Goethes Iphigenie durch tiefe Empfindungen und Vorstellungen, welche sie ihm entgegenhält, zu bewirken und bewirkt sie in der Tat.

> Auf und ab
> Steigt in der Brust ein kühnes Unternehmen:
> Ich werde großem Vorwurf nicht entgehen,
> Noch schwerem Übel wenn es mir mißlingt;
> Allein Euch leg' ichs auf die Kniee! Wenn
> Ihr wahrhaft seid, wie ihr gepriesen werdet;
> So zeigt's durch Euren Beistand und verherrlicht
> Durch mich die Wahrheit! –

und wenn ihr Toas erwidert:

> Du glaubst, es höre
> Der rohe Skythe, der Barbar, die Stimme
> Der Wahrheit und der Menschlichkeit, die Atreus,
> Der Grieche nicht vernahm?

so antwortet sie in zartestem reinsten Glauben:

> Es hört sie jeder,
> Geboren unter jedem Himmel, dem
> Des Lebens Quelle durch den Busen rein
> Und ungehindert fließt. – [16]

Nun ruft sie seine Großmut und Milde im Vertraun auf die Höhe seiner Würde an, sie rührt und besiegt ihn, und drängt ihm in menschlich schöner Weise die Erlaubnis ab, zu den Ihrigen zurückzukehren. Denn nur dies ist nötig. Des Bildes der Göttin bedarf sie nicht, und kann sich ohne List und Betrug entfernen, indem Goethe mit unendlicher Schönheit den zweideutigen Götterspruch:

> »Bringst du die Schwester, die an Tauris Ufer
> Im Heiligtume wider Willen bleibt,
> Nach Griechenland; so löset sich der Fluch« –

in menschlicher versöhnender Weise dahin auslegt, daß die reine heilige Iphigenie, die Schwester, das Götterbild und die Schützerin des Hauses sei.

Schön und herrlich zeigt sich mir
Der Göttin Rat

sagt Orest zu Thoas und Iphigenien;

Gleich einem heilgen Bilde
Daran der Stadt unwandelbar Geschick
Durch ein geheimes Götterwort gebannt ist,
Nahm sie dich weg, dich Schützerin des Hauses;
Bewahrte dich in einer heilgen Stille
Zum Segen deines Bruders und der Deinen,
Da alle Rettung auf der weiten Erde
Verloren schien, gibst du uns alles wieder.

In dieser heilenden versöhnenden Weise hat Iphigenie sich durch die Reinheit und sittliche Schönheit ihres innigen Gemüts schon früher in betreff auf Orestes bewährt. Ihr Erkennen versetzt ihn zwar, der keinen Glauben an Frieden mehr in seinem zerrissenen Gemüte hegt, in Raserei, aber die reine Liebe der Schwester heilt ihn ebenso sehr von aller Qual der innern Furien:

In deinen Armen faßte
Das Übel mich in allen Klauen
Zum letzten Mal, und schüttelte das Mark
Entsetzlich mir zusammen; dann entfloh's.
Wie eine Schlange zu der Höhle. Neu
Genieß' ich nun durch dich das weite Licht
Des Tages.[17]

In dieser wie in jeder andern Rücksicht ist die tiefe Schönheit des Gedichts nicht genug zu bewundern.

[...]

18 *Johann Peter Eckermann*

Vorrede zu seinen »Gesprächen mit Goethe in den letzten Jahren seines Lebens« 1836

Diese Sammlung von Unterhaltungen und Gesprächen mit Goethe ist größtenteils aus dem mir inwohnenden Naturtriebe entstanden, irgendein Erlebtes, das mir wert oder merkwürdig erscheint, durch schriftliche Auffassung mir anzueignen.

Zudem war ich immerfort der Belehrung bedürftig, sowohl als ich zuerst mit jenem außerordentlichen Manne zusammentraf, als auch nachdem ich bereits jahrelang mit ihm gelebt hatte, und ich ergriff gerne den Inhalt seiner Worte und notierte ihn mir, um ihn für mein ferneres Leben zu besitzen.

Wenn ich aber die reiche Fülle seiner Äußerungen bedenke, die während eines Zeitraumes von *neun* Jahren mich beglückten, und nun das wenige betrachte, das mir davon schriftlich aufzufassen gelungen ist, so komme ich mir vor wie ein Kind, das den erquicklichen Frühlingsregen in offenen Händen aufzufangen bemüht ist, dem aber das meiste durch die Finger läuft.

Doch wie man zu sagen pflegt, daß Bücher ihre Schicksale haben [1], und wie dieses Wort ebensowohl auf ihr Entstehen als auf ihr späteres Hinaustreten in die weite und breite Welt anzuwenden ist, so dürfte es auch von der Entstehung des gegenwärtigen Buches gelten. Monate vergingen oft, wo die Gestirne ungünstig standen, und wo Unbefinden, Geschäfte und mancherlei Bemühungen um die tägliche Existenz keine Zeile aufkommen ließen; dann aber traten wieder günstige Sterne ein, und es vereinigten sich Wohlsein, Muße und Lust zu schreiben, um wieder einen erfreulichen Schritt vorwärts zu tun. Und dann, wo tritt bei einem längeren Zusammenleben nicht mitunter einige Gleichgültigkeit ein, und wo wäre derjenige, der die Gegenwart immer so zu schätzen wüßte, wie sie es verdiente! –

Dieses alles erwähne ich besonders aus dem Grunde, um die manchen bedeutenden Lücken zu entschuldigen, die der Leser finden wird, im Fall er etwa so geneigt sein sollte, das Datum zu verfolgen. In solche Lücken fällt manches unterlassene Gute, so wie besonders manches günstige Wort, was Goethe über seine weitverbreiteten Freunde, so wie über die Werke dieses oder jenes lebenden deutschen Autors gesagt hat, während sich anderes ähnlicher Art notiert findet. Doch, wie gesagt: Bücher haben ihre Schicksale, schon während sie entstehen.

Übrigens erkenne ich dasjenige, was in diesen Bänden mir gelungen ist, zu meinem Eigentum zu machen, und was ich gewissermaßen als den Schmuck meines Lebens zu betrachten habe, mit innigem Dank gegen eine höhere Fügung; ja ich habe sogar eine gewisse Zuversicht, daß auch die Welt mir diese Mitteilung danken werde.

Ich halte dafür, daß diese Gespräche für Leben, Kunst und Wissenschaft nicht allein manche Aufklärung und manche unschätzbare Lehre enthalten, sondern daß diese unmittelbaren Skizzen nach dem Leben auch ganz besonders dazu beitragen werden, das Bild zu vollenden, was man von Goethe aus seinen mannigfaltigen Werken bereits in sich tragen mag.

Weit entfernt aber bin ich auch wiederum, zu glauben, daß hiemit nun der ganze innere Goethe gezeichnet sei. Man kann diesen außerordentlichen Geist und Menschen mit Recht einem vielseitigen Diamanten vergleichen, der nach jeder Richtung hin eine andere Farbe spiegelt. Und wie er nun in verschiedenen Verhältnissen und zu verschiedenen Personen ein anderer war, so kann ich auch in meinem Falle nur in ganz bescheidenem Sinne sagen: dies ist *mein* Goethe.

Und dieses Wort dürfte nicht bloß davon gelten, wie er sich mir darbot, sondern besonders auch davon, wie ich ihn aufzufassen und wiederzugeben fähig war. Es geht in solchen Fällen eine Spiegelung vor, und es ist sehr selten, daß bei dem Durchgange durch ein anderes Individuum nichts Eigentümliches verloren gehe und nichts Fremdartiges sich beimische. Die körperlichen Bildnisse Goethes von

Rauch, Dawe, Stieler und *David*[2] sind alle in hohem Grade wahr, und doch tragen sie alle mehr oder weniger das Gepräge der Individualität, die sie hervorbrachte. Und wie nun ein solches schon von körperlichen Dingen zu sagen ist, um wieviel mehr wird es von flüchtigen, untastbaren Dingen des Geistes gelten! – Wie dem nun aber in meinem Falle auch sei, so werden alle diejenigen, denen aus geistiger Macht oder aus persönlichem Umgange mit Goethe ein Urteil dieses Gegenstandes zusteht, mein Streben nach möglichster Treue hoffentlich nicht verkennen.

Nach diesen größtenteils die Auffassung des Gegenstandes betreffenden Andeutungen bleibt mir über des Werkes Inhalt selber noch folgendes zu sagen.

Dasjenige, was man das *Wahre* nennt, selbst in betreff eines einzigen Gegenstandes, ist keineswegs etwas Kleines, Enges, Beschränktes; vielmehr ist es, wenn auch etwas Einfaches, doch zugleich etwas Umfangreiches, das, gleich den mannigfaltigen Offenbarungen eines weit und tief greifenden Naturgesetzes, nicht so leicht zu sagen ist. Es ist nicht abzutun durch Spruch, auch nicht durch Spruch und Spruch, auch nicht durch Spruch und Widerspruch, sondern man gelangt durch alles dieses zusammen erst zu Approximationen, geschweige zum Ziele selber.

So, um nur ein Beispiel anzuführen, tragen Goethes einzelne Äußerungen über Poesie oft den Schein der Einseitigkeit und oft sogar den Schein offenbarer Widersprüche. Bald legt er alles Gewicht auf den Stoff, welchen die Welt gibt, bald alles auf das Innere des Dichters; bald soll alles Heil im Gegenstande liegen, bald alles in der Behandlung; bald soll es von einer vollendeten Form kommen, bald, mit Vernachlässigung aller Form, alles vom Geiste.

Alle diese Aus- und Widersprüche aber sind sämtlich einzelne Seiten des Wahren und bezeichnen zusammen das Wesen und führen zur Annäherung der Wahrheit selber, und ich habe mich daher sowohl in diesen als ähnlichen Fällen wohl gehütet, dergleichen *scheinbare* Widersprüche, wie sie durch verschiedenartige Anlässe und den Verlauf ungleicher Jahre und Stunden hervorgerufen worden, bei dieser Herausgabe zu unterdrücken. Ich vertraue dabei auf die Einsicht und Übersicht des gebildeten Lesers, der sich durch etwas Einzelnes nicht irren lassen, sondern das Ganze im Auge halten und alles gehörig zurechtlegen und vereinigen werde.

Ebenso wird man vielleicht auf manches stoßen, was beim ersten Anblick den Schein des Unbedeutenden hat. Sollte man aber tiefer blickend bemerken, daß solche unbedeutende Anlässe oft Träger von etwas Bedeutendem sind, auch oft etwas Spätervorkommendes begründen, oder auch dazu beitragen, irgendeinen kleinen Zug zur Charakterzeichnung hinzuzutun, so dürften sie, als eine Art von Notwendigkeit, wo nicht geheiliget, doch entschuldiget werden.

Und somit sage ich nun diesem lange gehegten Buche zu seinem Hinaustritt in die Welt das beste Lebewohl und wünsche ihm das Glück, angenehm zu sein und mancherlei Gutes anzuregen und zu verbreiten.

Weimar, den 31. Oktober 1835.

19 *Ernst Freiherr von Feuchtersleben*

Aus: Göthe's naturwissenschaftliche Ansichten 1837

> Die Jugend eines Menschen, wie eines Volkes hält sich an der Betrachtung des Menschen; die Betrachtung der Natur ist ein Geschäft reiferer Jahre
>
> C. G. Carus [1]

Von allem, was Goethe gedacht, gestrebt und geleistet, haben bisher seine Bemühungen für Naturwissenschaft am wenigsten Eingang, ja vielleicht meistens Tadel und Widerspruch gefunden. Und doch getraue ich mir zu behaupten, daß gerade sie es sind, was, nebst den vollendeten seiner poetischen Gebilde, die Prüfung der Zeiten am glorreichsten bestehen wird; daß sie es sind, worin sich Goethes Wert und Eigenheit am reinsten und vollkommensten ausspricht, wofür er eigentlich geboren zu sein schien; so daß uns, wenn wir in diese Betrachtungen aufmerksam eingehen, selbst seine dichterischen Hervorbringungen wie Werke erscheinen, die aus Naturforschung hervorgegangen sind. Ja man wird selbst das, was man ihm, sowohl in der Poesie, als besonders in der Kunstheorie zur Last legt, in dieser Richtung begründet, wenn nicht entschuldigt finden. Auf der andern Seite wird man an diesem Beispiele bestätigt finden, was von den bessern Geistern unserer Zeit längst nicht mehr verkannt wird, daß echte, treue Naturforschung, wenn sie fördern und befreien soll, eine poetische Anschauungsweise nicht nur nicht ausschließt, sondern ganz eigentlich fordert. Wie Goethe ohne Naturforschung nicht so vollkommen Dichter, so wäre er ohne Poesie nicht so vollkommen Naturforscher geworden. Ein anderes ists: in der Wissenschaft dichten, – und auf der Höhe stehen, wo Kunst und Wissenschaft eins werden. – Dieses alles nun wünschte der folgende Aufsatz zu bestätigen; vorzüglich aber soll das *Ganze*, die leitende und belebende Idee von Goethes Naturstudien, die man bisher zu wenig auffaßte, hervorgehoben werden; denn so wird meine Arbeit weniger atomistisch, durch Kleinlichkeiten verwirrend, – vielmehr ganz, einig, bedeutend und belehrend werden, – und so vielleicht ihren Zweck erreichen: die Teilnahme des Gebildeten überhaupt zu erregen, und Angelegenheiten, die unser höchstes Interesse so nahe berühren, vor das Forum unbefangen prüfender Vernunft zu bringen.

Um aber für das, was ich hierüber zu sagen gedenke, im Leser zum voraus die gehörige Stimmung zu bereiten, sind vor allem zwei Punkte festzusetzen. Erstens muß bedacht werden, daß in keinem Bereich menschlichen Wissens der abgeschlossene Geist der Gebilde so durchaus waltet, als in den unpopulären Bezirken der Naturforschung; vorzugsweise in jenen, deren Thron die Mathematik usurpiert hat. Wer würde sich hier so leicht entschließen, die mühsam aufgespeicherten Schätze der Gelehrsamkeit, die geheiligten Theorien anerkannter Erfinder, die süße Vaterlust an selbsterzeugten Hypothesen, den Nimbus in sich vollendeter

Systematik, – der leichtern, freien, heitern Ansicht eines unbefangenen Beobachters, und gar eines Dichters – aufopfernd hinzugeben? Da mag eher die Wahrheit noch lange kommenden Geschlechtern ein Rätsel bleiben, ehe wir das Siegel von unserem Diplome wankend machen lassen! – Es sei genug, diese Stelle berührt zu haben, und uns Ärzten, im Gegensatze zu den Mathematikern, den schönen Ruhm zu vindizieren, daß wir, mit dem Wohle der Menschen beschäftigt, die ersten sind, die mit aufmerksamen Danke die Wahrnehmungen eines reinen und scharfen Beobachters aufzunehmen und zu nützen uns nicht schämen. [...] Den Ärzten zum Gegensatze hat *Pfaff* die verrosteten Waffen der alten Lichttheorie gegen Goethe zugeschärft [2], und wir wissen niemand zu nennen, der ihm hierin widersprochen hätte, als etwa im stillen Maler, Färber und andere praktische Menschen. Die Professoren in ihren Lehrbüchern gingen den sanktionierten Weg, und blickten höchstens vornehm seitwärts auf den armen Dichter, der sich in ihren aufgestellten Netzen gefangen hatte. Jenen wackern ärztlichen Kollegen nun mich anzureihen, ist mir Ehre und Zweck bei diesen Zeilen; daß sie übrigens nicht für die Gilde, sondern für alle Gebildeten, Freien geschrieben sind, die in diesen Dingen Licht haben wollen, und gesunde Augen mitbringen, brauche ich, nach dem Gesagten, kaum hinzuzufügen.

Ich komme nun zu dem zweiten festzustellenden Punkte. Wer nämlich wähnt, daß Goethes Bestrebungen in unserm Fache von der Lust herrührten, universal zu schreiben und überall glänzen zu wollen, der irrt gröblich und verdunkelt sich zum voraus die ganze Untersuchung. Zu zeigen, auf welchem Wege der Dichter in dieses Gebiet, mit Notwendigkeit geführt ward, sei vorerst hier unsere Aufgabe. Wir können sie nur lösen, indem wir uns auf die Geschichte seines Lebens und Denkens einlassen, und, was sich ihm von naturwissenschaftlichen Ideen ergab, genetisch entwickeln. Denn bei diesem Manne war alles ganz und folgerecht, und wir müssen es auch zu sein versuchen, sobald wir ihn begreifen wollen. Daß ein glücklich organisiertes, zeitlich aufgeschlossenes, heiteres Gemüt, das in der Breite der Welt poetische Nahrung sucht, ein heller, rüstiger Verstand, der sich zu orientieren wünscht, frühzeitig auf das schöne, klare Wort des Lebens hingewiesen werden, das die Natur in ihren Werken rings um uns lebendig ausspricht, wird uns nicht befremden. Der erste Keim also zu spätern Entfaltungen ist in Goethes Naturell zu suchen, und in so manchen Äußerungen aus seinem ersten geistigen Erwachen zu finden. Umstände, als: der Umgang mit Medizinern, der sogar zum Besuch anatomischer und chemischer Kollegien veranlaßte, Ausflüge in bedeutende Gebirgsgegenden, wo Steinkohlengruben, Eisen- und Alaunwerke die Betrachtung auf sich zogen, die frühe Bekanntschaft mit Spinoza, die persönliche mit einem würdigen klinischen Lehrer, mit dem unvergleichlichen Zimmermann [3], haben das Ihrige zur Pflege jener Keime beigetragen, wie denn ein Blick auf die Medizin, »die den ganzen Menschen beschäftigt, weil sie sich mit dem ganzen Menschen beschäftigt«, die Lektüre der Aphorismen Boerhaaves [4] in einem so hellen Geiste auch hierin fruchtbare Gedanken reifen mußte, wie die über die Kontagien oder über das Schicksal neuer Heilmethoden u. dgl. – so wie Herders große, auf das Letzte, Höchste hindeutende, unendliche Bahnen vorzeichnende, in den ›Ideen‹ und in ›Gott‹ [5] ausgesprochene Ansichten, gleichsam im voraus etwas von den Früchten zu kosten gaben, welche jenen Keimen einst entwachsen würden. Allein alle diese Bedingungen, wenngleich nicht in demselben Maße, traten bei so manchem andern auch zusammen. Wir haben also den Grund besonderer Naturstudien noch anderswo zu suchen, und finden ihn in den Studien zur *Kunst*. Dies ist die Pforte, durch welche Goethe in den Isistempel trat. Auch in diesem Sinne waren die ›Propyläen‹ Vorhallen. Die italienische Reise war es, welche die frische, poetische Lust an Kunstwerken, durch Anschauung und Nachdenken zum Begriffe reifte, und von diesem Begriffe war der Übergang zum Naturstudium notwendig. Von da ist also eigentlich die Ära des letztern zu datieren. Das künstlerische Kolorit war es, was zuerst die Betrachtung auf sich zog, und zu einer sichern Begründung gebracht werden sollte. Woher aber war eine solche zu erwarten, wenn nicht von einer naturgemäßen, praktischen Theorie der Farbe? Das Bedürfnis war von Malern nie verhehlt, Newtons optische Theoreme waren zu nichts zu brauchen, – ein mutwilliges Paradoxon, ein Versuch einer Künstlerin [6], ohne Blau zu malen, führten auf die genauere Betrachtung der atmosphärischen Farben, welche die erste Aussicht in eine heitere Physik gewährte.

Ich führe diese historischen Anfänge ausführlicher an, weil bei der Prüfung wissenschaftlicher Leistungen, zumal dessen, was einer Hypothese gleichsieht, gar zu viel darauf ankommt, wie der Urheber dazu gelangt sei; hier aber zeigt es sich, daß der Weg sachgemäß, notwendig und unbefangen war. Denn bald nach der Rückkehr aus Italien ward Newtons sogenannter Fundamental-Versuch, der, einseitig und absichtlich, wie er ist, für eine allseitige Theorie gelten soll, geprüft, und es ergab sich, daß die daraus gefolgerte Hypothese unhaltbar sei (1799). Die um Rat gefragten Physiker schüttelten die Köpfe, wiederholten das alte Evangelium, Lichtenberg versagte grämlich seine Teilnahme [7], und das erste Stück optischer Beiträge (1791) [8] ward mit schlechtem Dank und hohlen Redensarten der Schule beiseite geschoben. So geschah es, daß ein Bestreben, welches die Freunde des Dichters barock fanden, weil sie dessen Wurzel nicht berücksichtigten, und welches die vom Fache zu ignorieren suchten, weil sie ihr verwöhntes Auge von dem foramen exiguum [9] auf den unendlichen Äther wenden sollten, – in sich zurückgedrängt ward; und daß der mildeste, billigste, der Satire abgeneigteste aller Deutschen zu Ausdrücken sich getrieben sah, wie die folgenden: »Da ich damals in dem Wahn stand, denen, die sich mit Naturwissenschaften abgaben, sei es um die Phänomene zu tun« usw. [10] – Dieser bittern Erfahrungen ungeachtet, ward im stillen fortgearbeitet, und unter der liebevollen Mithilfe Meyers und Schillers, bei der edlen Teilnahme einer hochgebildeten Fürstin, das Gebäude nach und nach zu jener Festigkeit und Schönheit gebracht, in der es nun mit der Aufschrift ›Farbenlehre‹ vor uns steht. Die Methode, wie in dem polemischen Teile der alten Schutt aufgeräumt, und im Didaktischen der Grund bezeichnet, und die Steine geprüft, behauen und geschichtet werden, würde allein schon, ein ewiges Muster wissenschaftlichen Verfahrens, den Dank der Unsterblichkeit verdienen. In dieser Gestalt nun wirkte die reine Theorie mehr; hatte aber noch des Kampfes genug zu bestehen. Teils suchte man durch mißwollendes Verschweigen Goethes frühere Bemühungen auszulöschen, was um so tunlicher schien, als er selbst deshalb seit Jahren nichts direkt zur Sprache brachte; teils machte man von seinen Ansichten, die er seit ebenso langer Zeit im Leben und Gespräch gern mitteilte, in größern und kleinern Schriften eine Art von Halbgebrauch, ohne sein dabei zu gedenken. Indes machte Runge [11] übereinstimmende Erfahrungen und Ansichten bekannt, Dr. Schopenhauer [12] trat den Hauptpunkten bei, Steffens [13] ging in freiere Ansichten von der Farbe ein, Künstler, Techniker und unbefangene Menschen fühlten das Unfruchtbare der alten, das Lebendige der neuen Doktrin, – und vielleicht ist Pfaff der letzte in Deutschland, der sich der reinen Lehre, die uns das Blau des Himmels erteilt, widersetzt hat! – Dies in wenigen Zügen die Geschichte der Goetheschen Farbenlehre. [...]

Außer dem Kolorit, und in einer noch höhern, geistigern Bedeutung, zog die Gestalt, vor allem die menschliche, die Aufmerksamkeit des Kunstfreundes an sich. Die Vollendung dieses höchsten Gebildes, wie sie uns in den plastischen Idealwerken der Alten entzückt, hatte bereits dem scharfen Blick Campers [14] den Gesichtswinkel geoffenbart, und die Ahnung eines Vorbildes gegeben, dem die Natur, durch tausend Verhältnisse gedrängt, nur in den glücklichsten Augenblicken sich zu nähern imstande ist. Es mußte aber dem Geiste des Menschen, der ein Ebenbild des Ewigen ist, durch solche Winke geleitet, möglich sein, der Absicht der Natur auf die Spur zu kommen, und sie gleichsam bei ihrem Schaffen zu ertappen. Diese tiefste, innere Verwandtschaft zwischen Kunst und Natur war schon den Alten, wie sie selbe durch ihre Werke betätigten, kein Geheimnis geblieben. [...] Allein wie nun dieser Prozedur, wie ihrem Gesetze auf die Spur kommen? Es fällt in die Augen, daß die Gestalt, wie sie der Plastiker vor uns hinstellt, ihren Charakter durch das zugrundeliegende Knochengerüste erhält; wie der Kern, so die Schale; nichts wird außen erscheinen, das nicht innen vorgebildet ist [...] Der Forscher sieht sich also hier an die Osteologie gewiesen. Er studiert sie im Komplex mit der Syndesmologie, die eigentlich jene erst belebt, »durch eine besondere Verrücktheit der medizinischen Jugend jedoch vernachlässigt wird«; sieht aber bald, daß durch die schulmäßige Kenntnis des einzelnen, toten Skeletts kein Schritt vorwärts zu tun sei. Da eröffnen sich ihm zwei Wege: die Betrachtung desselben organischen Ganzen durch alle Tierklassen – *vergleichende Anatomie*, und Betrachtung desselben Organismus in demselben Individuum, wie er sich zu verschiedenen Zeiten, auf verschiedenen Stufen der Entwicklung befindet, – *Morphologie* im engern Sinne – ein Wort, und ein Begriff, welche Goethe in die Wissenschaft eingeführt hat. Wenn wir das Skelett in diesem Sinne beschauen, so scheint es durch die Klassen des Lebendigen und durch die Stufen des Lebens sich gleichsam zu bewegen, und wird selbst bewegt. [...] Die Wahrnehmung, welche Goethe 1786 machte: daß dem Menschen ein Zwischenknochen (os intermaxillare) zukomme, so wie die zu Venedig 1790 aus dem Schädel eines Schafes herausgelesene Bildung des Schädels aus den Wirbelknochen, – werden nun nicht mehr vereinzelt und unwichtig erscheinen. [...] Zu gleicher Zeit, als Goethe mit diesen Anschauungen beschäftigt war, trat ihm, in Sizilien 1788, bei

Betrachtung einer herrlichen Vegetation das ideale, aus dem Gemeinschaftlichen der einzelnen Pflanzen abstrahierte Bild einer Urpflanze vor den innern Sinn, während er, nach dem oben erwähnten Doppelschema, zugleich die Umbildung der einzelnen Pflanze, vom Keim bis zur Blüte, zu beobachten, und so dem Geheimnis der Organisation auf die Spur zu kommen suchte. Wie sich nun so die *Botanik*, zu der ein fröhliches Jagdleben den ersten Impuls gab, den das peinliche Gefühl der Unzulänglichkeit der herkömmlichen Nomenklatur verstärkte, den übrigen Naturanschauungen anschloß, ward dem Geiste das Gesetz offenbar, welches, wie Goethes roter Faden, alle Reiche der Natur durchwaltet; und indem der edle Herder gleichzeitig nach seiner Weise von innen heraus dieselbe große Pulsader des Weltalls entdeckte [15], so, daß man nicht sagen kann, wem man hierin die Priorität zugestehen sollte, ward die Idee der Naturwissenschaft zur Welt geboren. Es ist die Lehre von der Metamorphose; und ich wiederhole: ehe diese Idee ausgesprochen war, hat es keine Naturwissenschaft gegeben.

[...]

Die Schweizerreise 1779, sowie später die italienische, gaben Anlaß genug, zu fühlen, daß die *Geognosie*, zu der schon der Ilmenauer Flözbergbau Lust und Fleiß erregt hatte, ein für jeden Reisenden unerläßliches Studium sei; der Zug der Gebirge, der davon abhängige der Gewässer, der um jene Gipfel schwärmende der Gewölke, wurden beobachtet, und so der Übergang zur *Meteorologie* gebahnt. Und wenn einerseits die riesigen, vor den Augen der Sterblichen in der Form von Gebirgen hingestellten Probleme den poetischen Geist auf die ruhige, stumme Großheit der *Geologie*, dieser uralten steinernen Sphynx der Wissenschaften hinwiesen, so konnte es dem Kunstfreunde nicht entgehen, daß dem Maler zur landschaftlichen Darstellung, und noch mehr dem Plastiker zur Kenntnis der Stoffe, in denen er arbeitet die Oryktognosie von größtem Nutzen sei. Daß wir hier dem Gebiet der *Chemie*, welches uns übrigens schon seit der Untersuchung der Farben nicht mehr fremd ist, nicht ausweichen können, ist klar; und wie wollte man auch das letzte Glied der ungeheuren Kette des Weltorganismus in Bewegung setzen, ohne daß alsbald alle übrigen Glieder klirrend mit einstimmten? Was Humboldt angedeutet, Goethe im großen geschaut, Oerstedt [16] im einzelnen empirisch nachgewiesen: »Der sich täglich mehr offenbarende, und doch immer geheimnisvollere Bezug aller physikalischen Phänomene aufeinander [17]«, wird immer mehr als die Achse der Naturkenntnisse anerkannt werden, und erhält den Mut des Forschenden aufrecht, wenn sein Geist sich in den unabsehbaren Labyrinthen verlieren will. Die Betrachtung der mächtigen, aber stillen und leisen Wirkungen der schaffenden Natur, im Gegensatze zu den beliebten vulkanischen und neptunischen Revolutionen, – und des lebendigen Wechselbezugs zwischen der Erde und ihrer Atmosphäre, schon während der italienischen Reise als ein Pulsieren oder tellurisches Atmen ausgesprochen [18], – später durch das entsprechende Steigen und Fallen des Merkurs erläutert [19], – leuchtete in den dunkeln Grüften der Geologie, wie durch die Nebel der Meteorologie. Dem menschlichen Geiste ist die Idee der Totalität gegönnt und ihr Bedürfnis angeboren; und so sucht er Leben und Bewegung in der Wissenschaft vom Starren, Gesetz und Ruhepunkt in der vom ewig Wandelbaren; er möchte den Granit lösen und den Äther binden. Jener Wissenschaft sollte ein projektiertes Modell förderlich werden, das beim ersten Anblick eine anmutige Landschaft vorstellen, beim Auseinanderziehen aber in den innern Profilen das Fallen, Streichen usf. der Gebirgsarten anzeigen sollte. Das Projekt blieb aber Projekt.[20] Überhaupt schien Goethen das Schematische, Tabellarische sehr fördersam, um das Mentale sinnlich überschaubar zu machen; so zeichnete er eine Temperamentenrose, wie man eine Windrose hat, u. dgl. Was konnte dagegen für die Forschungen in der Meteorologie erwünschter kommen, als die stille Bemühung des frommen Howard[21], die rätselhaften Gestalten der Wolken zu bannen, zu unterscheiden, zu deuten? In Prosa und Reimen ward die neue Lehre verherrlicht, damit der Forscher wie der Künstler sich aus ihr bereichere. Dabei war Goethe bedacht, die vier lakonischen Grundbestimmungen durch Anwendung zu verdeutlichen, und durch Nüancierung zu vervielfältigen; ohne den Erkennungstypus zu verwischen. Humboldts grandiose Empirie veranlaßte ihn, die geographischen Verhältnisse der Planzenwelt in einer Landschaft zu symbolisieren; – und die herrliche Betrachtung einer Doppel-Tendenz in den Pflanzen: der vertikalen, beharrenden, und der spiralen, fortbildenden, – erheiterte noch den Abend seines reichen, großen Lebens.[22] – So zurückhaltend und flüchtig nun auch mir die gegebenen Andeutungen über diese Bestrebungen Goethes scheinen, so fürchte ich doch für viele Leser schon zu ausführlich geworden zu sein, was meinem Zwecke ganz zuwider liefe, da ich gebildete Menschen für ähnliche Studien und zur Anerkennung Goethes zu gewinnen, und nicht davon abzuschrecken wünschte. Ich eile daher noch, ehe ich Ergebnisse ausspreche, mit einigen Zügen, die vor den meisten Lesern Gnade zu finden pflegen, mein Bild zu vollenden. Bisher ist es in allen Partien gleich und hell beleuchtet; noch fehlt ihm vielleicht das, was Schubert »die Nachtseite der Naturwissenschaften« nennt[23]; und bei einem Dichter sollte dies Etwas gefehlt haben? nimmermehr! es war vielmehr der dunkle Anfang und das dunkle Ende seines Forschertages, und in alle Winkel seiner poetischen und szientifischen Werke hat er den mystischen Schatten wie flüchtige Rätsel ausgestreut, wo sie den Vorüberwandelnden, je nachdem er ist, zur Ruhe einladen, necken oder ungeschoren lassen. Die aurea catena Homeri umschlang den poetischen Jüngling mit magischem Reiz[24]; die schnelle Genesung nach einem verschluckten Wundersalz, die herrliche, nach Wellings op. majo-cabal. selbst bereitete Erscheinung des liquoris Silicum waren nicht geeignet, jenen Reiz so schnell zu lösen.[25] Dazu kamen die in ähnlichen Büchern, wie Fulgurationen ausgestreuten Fingerzeige, die auf einen lebendigen Wechselbezug und auf ein Erstes und Letztes ahnend hindeuten, und so den Geist erweitern, ohne ihn auszufüllen; – sie trafen überdies ein dichterisches Gemüt, in dessen Tiefe sich bereits eine eigene, mystisch-kosmologische Gott- und Weltlehre aufgebaut hatte, – und so ward in einem Winkel von Goethes Innerem ein Altar für den Kultus der Nacht gegründet, dessen verborgene Flamme nie wieder erlosch. Wie sie später mit den klaren Emanationen naturwissenschaftlicher Erleuchtung ineinanderfloß, und nur hie und da zwischen den reinen Strahlen durch ihr Flackern bemerkbar wird – ist für Wissende, als Symbol menschlichen Strebens überhaupt, anziehend zu bemerken. Poetische Züge im ›Faust‹, so mancher geheimnisvolle Bezug in den ›Wahlverwandtschaften‹, zumal Ottiliens siderisch-magnetische Wundernatur, Jarnos Wünschelrute, selbst ein wissenschaftlicher Seitenblick auf die Astrologie [26] und noch so manche Seltsamkeiten sind hieher zu beziehen, – und zur glorreichen Vollendung reißt uns Makariens planetarisches Sonnenleben wirbelnd von Sphäre zu Sphäre in die Unendlichkeit hinaus, so daß ich froh bin, an meiner sich abstumpfenden Feder eine Erinnerung meiner Endlichkeit und einen Anlaß zum Abschlusse zu haben.

Wir haben nun, so viel es in unsern Grenzen tunlich war, erzählt, was Goethe im Kreise der Naturerkenntnis gedacht, gewollt, getan, und wie er zu allem gelangt sei; das Schwierigste bei diesem Unternehmen war, uns von der Fülle des Gegenstandes weder ins Allgemeine noch ins allzu Detaillierte hinreißen zu lassen; – eine Grenzlinie, die ich bereits übertreten zu haben fürchte. Nun bleibt uns die Beantwortung der Hauptfrage übrig, der Frage, um deretwillen wir die ganze nicht eben allzu leichte Bemühung unternommen: was ist nun mit dem allem geleistet? worin besteht das große Verdienst, das wir Goethen zuschrieben? Was unterscheidet ihn von der größern Masse der Naturforscher?

Ich antworte: Zweierlei; – die Beobachtung und die Idee (die Methode und das Resultat). Das Fruchtbare, Praktisch-Eingreifende jener Ansichten erwähne ich gar nicht, denn es versteht sich von selbst. Der Denker fragt nie: ist dieser Satz auch nützlich? Ist er nur wahr, so ist er es gewiß. – Das Folgende soll meine Antwort erläutern; ihr völliges Verständnis findet sie nur in dem sorgfältigen Studium der besprochenen Werke, – und der Natur. Denn diese Antwort enthält alles, was über Naturforschung zu sagen und zu denken ist. Zuerst also die *Beobachtung*. Alle Naturforschung beginnt empirisch; und auf die Methode des Erfahrens kommt es an, ob sie mit Grillen oder mit Ideen enden soll. Nun hat aber, seit den Griechen, deren Behelf, leider! zu arm war, niemand zu erfahren gewußt, wie Goethe; ja, das Erfahren ist ihm ganz eigentlich zur Kunst geworden. Die Unschuld, Reinheit, Klarheit, Schärfe und Unmittelbarkeit seiner Beobachtungen hat in der Geschichte der Naturwissenschaften nicht ihresgleichen; und glücklich wären besonders wir Ärzte zu preisen, wenn wir mehrere Kapitel so abgehandelt besäßen, als das von den physio- und pathologischen Farben! wie sehr würde z. B. der Kreis der so außerordentlichen, unschätzbaren, sthethoskopischen Wahrnehmungen durch eine solche Bearbeitung an zuverlässiger Fruchtbarkeit gewinnen! [...] Das erste Erfordernis, zur echten Methode zu gelangen, besteht in der Selbstverleugnung. Der Naturforscher wähnt gemeinhin um so höher zu stehen, je mehr er von seinem Verstande in das Experiment hineinmischt. Allein die Natur verlangt eine tabula rasa, um darauf schreiben zu können. »Ist es der Gegenstand, oder bist Du es, was sich jetzt ausspricht?« Das ist die erste Frage im Katechismus der Naturforschung. Der Mensch, und womöglich *nur* der Mensch, sei das Werkzeug des Versuches; und damit er es recht sei, sei auch er sich früher objektiv geworden. So tue er seine *Frage* an die Natur; ohne diese, wie Menelaos den Proteus in Bande, oder wie Newton das Licht in eilf Schrauben [27] zu zwingen. Die Antwort, nachdem er das Objekt allseitig umfragt hat, fasse er mit kindlichem Sinne auf, wolle nicht erklären, sondern verehren, und begnüge sich, statt Theorien zu schmieden, mit der herrlichen Gottesgabe: Anschauung; – denn das vollständige Phänomen ist die wahre Theorie, und die beste Erklärung doch nur ein idem per idem. Daher kommt es, daß kindlich frommen Gemütern, wie Howard, Novalis, die Natur ihr Bestes, ihr Innerstes am liebsten offenbart. So entsteht jene »zarte Empirie, die sich mit dem Gegenstande innigst identisch macht und dadurch zur eigentlichen Theorie wird«.[28] Dabei darf keine der menschlichen Kräfte unwirksam bleiben! Die ganze Natur und der ganze Mensch treten in ein lebendiges Verhältnis, Analyse und Synthese halten gleichen Schritt, die Weltseele offenbart sich der menschlichen, und die Naturforschung wird zur *Kunst*.

Nun das *Resultat:* Die Idee; denn wie die Erfahrung das Alpha, so ist die Idee das Omega der Naturwissenschaft; und nirgends leuchtet uns ihr himmlischer Strahl, ungetrübt und glänzend wie bei Goethe entgegen. Denn die Idee kömmt von oben; und wenn Aristoteles, der zu ihr hinauf-, und Platon, der von ihr herablehrte, das Symbol zweier Seiten der Menschenbildung darstellen, so verehren wir in Goethe die ganze. Wenn er geschaut und gedacht, unterschieden und verglichen, da ward eine Welt vor seinem Geiste licht, und bescheiden nannte er das ein Aperçu, was Philosophen ein System genannt hätten. Übrigens würde es der redliche Blick dem Genie bald gleich tun, wenn er sich liebend in die Gegenstände versenkte; »hat doch die Natur kein Geheimnis, das sie nicht irgendwo dem aufmerksamen Beobachter nackt vor die Augen stellte!«[29] Ihre Geschöpfe sind Signaturen, ihre Begebenheiten Chiffern; aussprechen kann kein Mensch das Wort ihres Lebens, denn unsere Sprache ist arm gegen ihr Schweigen; aber es lesen zu lehren, war Goethes Aufgabe und Verdienst. Er selbst beschreibt sein Verfahren mit dem glücklichsten Ausdrucke, wo er sagt, »daß aus der Übersicht der Phänomene ein Begriff sich bildet, der sodann in aufsteigender Linie der *Idee begegnen* wird.«[30] Nie fiel es ihm ein, die ewig lebendige Natur dem Partikular-Gesetze des menschlichen Verstandes zu unterwerfen; und wenn die skeptische Schrankenlosigkeit des ersten Anschauens auch später durch die reife Anerkenntnis notwendiger Gesetzlichkeit determiniert ward, so blieb die Unendlichkeit unverletzt in ihren Rechten. [...] Das war es, was Goethe, nicht mit der Verzweiflung des Grüblers, sondern mit dem freien Bewußtsein eines Geistes, der das Unendliche zu denken vermag, sich gestand; mit Kühnheit sprach er es aus: »Die Natur hat kein System; sie hat, sie ist Leben und Folge aus einem unbekannten Zentrum zu einer nicht erkennbaren Grenze.«[31] Die bisherige Behandlung der Naturwissenschaften aber ließ uns bereits fürchten, daß die lebendigsten aller menschlichen Kenntnisse zu einer Nomenklatur von Begriffen ohne Anschauung erstarren möchten. In diesem Sinne war es gemeint, wenn ein verehrender Biograph von Goethe an die Erlösung der Naturwissenschaften datiert[32]; wenn wir gleich den Alten das schöne Glück eines großen, schuldlosen, freien Blickes in das All nicht streitig machen wollen. Bei einer solchen poetischen Ansicht von der Natur (sie ist am kecksten ausgedrückt in dem Aufsatze: ›Natur‹[33]) wäre jedoch zu befürchten, daß das All, welches wir eben zu Buchstaben und Ziffern verhärtet sahen, nun in Myriaden wechselnder Gestalten sich lösend, unserem Blick auf ewig unerreichbar in fließende Unendlichkeiten auseinanderquölle; die Aufgabe der Physik aber ist – nach dem Ausdruck des eben erwähnten Schriftstellers – das *Band* in der Natur zu finden: »Encheiresis naturae nennt's die Chemie, spottet ihrer selbst, und weiß nicht wie.«[34] Und dieses Band ist eben die Idee. Hatte dem Dichterweisen schon frühe das Gewahrwerden des Unendlichen Staunen, und die Ahnung des Gesetzlichen Ehrfurcht abgewonnen, so daß schon der drangvolle Jüngling beim Anblicke des Straßburger Münsters nicht bunte Phantasie, sondern Gedanken von Harmonie und Ordnung lallt[35], so kann man doch sagen, daß damals, als unter den Ruinen von Agrigent in Sizilien das Bild der Urpflanze vor seinem Geiste auftauchte, über den Gehalt seines Daseins entschieden ward. Die Natur und der Geist begegneten sich in jenem Augenblicke – in der Idee; im aufgeschlossenen Innern der Welt, die einst »ein allverschlingendes, ewig wiederkäuendes Ungeheuer«[36] geschienen, offenbarte sich das stille Band, das alle Dinge verbindet, der Lebenskreis, in dem sie werden und wesen, das Beharrende im Wandel, »das ewige Gesetz, wonach die Rose und Lilie blüht«; ein zarter Denker aber hat den Ausspruch getan: »Allenthalben dieselbe heilige Notwendigkeit wahrzunehmen, lieb zu gewinnen, sich selbst anzubilden, – das macht den Wert eines Menschenlebens.« Numa Pompilius[37] hatte eine Muse die er »die Schweigende« nannte, und die ihm das Heiligste in seinen Einsamkeiten verkündete. Eine solche Muse wird uns die Erkenntnis der Natur; sie deutet, ein stummer Genius, den Sterblichen auf seine Grenze und Bestimmung hin, und beglückt ihn praktisch, wie sie ihn innerlich beseligt; das quem te deus esse jussit[38] wird der denkenden Kreatur klar und wichtig, und der endliche, diskursive Verstand nimmt gleichsam teil an dem schaffenden Genusse des intellectus archetypus, teil an der ewigen Liebe, Ruhe, Kraft und Seligkeit. Hier sind wir an der Grenze des irdischen Horizontes, und unser Auge verweilt einen Augenblick bei der Aussicht in ein überirdisches Gefilde. Wir ahnen dasjenige, was keine Zunge ausspricht, von dem alles Sichtbare nur ein Gleichnis ist; und wie dem Geometer von jeher der Triangel, als einfachstes Schema des Urverhältnisses aller Dinge: der Entfaltung und Rückkehr in sich, – als höchstes Sinnbild gegolten hat, und gilt, – wie in den Naturwissenschaften jedes Besondere Symbol des Ganzen, das ganze Symbol des Kleinsten ist, so wird dem fürs Höchste empfänglichen Geiste die ganze Naturwissenschaft und ihre leitende Idee, das Gesetz der Metamorphose, wiederum nur Symbol sittlicher und religiöser Ideenwelten. Auch der Mensch und sein Geschlecht sind im Tiefsten ein Gebilde des Kampfes und des Aufwärtsstrebens; auch der Tod, wie das ihn bereitende Leben, ist Metamorphose; ein göttliches, unabänderliches Gesetz des Bewegens und Wirkens geht durch alle Welten (töricht, was irgend ihm Trotz bieten will!), das Erkennen wird Pflicht, das Forschen Andacht, und »das Wissen, das bei der Unmittelbarkeit göttlicher Gefühle in uns, zumal auf einem Planeten, der – aus seinem Zusammenhange mit der Sonne herausgerissen, – als Stückwerk erscheinen muß, findet seine Ergänzung im Glauben« (Goethe bei Falk)[39] – im Glauben, »der nicht der Anfang, sondern das Ende alles Wissens ist.« – So bestätigt sich, trotz roher Verleumdungen, womit Unsinn und böser Wille den gottergebenen Denker nie verschonen, das alte Wort: Philosophia, leviter gustata, abducit a deo, penitus exhausta reducit ad deum [40], ist doch jedes Naturwerk immer »ein frisch ausgesprochenes Wort Gottes« [41] – »der Mensch aber in der Reihe so mannigfacher Produkte das erste Gespräch, das die Natur mit Gott hält« (G. bei Falk).[42]

Bei diesen Gefühlen, die der Silberblick des Lebens sind, verweilt und beruhigt sich der Vertrauende. Der Forscher, überzeugt, daß ein Blick in diese Herrlichkeit fürs Leben genügt, daß wir aber, je mehr wir davon aussprechen wollen, desto mehr uns in ein schales, stammelndes Gerede verlieren, widmet sich liebevoll den schönen Erscheinungen, arbeitet wie der Goldschmied zu Ephesus [43] am Saum des göttlichen Gewandes fort, setzt das Unerforschliche voraus, und zieht sich fürder keine Grenze. »Muß er sich denn nicht selbst voraussetzen, ohne jemals zu wissen, wie es denn eigentlich mit ihm beschaffen sei? studiert er nicht immer fort, ohne sich jemals zu begreifen? sich und andere? und doch geht es fröhlich immer weiter und weiter!« (›Zur Morphol.‹).[44] Dieses *Weiter* soll auch unsere Parole auf Leben und Sterben sein, – wie es den Grund unseres Wesens ausdrückt; in rastloser Tätigkeit bewege sich die Entelechie von Sphäre zu Sphäre, in immer weitern, immer hellern Kreisen! Auch in der Naturwissenschaft wollen wir dies Gebot erfüllen, nicht ewig klauben, ausprägen, und zählen, was Goethe und die Besten aus den edlen Gängen gefördert, lieber sichten, läutern, es mit dem Neugewonnenen verschmelzen, und kühn das ewige Urgestein von Frischem behauen, uns nicht Goethes Sprüche und Formen, sondern den Geist aneignen, aus dem sie entquollen sind.

Auf diesen Geist zu deuten, seine Spuren zu verfolgen, war ich in diesen Blättern bemüht. Haben sie zur Erweckung desselben in andern, auch nur im kleinsten Kreise beigetragen, so sind sie nicht umsonst geschrieben, nicht umsonst, so lange es wahr bleibt, daß echte Naturforschung nicht in der Kammer, sondern im Leben gedeiht, und daß echte Weisheit des Lebens nichts anders ist als treue Naturforschung.

20 *Friedrich Theodor Vischer*

Die Litteratur über Göthe's Faust. Eine Uebersicht (Einleitung) 1839

Goethes Faust ist dunkel. Ein Beweis davon sind die vielen über ihn erschienenen Schriften, die fast alle den Charakter von Kommentaren tragen. Darf ein Gedicht dunkel sein? Es kommt auf die Bedeutung des Wortes an; wir müssen verschiedene Gründe des Dunkels unterscheiden.

Das Dunkel, das Fremdheit der Sprache, Entfernung der Zeit und des Orts für Ausländer und späte Nachwelt mit sich führen, fällt hier natürlich weg, und hiemit der ganze philologische und antiquarische Apparat, den solches Dunkel zu seiner Lichtung erfordert. Doch kann ein Gedicht auch für die eigene Nation und Mitwelt einzelne Dunkelheiten enthalten, wenn die Szene in einer entfernten

Zeit, an einem entlegenen Orte spielt, und der Dichter um der nötigen historischen Treue willen manches beibrachte, was gelehrte Notizen erfordert. Dahin rechne ich nicht sowohl das Bild der Zeit, des Landes überhaupt, deren Gesittung, politische und andere Zustände. Der Dichter setzt in unserem Zeitalter, dessen Poesie wesentlich Kunstpoesie ist, gebildete Leser voraus und Kenntnisse in der Geschichte; sollte das Bild der Zeit, in welcher das Gedicht spielt, in ihrem Gedächtnis mehr oder minder erloschen sein, so wird er es eben durch die Lebendigkeit seiner Poesie wieder auffrischen, die Sitte und Naturbestimmtheit eines fremden Volks wird ebenfalls das Gedicht selbst so vergegenwärtigen, daß nicht eben eine gründliche Kenntnis beim Leser oder Zuschauer vorausgesetzt wird. Manches Äußerliche wird er immerhin aufzunehmen veranlaßt sein, was einigen gelehrten Apparat zur Verständigung wünschenswert macht. Niemand wird es Goethe vergen, wenn er uns die Mühe auflegt, uns zu erkundigen, was ein Inkubus, ein Pentagramm u. dergl. sei. Der Zauberglaube jener Zeit ist einmal die äußerliche Atmosphäre, worin die Tragödie spielt, und diese muß durch solche einzelne Züge zu einem konkreten Bilde kondensiert werden.

Etwas anderes ist es schon, wenn dasselbe Gedicht, aus der Vergangenheit, in der es spielt, in die nächste Gegenwart herübergreifend, allerhand Anspielungen auf moderne Literatur, Sittengeschichte usw. in sich aufnimmt, welche auch für den wahrhaft Gebildeten einer erklärenden Notiz bedürfen, sofern ihr Gegenstand nicht von allgemeiner und bleibender, sondern von vorübergehender und zufälliger Bedeutung ist. In dem Grade, in welchem ein Gedicht unsterblichen Gehalt hat und wesentliche, für alle Zukunft bedeutende Erscheinungen des Geistes in ihm niedergelegt sind, wird es lästig sein, Partien in ihm anzutreffen, die, ohne Zusammenhang mit dem Ganzen episodisch eingefügt, auf ephemere Zeiterscheinungen satirische Lichter werfen, welche kurz nach der Abfassung dem Publikum bereits unverständlich werden müssen, ja schon bei den ersten Lesern gewisse Lokalkenntnisse von Goethes näherer Umgebung u. dergl., was man sich nur zufällig verschafft, voraussetzen. In der Tat, es ist sehr zu mißbilligen, es ist ein Leichtsinn und Übermut, daß Goethe eine Schnur von Xenien von meist ephemerer Bedeutung, da er eben nicht wußte, wohin damit, in ein ewiges Gedicht, wie den ›Faust‹, aufnahm. Wem ist zuzumuten, daß er von Mieding, dem Theater-Maschinisten zu Weimar, wisse, daß er errate, was der Servibilis bedeutet, daß unter dem Kranich Lavater verstanden ist usw.? Diese Tages- und Ortsbeziehungen gehören nicht in ein weltumfassendes Gedicht, mit solcher Garderobe der Literatur und Tagesgeschichte will man nicht geplackt sein, wo es sich um Ideen handelt. Nicht nur in der Walpurgisnacht und dem störenden Intermezzo, schon in der Hexenküche kommen zu viele Nüsse der Art zu knacken, die mit einem Scheine tiefer Bedeutung täuschen, und nur für den, der den kleinen Krieg der damaligen Literatur erlebte, in Weimar war, Personen aus Goethes Umgebung kannte, verständlich sind. Jugendliche Geister namentlich, ohne Erfahrung, Weltkenntnis, die mit frischer Erwartung lauter großer und würdiger Ideen an die Tragödie treten, suchen in diesen kleinen Hieben allerhand Mysterien; ein Gedicht wie Goethes ›Faust‹, sollte aber nicht mystifizieren.

Reden wir aber von dem geistigen Gehalte und der inneren Form eines Gedichts, so muß sogleich unbedingt der Satz aufgestellt werden: ein Gedicht soll sich selbst erklären, soll durch sich selbst unmittelbar deutlich sein. Freilich – für wen? Es kann ein Gedicht geistige Erscheinungen zum Inhalte haben, die nur der versteht, der sie in irgend einer Weise selbst durchlebt hat, und nur derjenige durchlebt hat, der auf einer gewissen Höhe der Bildung steht. So wird Goethes ›Faust‹ niemand verständlich sein, der niemals philosophische Zweifel gehegt, niemals über die höchsten Probleme des Denkens wissenschaftlich nachgedacht hat. Wer keine Idee vom Verhältnis des Bösen zur Weltordnung hat (und der gesunde Menschenverstand, der populäre Religionsunterricht geben noch keine), der wird nimmer den ›Prolog im Himmel‹, wer sich nicht mit der tiefsten Skepsis getragen hat, nimmer die ersten Szenen verstehen. Auch die Geschichte Gretchens, obwohl sie unmittelbar jedes Herz rührt, erhält doch ihre tiefste Wirkung erst durch ihre Beziehung auf die unendlichen Seelenkämpfe Fausts. Goethes ›Faust‹ ist ein *philosophisches* Gedicht. Dies ist zunächst ein höchst zweideutiges Lob; denn daß ein Gedicht keineswegs metaphysische Fragen ausdrücklich und ausgesprochenermaßen an der Stirne tragen, daß vielmehr der metaphysische Gehalt ganz in Fleisch und Blut verwandelt, ganz in die Form unmittelbarer Erscheinung aufgegangen sein soll, dies setze ich als weltbekannte Binsen-Wahrheit voraus. Wenn nun Goethes ›Faust‹ unverhüllter als irgendein anderes bedeutendes Drama um letzte metaphysische Fragen sich dreht, zugleich aber von anerkannt ungeheurer poetischer Wirkung ist, so werden wir sagen müssen: *darin* zeige sich hier der Genius, daß er diesen Inhalt *trotz* seiner metaphysischen Weite und Tiefe in den festen ästhetischen Körper zu bannen verstand. Ist ihm dies gelungen, so müssen wir die oben aufgestellte Behauptung, daß nur der philosophisch Gebildete dies Gedicht verstehe, dahin limitieren, daß allerdings nur dieser, aber dieser, ohne sich während des Lesens begriffsmäßig philosophische Rechenschaft zu geben, das Gedicht vollständig genieße. Der ›Prolog im Himmel‹ spricht die Idee der relativen Notwendigkeit und der beständigen Ohnmacht zugleich des Bösen so plastisch aus, daß sie wirklich vergegenwärtigt ist; man braucht ihn nicht mit dem Kopfe, man kann ihn ganz mit der Phantasie lesen, und, was er besagen will, dennoch ganz in sich aufnehmen. So und nicht anders soll ein Gedicht gelesen werden. Die Poesie ist nicht da, daß sich der Leser den Kopf zerbreche, sie gibt ihre Ideen unvermerkt ein, weil sie ganz in Bild und Form gewandelt sind. Sowie wir uns über ein Gedicht besinnen müssen, wie über Rätsel, so ist dies ein Beweis, daß diese Wandlung nicht gelungen ist, sondern Idee und Bild außereinander liegen geblieben sind. Dies ist dann ein Dunkel, das unter allen Umständen verwerflich ist. Ein bedeutendes Gedicht philosophisch zu erörtern ist ein sehr lobenswertes Unternehmen. Aber was ist die Aufgabe? Nicht, einen philosophischen *Kommentar* zu liefern, – verständlich soll das Gedicht für sich sein ohne alle Beihülfe dieser Art –, sondern um den ersten Eindruck, den ästhetischen, der als solcher schon ein vollständig klarer sein muß, nachträglich in das philosophische Bewußtsein zu erheben, und sich von seinen Gründen Rechenschaft zu geben. Dies Geschäft hat nun zwei Seiten. Der reine Ideengehalt wird abgelöst von der Form, worein der Dichter ihn gegossen: dies ist die eine Hälfte des Geschäfts; die andere ist, daß man nachweist, wie und warum die Idee gerade in diese Form niedergelegt wurde, daß man den Prozeß, wodurch der Dichter Idee und Bild in *eines* wandelte, ihm nachdenkt. Wie die Momente der Idee und der Organismus der ästhetischen Form einander entsprechen, oder, wenn dies nicht der Fall ist, wo der Fehler liege, dies darzutun ist die Aufgabe der philosophischen Betrachtung eines poetischen Kunstwerks. Eine Abhandlung über eine Tragödie soll nicht eine philosophische überhaupt, sondern eine philosophisch-ästhetische sein; unter den philosophischen Wissenschaften ist es nicht die Metaphysik, nicht die Psychologie, Ethik, Religionsphilosophie, sondern die Ästhetik, die hier beteiligt ist. Ein Gedicht ist nicht zu behandeln, wie ein Faden, an welchem hinlaufend man Gelegenheit nimmt, über dies und das zu philosophieren, nicht wie ein Kleiderrechen, an den jeder seine philosophischen Stöcke, Schirm, Kappe, Hut hinhängt. Ist der erste Teil der Tragödie poetisch, so ist er unschuldig daran, wenn er meistens auf diese Weise behandelt worden ist.

Aber sogleich hier müssen wir scharf unterscheiden zwischen dem ersten und zweiten Teile. Der letztere nämlich ist in einem ganz anderen Sinne dunkel, als jener. Im ersten sehen wir das Schwierigste, was ein Dichter leisten kann, die Wandlung der tiefsten und universellsten Ideen in poetisches Fleisch und Blut, durch das Geheimnis der Phantasie gelöst. Die Unendlichkeit des ideellen Gehalts forderte allerdings schon hier die Einführung außermenschlicher Figuren. Das absolut Vollkommene kann in keinem wirklichen Individuum existieren, ebensowenig das absolut Böse, und doch handelte es sich geradezu darum, diese beiden abstrakt allgemeinen Begriffe zu personifizieren. Doch dies ist bereits schief ausgedrückt. Goethe ging als echter Dichter nicht vom allgemeinen Begriffe aus, um durch Mägde-Arbeit der Phantasie erst ein konkretes Bild für ihn zu suchen; die Ideen, die sein ›Faust‹ in sich aufnehmen sollte, waren vorneherein nicht auf dem Wege der Abstraktion gefunden, sondern ein Empfundenes und Erlebtes, sie verkörperten sich ihm zu fester Gestalt an der Volkssage vom Dr. Faust, an dem alten Puppenspiele, das »vieltönig in ihm summte und widerklang«.[1] So hatte er sogleich für die Idee des Bösen eine Figur, die nicht, wie dazu die Darstellung abstrakt allgemeiner Begriffe leicht verführt, allegorisch, sondern *mythisch* ist, d. h. nicht von einem einzelnen auf dem Wege der Absicht und Reflexion ausgeheckt, sondern unbewußt erfunden und geglaubt von der religiösen Volks-Phantasie, und auch demjenigen, der diesen Glauben nicht mehr teilt, noch vertraut und geläufig genug, um ihn schnell in die Illusion hineinzuziehen. Gerade in der Haltung dieser Figur müssen wir den Dichter so unendlich bewundern. Goethe hütete sich gar nicht davor, durchscheinen zu lassen, daß es zur Erklärung des Bösen gar keines Teufels braucht, daß dieser Mephistopheles also nur ein mythisches Wesen ist, er legt ihm selbst solche Äußerungen in den Mund, die eigentlich seine Existenz negieren, z. B.:

»Und hätt' er sich auch nicht dem Teufel übergeben,
Er müßte doch zugrunde gehn.«[2]

Und dennoch wird selbst durch solche Stellen die Illusion, als hätten wir ein lebendiges, kompaktes Individuum vor uns, niemals gestört, sondern eben, wenn solche kritische Gedanken in uns ansetzen wollen, aufs heiterste wiederhergestellt, so treffende Züge des Lebens sind dem Schalke geliehen. Nur einmal philosophiert er zu viel, will sich selbst definieren und spricht etwas konfus, so daß wir nicht mehr ihn, sondern den zum Philosophieren ungeschickten Dichter hören. Die andern übermenschlichen Figuren, der Herr, der Erzengel, sind ebenfalls nicht Allegorien, sondern mythische Gebilde der religiösen Phantasie und dem Leser geläufig. Der Erdgeist kommt auch in der Astrologie und Magie vor als ein geglaubtes Wesen, und ist zudem so lebendig und klar gehalten, daß man sich billig wundern muß, wie manche Ausleger in der Erklärung dieser Figur irren konnten. Alle diese Figuren nun, obwohl sie als besondere Hypostasen außer den Helden hinausgestellt sind, heben doch den Charakter der tiefsten Innerlichkeit, wodurch unsere Tragödie so national deutsch ist, nicht auf. Fausts Inneres ist der Boden, worauf die allgemeinen Mächte sich bekämpfen, der wahre Schauplatz der tragischen Gewalten. Faust ist mit Mephistopheles *ein* Mensch und mit dem Herrn auch: der Mensch. Sein Inneres sehen wir zunächst im Zustande des Zweifels. Dieser ist an sich eine wissenschaftliche, keine poetische Erscheinung. Alles bloß Gedankenmäßige, womit ein Individuum beschäftigt erscheinen soll, kann poetisch werden nur dadurch, daß wir diesen Gedankengehalt niemals nackt für sich, sondern immer zusammen mit seiner Wirkung auf die Stimmung des mit ihm beschäftigten Subjekts sehen. Gedanken, an sich prosaisch, werden poetisch als Ausfluß und Quelle von Gefühlen, als Nachklang und Hebel von Handlungen. So grübelt Hamlet über das Jenseits, aber dies Grübeln geht aus einer Stimmung hervor und bewirkt eine Stimmung. So tritt Faust nirgends bloß als Denker vor uns, seine Gedanken erscheinen im Elemente leidenschaftlicher Stimmung empfangen, gehegt, erwärmt, bewirken Leidenschaft, Ungeduld, Wehmut, Zorn, Verzweiflung, Empörung. Fausts Zweifel ist kein konsequenter Skeptizismus; er verzweifelt am Wissen der Wahrheit, und will sie doch durch die Gewalt unmittelbarer Anschauung erstürmen. Eben diese Inkonsequenz ist poetisch; das eiferartige, heiße, inbrünstige Wesen gibt erst das Feuer, die Glut. So zu einem atmenden Individuum gebildet verkündigt dieser Faust zwar, was im geheimsten Inneren des Menschengeistes sich regt und flüstert, und in jedem Worte erweitert sich seine Person zur Menschheit; aber dennoch bleibt er immer dieser bestimmte Mensch und die Grenzen seiner Persönlichkeit zerfließen uns nie in eine abstrakte Leere. Ohnedies ist er durch die Anlehnung an die Sage in eine bestimmte Zeit, in bestimmte Verhältnisse gestellt; es hat alles die Färbung einer historischen Situation, und der Leser bleibt fest in dem Glauben, daß ein wahrer, ein wirklicher Mensch so sprechen, so leben, so leiden könne. Von den anderen Personen, von Wagner, Marthe, Gretchen, Valentin, den Trinkern in Auerbachs Keller sage ich nichts; diese sind ohnedies ganz aus dem Kerne der Poesie geschnitten, sie leben und atmen so vollkommen, daß ihnen vorzüglich das Gedicht die allgemeine Bewunderung auch derjenigen verdankt, die seinen tieferen Gehalt nicht verstehen. Über die Macht, den Wohlklang, den brausenden

Donner und die bezaubernde Süßigkeit der *Sprache* in diesem ersten Teile will ich mich nicht in Lobpreisungen ergehen. Goethe hat nirgends diese Energie des Wortes und Klanges neben der größten Weichheit und Zartheit entwickelt, ist nirgends der ungeheuren Sprachgewalt Luthers so nahe gekommen.

Zugleich sind jedoch die ästhetischen Mängel, welche schon in diesem ersten Teile die Tiefe und Universalität der Bedeutung mit sich brachte, nicht zu verbergen. Zu einer vollständigen und organisch sich entwickelnden Handlung konnte sich ein so weiter Stoff unmöglich abgrenzen lassen. Ein Held, der in seinem Streben unverkennbar die Menschheit und in seinem Schicksale ihre Bestimmung repräsentiert, müßte eigentlich alle Hauptsphären menschlicher Tätigkeit durchwandern, und ein Schluß ist nicht zu finden, denn es kann nie ein Moment in der Zeit eintreten, wo das Endschicksal des menschlichen Geistes, so klar es in der Idee entschieden ist, in einem besonderen Akte fix und fertig erschiene. Doch dies führt zu schnell zum zweiten Teile hinüber; der erste konnte sich dramatisch geschlossener halten, da der Held, nachdem er sich ins Leben gestürzt, hier nur durch *ein* Lebensverhältnis hindurchgeführt wird. Aber schon hier forderte die Unendlichkeit der Bedeutung das Einweben phantastisch wunderbarer Figuren, diese wandeln mit Personen von Fleisch und Bein, ganz als verstünde es sich von selbst, auf *einem* Boden. Szenen, die auf dem Schauplatz naturgemäßer Wirklichkeit vor sich gehen können, wechseln mit solchen, wo alle Naturgesetze aufgehoben erscheinen; und diese verhalten sich in ihrer Behandlung zu der Einführung des Wunderbaren in anderen dramatischen Gedichten wie eine genial skizzierte Federzeichnung zu einem ausgeführten Kupferstiche. Ein andermal führt die Aufgabe, das Leben und Treiben der Masse mit den tiefen Kämpfen des zum vollen Bewußtsein erwachten Geistes zu vergleichen, ein Bild von epischer Breite herbei, das theatralisch auch nicht darstellbar ist; das streng Dramatische ist aber immer auch theatralisch, wenn man nur von diesem Ausdruck die tadelnden Nebenbegriffe entfernt hält. Zwischen jenen rein menschlichen und den geisterhaften Wesen kann es ferner zu dem eigentlich nicht kommen, was wir Handlung nennen. In einer Handlung muß Mensch gegen Mensch mit gleichen Grenzen der Kraft stehen, und jeder derselben muß sein bestimmtes menschliches Pathos haben. Der Abfall von Gott, der Bund mit der Hölle mag immerhin als eine Tat von großer negativer Erhabenheit erscheinen; doch Goethe hat dieses Motiv nicht im Sinne der Sage aufgenommen, wo Fausts Verbrechen eben dieser Pakt mit dem Teufel ist, sondern aus tieferen Absichten markiert er diesen Übergang zur förmlichen Abschließung des Bundes mit Mephistopheles so wenig, daß er ihn vielmehr ganz cavalièrement in nobler Nachlässigkeit geschehen läßt. In der Liebesgeschichte mit Gretchen erscheint Faust ebenfalls nicht im streng dramatischen Sinne als handelnd, weder in seiner Treue noch in seiner Untreue. Die letztere, ein Verbrechen gegen Gretchen, aber eine Handlung der sittlichen Kraft gegen Mephistopheles, nimmt, gemäß dem Charakter Fausts, sogleich einen theoretischen Charakter an: Faust sammelt sich aus seinem Genußleben in Wald und Höhle zu ideeller Kontemplation, die sich zwar sehr poetisch, aber nicht dramatisch, sondern lyrisch ausspricht. So erscheint Faust durchaus mehr als ein

Spielball wechselnder unendlicher Gefühle, denn als ein handelnder Heros: ganz der poetischen Aufgabe gemäß, da die eigentlichen Prinzipien des Handelns, obwohl in Fausts Innerem sich zum Kampfe begegnend, doch aus ihm hinausgestellt sind in mythische Figuren. Was endlich die Folge der Szenen betrifft, so kann hier von strenger Ökonomie, wo ein Glied scharf ins andere greift, keines zu wenig, keines zu viel ist, nicht die Rede sein. Die Universalität der Bedeutung hat die kompakte Form durchbrochen. Ich möchte die eigentümliche geistige Atmosphäre, die, wie jedes Gedicht, so auch diese Tragödie hat, als eine *Unendlichkeit der Perspektive* bezeichnen. Jedes Kunstwerk soll in der endlichen Form die unendliche Bedeutung tragen, keinem soll diese Perspektive fehlen; bei Goethes ›Faust‹ aber springt das Auge über Vordergrund und Mittelgrund jeden Augenblick weg, um in dieser unendlichen Aussicht des Hintergrunds sich zu verlieren; die Figuren, die über die Szene gehen, weisen sogleich dort hinüber, man sieht durch Risse auf allen Punkten in diese Ferne hinaus. Ein solches Gedicht konnte unmöglich der Zeit nach in *einem* Gusse entstehen. Den universellsten metaphysischen Gehalt in echt poetische Form zu fassen, ist die Sache einzelner Geistesblitze, die jenen flüchtigen Moment, der die disparatesten Gegensätze, die absolute Idee und die sinnlich begrenzte Form, auf einen Augenblick vermählt, eben da er im Entstehen schon wieder entfliehen will, festhalten. Goethe legte mit dem letzten Geheimnis seines eigenen Lebensgehalts das Bewußtsein der Menschheit in dieser Tragödie nieder; sie begleitete ihn von den jugendlichen Jahren ins Greisenalter; der unendlich unerschöpfliche Gehalt gärte und gärte in der Brust des Dichters und schleuderte von Zeit zu Zeit nach langen Zwischenräumen wie in vulkanischer Eruption eine glühende Masse aus dem Krater tiefbrütender Phantasie hervor. Kurz, der ›Faust‹ bleibt fragmentarisch, er bleibt ein großartiger Torso, auch wenn der äußerliche Abschluß der Tragödie, den endlich der Greis versuchte, zehnmal besser gelungen wäre, als er gelungen ist.

Diese Mängel nun sind im zweiten Teile, während sie im ersten mit den Schönheiten des Gedichts unmittelbar zusammenhängen, zu schreienden Fehlern angeschwollen und haben das Schöne geradezu aufgehoben, oder vielmehr, sie schwollen, so hoch an, weil keine Kraft mehr da war, Schönes zu produzieren. Dieser ganze zweite Teil ist ein mechanisches Produkt, nicht geworden, sondern gemacht, fabriziert, geschustert.

Ich befinde mich, indem ich hier meinen Widerwillen gegen dieses Produkt ausspreche, in einer besonderen Verlegenheit. Dieser zweite Teil ist fast aus lauter Allegorien zusammengesetzt. Daß die Allegorie nicht ein Produkt dichterischer Schöpferkraft, sondern prosaischen Verstandes ist, der zur Einkleidung eines allgemeinen Begriffes nachträglich die Einbildungskraft aufbietet, ist etwas so Weltbekanntes und Triviales, die Kinder auf der Straße wissen es, daß es eigentlich eine Beleidigung des Publikums ist, wenn man es darüber erst zu belehren unternimmt. Und doch haben die meisten Schriftsteller über Goethes ›Faust‹ diesen zweiten Teil an poetischem Werte geradezu, als existierte in der Philosophie des Schönen dieser Begriff der Allegorie gar nicht, dem ersten an die Seite gesetzt. Oder wenn sie auch zugaben, daß die Allegorie nicht rein poetisch sei, wenn sie zugaben, daß die Reflexion ungleich mehr teil hat an diesem Fabrikat, als die Phantasie, so hatte es doch für ihr Gefühl gar nichts Widerstrebendes, daß ein allegorisches Machwerk sich hier als Fortsetzung und abschließender Teil an die Seite eines herrlichen poetischen Produktes drängt. Goethe hat bekanntlich mit edler Bescheidenheit selbst geäußert, daß das hohe Alter auf eigentliches Produzieren ganz verzichten müsse.[3] Hr. Weber (›Goethes Faust‹) meint, man könne doch zum Dichten nicht zu alt werden, wie zum Heiraten.[4] Ich will nicht untersuchen, wieweit, was man zum Heiraten braucht, mit dem verwandt ist, was man zum Dichten braucht (wiewohl beides näher zusammenhängen dürfte, als es scheint); aber in einer Zeit, wie die moderne, wo Reflektieren und Denken so weit über die sinnlichen Geistestätigkeiten vorherrscht, wird sich das Alter, wo ohnedies die Phantasie allmählich verdampft, schwerer als irgend in einer andern, gegen die eindringende Kühle prosaischer Besonnenheit halten. Schon im Briefwechsel mit Schiller gesteht Goethe, daß er, ganz in seinen wissenschaftlichen Studien lebend, fast aufgehört habe, ein Dichter zu sein.[5] Es war bei den Alten anders, da war die ganze Zeit jung, und ebendaher die Kunst nicht bloß ein Moment, sondern der höchste Ausdruck ihrer Bildung. Jetzt ist die Kunst an die Seite hingedrängt als eine Tätigkeit, die wir noch mitnehmen, in der wir aber nie mit unserem ganzen Geiste sind; und wie der einzelne in unserem Zeitalter viel kürzere Zeit jung ist, als in jedem früheren, so begleitet ihn auch die Kunst eine kürzere Strecke durchs Leben, und die Poesie eine kürzere, als die andern Künste. Durch jenes Geständnis Goethes würde nun allerdings jeder Vorwurf entwaffnet, wenn hier ein für sich stehendes allegorisch didaktisches Produkt vorläge; man könnte sagen: nun ja, es ist zwar kein Gedicht, aber doch etwas. Nun aber behauptet sich dieses Fabrikat als Fortsetzung eines wundervollen Produkts, es fordert selbst uns durch diese Nachbarschaft, in die es sich drängt, auf, den Maßstab echter Dichtung an es zu legen, es nötigt uns, zu vergleichen, es richtet sich selbst.

Es sind nicht nur eine Masse Allegorien in diesem zweiten Teile neu eingeschoben, sondern selbst die lebendig konkreten Personen des ersten Teils, Faust, Mephistopheles, in Allegorien verflüchtigt. Faust ist nicht mehr dieses Individuum aus dieser Zeit, das als solches gerade durch seine Individualität Repräsentant des Menschengeistes war, sondern er ist ein Begriff, z. B. der Begriff der Romantik, und durch eine völlige Zerreißung der Zeit kommt er mit Helena auf der einen, Byron (Euphorion) auf der andern Seite, die aber freilich selbst auch nur Begriffe sind, auf *einen* Boden zu stehen. Mephistopheles ist (als Phorkyas) das negative Moment in der Auflösung antiker Kunst und Schönheit usw. Wer kann an diesen Gliedermännern eine Freude haben? Wem geht das Herz auf, wenn er diesen zweiten Teil liest, wer wird gerührt, begeistert, wer empfindet Furcht und Mitleiden? Freilich es gibt Leute, die einen starken Magen haben. Ein von der Hagen, ein Mone[6] höhlt sich die Helden der altdeutschen Sage zu allegorischen Puppen aus, und meint, nun erst die *poetische* Schönheit dieser ausgebälgten Häute bewundern zu können. Die Allegorie hat einen Begriff fertig; nun nimmt sie eine Erscheinung aus der Wirklichkeit, schneidet ihr Eingeweide und Seele heraus, und legt jenen Begriff dafür hinein: der Zusammenhang des

Begriffs mit diesem seinem Balge ist kein anderer, als ein tertium comparationis; da aber jedes Ding der Vergleichung ebenso viele Seiten darbietet, als es Eigenschaften hat, so ist es nicht klar, was in dem bestimmten Falle das tertium sein solle. Statt also die Idee durch das Bild deutlich zu machen, was ihre Absicht war, hat sie jene vielmehr verdunkelt und muß erst unter ihr Bild hinschreiben, was es will, oder es durch den Zusammenhang deutlich machen. Hätte uns niemand gesagt, was eine Figur mit einem Anker, oder mit verbundenen Augen und einer Waage bedeuten solle, nimmermehr würden wir darauf kommen; steht aber die letztere Figur an einem Rathause, und wissen wir anderswoher die Bestimmung des Gebäudes, so könnten wir etwa auch ohne weitere Notiz die Bedeutung der Figur erraten. Verbundene Augen können ebensogut hundert andere Dinge bedeuten, als Unparteilichkeit. So mag denn die Allegorie *unter anderem* vorkommen, sie mag als Ornament an Gebäuden, Triumphbögen, Sarkophagen, wo das Bauwerk selbst das Sinnbild erklärt, in einem Zyklus religiöser Gemälde, deren Aufgabe die Ausfüllung gegebener kirchlicher Räume ist, und wo die einzelne Allegorie durch die Nachbarschaft der anderen Bilder leicht gedeutet wird, ihre Stelle finden. Die stummen bildenden Künste werden diesen Notbehelf nicht ganz abweisen können; strenger ist es der Poesie zu untersagen, sie kann ja reden, für was hat sie ihren Mund? Gibt sie aber doch Allegorien, so soll sie wenigstens der Deutung nachhelfen, damit sich der Leser nicht abquälen müsse. Diese Nachhilfe hat Goethe im zweiten Teile des ›Faust‹ nicht gegeben, daher trifft seine Allegorien noch ein weiterer Tadel, der andere Allegorien nicht trifft, der nämlich, daß, wenn man eine Deutung derselben gefunden zu haben meint, man nie wissen kann, ob es die rechte sei. Ein Rätsel errät man, und weiß dann, daß man es erraten hat, da genießt der Verstand eine anmutige Befriedigung. Aber an diesen Rätseln kann man eine Ewigkeit herumraten und nie gewiß wissen, ob man die Lösung gefunden. Solche Rätsel machen ist keine Kunst; ich darf nur zu einem Begriffe ein sehr entlegenes, durch eine seiner tausend Eigenschaften ihm von weitem ähnliches Bild suchen, die Bedeutung wohl verstecken, und ich kann die ganze Welt am Narrenseile fortziehen – oder richtiger jeden, der den Geschmack hat, sich an das Narrenseil zu hängen. Gebt dem mittelmäßigsten Kopfe den Ideenstoff dieses zweiten Teils (dieser allein bedingt ja nie den Wert eines Gedichts), dazu Goethes technische Fertigkeit (diese auch nicht), laßt ihn nur recht sitzen, schwitzen, die Feder zernagen: gebt acht, er bringt euch ein Ding heraus, das wenigstens ebenso gut ist, wie das vorliegende. Wer nun Lust hat, zu raten und zu raten, ohne jemals die Gewißheit richtiger Deutung hoffen zu können, dem kann ich seinen Geschmack nicht bestreiten; ich für meinen Teil halte jede mittelmäßigste Unterhaltung für besser und belehrender als eine solche Beschäftigung. Lies im Cramer, Spieß [7], lies im Löfflerschen Kochbuche, trink Bier, rauche Tabak und plaudere dazu von Hunden und Pferden: du hast deine Zeit immer noch besser angewandt, als wenn du dir die Zähne an diesen steinernen Nüssen ausgebrochen hättest. Doch Goethe kannte sein Publikum; er hätte, was er in beißender Ironie seinem Mephistopheles in den Mund legt, als Motto über das Ganze setzen können:

Und allegorisch, wie die Lumpen sind,
Sie werden nur um desto mehr behagen.[8]

Aber auch dasjenige, was in diesem allegorischen Elemente immerhin zu erreichen war, ist nicht erreicht. Eine Mosaik von unzusammenhängenden Szenen und Akten, bedeutende Motive gar nicht benützt, schiefe, verkehrte Gedanken, wie z. B. (was Weiße richtig bemerkt hat)[9], daß in der Gestalt des Euphorion Byron als Kind der Vermählung des klassischen und romantischen Prinzips auftritt; der Schluß des Ganzen in der Grund-Idee richtig, aber in der Ausführung verkehrt. Denn freilich mußte Faust gerettet werden. Diese Rettung konnte vernünftigerweise nur darin bestehen, daß die streitenden Gegensätze seiner und der menschlichen Natur überhaupt sich versöhnen. Diese Versöhnung mochte immerhin durch geordnete praktische Tätigkeit herbeigeführt werden, aber nur nicht durch eine prosaisch industrielle. Statt daß nun aber mit dieser Tätigkeit und der Aussicht auf eine noch höhere und umfassendere die Versöhnung eintritt, verfällt Faust eben in diesem Moment dem Bösen, und kommt die Retttung äußerlich nach, in Form eines Geschehens, die dem mittelalterlichen Olymp entlehnt ist, und der so ganz, so tief protestantische Faust schließt katholisch. Ich werde auf diesen Punkt zurückkommen.

Wenige Silberblicke erinnern an die alte Kraft, aber auch hier stört die höchst manierierte sprachliche Darstellung, die sich der alte Herr Geheimerat angewöhnt. Wenn im ersten Teil die Sprache wie ein Strom daherrauscht, wie Frühlingswind fächelt, immer schlicht und immer groß in dieser Schlichtheit, so hören wir hier jene Bisam- und Moschus-Sprache, die mit Manschetten und Glacéhandschuhen selbst ins Brautbett steigt, jenes behäbige, behagliche, selbstgefällig ordentliche, nette, glatte, limitierende Reden, das der Menschheit Schnitzel kräuselt, und niemals pretiöser und affektierter erscheint, als wenn es die gesunde Grobheit der Natur nachahmt. Diese geckenhafte Sprache erinnert mich immer an einen Auftritt, den mir ein Bekannter von seinem Aufenthalt in Weimar erzählte. Er saß im Theater, wo eben ein unbedeutendes Stück aufgeführt wurde. Bei den mattesten Stellen, bei den gewöhnlichsten Effekten und kleinsten Künsten einer ganz gewöhnlichen, aber hübschen Schauspielerin ließ sich in der Loge neben ihm unaufhörlich ein Klatschen und lautes Beifallrufen vernehmen: »Nee, es is doch allerliebst! Vortrefflich, charmant!« »Aber wer ist denn der unerträgliche Mensch daneben?« fragte er endlich ziemlich laut. »Was fällt Ihnen ein, schweigen Sie doch, es ist Goethe!« Wie geckenhaft ist der Zusatz, da im Mummenschanz die Pulcinelle auftreten: täppisch, fast läppisch. Unnatürliche Wortbildung, wie zweighaft, wurzelauf u. dgl. drängt sich als Afterbild der wahren dichterischen Sprachgewalt hervor. Unerlaubte Konstruktionen, wie: »Ach, zum Erdenglück geboren, hoher Ahnen, großer Kraft«, treten mit der Miene poetischer Kühnheit auf, und undeutsch angebrachte Superlative sollen die mangelnde Kraft des einfachen Worts ersetzen, wie: durchgrüble nicht das *einzigste* Geschick – *einzigste* Bewunderung, *eigenster* Gesang – und sollt ich nicht sehn*süchtigster* Gewalt ins Leben ziehn die einzigste Gestalt? – verbräunt

Gestein, bemodert, widrig, spitzbögig, *schnörkelhaftest,* niedrig u. dgl. Waiblinger hat diese Sprache nicht übel parodiert in seinen ›Drei Tagen in der Unterwelt‹, wo Goethe seine baldige Ankunft im Hause der Toten so verkündigt:

Und so käm' ich denn behäglich,
Wunderlichst in diesem Falle,
Nimmer fürchtend, nimmer kläglich,
Baldigst in die Totenhalle.[10]

Und diesen Stil haben nicht wenige, selbst junge Schriftsteller nachgeahmt! Wahrlich, sie tun dem großen Manne damit eine schlechte Ehre an! Bei ihm ist das so allmählich gekommen und geworden, und in der Ausartung ist immer noch der Zusammenhang mit den Vorzügen des unnachahmlichen Stils seiner kräftigen Mannesjahre zu bemerken. Diese Affen aber machen nicht das Ursprüngliche, sondern die karikierte Ausartung nach, und was man dem alten Goethe um seiner jugendlichen Verdienste willen verzeihen kann, ist hier unverzeihliche, vettelhafte Verzerrung.
Mir wird es, wenn ich diesen zweiten Teil lese, so herbstlich grau, so regnerisch trübe zumute, meine ganze Seele trauert und weint, wenn ich den Genius so dem Gesetze der Sterblichkeit unterliegen sehe; und nur die Rückkehr zu den Werken seiner Jugend und Manneskraft richtet mich wieder auf, deren hohes Bild keine Zeit und keine Verwitterung des Alters zerstören kann.

Diese einleitenden Bemerkungen werden mir das Geschäft einer kritischen Musterung der vorliegenden Schriften wesentlich erleichtern und abkürzen. Wenn ich zum voraus sogleich sage, daß dies eben kein angenehmes Geschäft sei, so fasse ich, um diese Behauptung zu rechtfertigen, das Resultat, das sich aus einer Vergleichung der einzelnen Schriften mit den bisher aufgestellten Standpunkten ergeben wird, vorläufig so zusammen:

1. Mit geringen Ausnahmen haben sämtliche Schriftsteller, statt eine ästhetisch-philosophische Betrachtung anzustellen, eine philosophische angestellt und an unserer Tragödie Metaphysik, Ethik, Religionsphilosophie usf. doziert.
2. Sie haben mit wenigen, fast nur mit *einer* Ausnahme[11], unkritisch die Mängel des ersten und zweiten Teils übersehen und die Dichtung als ein untadelhaftes organisches Ganze mit blinder Pietät hingenommen. Was eben die Folge davon war, daß sie nur den philosophischen Gehalt, nicht den Grad, in welchem es gelungen ist, ihn in einen ästhetischen Körper zu fassen, im Auge hatten.
3. Sie haben schon im ersten Teile vieles allegorisch gedeutet, was poetisch ist. Reichliche Belege werden zur Genüge deutlich machen, was ich hiemit meine, wenn es nicht schon aus obiger Einleitung deutlich sein sollte.

Eine ganz andere Frage ist die nach der *Richtigkeit* der philosophischen Deutung und dem wissenschaftlichen Werte der einzelnen Schriften überhaupt, welche nun die Revue passieren sollen. Im allgemeinen läßt sich hierin so viel bestimmen: die meisten Fehler in der Erklärung wesentlicher Punkte finden sich in denjenigen Schriften, deren Verfasser keine philosophische Bildung haben, und danach teile ich auch diese Schriften ein. Im ersten Flügel sollen die Nationalgarden des gesunden Menschenverstandes defilieren, die ohne den Schlüssel der Philosophie dieses tiefsinnige Gedicht aufzuschließen unternehmen; im zweiten das Linien-Militär der Philosophen. Jene werden, wie sich erwarten läßt, etwas salopp, schlotterícht und schwankend marschieren; diese etwas steif, im Paradeschritt, knappen Hosen und Krawatten. Übrigens will ich nicht gesagt haben, daß in der Erklärung des Gedichts jene ganz oder viel, diese gar nicht oder wenig irren, wohl aber, daß jene, wo sie recht haben, nur zufällig nicht irren, da ihnen das wahre Mittel der Erkenntnis abgeht, diese aber infolge einer falschen Anwendung dieses Mittels. Die Philosophen aber sind am häufigsten in die allegorische Deutungswut schon im ersten Teile verfallen.

Schaut vor euch! Erster Flügel, vorwärts Marsch!

21 *Arnold Ruge* und *Theodor Echtermeyer*

Aus: Der Protestantismus und die Romantik. Ein Manifest. Zweiter Artikel — 1839

1. Schiller und Goethe.

Wäre es noch nötig, unsere Zeit darüber zu verständigen, daß es von dem Geistigen nur *eine* Wissenschaft gibt; nämlich die *historische*, d. h. die Wissenschaft des geistigen Prozesses: so ließe wahrlich kein besserer Beweis sich auffinden, als die allerbekanntesten, von jedermann bis zum Eigentum in Besitz genommenen Geister, unsere Dichter Goethe und Schiller. Die sichs zur Aufgabe gestellt, sie ästhetisch zu erkennen, werden damit nicht fertig sein, wenn sie nicht den historischen Beruf dieser Männer und den Drang des protestantischen Geistes zu dieser Kunstentwicklung in Betracht gezogen; und die es sich vollends zur Aufgabe gestellt, eine gleiche oder ähnliche künstlerische Bedeutung zu erringen, werden sich am besten aus dem Traume helfen, sowohl zur Freudigkeit, als zur Entsagung, wenn sie sich überlegen, wie beide Männer aus ihrer Zeit hervorgehen, wie sie den protestantischen Geist in der Poesie, die sich selber höchster und letzter Zweck ist, zu einer schönen Befriedigung hindurchführen, und wie sie sich mit ihren Werken als Grundlage zu unserer Gegenwart verhalten. Ihre positive Macht, das schöne Wort der Zeit geschaffen zu haben, und die Mängel, welche zu neuen Taten neues Feld eröffnen, beides entspringt gleichmäßig aus *der historischen Erkenntnis* unserer Dichter. Hier kommen sie indessen nur als Durchgangspunkt, nicht nach ihrer ganzen Ausbreitung, in Betracht. Sie nehmen die Progonenschaft der Romantik, die alte Romantik, die wir soeben verließen, in sich zusammen und entlassen die eigentliche Romantik und ihre Epigonenschaft, unsere Zeitgenossen, aus ihrem Mittelpunkt.

Schiller und Goethe bezeichnen einen Abschluß in dem Bildungsprozesse des vorigen Jahrhunderts, sie bringen in den Dualismus und das Gären seines Geisteslebens, wie wir es im ersten Artikel angedeutet, eine Versöhnung, – Schiller, indem er das sittliche Prinzip, welches Kant als ein abstraktes Sollen im kategorischen Imperativ ausgesprochen, in eine reiche Welt von Bildern und Gleichnissen, von Handlungen und Charakteren zu fassen und auf eine das Gemüt ergreifende Weise zur Anschauung zu bringen wußte, Goethe dagegen, indem er sich berufen zeigte, das falsche Pathos der an Jacobi und seinem Kreise geschilderten Innerlichkeit und Insichgezogenheit, die, hohl in sich, dennoch sich als das Absolute behaupten und der Welt sich aufzudringen trachtete, – durch die Energie seines Talents sich zu unterwerfen und an den allgemeinen und objektiven Gesetzen der Kunst zu reinigen und ästhetisch zu verklären. Während das *männliche Pathos* der Stürmer und Dränger auf *Schiller* überging, der dies Prinzip zugleich denkend erfaßte und so an Kant anknüpfte, ergreift *Goethe* dagegen das *weibliche Pathos* der inneren Gemütlichkeit, doch so, daß sein poetischer Beruf zugleich darin besteht, diese Richtung von ihrer Krankhaftigkeit, Überschwenglichkeit und Exzentrizität zu reinigen. Als wahrer poetischer Genius ist seine (Goethes) Begeisterung eine ästhetische, die Forderungen der Kunst in sich enthaltend; er hat in der inneren Aufregung zugleich und unmittelbar als Talent das Maß und die Besonnenheit. Goethes Dichtungen sind, wie er wiederholt ausgesprochen, poetische Konfessionen, *Darstellungen seines innern Lebens und seines subjektiven Prozesses.* Indem er nun eine Phase seines Lebens poetisch fixiert, wird das, was daran unwahr ist, durch die Macht und Reinheit des Talentes als unwahr vernichtet (Werther geht zugrunde). Indem nun aber wieder Goethe in den Dichtungen seine innere Welt außer sich setzt und selber anschaut, das, was ihn quält, objektiv herausgestaltet, kommt er dazu, von den Schranken des empirischen Ich, die er poetisch überwunden, nun auch praktisch im Leben sich zu befreien.

Aber die Arbeit, die Unwahrheiten, Krankheiten und Abnormitäten des falschen subjektiven Pathos zu überwinden, ist zugleich das Ferment seines ihm eigentümlichen Dichterberufs, und sobald er im *Leben* und im Charakter als Mensch das Maß der Besonnenheit, welches in der Kunst *Moment* war, fixiert hat, hört der poetische Gegenstoß auf, hat er kein ästhetisches Pathos mehr, und was er dichtet, gewinnt nun immer mehr auch zum Inhalte die Besonnenheit der Reflexion und das Maß und die Regel. Das stellt sich auch im Stil und in der Rhythmik als Manier, z. B. des behaglichen leeren Sichwiegens im Verse, dar. – Die Stellung Goethes zum Leben führt also den poetischen Abschluß seiner Bildung herbei. Sie ist aber die, daß er sich mit dem *Weltlauf* abfindet, daß die Schranken der Objektivität als gegebene (nicht als vernünftige), als äußere Notwendigkeit anerkannt, das subjektive Widerstreben gegen sie aufgegeben, daß das innere Pathos der äußeren Notwendigkeit gegenüber beschwichtigt wird. Der Weltlauf aber und der Komplex des geselligen Lebens ist nicht die realisierte Freiheit einer vernünftigen Totalität des geschichtlichen Geistes, deshalb ist die Ausgleichung mit dem Weltlauf keine wahre Versöhnung; man kann daher, um mit ihm auszukommen, *nur resignieren, entsagen, sich akkommodieren.* Das ist der Standpunkt des Lebens und Lebenlassens. Es ist dies, daß ich mich in die Umstände füge, mich den Umständen unterwerfe und dadurch die Umstände mir, ohne in diesem Verhältnis doch wahrhaft bei mir und in wahrhaft verwirklichter Freiheit zu sein. Für dies Verhältnis gilt die Maxime:

> »Wer sich nicht nach der Decke streckt,
> Dem bleiben die Füße unbedeckt.«[1]

Allerdings ist es nun in der Ordnung: die Leidenschaft, das subjektive Pathos kommt aus seiner Feindschaft mit dem Gesetz zu einer Ausgleichung und das in sich gemäßigte Subjekt zu einer behaglichen Existenz; aber dies ist nur der zivile Kreis und das bürgerliche Leben; die Gegensätze in den höheren Sphären der Freiheit, der Kampf des weltgeschichtlichen Geistes wird damit nicht geschlichtet, nur abgehalten, nicht versöhnt, nur ignoriert. Das Ergebnis der Goetheschen Entwicklung ist also dies, daß er überall dem bewegten Herzen Resignation und Entsagung predigt. Daher auch die Schlüsse aller seiner größeren Kompositionen entsagend oder lyrisch ausfallen. Das Lyrische ist fähig, die in sich befriedigte und harmonische Subjektivität darzustellen, die begeisterte Lyrik daher seine vollendete Gattung. Das Drama dagegen, welches auf die Probleme des Lebens und des Geistes angewiesen ist, bringt es von diesem Standpunkte aus nie zu einem befriedigenden und versöhnenden Schluß. Der ›Natürlichen Tochter‹ gar nicht zu gedenken, ist ›Tasso‹ z. B. sogleich auf das Entsagen angelegt, Tasso erkennt den Sturm seines Innern als seine Krankheit und Antonio, diese Personifikation des berechneten Maßhaltens, als den Felsen, an dem er scheiternd sich anklammert, als seine Macht und Wahrheit an. Egmont läßt die Welt nicht an sich kommen, er ist ein Traumwandler in seiner Gemütswelt, der sich fürchtet bei Namen gerufen zu werden, um aus ihr nicht zu erwachen. Nur im Traum erreicht er auch die Freiheit; und die wirkliche Versöhnung, die durch Oranien in die Darstellung hätte kommen sollen, bleibt eine jenseitige, ebenso wie das Problem des ›Faust‹ im ersten Teile ungelöst und seine Sehnsucht ungestillt, im zweiten Teil in der Industrie steckenbleibt, und die unbefriedigten Kunstbestrebungen Wilhelm Meisters in die prosaischen Interessen des bürgerlichen Lebens auslaufen, so daß die Resignation, die in dieser Wegwendung aus der idealen Welt liegt, im ›Faust‹ auf eine *jenseitige* Versöhnung, in den ›Wanderjahren‹ wenigstens auf ein Jenseits im Diesseits, nach der neuen Welt, nach Amerika, hinüberweist. In den ›Wahlverwandtschaften‹ spielt die Entsagung eine große Rolle, die ›Iphigenie‹, die noch zu den objektivsten Produktionen gehört, endigt mit dem: Lebt wohl! der Resignation, und die ›Wanderjahre‹ führen sogar den Titel: Die Entsagenden. Allerdings ist erst die Leidenschaft mit dem ewigen Inhalt des historischen Geistes über das Gesetz erhaben und zur wahren Freiheit siegreich hindurchzudringen fähig. Sofern also Goethe in der zivilen Sphäre verharrt, ist ihm jene höhere Versöhnung versagt. Die Besonnenheit und Gesetzlichkeit mit der Maxime der Resignation, die seiner abgeschlossenen Bildung angehört, nannten wir unpoetisch. Das poetische Ferment in Goethes Dichtungen wurzelt daher fast durchaus in frühster Zeit, und die Konzeption der bedeutendsten gehört fast ausschließlich seiner Jugend an, der Zeit, da es in ihm gärte, da der Prozeß aus der Leidenschaft und der Überschwenglichkeit heraus ihn bewegte. Er betrachtet es als eine *»Auf-*

gabe«, eine Schuldigkeit gegen das Publikum, das Begonnene zu vollenden, ist aber gar nicht mehr mit Liebe in dem alten Stoffe und seinen Fermenten, nimmt ihn daher nur zum Rahmen, die Reflexionswelt seiner späteren Zeit und deren wissenschaftliche Tendenzen in ihm niederzulegen. Der junge Goethe ist dem alten gänzlich fremd geworden; er nennt ihn oft »seinen jungen Freund« und spricht ganz objektiv von ihm. Wenn wir daher in der Goetheschen Entwicklung zum in sich harmonischen und gemäßigten Leben und Dichten eine Versöhnung der voraufgegangenen Kämpfe erkennen, so bleibt doch diese schöne Subjektivität *egoistisch auf sich selbst zurückgezogen und beschränkt;* und wenn wir näher zusehen, so zeigt es sich, daß er in seinen gediegensten Produktionen zwar *formell* an das Vollendete streifend in einer wahrhaft idealen Darstellung seiner Welt, dennoch an dieser Welt selbst eine Schranke hatte, die ihn das Höchste in der Kunst zu erreichen verhinderte, daß er insofern in der Einseitigkeit des Subjektiven befangen blieb, als er die Totalität des Lebens in der geschichtlichen Realisierung des Absoluten, die Darstellung der Idee der Freiheit in den Entwicklungen der Völker und der allgemeinen Mächte des Staates von sich abhielt, und dafür in dem engen, das Individuum als solches umschreibenden Kreise, wenn man will, egoistisch sich isolierte, daß er für die Idee der objektiven und vollen Freiheit *nur die relative des in sich harmonisch und maßvoll durchgebildeten Individiums,* die weibliche Freiheit, daß er den ästhetischen Standpunkt, den Standpunkt der schönen Bildung und Sitte, anstatt des absoluten Prinzips erfaßte, daß er *dichtend* sich auf die subjektive Welt des *Dichters* beschränkte, während die *ewige Wahrheit* selbst, das Werden des Absoluten in der Zeit, nicht das schöne Sein des einzelnen Menschen die höchste Aufgabe der Kunst ist.

Schillern dagegen war die Kunst zwar auch etwas Hohes und Heiliges, ja das Höchste, aber dies nur als das Medium, die Idee der Versöhnung zwischen Natur und Geist, Freiheit und Notwendigkeit, welche die Aufgabe der *ganzen* Menschheit sei, ohne jedoch in den Staatsorganismen reell erreicht zu werden, wenigstens im Reiche der Ideale, im Reiche des schönen Scheins darzustellen (›Briefe über die ästhetische Erziehung der Menschheit‹). Somit war ihm der ästhetische Standpunkt nicht der absolute, sondern vielmehr nur eine Stufe, auf welcher die Menschheit sich das im *Schein* aneigne und festhalte, was sie in der Wirklichkeit gar nicht erreiche, aber doch anstreben solle. So weist er innerhalb der Kunst immer aus derselben heraus, und deutet prophetisch auf eine Welt hin, die höher ist, als die Welt, welche das Subjekt *für sich* auch bei der höchsten Genialität und der vollendetsten Bildung, welche die schönste Individualität, wenn sie sich von dem Gesamtprozeß der Menschheit und den allgemeinen Interessen loslöst, jemals darstellen kann. Aber das ist wieder, im Gegensatz zu Goethe, der Mangel der Schillerschen Poesie als Poesie, das läßt seine Dichtungen formell, d. h. in der Sphäre, auf welcher der spezifische Begriff der Kunst beruht, insofern sie sinnlich-gegenwärtige, konkrete Darstellung der Idee sein soll, nicht die Gegenständlichkeit und Wirklichkeit der Goetheschen erreichen, daß er eben *Prophet* ist einer Welt, deren Realität er nicht objektiv anschauen und unmittelbar in sich aufnehmen konnte, die ihm nicht den Boden erfüllter Gegenwart gewährte, daß er eben als Dichter über die Wirklichkeit hinausweisen muß, daß sein Ideal noch ein subjektives, von ihm *gefordertes*, von dem Leben und dem Kreise der Erfahrungen noch nicht involviertes ist, ein außerhalb der Kunst noch jenseitiges, nicht diesseitiges und wirklich reales ist, wie Schiller selbst in der Abhandlung über naive und sentimentale Poesie den Gegensatz tief erfaßt hat.

In dieser Weise erreichen beide, die Schillersche und die Goethesche Poesie, eine Befriedigung und Versöhnung in sich, und zwar eine solche, die beiderseits nur eine subjektive und darin wieder eine entgegengesetzte ist. Goethes Pathos war, wie wir gesehen, das weibliche, Schillers das männliche. Goethes erfüllteste und mannigfaltigste Charaktere sind darum die Frauengestalten, von den männlichen nur die, welche sein subjektives Pathos, *ihn selbst* im Leiden und in den *innern* Konflikten darstellen. Schiller ist für die Freiheit, Goethe für die Bildung und Sitte, Schiller auf die Geschichte, Goethe gegen die Natur gerichtet; Schillers Prinzip ist das Wollen und Tun, Goethes das *Sein*, das unmittelbar Subjektive, ein Prinzip, wie es sich in den (dem Sinne nach gewiß Goethen angehörenden) Xenien ausspricht:

> Suchst du das Höchste, das Größte? die Pflanze kann es dich lehren,
> Was sie willenlos ist, sei du es wollend – das ist's.[2]

und

> *»Die politische Lehre:«*
> Alles sei recht, was du tust, doch dabei laß es bewenden –
> Wahrem Eifer genügt, daß das Vorhandene *vollkommen*
> Sei, das Falsche will stets, daß das Vollkommene sei.[3]

Merkwürdig ist in dieser Beziehung Goethes Ausspruch[4], wenn wir nicht irren, gegen Eckermann, daß allemal geschichtlich aufgeregte Zeiten das Interesse an Schiller haben, den Anteil an seinen Produktionen aber zurückdrängen würden; und zur Einsicht in die Geltung, welche zu ihrer Zeit die Lehre von dem wertvollen Sein des harmonisch gebildeten Subjekts sich errungen, dient teils das Distichon:

> Adel gibts auch in der sittlichen Welt: gemeine Naturen
> Zahlen mit dem was sie *tun*, edle mit dem was sie *sind*;[5]

teils der Brief des Herzogs Karl August an Knebel, worin er ihm zuredet, sich über seine Geschäftslosigkeit keine Sorge zu machen, bei Leuten, wie er, genüge es, daß sie *seien*.[6]

[. . .]

Ist nun also dies wertvolle Sein der in sich zurückgezogenen schönen Subjektivität Goethes noch nicht die reale und vollendete, nicht die objektive Versöhnung, bei der es der freie Geist nun könnte bewenden lassen: so ist eben so die Schillersche Freiheit als das noch subjektive Ideal noch nicht zur objektiven Darstellung einer erfüllten Wirklichkeit hindurchgedrungen, und das Höchste wäre nun eine Vereinigung der wahren Momente beider Dichter, so daß in derselben objektiven

wahren und wirklichen Weise, in welcher Goethe das vom Subjekt umschlossene Leben, die schöne Individualität, das in der humanen Bildung und ihrem Maße relativ freie Subjekt sich explizieren läßt, die in Schiller noch subjektiv und lyrisch fermentierende Idee der freien Menschheit oder der vollen objektiven Freiheit des Geistes als eine konkrete und in ihrer Realität beruhigte Welt zur Anschauung gebracht würde. Aber diese Erscheinung kann nur eintreten, wenn sich Deutschland zu einer freien Öffentlichkeit seiner Staatsverhältnisse hindurchgearbeitet, hat, wenn der reformatorische Prozeß aus der Subjektivität des Gemüts und der Innerlichkeit des in der Theorie noch einseitigen Denkens dahin fortgegangen ist, daß der Geist die im Wissen errungene Freiheit nun auch realisiert in einer objektiven Wirklichkeit anschaut und sich wollend und handelnd mit ihr zusammenschließt. Aber dazu kann es bei der sichern und gründlichen Vermittlung, welche das deutsche Leben auszeichnet, nicht eher kommen, bevor nicht jener innerliche Prozeß sich in sich vollendet, der subjektive Prozeß des Denkens seine Stadien durchlaufen, das Ich bis zur reinsten Konzentration sich in sich zusammengezogen hat. Und so ist denn das nächste noch nicht, daß der subjektive Idealismus Schillers und die ideale Subjektivität Goethes in der Objektivität eines realen Idealismus sich zur wahren Mitte verbinden, sondern daß die Seiten beider Dichter, womit jeder auf seine Weise in der Subjektivität stehen bleibt, in einem dritten Dichter sich zusammenfassen, um das Prinzip der Subjektivität zu noch höherer Schärfe und bewußter Konsequenz, als es vor Schiller und Goethe sich dargestellt hatte, zusammenzufassen. Dieser Dichter ist
Jean Paul.

22 *Friedrich Wilhelm Riemer*

Aus: Mittheilungen über Goethe 1841

Vorwort

Die mehrseitigen Beziehungen in welchen ich dreißig Jahre hindurch mit *Goethe* zu stehen das Glück, ja die Auszeichnung genossen habe, erlauben mir wohl nicht allein, sondern fordern sogar, da alle Welt, befugt und unbefugt, über ihn schreibt und spricht, daß auch ich, als ein doch wohl einigermaßen Unterrichteter, ein wahrhaftes Zeugnis über ihn ablege, schon um die Pietät und Dankbarkeit, welche mir gegen ihn, zuerst als Patron, dann als amtlichen Chef, durchaus aber als wohlwollenden und wohltätigen Gönner obliegt, nach bestem Vermögen Genüge zu leisten.

Dieser Verpflichtung von meiner Seite, welche bereits manchen zu der Erwartung berechtigte mich unter denen zu sehen, welche dem Andenken dieses Unsterblichen dankbare Weihespenden widmeten, würde ich früher nachgekommen sein, hätte ich nicht geglaubt den Vortritt denen einräumen zu müssen, welche dem Verewigten ebenbürtiger an Geist und betrauter in jedem Sinne mehr geeigenschaftet waren, etwas Seiner und ihrer Würdiges darzubringen, als ich, dem weder die erforderliche Auffassungs- noch auch Darstellungsgabe verliehen ist, um einen Mann zu schildern, dessen geistige Größe, obschon von den Besseren der Gegenwart mit Bewunderung erkannt, sich doch erst im Fortschritt der Zeit zu einer völlig klaren ungetrübten Erscheinung herausstellen und dadurch zu einer allgemeineren Segenswirkung gelangen dürfte. So muß Sonne und Mond, ja jedes Gestirn, sich erst vom niedern Horizont entfernen, um aus klarer dunst- und wolkenloser Höhe, in reiner und wahrer Größe seine wohltuende Macht auszuüben.

Nun ist freilich in der langen Zwischenzeit soviel über Goethe geschrieben worden, daß bereits mehrere Stimmen sich öffentlich darüber beschweren zu müssen glaubten, indem ihres Dafürhaltens *die Akten über ihn als geschlossen* anzusehen wären.

Was aber auch diese banale Philister-Redensart, die denn doch nur verrät, daß man eine Sache gern los sein will, wie man eben Geschichte schreibt, um sich das Vergangene vom Halse zu schaffen, in ihrem Sinne bedeuten soll und kann – denn außer diesem hat sie keinen Verstand, da alles unendlich ist und immer wieder eine frische Betrachtung zuläßt – so ist doch die erste Frage ob *alle* die welche über Goethe geschrieben haben, in dem Fall waren, ihn näher, nicht bloß aus sogenanntem persönlichen Umgang [1] – der auch wohl nur in einem Spaziergange um die Stadt oder ums Feld bestehen kann – sondern auch aus geistigem und gemütlichen Verkehr, wie ein gegenseitiges Interesse aneinander ihn haben läßt, zu kennen, und wenn dies, in welche Zeit dieser Umgang, diese Verhandlungen fielen. Denn in einem 80jährigen Leben gibt es unterschiedliche Epochen, welche jede ihren besondern Charakter haben, so daß keine für die andere gänzlich einstehen kann: und so ist weder *Goethe* der Jüngling, noch G[oethe] der Mann, noch G[oethe] der Greis allein der *ganze* Goethe; erst alle drei Stationen vollenden den Menschen, indem darin seine mannigfaltigen Phases nach und nach zur Anschauung kommen. Um einen Menschen zu schätzen was er ist, muß man in Anschlag bringen *was* er war und *wie* er's geworden ist. G[oethe] ist nicht nur ein Produkt der Natur, er ist auch ein Produkt sein selbst.

Bis jetzt sind meist nur Relationen aus der letztern Epoche des Greises zum Vorschein gekommen, unter denen nur *Dr. Eckermanns* ›Gespräche‹ [2], wenn auch mit einiger Kunst geordnet – dergleichen jede Redaktion mit sich bringt – doch in Sinn und Ausdruck vollkommen wahr und zuverlässig, für authentisch gelten dürfen. Der Mann und Jüngling hingegen sind noch keineswegs völlig wahr, würdig und genügend dargestellt. Meinungen sind genug über ihn vorhanden, Anekdoten, Traditionen, Sagen, Märchen; es sind aber einseitige, dem Augenblick entnommene Ansichten, nicht einmal immer aus Autopsie, sondern aus der Erzählung anderer aufgegriffen und entstellt durch eigene Zusätze oder Auslassungen. Ja, wenn G[oethe] selbst in seinen Lebensnachrichten, mit der ihm eigenen und von andern anerkannten naiven Offenherzigkeit und Ehrlichkeit, Geständnisse seines innersten Wesens, seines geheimsten Wollens und Wirkens gibt; so ist dieses doch lange nicht alles was in seiner Natur beschlossen lag: denn des Unsichtbaren ist überhaupt mehr als des Sichtbaren; auch lange nicht alles was in seiner Seele vorgehen mußte, um ihn vom *sehnsüchtigen* Jüngling zum *resoluten* Manne zu reifen.

Man spricht nicht von der Tugend die man besitzt, wie man auch nicht weiß was an einem interessant ist; und so konnte er wenigstens das nicht selber und zuerst von sich sagen, was andere zuvor an ihm entdecken und finden mußten. »Denn was der Mensch an sich bemerkt und fühlt, scheint ihm der geringste Teil seines Daseins. Es fällt ihm mehr auf was ihm fehlt als was er besitzt, er bemerkt mehr was ihn ängstigt als was ihn ergötzt und seine Seele erweitert; und so wird meistenteils der über sich selbst und seinen vergangenen Zustand schreibt das Enge und Schmerzliche aufzeichnen, dadurch denn eine Person, wenn man so sagen darf, zusammenschrumpft. Hierzu muß erst wieder das was wir von seinen Handlungen gesehen, was wir von seinen Schriften gelesen haben, chemisch hinzugetan werden, und alsdann entsteht erst wieder ein Bild des Menschen, wie er etwa mag sein oder gewesen sein.«[3]

Seine Fehler verschweigt er demnach nicht, und man hat sie noch zu vermehren, ja zu erhöhen gewußt: denn dieses Kapitel befriedigt die Menschen am meisten und tröstet sie wegen eigener Defekte; von seinen Tugenden ist aber desto weniger die Rede, zumal nach seinem Tode, wo jede Zunge sich von dem Respekt entbunden glaubte, den sie aus Rücksichten auf Schaden oder Nutzen zu beobachten sich gedrungen fühlte. Erklärte Feinde und Gegner nicht allein, auch vermeinte Freunde und Verehrer, durch seinen Tod befreit von den Rücksichten die sie auf den Lebenden zu nehmen hatten, und froh des Zwanges ledig zu sein, den sie sich in seiner persönlichen Gegenwart antun mußten, ließen nun ihrem Haß und Neid, ihrer Galle und ihrem Spleen, ihrem Witz und ihrer Spottsucht freien Lauf, und wenn auch beide, um nicht zu offenbar ungerecht und parteiisch zu erscheinen, ihren Ausstellungen den gewöhnlichen Vortrab hergebrachter Lobesphrasen voranschickten, so kam doch der hinkende Bote des Tadels und der Nachrede bald genug hinterdrein.

Da die Überlegenheit seines Geistes sie drückte, so suchten sie zu ihrer Wiedererhebung und Aufrichtung Mängel und Schwächen an ihm auszufinden, und stellten diese, als moralische Gebrechen sie zurechnend, um so mehr heraus, je größer und unleugbarer die Tugenden und Verdienste waren denen sie anhafteten; anstatt daß umgekehrt, vor dem Lichte dieser, der Schatten jener hätte verschwinden oder zurücktreten sollen. Sie selbst gewannen dadurch nicht an eigenem Wert, und sein Minus konnte niemals zu einem Plus für sie werden.

Bedenke ich nun, daß ich einem großen Teil dieser posthumen Nachreden hätte können zuvorkommen, indem ich früher, länger und genauer in Verhältnis mit G[oethe] gestanden, als die Verfasser jener, die ihn nicht einmal alle von Person kannten, oder nur besuchsweise und gelegentlich etwas von ihm erfahren hatten; daß mir, was seine Person, seinen Charakter, seine Art zu sein und zu leben, ja seine schriftstellerische Tätigkeit betrifft, wenn auch nicht alles, doch das meiste wohl ebensogut, wo nicht besser bekannt sein konnte, bekannt sein mußte; daß ich einiges sogar als mir besonders vertraut und bewußt vor ihnen voraus hatte: dann könnte ich, mit verzeihlicher Eigenliebe, fast bedauern, daß ich mich durch Rücksichten die andere nicht kennen, und Bedenklichkeiten die sie nicht teilen, bisher habe lassen abhalten, von meiner günstigen Stellung Gebrauch zu machen. Ich könnte mir das Wort des alten Dichters zu Gemüte führen: »Schande sei es über ihn zu schweigen und die Barbaren reden lassen!«* Denn anstatt daß ich damals ein freies Feld vor mir gehabt hätte, seh ich nunmehr ein vielfach eingenommenes und besetztes, auf dem ich kaum ein Plätzchen werde gewinnen können; und wär' ich ja so glücklich, dürfte ich dennoch einen schweren Stand haben gegen der andern bereits etablierte Vorurteile und Irrtümer. Konnte ich früher ohne Anfrage und Bevorwortung auftreten, und durfte für Neues, Unbekanntes das ich brachte, einigen Dank erwarten; so muß ich jetzt, wie es scheint, erst um Erlaubnis bitten, auch bereits teilweise Bekanntes und Besprochenes vorzutragen, und sehe am Ende nur Vorwürfen und Tadel entgegen. Hätte ich früher alles was ich wußte zuerst sagen können; so habe ich mich jetzt umzusehen, ob es nicht vor mir ein anderer gesagt und ich demnach nur als Ausschreiber oder Plagiarius erscheine, möge ich es immer aus der Quelle geschöpft haben und bei seinem Entstehen gegenwärtig gewesen sein.

Damals herrschte noch allenthalben Schweigen und tiefe Trauer. Die Kunde von seinem Hingang hatte eine allgemeine Bestürzung über die Edlen der Nation, über alle *Optimaten* des Geistes verbreitet; sie ehrten den Moment durch Schweigen und Andacht.

Wie tief sein Verlust nach allen Seiten und in allen Beziehungen der Literatur und Kunst, ja des sittlichen und politischen Lebens, von ihnen empfunden wurde, wie man ihn überall *vermisse*, hat niemand wahrer, schöner und edler ausgesprochen als *Schelling* in seiner akademischen Rede[4]; und freilich kann der Geist nur vom Geiste begriffen, ein großer Mann nur von seinesgleichen völlig anerkannt und gewürdigt werden.

Nachdem sich die Kräftigsten von dem Schlage wieder erholt und seinem Beispiele folgend zu frischer Tätigkeit gewendet hatten; so erschienen, nach einem kurzen flüchtigen Abriß seiner letzten Stunden, mehr zur Befriedigung der ersten Nachfrage denn als genügende Darstellung dienend, alsobald zwei würdige Charakteristiken seiner, so *»in praktischer Wirksamkeit und ethischer Eigentümlichkeit«* wie *»in amtlichen Verhältnissen«*, verfaßt von zwei mit seiner psychischen und physischen Natur innig vertrauten Freunden und Amtsgenossen – dem Geh. Rat und Kanzler Fr. v. *Müller*[5], und dem Geh. Hofrat und Leibarzt *Dr. Vogel*[6]: – jede hinreichend um auf seine Genialität in allen Beziehungen allgemeiner aufmerksam zu machen, und sein Andenken eine Zeitlang vor dem Untersinken im Strome deutscher Vergessenheit zu bewahren.

Nunmehr aber – nach 8 Jahren – ist das Gehör des Publikums nicht mehr rein und uneingenommen; es summt und braust ihm von allerlei wirrem Getöse, von des Lobes feierlichem Posaunenschall auf der einen, wie von des Tadels höhnen-

* αἰσχρὸν σιωπᾶν, βαρβάρους δ' ἐᾶν λέγειν.

Euripides Fragm.

dem Pfeifengeschrill auf der andern Seite. Die Augen haben nicht mehr den frischen Blick, sondern sind paralysiert durch allerlei Blendungsbilder des Witzes und der Satire. Das Interesse der Neugier, der Schadenfreude, der Rankünе, bereits befriedigt, hat sich zu andern Gegenständen hingewandt, die lebendig, kurrent und hoffnungsreich neue Aussichten in ein Paradies der Freiheit und des Genusses versprechen.

Es hat sich eine Meinung gebildet, ein Urteil festgesetzt, das für alle Zeiten gelten soll und keine Berichtigung, noch weniger Zurücknahme stattfinden läßt. Auf Billigkeit, Schonung, Nachsicht hat allenfalls der noch Lebende zu rechnen; die Toten hatten ihren etwaigen Anteil im Leben dahin. Mit ihrem Abscheiden daraus, schieden sie auch von jeder Gegenwart und Zukunft, und einzig bleibt ihnen *die allem Gewesenen gleiche Vergangenheit.*

Und doch ist *nur liebreiches, ehrenvolles Andenken alles was wir den Toten zu geben vermögen,* und zwar mehr um unsertwillen: denn wer keine Erinnerung hat, hat auch keine Hoffnung. Wie kann er glauben, dereinst auch im Andenken der Menschen fortzuleben, wenn er selbst nicht in dem seinigen die früheren fortleben läßt?

Wunderlich, ich kann sagen *weh* wird es mir manchmal zumute, wenn ich hören und lesen muß, was alles G[oethe] soll gewesen und nicht gewesen sein, was er gekonnt und nicht gekonnt, getan und nicht getan, gesagt und nicht gesagt haben soll, da ich ihn doch auch gesehen, gehört und gekannt habe. In dreißig Jahren kann man doch endlich jemanden kennenlernen, zumal einen der sich gibt wie er ist; der einen Charakter hat der sich gleich bleibt, der nichts affichiert und affektiert was er nicht hat und nicht ist; und der nicht Ursache hat gegen Untergeordnete sich zu verstellen oder geheim zu tun, wenn er ihrer Diskretion versichert ist. Von seiner literarischen Tätigkeit bin ich durchgängig Zeuge, Mitgehülfe, gelegentlich auch Begutachter, zum wenigsten Monent, Korrektor und Revisor der Manuskripte gewesen.

Alles was er in Prosa und Versen veröffentlicht hat, ist mehr als einmal, entweder geschrieben oder gedruckt, durch meine Hände gegangen, hat meine genauere Durchsicht, mindestens meinen Überblick erfahren; unzählige Briefe an seine Freunde und Vertraute habe ich geschrieben oder nachher gelesen, und so dürfte ich endlich wissen, wie er dachte und nicht dachte, was sein oder nicht sein ist; wäre dies auch nur Sache des Gedächtnisses und kein kritischer Sinn oder auch nur Takt und Instinkt der es ahndet und trifft.

Aber auch sein häusliches gemütliches Leben ist mir nicht fremd geblieben. Ich habe auch den *Menschen* gesehen, voll allgemeinen und besondern Wohlwollens gegen seine Mitbrüder; den liebreichen Vater, den zärtlichen Gatten, den teilnehmenden Freund, den heitern Gesellschafter, den patriarchalischen Greis im Kreise seiner Enkel; den freundlichen und gütigen Herrn gegen Diener und Untergebene; den leutseligen ansprächigen Mann gegen Niedere und Unglückliche. In allen diesen Beziehungen zeigte er sich in so natürlicher ungezwungener Fassung und Haltung, daß sein Betragen ein angeborenes, kein angenommenes erschien.

Als einen Menschen lernte ich ihn ferner kennen in seinen Neigungen und Abneigungen, physischen wie moralischen; seinen Idiosynkrasien und Idiopathien: er verhehlte sie nicht vor Bekannten, und Fremde konnten sie seiner Stille und seiner Miene abmerken. Kurz, ich habe, ohne mich deshalb damit brüsten zu wollen, in meiner Stellung so oft und so vielfach Gelegenheit gehabt, unabsichtlich und also unbefangner, ich will nicht sagen ihn zu beobachten – welches schon Vorsatz sehen zu wollen ausdrückt – sondern unwillkürlich ihn *gewahrzuwerden,* so daß, wenn man andere über ihn sagen und schreiben läßt was ihnen nur in den Mund und in die Feder kommt, mir wenigstens soviel vergönnt sein wird, nur was ich selbst erfahren auszusprechen, ohne mir, wie andere, nach gewissen angenommenen Maximen und Regeln heraus zu vernünfteln und zu kalkulieren, *wie* und *was* er demzufolge sein oder nicht sein mußte; ohne durch einen Paralogismus ihrer Art zu behaupten, daß er es auch wirklich war oder nicht war.

Wer kann den ganzen Komplex seiner intellektuellen und moralischen Eigenschaften, seiner Tugenden und Fehler, seines Anziehenden und Abstoßenden in *ein* Wort zusammenfassen, wie ein Nomen proprium seiner Individualität, das diese ebenso kenntlich und unterscheidend bezeichnete wie der Name *Goethe* seine Persönlichkeit? Sagt er nicht selbst:

»Ihr sucht die Menschen zu benennen
Und glaubt am *Namen* sie zu kennen;
Wer tiefer sieht gesteht sich frei:
Es ist was *Anonymes* dabei.«[7]

Und so wird man ihn nicht erschöpfend aussprechen, wenn man ihn mit einem Parteinamen belegt, der nur die Einseitigkeit der Täufer bezeichnet. »Individuum est ineffabile.«[8]

Diese Nähe vor andern wird mir hoffentlich dabei nicht geschadet haben; ja sie müßte, nach dem beliebten schönen Grundsatz, »daß es für den Kammerdiener keinen Helden gebe«, da sie zur Kenntnis und Wahrnehmung eines Details führte, das in der Ferne undeutlich erscheint oder völlig verschwindet, eher für Unparteilichkeit sprechen, an der doch gewissen Leuten so ängstlich gelegen ist[9], daß auf ihrer Goldwaage fremden Verdienstes ja kein Gran oder Karat seines Wertes und Gewichtes zu viel angegeben werde. Allein aus Furcht vor Parteilichkeit *für* eine Sache scheuen sie die Nähe derselben, halten aber dagegen den blauen Dunst der Ferne für das Wahre, ohne zu merken, daß darin eine Parteilichkeit *gegen* die Sache liege.

Wenn alles Leben überhaupt, das große wie das kleine, in Detail besteht, und sich nur dadurch eins von dem andern unterscheidet, daß ein jedes andere Einzelheiten, oder dieselben in einer andern Folge, darbietet; so sehe ich nicht, wie die Ferne, die nur eine einseitige subjektive Ansicht und Wahrnahme des Beschauers zuläßt, zur genauern und richtigen Kenntnis des Gegenstandes führen könne? Wie der fernstehende Beobachter oder Betrachter aus einem fixen Standpunkt, aus dem Augpunkt der Perspektive, mehr und besser von dem Gegenstande unterrichtet sein solle, als der nähere und nächste, wenn dessen Beschauung den

Gegenstand von allen Seiten umlaufen und umgreifen kann? Dieser erfährt alle die einzelnen Posten und Ansätze, die zusammen erst jenes summa summarum geben, welches die Ferne wie in Bausch und Bogen involviert: ein Resultat das selten dem Interesse und der Bedeutung gleichkommt, welche wir oft schon an einer einzelnen Nummer in der Rechnung zu nehmen und zu finden pflegen.* Wäre an einem Menschenleben nicht mehr als was davon gerade den andern erscheint, ihretwegen wäre es dann nicht der Mühe wert es zu leben und gelebt zu haben. Was weiß denn einer vom andern als eben nur soviel wie ihm gerade zu Augen und Ohren kommt? Denn auch von dem öffentlichsten und offenkundigsten ist es nur der äußere Schein der wahrgenommen wird, das innere Wesen das zum Grunde liegt, ist ein Rätsel oder Geheimnis, sogar sich selbst. Überhaupt ist es schwer wahres Verdienst zu kennen oder zu beurteilen, wenn man es nicht selbst besitzt; und wer vollends nur auf das Gerede von andern horcht, wie will *der* ein Urteil haben, das er *sein* nennen kann? »Ist doch keine Neigung, keine Gewohnheit so stark, daß sie gegen die Mißreden vorzüglicher Menschen, in die man Vertrauen setzt, auf die Länge sich erhalten könnte. Immer bleibt etwas hangen, und wenn man nicht unbedingt lieben darf, sieht es mit der Liebe schon mißlich aus. Liebe und Verehrung wollen durchaus unbedingt sein.« [10]

Diese Betrachtung übt eine eigene moralische Wirkung auf mich aus, die sich in die Überzeugung konzentriert: wie so gar wenig oder nichts von einer öffentlichen Meinung über uns zu halten und darauf zu geben sein könne, da wir als Objekte derselben in ihr fast aufgezehrt und vernichtet werden, so daß, wie des Menschen Leib in der Erde zerfallend vergeht, auch dessen Geist und Seele in dem Dunstkreis der öffentlichen Meinung ein ähnliches Schicksal erfährt: gleich Wolken in der obern Atmosphäre, aufgelöst zu verschwinden.

Daß demnach einem vernünftigen und weisen Manne wenig oder nichts gelegen sein könne an dem sogenannten *Ruhm* – anfänglich ein lärmender rumor, zuletzt in einen schweigenden *Ruhm* apokopiert – der wie ein dichteres Medium das Lichtbild zwar vergrößert, dafür aber unwahr, undeutlich und ohne das Detail erscheinen läßt, wodurch es allein anziehend und bedeutend wird.

Daß mithin dem Menschen eigentlich nur *ein* respektables, zu konservierendes Verhältnis bleibe, zu *sich selbst* und *zu dem Urheber seiner Existenz*. Wie er nur dieses beides rein, wahr und beständig erhalten müsse, und dann unbekümmert sein könne, was die Leute, die sogenannte Welt von ihm meinen, denken und urteilen möge.

Denn auch das Provozieren auf die Nachwelt gewährt keinen Trost. Die Nachwelt urteilt nicht besser als die Mitwelt. Die jetzt Lebenden sind ja auch die Nachwelt einer Vorwelt und nun frage sich ein jeder wie er sich gegen diese verhalte? Wie viel, oder vielmehr wie wenig er von ihr weiß, wie richtig oder wie falsch er von ihr urteilt? Und so wird es ihm bei der Nachwelt auch ergehen. Lebe nur jeder so fort wie er kann, um das Gerede der Mit- und Nachwelt gleich unbeküm-

* Wie vielen deucht nicht G[oethes] Jugendepoche und Jugendleistung interessanter und wichtiger als alle Bildung und Weisheit des Greises, ja als das Resultat seines ganzen Lebens!

mert: er wird es keiner zu Recht und zu Dank machen. Seine Mitwelt wars die G[oethe]n nicht erkannte; seine Nachwelt verdient ihn nicht: denn sie hofft schon auf einen andern, Gott weiß wann? kommenden poetischen Messias.

Die lebendige Einsicht in dieses Verhältnis, die stille Ergebung darein, wird ihn nicht nur für sich selbst schützen und bewahren, sondern ihn auch mit seinem ebenso situierten Mitmenschen, d. h. Leidensgefährten, daß ich so sage, in guter *Kameradschaft* erhalten, da er in einem Korps der Menschheit mit ihm dient, und bei dieser Koordination auch einer gleichen Subordination unterworfen ist. Wie er sich selbst liebt wird er auch seinen Nächsten lieben, ihm helfen, ihm beistehen, und *wo* und *wie* er kann ihn verteidigen und bei Ehre und gutem Namen erhalten.

In diesem Sinne einer natürlichen Selbstliebe, die sich auch in dem moralischen *Unwillen* über Unbill und Unrecht das einem andern widerfährt, offenbart – einer *Nemesis* die jeder ausübt, wenn er einen wider Verschulden getadelt oder gestraft, wider Verdienst gelobt und belohnt sieht – in diesem Sinne habe ich eine *Apologie* des vielfach verkannten und vielfach verunglimpften Mannes, dem ich meine bürgerliche Existenz, dem ich intellektuelle Bildung, dem zunächst ich mich selbst verdanke, wenn auch ziemlich der letzte, aber doch nicht zu spät unternommen. Ich habe mich bemüht aus seinen eigenen Worten und Werken, *die mir doch etwas früher als dem Publikum bekannt geworden*, zuförderst seinen Charakter entnehmen zu lassen und durch ihn selbst seine Rechtfertigung zu führen; die interessantesten Aufschlüsse über sein Leben, zumal aus der frühern weimarischen, wenig bekannten Epoche desselben, mitzuteilen; und zuletzt von der Entstehung seiner Schriften, seinem Urteil über dieselben, ihren Schicksalen und Veränderungen, nach Zeit und Absicht, soweit ich als Mitherausgeber von dem allen unterrichtet sein konnte, ausführlicher als andre vermöchten, Auskunft und Rechenschaft zu geben; schließlich auch noch manche nicht bekannte Bemerkungen und Urteile über alte und neuere Schriftsteller, Personen und Begebenheiten seiner Zeit, nebst trefflichen Maximen und sinnreichen Apophthegmen, als Beispiele von seinen Tischreden, hinzuzufügen, um auch in diesen beiläufigen Äußerungen seinen Charakter und seine Gesinnungen gleich vorteilhaft offenbart zu sehen.

Daß ich nun aber bei einer solchen Rechtfertigung nicht ohne Polemik verfahren konnte, liegt in der Natur der Aufgabe. Wer etwas zu verteidigen hat, greift seinerseits auch an; und die Art der Abwehr richtet sich nach der Art des Angriffs. Man hat G[oethe]n von allen Seiten angegriffen und auf eine Weise, die weder durch ein *Recht in der Sache*, noch durch ein *Herkommen des Verfahrens* zu entschuldigen ist. Ungebühr mußte nach Gebühr abgewiesen werden.

Die Beurteilung seines Talents als Dichter dürfte nur wenigen zukommen, die seinesgleichen sind und ohne Künstlerneid. Die Bestimmung aber seines moralischen Wertes als Mensch liegt, nach Philosophie und Christentum, außer dem Bereich und außer der Befugnis eines Mitmenschen gegen den andern, zumal eines solchen, der weder die Person noch das Leben des andern hinlänglich kennt, um darüber abzusprechen.

Mit welchem *Fug* und *Recht* also hat man G[oethe]n angetastet?

Sich selbst hat man bloßgestellt in *Urteil* und *Sitte*.

Die *gemeine* und *allgemeine* Unart der Menschen: *Dünkel* und *Neid*, hat sich gegen ihn ausgesprochen, nur in deutschem Ton, in deutscher Farbe. Jener *hochmütige* Dünkel, der alles *schon* und *besser* weiß, besser versteht, besser kann; mit dem *niederträchtigen* Neide, der jeden *Vorzug*, jede *Auszeichnung* von Natur oder Glück verliehen, mißgönnt, dessen Wahlspruch nemo de nobis excellat unus * unter jedem Volke herrscht **, und das Feldgeschrei der *allgemeinen Gleichheit* ist;

Der *faule Egoismus*, der vom andern verlangt, er solle statt seiner und für ihn tun was ihm selbst zu tun obliegt;

Die *fanatische Intoleranz*, welche für sich Toleranz begehrt, und wenn sie schießt, nicht haben will, daß man wieder schieße.

Aber wie jeder sein Leben, wird es angegriffen, verteidigen darf, so auch was des Lebens Leben ist, seine Meinung, seine Überzeugung.

»In jetziger Zeit – sagt G[oethe] – soll niemand schweigen noch nachgeben. Man muß reden und sich rühren, nicht um zu überwinden, sondern sich auf seinem Posten zu erhalten; ob bei der Majorität oder Minorität ist ganz gleichgültig.«[11] Und so werden *Laube* *** und seine Glaubensgenossen nichts dagegen einwenden können, wenn wir uns *»einiger Unhöflichkeit und Grausamkeit, die alles erschlagen haben will was nicht sterben mag«*, möglichst widersetzend, uns so lange wehren als wir können, um den Gegnern den Sieg nicht allzu leicht zu machen. Einen tapfern Feind überwunden zu haben, erwirbt ihnen ja größere Ehre. Auch kommt ihnen der Zeitgeist zum Sukkurs und wird bald reines Feld gemacht haben, freilich mit der Aussicht dereinst auch wieder aus dem Felde geschlagen zu werden.

[...]

Kein deutscher Autor hat soviel von Natur, Leben, Kunst und Wissen in sich aufgenommen, es mit seinem ganzen Wesen so innig verarbeitet und verschmolzen, es durch und in ihm selbst der Welt mitgeteilt, wenn sie es anders sehen, erkennen und nutzen will, als eben er.

Es zirkulieren in ihm des Geistes großartigste und fruchtbarste Ideen, des Herzens edelste und zarteste Gefühle, der Sinne feinste und mannigfaltigste Empfindungen, des Lebens weiseste Vorschriften und Maximen, um zu Tugend und Glückseligkeit zu gelangen.

Nur erst eine ruhige, leidenschaftsfreie, allein auf Wahrheit ausgehende Folgezeit wird in der Fassung sein, dies alles mit Freuden gewahr zu werden, mit Liebe

* Worte der Ephesier bei Vertreibung ihres ausgezeichnetsten und bravsten Mitbürgers: *Cicero* Tuscul. V, 36.

Vergl.

»Willst Du besser sein als wir,
Lieber Freund so wandre.« (G's. W. Bd. II, 276)

** An hoc non ita fit in omni populo? *Cicero* I. I.

*** Geschichte der deutschen Literatur, Teil II, Seite 156.[12]

festzuhalten, und durch Wort und Tat in eine allgemeinere Bildung zu verwenden.

Möchte es daher dieser Schrift gelingen, nur einiges nicht ganz Unbedeutende zu genauerer und besserer Kenntnis, zu verdienter allgemeinerer Anerkennung, zu steigender Wertschätzung und Benutzung des verkannten mannigfaltigen *Guten* und *Schönen,* welches der Nation in *Goethes* Dasein und Wirken zuteil geworden, beizutragen; dann dürfte wohl auch die Art wie es nach Maßgabe der Umstände nur geschehen konnte, um der guten Absicht willen, Entschuldigung finden, und der Verfasser in dem Bewußtsein einer heiligen ihm besonders obliegenden Pflicht, die *Manen* seines großen Wohltäters gegen ungerechten Tadel, unziemlichen Mutwillen und freche Beleidigung zu schützen und zu verteidigen, nachgekommen zu sein, sich hinreichend belohnt fühlen.

Persönlichkeit

»O, mich dünkt immer: die Gestalt des Menschen ist der Text zu allem, was sich über ihn empfinden und sagen läßt.« ›Stella.‹ [13] Diese kostbare Bemerkung läßt sich auf G[oethe] selbst anwenden. Seine Persönlichkeit, lebendig angeschaut, war ein unerschöpflicher Text an sich und zugleich ein Kommentar seiner Werke. Diejenigen entbehren unsäglich, die ihn nicht persönlich kannten, um seine Werke, prosaische wie poetische, ganz zu verstehen, und ihn darin wiederzufinden. Mensch und Autor waren bei ihm nicht getrennt, wie bei andern, denen die Schriftstellerei nur als eine Art von Amtskleidung überhangt. Bei G[oethe] dachte man nicht, daß man das auch geschrieben und gedruckt würde haben können, was man von ihm hörte und sah, und war erfreut, es dann als Buch wieder zu finden und durch Autopsie die Erklärung und das Verständnis vorausgewonnen zu haben: denn »der ganze Mensch enthielt auch den ganzen Schriftsteller«.[14]

Wirklich erklärt G[oethe]s Persönlichkeit alles was man in seinen Schriften und in seinem Leben Eigentümliches und Besonderes wahrnimmt. Man muß ihn gesehen und gehört haben, um sowohl den Adel seiner Seele, die Tiefe und Innigkeit seines Gemüts, die Liebe, Güte, Milde, Sanftmut, Schonung und Duldsamkeit seiner Natur zu empfinden, als den guten Humor, den heitern Scherz, die feine Ironie und das gutmütige sich selbst zum besten haben darin wieder zu erkennen; und sogar Tadel und Rüge, wenn auch zuweilen heftig, nur gerecht, nicht grämlich zu finden.

Man mußte ihn sehen, um gleich die mächtige aber zusammengefaßte sich selbst beherrschende Natur zu ahnden, die einen unendlichen Schatz, einen unerschöpflichen Reichtum von Gedanken und Gefühlen, Wahrnehmungen und Lebenserfahrungen bescheiden und anspruchslos verwahrte, einen Schatz, der in hundertfacher Gestalt und Weise durch die Zeit offenbart werden sollte, und den 80 Jahre des Lebens nicht erschöpften, weil er immer neuen Zuwachs aus sich selbst erhielt.

Waren es auch nicht jederzeit duftende Blumen und glänzende Früchte, die das Füllhorn seines Geistes ausschüttete, so waren es doch gereifte Samenkörner, edle Pfropfreiser, tüchtige Senker, die es bis zum letzten Moment spendete.

Man mußte die Augen sehen, aus deren sanftem, mildem Ernst die Liebe, die Gunst, das Wohlwollen hervorleuchtete, mit der er Natur und Menschen aufzufassen und darzustellen vermochte; man mußte die treuherzige Gutmütigkeit wahrnehmen, womit er ein solches Vertrauen einflößte, daß man ihm Schwächen und Eigenheiten des Herzens sowohl als Bedrängnisse des Lebens gern bekennen mochte; man mußte die teilnehmende Beruhigung erfahren, die aus dem lieblichsten Munde hervorging, der sich nur öffnete, um mit weisem Zuspruch jeden auf die eigenen Heilkräfte aufmerksam zu machen und dadurch Trost, Erquikkung, Heiterkeit und Freude einem jeden an sich selbst zu verschaffen, nie aber in harten Vorwurf, bittren Spott und herben Tadel sich ausließ; aus einem Munde, sage ich, den nichts entstellte, kein Lachen, kein Weinen, kein Verdruß und Ärger, und den sogar Schelten und Zorn nicht verunstaltete: einem so wundersam geformten Organ, daß es einen bildenden Künstler zur Verzweiflung bringen konnte, wenn er es darstellen sollte, und das an sich schon den Beruf die Sprache der Musen und Grazien zu reden beurkundete.

Man mußte ferner ihn sehen, wie er strack und fest auf seinen Füßen stand, wie er einherging ernsten und sichern Schrittes und doch gewandten Körpers. Eine frühe Gymnastik: Tanzen, Fechten, Schlittschuhlaufen, Reiten, sogar Kurier- und Parforceritte, hatten ihm diese Beweglichkeit und Gewandtheit mitgeteilt; die ihm auf den schlimmsten Pfaden keinen Fehltritt tun ließ, nicht in Gefahr des Ausgleitens, des Fallens brachte, daß er über Glatteis, schmale Stege, schroffe Fels- und Fußsteige leicht und sicher hinauskam. Wie er als Jüngling in Felsklüften und Steingeröllen mit seinem fürstlichen Freunde herumklettert, Turmhöhen und Alpenklippen mit Gemsenfreche erklimmt, so ist ihm, bereits ein Mann, bei seinen geologischen Forschungen fünfzig Jahre hindurch »kein Berg zu hoch, kein Schacht zu tief, kein Stollen zu niedrig, und keine Höhle labyrinthisch genug.«[15]

Mit ebenso unverdrossener, unermüdlicher Beweglichkeit sehen wir ihn bei den häufigen Feuersbrünsten jener Zeit in Stadt und Land, und ebenso bei Überschwemmungen, zu jeder Tageszeit und Stunde, zu Roß und zu Fuß dahin eilen, wo die Gefahr am größten ist und durch kluge Anordnungen und selbsttätige Mithülfe möglichst retten und abwehren, mit so wenig Schonung seiner selbst, daß er sich einmal die Augenwimpern versengt, und in den Stiefeln das Wasser bis zum Sieden erhitzt fühlt. – Diese und andere spätere Strapazen im Felde sind wohl die besten Beweise einer körperlichen Askese, die nicht ohne sichtbaren Ausdruck bleiben konnte.

Wenn er in den letztern Jahren seines langen Lebens nicht mehr die Raschheit eines jugendlichen Ganges zeigte, so trägt das vorgerückte Alter nicht allein die Schuld; sie fällt auch zum Teil auf den mindern Gebrauch von mannigfacher Bewegung, zum Teil aber auf die Mittel, welche zur Abwendung eines Lebensgefahr drohenden Übels angewendet, seine Füße fesselten, und ihm unwillkürlich einen mehr schiebenden als gehobenen Schritt abnötigten.

Gleichwohl hielt er sich immer strack und gerade, mit zurückgezogenen Schultern, eine Haltung, die ihm von früh an habituell geworden, und die er auch jungen Leuten, zumal Schauspielern, anempfahl, und welche sich bei keinem mit besserem sichtlichern Erfolg bewährte, als bei seinem eignen Sohn, der durch fortgesetzte Übung und Aufmerksamkeit auf sich zu einer solchen Repräsentation gelangte, daß seine Brust, ohne die Surrogate der Kunst, eine Breite und Ausbildung gewann, welche sie den antiken Musterbildern eines *Antinous* oder *Meleager* nicht ungleich erscheinen ließ, und der sonoren Stimme des jungen Mannes eine solche Resonanz gab, daß sie den größten gefüllten Raum noch allvernehmbar durchdringen konnte.

Daß dazu die Haltung der Hände auf den Rücken sehr vieles beitrage, ist eine zu bekannte Erfahrung, als daß ich sie erwähnen würde, wenn ich nicht hinzuzusetzen hätte, daß G[oethe] diese Stellung in Momenten ruhiger Unterhaltung, wenn sie stehend geführt wurde, sehr gern annahm; welche jedoch nach seiner bescheidenen Erklärung, eigentlich nur den Fürsten am besten kleide, weil sie ein vollkommenes Sicherheitsgefühl ausspreche, und ebenso Vertrauen bezeige als hervorrufe, indem sie den sich Nähernden ebenfalls ruhigen, unbefangenen Zutritt gestatte.

In dieser charakteristischen Angewohnheit, die wie gesagt zum Habitus geworden, hat ihn *Rauch* vortrefflich dargestellt [16], in einem kleinen Standbilde, welches, wenn auch nicht die vollkommenste schärfste Ähnlichkeit in den Gesichtszügen, doch die vollendetste Naturwahrheit in der ganzen Haltung und Stellung vergegenwärtigt, obschon ein Mißwollender die ganze Auffassung, mehr in bezug auf den Dichter als auf den Künstler, mit spöttlichem Tadel noch erst kürzlich belegen mochte.

Ebenso hätte einer meiner Vorgänger [17], indem er die Statur G[oethe]s beschreibt, sich anschaulicher ausdrücken können, wenn er, eingedenk der homerischen Andeutung von des Odysseus und Menelaos Leibesgestalten und ihrem Verhalten zu einander im Stehen und Sitzen [18], gesagt hätte, daß G[oethe] sich im Sitzen imposanter ausgenommen, wodurch sein Oberleib als länger bezeichnet wird.

Dafür läßt er ihn zu Pferde nicht *gut schließen*, wodurch er als Reiter in einem Nachteil erscheint, der nach den eben erwähnten Kurier- und Parforceritten nicht wohl gedenkbar ist, auch nicht durch Zeugnisse zu konstatieren, da ihn die letzten 20 Jahre niemand zu Pferde gesehen hat, und der Bemerker am wenigsten.

Eine Persönlichkeit wie G[oethe]s ist *mir* zum wenigsten unter deutschen Gelehrten und Dichtern noch nicht vorgekommen. Ihre Anziehungskraft lag nicht allein in der Ahndung von seinem geistigen Vermögen, seinem Wissen und Können, nicht nur in der Anmut und Liebenswürdigkeit seiner Sitten, sondern darin, daß man hier einen vollkommenen *Menschen*, einen nach allen Seiten hin selbstbewußten und gebildeten, mit einem Worte *emanzipierten* Menschen vor sich sah, dem man vertrauensvoll sich hingeben mochte, weil ihm kein menschliches Gefühl und Geschick fremd sein konnte, und dessen geistiges Übergewicht niemanden beschämte noch kränkte, weil es mit Milde und Menschenfreundlichkeit gepaart sich zum Gleichgewicht neigte.

Wie viele haben ihm nicht die geheimsten Konfessionen gemacht! Er pflegte sich auch wohl im Scherz den Großpönitentiarius zu nennen. Und er war es auch in mehr als einem Sinne: denn man konnte ihm nichts offenbaren, was er nicht schon a priori gekannt und gewußt hätte; auch war er verschwiegener als der Beichtstuhl, zum großen Ärger aller *Ubiquisten* [19], die gern etwas aus ihm herausgelockt hätten.

Die ihn für stolz und steif ausgeben, haben ihn selbst schlecht gekannt, und nur obenhin nach zufälligen Äußerlichkeiten beurteilt.

Daß G[oethe] auch in späteren Jahren nach etwas ausgesehen haben müsse – denn über die frühern ist kein Zweifel, da von seiner Schönheit, Lebendigkeit und Genialität aller Orten zu lesen ist – zeigt schon dies, daß Napoleon bei seinem Anblick ausrief: c'est un homme! [20]

Ein an sich schon ebenmäßig und schön gebildeter Mensch, der bis in sein männliches Alter alle edlen Leibesübungen getrieben hat, ein vortrefflicher Schlittschuhläufer, ein leidenschaftlicher Tänzer, ein verwegener Reiter, ein kühner Kletterer, kann niemals steif und *eckig* gewesen sein, und selbst in hohen Jahren mußte man ihm diese mannigfache Dressur und Schule noch ansehen, wie einer, der früher Militär war, noch die Auszeichnung bewahrt, die ihm sein ehemaliger Stand als einen Character indelebilis aufprägt.

Selbststeife Philister, unbeholfene linkische Gelehrte, wie sie sonst in Deutschland häufiger zu sehen und gleich zu erkennen waren, kriechende Bücklingmacher und Scharrfüßer, wie *»der Meister einer ländlichen Schule«*, vor denen G[oethe] nicht so wie sie den Rücken krümmte, – weil er nichts zu erschleichen, nichts zu sollizitieren hatte, und auch außerdem sich nur seinem Stande und seiner Würde gemäß betrug, sich stets aufrecht und gerade hielt, sich nirgends anlehnte, keine *mehr als nachlässige* Stellung und Sitzung sich erlaubte, so daß man überall nicht etwa nur den Hofmann, sondern den Mann von guter Erziehung und Lebensart sogleich in ihm erkannte – nur solche Mannequins konnten ihm dergleichen aus Rache nachsagen, wenn etwa der Minister den Poeten in Schutz nehmen mußte, gegen die zudringliche Konfraternität gleich umhalsender und handdrückender biderber Söhne Thuiskons.

Doch war es keineswegs der Minister allein; es war auch der weltkluge Menschenkenner, der gegen solchen Enthusiasmus einige Apprehension hegte, weil er aus Erfahrung wußte, an was für leichtzerreißenden Fäden ein so improvisierter Enthusiasmus zu hangen pflegt.

Eckig, ja zackig waren Leute unter seinen frühern und spätern Umgebungen, denen der Balken ihres eigenen Auges sich, bei der nähern Betrachtung des Splitters in dem seinigen, so hervorschob, daß sie, was in ihnen war, außer sich zu sehen glaubten.

Denn wenn schon seine Porträtisten immer etwas von ihnen selber, Augen und Mund, Behagen und Mißbehagen in ihre Abbildung hineinschattierten; wäre es zu verwundern, wenn einer von seinen prosaischen Gestalt-Beschreibern nicht etwas de suo eingeschwärzt haben sollte?

Mit dieser Steifheit und Eckigkeit wäre es also nichts, oder sie wäre wenigstens nicht weither, nur erst aus den letzten zehn Jahren, indem ein 70jähriger Mann unmöglich die Gewandtheit eines Jünglings haben, noch anstandshalber überall zeigen kann. Alle Würde hat etwas Gehaltenes, Langsames. Heftigkeit und fahriges Wesen sind unverträglich mit der Gravität. Alles Feierliche, Ernste, Traurige ist langsam; will man das Steifheit nennen, so herrscht sie freilich auch in der Kirche wie auf dem Gottesacker, bei Hofe wie auf dem Paradeplatz, und ist dann ein unvermeidliches Übel, mit dem man sich durch die Betrachtung abfinden muß, daß die Welt aus Gegensätzen besteht, die zwar einander negieren, aber nicht aufheben können.

Ebenso problematisch sieht es mit dem vorgeworfenen Stolze aus, den man ihn ab- oder angesehen haben will, mögen nun damit die äußern sichtbaren Zeichen, worin er sich kundzugeben pflegt, als Gang. Stand, Haltung, Gebärde und Manier gemeint sein, oder andre mehr aus Worten, geäußerten Meinungen und Betragen in Gesellschaft zu entnehmende Merkmale; in beiden Fällen ist man weit von der Wahrheit entfernt. Daß das Bewußtsein einer innern geistigen und sittlichen Würde, daß insonders die Festigkeit eines Charakters sich auch äußerlich auspräge, ist wohl keine Frage, und dürfte keine Rüge verdienen.

[...]

Was will es also heißen, wenn man G[oethe]n den Ausdruck seiner menschlichen Würde, sie mit der amtlichen verwechselnd oder vermischend, zum Vorwurf macht, ewig von Ministerwesen, Ministerstolz, Ministerwinkeln [21] und was dergleichen demokratischer Ausstellungen mehr sind, die hauptsächlich aus gewissen *Pfaffenwinkeln* sich herschreiben, einem neidischen, schadenfrohen Publikum vorschwatzt, das weit lieber dem Falschen Glauben schenkt als dem Wahren, zumal wenn es dadurch eines lästigen Respekts entbunden zu sein sich getrösten kann.

Schon als Knabe war er unter seinesgleichen wegen einer gewissen Würde berufen, die damals doch nichts anders sein konnte, als der Ausdruck des Vorgefühls dessen, was in ihm lag, wozu er berufen war, und womit er ein langes Pyramidenleben auszufüllen hatte.

Sie kündete sich aber mehr in einem natürlichen angebornen Ernste, man könnte eher sagen, durch einen Zug von Melancholie an, durch Spuren überstandenen Leidens, und durchgeführter allseitiger Tätigkeit, einem Air de grands chagrins, wie ein Diplomat bemerkte [22], als durch eine vorsätzlich angenommene Gravität. Sie borgte ihren Ausdruck nicht von der amtlichen und Standeswürde, die gar leicht zu gewinnen ist nach dem Sprichwort: Consules quidem creantur, at poeta nascitur; im Gegenteil gab sie dieser erst den echten Gehalt und die volle Bedeutung. Und auch diese Gravität ging doch nicht über das Maß des guten Anstandes und des sozialen Tons hinaus. Von stolzen Gebärden kann demnach so wenig die Rede sein wie von steifen.

[...]

Ja er wußte, daß er einen Schatz besaß, den ihm Gott und Natur gegeben hatten; aber er war nicht stolz darauf, wie auf ein selbstgemachtes oder erworbenes, er dankte seinen Gebern dafür und wurde nicht müde, auch in den spätesten Jahren diesen Dank in Vers und Prosa zu wiederholen.

Da er sich nur als den Verwalter dieses gottgegebenen Pfundes ansah, so war er im Herzen »*demütig* – wie alle großen Männer, die er kannte«[23] und »mocht's gern bleiben, wenn man ihn nur dabei lassen wollte.«[24]

Gegen die literarischen Gassenbuben, die ihn öffentlich mit Steinen und Kot bewarfen, konnte er sich freilich nur wie ein vornehmer Mann benehmen, und mit Ruhe und Anstand seines Weges gehen; was sie dann für Stolz ausgeben.

Diejenigen beurteilten ihn nach sich, welche meinten, der *Weihrauchduft* seiner Verehrer habe ihm das Haupt eingenommen und seine Sinne umnebelt.

[. . .]

Die Huldigungen der Deutschen sind auch wohl von der Art, daß *einer* Ursache hätte, sich etwas darauf besonders einzubilden. Der Ruhm, den sie gewähren, gleicht keineswegs dem Zirkel im Wasser, der, wie Shakspeare sagt, niemals aufhöre sich selbst zu erweitern, bis die Verbreitung ihn in nichts zerstöre; sondern nur der Wirkung eines in einen Sumpfbrei geschleuderten Steins, der zwar einen augenblicklichen *Patsch* oder *Klatsch*, aber keine sich fortsetzende Ringel gibt. Wer da weiß, wie es allen genialen Vorläufern G[oethe]s ergangen ist, wie es seinen nächsten Nachfolgern jetzt ergeht, der kann sich vorstellen, wie G[oethe] in bezug auf sich darüber denken mußte. Ihm, »dessen Herzen der Beifall einer unbekannten Menge nur bange machte«[25] – weil er die mehr stoffartige als rein ästhetische Wirkung seiner Poesien auf die deutschen Gemüter kannte – da ihm seine Freunde sogar »so Verbindliches in den Bart sagten« wie zu lesen ist[26] – ihm sollte an der gaffenden Bewunderung einer unverständigen Menge etwas gelegen haben? an dem digito monstrarier * und dem οὗτος ἐκεῖνος,**, das wohl einem Demosthenes gut deuchten mochte, aber freilich unter einer ganz andern, des Enthusiasmus fähigern Nation; Goethen aber als bloß quästionierende Neugier nur inkommodierte, daher er sich durch ein Inkognito auf Reisen dagegen zu retten suchte, ja das frühe Bekanntwerden als Autor eher für ein Unglück als für ein Glück zu achten geneigt war.

Nein! sein Wahlspruch war vielmehr:

»Selig, wer sich vor der Welt
Ohne Haß verschließt,
Einen Freund am Busen hält,
Und mit dem genießt.« etc.[27]

Er dichtete, *weil* er mußte, zu seinem Talent, der Basis seiner Selbstständigkeit, verdammt, und *wann* er mußte, d. h. die Muse ihn antrieb; für sich, »da das Hervorbringen selbst ein Vergnügen und sein eigner Lohn ist« und für teilnehmende Freunde; nicht um dem Publikum zu dienen, das weder Dank noch Stimmung gibt; nicht für Alt und Jung, nach dem er sein Leben lang nicht fragte; noch für den Ruhm, dem er auch nicht am Ende des Lebens nachjagen mochte.

* *Persii* Sat. I, 28
** *Plinii* Epist. IX, 23.

Doch diese selbstständige Gesinnung, dieses *eigne Herz*, werden wir noch öfter und deutlicher ausgesprochen finden.

Umgebung

Man hat in der letzten Zeit mitunter die Klagen vernehmen müssen, G[oethe] sei schlecht umgeben gewesen; welches wohl soviel heißen soll: die Personen welche Zutritt zu ihm hatten und seines Umgangs gewürdigt wurden, seien von keinem Wert und Belang und tief unter ihm gewesen. Nun möchte von einem *täglichen* und *persönlichen* Umgang mit *völlig ebenbürtigen* Geistern, seit *Schillers* Hintritt, wohl freilich nicht die Rede sein können; aber an Personen von Geist, Geschmack, Gelehrsamkeit und Kenntnissen aller Art, von ungewöhnlicher Bildung und feinem Betragen, fehlte es ihm nicht, die abwechselnd, Tag um Tag ihn besuchten – wie ein Kanzler von *Müller*, die Hofräte *Soret, H. Meyer, Vogel* u. a. m. – ausgezeichnete Fremde aller Nationen nicht gerechnet, die von Zeit zu Zeit nach Weimar kommend ihm ihre Aufwartung machten, und von denen er sowohl zu erfahren, zu lernen, als ihnen Belehrung und Mitteilungen aller Art zu machen wußte. In diesem Wechsel von Geben und Nehmen, in diesem fortdauernden Austausch von Ideen und Tatsachen brachte er seine geschäftfreien Stunden auf das heiterste und offenste zu, und nie erschien er liebenswürdiger als in dieser Konversation mit seinen Hausfreunden; keineswegs allein das Wort führend, noch in einerlei Gespräch verharrend, sondern mit schicklicher Abwechslung der Materien, indem bald von Kunst und Wissenschaft überhaupt, bald von den neuesten Erzeugnissen in derselben, seiner gegenwärtigen Lektüre und Studien, bald von Leben und Weltwesen und Neuigkeiten des Tags die Rede war, wobei denn auch manche lustige Anekdote aus eigner oder fremder Erfahrung zur Sprache kam.

Will man eine solche Umgebung schlecht nennen – er selbst urteilte doch anders, wenn er den ihn zunächst berührenden Personenkreis wie ein Konvent sibyllinischer Blätter ansieht [28] – so bleibt fast nichts übrig als zu glauben: die Herren Kläger hätten die Anmutung gehabt, sich selbst als eine bessere Gesellschaft in Vorschlag zu bringen. Die Repräsentanten des Jungen-Deutschlands und ihre Suppleanten wären ohne Zweifel eine geistreichere feinere Kompanie für ihn gewesen; sie hätten gewiß den alten Aristokraten zum Proselyten, wenn auch nur des Tors, gemacht, im Fall es ihnen auch nicht gelungen wäre, ihn an ihre Spitze zu stellen und zu tätigem Einschritt für die Freiheit Deutschlands zu bearbeiten.

Aber der alte Heide war nicht so sehr Heide, um nicht voll christlicher Gesinnung der Obrigkeit untertan zu bleiben, die Gottes Ordnung ist. Er ließ immerhin sich einen *Fürstenknecht* [29] schelten, statt der Knecht derer zu sein, die ihn nur zum Rädelsführer ihrer Partei erkiest hätten, um einstweilen unter seiner Firma erfolgreicher zu wirken.

Das verdroß sie, und darum und daher die wiederholten Vorwürfe, von Egoismus, Aristokratismus, von Unpatriotismus, von Nichtstun für deutsche Freiheit und Unabhängigkeit: – Vorwürfe in die sogar sein *Stuhlfolger* [30] in der deutschen ästhetischen Hierarchie miteinstimmte; obwohl derselbe sein Leben lang auch nichts für dieses neue Idol getan hatte, als Gespenster der mittelaltrigen Kunst heraufzubeschwören, durch deren *Prästigien* endlich der schwere Sieg über die andern Dämonen mitbewirkt werden mochte. Da er aber in der Folge nur als Doktrinär sich in Novellen und keineswegs im Reellen erging, so haben *andere um andere* die Tribüne eingenommen, doch ohne nahmhaften Erfolg und *»was erst eine Flotte schien ist nach und nach zerstoben.«* [31]

23 *Georg Gottfried Gervinus*

Aus: Geschichte der poetischen National-Literatur der Deutschen. Fünfter Theil 1842

[Goethe und Schiller]

[...]
Wie schwer auch dem Überlegensten das Verweilen auf jener Mitte ist, die die Versöhnung der äußersten Gegensätze der menschlichen Natur bezeichnet und eine höchste Spitze bildet, die eben als eine solche vielleicht nur berührt nicht bewohnt werden kann, dies belegen unsere beiden Dichter in außerordentlich lehrreichem Beispiele. In ihren Theorien und letzten Grundsätzen strebten beide nach jenem Punkte hin, wo sich die gegensätzlichen Triebe der Freiheit und Sinnlichkeit vereinigten, aber die Gebrechlichkeit und Mangelhaftigkeit der menschlichen Natur, die das Bessere sieht und dem Schlechtern zu folgen gezwungen ist, teilte, wenn man will, grade diese beiden wieder am entschiedensten zwischen beiden, diese Ähnlichkeit und Verschiedenheit unter ihnen, diese Übereinstimmung im Ziele und Abweichung im Wege ist der springende Punkt, auf den ihre Charakteristik auslaufen muß, auf den sich jeder einzelne Akt ihres Lebens und Strebens, wie die Gesamtäußerung ihrer Naturen zurückführen läßt. Als Goethe Schillers ›Ästhetische Briefe‹ unbefangen las, in denen der neugeborene Mensch aus jedem Satze heraussprach, mußte er erstaunt sein, den spekulativen Freund oder Feind auf ganz anderer Bahn zu demselben höchsten Lebensprinzip gelangt zu sehen, zu dem er selber aus der Anschauung von Natur und Kunst gekommen war. Jene ganze Reihe der Schillerschen Begriffe drückte ja nichts anderes aus, als Goethes eignes Bedürfnis, zu jener Harmonie zwischen den streitigen Naturen im Menschen zurückzukehren, die die griechische Welt ungetrübt besaß, und gleiche Wärme für diese glückliche Periode der Menschheit schien in beiden diese gleichen Grundansichten gebildet zu haben. Die ähnliche Liebe zu den Alten, die Schillern schon früher angefaßt hatte, hielt auch in dieser Periode aus, wo er sich mit der ruhigen Vernunft und schönen Natur in ihren Schriften absichtlich umgab, der eitlen Romanlektüre und bald der Spekulation selbst entsagte, wo er so spät noch anfangen wollte Griechisch zu lernen, und den Deutschen hieß nach römischer Kraft und griechischer Schönheit zu ringen, die ihm besser gelängen als der gallische Sprung. Jene Lehre, Natur und Kultur zu ver-

mählen, auf der Spitze der Erkenntnis zu dem goldnen Glücke der Menschheit zurückzukehren, das sie *vor* aller geteilten Erkenntnis besaß, diese Vorschrift, die jeder große Mann des Jahrhunderts in Deutschland sich und dem Zeitalter gab, dies Prinzip, zwischen dessen streitigen Forderungen Herder und Wieland noch schaukelten, Jean Paul sich in Extreme teilte, dessen widersacherische Elemente Goethe im ›Faust‹ zur Anschauung brachte, erscheint bei Schiller auf der Höhe klarer Überzeugung und besonnener Einsicht. Alle seine Schriften durchdrang von seiner philosophischen Zeit an die Tendenz nach richtiger Begrenzung der beiden Grundtriebe der menschlichen Natur, des sinnlichen und geistigen, nach ihrer Gleichstellung, nach der Wiedererlangung der totalen Menschennatur. Überzeugt daß zur Entwickelung der einzelnen Kräfte der Menschheit ihre Trennung in dem Zeitalter einseitiger Bildungen notwendig war, war er es nicht minder, daß nun die Zeit gekommen war, diese Trennung wieder aufzuheben, denn was auch Großes die Kräfte im Streite wirken, sang er, Größeres wirket ihr Bund.[1] Überall suchte er nun die Übertretungen der Natur auf, durch die diese Triebe als feindlich entgegengesetzt erscheinen; er lehrte alles wegzuräumen, was den einen zur Unterdrückung des andern aufforderte, die Sinnlichkeit gegen die Übergriffe der Freiheit sicherzustellen durch Ausbildung des Gefühlsvermögens, und umgekehrt die Persönlichkeit gegen die Macht der Empfindung durch Ausbildung des Vernunftvermögens; er lehrte alles aufzubieten, was beide zu einer freigewählten Harmonie führen könne: alles, was im Menschen ewig, Intelligenz, Gottheit, Form und Geist ist, zur zeitlichen Äußerung zu bringen, ihm Realität zu geben, und alles was bloß Materie und Äußeres ist, zu bilden und zu formen, alle Vielheit der Welt der Einheit des Ichs, alles Wirkliche dem Gesetz des Notwendigen unterzuordnen. Wenn nun dies alles ganz übereinstimmt mit jenen Goetheschen Sätzen von verbundener Kraft und Maß, Gesetz und Freiheit, Natur und Ideal, Willkür und Ordnung, mit jener Ansicht von der gesamten Natur, die in den Alten als Ganzes im Ganzen, in harmonischem Behagen wirkte, da die unheilbare Trennung in der Menschenkraft noch nicht vorgegangen war, so wird doch diese Übereinstimmung beider Männer der Modalität nach zum reinsten Gegensatz. Auf einer feineren Spitze wird sich dies nicht betrachten lassen, als wenn man auf die Ausgangspunkte beider zurückgeht. Goethe fand jenen höchsten Gedanken der Wechselwirkung von Gesetz und Willkür durch die Natur schon in ihrer Vegetation gegeben; ihn denkt der Mensch nur nach in seinem Dichten, Denken und Trachten, wo er in den zu lösenden Gegensätzen zwischen Natur und Kultur, Materie und Geist seine Macht zu erproben hat; die alte Welt, weil sie der Natur treu war, stellte dies Höchste der Menschheit befriedigend dar; die Muse selbst entlehnt diesen großen Begriff der schaffenden Natur; das Ideal der Kunst fällt dieser sensualen Ansicht nach mit den Ideen und Typen der Natur zusammen; er würde kein anderes Ideal anerkennen als das plastische und naive der Griechen, das durch Abstraktion aus bestimmten Erfahrungen gezeugt ist; was Kant die Normalidee nennt, das allein würde er als Ideal statuiert haben. Schiller unterscheidet von diesem sinnlichen Ideale ein sentimentales, absolutes, ein Vernunftideal, das außer aller Sinnenwelt liegt und durch Abstraktion von *aller* Erfahrung gezeugt wird; die Muse, indem sie das Mögliche darstellt, stellt darum noch nicht das Ideal dar; sie muß es erst aus der Vereinigung mit dem Notwendigen erzeugen; ihr Bund mit der Natur genügt nicht, sie muß ihren Frieden mit dem Geiste machen und der Vernunft; das Ideal kann als ein Unendliches in der moralischen Menschenwelt nicht zur Erscheinung kommen, nur als ein Ziel erstrebt werden; die möglichst reine Darstellung und Entwickelung der menschlichen Natur im Altertume ist immer nur eine endliche Größe gegen die imaginäre, die an dem vagen Ziele des Fortschrittes der Kultur liegt; in der toten Natur vollends den Urbegriff der höchsten Menschheit zu suchen, würde ihm nicht eingefallen sein, er holte ihn aus den unsichtbaren Regionen, zu denen des Menschen denkender Geist allein sich aufschwingt. So teilen sich also beide dichterisch und menschlich zwischen die Kultur und Natur, deren Bund sie rühmen, wieder ab; jeder für sich betrachtet, strebt in die Waagschalen des Lebens Vernunft und Sinnlichkeit in gleichem Gewichte zu legen, und gegeneinander gehalten wiegen sie sich in den entgegengesetzten Schalen wieder auf. Dem einen genügte das, was die Natur in ihrer Reinheit Endliches erreichte, der andere nahm in Aussicht, was die Kultur in ihrer Echtheit Unendliches erstrebte. Das große Werk jener Versöhnung hat die Natur, so lange sie unentzweit und ungestört ist, im Besitze: sie ungetrübt zu erhalten, ist daher das Wahlwort Goethes, der sich in diesem Besitze freute und begnügte, der von da ausging; sie durch Kultur herzustellen, ist die Losung Schillers, der in dem Falle der modernen Zeit im Allgemeinen war, die sich nach der Natur rückzukehren sehnt und dabei sich einen eignen Wert und Gehalt reserviert. Goethe hat daher seinen Standpunkt unverrückt auf der Kunst, und zwar auf jener alten naiven Kunst, der Vorverkünderin der Kultur, der »unflüggen Brut des Instinktes«, die mit der Natur überall verwandt ist, und am nächsten in der Plastik. Schillers Auge springt überall über diese Grenzen der reinen Kunst hinweg; ihm ist ihre Gestaltung in der Plastik gleichgültig, die er ganz als die Frucht einer instinktiven Bildung ansehen muß; die Poesie reizt ihn unter allen Künsten allein, die den Bund mit den Produkten der übrigen menschlichen Vermögen näher legt; denn er kann nicht gleichgültig sein gegen die außerhalb der Kunst gelegenen Fortschritte der Kultur unter der Wirksamkeit getrennter Kräfte; er blickt auf Geschichte, politische und philosophische Bildung hinüber und vereint nur alles wieder zum Dienste einer gesteigerten Kunst, die sich auf dem Niveau des Kulturstandes aufpflanzt, mit freiem Bewußtsein »als ob sie ihr eigner Schöpfer wäre«. Erweiterung der Kunst ist daher nach Humboldts Worten [2] der Charakter der Schillerschen Dichtung; Umschreibung der natürlichen Grenzen, oder mit anderen Worten, Unmittelbarkeit der Kunst ist der Charakter der Goetheschen. Beide in dem Gesamteindruck ihrer Personen und Produktionen machen daher die kontrastierenden Eindrücke von Natur und Geist, von Instinkt und Freiheit, von Praxis und Theorie, von dem glücklichsten Allgemeingefühl und dem klarsten Bewußtsein. Ein Bild gegebener Vollkommenheiten steht Goethe, der sich nicht selber kennen wollte und Gott bat, ihn vor Selbstkenntnis zu bewahren, Schillern ganz entgegen, der mit der Kraft des freien Willens alles aus sich selbst machen mußte, was dem andern freigebig geschenkt war, der daher seine Mittel kennen mußte, um sie zu Rate zu halten, und der auch in eben dem allgemeinen Sinne, in dem Goethe jenen Ausspruch tun konnte, von sich hätte sagen können, daß er im höchsten Lichte der Selbstkenntnis stehe und zu stehen wünschte. Jener besaß zum völligen Menschen die natürliche Anlage, gegen die seine freie Entwickelung zurückblieb, dieser erwarb sich die natürliche Entwickelung, mehr als die minder willige Anlage erwarten ließ; ein glücklicher Günstling der Natur, konnte Goethe den Stern seiner Geburt preisen, aber nicht den der Verhältnisse und der Zeit, Schiller dagegen hatte eher Ursache dort zu klagen, während er sich hier heimisch fühlte und in dem Boden der Umgebung seine tiefen Wurzeln schlug. War es Goethen vielleicht das Höchste, die Anlage der Natur in dem zarten widerstandlosen Gehorsam der Pflanze zu entfalten, so nannte es Schiller dagegen das Höchste, »was diese willenlos ist, wollend zu sein;«[3] und nur der Gottheit gegenüber riet er willenlos zu sein, daß sie von ihrem Throne zu uns herabsteige.[4] Jener folgte dem Strom seiner Neigungen willig, der andere zwingt ihn mit dem Steuer eines zielrichtigen Bestrebens; die Forderungen der Vernunft bestimmen seinen Lauf, dem andern, dem die Sinne das Heiligste waren, blieben Aug' und Ohr »die wackern Lotsen durch die schroffen Klippen von Wille und Urteil.« Das bestimmende Vermögen ist in Schiller, das empfängliche in Goethe herrschend. Dieser läßt die Welt sich auf sich herein bewegen, Schiller rückt gegen sie heraus; ruhend schloß sich jener dem Vergangenen an, dieser bereitete in unruhiger Geschäftigkeit das Künftige vor; die Dinge formten jenen, den Naturforscher, aber der Philosoph immer die Dinge. Goethe, kraft seiner realistischen Natur, lagerte sich mit den Vollkommenheiten seines sinnlichen, auffassenden Vermögens, das uns mit dem Äußeren der Welt in Relation setzt, dieser in aller Ausdehnung und Veränderlichkeit gegenüber, Schiller, dessen Vorzug in seiner geistigen Energie lag, behauptete seine Innerlichkeit und Selbstständigkeit auf Kosten seiner Weltkenntnis; verdiente jener den Beinamen ὁ πάνυ[5], den ihm Wieland gab, so war Schiller überall totus und ὅλος.[6] Je vielseitiger und beweglicher die Empfänglichkeit ist, sagte er selbst, desto mehr Welt *er*greift der Mensch, desto mehr Anlage entwickelt er in sich; je mehr Kraft und Tiefe die Persönlichkeit und Freiheit der Vernunft gewinnt, desto mehr Welt *be*greift der Mensch, desto mehr Form schafft er außer sich. Dies war beider Fall gegeneinander. Was nach Schiller das vollkommene Werk der Kultur bezeichnet: das sinnliche Vermögen in die reichste Berührung mit der Welt zu setzen und seine geistige Empfänglichkeit und Passivität aufs höchste zu steigern, und das geistige Vermögen unabhängig und selbständig zu erhalten und seine Aktivität und bestimmende Kraft möglichst zu erhöhen – zwischen diese zweiseitigen Ziele schienen sich beide dem allgemeinen Eindrucke nach mehr geteilt zu haben. Von beiden Vermögen kompromittierte bei jedem das geringere zum Vorteil des Vorragenden: Goethe trug die Energie der bestimmenden Kraft auf die passive über und verlor an Persönlichkeit und Freiheit, Schiller gab seinem Tätigkeitstriebe die Reizbarkeit und Beweglichkeit des empfangenden hinzu, und übersteigerte ihn. Wenn nach Schillers Ansicht Goethe verabsäumte, mit dem rechten Eifer die Gaben der Natur in echten eignen Besitz des Geistes zu verwandeln und mit Vernunft zu beherrschen, so tadelte dagegen Goethe, daß Schiller gegen die Mutter Natur, die ihn nicht stiefmütterlich behandelt habe, undankbar sei, daß er in sich den Instinkt durch die Tätigkeit des Geistes in Gefahr setzte, die Vegetation durch Freiheit beunruhigte, die Konsumtion des Geistes übertrieb, mehr als die Ökonomie und die Bilanz jener gegensätzlichen Kräfte des Menschen gestattete. Die angespannte Tätigkeit war das, was bei Schillern jedem, der ihn persönlich kannte, zuerst auffiel, bei Goethen haben wir die Zögerung mitten in aller Beschäftigung gewahrt; besser hielt dieser das richtige Maß zwischen Rezeption und Produktion, während Schiller den Reiz des bloßen Lernens und Aufnehmens nicht kannte; weislich mahnte Goethe, zur bösen Stunde zu ruhen, damit die gute doppelt gut sei, aber Schiller zwang sich in der üblen Stunde mit Reizmitteln, denn ihm war das Pfund des Geistes ein zu teuerer Schatz, um ihn jemals unbenutzt ruhen zu lassen. Die Beschäftigung, die nie ermattet, war ihm ja die liebste Begleiterin, und »um den Ernst, den keine Mühe bleicht, rauschte ihm der Wahrheit tiefversteckter Born.«[7] Goethe fühlte es wohl zuletzt selbst, daß er zubald stille gestanden, unbedacht, daß nur Beharrlichkeit und gleichmäßiges Bestreben in gleichmäßigem Werte hält; er mußte es anerkennen, daß Schillers rastloses Bestreben, im edlern Sinne zu wirken, durch große Erfolge gekrönt war, aber dagegen schien er auch überzeugt, daß diese Selbsttätigkeit und jene Idee der Freiheit ihn frühzeitig getötet habe, weil er Anforderungen an seine physische Natur machte, die für seine Kräfte zu gewaltsam waren. Der tragische Dichter brachte seinem Berufe einen tragischen Charakter entgegen. Weniger angeschlossen an den Naturgang, ringend nach einem selbstgesteckten Ziele, ankämpfend gegen äußere Verhältnisse und Hemmungen, überbot er seine innern Kräfte, eilte zu hastig und angestrengt auf der betretenen Laufbahn fort, und sank, ein Opfer seiner Strebsucht, in zu früher Erschöpfung. Mitten im breitesten Ergusse seiner Wirksamkeit raffte ihn das Schicksal hin, während Goethe stille und fast unmerklich einen späten Ausgang nahm. Dieser, wie ein gedehnter Strom, im Gebirg entsprungen und beim ersten Laufe im raschen Absturz begriffen, dann den ruhigen Fluß im reizenden Tale und geregelten Ufern bewegend, ward langsamer im flachen Bette der ebenen Gegend und verlor sich zuletzt wie unsichtbar in sich selbst; der andere ein kurzer Uferstrom, noch wilder im Anfang, stemmte sich in der Mitte seines Laufes in einen breiten See, den Weg bedenkend, und ergoß sich dann im geregelten, aber schnell beendeten Laufe mit voller Mündung ins Unendliche.

Hält man so die Gegensätze in beiden Dichtern ausschließlich im Auge, so sieht man wohl, wie schön sich diese kontrastierenden Charaktere nach der Ansicht Goethes zu einem Verhältnisse der wechselseitigen Ergänzung eigneten, wenn nur die Bindungsmittel nicht fehlten. Hierzu scheint es nötig, daß sie sich, wie es ihre obersten Theorien mit sich brachten, selbst der mittleren Stellung zwischen jenen antagonistischen Richtungen des menschlichen Wesens genähert hätten, und verliert man sich erst recht in die Verschiedenheit ihrer beiderseitigen Naturen, so scheint es kaum möglich, daß man auf ein anderes Symptom dieser Annäherung bei ihnen stoßen sollte, als höchstens auf jene Theorien, die so häufig tote Worte sind. Allein sieht man nur von der Parallele zwischen beiden ab, und stellt sie grelleren und extremeren Gegensätzen gegenüber, so wird man sogleich fühlen, wie versöhnlich sie sich einander nahekommen, die sich erst so abzustoßen schienen. Gegen Lichtenberg oder Nicolai gehalten wird Goethe zum Idealisten, Kant und den spätern Philosophen gegenüber erscheint Schiller als ein Sensualist; gegen Goethe gehalten ist Schiller der Dichter des Bewußtseins, gegen die Romantiker ein naiver und instinktiver Poet. Aber auch in beiden, an sich und unter sich betrachtet, erkennen sich die Merkmale bald, die es beweisen, daß es ihnen Ernst war um die Erweiterung ihrer einseitigen Natur. Wer Schillern von dem glücklichen Zeitalter der Welt in Poesie und Prose reden hört, wo der Gott noch im Baume wohnte, wer ihn mit jenem Eifer ringen sieht, die graue Metaphysik abzuwerfen, nachdem er in dem Dichter den einzig wahren Menschen erkannt hatte, wer ihn beobachtet, wie er sich die reale Weltbetrachtung zu assimilieren sucht, wer seinen Preis der naiven Dichternatur und seine zeitweiligen Entscheidungen zu Gunsten der Leistungen des praktischen Talentes vor dem Ringen des ausstrebenden Idealisten liest; oder, wer Goethen nach den Forderungen des griechischen Ideals in Italien produzieren und sich von den Auswüchsen der Leidenschafts- und Naturtheorien seiner Jugend befreien sieht, wer ihn Schillern zugeben hört, daß er ihn von der allzustrengen Beobachtung der äußeren Dinge auf sich selbst zurückgeführt und die Vielseitigkeit des innern Menschen billiger ansehen gelehrt habe, der wird nicht sagen wollen, daß dies eitle Theorien seien, die der Kopf mit dem Herzen in Zwiespalt aufgestellt habe. Wenn der eine den Lobredner der Zeiten reiner Kultur macht gegen die romantischen Erneuerer des Mittelalters, und der andere sich der reinen Natur gegen die idealistischen Idyllenschreiber annimmt, wenn Schiller einmal der Leitung des Instinktes vertrauen heißt und Goethe dem Menschen in seinem zerbrechlichen Kahne deshalb das Steuer in die Hand gegeben sieht, daß er nicht der Willkür der Welle, sondern dem Willen der Einsicht folge, so scheinen beide ihre Rollen getauscht zu haben. Aber dies sind Einzelheiten der Rede, die wenig bedeuten; viel wichtiger ist ihr Rollentausch in ihren Leistungen: daß sie grade dort den ungeteiltesten Beifall fanden, wo Schiller dem realistischen und Goethe dem idealistischen Prinzipe zu huldigen schien, das beweist doch wohl, daß jeder ohne Affektation an dem ihm fremderen Systeme wirklich partizipierte. Und in der Tat ruht dieser Beifall ganz auf dem dunklen Gefühle der Anerkennung jener totalen Natur, die eben in diesen Produkten am schönsten zutage kommt. Die Mischung der Elemente, die diese Werke überhaupt möglich machte, ist nicht allein für die beiden Männer selbst, sondern für die deutsche Natur überhaupt ein Ruhm. Goethe, der ganz auf die Kunst, die Pflegerin des Ideals, angewiesen war, brachte ihr eine rein realistische Natur entgegen; Er, dem es Naturbedürfnis war, mit der Wirklichkeit zum künstlerischen Abschlusse zu kommen, zerstreute sich grade in universaler Bereicherung; er stellte das innere Seelenleben dar, voll Beruf grade die äußere Welt zu behandeln, deren Schilderung ihm nur da glückte, wo seine reiche Seele den äußern Eindrücken etwas entgegenbrachte. Schiller, der zwar alles aus seinem Innern zu spinnen schien, mußte doch von den äußeren Zeitereignissen im großen erst bewegt werden; er weilte im Reiche der Ideen und war doch ganz von der Wirklichkeit und Gegenwart bestimmt; der mehr Beruf zu haben schien, das innere Seelenleben zu malen, dem Erfahrung und Lebenskenntnis, das Unentbehrlichste für eine materialere Dichtung, ganz abging, der schilderte grade das Allgemeine des großen Weltlebens ab. Der ideale Dichter fiel auf die Gegenstände aus der faktischen und realen Welt, in denen es so leicht war dem Stoffartigen zu verfallen, ja man kann sagen, daß sein dichterisches Wirken auf einer Einsichtswahl und dem Streben nach einem praktischen Ziele ruhte; ganz umgekehrt Goethe, der seine realistische Dichtung in Regionen umtrieb, die dem Ideal viel näher zu halten waren. Empfindungen und Gemütszustände gehören der gemeinen Welt viel weniger an, in ihren Schilderungen hielt sich die Dichtung fast immer im Reich der gesteigerten Natur auf und irrte vielfach in das Phantastische und Spiritualistische hinüber, wie gleich die Goethe folgenden Lyriker so vielfach bewiesen: dem entging Goethe ganz durch seine reine und unverschrobene, praktische Natur. Welthändel und Historie ziehen im Gegenteile zu einer trockenen Behandlungsart und zur Prosa herab, wie es gleich die ganze Masse historischer Dramen belegt, die sich auf Schiller aufbaute: dem entging Schiller durch das »Etwas, das in allem für die Poesie spricht, durch den Samen des Idealismus, der es hindert, daß das wirkliche Leben mit seiner gemeinen Empirie nicht alle Empfänglichkeit für das Poetische zerstöre.«[8] Es sähe dem Mann des Geistes und der Idee viel ähnlicher, daß die Literatur und die innern Bildungszustände, dem Manne der Anschauung und des Lebens, daß die politische Welt sein Talent bestimmt und gerichtet hätte, der Fall war aber umgekehrt; Goethe hat für die Literatur und literarische Kultur ungefähr die Bedeutung, wie Schiller für die politische, jener für die Naturphilosophie wie dieser für geschichtliche, und wenn sich Goethe in dem, was er den jungen Dichtern ward, ihren Befreier nennen wollte,[9] so ward dies Schiller den jungen Patrioten; die Weltliteratur hat mißverstehend einen Leitstern an jenem gefunden, die Weltrepublik kann es an diesem. Es lag ganz auf Goethes Wege, des Lobredners der Geschichte, des Mannes, der eine Art Muster von Biographie geliefert, daß er dem Leben der Geschichte wie aller sonstigen empirischen Welt die gleiche Empfänglichkeit entgegengebracht hätte, und auf dem Wege des vereinsamten Schillers, der das große Ganze der Geschichte mißkannte und produzierend sie im einzelnen mißhandelte, daß er mehr in sein Inneres hinabgetaucht wäre, um Dichtungsstoff zu suchen, aber es war das entgegengesetzte Verhältnis. Im großen Maßstabe gedacht ist die Goethische Dichtung mehr persönliche, die Schillersche mehr historische Gelegenheitsdichtung, und wenn sich beide selbst wie Objekt und Subjekt voneinander unterscheiden, so dreht sich das Verhätnis gradezu um, wenn man beide dem öffentlichen Leben der Zeit gegenüberhält: ihm trat Goethe mit einer Selbstbestimmung entgegen, die seine gewöhnliche Rezeption ganz verleugnete, und Schiller dagegen ließ sie in einer Objektivität auf sich wirken, die der reinsten Goethischen Empfänglichkeit gleich kommt. Goethe selbst bewunderte gelegentlich die Kunst, mit welcher Schiller das Objektive faßte, wenn es ihm in Geschichte und Überlieferung entgegen kam; man hat allgemein die lokalen Färbungen im ›Tell‹ und ähnliches bestaunt, aber einen höhern Preis verdient die zarte Sympathie mit dem großen Weltleben, dessen Schritten er Fuß um Fuß in seinen Dichtungen folgte. Hier war Goethe in seiner eigensinnigen Abgeschlossenheit der totus und Schiller in seiner Biegsamkeit ὁ παντ. Wenn Goethe sich dem antiken Geiste insofern anschließt, als er sich an das Reale und Wirkliche hält, und dadurch nach Schillers Ausspruch von allen neuern Dichtern sich am wenigsten von der sinnlichen Wahrheit der Dinge entfernt, so dagegen Schiller, insofern er seine getrennten Geisteseigenschaften auf *eins* konzentrierte, und dadurch, wie man so oft von den Alten gerühmt hat, mit wenigem vieles leistete, während Goethe mit vielem weniges. Und wenn es richtig ist, daß man beide im ganzen wie antik und modern voneinander trennt, so fühlte doch Goethe, der antikste unter den Modernen, dort ebenso richtig, wo er sich in Zerteilung seiner Kräfte dem idealen Unendlichkeitsbestreben der neuern Zeit verfallen sieht, und Schiller, den Humboldt zwar mit Recht den Modernsten aller Modernen nennt,[10] empfindet dort nicht minder richtig, wo er sich den Griechen nahe fühlt, als er von Shak[e]speare zu Sophokles überging. Chronologisch liegen die Gegensätze des Realen und Idealen ungefähr in umgekehrtem Verhältnisse in beiden: Goethe ging mehr von einer realistischen Tendenz aus in eine ideale über, Schiller suchte sich nach der Bekanntschaft mit Goethen und den Alten dem Realen mehr von dem Idealen aus zu nähern; er ging von Spekulation zur dichterischen Anschauung zurück, der andere von dieser, wenn nicht zur Spekulation, so doch zur Kontemplation über, und auf seinen Spuren schritt der orientalische Spiritualismus einher, wie auf Schillers die derben Vaterlandsbestrebungen in Praxis und Poesie. Und so sind die augenfälligsten Wirkungen beider überhaupt im Grunde ganz gegen das, was man zu Folge ihrer Naturanlagen hätte erwarten sollen. Der aufs Praktische und Materiale gerichtete Dichter ward mehr überhoben, der in der Kunst und Idealwelt lebende ist vielen zu natürlich. Beides hinderte beide, den Extremen zu verfallen, und so ist der hochgehende und oft tiefsinnige Schiller popularer geworden, und der planere, an sich popularere, ist das Eigentum einer mehr aristokratischen Klasse. Der seinem Ziele nach mehr für Männer schrieb, ist der Liebling der Frauen und der Jugend geblieben, der in ewiger Jugend beharrte, genügte mehr den Ansprüchen des Mannes. Der ganz Form und Geist war, sprach die Menge an, die mehr Materie sucht, und der mehr Materie bot, befriedigte die Gebildeten, die der Form gewachsener sein sollten. Der scheinbar reichere Dichter hat einen engern Wirkungskreis gefunden, und der scheinbar ärmere den weitern, und dies hat Goethe selbst vortrefflich ausgedrückt, wo er sagt, daß, wenn man Schiller nicht so reich und ergiebig achtete, dies darum war, weil sein Geist einströmte in alles Leben und weil jeder durch ihn genährt und gepflegt ward und seine Mängel ergänzte. Und so durchkreuzen sich die Linien des doppelseitigen Wesens in beiden so vielfach, daß sie uns gleichsam erst in dieser verschlungenen Gestalt ein gemeinsames Ganzes darstellen, an dem wir uns ungetrennt freuen und aufbauen sollen, wie es in der Absicht der Männer selber lag. Wer wollte zwischen beiden wählen! wer die Grundlehre beider, die wir so wiederholt, so nachdrücklich, wie sie sich in ihren Schriften selbst findet, auch in unserer Darstellung wieder und wieder bringen mußten, die Lehre von der vereinten totalen Menschennatur, so blind aus dem Auge lassen! wer möchte das *eine* als das Ausschließliche preisen, da sie selbst uns auf ein Drittes wiesen, das größer ist als beide! Nur *einen* Gesichtspunkt gibt es, aus dem man zwischen beiden Vorzug treffen dürfte: daß sich jeder, der in sich die engere einseitige Natur erkannte, wieder nach dem Beispiele unserer Dichter selbst, in Opposition mit seiner Neigung grade zu jenem unter beiden wendete, der ihm fremder läge, damit er, eingesenkt in die Trefflichkeit auch der gegensätzlichen Natur, »seine Mängel ergänze«, und von dem Gegenstück seines Wesens anerkennend sagen lerne, was Goethe von Schiller sagte: So sollte man eigentlich sein![11] Denn nur wenn wir uns das Mangelhafte unserer Existenz bekennen und das auch zu sein streben, was wir nicht sind, dürfen wir hoffen, einigermaßen das zu werden, *was wir eigentlich sein sollten.*

[Goethes Alter]

Was Goethe selbst noch in dem letzten Jahrzehnt seines Lebens, seiner orphischen Periode schrieb und hinterließ, hat im Grunde nur psychologische Merkwürdigkeit als Werke eines Dichters, der sein Leben und seine Produktionskraft bis zu einem ungewöhnlichen Alter erhielt. Die Geschichte von Goethes Greisenalter ist so vollkommen und so natürlich, wie sein Jugendleben und darf von dem einsichtigen Physiologen, der sich so wenig wie Goethe selbst über die Abnahme und den Rückgang dieser Altersstufe täuscht, als normal betrachtet werden. Es zeigt einen merkwürdigen Übergang von der Vielheit und Mannigfaltigkeit eines überreichen Lebens zur Einheit in sich selbst, vom Sinnlichen zum Übersinnlichen, von Unruhe zum Frieden. Er hatte sonst alle Rollen gespielt, alle Töne in seinen Dichtungen angestimmt, alle Verhältnisse umfaßt, jetzt ist er ein stets Unwandelbarer geworden und sich selber gleich; der sonst so heftige und von stürmischen Leidenschaften Bewegte ist nun ganz Ruhe von innen und außen. Einst hatte er aller Konvention einen vernichtenden Krieg erklärt, jetzt ward er ihr Verteidiger; er hatte jede Hemmung freiern Aufschwungs schonungslos angegriffen, nun unterdrückte er polizeilich allen Mutwillen und Verwogenheit; er hatte einst der Bescheidenheit als einer bloß sozialen Tugend einen limitierten Wert zugeschrieben, jetzt nannte er die Unbescheidenheit mit dem Wahnsinne verschwistert.[12] Er, der in seiner Jugend die heterogensten Menschen als Freunde ertragen, ja geliebt hatte, er statuierte jetzt im Alter, das zur Befestigung des Zustandes gegeben sei, eine Kluft unter den Menschen und ihren Meinungen, die unüberschreitbar wäre; er erklärte sich gegen alles Kontrovertieren, da wir uns doch gegen alles wehrten, was sich nicht unserm übrigen Wesen anschließe. Nur wenn man ihn in seinem quietistischen Refugium unfriedlich störte, wenn sich ihm die Vulkanisten und Newtonianer nahe drängten, wenn die Pustkuchen, die falschen Kutten und Frömmler ihn quälten, legte er seine Geduld augenblicklich ab und zog die Intoleranz an, die dem Alter ebenso eigentümlich ist. Beides, seine Toleranz und Intoleranz, ist oft gleich peinlich. Wenn er sich in den ›Wanderjahren‹ den schlechten Angewöhnungen des »lieben Publikums« akkommodiert, wenn er seine Freunde die mittelmäßigen Tagsprodukte der Literatur in seiner Zeitschrift [13] preisen läßt, so ist dies ebenso widerwärtig als in seinen Briefen die ungerechten Ausfälle auf die Nation. Er rechnete ihr es nicht an, daß sie ihm und seinem Beispiele mit ganzer Hingebung gefolgt war, daß sie sich über das Tolle und Anstößige, das Formlose und Fragmentarische in vielen seiner Schriften weggesetzt hatte, daß sie nur das Schöne und Wahre verehren lernte, daß sie die französische Steifheit, die italienische Weiche, die englische Härte und Bizarrerie in ihrem Geschmack tilgte, und daß er im Alter der Überlebung im 86. Jahre sagen durfte, was nicht viele Menschen außer ihm: daß er seinen Ruhm nicht überlebt, sondern stets mehr erlebt habe. Aber eben dieses Unmaß der Vergötterung verdarb ihn: er war zuletzt nur auf solche Freunde und Vertraute zurückgezogen, die nie einen Widerspruch wagten; von den Mitstrebenden der ersten Periode, einer Reihe feindlicher Geister, bis zu Schiller, der auf anderm Wege mit ihm zu gleichem Ziele ging, und von diesem wieder zu den Zelter, Eckermann und all den Freunden, die sein ganzes Tun und Treiben stets »bejahten«, ist ein steter Rückgang zu immer größerem Frieden des Umgangs, wenn er auch mit dessen wachsender Unbedeutendheit wäre erkauft gewesen. Ersetzte ihm ja doch jene neue Tiefe der Betrachtungsweise in sich, was in dem betrachteten Objekte fehlte, jene Bedeutsamkeit und pathetische Weisheit, mit der er nun jede elendeste Sache ansah und beschaute, mußte ihm die Leere des Inhalts vergüten. Er machte es sich jetzt zum Grundsatze, dem nil admirari der Alten lebhaft zu widersprechen; er ärgerte sich an dieser Athaumasie [14]; er bewunderte nun vielmehr alles, fand alles »bedeutend, wundersam, inkalkulabel«; das Erstaunen, sagte er, sei das Höchste, wohin es der Mensch bringen könne! [15] Seitdem war ihm jede Medaille, die man ihm schenkte, und jeder Granitstein, den er verschenkte, ein Gegenstand von höchster Wichtigkeit; und als er Steinsalz bohrte, das Friedrich der Große nicht hatte auffinden können [16], sah er ich weiß nicht welche Wunder dabei und schickte seinem Zelter eine symbolische Messerspitze voll davon nach Berlin. Von den Gegenständen ging dies auf Personen über: er fand etwas »Prometheisches« in seinem musikalischen Freunde; einer Persönlichkeit, an der nicht einmal die »urbane Ironie« anzubringen war, die, nach Zelters treffender Bemerkung selbst, Goethes Umgang mit manchen heterogenen Naturen charakterisiert. In derselben Weise trieb er es auch in seinen letzten Dichtungen. Er suchte immer mehr die größte Bedeutsamkeit im kleinsten Raume; er schien sich etwas Großes in dem Kunststücke zu denken, daß er seine ›Proserpina‹ zum Träger von allem gemacht habe, was die neuere Zeit an Kunststücken gefunden und begünstigt hatte, heroische landschaftliche Dekorationen, gesteigerte Deklamation, hamiltonisch-händelsche Gebärden, Kleiderverwechslung, Mantelspiel und ein Tableau zum Schluß. In den ›Wanderjahren‹, die er doch ebenso sehr aus äußerer Veranlassung, als aus innerer Notwendigkeit, aus Grille so sehr wie aus Überzeugung zusammenstellte, fühlte und dachte er jede Zeile, und hoffte nur auf deren *nähere* Betrachtung; jene »Novelle«, vor der ihn 50 Jahre früher Schiller und Humboldt gewarnt hatten, sollte ihm ganz vom Herzen abgelöst sein; er spricht von dieser unsäglich geringfügigen Produktion wie von einem großen wichtigen Werke; ob darin der agierende Löwe an einer gewissen Stelle brüllen sollte oder nicht, war ihm eine Frage von Bedeutung, die tagelang erörtert wurde! Je weiter man in den ›Wanderjahren‹ liest, je mehr man sich in dem zuletzt Geschriebenen bewegt, desto häufiger macht man die Bemerkung, wie die lebenvollen Augen des Alten die Ermüdung überfällt, und wie recht er sagte, daß man in zunehmenden Jahren zu tun habe, sich so klug zu erhalten, als man früher gewesen ist; sein Pinsel wagt nicht mehr zu schildern, was die Sache verlangt, seine Erzählung wird sogar hier und da ganz schematistisch. Weder die Novellen an sich haben irgendeinen bedeutenden Wert, noch auch der Faden, der um sie geschlungen ist, noch die quietistische Tendenz, die wir oben jene Freunde so rühmen hörten, die den gestorbenen Dichter am liebsten in der Gestalt unter sich wandeln sehen, in der er die Erde verlassen hat. Goethe selbst wußte recht gut, wie vieles unter seinen späteren Produkten Altersschwäche erzeugte, wie vieles Resultat des still einsamen Denkens des Greisen war, das besser »ungeschrieben geblieben wäre«; er wollte nicht »sibyllinisch im Alter mit seinem Gesichte prahlen, das sie je mehr es ihm an Fülle gebrach desto öfter malen wollten;«[17] er sah dem Treiben seiner Bewunderer, wie oft er sich von ihnen schmeicheln lassen mochte, auch wieder mitleidig zu, und zuckte die Achseln, wenn sie »so manch verständliches Wort mißverstanden und manchem unverständigen Sinn liehen, wenn sie ihn schalten wo er Recht hatte, und ihn gelten ließen wo er dumm war.«[18] Das Publikum, das jetzt grade im vollen Zuge des Enthusiasmus war, verstand nicht zu scheiden zwischen dem Werte dessen, was der Strebende und Ringende einst geleistet hatte und gewesen war und worauf er selber allen Wert legte *, und dessen, was die letzte Frucht eines vereinsamten Geistes war, der sich vom Leben schied und auf das weltliche Wirken resignierte, der in Gemütsruhe die vollendete Bahn überblickte und mit sich selber Rechnung hielt, ohne weiter auf irgendeine Autorpflicht zu achten, die den ruhmbedürftigen Jüngling schon die Klugheit lehrt. Er ließ sich gemächlich gehen, und hielt in seiner Erzählung in den ›Wanderjahren‹ unbekümmert zurück, was ihm nicht mehr erreichbar schien; ein eigner Märchenstil und ein Anklang an den Erzählton der Amme bezeichnet schon hier den Vortrag des Greisen, der sich in keiner Weise mehr aufregen mag. In den Briefen an Zelter steigert sich jene abstruse Redeweise, die ihm selbst auffällt, die Rätselhaftigkeit, Gezwungenheit und Undeutlichkeit, die er desto mehr seinen Worten gibt, je mehr er sich selber deutlich scheint. Alles ist hier charakteristisch: die ganze Euphemistik seines Stils, die Lieblingsausdrücke seiner Rede, daß er sich *ergeht*, wenn er etwas erörtert, daß er *meldet*, wenn er schreibt, daß er *weset* und nicht ist oder lebt, und jene Übergangsformel der Behaglichkeit *Und so*, und der Talisman *und so fortan*, den er jedem seiner Briefe anhängt. Im zweiten Teile des ›Faust‹ sind in den spät geschriebenen Stellen diese Eigenheiten ebenso zu Hause. Die superlative Form des Adverbiums, das Gewicht, das auf einzelne neu erfundene Worte gelegt wird, alles geht schon

* Das ist der Weisheit letzter Schluß:
Nur der verdient sich Freiheit wie das Leben,
der täglich sie erobern muß.[19]

im Stile auf jene Bedeutsamkeit aus, auf die die ganze Komposition, des Dichters Vermächtnis, berechnet ist. Er streute in dieses Werk, das mit 20 Jahren konzipiert und mit 82 vollendet ward, seine physischen, sittlichen und ästhetischen Mysterien hinein; es sollte sich, was früher nur phantasmagorisch hineingeschoben war, nun in vernunftmäßiger Folge erweisen; alles sollte ein offenbares Rätsel bleiben, und als solches den Menschen zu schaffen machen, und »selbst einem guten Kopfe genug zu tun geben, wenn er sich zum Herren von allem machen wolle, was das hineingeheimnisset ist.«[20] Wir scheuten es doch nicht, unsre Zähne an diesen Rätseln zu versuchen, die uns mit so deutlichen Worten zum Schaden unserer Zähne geboten waren.[21] Wir unsererseits wollen uns nur an das Offenbare des Rätsels halten. Der Dichter allegorisiert seinen Lebenslauf, und die Metamorphosen seiner Bildung und seiner Dichtung, von der Zeit an, wo er selbst aus den Zuständen herausgetreten war, in denen sein romantischer Held im ersten Teile der Hauptdichtung befangen erscheint. In die Tiefen der Natur hinabgetaucht ist der Dichter zu den Urbildern der Dinge gedrungen, und hat das Ideal gefunden, die Wohlgestalt, die ihn einst im Zauberspiegel beglückte, die aber nur ein Schaumbild des jetzt wahrhaft geschauten Schönen war. Noch verdunstet sie, da er sie ergreifen will; und jener Rivale des alten Führers, der es mit seiner Tendenz zum Schönen und Tätigen über diesen gewinnt, das überraschende Geschöpf des pedantischen Studiums und eines mechanischen Zeugungsprozesses, führt den Betäubten aus den nordwestlichen Regionen, wo Mephistopheles' Luftrevier ist, zu den südöstlichen; so wie er auf griechischem Boden angelangt ist, durchglüht ihn neuer Geist und er steht ein Antäus an Gemüte. Dies alles wird man sich leicht deuten, wenn man aus Goethes ›Italienischer Reise‹ den Prozeß seiner Läuterung kennt, wie ihm Naturstudien die Kunst erschließen und die trocknen, sonst verachteten Studien des Altertums ihm die Wiege echter Menschheit und den Quell aller wahren Dichtung eröffnen; was dabei zu seiner Mythe von den Müttern seine heimlichen Theorien einer physikalischen Unsterblichkeit, zu der Belebung des Homunculus seine neptunistischen Bekenntnisse hinzugesteuert haben, lassen wir beiseite. Die Vermählung Fausts mit Helena, der dritte Akt, macht großenteils, weil er noch in der guten Zeit des hellenisierten Dichters entworfen und im prachtvollsten Stil der äschylischen Tragödie im Anfange gehalten ist, einen großen Abstich gegen das Vorhergehende und Nachfolgende, auch in der Allegorie und Komposition, die fast überall sonst albern und schwach ist, was man sich am wenigsten dann verhehlen darf, wenn einem etwa eine notdürftige Auslegung geglückt ist. Die Verbindung des romantischen Dichters mit der Antike wird gefeiert, denn wo Natur in reinem Kreise waltet, ergreifen sich alle Welten; des idyllischen Glücks ihrer Vereinigung freuen sie sich abgesondert von der Welt. (Auch hier ist die Beziehung auf Griechenlands Wiedererwekkung und im Euphorion auf Byron akzessorisch.) Die Frucht dieses Bundes ist der hohen Ahnen und großen Kraft nicht wert, die sie zum Erdenglück gebar. Es ist die romantisch-hellenische Poesie, die auf Goethen folgt; ein Genius ohne Flügel, ein überlebendiger Gaukler, mutwillig, ohne Mäßigung, dem die Eltern und ihr holder Bund nichts gelten; er fliegt auf mit Ikarus Los, in Jugendblüte entrafft, Herrliches wollend, was ihm nicht gelang: mit seinen Exuvien marktet Mephistopheles: denn hier bleibe genug, (dies geht speziell auf Byron) um Poeten einzuweihen, und wenn nicht Talent zu geben, doch das Kleid zu borgen. Im 4ten Akte wird die Lage des Dichters der Revolution und Restauration gegenüber angedeutet (auch hier unterläßt Goethe nicht seine Stiche auf die Gespenster in mittelaltrigen Rüstungen, die diesmal wenigstens einen Effekt gemacht hätten); und im 5ten Akte wird auch sein Verhältnis zur Weltliteratur berührt, und der Unmut, den ihm die Gesellen seines Begleiters zu Hause bereiten. Die Allegorie wird hier dürftig und matt. Was den Helden zuletzt rettet, ist die christliche Gnade von oben und seine Strebsamkeit und Richtung zum Tätigen; das Letzte, wissen wir, berührt wieder den Grund-Satz der Goetheschen Lebensphilosophie. Abgeschieden wie dieser zweite Teil des ›Faust‹ von dem frühern ist, kann er nicht dessen Wirkungen teilen; er wird beseitigt bleiben wie Miltons ›Wiedergewonnenes Paradies‹ und Klopstocks erzwungene Dramen. Die Entstehung, die Art, die Deutung dieses Gedichts hat das Widerliche für uns, was Dantes und Tassos Kommentare zu ihren eignen Dichtungen. Das aber ist auch in diesem letzten Werke des Dichters ein merkwürdiges Zeugnis von seiner Naturvertrautheit, daß er, wie er einst in unmündiger Jugend mit jener vagen Gattung des Märchens instinktmäßig begonnen hatte, so nun in dem Alter, wo das Dichtervermögen notwendig sich abschwächt, auf die Gattung fiel, die nur den wesentlichsten Lebenspunkt der Poesie noch in sich hat, Bild statt Sache zu setzen, auf die Allegorie, die wir eine chaotische Unform und embryonische Gestalt nannten, die Wiege und Grab der Dichtung zugleich ist.

Der Rückblick, den Goethe im ›Faust‹ des zweiten Teiles auf sein Leben und Wirken wirft, lehrt uns nichts Neues und Besonderes über seinen Bildungsgang, noch über die Art und Weise wie er selbst ihn betrachtete; auch von dieser Seite hat das Gedicht für den Literarhistoriker wenig Wert. Desto unschätzbarer ist ihm ein anderes Vermächtnis, das Goethe in den 20er Jahren für ihn niederschrieb, oder vielmehr, das er für die nachzügelnden Dichter als Rat und Warnung hinterließ, und das fast ohne Ausnahme auf die späteren und jüngeren unter diesen noch besser paßte als auf die älteren, die Goethe zunächst im Auge gehabt hat. Wir meinen die ›Zahmen Xenien‹, deren Inhalt später durch die Eckermannschen ›Gespräche‹ auf Weg und Steg verstärkt und erweitert ward.[22] Mit Beifall und stiller Freude wird jeder wahre Verehrer des großen Mannes diese Äußerungen über die Mißstände einer übelwuchernden Literatur lesen, denn sie zeugen von dem klaren Sinne, den der lebensweise Dichter bis in das höchste Alter festhielt, wo er ein bestimmtes äußeres Objekt vor sich hatte. Wir schließen unser Werk mit der wortgetreuen Angabe der Meinung dieser Sätze, und glauben damit, wie die Lage der Zeit ist, einen bessern Dienst zu tun, als wenn wir unsere geschichtliche Betrachtung über die neueste Dichtung bis zu dem Momente ausdehnten, wo wir die Feder niederlegen. Wir lassen darüber, wie jeder Historiker am besten tut, die Zeit zuerst reden. Wenn es übrigens auch möglich wäre, jetzt schon diese Geschichte zu schreiben, so würde uns doch selbst dann dieselbe Rücksicht bedenklich machen, die auch Goethen abhielt, sich bestimmter über diesen Gegenstand auszulassen. Diese neueste Literatur näher zu beurteilen, würde mehr Zeit und Hingebung fordern, als sie wert ist; und die Stimme des Beurteilers würde doch nur »unter tausenden für eine gelten, und keine Wirkung hervorbringen. Würde der junge Dichter freundlich darein sehen, wenn man ihm Beschränkung zumutete? Würde das Publikum zufrieden sein, wenn man sein augenblickliches Entzücken und Verwerfen zur Mäßigung riefe? Besser ist es, die Zeit gewähren zu lassen, denn die allgemeine Kultur steht so hoch, daß eine Sonderung des Echten und Falschen wohl von ihr zu erwarten ist.«[23] Selbst von einer Autorität wie Goethe, in dessen fast unbedingter Verehrung die gesamte dichterische Jugend von jenen Tagen bis heute verharrte, würde eine offene Äußerung unendlich viel mehr Verbitterung als Verbesserung bewirkt haben. Indessen wäre es vielleicht besser gewesen, die ungelehrige Nachfolgerschaft zu verbittern durch spezielle und direkte Erklärungen über Namen und Sachen, als daß man ihr hinter Vagem und Allgemeinem die Schlupfwinkel frei ließ, die Eitelkeit und Dünkel sich ohnehin so geschickt zu suchen wissen. Leider haben die Menschen alle so viel Anlage, das gute Beispiel selbst eines geliebten Meisters nicht zu achten, und das Unangenehme nicht zu hören, was ihnen eine sonst angenehme Autorität sagt. Das hatte Goethe ja selbst zu belachen, daß die holden jungen Geister, alle von *einem* Schlag, ihn ihren Meister nannten, aber alle ihrer Nase nach gingen. Er wollte diesem Geschlechte gegenüber, in dem er wie jeder tut, Talente anerkennen, ihren Mißbrauch aber tadeln mußte, weder verheimlichen, daß er sie verachtete und »verfluchte«, noch auch fand er es der Mühe wert, ihnen frank und frei zu sagen, wie er's mit ihnen meinte. In diesem Zwiespalte, in einem Mutwillen, der doch nicht direkte Polemik werden sollte, schrieb er jene Gnomen und Epigramme, deren Sinn für jeden deutlich wird, »in dem der Gedanke trächtig ist;« die negierende Laune spricht halb schweigsam halb in Rätseln, oft nur um so pikanter*. Von Mißmut und Verstimmung, von Partei und Ungerechtigkeit in diesen Sprüchen wie in jenen behaglichen Reden bei Eckermann ist keine Spur; die schönen Wahrheiten, die er sagt, sind daher umso unverdächtiger. An zwei Dingen erkannte Goethe vorzugsweise den Rückgang unserer Dichtungsepoche und ihre Auflösung, so wie die Improduktivität der Dichter: an der Ausbildung des Technischen, und an der Richtung nach dem Subjektiven. Beides bewies ihm in den zahlreichen Dichtern nur ein Unvermögen, das durch die Höhe der Literatur zur Produktivität angereizt worden; sie schienen ihm teils erkünstelte, teil forcierte Talente, die sich dort mühen und zwängen und zu nichts kommen, hier überhaupt keine Energie anwenden, um etwas aus sich zu machen. Sie glauben vielmehr, ihr Talent, wenn sie es wirklich besitzen, zu verlieren, wenn sie sich um Kenntnisse bemühen und sich selber Gesetze schrei-

* Mephisto scheint ganz nah zu sein;
es deucht mich fast, er sieht mit ein.
In manchen wunderlichen Stunden,
hat er sich selbst das Maul verbunden,
doch blickt er über die Binde her,
als ob er ein doppelter Teufel wär.[24]

ben sollen, obgleich doch jedes Talent sich durch Kenntnisse nähren muß und dadurch erst zum Gebrauche seiner Kräfte gelangt. Sie wollen nichts werden, sie wollen jeder gleich etwas *sein*. Sie meinen es alle hübsch und gut, aber sie wollen nichts lernen; sie versäumen sich mehr Gehalt zu geben, da doch poetischer Gehalt nur Gehalt des eignen Lebens ist[25]; sie übersehen, daß nur der angehende Künstler geboren wird, nicht der vollendete, und daß der, der von dem Ausgebildeten nichts sich aneignen will, im falschen Begriffe von Originalität hinter sich selbst zurückbleiben muß. Es will sich jeder nur bemerklich machen; wie niemand im Staate leben und genießen, sondern jeder regieren will, so will auch in der Kunst sich niemand des Hervorgebrachten erfreuen, sondern seinerseits wieder selbst produzieren.[26] Und weil es doch schwer ist, ein Großes hervorzubringen, so ist ihnen das Große unbequem, sie haben keine Ader, es zu verehren, sie verwischen die Unterschiede und gefallen sich am Mittelmäßigen, welches das behagliche Gefühl gibt, als wenn man mit seinesgleichen umgehe. Etwas Scheinbares zu produzieren, macht die Zeit selbst so leicht: wir leben in einer Periode, wo die Kultur so verbreitet ist, daß sie sich gleichsam der Atmosphäre mitgeteilt hat, worin wir atmen; poetische und philosophische Gedanken leben und regen sich in uns, mit der Luft unserer Umgebung saugen wir sie ein.[27] Aber eben diese Zeit macht es auch so schwer, etwas wahrhaft Gutes zu leisten; ihre Forderungen sind, eben weil sie so leicht Bildung spendet, um so gesteigerter. Wer soll dieser erhöhten Gegenwart, deren Charakter das Veloziferische ist[28], in schnellster Bewegung genugtun? bis man von allem Notiz nimmt in diesen raschen Umtrieben der Welt und des Wissens, verliert man sich selbst, und eine weise Beschränkung innerhalb der Grenze seiner Fähigkeiten und Fertigkeiten ist in einer solchen Zeit jedem das geratenste; hier kann der geringste Mensch komplett sein. Allein unter unsern jungen Talenten sind die inkompletten Menschen weit die häufigeren, bei denen Sehnsucht und Streben mit ihrem Tun und Leisten außer Verhältnis sind. Der Literatur gegenüber, die den Gesichtskreis der Jugend mit großen Bildern füllt, schwellt sich ihre Seele mit großen Intentionen, und jeder sucht den Ruhm auf dem betretenen Pfade, den die letzten großen Männer der Nation gewandert sind. Jeder fühlt sich gedrungen, sein Erkennen und Fühlen grade poetisch mitzuteilen; sie treten immer auf diesen selben Fleck; sie wollen alles neu und wieder und anders tun, was schon getan ist; sie kehren den Strumpf um und tragen ihn auf der linken Seite; sie halten eine bereits gebrochene Pflanze in den Händen, die, wenn sie nicht in neue belebende Elemente gesetzt wird, notwendig welken muß. Daß hiermit im höheren Sinne wenig getan ist, wird aber den Jüngeren schwer und vielleicht unmöglich einzusehen. Alles, was sich in ihren Erzeugnissen auf die Person bezieht, ist gewöhnlich gelungen, manches in einem hohen Grade. Alles Allgemeine, das höchste Wesen wie das Vaterland und die grenzenlose Natur überrascht uns in einzelnen lobwerten Gedichten. Allein hierin liegt das Bedenkliche grade; Viele treten zusammen in dieser Wendung, ohne sich zu fragen, ob ihr Ziel nicht allzufern im Blauen liege? Man bemerkt daher, daß das innere jugendliche Leben bald abnimmt, daß Trauer über verschwundene Freuden, Schmachten nach dem Verlorenen, Sehnsucht nach dem Ungekannten,

Unerreichbaren, Mißmut, Invektiven gegen Hindernisse jeder Art, Kampf gegen Mißgunst, Neid und Verfolgung die klare Quelle trübt, und die heitere Gesellschaft zerstreut sich in misanthropische Eremiten![29] Der kranke Zug wollte dem Dichter nicht mehr gefallen, der selbst die Last der Ungesundheit ehedem abzuschütteln hatte; er würde ihm ganz unerträglich sein, wäre er nicht selbst einst unerträglich gewesen. Er fand sich nicht gefördert durch jene noch so lobenswerten Gedichte, die lebhafter Anteil, Laune und Leidenschaft hervorgebracht hat, in denen der Haß das Genie supplierte; denn weise wägt der lateinische Spruch die Worte: si natura negat, facit indignatio versum, sc. non facit poetam.[30] Die Heautontimorumenie[31] dieser Jünglinge, wenn er sich ihnen auch gern genaht hätte, scheuchte den geordneten Geist von ihren Werken hinweg; ihm mißhagten diese problematischen Naturen, die keiner Lage gewachsen sind, und denen keine genug tut, die daher in den ungeheuren Widerstreit geraten, der das Leben ohne Genuß verzehrt. Wiederkäuend nagen sie immer an ihrem eignen Schmerze, und tragen wie Atlasse die Schmerzen der Welt dazu; die zerrissenen Herzen gelten bei ihnen für groß, und die großen scheinen ihnen stärker zu werden durch Zerrissenheit. Ihr Geschäft ist wie das jener verzweifelten Literatur der französischen Romantik, das Häßliche, Abscheuliche, Grausame, mit der ganzen Sippschaft des Verworfenen ins Unmögliche zu überbieten.[32] Wie sollte der wahrhafte Dichter die Poesie bei diesen suchen, deren Neigung es ist, immer in diesen Dingen zu verkehren, die sich ein anderer gern aus dem Sinne schlägt? die einen Ruhm im Erliegen suchen, den andere darin setzen, daß sie die Welt und ihren Druck zu überwinden streben? Er, der im aufgeregten Meere der Leidenschaften und in ruhiger Fläche der Selbstbefriedigung die Welt in sich gespiegelt sah, er wußte, daß nur der klare Spiegel ihr echtes und treues Bild gibt, daß der fressende Gram des Prometheus und Faust nur eine kurze Periode des Jünglingsalters ergreifen, nicht die Jahre der Männlichkeit zernagen darf; ihm würde daher die Epoche jener poetischen Heautontimorumenie je länger desto lästiger geworden sein; und in der Tat darf man sich wundern, daß die ewige Wiederholung jener starkgeistigen Selbstpeinigungen seit nun schon 70 Jahren der neusüchtigen Welt noch nicht langweilig geworden ist.[33] Goethe suchte daher, müde der Künste und des Unmuts, die junge Welt »von dem Vergangenen und Erstorbenen auf ein Lebendiges hinzulenken;« er wies uns »auf neue Felder, wo man auch mit Erfüllung von kleinen Forderungen noch etwas Großes leistet;« er wollte nicht das »Überflüssige befördert sehen, wo noch so viel Nützliches zu tun ist.«[34] Dem vielseitigen Mann konnte nichts verloren scheinen, wenn man die Poesie eine Weile feiern ließ, um andere Zweige des Lebens zu treiben; er war von der einseitigen Überschätzung derer frei, die in der Dichtung das Heil alles Lebens allein suchen, wie es einst das Mittelalter in der Liebe gesucht hatte; er kannte Gutes und Böses, was sie gewährte und was sie stiftete, und er sprach das goldene Wort aus, daß die Muse zwar das Leben gern begleitet, aber es keineswegs zu leiten versteht.[35]

Er wußte freilich auch, wie schwer es sei, diesen Satz der enthusiastischen Jugend begreiflich zu machen, die in der Dichtung die ersten großen Impulse fürs Leben empfängt, und ihr so gern fürs Leben dafür dankbar bleibt. Nur einzelne Männer, die den Umfang des Lebens und des Geistes besser kannten, als daß sie ihn mit der Dichtung einzig wollten ausgefüllt glauben, haben über die Sphäre der ästhetischen Ausbildung hinausgeblickt, ohne ihr darum fremd und für sie unempfänglich zu sein. Herder sah ernste Zeiten kommen, die es wünschenswert machten, daß wir nicht immer an dem alten Spielwerk der Künste fortklöppelten; schon Forster wandte der Sentimentalität, die nur in anderer Gestalt und unter der Maske einer falschen Energie in unserer Dichtung fortdauert, den Rücken und es war ihm des Schreibens zu viel und des Handelns zu wenig; und auch Niebuhr hielt es für keinen Verlust, als er die Ermüdung unserer Literatur gewahrte und einen Aufschwung des handelnden Lebens zu gewahren glaubte. Und in der Tat, wenn unsere poetische Literatur auch wirklich so ganz einzig, wenn sie von einer so ungemeinen Energie in ihrer letzten Blütezeit gewesen wäre, daß man ihr eine dauernde Triebkraft zutrauen dürfte, wäre es denn *nur wünschenswert*, daß man immer und immer den *einen* Zweig impfte? Ein Nationalleben ist nur dann wahrhaft im Gedeihen, wenn seine Richtungen mannigfaltig verzweigt sind, wenn der Lebenssaft nicht all nach *einem* Ziele geht, wenn nicht hier die Pflanze schießt, während sie dort verkümmert. Und verkümmert und verdorrt ist wahrlich bei uns der Staat und alles, was dem handelnden Leben, dem Mittelpunkt unseres ganzen Daseins, verwandt ist, auf eine klägliche Weise, während die Dichtung und das Leben und Schwelgen in Phantasien und Empfindungen zu einer enormen Fülle gediehen ist. Aus allen Zonen führt uns alles, was ein Talent hat, den Überfluß ästhetischer Reize zu, durch jeden neuen Erwerb wird die Habsucht entzündeter, und zugleich die Befriedigung geschwächter, der Genuß stumpft sich ab, der Stachel des Neuen, des Bizarren, des Verrückten sogar genügt nicht mehr, den verwöhnten Gaumen zu kitzeln. Soll dies die Dichtung wahrhaft fördern? Wir haben in unserer deutschen Geschichte *ein* Beispiel für alle, das uns mit lauter Stimme beschwört und warnt, im Verfolge auch des Trefflichsten und Schönsten mäßig zu sein und die Größe irgendeiner Bildung niemals im Luxus zu suchen. Welch eine segensvolle Zeit war jene Reformation, die nach Jahrhunderten der scholastischen und mystischen Finsternis unsern Religionssinn läuterte, die uns in eine Bahn warf, deren Ziel das herrlichste war, und dessen Heiligkeit vor jeder Verirrung auf diesem Pfade hätte schützen sollen. Fast drei Jahrhunderte beherrschte diese religiöse Richtung das deutsche Leben, gegen die keine politische Tendenz und spät erst die poetische aufkommen konnte. Wäre die Nation von etwas rascherem Blute gewesen, hätte die ästhetische Bildung der religiösen schneller folgen können, ehe sie in eine theologische ausartete, ehe die Mißbräuche des Mechanismus, der Luxus des geistlichen Lebens, der Eigensinn und die grenzenlose Borniertheit der Fachmänner das ganze Feld gewannen und den *eigentlichen* Gewinn jener Bewegung, fromme Einfalt und echte Religiosität ganz preisgaben, so wäre von der Nation unendliches Elend abgehalten und unsere Geschichte vielleicht um zwei Jahrhunderte gefördert worden. Darüber wird kein Streit sein. Aber noch viel weniger, wenn anders die Menschen aus der Geschichte lernen wollten, sollte heute ein Zweifel darüber sein können, daß unsere Poesie ganz und völlig auf dem Wege begriffen ist, auf dem damals die Religion ins Wüste und Wilde geriet. Denn ganz haben wir hier die Schwelgerei auch im poetischen Leben, ganz die Mißbräuche des Mechanismus, ganz die nutzlose Rivalität und die Gemeinheit und Rohheit der streitenden Sekten, und unter den Händen jener banausischen Fachmänner, bei denen die Genialität und Originalität das Handwerkszeichen ist, welches den Beruf ebenso betätigen und Kenntnis, Herz und Geist ebenso ersetzen soll, wie einst die Orthodoxie bei den Theologen: unter ihren Händen geht der echte poetische Sinn und der reine Kunsttrieb ebenso verloren, wie dort die Religion. Glücklich noch, daß im 17. Jahrh. eine schwere Zeit des Unglücks und der Schmach die Gemüter ernster stimmte, die Geister belebte, die Menschen aus der Schulstube und ihrer Zänkerei herausriß, sonst wäre die Versunkenheit des geistigen Lebens noch unendlich gesteigert worden. Und eine solche Bewegung des äußern und öffentlichen Lebens müssen wir uns heute wieder wünschen, wenn sich unser ungesunder Literaturkörper wieder erholen soll; und nur möge sie von ebenso viel Glück und Ehre begleitet sein, wie jene frühere von Schande und Elend begleitet war. Ich bin nicht so prosaisch, unserm Vaterlande eine zweite, große Dichtungsepoche zu mißgönnen, ich bin nicht so eingenommen von historischer Weissagungsgabe, daß ich die Möglichkeit eines zweiten goldenen Zeitalters unbedingt abspräche. Allein nur unter zwei Bedingungen, so lehrt mich jedes Blatt der Geschichte, kann man überhaupt die Blütezeit irgendeiner geistigen Kultur erwarten: wenn grade die Zeit ist, die den inneren Trieb des gegebenen Bildungszweiges zum Ausschlagen drängt, oder wenn große äußere Verhältnisse ihn begünstigen. Jene erste Bedingung können wir so bald nach einer Periode, die Goethe und Schiller zusammen wirken sah, nicht wieder erwarten. Wenn Goethe sagte, wir hätten noch kein goldenes Zeitalter unserer Dichtung gehabt, so war es Bescheidenheit, die es ihn sagen ließ; wenn es die junge Dichterwelt nachspricht, so ist es Unbescheidenheit und Mangel an Urteil dazu. Allerdings hat unsere Dichtungsgeschichte nicht das Floride und den blendenden Glanz, den man in andern Dichtungsepochen anderer Völker findet; diesen Eindruck werden die Leser auch durch unsere Darstellung empfangen haben. Allein teilweise ruht auf jenen andern Epochen für uns der Schimmer des Fremden und der Reiz des Alters, teilweise aber bringt es die Verstandeskultur der neuen Welt mit, daß wir von den poetischen Entwickelungen überhaupt nicht mehr allzuviel erwarten dürfen. Daß unsere deutsche Dichtung durch alle Hemmnisse, die wir sie überwinden sahen, nicht mehr niedergehalten wurde, daß sie den Preis über das Vergangene gewann, und die vorletzte große Dichterzeit der Franzosen an Jugend, Feuer und echter Empfindung so unendlich weit überbieten konnte, das zeugt wahrlich von der Entwickelung einer ungemeinen Kraft, und war überhaupt nur in einem Volke möglich, das so lange in kindlicher Unmündigkeit gehalten wurde. Und wo wäre denn auch bei den übrigen Völkern Europas, wenn wir etwa Italien ausnehmen, die Innigkeit des Strebens und das Aufgebot ja die Profusion [36] aller Kräfte für poetische Kultur so groß gewesen, wie bei uns im vorigen Jahrhundert? Wer also so schnell nach dieser Zeit auf neue Goethe und Schiller hofft, der täusche sich unserthalb in so schönen Hoffnungen. Wir können nur auf eine äußere Zeitbegünstigung hoffen, wenn wir an ein neues und gesundes Leben in unserer Dichtung glauben sollen. Die junge Literatur wird es teilweise wenigstens zufrieden sein, wenn wir sagen: jene Blüte unserer Dichtung ist einmal vorüber, sie ist ins Kraut gewachsen, es bilden sich die Samenstengel für eine künftige Saat. Chamisso selber sagte dies seinen Freunden, sie wollten die Segensgabe der Dichtung, dem tauben Geschlechte gegenüber, treu bewahren und der fernen Zukunft eine andere Liederzeit zutrinken.[37] Und auch andere begnügen sich (ein seltsames Zeichen einer allzugroßen Bewußtheit) mit der Anerkennung eines neuen Keimes, eines vermittelnden Verdienstes, einer historischen Berechtigung in ihren Poesien. Aber nun vergesse man nicht, daß keine Frucht so gut neu aufgeht, als wenn ein neuer Boden aufgegraben und gedüngt ist, und daß keine Pflanze wieder grünt, ohne einmal die Blätter abzuschütteln. Man habe den Mut, das Feld eine Weile brach liegen zu lassen und den Grund unserer öffentlichen Verhältnisse, auf dem alles wurzelt was ein Volk hervorbringen soll, neu zu bestellen und wenn es sein muß, umzuroden, und eine neue Dichtung wird dann möglich werden, die auch einem reifen Geiste Genüsse bieten wird. Wir müssen dem Vaterlande große Geschicke wünschen, ja wir müssen, so viel an uns ist, diese herbeiführen, indem wir das ruhesüchtige Volk, dem das Leben des Buchs und der Schrift das einzige geistige Leben, und das geistige Leben das einzige wertvolle Leben ist, auf das Gebiet der Geschichte hinausführen, ihm Taten und Handlungen in größerem Werte zeigen, und die Ausbildung des Willens zu so heiliger Pflicht machen, als ihm die Ausbildung des Gefühls und Verstandes geworden ist. Unsere Jugend hat dies Bedürfnis auch wohl empfunden. Unsere Dichter liegen seit den letzten Bewegungen der politischen Welt in Masse dem Quietismus der Romantik entgegen; Gesinnung und Tat hat bei ihnen einen Klang erhalten, den sie vorher bei unsern romantischen Nihilisten nicht gehabt hat; die öffentlichen Zustände bilden nicht den kleinsten Teil des Grams, den sie im lebhaften und leidenschaftlichen Herzen zu tragen haben; und es ist dies auch nicht das Spiel mit einem eitlen selbstersonnenen Grame, denn sie haben ein Recht, diese Zustände elend zu finden; und schade, daß sie den schönen Namen des jungen Deutschlands zu einem Ekelnamen gemacht haben, denn ein junges Deutschland tut uns allen inniglich not. Wollten die Dichter nun, die diesen Gram der Zeit teilten, dem Herzen Luft machen wie Goethe pflegte, die Last von sich werfen im poetischen Ergusse ihrer Schmerzen und ihrer Hoffnungen, ihrer Einsichten und Wünsche, so führte sie der natürliche Weg zur politischen Satire; ja wer selbst wie Goethe der politischen Poesie noch so abgeneigt wäre und nur aus reinem Triebe dichtend der Kunst selbst das nächste Genüge tun wollte, selbst der müßte sich dem Rufe der Verhältnisse bequemen und der gegenwärtigen Jahreszeit abzugewinnen suchen, was sie geben kann. Denn die ernste Zeit mahnt uns, ihr ganz uns hinzugeben, und sie gibt die Halben erbarmungslos auf. Und darum müßte auch diese politische Satire im graden offenen Kampfe gegen die offenen schiefen Zustände im Großen angehen; es müßte erst ein großer Charakter sein, wer ein großer Dichter werden wollte, und ein großer Kopf, wer sich versprechen dürfte, daß sein Werk den Druck der Verhältnisse überwände. Ein solcher wird nicht den Weg einschlagen, den unsere Dichter gewählt haben, die auf die äußeren Hemmungen den Widerstand gegen die öffentlichen Zustände abbeugten und in die versteckten kleinen Kanäle des sozialen und Privatlebens ablenkten. Hier hat das große Talent keinen Gegenstand mehr. Im vorigen Jahrhundert stieß der freiere Geist bei jedem Schritte an Tracht, Brauch und Sitte an, und er hatte ein Recht sich dagegen aufzulehnen; jetzt ist die Gewalt der Konvenienz, Mißstand und Unnatur des Privatlebens so gebrochen, daß es den Mann von Genie und Energie nicht mehr unterdrücken kann; hier ist seinem Widerstand kein Objekt gegeben. Nur das Staatsleben beugt die freie Entwickelung noch nieder; und ehe dieses reformiert ist, werden wir vergebens auf eine große Zeit in irgendeiner Richtung warten dürfen. Das hatte Goethe in seiner Jugend, dem großen britischen Tragöden gegenüber, schon empfunden, daß es das mangelnde Staatsleben war, was unsere Literatur darniederhielt: denn nur wo sich die Dichtung auf den großen Markt des Lebens wagt, das Gefahrvollste und Größeste zu ihrem Gegenstande zu nehmen nicht scheut, mit den öffentlichen Zuständen Bund macht, und mit dem Leben selber rivalisiert, nur da sondert sich echter Weizen aus der Spreu, und während bei uns das dürftige Talent mit dem echten Genius in einerlei Joch geht, ist unter freieren Ordnungen dem Laufe freie Bahn gegeben und die Kraft scheidet sich von dem Unvermögen. Noch im späten Alter war Goethe derselben Einsicht, nur wollte er der Nation »die Umwälzungen nicht wünschen, die in Deutschland klassische Werke hervorbringen könnten.«[38] *Wir* aber wünschen diese Veränderungen und Richtungen; und wenn die Natur der Entwickelung Umwälzungen dabei nötig machen sollte, so werden wir auch diesen klüger entgegenkommen, als ausbeugen; denn wer in der moralischen Welt zu Hause ist wie Goethe in der Natur war, der wird sie so wohltätig nennen müssen und so wenig scheuen dürfen, wie dort den Sturm und das Gewitter. Und wäre denn *dazu* durchaus Umwälzung nötig, daß wir Kräfte endlich gebrauchen möchten, die wir haben? daß wir Rechte gesichert wünschen, deren Unsicherheit sie nutzlos macht? daß wir ein Regiment begehren, das des Volks innere Kräfte schätzen lerne und ihnen Spielraum gäbe? daß wir die Nation, die den Kern des Weltteils bildet, der spöttischen Stellung entnommen sehen möchten, die sie einnimmt? daß wir die Mündigkeit antreten wollen, zu der wir gebildet und gewachsen sind unter saurer Schule und schwerer Erfahrung? Mit welchen Mitteln aber auch die Erreichung dieses Zieles zu bewirken sein sollte, auf dem Wege unsrer bisherigen Poesie würde weder der Zweck noch das Mittel erreicht werden; weder die »Behaglichkeiten der früheren Märchen«[39], noch die Unbehaglichkeiten der früheren und späteren Dichter werden uns dahin führen. Sondern ein Mann tut uns not, der dieses Ziel mit grader Bestrebung ins Auge faßte und nicht auf Umwegen zu erschleichen hoffte, ein Mann wie Luther war, der jetzt dies Werk endlich aufnähme, das der große Reformator schon Lust zu beginnen hatte. Ihn schon dünkte zuweilen, daß die Regiment und Juristen wohl auch eines Luthers bedürften, aber er besorgte, sie möchten einen Münzer kriegen, darum riet er, daran zu pletzen und zu flicken wer könne. Aber nun haben wir drei Jahrhunderte lang gepletzt und geflickt und es ist nichts geworden; wir haben auch der falschen Münzer genug erlebt, aber freilich keinen von lutherischem Gepräge. Luther verzweifelte an diesem Werke und wohl aus dem leidigen Grunde, daß er in diesem Volke keine politische Natur erkannte. Denn was aus Kraft der Natur geschieht, sagte er, das geht frisch hindurch, auch ohne alles Gesetz, reißt auch wohl durch alle Gesetze; aber wo die Natur nicht da ist, und solls mit Gesetzen herausbringen, das ist Bettelei und Flickwerk. Nur so ganz möchten wir darum doch nicht an diesem Volkskörper verzagen, daß wir mit Luther nicht Haut und Haar an ihm gut nennen sollten; wir wollen nicht glauben, daß diese Nation in Kunst, Religion und Wissenschaft das Größte vermocht habe und im Staate garnichts vermöge. Aber freilich müssen wir es in die Hände des Schicksals geben, ob es jene enthusiastische Energie, die allem unserem ersten Beginnen eigen ist, einmal nach dieser Richtung lenken werde. Was an uns liegt, ist, ob wir die Winke der Zeit verstehen, die Zersplitterung unserer Tätigkeit aufheben und unser Wirken nach dem Punkt richten wollen, nach dem die ungestümsten Wünsche am lautesten geworden sind. Der Wettkampf der Kunst ist vollendet; jetzt sollten wir uns das andere Ziel stecken, das noch kein Schütze bei uns getroffen hat, ob uns auch da Apollon den Ruhm gewährt, den er uns dort nicht versagte.

24 *Franz Grillparzer*

Aus den Tagebüchern und den ästhetischen Studien 1832–1860

Über jenen zweiten Teil des ›Faust‹. Was läßt sich sagen? Goethe hatte teils durch das höhere Alter, größtenteils wohl aber durch die kanzleiartige Geschäftigkeit seiner letzten Jahre, von jener lebendig-versinnlichenden Kraft eingebüßt, welche allein Gestalten gibt und Gemüts-Interessen erweckt. Die Figuren, die er aus seinen Jugendschätzen bereichert, hatten sich ihm daher zu Träumen und blutlosen Schatten verdünnt, die man noch immer billigen, ja bewundern muß, denen man sich aber nicht mehr mit Teilnahme verwandt fühlt. Dazu mag noch gekommen sein, jener begreifliche Wunsch von Goethes letzter Zeit, keins seiner geistigen Kinder unversorgt zurückzulassen. So wie ihn das veranlaßte, mit weitem allgemeinen Streben, in individueller Besonderheit angefangene Werke fortzusetzen und abzuschließen, so scheint es ihn sogar verleitet zu haben, Teile und Bruchstücke, die ursprünglich nicht für einander bestimmt waren, gewaltsam in einen Verband zusammenzudrängen, und die Sorge für die Herstellung der Einheit zum Ganzen, der Bewunderung der Zeiten und der Gewalt seines Namens überlassen zu haben. Was bei ›Wilhelm Meisters Wanderjahren‹ sichtlich geschehen ist, dürfte bei dieser Fortsetzung des ›Faust‹ zum Teile auch der Fall gewesen sein. Die darin aufgenommenen antikisierenden Bestandteile wenigstens sind offenbar Bruchstücke aus einer Tragödie Helena, die Goethe in früherer Zeit entwarf, in der Folge aber wieder aufgegeben hat. Ebenso trägt die klassische Walpurgisnacht deutliche Spuren eines antiquarischen Scherzes, unabhängig vom Faust, den mittelalterlichen Wunderlichkeiten der Brocken-Szene, ähnliche Monstrositäten der griechischen Zeit gegenüberzustellen. Es ist ein poetisch ausgeführtes Schema, wie Goethe es zu machen liebte. [Tgb. 2003, 1832]

[...] um durch Betrachtung der ewig gesetzmäßigen Natur sich über die gesetzlosen Bewegungen der Menschen zu trösten oder zu erheben. *Goethe* ›Geschichte der Farbenlehre‹ II. B. P. 9.[1] Paßt sehr gut auf Goethe selbst.

[Tgb. 2164, 1834]

In jenem Aufsatze[2] zur Erklärung von Goethes getadelter Teilnahmslosigkeit an dem politischen Schicksal seiner Nation. – Ein hervorstechender Zug in Goethes Charakter war immer seine Abneigung gegen das Fratzenhafte, Übertriebene. Als Italiener wäre er vielleicht Carbonaro[3] gewesen (?) aber die Deutschen mischen in alles eine solche knabenhafte Phantasterei, daß es Goethen, bei jenem Charakterzug, durchaus zur Last, eigentlich verhaßt sein mußte. Mit solchen Leuten gemeinsame Sache zu machen war nicht denkbar, und da er, trotz seiner Ruhe, immer höchst praktisch und tätig war, sich also gegen nichts passiv verhalten konnte, so stieß er ab was ihn nicht anzuziehen vermochte. Dazu kam noch die ewige Antastung und Verkümmerung seiner eigentlichen Göttin, der Wahrheit; und wohl auch die Furcht, daß die Deutschen durch das täppische Hineinmengen in die Fragen des Tages, ohne Gewinn auf einer Seite, auf der andern jene stillen wissenschaftlichen Vorzüge verlieren möchten, die so lange ihr eigentlicher Ruhm gewesen waren. Ob er recht gehabt hat? [Tgb. 2165, 1834]

Die höchste Lebensweisheit in jenen Worten von Goethes ›Natürlicher Tochter‹.[4]
Eugenie. Was sagt dir nun das Herz? verstummt es noch?
Mönch. Es schweige, bis der prüfende Verstand
Sich, als ohnmächtig, selbst bekennen muß. [Tgb. 2176, 1834]

Was immer Sonderbares in dem Verhältnis Goethes zu dem *Kinde*[5] sein mag, es ist zugleich etwas Wunderbares in dem Mädchen und in dem Verhältnisse. Wenn sie nachts zum Fenster hinaussehen und begeisterte Gespräche über Tugend und Schönheit führen, begeisterte wie Platos; wer erkennt da den starren Goethe, wie sie ihn heißen, und wie er Unkundigen manchmal scheint. Das Gute: die Ruhe des Geistes, um sich zu einem andern Dasein vorzubereiten. Einpuppung. Schönheit: der Leib, der von seinem Geiste ganz durchdrungen ist. Goethen war die Nachtseite des Ich und der Natur nicht fremd, er wußte aber auch, daß nur die Sonne Früchte reift. [Tag. 2804, 1835]

Lächerlich ist die Behauptung, Goethe habe sich nach dem Publikum gerichtet und ihm jederzeit gegeben was es zu wünschen schien.[6] Dem Publikum aufzudrängen was es *nicht* wollte war sein Streben. Es hat sich lange genug, ja immer gegen die ›Natürliche Tochter‹ und dgl. gewehrt. Kotzebue gab ihm was es wollte. [Tgb. 2848, 1835/36]

Schiller sah ein daß es etwas Höheres, Tieferes gebe als Goethes Vorwürfe. Gewiß. Er ergriff sie und stellte sie dar. Gut. Aber *wie?* Er wurde der Lieblingsdichter des Volks. Gewiß, weil dieses auf das *wie* nicht so sehr zu achten pflegt. Ich glaube selbst, daß Schillers *Gattung* die höhere ist, aber Goethe war als Individuum größer. [Tgb. 2849, 1835/36]

Ihr schreit immer Goethe, Goethe! Der Mann hat so viele Formen [7], welche davon ist euch denn so lieb? Alle. Goethe der Jüngling. Goethe der Mann. Der Reifende, der Reife, ja selbst der Überreife noch. Seine vielen Gestalten werden doch nicht verschiedener sein als Pfirsichblüte und Pfirsichfrucht, die kaum einen Ähnlichkeitspunkt haben und die gleich entzücken. [Tgb. 2850, 1835/36]

›Hoch auf dem alten Turme steht‹ [8] wird als eines der schönsten Goethischen Gedichte angesprochen. Warum nicht? Wenn der Leser gerade in der Stimmung ist, es selbsttätig dazu zu machen. Ein Hauptfehler der Goethischen lyrischen Gedichte ist aber, daß sie dem Leser zumuten, sich durch eine Reihe von Operationen erst auf den Standpunkt zu setzen, auf dem sich der Dichter befand, da er es schrieb, und die Stimmung vorauszusetzen statt zu erwecken.
[Tgb. 2851, 1835/36]

Schiller *geht* nach oben, Goethe *kommt* von oben. [Tgb. 3183, 1836]

Da ist denn wieder eine Sammlung von Äußerungen Goethes [9], wie alles, was diesen außerordentlichen Mann betrifft, von unschätzbarem Wert für den Einsichtigen nämlich, für den Uneinsichtigen aber eine gefährliche Klippe; ein Doppelschicksal das Goethe und sein Streben mit allem Bedeutenden und Großen teilt. Wenn man den rechten Standpunkt zur Beurteilung oder vielmehr Benützung dieser Aussprüche gewinnen will, darf man vor allem nicht vergessen: *wann* diese Gespräche gehalten wurden, und zu *wem?*

Wann. Zu einer Zeit als Goethe in hohem Alter teils die tätige Energie seines Innern von der Kunst ab und der Wissenschaft zugewendet, teils von den abgeschmackten Bestrebungen der jüngern Welt ennüyiert sich in ein ablehnendes Verhältnis zu jeder stärkern Wirkung gesetzt hatte.

Zu *wem?* Zu einem jungen Mann, den er im allgemeinen und zu seinen Privatzwecken bilden wollte und in dem er vielleicht mehr Talent zu einer anschließenden ruhigen Entwicklung, als zu großartigem Selbstschaffen entdecken mochte.

In dieser letzten Beziehung ist z. B. hauptsächlich dasjenige zu nehmen was er gegen künstlerische Arbeiten von größerer Ausdehnung warnend ausspricht, obwohl nicht zu leugnen ist, daß wir alle durch Aufgaben über unsere Kräfte uns selbst mannigfachen Schaden getan und vielleicht der Kunst wenig genützt haben. Andererseits aber würde ein Zeitalter bald ganz verflachen, das, auch bei beschränktem *Vermögen*, das *Streben* nach Großartigkeit, dem Gehalt und der Form nach, ganz und völlig aufgeben wollte. Das Bedürfnis des in Ruhe zurückgezogenen älteren Beobachters und der im Lebens-Strudel fortgerissenen, zuletzt doch ewig jungen Welt geht hier, mit Recht, einen ganz entgegengesetzten Weg. [Tgb. 3209, 1836]

In einer Beilage der ›Allgemeinen Zeitung‹ stand neulich ein Aufsatz [10] von einem unbefangen sehenden Manne, er heiße nun wie er wolle, der den Deutschen die eigentliche Poesie absprach. Da wird nun, wenn man nicht vorzieht mit vornehmer Verachtung darüber hinauszugehen, ein großes Geschrei in unserm lieben Vaterlande entstehen. Falsch! werden die einen losbrechen: Schiller ist zwar kein ursprünglicher, unmittelbarer Dichter, aber Goethe, Goethe! Unverschämt! hör' ich die andern sich Luft machen: Von Goethe wollen wirs gerne zugeben, daß er kein eigentlicher Poet war, aber unser herrlicher, kräftiger, deutscher Schiller! Hier haben wir also schon Deutschland in zwei Parteien geteilt, von denen jede den einen der Koryphäen der deutschen Poesie für keinen eigentlichen Dichter gelten lassen will. Das scheint um so sonderbarer, da kein Grieche jemals an Homer, kein Italiener an seinen Dante und Ariost, gezweifelt hat, so wie kein Engländer, wenigstens jetzt an Shak[e]speare zweifelt. Hieraus folgt, wenn nichts anders, wenigstens soviel, daß diesen beiden vorzüglichsten deutschen Dichtern, der Stempel der echten Poesie nicht so klar aufgedrückt ist, daß nur Dummköpfe, und das sind beide Parteien nicht, an der Echtheit zweifeln könnten. Es scheint vielmehr, daß jedem dieser beiden bedeutenden Männer ein Ingrediens der echten Poesie fehle, das, nach der Verschiedenheit der Ansichten, jede der beiden Parteien für das Wesentlichste hält. Und das ist es eben, was der Verfasser jenes Aufsatzes sagen will. [Tgb. 3210, 1836]

Die neueste deutsche Poesie teilt sich in zwei Klassen, die ich mit den Namen der *Schlafrockpoesie* und der *radikalen* Poesie bezeichnen möchte.

Die erste Klasse besteht aus den Nachahmern Goethes. Wohlgemerkt! den *Nachahmern*, nicht den *Verehrern*. Wer kein Verehrer Goethes ist, für den sollte kein Raum sein auf der deutschen Erde. Dieser, vielleicht größte aller Deutschen, hat, ein andrer Napoleon, seine vorher bürgerlichen Angehörigen, alle Deutschen, geadelt, so daß man ihnen noch lange ihre Unbesonnenheiten und Eingriffe um seinetwillen verzeihen wird, bis einmal, vielleicht bald, der Glanz erlischt, den er auf seine Umgebung warf, und nur der seine bleiben wird, bis ans Ende der Zeiten. Für seine Feinde sollte kein Raum sein auf der deutschen Erde. Ich nehme hier einen Einzigen [11] aus, dessen großartiger, aber einseitiger Haß, ihm darum verziehen werden kann, weil es ein Haß, also eine Leidenschaft ist, die aus andern Quellen entsprungen, auf Goethe den Schriftsteller, nur einen entfernten Bezug hat. Auch hat er sich selbst aus Deutschland verbannt.

Aber Goethe verehren, und ihn nachahmen sind verschiedne Dinge. Schiller kann und soll man nachahmen, weil er der Höchste einer *Gattung* ist, und daher ein Muster für alle seiner Gattung. Goethe dagegen ist ein Ausnahms-Mensch, eine Vereinigung von halb widersprechenden Eigenschaften, die vielleicht im Lauf von Jahrhunderten sich nicht wieder beisammen finden. Er gehört keiner Gattung an, oder wenn man ihn an die Spitze einer solchen stellen wollte, so wäre es eine ziemlich bedenkliche Gattung, nur daß er selbst um eine Unendlichkeit von dem auf ihn folgenden Nächstbesten abstünde. [Tgb. 3211, 1836]

Unter den vielen Stimmen über Goethe ist auch in ganz neuester Zeit die eines bekannten Publizisten [12] (um nicht zu sagen Staatsmannes) hinzugekommen, der in einem seiner Briefe (Rahel) [13] von dem großen Meister sagt: Aus dem persönlichen Umgang mit ihm kommt in Ewigkeit nichts heraus. Ich glaube es; besonders mit Rücksicht auf die Personen, die eben mit Goethe in persönlichen Umgang traten. Goethe hatte allerdings auch etwas Mephistophelisches in seiner Natur was sich besonders darin zeigte, daß er auch den Mephistopheles in den andern leicht erriet. Dann habe ich immer bemerkt, daß im Gespräche über die letzten und erhabensten Dinge niemand unerschöpflicher ist als erstlich jene Gutmütigen, Tugendhaften, denen es bei vollem Ernst um die Sache an einem Talente fehlt, ihre Gesinnungen wissenschaftlich oder künstlerisch darzustellen und so abzuschließen. Diese sind unerschöpflich, weil das Gespräch ihre einzige Produktivität ist. – Dann aber auch jene Halbspitzbuben, welche, indes sie nicht geneigt sind, dem Wahren und Guten auch nur den mindesten Einfluß auf ihr Leben zu gestatten, doch Geschmack genug haben (besonders in den Zwischenzeiten, der crapule [14] aller Art) auch in dem Erhabenen eine Quelle ästhetischen Genusses zu finden. [Tgb. 3212, 1836]

Goethe in seinen ältern Tagen, ein großartig blasierter Geist.
[Tag. 3214, 1836]

Es ist nur zu gewiß und Eckermanns ›Gespräche mit Goethe‹ 2 Band pag 264 [15], bestätigen es: der zweite Teil von ›Faust‹ wurde redigiert statt gedichtet; Vorhandenes eingefügt, die Lücken hinterher ausgefüllt; Anspielungen, absichtlich dunkel, gehäuft, und so entstand jenes Werk, von dem man jedes Einzelne billigt, indes das Ganze ohne Eindruck bleibt. [Tgb. 3215, 1836]

[...]

Gervinus wundert sich über Goethes Erklärung, daß er sich für unfähig halte eine wahre Tragödie zu schreiben, und daß er fürchte, durch das bloße Unternehmen sich aufzureiben.[16] Er sieht eben nicht ein, daß Goethes Art, sich in die innerste Natur des Darzustellenden hineinzusetzen, ihm die Identifizierung mit den Personen einer Tragödie notwendig grauenhaft machen mußte, indes Schiller die Charaktere von der Oberfläche aufnahm, das Innere aus seinem eigenen reichen Wesen supplierte und so mit einer bald abzuschüttelnden Fieberaufregung leicht zu Ende kam. Von den Neuern hat nur Shak[e]speare sich tragischen Stoffen in Goethes Sinne hingegeben. Selbst die großen Alten haben es mehr in Schillers

Sinn getan, mit Ausnahme des Euripides, der daher seine beiden Mitbewerber in dieser Hinsicht übertrifft, nur daß sie ihn wieder an Großartigkeit übertreffen, wie Schiller Goethen, aber nur aus demselben Grunde – [Tgb. 3241, 1836/37]

Man muß Gervinus gut sein, auch wo man ihn nicht ganz billigt. Es ist eine solche Rechtlichkeit der Gesinnung in ihm, eine so richtige Empfindung wenn er über abgeschlossene Werke urteilt, nur über die Zustände des Dichters aus dem die Werke hervorgegangen sind, ist er nicht so kompetent, aber er ist eben Literarhistoriker und der hat es mit den Werken zu tun – Goethes früheste und späteste Epoche beurteilt er mit Begeisterung und gerecht. Selbst wenn er über die Erzeugnisse des Greises streng abspricht[17], merkt man, es ist mehr der Ärger, daß er nicht alles vortrefflich finden kann, wie er wünschte, als eine Anfeindung, was ihn so hart macht. Und in der Tat, man mag Goethen noch so hoch verehren: die ›Wanderjahre‹ sind kein Werk, der zweite Teil des ›Faust‹ kein Gedicht, die versifizierten Maximen der letzten Zeit keine Lyrik. Aber alles gehört zusammen. Goethe der Jüngling, Goethe der Mann und Goethe der Greis sind ein Riesenbild, an dem sich die kommenden Jahrhunderte erquicken, dessengleichen sie nicht sehen werden. Aber er war eben ein Mensch. Nicht *der* Dichter, sondern *ein* Dichter, und das in der vollsten Bedeutung des Wortes.

Nur in Bezug auf Goethes Mannesalter, die kräftigste Periode seines Wirkens bin ich nicht ganz mit Gervinus einverstanden. So sehr er ihn anerkennt – Hier obige Bemerkung [Tgb. 3242, 1836/37]

[...]

Es ist an Goethe hart getadelt worden, daß er sich der sogenannten romantischen Schule, ja den bessern Hervorbringungen derselben, den Genoveven und Oktavianen[18], so hartnäckig widersetzte; er wußte aber wohin derlei führt; er wußte, daß eine Form, die sich vom Stoffe beherrschen läßt, statt ihn zu beherrschen, den Keim der Fratze notwendig in sich trägt; wußte, daß nicht die Ausdehnung, sondern das Erfülltsein den Gehalt bestimmt; wußte, daß Künstler *machen;* andeuten und anregen aber die Sache der Stümper ist.

So hat anregend und aufreizend statt befriedigend die deutsche Poesie immer weiter um sich gegriffen, und da, um Eindruck zu machen der Stoff nur durch Überschwänglichkeit das ersetzen kann was der Behandlung abgeht, so ist die Poesie endlich teils der *Prosa* verfallen, indem sie selbst das Streben aufgab eine passende Form zu finden, teils der *Fratze,* indem sie in eine Form zu pressen suchte, was jede Bildsamkeit überragte. [Tgb. 3248, 1837]

Es hat in diesen Blättern ein geistreicher und wohlgesinnter Mann[19] die Frage berührt: ob auf Goethes oder Schillers Wege für die deutsche schöne Literatur ein erwünschteres Gelingen zu hoffen sei?

So gut das dort Gesagte auch immer sein mag, so ist die Frage doch zu wichtig, als daß nicht jeder suchen sollte, sein Schärflein zu ihrer Beantwortung beizutragen. Hier mein Beitrag.

Wenn in jenem Aufsatze gleich anfangs die Zulässigkeit der ganzen Frage aus dem Grunde geleugnet wird, weil jeder selbständige Geist die seinen Gedanken angemessene Form zugleich mit dem Gedanken in sich trage, so hat das seine Richtigkeit bei den *selbständigen* Geistern, und für sie eine Regel aufstellen zu wollen, hieße allerdings sich lächerlich machen. Nur glaube ich, daß Geister dieser Art so selten sind, daß es Jahrhunderte gibt, die nicht einen aufzuweisen haben; so wie ich denn gegenwärtig in ganz Deutschland, Frankreich und, seit Byrons Tode, in England keinen einzigen eigentlich selbständigen Geist kenne. Die Frage muß vielmehr so gefaßt werden: Ist es für allerdings begabte, aber *nicht* selbständige Geister geratener sich Goethe oder Schiller zum Muster und Vorbild zu nehmen?

Eine zweite Art den Knoten zu zerhauen wäre der Ausspruch: derlei Geister minderen Ranges sollten eben gar nicht schreiben. Die Poesie verlöre dabei nichts und das vorhandene Vortreffliche könnte [sich] um so ungestörter auswirken. Ganz unrichtig, wie mir scheint. Denn erstens wäre es unbillig, denen, die einen, wie man weiß, unwiderstehlichen Drang sich auszusprechen fühlen, die Befriedigung dieses edelsten Bedürfnisses geradehin zu versagen; dann erfreut, ja bildet das größere Publikum eben das am meisten was in der eigenen Zeit, unter gleichen Umständen, bei gleicher Gefühlsweise unter den nämlichen Freuden und Schmerzen ausgesprochen wird. Längst Dagewesenes, gleichsam mit Abstraktion, empfinden wird immer nur die Sache weniger sein. Endlich muß jedes Zeitalter, das nicht seine eignen Erlebnisse lebendig auszubilden sich bestrebt, über der ewigen Betrachtung des Alten das nie der neuen Gefühlsweise ganz entspricht notwendig in Pedanterie verfallen, die in der Kunst noch schlimmer ist als der Leichtsinn. Jedermann kennt die Pedanterie die mit Griechen und Römern getrieben worden ist; daß man aber auch über Shak[e]speare zum Pedanten werden könne, davon scheinen unsere Landsleute derzeit noch keine Ahnung zu haben.

Also die nicht selbständigen Geister dürfen und sollen schreiben, und sie bedürfen dazu Muster, eben weil sie *nicht* selbständig sind.

Wir sind auf diese Art wieder auf unsern Anfang zurückgekommen, auf Goethe und Schiller, zwischen denen wir wählen sollen.

Es kann hier nicht die Frage sein: wer von beiden der größere Dichter ist. Ich halte, mit dem Verfasser des besprochenen Aufsatzes, Goethen dafür. Es ist aber ein Unterschied zwischen vortrefflich als Individuum, und: ausgezeichnet als Kulminationspunkt einer Gattung zu sein. Nur letzterer kann eigentlich ein Gegenstand der Nachahmung sein, für seine ganze Gattung nämlich. Goethe ist ein nach allen Seiten scharf abgeschnittenes Individuum, und wenn man ihn gewaltsam an die Spitze einer Gattung stellen wollte, so wäre diese allerdings eine ziemlich schlechte, nur daß er selbst um ein paar Unerreichlichkeiten von dem Zweitbesten seines Gefolges abstünde. Diese Verwechslung Goethes mit seiner Schule oder Gattung dessen was er war, mit dem was seine Nachahmung hervorbrachte, ist die Quelle aller Mißverständnisse über diesen vielleicht größten aller Deutschen. [Tgb. 3251a, 1837]

Form d. h. der Inbegriff der Mittel um den Gedanken in seiner vollen Lebendigkeit auf den Zuhörer übergehen zu machen.

Goethes Werke teilen sich nun im Werke von strenger und von loser Form.

Die strenge Form (›Tasso‹, ›Iphigenie‹, ›Natürliche Tochter‹) hat das Gefährliche, daß sie die Mannigfaltigkeit ausschließt, ohne die es minder begabten Geistern unmöglich wird zu interessieren und zu befriedigen.

Die lose Form (Goethes früheste und letzte Arbeiten) hat den Nachteil, daß dem Leser, Beschauer, zugemutet wird die Lücken der Behandlung auszufüllen oder zu überspringen, was nur dann mit Erfolg zu erwarten ist, wenn ihm die Vortrefflichkeit des Gegebenen Lust und Schwungkraft dazu verliehen hat.

[Tgb. 3252, 1837]

Es ist nicht zu sagen, was wir an Goethe haben würden, wenn er mit 30 Jahren Dichter hätte bleiben können und mit 60 Minister geworden wäre, statt daß es jetzt beinahe der umgekehrte Fall ist. [Tgb. 3522, 1840]

Sonderbar mag allerdings die Lage gewesen sein, als Goethe aus Italien zurückkam, wo er die glimmenden Kohlen seines frühern Dichterfeuers zu einer nachhaltigen und wohltuenden Glut zusammengeschürt hatte, und er nun den lohen Brand Schillers in vollen Flammen fand. [Tgb. 3523, 1840]

Die beste Kritik über seine, übrigens wohl vortreffliche ›Iphigenie‹ hat Goethe selbst ausgesprochen, wenn er in einem Briefe an Schiller [20] sagt: er habe sie nach langer Zeit einmal wieder durchgesehen und finde sie *verteufelt human*.

[Tgb. 3524, 1840]

Was in diesen ›Wahlverwandtschaften‹ am meisten stört, ist gleich von vornherein die widerliche Wichtigkeit die den Parkanlagen, kleinlichen Baulichkeiten und dergleichen Zeug, fast parallel mit der Haupthandlung, gegeben wird. Es ist als ob man ein Stück aus Goethes Leben läse, der auch seine unvergleichlichen Gaben dadurch zum Teil paralysiert hat, daß er fast gleichen Anteil an derlei Zeitverderb wie an den wichtigsten Angelegenheiten seines eigentlichsten Berufes nahm. Es soll aber eine Abstufung des Interesses geben, und was man an Nebensachen verschwendet, wird immer der Hauptsache entzogen. Durch dieses Ausspinnen der Nebensachen hat er sich zugleich zweitens den Raum genommen, den Chemismus seiner ›Wahlverwandtschaften‹ gehörig ins Psychologische oder vielmehr Moralische zu übertragen. Die Charlotten springen nicht so leicht mit ihrer Neigung ab und es braucht eine große Stufenleiter von Ereignissen und Empfindungen bis die Ottilien der Verirrung, ja dem Vergehen auch nur im Gedanken Raum geben. Angedeutet ist manches: z. B. daß Charlotte früher selbst ein Verhältnis zwischen Eduard und Ottilien habe einleiten wollen, aber die abgeschmackten Parkgeschichten nahmen allen Raum zur genauern Entwicklung fort. Abscheulich ist, wie sie jetzt dasteht, die Geschichte jener ehelichen Nacht, gleich in Verbindung mit der Gelegenheitmacherei zwischen dem Grafen und der Baronesse.

Aber all das zugegeben, welch ein unendliches Meisterstück ist dieses Werk: An Menschenkenntnis, Weisheit und Empfindung, Darstellungsgabe, Charakterzeichnung und dichterischer Veredlung des scheinbar Gewöhnlichen hat es in keiner Literatur seinesgleichen. Vor dem fünfzigsten Jahre kann man es kaum völlig würdigen, aber es gehört ebensowohl zum Fluch als zum Segen des Gereiftseins, daß man es kann.

Wenn man mir es übrigens schenken wollte, ich möchte es nicht geschrieben haben. Die leidenschaftliche Steigerung eines Byron mag es immerhin mit Grenzen und Schranken nicht genau nehmen, ja die Poesie lebt zum Teil in diesem Sichhinaussetzen; je näher ein Werk aber dem gewöhnlichen Leben steht, je mehr muß es dasjenige achten, ohne welches dieses Leben ein Greuel und ein Abscheu ist. [Tgb. 3538, 1841]

Biographisch merkwürdig jene Stelle in Goethes nachgelassenen Werken: Abschied von Rom 60 Band p. 251 [21] wo er eine Ähnlichkeit zwischen seinem und Tassos Schicksal findet. »Der schmerzliche Zug einer leidenschaftlichen Seele, die unwiderstehlich zu einer unwiderruflichen Verbannung hingezogen wird«. Hier ist keine Ähnlichkeit denkbar als eine Neigung zu einer gleich hoch gestellten Person. Man hat ja öfter von derlei gemunkelt. Derlei aufzuspüren ist keine Klatscherei oder Fraubaserei. Was hat man nicht, und mit Recht, getan, um das Verhältnis des historischen Tasso zu Leonoren aufzuklären. Derlei gibt den Schlüssel zur Entwicklung eines Charakters und eines Talents. Man hat so viel geschrieen gegen die Drucklegung von Böttichers [= Böttigers] Tagebüchern [22], die darüber auch ins Stocken geraten ist. Mir wenigstens tut letzteres leid. Nur Knaben steht es an, ihre Helden in eitel Licht sehen zu wollen.

[Tgb. 3613, 1842]

Schon in der Vorrede von Gervinus' ›Geschichte der deutschen poetischen Literatur‹ fällt die Äußerung auf, daß er nur darum die Geschichte der Poesie zu schreiben unternommen habe (als ob er zu jeder andern auch befähigt gewesen wäre), weil die Poesie in Deutschland durch Goethe als abgeschlossen zu betrachten sei. Eine solche Behauptung ist nun an sich lächerlich. Denn obwohl es die höchste Wahrscheinlichkeit hat, daß Jahrhunderte vergehen werden bis in Deutschland ein Dichter entsteht, der Goethen und Schillern gleichgesetzt, oder wohl gar als ein Fortschritt gegen sie betrachtet werden könnte, so ist doch anderseits wieder kein Grund als unmöglich anzusprechen, daß schon heute ein bisher unbekannter Dichter lebe, der in einem schon morgen erscheinenden Werke beide und alle bisher gewesenen Dichter überbiete. Was aber hier unbefugte Anmaßung scheint wird später – am Schluß der Parallele zwischen Schiller und Goethe [23] – zur sachunkundigen Lächerlichkeit. Er meint dort, daß überhaupt die Zeit der ästhetischen Abschätzung vorüber sei, und der politischen den Platz räumen müsse. Die ganze Poesie wäre also nichts als eine Vorschule für die politische Freiheit und Goethe und Schiller nur die bornierten Vorläufer der Herren Gervinus, Dahlmann und sonstiger volkstümlicher und radikaler Lumpe.[24] Daß es nun derlei stockdürre

Menschen gibt an die man wirkliches Feuer bringen muß wenn sie warm werden sollen, das ist schon überall in der Welt vorgekommen, daß sie sich aber mit der Kunst beschäftigen, und ihr Werk drei Auflagen erlebt, das kann nur in Deutschland geschehen.

[Tgb. 4077, 1852/53]

Die Briefe Goethes an Frau Stein [25] (von denen ich erst zwei Bände gelesen habe) sind für mich das Interessanteste was ich bisher von Goethes Korrespondenz gelesen habe, obschon sie einzeln genommen ziemlich langweilig sind, da sie alle das nämliche ausdrücken. Daß aber dieser starre Charakter so hingebend, so weich sein konnte, ist ein merkwürdiger Beitrag zur Geschichte seines Innern. Diese Frau war also das Ideal das ihm bei seinen Iphigenien und der Prinzessin im ›Tasso‹ vorschwebte. Die Briefe selbst jedoch zeichnen wohl den Liebhaber nicht aber die Geliebte. Dies geschieht nur mit ein paar Zeilen aber hinlänglich in einem andern, sonst ziemlich unbedeutenden Lebensbilde aus jener Zeit: ›Charlotte von Kalb‹ von Ernst Köpke [26] in folgender Stelle S. 82: Von der liebenswürdigen Fr. v. Schardt ... wurde sie der Frau v. Stein ... von neuem bekannt gemacht. Schon vor zehn Jahren hatten sie sich in Meiningen gesehen, und Frau v. Kalb trug noch die ersten Eindrücke, die jene damals im weißen Taftgewande, eine dunkle Rose im braunen Haar, von einem Blondenschleier fast verdeckt, auf sie machte, in frischer Erinnerung ... Freilich war F. v. Stein nun wohl verändert, aber der Schein des Glückes war über sie ausgegossen und die ruhige Gleichmäßigkeit lag in ihren Bewegungen, wie auch ihre Rede ohne Betonung eben dahinfloß.

[Tgb. 4078, 1853]

Zur Literaturgeschichte [27]

[...]

Eigentlich ist Geschichte der Gegenwart ein Widerspruch. Die Gegenwart ist ein Augenblick, ein Jetzt, das im nächsten Augenblick in die Zukunft übergeht, von der wir nichts wissen, andererseits aber sich an die nächste Vergangenheit knüpft, die man wohl unter dem Namen der Gegenwart auf ein sogenanntes Menschenalter ausdehnen kann: so weit die Jetztlebenden sich zurückerinnern; und zwar um so mehr, wenn dieser Zeitverlauf zugleich einen Wendepunkt in sich schließt, wo er denn zur Epoche wird. Ein solcher Wendepunkt hat nun in der deutschen Poesie allerdings stattgefunden und er dürfte so ziemlich mit Schillers Tode zusammentreffen. Der große Goethe hat ihn zwar um viele Jahre überlebt, aber an der Poesie zuletzt fast nur durch den Wechselverkehr mit seinem Freunde festgehalten, gab er sich von da an immer mehr und mehr den Naturwissenschaften hin und seine spätern poetischen Erzeugnisse haben, bei diesem geteilten Interesse, dem Verfalle der Poesie eher Tür und Tor geöffnet als ihr einen wirksamen Damm entgegengesetzt. Hievon, so frevelhaft es klingen mag, vielleicht später mehr.

Die erste Erscheinung dieser neuen Epoche: die Abnahme des Talents, mit einem immer sich mehrenden Beischmack von Talentlosigkeit, darf uns, was die bloße Abnahme betrifft, weder wundern noch beschämen. Die unmittelbar vorausgegangene Periode war eben das goldene Zeitalter der deutschen Poesie, ja der deutschen Literatur überhaupt. Alle Literaturen haben solche Glanzperioden, deren Gründe zum Teil erklärbar, teils so unerklärlich sind, als alle Erscheinungen der geistigen und körperlichen Natur. Nach einigen anregenden Vorläufern erscheinen ein, gewöhnlich aber zwei große Dichter, welche die Poesie mit *einem* Ruck auf eine bis dahin nicht geahnte Stufe erheben. Die Nation fühlt sich auf den neuen Weg hingewiesen, die Sprache gewinnt Farbe und Gestalt; Gleichgestimmte werden sich ihrer dunkeln Begabung bewußt; die der allgemeinen Richtung Widerstrebenden werden durch die Gewalt des Mittelpunktes zu einer gewissen Konzentrizität gezwungen. Selbst das Mittelmäßige arbeitet sich zur Angemessenheit und Brauchbarkeit empor. So weit ist alles erklärlich. Aber die große Masse und Bedeuten[d]heit der Talente auf einem Punkt, verglichen mit der frühern Dürre und der darauf folgenden spätern, obgleich den Nachgekommenen das Beispiel der großen Männer mit den Gleichlebenden gemeinschaftlich ist; darin liegt das Rätselhafte der Sache.

Diese Glanzperioden haben nämlich für die nächste Zukunft etwas Gefährliches. Nationen von Geschmack und gesundem Urteil sind von der Vortrefflichkeit des Vorhergegangenen so durchdrungen, daß sie in der genauen Nachahmung das einzige Heil sehen und so allgemach in leeren Formalismus geraten; indes Völker, denen jene Eigenschaften im mindern Grade eigen sind, meinen das Vortreffliche zu haben, das sie nur besitzen, und sich gedrungen fühlen darüber hinauszugehen. Fortschreiten nennt man es. Unsere Landesgenossen haben diesen letztern Weg erwählt. Wie es kam, lohnt der Mühe betrachtet zu werden.

Die Deutschen waren von dem Zeitpunkte an als die Faust aufhörte den Wert zu bestimmen, die bescheidenste Nation der Erde. Aus ihrer politischen Bedeutung herabgesunken, von ihren Nachbarn, nicht an löblichen Eigenschaften, wohl aber an Macht, Glanz und Bildung übertroffen, fiel es ihnen nicht ein von sich selbst groß zu denken. Sie hatten bereits eine große Literatur und sie maßten sich noch keiner Überhebung, ja kaum einer Vergleichung an. Wenn Goethe den oft wiederholten Ausspruch tat »nur die Lumpe seien bescheiden«[28] so fühlte ganz Deutschland, erstens, daß es dem alten Herrn selbst nicht geschadet hätte, wenn er etwas bescheidener gewesen wäre; dann daß er dabei wohl nur gemeint habe, wie er eben nicht Lust empfinde, gegen irgend einen seiner Zeitgenossen demütig zu sein; worin er ganz recht hatte. Selbst die Vormänner der Literatur, waren sich bewußt als die Letztgekommenen, sich an fremden Mustern herangebildet zu haben, und sie schämten sich weder ihrer Lehrlingschaft, noch verleugneten sie ihre Lehrer. Die Anmaßungen der Schlegel, die Selbstüberhebung der nach-kantischen Philosophen hielten sich im Kreis der Schule und die Nation blieb bescheiden wie vorher. Es fehlte nämlich was auch den einzelnen über sich selbst aufklärt: die fremde Anerkennung.

Diese Anerkennung wurde Deutschland durch das Werk der Madam Staël ›De l'Allemagne‹[29] zuteil. Obwohl sie selbst ihren Gegenstand größtenteils nur aus fremder Zurichtung kannte und bei ihrem Lob, wie ihr Vorgänger Tacitus, nach einer andern Seite aggressive Hintergedanken im Sinn hatte, so hob sich doch durch die Darstellung der geistreichen Frau, in der Weltsprache geschrieben, das literarische Deutschland wie eine neu entdeckte Insel aus dem Weltmeere der Jahrhunderte empor. Das Überraschende des Eindrucks, dort wo man nichts als Leere vermutet hatte, eine vollständige und bedeutende Literatur zu erblicken, dazu der Umstand, daß die übrigen Literaturen Europas eben damals gar nichts hatten, und die deutsche, als von gestern, der Empfindungs- und Anschauungsweise von heute am gemäßesten entgegenkam, wirkte magisch und der Lichtglanz nach außen verklärte, zurückgeworfen, das Land. Hierbei ging es freilich wie mit der gerühmten Weisheit der alten Ägyptier; man lobte was man nicht kannte. Überhaupt hat die deutsche Literatur, unbeschadet ihrer Vorzüge für den der sie kennt, etwas ungemein Bestechendes für den der sie aus der Entfernung betrachtet. Das kommt von der Vermischung der Gattungen. Man mengt die Philosophie in die Poesie und dafür wieder letztere in jene. Naturwissenschaft und Geschichte strotzen von sogenannten Ideen, die in ihrer Halbwahrheit überraschen. Dadurch werden die Umkreise ins Ungeheure ausgedehnt, und man muß scharf hinsehen, um zu bemerken, daß die Mitte häufig leer ist.

In dieser Geistesstimmung fanden uns die Befreiungskriege, die den kulturhistorischen Abschluß der früheren Literaturperiode bilden, wie Schillers Tod den literarischen. Deutschland hatte damals seine Schuldigkeit getan und wohl auch mehr. Die Unabhängigkeit der deutschen Gauen war errungen. Sie hatten, und zwar, wie sie gütigst voraussetzten – allein – den Helden des Jahrhundertes besiegt, nicht auf Geheiß ihrer Fürsten, sondern gewissermaßen selbst gegen den Willen derselben, aus eigenem Antrieb, freiwillig, durch Volksmacht. Ein neues tausendjähriges Reich von Freiheit, Ruhm und Größe schien angebrochen. Wer alt genug ist, um sich jener Zeit, als ein damals schon Gereifter, lebhaft zu erinnern, wird sich leicht die Ungeheuerlichkeiten vergegenwärtigen, die das erwachte Nationalgefühl an das Licht der Sonne brachte.

Augenblicklich wirkte das noch nicht auf die Literatur. Die Schlachtensänger der Zeit hielten sich so ziemlich in den Fußstapfen Schillers und Goethe, obgleich politisch bemakelt, blieb der Abgott der Nation.

Unglücklicherweise mußte aber der außerordentliche Mann selbst dem Verderbnis in die Hand arbeiten. Einerseits erging es ihm wie jedem der widerstrebt; indem er sich nicht fortreißen lassen will nähert er sich unwillkürlich der entgegengesetzten Seite mehr als billig. Mit Ausnahme Lord Byrons (wo denn der Engländer und der Lord auch mit in Rechnung kommen) widmete er seine Anerkennung nur dem Wirkungslosen, Abgeschwächt-Ruhigem. Trotz seiner anderweitigen Beschäftigungen, konnte er doch nicht unterlassen, sich von Zeit zu Zeit poetisch auszukünden, was aber so nebelhaft, abstrus und matt geriet, daß nur eine alte Garde von Hoch-Gebildeten den Einbruch der Barbaren in sein Feldlager mühsam abhielt. Ich habe mich in dem Bisherigen so ziemlich als einen Freund des Alten dargestellt; demungeachtet aber muß ich bekennen, daß der Dalai-Lamadienst der damaligen Goethianer nicht so absurd, aber bedeutend abgeschmackter war, als die Burschikosität unserer heutigen Feuer- und Wasser-Männer.

Da geschah etwas was der Urteilsfähigkeit der deutschen Nation ewig zur Schande gereichen wird. Ein obskurer Skribler schrieb falsche Wanderjahre [30], in denen er Goethe offen angriff, und mit *einem* Schlage, sozusagen: über Nacht fielen zwei Dritteile Deutschlands von dem für alle Zeiten ehrfurchtgebietenden Großmeister ihrer Literatur ab. Es wurde offenbar, daß mit Ausnahme seiner Jugendwerke, Goethes übriges Wirken der Nation fremd geblieben und seine Verehrung nichts als Nachbeterei war.

Die entstandene Bresche stürmte das junge Deutschland. Die Masse war froh auf die frühern Nebelbilder und Schauessen wenigstens etwas Substantielles zwischen die Zähne zu bekommen und die Verwilderung machte reißende Fortschritte.

[...]

Einer unserer geachtetsten Literarhistoriker [31] meint: nachdem Goethe die deutsche Poesie auf den höchst gedenkbaren Standpunkt gebracht, sollten die deutschen Dichter nun fünfzig Jahre lang schweigen. Vielleicht wäre der Verlust dabei nicht groß. Aber der gelehrte Mann sollte aus seinem eigenen Beispiele merken, wie schwer es ist zu schweigen, selbst über Dinge von denen man gar nichts versteht. Ich meinerseits möchte einen Gegenvorschlag machen. Wie wenn sämtliche Kunstphilosophen, Kunst-Kritiker und Kunst-Historiker fünfzig Jahre lang das Maul hielten. Ich zweifle keinen Augenblick, daß das Talent, an dem es in Deutschland nie gefehlt hat, sich auf die erfreulichste Art wieder Bahn brechen würde.

[Kurz nach 1860]

25 *Carl Gustav Carus*

Aus: Göthe. Zu dessen näherem Verständniß 1843

Die Individualität Goethes.

Das neunzehnte Jahrhundert hat eine eigne Tonart auf dem großen Saitenspiele des Menschheitlebens angeschlagen. Wer selbst noch tiefer aus dem achtzehnten Jahrhunderte stammt ist mehr geeignet die Verschiedenheit von Sonst und Jetzt zu erkennen. – Es sei das keineswegs als ein unbedingter Vorwurf für das neuere Geschlecht gesagt, aber man muß damit anfangen, sich die Verschiedenheit des Älteren und Neueren anschaulich und deutlich zu machen, wenn man verstehen will, aus welchem Stoffe eine Natur geformt wurde, welche in der gegenwärtigen Zeit *so* nicht mehr hätte entstehen können – ich meine die Individualität eines Goethe. –

Man möchte sagen, das achtzehnte Jahrhundert hatte noch einen in mancher Beziehung etwas verwilderten, aber saftreichern Boden, wenn dagegen der Boden des neunzehnten ausgesogener, fast an allen Stellen mit Kultur überhäuft, oft nur durch künstliche Poudretten [1] tragbar gemacht, und so mitunter allerdings zu sehr merkwürdigen und großen Produktionen angeregt worden ist. – Muß doch das Verfolgen des Fortwachsens der Menschheit durch die ganze Geschichte hindurch uns die Überzeugung geben, daß die Größe der Individualität, das scharfe Hervorheben einzelner Gestalten über eine gleichgültigere Menge allemal mehr der frühern Periode angehöre, und daß es sich in demselben Maße verliere, als eine gewisse allgemeinere Bildung sich ausbreitet, als ein gewisser Grad von geistiger Entwickelung ein Gemeingut wird. Dies gilt wie in der Politik, so in der Wissenschaft, und so auch in der Kunst und Poesie; die eigentlich großen Wirkungen werden in späterer Zeit hervorgebracht durch Assoziationen; die Vereinigung vieler zu einem Zwecke ist das, was dann noch die bedeutendsten Werke hervorruft; indes werden eben darum dies auch mehr Werke des Gemeinnützigen, Werke der Industrie, als Werke freien, ideellen Zwecken gewidmet. Wenn also Goethe hervortrat in einer alten freien Reichsstadt, mitten in ihrem einfachen etwas langweiligen Bürgerleben, in welches nur späterhin der französische Krieg einige Mannigfaltigkeit und Bewegung bringen konnte, so ist gerade dieser breite Boden mehr als irgendein anderer geeignet, einem solchen seine Wurzelfasern weit umher sendenden Baume die beste und ausdauerndste Nahrung zu geben. – Man denke sich anstatt dieser Eintrittsstätte einen industriosen, von Volksbewegung aufgeregten Ort, die Erziehung auf Gesamtinstituten mit kommunistischen Rücksichten, volksrednerisch und massenhaft betrieben; und praktisch gewandte Handelsherren, Fabrikanten, Journalisten, Advokaten und Soldaten mögen hervorgehen, aber niemals die Wunderblume eines Goethe'schen Genius. – Wir setzen gern hier gleich hinzu, daß Bildungen letzterer Art hervorzurufen, ja in der Entwickelung zu begünstigen, allerdings gar nicht das Augenmerk eines Staates sein könne; denn eben die machtvolle eigentümliche Entwickelung, der gewaltige spontane Trieb einer ganz ungewöhnlichen Entfaltung, steht in offenbarem Widerspruche mit allem, was von außen künstlich und folgerecht für Entwickelung der Geister getan werden *kann*. Jenes ist das aus eigner Machtvollkommenheit Sich-Darlebende, dem jeder künstliche, auf Förderung von Mittelgut berechnete Eingriff, nur lästig und störend sein wird, alles was man ihm wünschen kann, ist, daß nur eben nichts sich künstlicherweise um dasselbe bemühe. – Gleich der Eiche, die auf der Küste eines verwilderten Hochlandes sich gerade am mächtigsten entwickelt, die nur hier in einer halben Wüste breit hinschattend mit gewaltigen herrlich geschwungenen Ästen durch Jahrhunderte hin heraufwächst, während ein ähnlicher Baum im schulgerecht angelegten Forste gehegt, seinen von Querästen zeitig gesäuberten Stamm langweilig gerade hinauftreibt, um dereinst zum Legen von Eisenbahnschienen die trefflichsten Nutzhölzer zu liefern, verhält es sich mit der Entwickelung einer bedeutenden menschlichen Individualität. – Der Staat kann natürlich kein wildes Hochland als Wüste anlegen, um eine jener Rieseneichen zu erziehen, und wollte er es, so würde doch nur eine englische Parkpartie und kein Gotteswerk daraus werden, und ebensowenig kann er für die Kultur und Erziehung seiner Staatsbürger anders als massenhaft und für Bildung der Massen wirken, aber eben darin, daß dem so ist, liegt wie aller Trost und Segen des Staatslebens, so auch alle Trostlosigkeit und alles Unheil der Kultur, – Gegensätze, welche nun einmal sich nie und nimmermehr zu einer wahrhaften Ausgleichung bringen lassen sollen und können.

Für unsern Zweck ist es indes wichtig, daß wir noch etwas länger bei Betrachtung dieser Gegensätze verweilen; denn wer einmal recht gefaßt hat, wie gerade nur aus einem solchen Verhältnisse der Umgebungen Goethes Eigentümlichkeit hervorgehen konnte, der wird hieraus und aus dem Gegensatze jener ältern Verhältnisse zu denen einer neuern konstitutionell-industriösen Zeit, auch sogleich sich entziffern können, warum Goethe selbst – so sehr sein Geist in anderer Beziehung seiner Zeit vorausgriff – doch *kein Mann unsrer Zeit,* im Sinne der Repräsentanten der Bewegung, sein konnte. – Niemand kann gegen sein eigenes Element ankämpfen und es vernichten wollen; jene Rieseneiche des Hochlandes sehnt sich nicht in einer modernen Baumpflanzung zu stehen, und jedes Wesen, wie es nur dazu lebt, um gerade nur *die ihm* eigentümlichste Idee zur möglichst vollständigen Erscheinung zu bringen, so muß es auch fortwährend verneinen und ablehnen, was aus seinem eigentümlichen Boden aus dem ihm eben gemäßen Kreise des Daseins es herauszudrängen versuchen könnte, oder wodurch es wirklich herausgedrängt wird.

Wem es aus diesen Betrachtungen nicht klar werden will, daß ebendeshalb Goethe auch späterhin nur in dem an sich kleinen und sonst kleinstädtischen Weimar eine ihm liebe und angemessene Existenz finden konnte, der hat ihn schwerlich jemals näher verstanden. Übrigens liegt auch darin wieder ein schöner Zug von eigentümlicher tiefer und praktischer, und ich möchte sagen halb unbewußter Weisheit Goethes, daß er, so leicht es ihm späterhin geworden sein möchte, eine äußerlich größere und glänzendere Stellung anzunehmen, gerade an diesen einfachern Umgebungen mit solcher Treue festhielt, denn weder ein mächtiger Geschäftskreis, noch ein großer luxuriöser Hof mit politischen Intrigen und Wirren hätte ihm zu einer so bedeutenden vielseitigen und erfolgreichen, bis an ein spätes Lebensende fortschreitenden innern Entwickelung Raum gegeben als das stille Weimar, als der einfache Hof eines Carl August.

Jedenfalls ist es also einer der ersten und wichtigsten Schritte zur bestimmtern Erkenntnis dieser merkwürdigen Individualität, sich die Verhältnisse, unter welchen und in welchen sie sich entwickelte und nur entwickeln konnte, zur vollkommenen Anschauung zu bringen. Ich möchte fast sagen, wie zur Erkenntnis der Natur einer Pflanze schon viel gewonnen ist, wenn wir ausgemittelt haben, unter welchem Himmelsstriche und auf welchem Boden sie wächst, ob sie feuchten Wiesengrund oder schattige Waldung liebt, ob sie im Moder des Sumpfs oder ob sie auf freien Höhen der Alpenregion gedeiht, so ist es auch, wenn wir die Natur, das Wesen einer menschlichen Eigentümlichkeit uns deutlich machen sollen, von höchstem Gewicht, uns die gesamte Konstellation ihrer äußern Verhältnisse zur vollen Anschauung zu bringen. Wer also bei Goethe dieser Beziehungen sich recht klar bewußt geworden, wer eingesehen hat, daß er das große fruchtbare Werk eigner Entfaltung nur vollenden konnte in so einfachen und fast indifferenten äußern Verhältnissen, dem muß es das Törichtste erscheinen, wenn man zuweilen von diesem Geiste, welcher ebendeshalb allerdings nur konservativ und monarchisch gesinnt sein konnte, ein besonderes Eingehen in politische Interessen der Jetztwelt fordern und ihm ein gewisses Ablehnen von allen Richtungen dieser Art, zum Vorwurf machen konnte. Dergleichen ist nicht besser als jene abstruse Äußerung eines wohlbestallten Theologen, welcher einst bei Gelegenheit eines Gesprächs über Goethe ausrief: »Da war doch Reinhardt * ein ganz anderer Mann!« – Wir lassen daher dergleichen auf sich beruhen und fahren fort, auf unsere Weise das Bild und den Begriff dieses wundersamen Geistes immer weiter und weiter in uns aufzuerbauen und darzulegen.

Sollte ich aber zunächst hier eines als Grundeigenschaft seines Wesens aufstellen, so würde ich mich nicht bedenken, den Begriff einer nach menschlicher Weise durchaus vollkommnen Gesundheit, als die eigentliche Basis in seiner Individualität zu betrachten. – Allerdings ist in diesem *einem* Worte gar vieles *zugleich* ausgesprochen; denn keineswegs von *seinem* Leben allein kann dann die Rede sein, sondern der Stamm, der ihn erzeugte, kommt dabei nicht minder in Betrachtung. Wer *kann* gesund sein, wenn kranke, zerrüttete Naturen sein Dasein begründen! – Wir wollen nicht das grundkatholische Dogma Calderons verteidigen, wenn er den Sigismund sagen läßt:

> Denn des Menschen größte Sünde
> Ist, daß er geboren ward [2],

aber wir finden in unsern Tagen Menschen genug, die von der Geburt her schon so viel des Ungesunden und Traurigen, so viel des Schwächlichen und Verbildeten mitbekommen haben, daß man in Versuchung gerät, sich bei ihnen jener Stelle wahrhaft zu erinnern. – Nicht so bei Goethe; die tüchtige, etwas pedantische, aber durchaus bedeutende und ehrenwerte Natur des Vaters, die feine, humoristische, echt weibliche, bis ins hohe Alter fast übermütig lebendige Natur der Mutter, haben hier einen Grund gelegt, wie er wohl das Element werden konnte, um darin eine Lebensidee sich darleben zu lassen, die dereinst in vielfacher Beziehung als eine der hohen Blüten der Menschheit sich zu bewähren vermochte; Goethe war in Wahrheit, was man von so vielen sagt und was so wenige sind – ein *Wohlgeborner*. –

Von dieser Wurzel aus entwickelte sich also der Baum der Gesundheit, um welchen die Entwickelung seines Lebens bis in die seltene Höhe der achtziger Jahre sich hinaufrankte, und welchen wir als die erste und wesentlichste Quelle alles Bedeutenden und alles Mächtigen, sowie alles Lieblichen und alles Schönen betrachten müssen, so die Welt diesem merkwürdigen Dasein verdankt. – Es würde wirklich eine wichtige und psychologisch äußerst interessante Arbeit sein, wenn jemand, dem die Natur der Krankheiten sattsam bekannt wäre, sich über die mancherlei modernen Literatoren und Dichter, welche zum Teil sich mit Goethe in Opposition zu stellen versuchen, die schärfere Einsicht ihrer innern

* Oberhofprediger zu Dresden

Lebensverhältnisse verschaffen könnte, um uns zu zeigen, in welchem genausten Zusammenhange das, was sie ihre Poesie nennen, mit dem bald schwindsüchtigen, bald hypochondrischen, bald durch Ausschweifung vergifteten, bald durch und durch verkümmerten Zustande ihres leiblichen Lebens immer gestanden habe oder noch stehe. Wer möchte denn, um ein Beispiel aus vergangenen Tagen zu wählen, verkennen, daß die giftige Bitterkeit jenes großen englischen Geistes Swift mit dem zerrütteten, zuletzt in Wahnsinn endigenden Zustande seiner Unterleibsorgane in genauester Beziehung gestanden habe, und wer hat auch bei Lord Byron nicht ahnen können, in wie vieler Beziehung das dunkle Reich seiner mächtigen Produktionen nur der Abglanz war, den ein zerstörendes Feuer innerer, ihn früh schon lähmender Krankheitszustände an dem nächtlichen Himmel seiner Poesie so nordlichtartig widerleuchten ließ? – Es ist daher auch sehr merkwürdig, wie bestimmt wir zu erkennen vermögen, daß jene Werke, welche aus innerer Kränklichkeit hervorgehen, einen durchaus unbehaglichen, unerfreulichen Zustand zurücklassen, sobald wir uns ihnen eine Zeitlang hingeben, während ein aus innerer Gesundheit und Macht des Geistes hervorgegangenes Werk uns mit einem Lebenshauche, gleich frischer Alpenluft durchdringen kann, wenn wir anders den Kelch unsrer Gemüter solchen Strahlen zu öffnen das wahrhafte Verständnis erlangt haben. Gar oftmals vermögen wir daher wirklich, wenn wir mit unsrer Art zu fühlen einmal auf dem reinen sind, schon aus dem Eindrucke, den irgendein Werk uns hinterläßt, auch rückwärts zu schließen, ob dasselbe aus einer gesunden, oder ob es aus einer kranken Natur hervorgegangen sei, und wir haben dann an uns selbst den Barometer, welcher uns erkennen lehrt, welches Prognostikon dem Geiste gestellt werden dürfe, in welchem einst als notwendige Fortbildungen gerade nur jene Blüten auftauchen konnten.

Wenn ich nun aber im Vorhergehenden die Gesundheit als eine Grundeigenschaft Goethes aufgestellt habe, so will ich damit keineswegs es aussprechen, daß er frei von Krankheit geblieben sei; – im Gegenteil – gerade eine von Grund aus gesunde Natur äußert sich ebenso darin, daß sie auch, wenn man so sagen darf, *gesunder Krankheiten* fähig ist, d. h., daß Krankheiten – physische und psychische – von welchen nun einmal kein Sterblicher ganz unangefochten bleibt, in einem gewissen regelmäßigen Gange, und mit kräftigen und vollkommnen Entscheidungen sich entwickeln und vorübergehen. Wie sehr dieses bei Goethe in seiner physischen Konstitution der Fall gewesen sei, darüber sprechen Vogel und Hufeland, wie oben angeführt, sich sehr bestimmt und deutlich aus [3]; wie wenig aber auch psychisch-krankhafte Zustände, – d. i. die mannigfaltigsten heftig leidenschaftlichen Bewegungen – vermochten den innern Bau und den eigentlichen Halt seines geistigen Organismus zu zerstören oder nur bleibend zu beeinträchtigen, das ergibt sich in gar vielem, was wir bei Verfolgung seines Lebens und beim Studium seiner Schriften wohl bemerken können, und das ergibt sich ganz besonders aus der Klarheit und der schönen harmonischen Gestaltung seines hohen, ja höchsten Alters. [...]

Wenden wir uns aber jetzt [...] wieder zu Goethe, und man wird uns nun verstehen, warum wir bei ihm gerade auf die Klarheit und Gesundheit seiner späten

Lebensjahre so viel Gewicht legen! – Wahrlich die großen poetischen Werke dieses Genius möchten schwer und selten in dieser Höhe und Schönheit erreicht werden, aber noch seltner und schwerer wird das schwerste aller Kunstwerke, das Kunstwerk des Lebens, zu dieser Reinheit und Vollendung hinaufgebildet! – Erst wer im hohen Alter, nach vielfältigster Lebenserfahrung, manchen Irrungen, leidenschaftlichen Stürmen und bald verfehlten, bald erfüllten Hoffnungen, mit reinem hellem Geiste, in Frieden mit der Welt und Gott, und mit liebevollem, großen, poetischen Sinne das Ganze seines Lebensganges so zu überschauen, ja in diesem Maße auf einen weiten Kreis noch fortzuwirken vermag, wie ich Goethe im schon sehr vorgerückten Alter selbst sah, wie ihn viele der hier mitgeteilten Briefe deutlich erkennen lassen und wie Eckermann in den spätesten Jahren ihn beobachtete und darstellte, dessen Psyche darf genannt werden als eine, deren volle Lebensaufgabe in *diesem* Dasein gelöst ist und deren gesunde Weiterbildung in einem fortgesetzten Dasein unmöglich fehlen kann. – Wir haben ja das Recht, Geburt und Tod in vieler Beziehung einander zu parallelisieren, und so dürfen wir auch überzeugt sein, daß, wie zum Fortleben und zu gesunder Entwickelung des Gebornen die regelmäßige, gesunde Vollendung seiner Entwickelungsperiode im Schoße der Mutter die erste und unerläßlichste Bedingung ist, so unfehlbar auch bei einer Weiterentwickelung innerster Lebensidee jenseits dessen, was wir Tod nennen, die regelmäßige und schöne Vollendung des gegenwärtigen Lebensganges von der wesentlichsten Bedeutung und notwendigsten Einwirkung sein müsse. – Wir wollen jedoch hier noch gar nicht die Beziehung eines so hohen und schönen Alters auf Weiterentwickelung des Goetheschen Genius hervorheben, aber schon die Klarheit dieses Alters an und für sich, indem sie den Beweis abgibt, daß alles, was von krankhaften Zuständen der Seele irgendeinmal eingewirkt hatte, in dem fortgehenden Umschwunge dieses Lebens seinen reinen Abschluß, seine vollkommne Beseitigung wahrhaft erlangt hatte, läßt dies so groß, so bedeutungsvoll erscheinen. Sind doch selbst diejenigen, welche durch die Macht und Übermacht des Goetheschen Genius, wie er in frühern Jahren und Werken sich dokumentiert, aufs höchlichste belästigt worden, und diesen Genius anfeinden, soviel es eben in ihrem Vermögen steht, entwaffnet und verstummt, wenn man sie auf das Bild eines hochbejahrten Mannes verweist, in welchem mit dem gereiften Blicke vielseitigster Erfahrung und Erkenntnis die volle Lebendigkeit des Geistes, die mildeste Gesinnung und die liebevollste Klarheit des Gemütes sich verband. Und wie leicht treffen das Leben des Menschen Wunden, die, nie heilend, einen solchen geläuterten Zustand in höhern Jahren unmöglich machen, wie leicht ergreift gerade da ein gewisses Sichgehenlassen bei dem Menschen Platz, wie leicht erfassen ihn in unbewachten Augenblicken Krankheitszustände geistigen wie leiblichen Lebens, von welchen nie eine vollkommne Genesung erreicht wird! – Es ist mir immer sehr tiefsinnig erschienen, daß an eine Sache, die so oft ein bloßes Spiel der Eitelkeit wird, ich meine an einen Orden, damals als ein solcher unter Goethes Mitberatung gegründet wurde, er eine so bedeutende Beziehung auf echte Lebenskunst zu knüpfen imstande war, und zwar dadurch, daß man ihm als ein Symbol der *Wachsamkeit* den Falken unterlegte.[4] –

Wach sein, scharf um sich schauen, den Gang des Lebens im Auge behalten – nur dem, welchem ein Gott diese Gabe verliehen hat, wird es möglich sein, durch Klippen und Brandungen zwischen Piraten und Sirenen bis zur Region ungetrübter Himmelsklarheit der höhern Jahre zu schiffen! – Wie oft hören wir in unsern Tagen, daß auf Dampfwagen, wenn sie in rasender Schnelligkeit Hunderte von Menschen dahintragen, schon das kleinste Versehen, die kleinste Unachtsamkeit unermeßliches Unglück verbreiten könne, aber nicht solcher Gelegenheiten allein bedarf es – fast in jedem Augenblicke des Lebens umschweben uns unsichtbar verderbliche Dämonen; ein Fallenlassen eines Messers, ein unbedacht gesprochnes Wort, ein Fehlgriff zwischen zwei Gläsern und tausend Ähnliches kann zu jeder Zeit uns und andern die furchtbarsten Geschicke bereiten, nicht zu gedenken der Stürme und Verderben, welche falsch gehegte Neigungen und ungeschickt behandelte Lebensverhältnisse oft ganz unerwartet in noch höherm Maße herbeiführen. – Allerdings also gilt es ein stetes Wachsein, eine freilich wieder nur durch innere, von Haus aus miterhaltene Energie bedingte stete Gegenwart des Geistes, wenn wir, soviel an uns ist, diese Dämonen im Zaum halten sollen; – und selbst hierbei muß wiederum der Begriff der Ängstlichkeit, und der kleinlichen, steten Sorge um Erhaltung des Lebens schlechterdings ausgeschlossen bleiben, wenn irgend nicht wieder auf diesem Wege aller Wert und alle Schönheit und Freiheit des Lebens uns verloren gehen soll. Überblickt man nun dies alles, so erkennt man wohl, wie hoch es zu stellen ist, wenn nach solchen tausendfältigen Irrsalen und Gefahren der Mensch zu dem Ziele einer Lebensklarheit der höhern Jahre gelangt, wie wir sie in Goethe gewahr werden. – Die Verlockungen der Bequemlichkeit und Erschlaffung des Lebens und die seltsamen Stürme der Zeit, hatten so wenig als die tiefeingreifenden leidenschaftlichen Bewegungen vermocht ihm die Priesterbinde des höhern welt- und selbsterfahrenen Alters zu beflecken! und er hatte recht zu sagen:

> Die Flut der Leidenschaft, sie stürmt vergebens
> Ans unbezwungne feste Land.
> Sie wirft poet'sche Perlen an den Strand,
> Und das ist schon Gewinn des Lebens.[5]

Dieses also nicht zwar Ausschließen des Erkrankens, aber dieses immer wieder Gesunden, dieses sich immer wieder vollkommen Herstellen, dieses frisch und durchaus sich Erneuen, betrachten wir als das besonders Auszeichnende und eigentümlich Glückliche in Goethes Existenz, und wie sehr hierin zugleich ein Schlüssel zum Verständnis so vieler seiner Werke gegeben ist, hat er vielfältig selbst auf das bestimmteste angedeutet – sogar in den eben angeführten Zeilen aus dem merkwürdigen Buche, welches er einst den westöstlichen Divan genannt hat, liegt dieses offenbare Geheimnis auf das schönste aufgeschlossen. – Gehen wir auch hier noch etwas näher ein! –

Goethe hat selbst zu verschiedenen Malen seine poetischen Produktionen mit dem Namen von Konfessionen belegt, er hat sie im höhern Sinne Gelegenheitsgedichte genannt, und dadurch angedeutet, wie genau ihre Entstehung in seinem eignen Lebensgange begründet war. Hiermit soll nun zwar nicht ausgesprochen sein, daß sie geradezu alle aus besonders *leidenschaftlichen* Zuständen hervorgegangen seien, daß sie alle gleichsam als Krisen eigentümlicher krankhafter Stimmungen sich entwickelt hätten; keineswegs! – Werke wie ›Götz von Berlichingen‹, Werke wie die ›Iphigenia‹, wie der ›Egmont‹, wie die ›Metamorphose der Pflanze‹, sie sind aus reiner, durch Lebensverhältnisse herbeigeführter Begeisterung für Verhältnisse des Menschheit- oder des Naturlebens entstanden, und sind von krankhaften Stimmungen durchaus nicht influenziert. Betrachtet man dagegen den ›Werther‹, die ›Stella‹, den ›Faust‹, viele einzelne Gedichte, und selbst den in der Form so außerordentlich klar durchgearbeiteten ›Tasso‹, und man wird nicht verkennen können, daß leidenschaftlich befangene Stimmungen zum Grunde gelegen haben, und daß Goethe durch ihre Bearbeitung sich von gewissen krankhaften Stimmungen vollends befreien mußte. [. . .]

So aber ging unser Dichter eine eigentümlich große Lebensbahn dahin; auf merkwürdige Weise warf diese urgeistige Natur die Krankheitsstoffe, die das Leben herbeiführte, wieder heraus, mit unausgesetzter Tatkraft dämpfte er den Krieg, den ihm wie jedem Tüchtigen die kleinen Dämonen dieser sublunarischen Welt vielfältig und immer von neuem erregten, und mit nie ruhendem Bestreben arbeitete es in ihm den Bau des eignen Innern immer bedeutender, schöner und mächtiger fortzubilden. Dies nun alles zusammengenommen wird es gegenwärtig verstehen lassen, was ich damit gemeint hatte, wenn ich oben als Festes und Wesentlichstes in Goethes Individualität die *Gesundheit seiner Natur* ausgesprochen habe.

Goethe war indes nicht bloß ein *»gesunder«*, sondern er war auch ein eigentümlich *»schön und mächtig Organisierter«* – »Sein hoher Gang, seine edle Gestalt, seines Mundes Lächeln, seiner Augen Gewalt und seiner Rede Zauberfluß« sind ihm wohl im Leben von vielen ebensoviel beneidet worden als seine großen Werke! – Witz, scharfer Humor, Weltverstand und tausenderlei Geschicklichkeiten können sich gewiß oftmals in einer kleinen dürftigen, ja verbildeten Organisation darleben, aber eine so mächtige Gesinnung, eine solche Energie des Seelenlebens, eine solche welthistorische Produktivität wie die Goethes, sind geradezu unmöglich in einer dürftigen, ja nur gewöhnlichen körperlichen Erscheinung, sie fordern, ja, eigentlich zu sagen, sie erschaffen eine bedeutende und schöne körperliche Bildung. – Es ist für die Wissenschaft vom Menschen zu beklagen, daß Organisationen so seltner Art, die man Normalbildungen nennen könnte, nicht leicht der genauen Ermittelung und Ausmessung zugänglich sind, welche gefordert werden müßte, wenn man von dergleichen Erscheinungen sollte sagen können, sie wären *vollständig* gekannt! – Ich bemerke dies insbesondere in Beziehung auf die genauere Kenntnis vom Kopfbaue Goethes. Wir besitzen nur eine Abformung seiner Antlitzform, die er einst selbst im Leben besorgen ließ und die bei weitem nicht mit der Vollständigkeit gemacht ist, welche man zur genaueren Erkenntnis der Kopfform bedarf, aber es steht zu hoffen, daß wenn man sich allgemeiner überzeugt hat von der Bedeutsamkeit der Schädelbildung, man einst durch Öffnung seines Sarges und Abformung dieses edlen Hauptes nachholen wird, was früher versäumt war. Erst dann aber wenn die Gestalt des Schädelgewölbes eines Goethe ebenso klar der Beurteilung vorgelegt werden kann als das eines Schiller *, wird sich in die Art und Weise der Vollkommenheit *seiner* Organisation näher auf wissenschaftliche Weise eingehen lassen. Für jetzt sei nur soviel bemerkt: – Wir können nach jenem Abgusse einzig vom Vorderhaupte Goethes urteilen; wer sich aber die Mühe geben will, in meinen ›Grundzügen einer wissenschaftlichen Kranioskopie‹ [6] von der physiologischen Bedeutung des Vorderhauptwirbels am Schädel sich zu unterrichten, dem wird klar sein, daß gerade in dieser Gegend, welche als das Symbol der Intelligenz des Individuums betrachtet werden darf, das Charakteristische eines Mannes von solcher Bedeutung besonders hervortreten muß. In Wahrheit sind denn auch die Maße dieser Gegend, namentlich das Maß der Höhe dieses Wirbels, ganz ungewöhnlich. – Unter einer Sammlung von etwa 100 meist eigentümlichen und merkwürdigen Kopfformen, die ich vor mir habe, finde ich nur bei Napoleon eine Stirnhöhe, welche der von Goethe sich vergleicht. – Denn wenn die Entfernung der größten Wölbung der Stirnbeine von der äußern Ohröffnung, mit dem Tasterzirkel genommen, bei wohl und intelligent entwickelten Menschen insgemein etwa 5 Pariser Zoll [7] beträgt, so steigt diese Entfernung bei den, freilich wegen unvollkommener Abformung nicht ganz genau zu messenden, Kopfbildungen von Napoleon und Goethe auf 5 Zoll und 6, ja vielleicht 8 Linien! – Dabei ist es charakteristisch, daß bei beiden Köpfen nicht in ebenso bedeutendem Maße die *Breite* des Vorderhauptes ausgebildet erscheint. Vielfältige Vergleichungen scheinen es nämlich zu beweisen, daß ein gewisses Verhältnis besteht zwischen bestimmten Richtungen intelligenten Lebens und bestimmten Richtungen in der Entwickelung des Hirngebildes und Schädelgewölbes, daß Anschwellung in der Höhe das somatische Moment ist, welches im Psychischen der Energie gegenständlicher Erfassung des spirituellen Organismus ebenso parallel geht als antithetische, analytische Gegensetzung in der Breite dieses Gebildes korrespondiert der zergliedernden analytischen Richtung intelligenten Seelenlebens, welche wir insbesondre mit dem Namen der analytischen oder philosophischen Tendenz bezeichnen. Bei Napoleon sowohl als bei Goethe ist die Breite des Vorderhauptes wie gesagt weniger beträchtlich und beträgt nur ungefähr 4 1/2 Zoll Pariser Maß, und es stimmt vollkommen damit überein, daß beiden alles, was im Sinne der Schule mit dem Namen Philosophie und philosophische Tendenz bezeichnet wird, fremdartig, ja gewissermaßen entgegengesetzt und feindlich war. – Merkwürdig ist in dieser Beziehung der Unterschied in der Kopfbildung Schillers gegen Goethe. Im erstern ist die Breite der Stirn auffallend, und man darf nur neben die Maske von Goethe die Totenmaske von Schiller stellen, um sofort ein völlig umgekehrtes Verhältnis von Stirnbreite und Stirnwölbung in beiden gewahr zu werden. Es braucht kaum der Bemerkung, wie sehr dies mit den geistigen Tendenzen beider Männer überein-

* S. von dessen Schädelabguß die genaue Abbildung in meinem Atlas der Kranioskopie. 1. Heft. Leipzig 1843.

stimmt, indem Schillers poetisch-philosophische Richtung im Gegensatz zu Goethes naturalistisch-poetischer bekannt genug genannt werden darf.

Wie bedeutend die übrige Organisation Goethes gewesen sei, geht aus seinen Bildern, Büsten, Statuen hervor, und ergibt sich noch mehr aus den oben angeführten Worten seines alten ärztlichen Freundes Hufeland.[7a]

Auch über die geistige Eigentümlichkeit Goethes will ich hier nicht in vielfältige Betrachtungen mich verbreiten. Es gibt wohl entschieden in der ganzen Geschichte der Menschheit keinen einzigen Charakter, kein inneres eigentümliches Seelenleben, welches so vollkommen klar, ich möchte sagen durchsichtig, für Welt und Mitwelt hingestellt wäre als Goethes. – Seine gesamten poetischen, wie seine wissenschaftlichen Werke, seine vielfältigen Briefe, seine eigne Sorgfalt, durch eine fast pedantische Sammlung aller auf seinen Lebensgang irgend Beziehung habenden Papiere und Dokumente, nichts zu verlieren, was wohl auch noch so entfernt zur Vervollständigung eines Bildes seiner Existenz dienen könne, endlich die Aufzeichnung so vieler seiner kleinen Züge und Äußerungen durch seine Freunde, stellen die Psyche dieses merkwürdigen Mannes mit einer Deutlichkeit heraus, wie wir es vergebens bei so viel andern bedeutenden Organen des Menschheitlebens suchen. – Ich will daher, da das Positive seines Wesens allen, die es überhaupt erfassen *wollen*, mit solcher Klarheit vorliegt, hier nur noch einige Worte über das Negative desselben anfügen, und ich verstehe darunter insbesondere das worin er sich verneinend und ablehnend gegen die Welt verhielt, ablehnend, damit der ihm selbst eigentümliche Kern um so ungestörter sich entfalten konnte. – Es ist dies eine Seite, die an ihm vielfach angefeindet worden ist, die in ihm selbst vielleicht zuweilen mit einem gewissen Übermaße hervortrat und die nichtsdestoweniger als auf einer tiefen innern Notwendigkeit beruhend anzuerkennen ist. In den organischen Verhältnissen der Menschheit ist es gegründet, daß eine mächtige und bedeutende Natur die Kleinern und Schwächern herbeilockt und anzieht; diese drängen sich dann zu, umgeben das Gewaltige und wollen an ihm haften, aber möchten nun auch, daß es ihnen sich hingebe, ihrem Zuge erwidere, ja zuletzt seiner Macht sich begebe, damit die beliebte Gleichheit nur ganz und völlig hergestellt würde. – Daraus entspinnt sich dann viel des Verdrießlichen! – der eine ist belästigt, der andere gekränkt und beleidigt – der findet sich gestört und jener beklagt sich, daß seinem offenen, zutraulichen Entgegenkommen so schlecht erwidert wird, und so hat denn auch Goethe in dieser Art vielfältige Leiden gehabt, von welchen zum Teil das ›Buch des Unmuts‹ im ›Divan‹ sattsames Zeugnis gibt. – Dabei ist es aber auch sehr charakteristisch, daß dieser Unmut Goethes immer nur gegen den Begriff und nie gegen ein bestimmtes Individuum gerichtet erscheint, so etwa ›Divan‹, Ausgabe 1819, S. 102:

> Dümmer ist nichts zu ertragen
> Als wenn Dumme sagen den Weisen,
> Daß sie sich in großen Tagen
> Sollten bescheidentlich erweisen.[8]

oder S. 103:

> Verschon uns Gott mit deinem Grimme
> Zaunkönige gewinnen Stimme.[9]

Es schwebt daher über allen dergleichen Ausbrüchen ein Hauch von höherer Weisheit, welche bei alledem, daß sie von dem Widerwärtigen belästigt wird, eine innere Überzeugung bewahrt von der Notwendigkeit in dergleichen Gegensätzen. Diese Erkenntnis ist in folgenden Worten auf eine wahrhaft schöne Weise niedergelegt: ebendas. 102:

> Was klagst du über Feinde?
> Sollten solche je werden Freunde,
> Denen das Wesen wie du bist
> Im stillen ein ewiger Vorwurf ist?[10]

Kurz es leiten uns diese Betrachtungen zu der nicht unwichtigen Erkenntnis: daß, je größer und mächtiger ein geistiges Leben ist, um so mehr seine Bestrebungen wie seine Abneigungen *ein Allgemeineres* zum Gegenstande haben werden, während je kleiner und schwächer die Psyche, sie auch immer mehr an Einzelnheiten haften wird. – Wo wir daher im Kleinlichen den Unmut gegen das Widerstrebende in persönlichen Groll und in Haß und Zank gegen einzelne sich Luft machen sehen, da faßt eine größere Natur in ihren unmutigen Stimmungen die Allgemeinheit des ihm Zuwiderseienden zusammen und richtet Unwillen, ja vielleicht Zorn nur gegen den Begriff. – Belege hierzu treten uns überall, wo wir uns umsehen, entgegen, vom wahrhaft großen Feldherrn, der all sein Genie aufbietet, die Macht des Feindes zu vernichten – aber wo er irgend kann, des einzelnen gefangenen oder verwundeten Feindes schont, bis zu jenem Erhabenen, welcher mit heiligem Eifer dem Bösen in der Menschheit entgegentrat und nichtsdestoweniger mit unendlicher Milde sich des einzelnen Sündhaften erbarmte.

Bei Goethe ist diese Neigung das seiner Natur Zuwiderlaufende soviel möglich unbedingt abzulehnen, auch die Erklärung davon, daß er in Polemik sich nie eingelassen hat. – Man verstehe uns hier nicht falsch! wir sind nämlich keineswegs der Meinung, es sei eben durchaus und allein das Rechte, allen Widerspruch und alle Diskussionen des Entgegengesetzten zu vermeiden, in wissenschaftlichen Dingen ist eine klare ruhig durchgeführte Polemik bekanntlich nur zu oft das Mittel der Erkenntnis des Wahren näher zu rücken, und so hätte es Goethe selbst gewiß, zumal in seiner Farbentheorie, vor mancher Einseitigkeit und manchem Irrtum der Auffassung und Erklärung der Phänomene bewahrt, wenn er auf Entgegnungen und Widerspruch hie und da wirklich eingegangen wäre; allein in ihm war das Bedürfnis des Ausbaues seiner eigensten Individualität zu mächtig, und wiederum war diese Individualität selbst so bedeutend und außerordentlich, daß ganz mit Recht er alles ablehnen durfte, was ihrer Entwickelung insbesondere minder angemessen erschien. Und eigen ist's allerdings mit allem, was uns von außen hereinkommt und nicht aus uns selbst unter den rechten Konstellationen hervorwächst – eigentlich ist es doch immer ein Fremdartiges, ein uns nur Angetanes, und ebendeshalb uns immer irgendwie Beeinträchtigendes. [...]

Ähnlich ist es dann auch mit Goethe! Seine Arbeiten lieben wir hauptsächlich, weil wir zuletzt durch sie hindurch immer wieder bald mehr bald weniger deutlich *seine* Individualität, seine eigentümlich große und gesunde Natur, und diese immer in jedem Werke wieder von einer neuen und eigentümlichen Seite gewahr werden. Eben darum nun, weil es bei ihm wesentlich auf die Ausbildung seines ganz eigensten Seins ankam, und er darum befähigt und berechtigt war, das ihm nicht Gemäße abzulehnen, selbst auf die Gefahr hin, daß hie und da hierdurch seine Schöpfungen an Korrektheit etwas verlieren möchten, fühle ich mich hier an jenes bekannte Wort erinnert:

> -- Gemeine Naturen
> Zahlen mit dem, was sie tun,
> Edle mit dem, was sie sind.[11]

Es gibt Arbeiten, bei welchen es uns gar nicht einfällt, nach der Individualität dessen zu fragen, dem wir sie verdanken, die *Sache* ist uns hier alles! – Ein Wörterbuch, eine sorgfältige deskriptive Arbeit über Menschen- oder Naturwerke, und dergleichen, lassen uns über die innere Individualität des Verfassers ganz unbekümmert, dahingegen in einer höheren philosophischen Betrachtung, in einem größern poetischen Werke, in einer tiefern historischen Forschung wir notwendig durch die Individualität des Geistes, von welchem diese Werke ausgehen, in unserm Interesse wesentlich bestimmt werden; es sind, könnte man sagen, durchlauchtige, d. h. durchleuchtende Werke, der Geist, aus dem sie fließen, leuchtet durch sie hindurch wie der Schein festlicher Kerzen durch die Fenster eines Palastes, und nicht sowohl um des Dargestellten willen, sondern darum, daß uns daran die Individualität des Urhebers, seine eigentümlich großartige Gesinnung, sein weitschauender heller Geist, seine poetische schöpferische Kraft durch und durch fühlbar werde, ja daß sie gleichsam magnetisch uns dann ebenfalls durchdringe, fördere und innerlich selbst entwickle, das ist es, worauf es hier ankommt, und darum werden diese Werke immer um so mächtiger wirken, je mächtiger der Genius ist, aus dem sie hervorgegangen sind. Goethes Werke gehören hierher im vollen Sinne des Wortes, und eben darum und weil er das selbst gar wohl fühlte, war ihm fast unbewußterweise und ganz unbesorgt darum, ob man ihm das für den ärgsten Egoismus anrechne, überall hauptsächlich darum zu tun, daß er sich, sein Wesen, sein Ich immer vollkommner und klarer in diesen Werken darlebe und in ihnen sich spiegle. Fremdartiges daher nicht anzunehmen, Widerspruch entschieden abzulehnen, Erwiderung auf Entgegengesetztes zu vermeiden, mußte somit ein unausweichbares Bedürfnis für ihn bleiben, eben um in dieser Entwickelung auf keine Weise gestört zu werden. – Wer ihm sonach dergleichen verdenken will und wer diesen Zug aus seinem Leben wegwünscht, ist weit entfernt, in das Verständnis seiner Natur wirklich näher eingedrungen zu sein. – Er hielt sich und mußte aus innerer Notwendigkeit sich halten an seine eigenen Worte:

Laß dich nur in keiner Zeit
Zum Widerspruch verleiten,
Weise fallen in Unwissenheit,
Wenn sie mit Unwissenden streiten.[12]

Überhaupt kann in der Beziehung einer reinen zum großen Teil unbewußten Lebensphilosophie jeder von Goethe Vielfältiges lernen! – Wie viele Menschen gewahren wir nicht, die das Kunstwerk ihres Lebens verderben oder unvollkommen ausführen, weil sie nicht zu unterscheiden vermögen, was das ihnen wahrhaft Gemäße sei und was nicht! – Bald aus einer irrigen Meinung für sich selbst irgendeinen Vorteil zu erreichen, bald in der falsch verstandenen Absicht, dadurch, daß sie ihrem eigensten Wesen untreu werden, andern einen besondern Nutzen zu gewähren, verlassen sie das, was Goethe einmal sehr hübsch die Fortifikationslinien[13] unsres besondern Daseins nennt, und stören dadurch ihre eigne Weiterbildung ebensosehr, als sie es sich unmöglich machen, in Zukunft auch andern das zu sein, was sie ihnen hätten sein können, wäre ihre eigne Entwickelung zu ihrem naturgemäßen Ziele gelangt. Es hat mir in Assisi die alte naive Darstellung des Giotto[14] immer viel zu denken gegeben, wo man die reine Seele in einer Art von Burg wohnen sieht, nur mit umschwebenden Engeln Gemeinschaft pflegend, während die verdorbene Seele aus ihrem Schlosse durch Dämonen verlockt in den Höllenabgrund sich verliert. Man kann dabei an gar vieles und insbesondere an die innere Selbstläuterung der Seele erinnert werden, aber auch die Burg, welche die schönere Seele umfängt, ist nicht ohne tiefe Bedeutung! sie stellt eben die symbolische Bedeutung dar von dem, was Goethe die Fortifikationslinien unsres Daseins nennt, und es ist damit teils die Selbstbeschränkung, teils aber auch die entschiedene Abhaltung des uns nicht Gemäßen, des unser Wesen Beeinträchtigenden bestimmt genug bezeichnet. – Will man Goethes Leben im einzelnen verfolgen, so werden wir eine Menge Züge finden, welche Belege zu diesen Betrachtungen geben. Schon das oben erwähnte Festhalten an dem kleinen weimarschen Kreise, in welchem er allerdings seiner Fortifikationslinien vollkommen Herr blieb, früher schon das Abbrechen verschiedener Verhältnisse, von welchen er voraus empfand, daß sie ihn allmählich nötigen würden, aus der ihm eigentümlichen Richtung herauszugehen, endlich selbst seine entschiedene monarchische Gesinnung, dieweil nur mit dieser und mit entschiedener Ablehnung alles revolutionären Wesens die Durchführung seines eigentümlichen Lebensganges möglich blieb, werden uns, wenn wir sie in diesem Lichte betrachten, vollkommen deutlich.

Eine besondere Bemerkung bedarf es indes, daß bei alle diesem, was in unbedeutendern Geistern zuletzt zum widerwärtigsten Pedantismus und zur völligen Hemmung alles Entwicklungsganges führen muß, in ihm gerade hierdurch eine fortgehende innere Ausbildung gesetzt wurde. – Wenn man die Geschichte seines höhern Alters durchgeht, wenn man sieht, wie keine bedeutende Erscheinung im Gebiete der Künste und der Wissenschaften sich hervortat, welche er nicht mit Aufmerksamkeit beachtete, mit Umsicht zu vergleichen und mit seinen Bemerkungen in Briefen oder Tages- und Jahresheften zu begleiten pflegte, so kann man wohl erkennen, daß das, was er die Fortifikationslinien seines Daseins genannt hat, keineswegs eine chinesische Mauer war, welche, wie in jenem philisterhaften Lande, alles abhalten sollte, was den innern Entwickelungsgang anregen und fördern konnte, sondern nur bestimmt war, die ungemäßen Einwirkungen zu verhindern, aber innerhalb des eignen Kreises die eigentümlichste Fortbildung zu unterstützen. – Ein schönes Wort in dieser Beziehung ist daher die Stelle aus einem der oben mitgeteilten Briefe, mit welcher wir diesen Abschnitt beschließen wollen; sie heißt: – »Das Alter kann kein größeres Glück empfinden, als daß es sich in die Jugend hineingewachsen fühlt und mit ihr nun fortwächst. Die Jahre meines Lebens, die ich der Naturwissenschaft ergeben, einsam zubringen mußte, weil ich mit dem Augenblicke in Widerwärtigkeit stand, kommen mir nun höchlich zugute, da ich mich jetzt mit der Gegenwart in Einstimmung fühle auf einer Altersstufe, wo man sonst nur die vergangene Zeit zu loben pflegt.«[15]

Goethes Verhältnis zur Natur und Naturwissenschaft

[...]

Unter dem [...], was in seinen naturwissenschaftlichen Bestrebungen unvergänglicher Natur ist, stellen wir mit Recht obenan seine ›Metamorphose der Pflanzen‹. – Der Gedanke, die Pflanzenwelt in ihrer unendlichen Mannigfaltigkeit als entstehend zu erfassen durch rastlose Metamorphosen der Elementarglieder jener *einen* Idee der Pflanze überhaupt, welche unter dem Namen der Urpflanze ihn lange Zeit wachend und träumend beschäftigt und verfolgt hatte, ist von höchster lebendigster Einwirkung auf das gesamte Gebiet der Botanik gewesen. Diese ganze Anschauung war aber – und das ist hier besonders hervorzuheben – *der* Zeit, in welcher Goethe zuerst sie aussprach, noch so fremd, daß dieses sein kleines Buch über Pflanzenmetamorphose die wunderlichsten Schicksale erfuhr: kein Buchhändler wollte es drucken, kein Zeitgenosse es anfänglich für mehr als Phantasie gelten lassen, und einzelne wirklich Wohlwollende hielten es höchstens für eine hübsche Anweisung, wie man etwa Arabesken aufzeichnen könnte. – Nur nach und nach und indem diese Bestrebungen mit andern überall erwachenden genetischen Arbeiten zusammentrafen, gewann diese Vorstellungsweise sich Grund und Boden, und gegenwärtig wird kein noch so sehr in Spezialitäten versenkter, aber sonst nur wahrhaft wissenschaftlicher Botaniker gefunden werden, welcher es nicht anerkennte, daß Goethe zuerst die folgenreiche, späterhin einzig eine natürliche Systematik begründende Idee der Metamorphose der Pflanze ausgesprochen habe. – Weniger eindringend waren seine Arbeiten über das Skeleton, mindestens das was als eigne Darstellungen bekannt geworden ist, können wir nicht mit der ›Metamorphose der Pflanzen‹ an wissenschaftlicher Bedeutung gleichstellen. Nichtsdestoweniger ist das Bestreben, die Gestaltung des Knochensystems im höhern genetischen Sinne aufzufassen, überall durchleuchtend, und machte, daß zu einer Zeit, wo z. B. viele Anatomen noch das Zwischenkieferbein im menschlichen Haupte nicht anerkennen wollten, ihm doch die Notwendigkeit dieser Annahme vollkommen einleuchtete. – Noch merkwürdiger aber war es, daß eine der folgenreichsten Anschauungen auch in Beziehung auf Gestaltungslehre des Skeleton, *zuerst* im Goetheschen Geiste sich erschloß, und dies ist die Anschauung vom Wirbelbau des Hauptes, dessen Schädelgebilde ihm vielleicht unter allen Sterblichen zuerst als entschiedene Fortsetzung der Gebilde der Rükkenwirbelsäule erschienen sind. Bekanntgemacht wurde dies zwar später, und Oken hat das große Verdienst, im Jahre 1807 zuerst die Theorie von Wirbelbau des Schädels öffentlich wissenschaftlich begründet zu haben;[16] nichtsdestoweniger scheint es ohne Zweifel, daß Goethe diesen luminosen Gedanken eine gute Reihe Jahre früher erfaßt habe und ganz entschieden liegt auch hierin ein Beweis, wie mächtig und naturgemäß sein Genius auch in diesem Sinne immerdar mit den Erscheinungen zu gebaren wußte.

Am ausführlichsten und nachhaltigsten hatten sich seine naturwissenschaftlichen Untersuchungen dem Lichte zugewendet. Über Licht- und Farbenerzeugung haben wir allein ein größeres selbständiges Werk von ihm und dessenungeachtet wird vielleicht gerade von diesen Bestrebungen das wenigste als ein festes aus der Zeitflut sich herausraffendes Eigentum der Wissenschaft betrachtet werden dürfen. Nur von den Ur-Erscheinungen der Farben in der Atmosphäre, inwiefern sie als *durchscheinende* zwischen Licht und Finsternis sich bilden, haben wir durch Goethe eine schöne, naturgetreue und durchaus originelle Darstellung erhalten. Es ist dagegen schon früher beiläufig erwähnt worden, daß diese seine Farbenlehre wohl schon deshalb nicht unbedingt Platz greifen konnte, weil die beiden anderen nicht minder ursprünglichen Farbenentstehungen, die durch Lichtbrechung und die durch Lichtspiegelung in den Pigmenten, über der zu lebendigen Auffassung der Entstehungsart im Durchscheinen, ganz unbeachtet geblieben waren, und weil ihr ebendeshalb die vollkommne innere und allgemeine Wahrheit doch abging. – Bei alledem ist auch in diesem Werke eine gewisse innere griechische Einfachheit der Form und der Darstellung lebhaft zu bewundern. [...]

Eine solche Vollendung und Schönheit der Darstellung ist übrigens keineswegs der ›Farbenlehre‹ allein eigen; die morphologischen Hefte, die Aufsätze über Wolkenformen, deren Beobachtung und Schilderung nach Art Howards[17] ihm ebenfalls eine bleibende Teilnahme abgewann, und über geologische Wahrnehmungen zeigen fast überall eine Schönheit des Stils und Klarheit der Auffassung, welche um so mehr sie musterhaft erscheinen lassen, je mehr im allgemeinen der deutschen wissenschaftlichen Literatur noch jene Ausbildung der Form fehlt, welche wir selbst in streng wissenschaftlichen Werken französischer Gelehrten größtenteils anerkennen und oft bewundern müssen, ja, welche um so wichtiger ist, da sie nicht nur das Verständnis erleichtert, sondern den Verfasser selbst nötigt, den Gedanken zu höherer Klarheit *in sich* durchzubilden, ehe er ihn niederschreibt.

Betrachten wir nun dieses alles, so können wir nicht leugnen, daß Goethe wirklich auf eine bedeutende und nachhaltige Weise auf die Naturwissenschaften gewirkt hat, und es bleibt uns nur noch übrig, auch umgekehrt in Untersuchung zu nehmen, wie die Naturwissenschaften auf Goethe gewirkt haben. – Es sind nämlich die verschiedenartigsten Stimmen laut geworden, Stimmen Wohlwollender und Stimmen Übelwollender, welche behaupteten, es sei eine große Verirrung, und sei nachdrücklich zu beklagen, daß Goethe, der hochbegabte und wohlberufene Dichter, sich habe beigehen lassen, auf das Feld der Naturwissenschaften auszuschweifen, und Zeit zu verlieren, mit allerhand Licht- und Farbenversuchen, mit Tierskeletten und Pflanzenbildungen; denn nicht genug daß wir ohne diese Abwege ein halbes Dutzend Dramen und ein paar hundert Gedichte mehr von ihm haben könnten, so wäre dies Wesen überhaupt dem Gange seines Geistes nachteilig gewesen und habe Anteil an der spätern Tendenz seiner Muse gehabt, welcher man auf dem deutschen Parnaß nun einmal keinen rechten Platz anzuweisen imstande sei!

Gehen wir nun zuvörderst gar nicht auf Gründe und Gegengründe dieser Art ein, aber fragen wir nur: Wo ist denn eben eine Individualität, die sich vermessen dürfte, einem Geiste wie Goethe gegenüber zu diktieren: dies hätte er sollen so oder so machen, dies taugte ihm, dies taugte ihm nicht usw. – Ein erwachsener verständiger Mann mag wohl einem Kinde gegenüber sagen und wohlmeinend sich vernehmen lassen, daß das Kind zur Förderung seines Wohls und zur Wahrung seiner Gesundheit, dies oder jenes lassen und dies und jenes tun müsse, allein wenn eine Individualität von der innern Befähigung und Berechtigung eines Goethe sich durch beinahe ein Jahrhundert hindurch in einer gewissen bestimmten großartigen Richtung rein entwickelt, und wenn diese Entwickelung nach allen Seiten hin die folgewichtigsten Resultate ausstreut, so scheint es mir gelind ausgedrückt, eine große Voreiligkeit, einem solchen Geiste zuzurufen und zuzupredigen: »hier bist du auf dem rechten, dort bist du auf dem falschen Wege, dies dient dir zur Förderung, dies zum Nachteile deines Talents« usw.! – Wenn irgend jemand, so war wohl Goethe mit seiner kerngesunden Natur und mit der Klarheit seines ganzen Wesens der Mann, der da wußte, was ihm diente und was nicht, und schon von dieser Seite gesehen, muß es doch wohl den Anschein gewinnen, als sei für Goethe das Studium der Naturwissenschaften ein wahrhaftes Bedürfnis und eben dadurch auch eine Förderung seines Lebens wie seines Dichtens gewesen. – Hat es mir doch überall so herrlich an Goethe geschienen, daß er nie und nirgends es so etwa besonders darauf angelegt hat, ein großer Dichter zu werden! – daß im Gegenteil: er (wie es in einem seiner früheren Briefe heißt) »weder rechts noch links fragt, was von dem gehalten werde, was er machte, weil er arbeitend immer gleich eine Stufe höher steigt, weil er nach keinem Ideal springen, sondern seine Gefühle sich zu Fähigkeiten, kämpfend und spielend, entwickeln lassen will.«[18] – So dichtete er um so gesünder und größer und mächtiger, je bedeutender und frischer und lebendiger er sein eignes Wesen entfaltete, und daß er dies nur entfalten konnte im Vereinleben der Natur, und daß hinwiederum ein solcher Geist sich nicht bloß auf ein gefühlvolles Anschauen der Natur beschränken konnte, sondern daß es ihn treiben mußte, auch tiefer in das Wesen der Erscheinung einzudringen, wem das nicht aus seinen Werken überall entgegenleuchtet, dem werden wir es hier schwerlich zu demonstrieren imstande sein! –

Will man daher wirklich fragen: »ja was wäre aber wohl aus dem Dichter Goethe geworden, wenn er den Hang zu den Naturwissenschaften bekämpft und ganz und gar der Dichtkunst sich hingegeben hätte?« so gehört das etwa zu der Frage: »was aus Raffael geworden, wenn er ohne Arme geboren worden sei?« und zu ähnlichen. – Nein es gibt eine gewisse höhere organische Nötigung, durch welche die Entwickelung einer bedeutenden Individualität bestimmt wird, und nur willkürliche Eingriffe und Störungen dieses organischen Ganzen werden dem Individuum zum Nachteil ausschlagen, während das ruhige wohlverstandene Fortgehen im Gleise des echten Naturgemäßen, wie dem Individuum, so auch seinen Wirkungen auf die Welt nur zum wahren Heile gereichen kann. Übrigens was sollte denn auch in den Naturwissenschaften liegen, was echter Poesie hinderlich sei? – Wenn der Forscher wirklich, wie er soll, als Priester der Natur sich verhält, wenn bei jedem Schritte, den er vorwärts tut, ihm neue Schönheit, höhere Weisheit, größere Mannigfaltigkeit entgegenleuchtet, wie soll dies nicht sein Vorstellungsleben bereichern, seine Phantasie erwärmen, seine Begeisterung steigern? – Das Eine freilich ist gewiß, daß ein Dichter, dessen Geist erfüllt ist von Erkenntnissen, wie sie nur wissenschaftliche Bestrebungen uns verleihen, und der nun mit diesen Erkenntnissen auch gebart, der sie bald als Gleichnisse verwendet, bald die innere Göttlichkeit der Erscheinung selbst zum Vorwurf des Gedichts werden läßt, voraussetzen muß, daß auch seine Leser einigermaßen unterrichtet seien, daß ihnen die Beziehungen, welche er in seine Dichtung verwebt, nicht ganz fremd blieben und daß der Kreis ihrer Anschauung der Welt von dem des Dichters nicht allzu weit abstehe. – Verse wie jene:

> Durchsichtig scheint die Luft und rein
> Und trägt im Busen Stahl und Stein;
> Entzündet werden sie sich begegnen,
> Da wird's Metall und Steine regnen [19]

verlangen, um in ihrer Beziehung, nicht nur auf atmosphärische Vorgänge, und dann auch gleichnisweise auf menschliches Leben, verstanden zu werden, einen deutlichen Begriff von der Geschichte der Meteore; und jene:

> Wenn zu der Regenwand
> Phöbus sich gattet,
> Gleich steht ein Bogen da,
> Farbig beschattet usw.[20]

oder:

> Zart Gedicht, wie Regenbogen
> Wird nur auf dunkeln Grund gezogen.
> Darum behagt dem Dichtergenie
> Das Element der Melancholie [21]

werden erst *dem* recht bedeutungsvoll erscheinen, wem nicht fremd ist, auf welche Weise die wunderbare tausendfache Farbenbrechung des Sonnenlichts im

Wassertropfen zum Irisbogen sich gestaltet. Freilich wird dadurch der Kreis des Verständnisses etwas enger gezogen, und eben darum haben viele der späteren Gedichte von Goethe nicht die allgemeine Verständlichkeit seiner frühern; indes wer darf das leichte Verständnis zum Merkzeichen des geringeren oder höhern poetischen Wertes machen! – Dantes ›Paradies‹ könnte dann leicht eine tiefere Stelle als Matthissons Gedichte bekommen. – In diesen Dingen ist alles zu sehr relativ um eine bestimmte Norm im voraus festzusetzen; was dem einen schwer verständlich ist, wird von einem andern ganz leicht erfaßt werden, wo dieser Dunkelheit sieht, erfreut sich jener des Lichts, und es ist am Ende doch gerade diese Befähigung: in dem, was andern dunkel scheint, das Licht zu erkennen, welche die Alten schon die tiefere Bedeutsamkeit in den Vogel Minervens legen hieß. – Es ist freilich erschrecklich und vernichtet alles poetische Leben, wenn verwünschterweise in sogenannten didaktischen Gedichten Gelehrsamkeit zur Schau gelegt wird und der gebildete Mensch von dem Dichter mit neuer Bildung absichtlich überzogen werden soll. Die deutsche Literatur wie die französische und englische kennt dergleichen poetischen Mißwachs – aber wer hat dergleichen je bei Goethe gefunden! – Er lebte sich in die Natur ein, er suchte sie mit allen seinen Organen zu durchdringen, sie geistig sich zu assimilieren, und was nun so ihn durchdrungen hatte, was ein Teil seines geistigen Organismus geworden war, das spiegelte sich in den mannigfaltigsten Gestalten auch in seinen poetischen Gebilden wider. Wohl dem, der auch in diesen Spiegelbildern bekannte, befreundete Gestalten erkannte und wem Natur auch im Schleier der Poesie ihren ewigen Jugendreiz nicht wirklich verborgen hielt, – denn allerdings mögen wir auch hier in bezug auf Natur anwenden, was Goethe im ›Divan‹ vom Orient aus hören läßt:

> Wer den Dichter will verstehen,
> Muß ins Land der Dichtung gehen![22]

26 *Friedrich Theodor Vischer*

Aus: Vorrede zu »Kritische Gänge« 1844

[. . .]
Die Kritik der ›Faust‹-Literatur ist sehr wenig höflich ausgefallen. Man wird billig einem Manne, der diesen Augiasstall zu misten unternahm, einige Ungeduld nachsehen; auf einen groben Klotz gehört ein grober Keil. Wie entrüstet ich aber hier gegen die rein spekulative Behandlung eines Kunstwerks, gegen das stoffartige Aufsuchen philosophischen Inhalts statt ästhetischer Kritik auftrat, ich war selbst dennoch nicht ganz frei von dieser Auffassungsweise. Es ist in dieser langen Reihe von Beurteilungen viel zu wenig Kritik des Gedichts als eines gewordenen, wie es in seinen ungleichzeitigen, fragmentarisch verbundenen Schichten aus dem Dichter, dem Unterschiede seiner Entwicklungsstufen und der Gunst oder Ungunst des ihm eingebenden Genius zu erklären ist. Es war in mir selbst

noch weit zuviel unechte Pietät. Daher habe ich *Weißes* Werk [1], die einzige ästhetische Kritik, in denjenigen Partien, wo er von den Fugen und Nähten der ungleichzeitigen, mehr oder minder gelungenen Stücke spricht, viel zu flüchtig beurteilt. Freilich hatte er mir die Freude an seinem Werke durch die schiefe Auffassung des Grundgehalts verdorben.

Auch den Mangel hat meine Kritik, daß ich das Gedicht viel zu wenig als Ausdruck seiner Zeit ins Auge gefaßt habe, wie es den innersten Nerv jener merkwürdigen Revolution des europäischen, zunächst des deutschen Geistes gegen Ende des achtzehnten Jahrhunderts so durchsichtig zutage legt. Nur berührt ist dieser Punkt in der Kritik von *Webers* Schrift, Band II, Seite 114.[2] Die Wissenschaft war verknöchert in Dogmatismus und Formalismus; die jugendlichen Geister fühlten dies und schmachteten nach den Brüsten, den Quellen alles Lebens, »an denen Himmel und Erde hängt, dahin die welke Brust sich drängt«; aber kein Laut kam ihnen im weiten Reiche der damaligen Schulwissenschaft entgegen, diese hatte noch keine Ahnung von einer Erkenntnis, welche essentiell, welche im Bewußtsein der Einheit des Denkenden und Gedachten begründet und zugleich das dialektische Moment der verständigen Trennung und ihrer Auflösung als Methode in sich aufnehmen könnte. Daher mußte der Drang nach Wahrheit sich überstürzen, daher wurde *alle* Methode, wurden alle Mittel des Erkennens verachtet, und ein ungeduldiger Mystizismus suchte die Wahrheit mit Gewalt zu erobern. Man wollte, da man jede Vermittlung verachtete, *unmittelbar* erkennen. Auf diesem Punkte steht Faust, dies ist der Grund seiner Zauberei, die ihm »durch Geistes Kraft und Mund« manch Geheimnis kundtun soll. Man nehme dazu den Famulus Wagner und des Mephistopheles Gespräch mit dem Schüler, so hat man den ganzen Zustand der damaligen obligaten, d. h. insbesondere akademischen Wissenschaft, ehe die neue Philosophie seit Kant mit jugendlichem Atem ihn erneuert hat. Nehmen wir nun ein Beispiel aus der Naturwissenschaft. Man hatte eine nach äußeren Kennzeichen rubrizierende, klassifizierende Botanik und Zoologie; der dürstende Geist tieferer Talente forderte aber ein *inneres Band*. Wir haben jetzt eine organisch physiologische Erkenntnis der Pflanze und der Tiergestalt in ihrem Bau und der Stufenleiter ihrer wechselnden Formen; eine solche Erkenntnis sucht Faust, die Wissenschaft reicht sie ihm nicht, so verachtet er diese und will durch einen Gewaltstreich, durch Zauber unmittelbar ins Innere der Natur eindringen. Hier begreift man, warum Schelling in seiner ›Methode des akademischen Studiums‹ unser Fragment als »das eigentümliche Gedicht der Deutschen begrüßte, das einen ewig frischen Quell der Begeisterung eröffne, welcher allein zureichend war, den Hauch eines neuen Lebens über die Wissenschaft zu verbreiten«.[3] Schelling durfte aber den ›Faust‹ nicht nur als den Propheten des großen Prinzips der Identitätsphilosophie begrüßen, sondern es ist ebenso natürlich, daß er ihn auch als Schutzpatron der Mängel dieser Philosophie willkommen hieß. Schelling verachtete wie Faust die verständige Vermittlung in der Wissenschaft, weil die bisherige nur zu Verstandesrelationen geführt hat; Faust zitiert den Erdgeist und sinkt vor der riesengroßen Erscheinung nieder: Schellings Identitätsprinzip ist »wie aus der Pistole geschossen« durch die intellektuale Anschauung da, und der Gedanke sinkt von dem vorgeblichen Versuche, in diesen dunkeln Grund seine Linien zu ziehen, ermattet nieder; Faust wirft sich überdrüssig ins Leben und meint mit genialem Übermut seinen Schaum abschöpfen zu können, ohne von den Rädern seines sittlichen Komplexes gepackt zu werden: die Schellingsche Philosophie diente den Romantikern zum Schilde, denen Sittliches und Unsittliches nur als schönes Schattenspiel des Selbstgenusses dienen sollte.

Wie nun die Wissenschaft, so sehnte sich auch das Leben nach einer Umgeburt. Diese Sehnsucht teilte sich in zwei Formen. Der subjektive Deutsche suchte Freiheit von den Banden einer veralteten Konvenienz und einer Moral, welche die Rechte der Persönlichkeit nicht in Rechnung nahm, freie Bildung durch freien Genuß und freie Tätigkeit; aber er stürzte mit den veralteten Gesetzen auch die ewig wahren um und wußte die abstrakte Freiheit der Persönlichkeit nicht mit dem vernünftigen und besonnenen Eingehen in die Bedingungen des Lebens, dem Gesetze der Notwendigkeit, mit Zucht und Gehorsam zu vereinigen; die übersprudelnden Jünglinge der Sturm- und Drangperiode standen daher an einem Abgrund, in welchem mehr als einer von ihnen verloren ging. Es war kein Epikureismus, man suchte unbegrenzte Tätigkeit so gut wie unbegrenzten Genuß. Goethe meinte Kunst, Poesie, Naturforschung und die Verdienste des Staatsmanns in sich vereinigen, Tasso und Antonio zugleich sein zu können, nannte sich eine Legion, von hundert Welten trächtig; er wollte wie Faust der Menschheit Krone erringen. Auch dies war ein Abgrund. An diesen Abgrund führt Mephistopheles den Faust; aus Reminiszenzen der Jugendsünden jener Brausezeit ist die vermessene Wette mit Mephistopheles, die Liebesgeschichte mit Gretchen, ist zum Teil die Figur des Mephistopheles, ist die Walpurgisnacht, in welcher der konzentrierte Hautgout der Liederlichkeit qualmt, mit hellem und sittlich überblickendem Geiste zusammengesetzt. Die Absicht ist, Faust durch Schuld und Reue zur Besinnung, zur männlichen Versöhnung mit dem Leben, zu jener Durchbildung der Persönlichkeit zu führen, welche sich beschränkt und doch frei bleibt, welche nicht fürchtet, die innere Poesie, die edle Unzufriedenheit im Philisterium einzubüßen.

Die andere Form jenes Dranges nach neuem Leben fiel dem französischen Volke zu, die Umschaffung des objektiven Lebens, des Staats. Derselbe Jugendrausch wie dort in engerer Sphäre wußte hier wohl zu zerstören, aber nicht zu bauen. Diese Gestalt der Revolution nahm Goethe gar nicht auf, gegen diese Welt war er versteinert; und doch ist es Faust, und niemand anders als Faust, der seit Rousseau bis auf George Sand im französischen Geiste spukt. Freilich kann man auch sagen, Faust sei einmal ein Deutscher, und jener französische Störenfried müsse ein Milchbruder von ihm sein, den er vergessen habe. Goethe gedachte im zweiten Teil seinen Helden in höhere, bedeutendere Sphären zu führen, aber er hat es schlecht genug angegriffen.

Wollte man Faust in die geforderte politische Lage bringen, ohne die Einheit der Zeit zu sehr zu verletzen, so ließe sich hiezu der *Bauernkrieg* benützen, diese einzige Erscheinung in der Geschichte des deutschen Volkes, welche, getragen von den reinsten und edelsten Ideen über Freiheit und Menschenrecht, an der Unreifheit der Zeit, an der inneren Unfreiheit der kirchlichen Reformatoren, welche hier geradezu in Schlechtigkeit überging, aber auch an der Wildheit schrankenloser Rachsucht und an der Uneinigkeit, wodurch die Unternehmung sich selbst trübte, tragisch gescheitert ist. Der Bauernkrieg wäre eine Situation, welche alle Ideen der späteren politischen Revolution, selbst die neuesten des Kommunismus nicht ausgeschlossen, im Keime enthält; sie wäre symbolisch in dem erlaubten Sinne, durch welchen die Wahrheit, die individuelle Haltung und der historische Charakter der wahren Poesie nicht aufgehoben wird. Der Bauernkrieg wäre nur deswegen ein Symbol der modernen Revolution, weil er wirklich der Anfang derselben ist. Faust nun müßte vorher von der Reformation ergriffen und begeistert sein und würde mit Jubel diese Frucht derselben, das Erwachen der politischen Persönlichkeit im Volke begrüßen, er würde als Anführer an die Spitze einer Bauernschar treten. Seinem Enthusiasmus müßte der Dichter die Züge des Feuergeistes jener Zeit, dessen Schwert die Rede und dessen Rede ein Schwert war, des Ulrich von Hutten, leihen. Jetzt würde Mephistopheles seine alte Rolle fortsetzen. Die Situation wäre wie gemacht dazu. Er würde bald an Fausts Hitze noch schüren und ihn dadurch zu wirklichen Ungerechtigkeiten, zu Handlungen der Grausamkeit hinreißen, wozu ihm seine Stellung alle Gelegenheit böte; bald würde er seinen Enthusiasmus verhöhnen und verlachen und ihm die ganze Unternehmung als einen Ausbruch tierischer Begierden in den Staub herunterziehen. Er würde zugleich die Bauern zu Greueltaten hetzen, sein Werk wäre es, wenn sie zuerst auf reiche Klöster lostürzen, die Keller aussaufen, die Pfaffen kastrieren usw. Würde nun Faust, durch diese Verunreinigung des Werkes zurückgeschreckt, sich in die Einsamkeit zurückziehen, und, wie früher schon in Wald und Höhle, wieder der reinen Betrachtung sich weihen, so stellte Mephistopheles sich wieder ein und ruhte nicht, bis er ihn zurückgelockt hätte. Endlich aber, nach neuen Verirrungen der Unbesonnenheit, der abstrakten Begeisterung, welche rücksichtslos die Wirklichkeit verletzt, müßte Faust erleben, daß die Unternehmung scheitert, und daß er selbst mit abermals getrübtem Gewissen dasteht. Jetzt würde er sich sagen, daß das ganze Werk ein unreifes war, und den Vorsatz fassen, ehe er wieder mit solcher Hast in die Wirklichkeit übergreife, sein Inneres durch neue, anhaltende Beschäftigung mit sich selbst erst noch tiefer zu bilden und zu reinigen. Dies wäre dann der Schluß des Gedichts, nach meiner Ansicht der einzig mögliche und richtige. Eigentlich abgeschlossen kann das Drama nicht werden, das habe ich in meiner Kritik dieser Literatur hinlänglich bewiesen. Die Versöhnung des Idealismus und Realismus in Denken und Handeln, wohin das Ganze strebt, kann nur als Perspektive in Aussicht gestellt werden, teils weil Faust überhaupt nicht der Held der Versöhnung, sondern der Entzweiung ist, teils weil die Darstellung der Versöhnung als eines ruhenden, fertigen Zustandes ebenso philosophisch unwahr als poetisch matt wäre. Jener Schluß nun würde diese Perspektive gewiß in der richtigen Weise eröffnen. Was Faust als einzelne Person betrifft, so würde er ein Handeln mit männlicher Besonnenheit, mit Anerkennung der Grenze und des Maßes als künftige Aufgabe ansehen. Zugleich würde das

Gedicht den Hauptfaden nicht ganz fallen lassen, der sich ja wesentlich durch das Ganze hindurchziehen soll, nämlich Fausts Wissenstrieb und denkende Natur, wodurch er sich von jedem andern dramatischen Helden unterscheidet und jedes gegebene Verhältnis in das Bewußtsein und den Gedanken zu erheben sucht. Durch reineres Denken künftig sein Handeln zu reinigen wäre sein wohlbegründeter Vorsatz. Man würde nun mit Leichtigkeit einsehen, daß Mephistopheles und der Herr, Faust und Mephistopheles in ihren Wetten je beide sowohl gewonnen als verloren haben.

Allein Faust ist nicht bloß dieser einzelne, er ist der strebende Menschengeist, er ist bestimmter der strebende Geist in der großen Krise des achtzehnten Jahrhunderts, da dem Bewußtsein zuerst seine subjektive Unendlichkeit aufging, er ist noch näher gefaßt dieser Geist in der besonderen Bestimmung des deutschen Naturells. Nun würde er aber durch die letzte politische Situation, obwohl sie der deutschen Geschichte angehört, vermöge ihrer vorbildenden Beziehung auf die französische Revolution stark in den französischen Charakter übergehen. Der Schluß jedoch wäre, daß der französische Charakter zwar rasch und entschlossen handelt, aber sich überstürzt und die Früchte nicht erntet, weil die innere Bildung, aus welcher die Tat fließt, nicht rein und reif ist. Es würde in Aussicht gestellt, daß vielleicht das deutsche Volk, das so lange in politischem Schlummer begraben nur in den Bergwerken der inneren Bildung arbeitete, einst noch beweisen werde, daß es auch handeln kann, daß aber seine Handlung reiner und fruchtbarer sein wird, weil eine lange, gründliche, tiefe Bildung des Denkens dieser Handlung voranging. So wäre dieser Faust und dieser Schluß ein Vorbild und Zeichen unserer Hoffnungen und Zukunft.

[...]

27a *Friedrich Hebbel*

Aus den Tagebüchern und Briefen 1835–1863

[Über Goethes Persönlichkeit]

5. 1. 1836

[...] von Goethe war mir nur wenig zu Gesicht gekommen, und ich hatte ihn um so mehr etwas geringschätzig behandelt, weil sein Feuer gewissermaßen ein *unterirdisches* ist und weil ich überhaupt glaubte, daß zwischen ihm und Schiller ein Verhältnis, wie etwa zwischen Mahomet und Christus, bestehe; daß sie fast gar nicht miteinander verwandt seien, konnte mir nicht einfallen. (136)

Aus einem gewissen Standpunkt betrachtet, hat Börne doch nicht unrecht, wenn er Goethen seine politische Untätigkeit vorwirft. Er war sicher, auch im Fall der Opposition gegen die Legitimität; ein Angriff auf seine Person hätte vielleicht in Deutschland keine Revolution erregt, aber die Furcht vor einer solchen Rev[olution] hätte eine Revolution in der Polizei herbeigeführt. (137)

1. 7. 1836

Jede Nation findet einen Genius, der in ihrem Kostüm die *ganze* Menschheit repräsentiert, die deutsche Goethen. (217)

29. 5. 1837

Goethe war eine Enzyklopädie und Shakespear ist eine Quelle der englischen Geschichte. (748)

1. 5. 1838

Glücklich ist nur derjenige, in dem die Natur gewissermaßen unmittelbar und sich durch individuelle Schranken gehemmt zu sehen, wirkt, wie in Goethe und Shakespear. [1115]

27. 11. 1838

Goethes spätere Urteile über Schriftsteller und Bücher sind nicht Urteile seines *Magens*, sondern seines *Gaumens*. (1354)

10. 3. 1847

Goethes Geist: wie der Rosenstrauch, vom Winde bewegt, Blatt nach Blatt fallen läßt. (4075)

10. 4. 1847

»Ich hätte mit Goethe oder Shakespeare nicht zusammentreffen mögen!« »Und doch sind sie mit der Natur jeden Tag zusammen und fühlen sich von ihr nicht erdrückt!« – Ich habe hierin aber nur scheinbar recht! (4140)

1853

Goethe konnte das Element, aus dem Schiller hervorging, nicht würdigen; wie ihn selbst? (5071)

20. 8. 1853

[. . .] mir deucht das Verhältnis zwischen Schiller und Goethe, in dem ich von jeher etwas Symbolisches erblickte, wurde nur dadurch möglich, daß jeder sich in den Kreis des andern zu versetzen suchte und von ihm nur forderte, was innerhalb desselben zu leisten war. (5159)

2. 11. 1855

In Shakespeare oder Goethe ist außerordentlich wenig speziell englisch oder deutsch und außerordentlich viel allgemein-menschlich. (5403)

27. 9. 1857

Das Schicksal Goethes bei der Nation, als Mann, Mensch und Charakter, im Gegensatz zu Schiller beweist unter anderem auch, wie viel mehr Glück die Phrase macht, als die Sache, der sie im besten Fall zur Enveloppe dient. (5616)

14. 3. 1863

Wie es Partial-Talente gibt, so gibt es auch Partial-Physiognomien, in denen sich List, Schlauheit, Verstand usw. spiegeln, nur nichts Allgemeines; diese fordern zur Karikatur heraus, während die General-Gesichter, wenn ich sie so nennen darf, kaum entstellt werden können. Man denke an Alexander, Caesar, Napoleon, Goethe, Raffael, auch wohl Richelieu, deren Köpfe auf Pfeifenköpfen und Tassen noch ebenso erkennbar sind, wie auf den Tafeln großer Meister. (6110)

20. 4. 1863

Goethes Briefwechsel mit dem Grafen Reinhard[1] gelesen; zum erstenmal, weil ich besorgte, auch in dieser Korrespondenz dem Dalai-Lamatum zu begegnen, das mir so manche andere gründlich verleidet hat. Ein höchst bedeutendes Buch, worin Goethe zu seinem größten Vorteil erscheint, namentlich von der menschlichen Seite, und welches beweist, daß ein außerordentlicher Mensch sich nur vor seinesgleichen entkleiden kann. (6128)

aus Hebbels letzter Brieftasche 1866

Goethe rechnete nicht mit der Totalität der Menschheit sondern mit ihren einzelnen Fakultäten (43)

An Elise Lensing 18. 6. 1837

Die Natur sollte keine Dichter erwecken, die keine Goethes sind, darin steckt der Teufel.

22. 10. 1837

Eckermanns ›Gespräche mit Goethe‹. Man könnte den Titel übersetzen: Goethes Monologe vor der – höhle (924)

An Elise Lensing 13. 9. 1837

Ich lese soeben Eckermanns ›Gespräche mit Goethe‹ und fühle mich gedrungen, mancherlei, was diese Lektüre in mir angeregt hat, gegen Dich auszusprechen. Eckermann erscheint mir keineswegs als irgend bedeutender Mensch, denn in diesem Fall hätten ihm in seinem Alter viele bedeutende Dinge, die ihm von Goethe überliefert wurden, unmöglich neu sein können; sie müßten ihm längst klar gewesen sein und Goethe hätte höchstens noch sein Siegel darunter gedrückt; er kommt mir vor wie Adam, dem Gott der Herr seinen Hauch einbläst. Und dennoch hat dieser Mann sich in ein angenehmes und ehrenvolles Verhältnis zu Leben und Welt gesetzt, er ist mit allem, vornehmlich mit sich selbst, im reinen, freut sich dessen, was er hervorzubringen vermag, mäkelt und klügelt nicht und genießt in heiterem Bewußtsein jeden Tropfen seiner Existenz, sieht seinen Genuß vielleicht gar durch die Erinnerung überstandener Mühseligkeiten und Plagen erhöht. Warum ist dies alles bei mir so ganz anders?

An Elise Lensing 20. 9. 1837

[...] Das Buch von Eckermann über Goethe hat mir viel zu schaffen gemacht. Könnte ich mit Goethe übereinstimmen und die Wege, die August Platen und Friedrich Rückert wandeln, für die rechten halten, so wäre mir gleich geholfen. Ich habe auch Augen, allerlei was außer und in mir vorgeht, wahrzunehmen, und witzige und sentenziöse Einfälle stehen mir dutzendweise zu Gebote; ist das Poesie, so soll es mir jährlich an 20 Bogen Gedichte nicht fehlen. Nur schade, daß Goethe, der Mann von 30 Jahren, schwerlich der Stolz Deutschlands, die Bewunderung Europas, geworden wäre, wenn er die Prinzipien befolgt hätte, die er als Mann von 80 Jahren aufzustellen für gut befindet. Wahrhaft verdrossen hat mich die Art und Weise, wie er Uhland abfertigt; da heißt es, Uhlands Ruhm habe »einigen« Grund[2], es sei *»gewissermaßen«* zu bedauern, wenn seine Produktion aufhörte etc., während jämmerliche Gesellen, die mit ihren trockenen Verstandes- und Bildungs-Erzeugnissen nie eine Seele entzündet haben, mit Lob und Beifall überschüttet werden. Ich kann mir die Sache nun freilich leicht erklären; in Goethe war diejenige Kraft, aus welcher seine (höchstens von Uhland erreichten) Jugend-Romanzen und Lieder, wie z. B. ›Der Fischer‹, hervorgingen, erschöpft, nicht aber der Trieb, fortwährend zu produzieren, und der letzten Hälfte seines Lebens zu Gefallen verleugnete er die erste. Dennoch hält es schwer, in Goethe, dem Deutschland ausschließlich sein geistiges Konto-Kurant verdankt, einen Falschmünzer zu sehen; ich wenigstens prüfe, bevor ich es wage, einen einzigen seiner Aussprüche umzustoßen, vorher das ganze Fundament meiner geistigen Existenz. Aber, ein Grundsatz, der aller Mittelmäßigkeit Türen und Tore öffnet, kann unmöglich der rechte sein; ich glaube nie an etwas, was die Kunst *erleichtert*, denn ich weiß, daß die Sonne sehr fern ist, obgleich ihr täuschend-ähnliches Bild uns aus manchem Wasser entgegen glänzt.

Dezember 1836

Der Briefwechsel zwischen Goethe und Bettina[3] ist in seiner letzten Wirkung schauerlich, ja furchtbar. Es ist das entsetzliche Schauspiel, wie ein Mensch den andern verschlingt und selbst Abscheu, wenn nicht vor der Speise, so doch vor dem Speisen, hat. Aber das Buch ist zugleich ein vollkommner Beweis für das bedeutendste Wort, was ich darin ausgesprochen finde; dafür nämlich, daß die Leidenschaft der Schlüssel zur Welt sei. (510)

10. 2. 1842

Ich blätterte eben ein wenig in Bettinas Briefwechsel mit Goethe, und ein Gefühl des Neides überkam mich. Auf den wurden alle Lebensblüten herabgeworfen, er konnte sich damit bekränzen oder darin begraben, ganz nach Belieben, und ein anderer, dem doch auch Keime in die Seele gelegt sind, muß die Existenz schleppen, wie eine blinde Spinnerin ihren Faden zieht! (2464)

13. 4. 1837

Goethe sagt mit Bezug auf ›Michel Kohlhaas‹[4], solche Fälle müsse man nicht im Weltlauf geltend machen. Das ist wahr, insofern man daraus keine Schlüsse zum Nachteil des Allgemeinen ziehen darf. Doch scheint mir, der Dichter muß eben auf Ausnahmen der Art seine Aufmerksamkeit richten, um zu zeigen, daß sie so gut aus dem Menschlichsten entspringen, wie die Dutzend-Exempel. (720)

12. 8. 1837

Goethes ›Italienische Reise‹ und in dem zweiten Teil des ›Werther‹ die ›Briefe über die Schweiz‹.[5] Eine höchst schwierige Aufgabe, das Verhältnis, worin beide Darstellungen zueinander stehen, herauszufinden, aber gewiß in ihren Resultaten für die Erfassung Goethescher Art und Weise unendlich belohnend. Das Allgemeinste ist leicht auszusprechen: die ›Italienische Reise‹ ist uferlos, damit das ganze Welt-All für jegliche seiner Bewegungen Raum findet; die ›Briefe‹ gleichen einem Strom, in den recht viel hineingeht, das sich aber immer die mannigfaltigsten und eigensinnigsten Schranken gefallen lassen muß. (861)

1. 10. 1840

Nur Goethe, in seinen Jugendliedern, stellt die reine Seligkeit, die Seligkeit an sich, die aus dem Dasein selbst entspringt, dar; andere nur die errungene Seligkeit. (2149)

29. 8. 1843

Es ist töricht, von dem Dichter das zu verlangen, was Gott selbst nicht darbietet, Versöhnung und Ausgleich der Dissonanzen. Aber allerdings kann man fordern, daß er die Dissonanzen selbst gebe und nicht in der Mitte zwischen dem Zufälligen und dem Notwendigen stehenbleibe. So darf er jeden Charakter zugrunde gehen lassen, aber er muß uns zugleich zeigen, daß der Untergang unvermeidlich, daß er, wie der Tod, mit der Geburt selbst gesetzt ist. Dämmert noch die leiseste Möglichkeit einer Rettung auf, so ist der Poet ein Pfuscher. Von diesem Gesichtspunkt aus ergibt sich dann aber auch eine viel höhere Schönheit und ein ganz anderer, zum Teil umgekehrter Weg, ihr zu genügen, als diejenige war, die Goethe anbetete. (2776)

18. 9. 1847

»Alles Poetische sollte rhythmisch sein!« schrieb Goethe an Schiller[7], als dieser ihm angezeigt hatte, daß er seinen in Prosa angefangenen ›Wallenstein‹ in Verse umschreibe. Ein höchst einseitiger und sicher nur durch den speziellen Fall hervorgerufener Ausspruch! Es gibt Gegenstände, die im ganzen durchaus poetisch sind, im einzelnen aber so nah an das Gebiet der Prosa streifen, daß sie das Pomphafte, was dem Vers anklebt, nicht vertragen, in alltäglicher Prosa aber freilich auch nicht aufgehen und darum ein Mittleres verlangen, welches aus beiden

Elementen zu bilden dann eben die Hauptaufgabe des Dichters ist. Dahin gehört z. E. jeder Stoff einer bürgerlichen Tragödie. (4276)

15. 5. 1862

Goethe hatte von jeher einen Hang zum Allegorisieren, wenn er auch erst später trocken und unpoetisch hervortrat. Er zeigt sich z. B. im ersten Teil des ›Faust‹, wo der (sterbende) Valentin die *»Schande«* malt, in der ›Iphigenie‹, wenn Iphigenie im Moment der höchsten Erregung die »Erfüllung« als Göttin anredet usw. (6276)

Aus Hebbels letzter Brieftasche 1866

Am alten Goethe ist es merkwürdig, wie er sich nach u[nd] nach mit den Kunstgesetzen abfindet. Das wirft ein Reflexionslicht auf die Pfuscherei. (39)

21. 2. 1845

Goethe macht zuweilen namenlos schlechte Verse; ich meine die Verse, abgesehen vom Gehalt. Die sind wahrscheinlich aus seiner Verzweiflung an der deutschen Sprache hervorgegangen und also die Praxis der Verzweiflung. (3392)

25. 10. 1862

Varnhagen glaubt die Kritiken des zweiten Teils von Goethes ›Faust‹ dadurch zu widerlegen [8], daß er daran erinnert, daß vieles darin aus Goethes bester Zeit herrühre. Als ob Goethe nicht schon in seiner besten Zeit (vide ›Bürger-General‹, ›Groß-Cophta‹ usw.) sehr schlechte Stunden gehabt hätte. (5974)

[Zu ›Dichtung und Wahrheit‹]

28. 3. 1842

Goethe hat in seiner Biographie ein unerreichbares Meisterstück aufgestellt. Diese Fähigkeit, in die Wurzeln seines Daseins zurückzukriechen, sich auf jede Lebensstufe zurückzuversetzen und jede ganz rein, für sich, abgesondert von allem, was folgt, zu empfinden und beim Leser zur Empfindung zu bringen, nebenbei die ganze jedesmalige Atmosphäre, wie sie das Kindes- Knaben- oder Jünglings-Auge abgezirkelt haben muß, anschaulich zu machen, dies alles ist noch nicht dagewesen. Was ist Rousseau dagegen! Bei Goethe die Wahrheit in ihrer edelsten Naivität, ganz unbekümmert um Wirkung und Eindruck, und eben deshalb die höchste Wirkung erreichend; bei Rousseau Lüge, die sich selbst nicht mehr erkennt, so daß selbst da, wo er Wahres gibt, die Wahrheit jenem neuen Lappen gleicht, womit ein alter zerrissener Schlauch geflickt wird! (2515)

[Zu ›Faust‹]

August 1835

Es läßt sich wohl eine Abgrenzung, nicht aber eine Vollendung des Goetheschen ›Fausts‹ denken. Wenn der ›Faust‹ vollendet werden sollte, müßte zuvor die Philosophie vollendet werden. (89)

1. 7. 1836

›Faust‹ ist gemeinsame Geburt des gewichtigsten Stoffs und des gewaltigsten Geistes und kann darum nicht zum zweiten Mal produziert werden. Das Werk begreifen, heißt seine Unbegreiflichkeit, die es mit jedem Naturwerk gemein hat, erfassen. (218)

März 1837

Faust und Christus, zusammen kommend. – (666)

Oktober/November 1839

Goethes ›Faust‹ umfaßt alle Geheimnisse der Welt; er kann sie aber nicht anders aussprechen, als wie die Welt selbst sie ausspricht. (1793)

16. 11. 1843

Die Goetheschen Charaktere, namentlich Faust, unterscheiden sich dadurch von den Shakespearschen, daß in jenen die Extreme *neben* einander, in diesen *aus* einander hervor treten. Ich glaube, dies ist es überhaupt, was epische und dramatische Naturen, bei übrigens gleicher Begabung, unterscheidet. (2865)

23. 1. 1844

Gretchen im ›Faust‹ ist auch eine schwangere Heldin, und dies Gretchen gehört nicht bloß zu den höchsten und reinsten Gestalten aller Poesie, sondern es wird gespielt, eben aber auf den Zustand des Mädchens wird die ganze Katastrophe gebaut, mit jenem fällt sie weg und mit ihr der ganze ›Faust‹. *Klärchen* im ›Egmont‹ ist noch etwas viel Schlimmeres, sie ist eine Dirne, die Dirne eines Grafen, den sie nie besitzen kann, aber weil der Dichter sie mit einem über alle bloße Sitte weit hinausgehenden und sie vergessen machenden sittlichen Adel zu umkleiden wußte, fällt das keinem ein, oder doch nur demjenigen, dem auch bei Raffaels Madonna allerlei einfällt.

[. . .]

Ja, ich bin überzeugt, daß eine Schauspielerin, die auf die tragischen Motive das gehörige Gewicht legt, die übrigen ebensogut vergessen macht, als uns im ›Faust‹ Gretchens: o neige, neige, du Schmerzensreiche pp über das Anstößige ihres Zustandes weit hinaus führt. (3003)

August/September 1844

In dem: »Sie ist gerettet!« im ersten Teil von Goethes ›Faust‹ liegt schon der ganze zweite. (3229)

20. 4. 1845

Welch ein unendlicher Unterschied zwischen der Kunst des Äschylos, aus dem düstern mythologischen Hintergrund eine Welt voll Leben hervor zu spinnen, und den fratzenhaften modernen Versuchen, z. B. Goethes im 2ten Teile des ›Faust‹, die Mythologie in eine Art von Mosaik aufzulösen, und diese zum Putz um neue, fremdartige, gar nicht damit in organischer Verbindung stehende Ideen, ja Einfälle, herum zu reihen. (3469)

September/Oktober 1845

Im zweiten Teil des ›Faust‹ verrichtete Goethe doch nur seine Notdurft. (3504)

25. 6. 1863

Goethe will im zweiten Teil des ›Faust‹ Öde und Einsamkeit schildern und räumt zu diesem Zweck die Wellenbewegung und die Wolkenbildung weg. Aber das genügt nicht; so lange der Mensch seine Atemzüge und seine Pulsschläge zählen kann, fühlt er sich zu zweien, ist wenigstens nicht ganz allein. (6172)

[Zu ›Wilhelm Meister‹]

1. 5. 1838

Friedrich Schlegel meint: wenn Goethe die Lehrjahre Lotharios, deren im Vorbeigehen als eines vorhandenen Manuskripts erwähnt wird, dem ›Meister‹ einverleibt hätte, so würde aller Mißverstand und aller Tadel weggefallen sein, denn das wäre der einzige Einwurf, den Unzufriedene mit einigem Schein gegen das Werk machen könnten, daß es seinen eignen Hauptbegriff (der Bildung) nicht vollständig ausspreche und entfalte.[9] Dann würde es sich nämlich zeigen, ob es neben den Lehrjahren des Künstlers auch noch Lehrjahre des Menschen, eine Kunst zu leben und eine Bildung zu dieser Kunst, geben könnte pp – Ich denke, dem ist schon dadurch begegnet, daß Lothario als der einzige Charakter gezeichnet ist, der zu *handeln* versteht. Jenes Manuskript hätte sich wohl auf keinen Fall mitteilen lassen; abgesehen von der notwendigen Umfänglichkeit desselben, hätte es schon der *Reichtum* der Form (welcher in einer gewissen Mannigfaltigkeit besteht, der einen und denselben Ausweg nicht zwei Mal zuläßt) verboten. Übrigens stellt nicht *Menzel*, wie ich bisher glaubte, sondern schon Schlegel den *Stil*, als einen der größten Vorzüge des ›Meisters‹ heraus. (1131)

Juni 1838

Es ist meisterhaft, daß im ›Wilhelm Meister‹ Wilhelm immer der erste ist, der sich über die Vorkommenheiten des breitern ausläßt. (1190)

2. 6. 1840

Einmal wieder den ›Wilhelm Meister‹ gelesen. Seite 204 (im letzten Bande) heißt es: »Mignon fiel mit einem Schrei zu Nataliens Füßen für tot nieder; das liebe Geschöpf war nicht ins Leben zurück zu rufen.«[10] Und Seite 256: »Mit welcher Inbrunst küßte sie in ihren letzten Augenblicken das Bild des Gekreuzigten, das auf ihren zarten Armen mit vielen hundert Punkten sehr zierlich abgebildet steht.«[11] Ein Widerspruch, der noch von niemanden bemerkt wurde und der freilich auch wenig bedeutet. Es ist doch ein ganz für sich bestehender, von allen anderen in Form und Inhalt verschiedener Roman! Wenn Novalis ihn »durch

und durch prosaisch«[12] nennt, so hat er nur dann ein Recht dazu, wenn ihm die ganze Welt prosaisch dünkt! Wenn Menzel seine Wirkung auf seinen Stil zurückführen will[13], so ist das so, als ob man die Schönheit in die Gesichts- und Hautfarbe setzen wollte, die doch ohne die vollkommenste Gesundheit gar nicht da sein könnte. Er spiegelt die Ironie des Weltlaufs ab, und wenn ich etwas zu tadeln fände, so läge es darin, daß Wilhelm, der Erzogene, allein, daß nicht auch die Erzieher Jarno, Lothario, der Abbée usw. in steten Widersprüchen herumgeschoben werden.
(2032)

22. 5. 1842

Goethes ›Meister‹ wieder gelesen. Diesmal hat mich das Negative des Buchs, das Indifferente, das in der Ironie keinen gehörigen Gegensatz gefunden hat, unangenehm berührt. Es ist in diesem Roman dargestellt, wie das Nichts, von allem menschlichen Beiwesen unterstützt, Form und Gestalt gewinnt. Die höhere Aufgabe, zu zeigen, wie sich im Widerstreit mit der Welt ein kernhaftes Individuum entwickelt und zur Bildung gelangt, ist noch übrig. (2555)

Januar 1845

Goethes ›Wilhelm Meister‹, trotz der schönen Einzelheiten, ist doch eigentlich formlos und wird vergehen. Es schmerzt einen um Mignon, den Harfenspieler usw., man hat ein Gefühl, als ob man schöne Menschen ertrinken sähe. (3279)

3. 8. 1854

Wenn Goethe in den ›Wanderjahren‹ die Meisterschen Figuren wieder auftreten läßt, den Wilhelm als Wundarzt, den Jarno als Bergmann, die Philine sogar als Schneiderin, so ist das ungefähr so, als ob ein verrückt gewordener Vater seinen Kindern mit Kreide ein Pasquill auf den Rücken geschrieben hat und sie dadurch organisch umgestaltet zu haben glaubt.
(5329)

3. 8. 1854

Wäre Goethe in seiner letzten realistischen Periode zum ›König von Thule‹ zurückgekehrt: er hätte den ins Meer geschleuderten Becher durch einen Taucher wieder auffischen und Dukaten daraus prägen lassen. (5332)

[Zu ›Die natürliche Tochter‹]

Juni 1840

Heute die ›Natürliche Tochter‹ wieder gelesen. Unendlich ergreifen mich immer diese Verse:

> Sie ist dahin für alle, sie verschwindet
> Ins Nichts der Asche. Jeder kehret schnell
> Den Blick zum Leben und vergißt, im Taumel
> Der treibenden Begierden, daß auch sie
> Im Reihen der Lebendigen geschwebt.[14]

Das ungeheuerste Weh liegt darin. Ja, geschminkte Asche das Leben und stäubende Asche der Tod, und ein Wirbelwind hinterdrein, der die Asche in jeglicher Gestalt durchs Leere treibt. Das Herz will springen und der Kopf bersten, wenn man solche Bilder festhält! In die Asche weint vielleicht ein Gott glühende Tränen hinunter, die der Blick aufs Leere ihm auspreßt, und diese Tränen allein geben der Asche ein Gefühl, das sie für Leben hält. Oder, wir sind Tränen, die ein Gott in einen Abgrund hinunter weint! Wenn man einen Toten sieht, so ist es einem oft, als wäre er die stille, ruhige, abgeschlossene Statue, die das Leben durch unausgesetzte Schläge ausgemeißelt. Hör auf! (2033)

26. 11. 1853

Goethes ›Natürliche Tochter‹ gelesen, seit langer Zeit zum erstenmal wieder. Darin steckt mehr Griechisches, als in der ›Iphigenie‹, wenn man auf die Hauptsache geht. Übrigens steht das Produkt ganz auf der Grenze. (5211)

[Zu ›Stella‹]

13. 10. 1840

Zum erstenmal habe ich Goethes ›Stella‹ gelesen, es war mir früher niemals möglich. Unbegreiflich ist es mir, wie Goethe so etwas schreiben konnte. Auch kein Zug von seiner großen Hand, alles zeitlich, vergänglich, wie ein Wassertropfen, den man auf Mehl rollen läßt, damit er seine runde Gestalt einen Augenblick behalte. Dürr und leer, ein Drama, zwischen Schlafen und Wachen gemacht, um das Handwerk doch nicht ruhen zu lassen. (2155)

November 1846

Goethes ›Stella‹ ist ein durchaus unsittliches Produkt. Dagegen würde ein Stück, das das freie Weib predigte, nicht darum schon unsittlich sein, sondern bloß verrückt, es würde, wenn es im übrigen naiv wäre, nicht empören, sondern höchstens zum Lachen reizen. Denn es ist ein ganz anderes, das Institut aufheben, oder das Institut bestehen lassen und allen möglichen Sünden-Greuel darin unterbringen zu wollen. Zu dem Gedanken der Aufhebung könnte den sittlichen Menschen zuweilen schon der Blick auf die praktische Gestaltung des Instituts verleiten, denn diese zeugt, wenn auch nicht gegen die ihm zugrunde liegende Idee, so doch sicher gegen das menschliche Vermögen, ihr zu entsprechen. Man braucht übrigens diese ›Stella‹ und ihren jammervollen Träger, den Hans Liederlich Fernando, nicht zu bekämpfen, denn der Dichter selbst hat sie schon durch ein Element, das er bei letzter Umarbeitung in sie hineinquälte, vernichtet. Graf Gleichen und dieser Romantikus, welch ein Unterschied! Wie Feuer und Stroh! (3807)

[Zu ›Die Wahlverwandtschaften‹]

August 1837

Goethes ›Wahlverwandtschaften‹.[15] Ein Buch, bei dem man dem *Stoff* kaum *Widerstand* zu leisten vermag und wobei man sich am ersten zu einer Intoleranz

gegen das echte Prinzip aller Kunst-Darstellung des Lebens in jedem seiner Verhältnisse verführt sehen könnte.
(867)

6. 12. 1838
In den ›Wahlverwandtschaften‹ rettet dies die Hoheit des Weltgesetzes, daß Ottilie nur durch ihr herbes Schicksal in ihrer tiefsten Innerlichkeit erschlossen werden konnte. –
(1389)

4. 3. 1839
[. . .] Es ist freilich das Höchste, Seelen-Ereignisse und Geistes-Revolutionen ohne Zergliederung und Beschwätzung unmittelbar durch das Tun und Leiden des Menschen zu zeichnen, wie es Goethe in seiner Ottilie, Kleist in seinen Novellen getan haben.
(1522)

20. 1. 1848
In Goethes ›Wahlverwandtschaften‹ ist doch eine Seite abstrakt geblieben, es ist nämlich die unermeßliche Bedeutung der Ehe für Staat und Menschheit wohl räsonierend angedeutet, aber nicht im Ring der Darstellung zur Anschauung gebracht worden, was gleichwohl möglich gewesen wäre und den Eindruck des ganzen Werkes noch sehr verstärkt hätte.
(4357)

3. 5. 1861
So wie in Goethe das Gestaltungs-Vermögen abnahm, griff er auch zu Extrablättern in Jean Pauls Manier, vide Ottiliens Tagebuch.
(5896)

[Zu ›Die Leiden des jungen Werthers‹]

1. 5. 1838
Die erste wahnsinnige Liebe, so spurlos sie gewöhnlich vorübergeht, und von so lächerlichen Erscheinungen sie begleitet wird, ist doch vielleicht das Ernsthafteste am ganzen Leben; wenigstens wird (und hierin liegt eben die bitterste Ironie) durch nichts jede Kraft des Menschen so aufs äußerste angespannt, als durch sie. Ich bin überzeugt, jeder könnte Werthers Leiden erleben, den Helden und den Künstler ausgenommen.
(1112)

Dezember 1838
Werther erschießt sich nicht, weil er Lotten, sondern weil er sich selbst verloren hat.
(1396)

25. 3. 1841
Die einzige Kritik über den ›Werther‹ ist die schließliche Frage: wenn Werther nun Lotte genossen hätte, in welche fürchterlichere Zustände wäre er dann gestürzt? Jetzt hat sein Leiden doch noch eine Gestalt, eine scheinbare Ursache, dann wäre es nicht einmal für seine Gedanken noch zu fassen gewesen! Aber, hier ist der

Punkt, wo alle Kritik aufhört, weil wir an den Grenzen der menschlichen, also auch der dichterischen Kraft sind. Der Dichter muß durchaus nach dem Äußeren, dem Sichtbaren, Begrenzten, Endlichen greifen, wenn er das Innere, Unsichtbare, Unbegrenzte, Unendliche darstellen will. Auch eine andere Katastrophe wäre möglich gewesen. Lotte mußte schwanger werden. Dieser Anblick! (2318)

April – Juni 1860

Sich gewisse Bücher in gewissen Händen denken! Falstaff z. B., wie er ›Werthers Leiden‹ liest. (5822)

27b *Friedrich Hebbel*

Aus dem Vorwort zur »Maria Magdalene« 1844

[...]

Bis jetzt hat die Geschichte erst zwei Krisen aufzuzeigen, in welchen das höchste Drama hervortreten konnte, es ist demgemäß auch erst zweimal hervorgetreten: einmal bei den *Alten*, als die antike Welt-Anschauung aus ihrer ursprünglichen Naivetät in das sie zunächst auflockernde und dann zerstörende Moment der Reflexion überging, und einmal bei den *Neuern*, als in der christlichen eine ähnliche Selbst-Entzweiung eintrat. Das griechische Drama entfaltete sich, als der Paganismus sich überlebt hatte, und verschlang ihn, es legte den durch alle die bunten Götter-Gestalten des Olymps sich hindurchziehenden Nerv der Idee bloß, oder, wenn man will, es gestaltete das Fatum. Daher das maßlose Herabdrücken des Individuums, den sittlichen Mächten gegenüber, mit denen es sich in einen doch nicht zufälligen, sondern notwendigen Kampf verstrickt sieht, wie es im Ödip den schwindelerregenden Höhepunkt erreicht. Das Shakspearsche Drama entwickelte sich am Protestantismus und emanzipierte das Individuum. Daher die furchtbare Dialektik seiner Charaktere, die, soweit sie Männer der Tat sind, alles Lebendige um sich her durch ungemessenste Ausdehnung verdrängen, und so weit sie im Gedanken leben, wie Hamlet, in ebenso ungemessener Vertiefung in sich selbst durch die kühnsten entsetzlichsten Fragen Gott aus der Welt, wie aus einer Pfuscherei, herausjagen möchten.

Nach Shakspeare hat zuerst *Goethe* im ›Faust‹ und in den mit Recht dramatisch genannten ›Wahlverwandtschaften‹ wieder zu einem großen Drama den Grundstein gelegt, und zwar hat er getan, oder vielmehr zu tun angefangen, was allein noch übrig blieb, er hat die Dialektik unmittelbar in die Idee selbst hinein geworfen, er hat den Widerspruch, den Shakspeare nur noch im Ich aufzeigt, in dem Zentrum, um das das Ich sich herum bewegt, d. h. in der diesem erfaßbaren Seite desselben, aufzuzeigen, und so den Punkt, auf den die gerade, wie die krumme Linie zurückzuführen schien, in zwei Hälften zu teilen gesucht. Es muß niemand wundern, daß ich Calderon, dem manche einen gleichen Rang anweisen, übergehe, denn das Calderonsche Drama ist allerdings bewunderungswürdig in seiner konsequenten Ausbildung, und hat der Literatur der Welt in dem Stücke: ›Das Leben ein Traum!‹ ein unvergängliches Symbol einverleibt, aber es enthält nur Vergangenheit, keine Zukunft, es setzt in seiner starren Abhängigkeit vom Dogma voraus, was es beweisen soll, und nimmt daher, wenn auch nicht der Form, so doch dem Gehalt nach, nur eine untergeordnete Stellung ein.

Allein Goethe hat nur den Weg gewiesen, man kann kaum sagen, daß er den ersten Schritt getan hat, denn im ›Faust‹ kehrte er, als er zu hoch hinauf, und in die kalte Region hineingeriet, wo das Blut zu gefrieren anfängt, wieder um, und in den ›Wahlverwandtschaften‹ setzte er, wie Calderon, voraus, was er zu beweisen oder zu veranschaulichen hatte. Wie Goethe, der durchaus Künstler, großer Künstler, war, in den ›Wahlverwandtschaften‹ einen solchen Verstoß gegen die innere Form begehen konnte, daß er, einem zerstreuten Zergliederer nicht unähnlich, der, statt eines wirklichen Körpers, ein Automat auf das anatomische Theater brächte, eine von Haus aus nichtige, ja unsittliche Ehe, wie die zwischen Eduard und Charlotte, zum Mittelpunkt seiner Darstellung machte und dies Verhältnis behandelte und benutzte, als ob es ein ganz entgegengesetzes, ein vollkommen berechtigtes wäre, wüßte ich mir nicht zu erklären; daß er aber auf die Hauptfrage des Romans nicht tiefer einging, und daß er ebenso im ›Faust‹, als er zwischen einer ungeheuren Perspektive und einem mit Katechismus-Figuren bemalten Bretter-Verschlag wählen sollte, den Bretter-Verschlag vorzog und die *Geburtswehen* der um eine neue Form ringenden Menschheit, die wir mit Recht im ersten Teil erblickten, im zweiten zu bloßen *Krankheits-Momenten* eines später durch einen willkürlichen, nur notdürftig-psychologisch vermittelten Akt kurierten Individuums herabsetzte, das ging aus seiner ganz eigen komplizierten Individualität hervor, die ich hier nicht zu analysieren brauche, da ich nur anzudeuten habe, wie weit er gekommen ist. Es bedarf hoffentlich nicht der Bemerkung, daß die vorstehenden, sehr motivierten Einwendungen gegen den ›Faust‹ und die ›Wahlverwandtschaften‹ diesen beiden welthistorischen Produktionen durchaus nichts von ihrem unermeßlichen Wert abdingen, sondern nur das Verhältnis, worin ihr eigener Dichter zu den in ihnen verkörperten Ideen stand, bezeichnen und den Punkt, wo sie formlos geblieben sind, nachweisen sollen.

Goethe hat demnach, um seinen eigenen Ausdruck zu gebrauchen[1], die große Erbschaft der Zeit wohl *angetreten*, aber nicht *verzehrt*, er hat wohl erkannt, daß das menschliche Bewußtsein sich erweitern, daß es wieder einen Ring zersprengen will, aber er konnte sich nicht in gläubigem Vertrauen an die Geschichte hingeben, und da er die aus den Übergangs-Zuständen, in die er in seiner Jugend selbst gewaltsam hineingezogen wurde, entspringenden Dissonanzen nicht aufzulösen wußte, so wandte er sich mit Entschiedenheit, ja mit Widerwillen und Ekel, von ihnen ab. Aber diese Zustände waren damit nicht beseitigt, sie dauern fort bis auf den gegenwärtigen Tag, ja sie haben sich gesteigert, und alle Schwankungen und Spaltungen in unserem öffentlichen, wie in unserem Privat-Leben, sind auf sie zurück zu führen, auch sind sie keineswegs so unnatürlich, oder auch nur so gefährlich, wie man sie gern machen möchte, *denn der Mensch dieses Jahrhunderts will nicht, wie man ihm Schuld gibt, neue und unerhörte Institutionen, er will nur ein besseres Fundament für die schon vorhandenen, er will, daß sie sich auf nichts, als auf Sittlichkeit und Notwendigkeit, die identisch sind, stützen und also den äußeren Haken, an dem sie bis jetzt zum Teil befestigt waren, gegen den inneren Schwerpunkt, aus dem sie sich vollständig ableiten lassen, vertauschen sollen.* Dies ist, nach meiner Überzeugung, der welthistorische Prozeß, der in unseren Tagen vor sich geht, die Philosophie, von Kant, und eigentlich von Spinoza an, hat ihn, zersetzend und auflösend, vorbereitet, und die dramatische Kunst, vorausgesetzt, daß sie überhaupt noch irgend etwas soll, denn der bisherige Kreis ist durchlaufen und Duplikate sind vom Überfluß und passen nicht in den Haushalt der Literatur, soll ihn beendigen helfen, sie soll, wie es in einer ähnlichen Krisis Äschylos, Sophokles, Euripides und Aristophanes, die nicht von ungefähr und etwa bloß, weil das Schicksal es mit dem Theater der Athener besonders wohl meinte, so kurz hintereinander hervortraten, getan haben, in großen gewaltigen Bildern zeigen, wie die bisher nicht durchaus in einem lebendigen Organismus gesättigt aufgegangenen, sondern zum Teil nur in einem Scheinkörper erstarrt gewesenen und durch die letzte große Geschichts-Bewegung entfesselten Elemente, durcheinanderflutend und sich gegenseitig bekämpfend, die neue Form der Menschheit, in welcher alles wieder an seine Stelle treten, in welcher das Weib dem Manne wieder gegenüberstehen wird, wie dieser der Gesellschaft, und wie die Gesellschaft der Idee, erzeugen. [...]

28 *August Friedrich Christian Vilmar*

Aus: Geschichte der deutschen National-Literatur 1845/48

[...]
Die Urteile, welche bis dahin über Goethe gefällt worden sind und noch jetzt gefällt werden in ein nur einigermaßen genügendes Resultat zusammenzufassen, dazu ist die Zeit noch nicht gekommen; wie überhaupt die Geschichte unserer neuen Literaturperiode genau genommen noch keine *Geschichte*, sondern halb Berichterstattung halb Darlegung von Ansichten ist, und eben darum auch nicht in der reinen, mehr oder ganz künstlerischen Weise wirkt, wie die Geschichte unserer älteren Literatur, vielmehr einen großen Teil ihrer Wirkung von dem stoffartigen Interesse des uns nahe liegenden wirklichen Lebens entlehnen muß, so kann auch noch keine *Geschichte* der Bedeutung und Wirksamkeit des einzelnen Dichters dieser Zeit, auch nicht Goethes, gegeben werden; – auch hier wird die *Berichterstattung* das Erste und Notwendige, die Darlegung von Ansichten das vielleicht Anziehendere, gewiß Mißlichere sein, so daß ich mich, wie ich schon bei der Aufzählung der einzelnen Dichterwerke getan, fast nur an das erste zu halten, dem zweiten möglichst aus dem Wege zu gehen haben werde.

Der erste, allgemeinste, und man kann wohl sagen der *notwendige* Eindruck, welchen Goethes Dichterpersönlichkeit macht, ist der einer starken, vollkommenen *Gesundheit:* bekanntlich machte seine leibliche Persönlichkeit nicht allein bis zu dem Tage seines Todes, sondern auch noch nach dem Tode denselben Eindruck. In seinem ganzen Wesen lag nichts Gespanntes, nichts Überreiztes, nichts Gewaltsames: es war nicht seine Art, sich entfernte Ziele zu stecken, deren Erreichung problematisch war, und es gehört dies zu den wahrsten Worten, welche er über sich selbst gesprochen hat: »er sei niemals nach Idealen gesprungen, sondern habe seine Gefühle sich zu Fähigkeiten, kämpfend und spielend, entwickeln lassen«.[1] Was er als Dichter gab, war sein wirkliches, volles Eigentum, aus seinen eigenen Erlebnissen und Erfahrungen herausgelöst, wie eine reife Frucht von dem Baume gefallen; er bedurfte keiner künstlichen Wärme, um seine goldnen Hesperidenäpfel zu zeitigen, keines gewaltsamen Aufpumpens des Dichtungsquelles, keines mühsamen Suchens nach den Goldkörnern unter Gries und Schutt: dichtete er, so dichtete er aus innerem Drange, aus Bedürfnis und psychischer Notwendigkeit, und ließ dieser Drang nach – wie bei einer gesunden Natur in jeder andern Sphäre auf Zeiten des lebendigsten, freudigsten Schaffens, notwendig Zeiten der Ruhe, der Inproduktivität, ja der scheinbaren Dürre und Unfruchtbarkeit folgen – war das Bedürfnis des Dichtens nicht vorhanden, so war er ruhig, war er *gesund* genug, das langsame Zeitigen der noch unreifen Frucht Jahre lang abzuwarten, des freiwilligen Heraufströmens des lebendigen Dichtungsborns aus den verborgenen Adern des Gemütes geduldig zu harren – geduldig zu harren, bis der vorüberrauschende Strom des Lebens ihm die Goldkörner der Dichtung von selbst an das Ufer und vor die Füße spülte, so daß er sie nur aufzuheben hatte. Seinem gesunden, offenen Auge zeigten sich die Dinge nicht in trüglichen Nebelbildern, in verschobenen, eckigen, verzerrten Formen, vielmehr überall in ihrer wahren, einfachen natürlichen Gestalt, und wie er oft genug selbst ausgesprochen hat, er ging nicht darauf aus, aus den Dingen etwas zu machen, ihnen von vornherein mit seinen Angewöhnungen, Ansichten, Urteilen und Vorurteilen, überhaupt mit der Kritik entgegen zu treten, sondern sie gelten zu lassen in ihrer vollen Eigentümlichkeit, sie auf sich bildend und bestimmend einwirken zu lassen, sie sich ganz zu eigen zu machen, sie zu begreifen in ihrem eigensten Wesen eben als Dinge, die so und nicht anders sein wollen, sollen und können. Diese Eigenschaft – Goethes vielbesprochene und doch oft so wenig verstandene Objektivität – verleiht seinen Gedichten die unnachahmliche Wahrheit, seinen Gestalten die köstliche Lebensfrische, seinem prosaischen Stil endlich die ruhige Anmut, den ebenmäßigen Fluß, die Klarheit und Durchsichtigkeit der Perioden; sie wirkt aber auch auf den Hörer und Leser mit einer ungemein milden und doch zugleich ungemein eindringlichen Kraft. Goethes Wesen als Dichter besitzt etwas Heilendes, Beruhigendes, Versöhnendes, wie es neben ihm kein Dichter weiter besitzt; wir verlernen durch ihn unsere unruhige krankhafte Krittelei, mit welcher wir an die Gegenstände heftig heranzugehen und sie nach unserm Belieben herumzuzerren und aufzustutzen pflegen; wir verlernen an ihm die Hast des vorschnellen Urteilens und Aburteilens; wir lernen an ihm unsere Vorurteile ablegen und uns gleich ihm vor allem den Dingen die uns gegenüberstehen, mit Liebe zu öffnen, sie anzuerkennen und gelten zu lassen; wir lernen an ihm, daß wir zuvörderst und immer wieder zu *lernen* und uns unterzuordnen haben, und es gibt gewiß in der Welt kein Vehikel, durch welches wir irgend welche Poesie, durch welches wir die Dinge und die Personen in der Welt, die Geschichte und die Welt selbst besser begreifen und im eigentlichen Sinne *verstehen* lernten, als Goethes Dichtungen; kein Mittel, welches uns so nachhaltig die jugendliche Eigenschaft der Empfänglichkeit und der Freude an der Welt erhielte und uns vor dem Überdrusse des Idealisierens sicherer bewahrte, als das Verständnis seiner Poesien.

Wie Goethe nun auf der einen Seite seine kernige, reine Geistesgesundheit in dieser frischen Empfänglichkeit, in dieser Fähigkeit, aufzunehmen und sich anzueignen beweist, so zeigt er eben diese Gesundheit auch in dem bestimmten Gefühl für das Ungesunde und ihm Schädliche, in dem sichern Instinkt, mit welchem er das Störende, Verwirrende, Überwältigende von sich abhielt. Wie er sich den Stoffen ganz und liebevoll hingab, so war er auf der andern Seite selbstbewußt und energisch genug, sich von diesen Stoffen nicht überwältigen und zerstreuen zu lassen, stark genug, diese Stoffe zu beherrschen und zu gestalten, stark und bewußt genug, Ansprüche, die ihn aus seiner Bahn geworfen haben würden, entschieden abzulehnen, sich von allen Banden in Zeiten loszumachen, auch von den lockendsten und scheinbar unlösbarsten, sobald er sich durch dieselben innerlich eingedämmt und gehemmt fühlte. Wie er auf der einen Seite nicht unsicher und voreilig aus sich selbst hinausgriff und herumtastete, um in kindischer und krankhafter Lüsternheit an allem herumzukosten, so ließ er ebenso wenig die Außendinge unsicher und hastig in sich eindringen, und sich von ihnen hin und her stoßen. Es wohnte in ihm ein bewundernswürdiges Bewußtsein von den notwendigen *Schranken* des menschlichen Daseins, vermöge dessen wir uns niemals an Dingen versuchen, die uns nicht gemäß sind, vermöge dessen wir einem jeden Gegenstande sozusagen bei der ersten Berührung anfühlen, ob wir durch denselben gefördert oder gehemmt werden; Goethe nannte diese Schranken die »Fortifikationslinien des menschlichen Daseins«.[2] Dies ist das *Ablehnende*, das Vornehme, was man ihm so oft zum Vorwurfe gemacht hat, und woraus gemeine Naturen, die eben keine Schranken kennen, keine Fortifikationslinien besitzen, Dünkel, Hochmut, Aufgeblasenheit und was sonst noch zu machen sich bestrebt haben. Goethe, diese ungemein rezeptive Natur, hatte das Bewußtsein von seinen Schranken vor allem nötig, um der sichere Bildner, der plastische Dichter zu sein und zu bleiben, der er war und bis an das Ende geblieben ist.

Mit dieser Gesundheit ist auf das innigste verbunden, oder es ist vielmehr nur eine Äußerung und ein Zeichen dieser Gesundheit, daß Goethe durchaus kein Stuben- und Büchermensch war, vielmehr, wenn man den Ausdruck brauchen darf, ein *Naturmensch*, ein Mann des Lebens und der Welt. Er mußte seine Dichterstoffe in der freien Natur, im Verkehr mit Menschen, im Verkehr mit dem Volke, in praktischer Tätigkeit, im Schauen und Lebensgenusse in sich aufnehmen, größtenteils auch verarbeiten; ein Sitzen und Sinnen und Brüten, ohnehin fast immer krankhaft, war seiner Natur nicht gemäß. Daher war die Reise nach Italien für ihn ein unerläßliches Bedürfnis, indem er am Hofe zu Weimar in Gefahr war, in das Stubenleben und das einsame Brüten zu verfallen; daher waren aber auch ein ähnlich unabweisbares Bedürfnis für ihn seine *Naturstudien*, die ihm von Unverständigen mit so großem Geschrei und oft so eitlem Gewäsch zum Vorwurf gemacht worden sind. Eine unbefangene Erwägung der innersten Natur Goethes sagt uns auf das einfachste und bestimmteste, daß dies eben sein naturgemäßer Weg war, sich frisch und frei zu erhalten, womit die Geschichte seines Lebens und seine oft wiederholten Äußerungen übereinstimmen. Glücklich der, welcher wie Goethe, wenn er mit dem Augenblicke in Widerwärtigkeit stehet, wie er von sich sagt, sich in die Einsamkeit einer liebevollen und eindringenden Naturbetrachtung zurückziehen kann – glücklich der, welcher mit Goethe, nachdem er sich *aus*gesprochen, wie das in der besten Gesellschaft unvermeidlich ist, in das Gebirge zu fliehen vermag, um mit den Felsen und Steinen ein unergründlich Gespräch zu beginnen! Gerade er, der so ganz darauf gewiesen war, *das rein Menschliche* und *nur* dieses in seinen Poesien darzustellen, gerade er, der es selbst so bestimmt ausgesprochen hat, daß das eigentliche Studium des Menschen nur der Mensch sei, gerade er konnte das Bedürfnis des *Ausruhens*, welches jeder nicht krankhaft gereizte und sich früh aufreibende Geist, besonders jeder Dichtergeist, hat und haben muß, nirgends anders befriedigen, als außerhalb jenes Studiums des Menschlichen und des Menschen.

Daß übrigens unserm Dichter nach mehr als einer Seite hin Schranken gesetzt waren, über die er nicht hinaus konnte, versteht sich leicht von selbst, und es wäre Torheit, dies ableugnen zu wollen, auch habe ich versucht dieselben hin und wieder bei den einzelnen zur Besprechung gekommenen Werken des Dichters anzudeuten. Daß Goethe mit der Philosophie der Zeit nichts anzufangen wußte, wird niemand, welcher den aus dem Boden der Wirklichkeit gewachsenen Dichtergeist, daß er für Musik unempfänglich war, niemand, welcher die plastische Natur Goethes nur einigermaßen begreift, ihm als eigentliche Schranke anrechnen. Die bemerkbarste aber, unzähligemal, jedoch meines Bedünkens noch niemals mit Einsicht und Gründlichkeit, viel weniger denn aus dem höchsten Gesichtspunkt betrachtete und besprochene Schranke ist die, daß er, der in alle Tiefen und zu allen Höhen des menschlichen Individuums, so weit dasselbe rein für sich genommen wird, hinab- und hinaufzusteigen vermochte, der alle Bewegungen der einzelnen Seele zu verstehen, zu bewältigen und dichterisch zu gestalten imstande war, die Bewegungen der Nationen, das große Völkerleben nicht in Harmonie mit seinem eigenen Selbst setzen konnte. Vermochte er doch die Natur des Epos nicht zu fassen – war ihm doch die Auffassung desselben, wie sie zu seiner Zeit zuerst in Wolfs Ansicht von den homerischen Gedichten auftrat, innerlich zuwider [3]; konnte er es doch hinsichtlich der Französischen Revolution zu nicht mehr, als zu einem tiefen Mißbehagen bringen, welches er niemals zu einer entschiedenen, freien, dichterisch zu gestaltenden Ansicht zu steigern imstande war! *Mit*zugehen mit den Stürmen dieser Bewegung war freilich einem so edlen, formgerechten Geiste, wie Goethe, völlig unmöglich »er sah nicht nur nicht, sagt er selbst, wie aus all dem Umstürzen etwas Besseres, sondern nur etwas anderes hervorgehen könne« [4], aber einen entschiedenen Standpunkt *über* diesen Bewegungen anzunehmen, sie in ihrer innersten Natur zu begreifen, ihr gewissermaßen ein dichterisches Endurteil zu sprechen, dazu hatte er wieder zu viel persönliche Verwandtschaft mit den letzten Elementen und Anfängen derselben. Dies würde uns zu einer weiteren und zwar zu der bedeutendsten Schranke führen, welche die Zeit um den Goethischen Geist gezogen hatte, doch verspare ich lieber die hierher zunächst gehörigen Bemerkungen, bis wir die Betrachtung über *Schiller* werden abgeschlossen haben, zu welcher wir jetzt übergehen.

[. . .]

Es wird hiernach nur wenige Andeutungen erfordern, um den nun schon vierzig Jahr lang geführten Streit über den Vorrang Schillers vor Goethe oder Goethes vor Schiller unter seinen richtigen Gesichtspunkt zu rücken. Daß auf dem höchsten Standpunkte der Kritik dieser Streit nicht möglich sei, dürfte sich heutzutage fast von selbst verstehen – vielleicht auch, wenn schon nur zum geringsten Teil aus den flüchtigen Skizzen zu folgern sein, welche ich zu geben versucht habe –; daß umgekehrt auf dem Standpunkte des unbefangenen, sich liebevoll hingebenden Kunstgenusses dieser Streit ebenso wenig möglich sei, ist durch Goethes bekannten derben Ausspruch dokumentiert: »man solle doch lieber nicht *streiten*, wer von ihnen größer sei, Schiller oder er, sondern sich *freuen*, daß zwei solche Kerle vorhanden seien«[5], auf den zwischen diesen beiden Standpunkten mitteninne liegenden Stufen aber ist allerdings dieser Streit nicht allein möglich, sondern fast notwendig und wird darum noch lange Zeit, wenn auch nicht literarisch, fortgeführt werden. Bekanntlich ist dieser Streit zuerst innerhalb der, von beiden Dichtern, wenn auch zunächst von Goethe ausgegangenen romantischen Schule erregt worden: *Novalis* stieß sich an dem Mangel an moralischer Kraft, welcher in Goethes Dichtungen zu bemerken sei, an der Darstellung schlechter Gesellschaft und schlechter Menschen, die er fast ausschließlich liebe, und dieser Vorwurf ist seitdem durch alle erdenkliche Stufen der Tonleiter bis zu den schreiendsten Mißtönen hinab und hinauf – Goethe sei ein Prediger der sittlichen Schlaffheit und Immoralität, ein Prediger der Ideenlosigkeit, des Quietismus, der Undeutschheit, ja ein geradezu antinationaler Dichter – von den Pustkuchen, Müllner, Börne und W. Menzel moduliert worden. Dagegen sprachen die übrigen Häupter der romantischen Schule, *August Wilhelm v. Schlegel* an der Spitze, Schiller die *Wahrheit* seiner Darstellungen, die Realität seiner Figuren ab, und dieser Tadel wurde ebenso, wie Novalis' Tadel der Goetheschen Poesie bis zu den äußersten Extremen getrieben und verfolgt, als sei Schiller lediglich ein Talent, welches sich durch Gewaltmittel zum großen Dichter hinaufforciert und geschroben, bloß ein Phrasendichter, endlich überhaupt gar kein Dichter mehr, wie denn noch neuerlich der nun verstorbene *Riemer* in Weimar sich die Mühe genommen hat, uns zu belehren, daß Schiller eigentlich alles Gute, was er gehabt, seinem Freunde Goethe listig abgeschwatzt und *gestohlen* habe.[6]

Es ist schon oft, und von Goethe zuerst und fast am öftersten ausgesprochen worden, *Goethes* Natur sei es, von dem Besondern zum Allgemeinen aufzusteigen, *Schillers*, vom Allgemeinen zum Besondern herabzusteigen[7] – und es ist hiermit einer der allgemeinsten Unterschiede der Menschennaturen bezeichnet, ein Unterschied, welcher durch sein Dasein ein vollkommen *berechtigter* ist und der weder bestritten noch verteidigt, sondern *anerkannt* sein will, ehe es zu einem Urteile über das Wesen der Dichtung und den Vorzug eines Dichters überhaupt kommen kann; ein Unterschied, welcher an Goethe und Schiller, als geistigen Repräsentanten nicht allein ihrer Zeit, sondern ganzer Jahrhunderte, ja in gewissem Sinne der Menschheit überhaupt, nur am bestimmtesten und erkennbarsten hervortritt. Hat die eine dieser Naturen, die vom Besondern zum Allgemeinen aufsteigende, die Goethische, den Vorteil eines breiteren Bodens, tieferer und sicherer Grundlagen für sich, so ist ihr dagegen die Aufgabe gestellt, auch wirklich zum Allgemeinen *aufzusteigen,* nicht bei dem Besondern stehenzubleiben, sich nicht an das Einzelne, Kleine, Niedrige, Gemeine zu verlieren; besitzt die andere Natur, die vom Allgemeinen zum Besondern herabsteigende, die Schillersche, den Vorzug eines sicheren Mittelpunktes, eines unverrückbaren Zieles, den Vorzug, daß sie – wie Goethe von Schiller sagt – gewaltig fortschreitet ins »Ewige des Wahren, Guten, Schönen, und hinter ihr in wesenlosem Schein liegt, was uns alle bändigt, das Gemeine«[8], so ist ihr dagegen die Auflage geworden, nun auch wahrhaft in das Besondere *herabzusteigen,* dieses wirklich zu erfassen, und nicht in wesenlosen Gedanken und hohlen Figuren, in willkürlich geschaffenen Bildern und leeren Träumen sich zu verlieren. Die Frage ist also nicht die: ist die eine Natur größer als die andere? sondern die: hat das Individuum, dem die eine oder die andere Natur zuteil geworden, wirklich und ganz dieser Natur entsprochen und Genüge geleistet? Und für Goethe wie für Schiller wird die Antwort auf diese Frage das entschiedenste *Ja* sein; das *Nein* werden wir der Verblendung der Parteisucht oder untergeordneter und unreifer Bildungszustände zu überlassen haben. Es wird uns alsdann an Goethe nicht weiter stören, daß wir ihn überall vom wirklichen Leben und dessen Besonderheiten ausgehen sehen, um dasselbe zu poetischen Gestalten zu erheben, und an Schiller nicht ferner irren, daß er zu streben und zu ringen hatte, um seinen allgemeinen Anschauungen, seinen Ideen, Realität, Inhalt, Leib und Leben zu verschaffen – selbst das nicht, daß er in diesem Ringen sich leiblich frühzeitig verzehrte; es wird uns nicht irren, wenn wir jenen nicht überall aus dem Besondern, Wirklichen, immerhin auch Alltäglichen zu vollendeter poetischer Allgemeinheit – diesen aus seinen erhabenen Ideen nicht überall zu plastischer Besonderheit und Lebendigkeit gelangen sehen. Bewundern wir dort den Reichtum des ungesuchten, in Fülle zuströmenden Stoffes, in dem der Dichter ganz aufgehet, sich liebend gleichsam verliert, so hält uns hier die Strenge und Würde der sittlichen Idee, die dem Stoffe energisch mit ernsten Forderungen gegenüberstehet, schadlos; – spricht dort zu uns die Natur selbst in ihren vielgestaltigen wunderbaren Tönen, hat dort gleichsam der grünende Baum und das strömende Wasser seinen eigenen Gesang, der aus den Blättern und Blüten, der aus der Welle und den Tropfen von selbst melodisch hervorbricht, so redet hier zu uns die sinnende Seele des einsamen Denkers und Betrachters, und singt uns die Töne, welche sie aus der Tiefe hervorholt, die Harmonien, die sie vorher im eigensten Heiligtum ihres Selbst ahnend vernommen, und zu welchen sie die Dinge in der Welt nachher kunstvoll geordnet und zusammengestellt hat. Es ist – um es kurz zusammenzufassen – es ist der uralte Gegensatz der *Naturpoesie* und der *Kunstpoesie*, der uns diesmal nicht mehr wie in den alten Zeiten in dem Volke und den Individuen, sondern in zwei Individuen, in Goethe und Schiller, verkörpert entgegentritt, und haben wir einst den Streit ablehnen müssen über den Vorrang der einen oder der andern, haben wir uns nur bestrebt, jede in ihrer Eigentümlichkeit und Berechtigung anzuerkennen und zu begreifen, so wird auch jetzt über Goethe und Schiller aller Streit aufhören: unsere ältere poetische Blütezeit wäre nicht, was sie ist, stünden nicht in ihr Natur- oder Volkspoesie und Kunstpoesie schwesterlich nebeneinander; unsere zweite Blüteperiode würde nicht sein, was sie ist, wenn nicht neben Goethe Schiller stünde.

Begreiflich aber ist es, wie bei Individuen, in denen das Bewußtsein der gleichen Berechtigung und der gleichen Notwendigkeit beider Dichtungsarten noch nicht entwickelt oder vollendet ist, eine Vorneigung für den einen oder andern dieser beiden Repräsentanten derselben in der Neuzeit entstehen kann; begreiflich ist es, daß alle die, bei denen der *Gedanke* über die Anschauung und Erfahrung ein *Übergewicht* oder wo er einen *Vorsprung* vor der Erfahrung und ruhigen Hingebung erlangt hat, sich mehr von Schiller als von Goethe angezogen fühlen; begreiflich ist es, daß bei allen denen, in welchen das Gefühl der Subjektivität vorwiegt, die lieber lehren als sich lehren lassen, lieber ordnen als die vorhandene Ordnung anerkennen und begreifen, zunächst bei Schiller stehen; erklärlich ist es, daß diejenigen, welche von dem Glanz der Diktion und überhaupt von den Mitteln, die einer starken Erregung der Phantasie dienen, sich angesprochen finden, gleichfalls Schiller bevorzugen – alles ganz ebenso, wie in der alten Zeit, in welcher ein großer, wo nicht der größte Teil der damaligen gebildeten Welt mehr, und zum Teil wieder sogar ausschließlich, der Kunstpoesie den Vorzug vor der Volkspoesie gab. Es ist einmal vor allem die *Jugend,* welcher – ist ihre Entwickelung naturgemäß – noch die Ruhe, und fast möchte ich sagen die Geduld, für die Goethische Dichtungs- und Anschauungsweise fehlt, es ist die Jugend, die jetzt und noch in späterer Folgezeit nicht allein bei Schiller stehen *wird,* sondern stehen *muß;* ebenso gewiß ist es aber auch, daß es bei weiterer, gleich naturgemäß fortgesetzter Entwickelung Zustände geben muß, in welchen man einen Teil der Schillerschen Poesie überlebt, und sich, mit dem im eigenen Innern aufgehenden Verständnisse für die Welt, vorzugsweise von Goethe verständigt und befriedigt fühlt. Da eine solche Entwickelung, wie sie hier vorausgesetzt wird, vorzugsweise nur bei den Männern, weniger – wenn anders die natürlichen Verhältnisse nicht willkürlich verschoben werden – bei den Frauen stattfindet, so wird der *ganze* Goethe weit schwerer allgemeine Gunst bei den Frauen erlangen als der *ganze* Schiller. Daß diejenigen, die in einem Dichter nur das stoffliche Interesse befriedigt haben wollen, die, welche Zeitinteressen und Zeitgesinnungen ausgesprochen zu sehen begehren, sich heutzutage zunächst an Schiller halten, bringe ich gar nicht in Anschlag, da diese Ansicht von Dichtern und Dichtungen überhaupt aus dem Kreise der dichterischen Beurteilung herausfällt, und das heutige junge Geschlecht, welches darüber einig zu sein scheint, daß Schiller der

Dichter der Freiheit, Goethe der Dichter der Knechtschaft sei, ist nicht wert, Schiller zu lesen.

Noch darf ich einer Frage nicht vorbeigehen, welche erst in der neueren Zeit zwar nicht *zuerst* aber mit weit größerem Nachdrucke als früher aufgeworfen worden ist, und sehr verschiedene und zum Teil sehr leidenschaftliche Beantwortungen erfahren hat: es ist die über das Verhältnis unserer beiden größten Dichter zum Christentum. Wir haben hier auf der einen Seite die aufrichtigen und entschiedenen Bekenner des Christentums, die sich in zwei Fraktionen spalten: die einen sehen in Goethe und Schiller nichts als Heiden, in ihren Gedichten nichts als Heidentum, in der Beschäftigung mit ihren Dichtungen und der Liebe zu denselben nichts als heidnischen, und, was mehr ist, widerchristlichen Kultus des Genius; die andern wollen die Dichter der Nation, mit denen sie sich durch tausend geistige Bande verknüpft, mit denen sie sich in wesentlichen geistigen Momenten *eins* fühlen, nicht preisgeben, und bemühen sich angelegentlichst und ängstlichst, deren Christentum zu retten, alle möglichen Stellen und Ausdrücke und Worte aus ihren Dichtungen und Briefen zusammenzusuchen, in denen nur noch ein entfernter Anklang an das Christentum vorhanden ist, um einen sozusagen juristisch dokumentierten Beweis zu führen: Goethe und Schiller waren doch Christen! oder Schiller war es wenigstens! – Auf der andern Seite stehen die zahlreichen Scharen derer welche dem historischen, zumal dem kirchlichen Christentum fremd geworden sind, in ihren unzählbaren Haufen und Häuflein, von denen an, welchen das Christentum wenn auch nicht als *Tat*, doch noch als *Lehre* etwas gilt, bis herab zu denen, welche scharfsinnig, mutig und ehrlich genug gewesen sind, den angefangenen Prozeß bis zum Ende durchzudenken, mithin auch die Lehren des Christentums im modernen Bewußtsein für aufgehoben zu erklären, die Religion in die Anthropologie zu verweisen und die Politik als ihre Religion zu bekennen. Diese berufen sich fast sämtlich auf die größten Geister des Jahrhunderts, auf Goethe und Schiller als ihre Autoritäten, daß es mit dem positiven, historischen Christentum nichts sei, und die einen von ihnen beweisen, daß allerdings die allgemeine Religion, das sogenannte Wesen dessen, was sie für Christentum halten (Gott, Tugend und Unsterblichkeit), bei diesen Dichtern, und zwar bei Schiller in reicher Fülle zu finden sei, mehr aber habe Schiller glücklicherweise nicht gehabt, und Goethe vielleicht noch weniger, da er sich ja im Pantheismus wohlgefühlt; die andern, die Konsequenten, lassen deutlich durchblicken, daß beide Dichter, die allerdings noch zahlreiche Anwandlungen religiösen Bewußtseins gehabt, bei ihnen schon zu dem alten Eisen gehören – höchstens gilt ihnen Schiller noch etwas als ein Apostel der Freiheit – und daß bald eine politische Poesie hereinbrechen werde, als eine neue Sonne des Jahrhunderts oder Jahrtausends, vor welcher Goethes und Schillers trübe Lämpchen schmählich verbleichen würden.

Vergebliche Mühe würde es sein, uns mit diesen letzteren verständigen zu wollen, nicht minder vergeblich aber auch, ein Verständnis mit denen auf der äußersten Rechten zu versuchen, welche zwischen dem Broterwerb durch Handwerksbetrieb und der Erbauung keine Mittelglieder menschlicher Beschäftigung anerkennen; – scheiden wir indes auch diese Parteien aus, es wird dennoch nicht leicht sein, auch mit den übrigen ein leidliches Abkommen zu treffen. Beginnen wir mit der wiederholten Anerkennung der Tatsache: die Dissonanz zwischen dem Christentum und nicht bloß dem kirchlichen, und unsern großen Dichtern ist *vorhanden,* Goethe steht mehr auf dem *pantheistischen,* die Natur vergötternden, Schiller mehr auf dem *rationalistischen,* den Menschen vergötternden, Standpunkte; sparen wir uns die Mühe, diese Tatsache wegzuleugnen, sparen wir uns die Mühe, sie zu bedauern – welches letztere Geschäft ohnehin zu den unfruchtbarsten gehört, die wir unternehmen könnten. Wiederholen wir es: in den bedeutendsten Poesien beider Dichter liegt ein Mißton, wenn auch ein noch so leiser, welcher ebenso wenig von Abschluß und Befriedigung zeugt, wie er geeignet ist, volle, ungeteilte Befriedigung zu gewähren. Wiederholen wir es: Goethe vermochte es nicht, die Bewegung der Nationen, das große Völkerleben dichterisch zu beherrschen, er vermochte es nicht, sich mit der Französischen Revolution auseinanderzusetzen, und er vermochte dies einzig darum nicht, weil er die welthistorische Bedeutung des Christentums nicht mit persönlichem Glauben fassen konnte. Insbesondere mußte es ihm unmöglich sein, sich der Revolution geistig zu bemächtigen, da er an den tiefsten und geheimsten Elementen derselben innerlich teilhatte, ohne doch die Entwicklung dieser Elemente nach außen hin teilen zu können; eine klare und entschiedene Stellung zur Revolution können nur *die* haben, welche in derselben eine Entwicklung des Menschengeschlechts und der Geschichte sehen, also *mit ihr* gehen, und die, welche ebenso in ihren Veranlassungen, seit Ludwig dem XIV. und XV., wie in ihrem Verlaufe, eine Manifestation des antichristlichen Geistes erkennen; – diejenigen, welche sich bloß poetisch oder politisch von der Revolution affiziert fühlen, wie Goethe, und das christliche Element ignorieren, werden stets eine unbehagliche Stellung zu derselben haben. Verschließen wir uns ferner der Wahrnehmung nicht, daß sogar bei beiden Dichtern, bei Goethe seltner, bei Schiller häufiger und jedesmal sehr entschieden, ein feindseliges Verhältnis zu dem Christentum zutage kommt, und daß, will man *äußere* Zeugnisse berücksichtigen, für letzteren überhaupt fast nichts spricht, als die Vorrede zu den ›Räubern‹, die jedoch für nichts mehr als eine notgedrungene Konzession und Beschönigung zu achten ist. Unterlassen wir es, diesen Stellen andere gegenüber zu setzen, in denen ein anerkennendes, friedliches Verhältnis zum Christentum ausgesprochen scheint, da wir mit denselben doch nichts weiter gewinnen werden, als die Überzeugung, es seien eben unsere Dichter nicht einig mit sich selbst gewesen – eine Überzeugung, der es ohnehin schon schwer ist, sich zu verschließen, und welche zu befördern, wenigstens von seiten angeblicher Verteidiger der Dichter, ein schlechter Dienst ist, der den Schützlingen geleistet wird.

Fragen wir vielmehr, ob nicht trotz der Stürme, welche die Oberfläche bewegen und in unruhigen Wogen auf und nieder treiben, dennoch etwa in der Tiefe des Elements, wohin das stumpfere Auge nicht reicht, eine Ruhe und Stille herrsche, welcher die Stürme der Zeit nichts anzuhaben vermochten; fragen wir, ob die aus der Tiefe herausgewachsene Dichterblüte, gleich der Wasserlilie, die von den Wellen hin und hergeschaukelt wird, nicht auch nur von mancherlei Gedankenwogen und Gedankenstürmen auf und nieder getrieben werde, mit ihren Wurzeln aber festgewachsen sei auf dem ewigen Grunde, der gelegt ist, ehe denn der Welt Grund gelegt war? Fester gewachsen, tiefer gewurzelt, als die schwankende Blüte, die ihr Haupt kaum über Wasser zu halten vermag, selbst sich bewußt war? Fragen wir, ob wir nicht, die wir selbst hin und hergeschleudert werden auf der Oberfläche des wogenden Zeitmeeres, an dem Schafte dieser aus der Tiefe aufgestiegenen Lilie hinabgleitend selbst zu dem Grunde gelangen können, auf dem wir festen Fuß zu fassen vermögen, und ob wir nicht vielleicht alsdann an den Wurzeln der Pflanze die Perle finden, welche köstlicher ist als alle Schätze, die in den Schiffen und Schifflein hin und her geführt werden über die unsichere Woge? Könnten diese Fragen bejahet werden, dann wäre der kleine Streit abgetan, der mit einzelnen Zitaten und Stellen und Worten geführt wird, und für immer vorbei; die Parteien wären zwar nicht vereinigt, aber geschieden. Und ich glaube, daß diese Fragen bejaht werden *können*, ich glaube, daß sie bejaht werden *müssen*.

Lassen wir die äußere Erscheinung der Personen beiseite, und halten wir uns zunächst an die Dichtungen, an deren Bedeutung, deren Wirksamkeit. Welche Stellung hat Goethes Dichtung zu ihrer Zeit und zu uns, und was hat sie gewirkt? Doch wohl, daß sie der seit einer Reihe von Generationen unruhig, hastig und unbefriedigt nach Dichterstoffen suchenden Welt die Augen und die Herzen öffnete, daß sie zeigte, wie ringsumher die Dinge in der Welt des Dichterstoffes reiche Fülle in sich trügen, wenn man ihn nur anzuerkennen und aufzunehmen geneigt und willig sei, und daß sie diese Geneigtheit, diesen guten Willen in die vertrockneten und versteinerten Herzen goß; – doch wohl, daß sie die Gemüter geheilt hat von der Unruhe und Ungeduld, den Ereignissen vorauszulaufen, die Objekte zu meistern, ehe man sie kennt, die Sachen zu verwerfen, ehe man sie begriffen und genossen hat; doch wohl, daß sie den milden, ruhigen, feinen Sinn erzeugt hat, welcher auch das scheinbar Unbrauchbare, Ungenügende, Unfaßbare, ja das der eigenen Neigung und Ansicht Widersprechende gelten und an seinem Orte stehen läßt, bis weitere Betrachtung und wiederholte stille Anschauung auch dieses anfänglich seltsam und widerwärtig Scheinende als ein Glied in einer wohlgefügten Kette, als einen integrierenden Ton einer höheren Harmonie begreifen lehrt. Der tiefe und feine historische Sinn, der seit fünfzig Jahren in der Naturforschung und in der Geschichte, in der Wissenschaft des Rechts und der Sprache still emporgewachsen und jetzt zu einer herrschenden Macht geworden ist, der Sinn der *Schelling* und *Hegel*, von denen eben der letztere das Verzichtleisten auf eigene Vorstellungen, das »Ansichhalten, welches besser ist als das Fragen«[9], als Bedingung aller Kultur laut genug gepredigt hat, der Sinn der *Humboldt*, der *Savigny* und *Grimm*, ist er nicht von Grund aus *Goethische* Denk- und Sinnesweise? Diese Entäußerung vom Egoismus, welcher die Dinge nur sich selbst, nur seiner zufälligen Neigung und Bildung gerecht machen, diese Entäußerung vom Eigensinn, welcher die Erscheinungen nur so haben will, wie er sie sich gedacht hat, diese großartige *Uneigennützigkeit*, welche an den Gegenstand keine dessen Natur fremdartige Anforderungen stellt, diese *Wahrhaftigkeit,* die nur ausspricht, was sie wirklich gesehen und erfahren, diese *Treue,* welche heilige Scheu trägt, an der dargebotenen Erscheinung willkürlich etwas zu verrücken – alles dies ist es nicht aus Goethes Sinnes- und Denkweise in die Sinnes- und Denkweise der besten unserer Zeitgenossen übergegangen? Ist nicht die ganze Goethesche Poesie voll der Verkündigung: Du suchst Licht und Wärme – sieh, eine helle, warme Sonne liegt draußen auf dem Gefilde, geh nur heraus aus deiner dunklen Einsiedlerzelle, schlage deine Augen auf, die du verschlossen hieltest, laß dich nur anscheinen, laß dich durchwärmen von der Sonne: sie ist *vor* dir da gewesen und wird *nach* dir da sein, für dich und viel tausend andere; du hast nicht nötig sie zu suchen, *nimm* sie nur, *nimm* sie mit ihrem milden Glanz und ihrer milden Wärme, wie sie dir gegeben ist; wehre dich nur nicht, *laß* dich nur auftauen, gib nur zu, daß du erwärmt und erquickt werdest, hindere durch dein Werk nicht das Werk des Sonnenlichts und der Frühlingswärme. Und legt diese Verkündigerin nicht auch die menschlich milde warme Hand auf unsere dunkeln Augen, daß sie sich erschließen, nicht auch auf unser kaltes strenges Herz, daß es unter der weichen warmen Hand selbst erwarmt und zu schmelzen beginnt, leitet sie uns nicht mit sanftem Arm hinaus aus der dunkeln Klause unserer Eigenwilligkeit in das helle warme Licht der Sonne, die sie uns verkündigt? Sind nicht in dieser Weise Goethes Dichtungen als »eine Art weltlich Evangelium« wie er selbst einmal, wenn auch nicht zunächst von *seinen* Schriften, sagt[10], durch die Welt gegangen? – Und wenn wir uns nun ganz eingelebt haben in diese Ruhe und Milde, in diese Uneigennützigkeit und diese Anspruchslosigkeit, wenn wir sie lange Zeiten üben gelernt haben an den weltlichen Dingen, an unserer Wissenschaft und Kunst, an unserm Verhältnis zu den Menschen und zu den Ereignissen und Erzeugnissen unserer Zeit – da tritt denn wohl auch das einst verschmähete, abgewehrte, zurückgestoßene Christentum vor unsern Sinn, und wir bemerken fast überrascht, daß wir zu ihm nicht stehen, wie zu den übrigen Erscheinungen, nicht wie zu den Dingen in der Welt: die Billigkeit, die Uneigennützigkeit und Anspruchslosigkeit, die wir diesen gegenüber üben *gelernt,* geübt, und andern empfohlen haben, ist *ihm* gegenüber von uns noch nicht geübt worden; unsere Gedanken den Erscheinungen der *Welt* voranlaufen zu lassen, das haben wir verlernt, aber dem Christentum laufen unsere Gedanken und Ansprüche noch immer voran; und je tiefer wir nun eingedrungen sind in jenen Sinn der Billigkeit und der Resignation, um so empfindlicher ist uns jetzt der Widerspruch mit uns selbst, daß wir das eine tun und das andere lassen; auch das verstoßene und verworfene Evangelium von Christus beginnt ein gleiches Recht mit den Dingen in der Welt bei uns anzusprechen und zu gewinnen. Und was will nun eben dies Evangelium? Es will und verkündigt ja nichts anderes, als was uns in weltlicher Weise schon längst ist verkündigt und was von uns ist angenommen worden: Tu dein Herz auf und deine Augen – werde Licht denn dein Licht kommt – die Sonne der Gerechtigkeit leuchtet weithin über alle Welt, in alle Höhen und in alle Tiefen, laß dich erleuchten; werde wie ein Kind an Offenheit und Einfalt, und *nimm* was dir gegeben wird; nimm den Frieden, der längst für dich bereitet war, und du wirst nicht wieder suchen – trink, und dich wird nicht wieder dürsten. Haben wir mit den Bäumen und den Steinen ein unergründliches Gespräch beginnen und ihre Sprache verstehen gelernt, haben wir erfahren, daß jeder Brunn und jeder Fels uns etwas anderes, etwas Eigentümliches von sich erzählte, haben wir mit treuem einfachen Sinne wie der Natur, so dem Recht und der Sitte, den Taten und der Sprache der Völker gelauscht, und uns gerade dann am meisten an ihnen freuen gelernt, wenn wir einsahen, daß sie eben *nicht* waren wie wir sie uns dachten – so öffnen wir auch unser Ohr wohl gleich hingebend einem Gespräche mit dem, der einst auf dem Berge gesessen hat, das Volk zu lehren, so tritt uns auch wohl die Gestalt dessen, der allerdings keine Schönheit hat, die unsern Augen gefiele, auch die allerverachtetste und unwerteste Gestalt am Kreuze in ihrer ganzen, in ihrer einfachen Wahrheit vor die Seele, in die Seele.

Dieses Aufschließende, Bahnmachende, dieses Befreiende und Weltlich-Erlösende ist durch die ganze Goethische Dichtung gleichmäßig ausgebreitet; und wenn nun Schiller mit der Energie seines dem Ideale zugeneigten Geistes diese Elemente ergreift, und das als Gesetz und Regel geltend macht, was bei Goethe mehr in dem *Ganzen* seiner Dichtungen, unausgesprochen, verbreitet liegt, dann spricht er es prophetisch aus, daß das Höchste nicht im Ringen und Streben, sondern in dem Empfangen freier Gaben, nicht im Recht, sondern in der Gunst, nicht im Verdienst sondern in der göttlichen Zuneigung liege, daß die Einfalt des bescheidenen Gefäßes allein das Göttliche fasse, daß die Herrlichkeit höherer Welten nicht von dem geschaut werde, welcher sie sehen *wolle*, sondern von dem, der es aufgebe, sie aus eigenem Vermögen anzuschauen – von dem Blinden; weit hinaus über das Gebiet der Poesie trägt den Dichter der tiefe Instinkt der Wahrheit: daß Gottesoffenbarung und Poesie in ihrer Wurzel und letztem Wesen eins seien; und das hat er im höchsten Gebiete seines Schaffens unbewußt nicht bloß ausgesprochen sondern bezeugt, er, der im niedern Kreise der Dichtung selbst nur das Menschliche und Verständige anerkannte und geltend machte. So wird denn der dichterische Genuß weder überall, noch notwendig, und am wenigsten gerade in seinem tiefsten Fundamente durch den Mißklang gestört, den die vereinzelten, die willkürlichen Äußerungen der Dichter allerdings zwischen sich und dem Christentum hervorrufen; so sind uns denn auch diese Zwei nicht Jugendverführer und Christenverstörer, nicht Zorngefäße der höheren Hand, die Verwirrung zu mehren – wer sie ganz, wer sie recht zu verstehen weiß, dem sind auch sie solche, die es menschlich dachten übel zu machen, während die Führung aus der Höhe es *gut* durch sie gemacht hat.

Es war hier zunächst nur darum zu tun, die *Dichtungen*, und zwar nur im *allgemeinen*, nicht die Personen der Dichter, in ihrem noch allzu wenig gründlich gewürdigten Verhältnis zum Christentum zu betrachten; sollten die einzelnen Dichtungen in der angegebenen Beziehung eine nähere Würdigung erhalten, so möchte es nicht allzu schwer sein z. B. an dem ersten Teile des ›Faust‹ nachzuweisen, daß derselbe, wie kein anderes Gedicht unserer Zeit, eine Vorbereitung auf die höchste, die christliche Weltanschauung enthalte, und auf das genaueste die Schranken des Dichterischen, *Menschlichen*, gegenüber dem jenseits der

Dichtersphäre liegenden eigentlich und ausschließlich *Göttlichen* einhalte, wofür eben der vielfach verkannte ›Prolog im Himmel‹ den einleuchtendsten Beweis gibt; – daß ›Faust‹ den eben bezeichneten Dienst geleistet habe – dies Zeugnis werden mit mir viele unserer Zeit ihm schuldig sein. Sollten dagegen die *Dichter* mit in den Betrachtungskreis gezogen werden, was hierher wohl kaum gehören dürfte, so würde zuerst geltend zu machen sein, daß in der Zeit, in welche die Entwickelung unserer Dichter fiel, das *kirchliche* Christentum innerhalb der evangelischen Kirche nur in abgelebten, fast erstorbenen Erscheinungen, oft und fast immer in geschmacklosen Formen auftrat, der christliche Glaube dagegen, welcher noch vorhanden war, in äußerst subjektiver Gestalt, wie z. B. in Klopstock und Lavater, sich zeigte. Die Gespanntheit, Überreiztheit und in das Unwahre überschlagende Redseligkeit, an der das bloß subjektive Christentum überall leidet und in Lavater auf sehr auffallende Weise litt, war oder wurde dem durchaus gesunden Sinne Goethes zuwider – und Subjektivität gegen Subjektivität gesetzt, hatte er immer so viel in die Waagschale zu legen, wie ein anderer, so daß Goethe sich in seiner Weise *ablehnend* gegen die an ihn andringenden frommen Gemüter, und darnach ablehnend gegen das Christentum überhaupt verhielt, wenn er gleich der historischen Grundlage des Christentums lebenslänglich näher gestanden hat als Schiller, der mehr den Moralstandpunkt der Rationalisten behauptete, welcher die geschichtliche Grundlage des Christentums bekanntlich nicht zu bedürfen glaubt. – Doch dieser beschränktere Standpunkt der Personen liegt uns ferner, in noch weiterer Entfernung der nach meiner Überzeugung ohnehin völlig verfehlte, Dichtung und zeitliche Erscheinung der Person durcheinander zu mengen, wie dies *G. Schwab*, *Gelzer* u. a. auf eine Weise versucht haben [11], welche keiner Partei genügt, und den Dichtern, lebten sie noch, ohne Frage gar seltsam erschienen sein würde. Ich habe mich begnügt, auch an diesen Dichtern die Erfahrung nachzuweisen, daß nicht das, was wir am klarsten zu erkennen meinen, was wir am beharrlichsten verfolgen, was wir mit dem nüchternsten Bewußtsein als unser Ziel erreichen und ergreifen, sondern das was wir unbewußt, aus dunkelm aber göttlichem Triebe, ja wider unsere augenblickliche und zeitliche Neigung tun, das Fruchtbarste, das Dauerndste, das Ewige und Göttliche unseres Wirkens ist. –

29 *Karl Grün*

Aus: Ueber Göthe vom menschlichen Standpunkte 1846

Einleitung

– – Rosen und Kamelien hatte ich mir ins Zimmer gesetzt, Reseda und Veilchen ins offene Fenster. Die Kamelien sind abgeblüht, aber die Rosen öffnen sich zum zweiten Male. Die Veilchen welkten alle, aber die Reseda duftet fort und fort. Hier in Paris will ich über Goethe schreiben. –

Goethe! Was verdanke ich ihm nicht! Er ist der Schutzgeist meiner Jugend gewesen, der stille, weise Meister, der mir das Ewige in großen Bildern entgegenhielt, wenn ich an der Nichtigkeit der öffentlichen und Privatverhältnisse verzweifeln wollte; der Lenker, dessen Zügel ich empfand, wenn ich im Überschwenglichen und Unförmlichen mich zu verlieren drohte. *So lange ich fühle, habe ich Goethe geliebt, so lange ich denke, weiß ich warum.*[1] Nehmt Ihn in Euer Wesen auf, und er wird Euch sicher und wohlbehalten durch die engherzigen und einseitigen Parolen hindurchführen. Wen Er geweiht hat, bei dem muß *alles* Schöne und Große den reinsten Anklang finden. Jetzt, da wir die Anhöhe erklommen haben, von wo aus sich die Entwicklung der Menschheit bequem überschauen läßt, jetzt, da zu einer abgeschlossenen und klar umschriebenen Gestalt geworden ist, was der Genius der Zukunft sein sollte: wie lächeln wir der Befangenen und Afterweisen, die uns gerne haben wollten, wie ihrer einen! Goethe ist mit uns. Hegel und Börne, Deutschland und Frankreich, Goethe und die Revolution, Vaterland und Welt: diese Gegensätze sind unfähig geworden, unser Innerstes zu zerreißen; wir verschmelzen sie zu dem Vollgefühle menschlicher Bestimmung, der unsere Seele gehört – und ging es in die Hölle.

In Paris will ich über Goethe schreiben. Und vor allem keine Kommentare! Keinen Enk und keinen Loewe, keinen Deycks und keinen Göschel, keinen Hinrichs und keinen Riemer, keinen Carus und keinen Eckermann![2] Sondern hier, die sämtlichen Werke auf den Tisch, und etwas Rosen- und Resedaduft ins Zimmer! Wir wollen sehen, wie weit wir damit kommen. – –

Es handelt sich um das Verhältnis der Kunst zur wahren Gesellschaft, um die Kritik ihrer Stellung zur bisherigen Anordnung, um die Auflösung dieser Stellung und um die Versöhnung der wahren Kunst mit dem wahren Leben. Hier ist ein weites, noch ganz brachliegendes Feld, hier ist noch alles zu tun. Ich will den Anfang machen; Stärkere werden nach mir kommen, und ich will ihnen die Schuhriemen lösen. Wir bringen alle, was wir haben und können. Ein Schuft gibt mehr als er hat, sagt das Sprichwort. Die Kunst muß in die Debatte hereingezogen werden, ich glaube nicht, daß dies Eulen nach Athen tragen heißt.

[. . .]

Deutschland hat einen Dichter besessen, der von allen Dichtern der Welt sich sowohl auf den menschlichen Inhalt als auf die schöne Form verstand, wie keiner vor ihm noch nach ihm. Um der größte Dichter auch für alle Zukunft zu werden, dazu fehlte Goethen bloß ein besserer Stoff als das achtzehnte Jahrhundert in Deutschland, und eine glücklichere Form als die deutsche Sprache. Berücksichtigt man diese beiden Umstände, so ist Goethe der größte Künstler, von dem wir Kunde haben. Es ist nichts als menschlicher Inhalt in Goethe, pulsierender, aus dem Leben gegriffener Inhalt; und wie der Dichter diesen Inhalt griff, wie er ihn mit seinen Meisterhänden formte, davon gibt noch immer jenes Entzücken kund, das uns beim Lesen der ›Iphigenie‹ oder des ›Tasso‹ durchbebt. – Und dennoch stand diese Goethesche Kunst in einem totalen Mißverhältnisse zu seiner Zeit, ja bis heute noch zur Nachwelt. Die Goetheschen Dichtungen, aus dem Leben hervorgegangen, von den keuschen Fingern des Genius aus Fleisch von unserm

Fleisch gebildet, hatten und haben mit der Wirklichkeit, mit dem Leben nichts zu tun. Sie sind ein himmlisches Reich geworden, das nach eigenen Gesetzen in Freiheit regiert wird, ewig groß und ewig schön über unseren Häuptern erbaut, während wir als trübe Gäste immer noch über die dunkle Erde hintappen, und jene schönen Gesetze der Form in Polizei, Gendarmerie, Verbrechen, Elend, Selbstmord, Justizmord, protestantischen und katholischen Jesuitismus, Asberg, Magdeburg und Spielberg übersetzen.[3] Als sich jener Genius den ästhetischen Stoff aus unseren Herzen holte, da schliefen wir, und heute – fangen wir an, uns die Augen zu reiben.

Ich weiß, daß die Kunst keine moralischen, keine paränetischen Zwecke hat: Ihr sollt nach der Aufführung des ›Götz‹ so wenig Ritter werden, als nach der Lektüre des ›Werther‹ Selbstmörder; ich verlange weder, daß Ihr mit den Brüsseler Bürgern auf Freiheiten und Privilegien besteht[4], noch daß Ihr mit ›Wilhelm Meister‹ das elterliche Haus desertiert, um Menschen zu werden. Aber welcher schneidende Hohn ist es, welches jüngste Gericht über unser sämtliches Leben, wenn auf der einen Seite ein Dichter steht, der alles Menschliche zur Anerkennung bringt, während sein Jahrhundert und das unsrige den Molochsdienst der Unmenschlichkeit betreibt, wenn jener Dichter seine Form bis zur Durchsichtigkeit des hellen Quells fördert, während das Leben in der Unform, in der offenbaren Häßlichkeit schier erstickt, wenn mit *einem* Worte die Kunst vorhanden ist und das Leben nicht. Denn daß wir in Deutschland leben, kann man so eigentlich nicht sagen; wir vegetieren. In Griechenland war einmal *Leben* für die freien Männer, nur nicht für Weiber und Sklaven; in Rom *lebten* Horaz, Mäzenas und ihre Genossen, wenn auch etwas epikuräisch. Am Versailler Hofe unter dem vierzehnten Ludwig *lebten* sie auch, nur liederlich. Und das Leben in Griechenland, in Rom und in Versailles entsprach den Werken der griechischen, römischen und französischen Kunst, es herrschte wenigstens ein vernünftiger Zusammenhang, man konnte das Leben darauf ansehen, daß es ästhetische Elemente enthielt. Aber wir Hyperboräer, wie kommen wir zu Goethe?

Durch unseren fabelhaften und beängstigenden Idealismus. Wir haben alles empfunden, alles gedacht, wir haben nichts gelebt. Hegel meinte: »Die Deutschen sind Bienen, die allen Nationen Gerechtigkeit widerfahren lassen, Trödler, denen alles gut genug ist, und die mit allen Schacher treiben.«[5] Hegel hätte auch sagen können, es sei nichts so gut, daß wir es nicht als einen Wechsel im Pulte liegen ließen, wir freuten uns am Scheine der süßesten Dinge, ohne nur den Appetit zu verspüren, einmal herzhaft hineinzubeißen, wir trieben alle Dinge in thesi auf die Spitze, und forderten dann unsere Astronomen auf, uns neue Dinge vom Saturne oder Uranus herunter zu holen, die wir wieder zu einem Porzellanturm von Kategorien ausbauen könnten. Wir haben uns allerdings mit viel schlechtem Zeuge auch nachhaltig beschäftigt, zum Beispiel mit der Nationaleinheit, mit den Schutzzöllen; aber wir haben auch vortreffliche Dinge geleistet, wir haben die ganze Philosophie vollendet, wir haben den Goethe gehabt. Nur gleichen wir immer den armen Spitzenklöpperinnen, wir vergingen vor Scham, sollten wir unser kostbares Machwerk im Hausverbrauch konsumieren; unser ästhetisches

Paradies hängt wie ein Garten der Semiramis in der Luft, und unten im Moraste wälzen wir uns noch immer als teutonische Bären. Wir haben bis jetzt nichts verwirklichen können, unser Leben war die ewige Persiflage unserer Leistungen, alles blieb bei uns eine Abstraktion, auch die Kunst.

Dieses unser abstraktes Wesen ist eng verwandt mit einem aristokratischen Zuge, der dem deutschen Wesen tief eigen ist. Ich meine nicht die eigentlich sogenannte Aristokratie, die sich freilich in Deutschland auch nur durch die lächerlichste Tatlosigkeit halten kann, denn nirgends ist sie fauler und schlagflüssiger als bei uns. Von dieser Aristokratie rede ich nicht; insofern sie in Betracht kommt, gehört sie mit zu der folgenden Sorte. Wir haben in Deutschland eine geistige, ästhetisierende Aristokratie, die sich mit ihrem Indifferentismus brüstet, so oft von allgemeinen Angelegenheiten die Rede ist. Der Idealismus der Deutschen ist natürlich nicht für alle, wer hat Zeit und Geld, um sich zu bilden? Da aber die intellektuellen Stoffe eben nur für die Intelligenten sind, da wir nichts verwirklichen wollen, da unsere Gedanken nichts mit unseren Zuständen zu tun haben, so blicken die Intelligenten, die Gebildeten, die Eingeweihten vornehm auf diejenigen herab, die nur dem Zustande angehören; sie machen keine Miene, sich der Masse in tatsächlicher Weise zu nähern, so nämlich, daß bessere Zustände die allgemeine Basis für die Gebildeten, wie für die Masse würden, noch suchen sie auch nur von ihrem Bildungsolymp herab einige Scheidemünzen des Trostes und der Belehrung unter die Masse zu werfen. Im Auslande suchen sich die deutschen Arbeiter zu bilden, die Verzweiflung an ihrer eigenen Unwissenheit treibt sie zu Büchern, die gar nicht für sie geschrieben wurden, und deren Verständnis sie ertrotzen, wie Demosthenes eine verständliche Aussprache, sie kauen Kieselsteine. Später werden sie dafür Feuer speien. – Die ganze bisherige Bildung in Deutschland war durchaus aristokratischer Natur. Und grade diese Aristokratie ist es, welche die Hand auf Goethe legt, und schwört, welche gleichgültig um allen Gesamtfortschritt, um die Entwicklung und Bewegung der Masse, an diesem Koloß einen Eideshelfer für ihr Glaubensbekenntnis gefunden zu haben glaubt. Schon die politischen Velleitäten und momentanen Launen finden von jeher an diesen atomistischen Bildungsbesitzern, an diesen Goetheanern oder Goethomanen den unerbittlichsten Widerstand; es mochte in der Welt vorgehen, was da wollte, sie beharrten auf ihrem Flecke, und behaupteten, die ganze Welt dürfe sich ebenfalls nicht rühren. Diesen Herren Atomisten, Goetheanern und Goethomanen wollen wir das Brett unter den Füßen wegziehen, indem wir den rätselhaften Geheimderat von Weimar als Flügelmann oder Tambour-Major direkt in unsere Reihen stellen. Sie sollen sich wundern, über die Maßen, wenn wir ihnen die große Festung im Innern ihres Reiches wegnehmen und deren Bombenmörser direkt auf sie selbst spielen lassen. Den alten Goethe hätte man uns lassen sollen, diesen würdigen Mann, der sich immer allem Parteigetriebe fern hielt – grade wie wir, der immer seinen eignen isolierten Weg ging – grade wie wir, der ein Egoist und ein ruhiger Freiherr von und zu Bildung war – grade wie wir, dem das Freiheitsgekreisch, die Aufregung, die Unruhe, die Opposition stets ein heller Greuel blieb – grade wie uns. Wenn alle untreu wurden, so blieb er dennoch treu! So wird die Stimme der Herren Atomisten lauter. Aber es kann ihnen nichts helfen, wir müssen ihnen zeigen, daß Goethe *der Dichter des Menschlichen* war, welches freilich sehr weit über die Grenzen des Freiheitsgekreisches, der Aufregung, der Unruhe und der Opposition hinausliegt, daß Goethe in seiner ästhetischen Welt bereits die ganze Entwicklung antizipiert hatte, welche eben jetzt am Gären und Keimen ist, daß Goethe den Menschen so darstellte und dachte, wie wir ihn heute verwirklichen wollen. Goethe war der praktischen Entwicklung seiner Zeit so weit vorausgeeilt, daß er sich gegen sie nur abweisend, nur abwehrend verhalten zu können glaubte; Goethe trifft erst mit der heutigen Bewegung zusammen. Der heutige Goethe – und das sind seine Werke – ist ein wahrer Koran des Menschentums, ein Kodex für die radikale Umgestaltung der Gesellschaft; Goethe ist so wenig veraltet, daß er vielmehr eben erst geboren wird. Den Schiller hattet Ihr längst aufgegeben, er war ein Demagoge; den Herder mochtet Ihr nicht recht, weil er so viel von ewigem Fortschritte sprach; den Jean Paul haßtet Ihr, weil er seine Zukunftsträume sogar mit glühenden Farben ausmalte; der Wieland selbst war Euch bedenklich mit seiner lukrezischen Lebensweisheit. Der Fichte war Euch zu gewalttätig, zu wissensvoll; der Kant zu rigoristisch moralisch; den Hegel hattet Ihr in der letzten Zeit sehr in Aversion genommen, als sich der preußische Staat und der Glauben und die Treue in seinen Kategorien gar nicht wiederfinden ließen. Der Goethe war Euer eins und alles; unter die Götterruhe dieser Statue dachtet Ihr Euch zu ducken. Aber seht, seine Götterruhe kam bloß daher, daß er den inneren Widerstreit schon in sich durchgekämpft hatte, der jene noch in Erregung versetzte, daß er fast gar nicht mehr berührt wurde von dem Zweifel, der jene noch quälte, daß er ruhig, über sein Jahrhundert weg, das Ideal des folgenden an die Wand des Himmels verzeichnete. Er hat ein Jahrhundert lang unbeweglich auf seinem Piedestale gestanden; aber ich glaube jetzt, er schreitet. Und wenn er schreitet, so ist das ein sicheres Zeichen, daß das Jahrhundert ebenfalls marschiert. Goethes Indifferenz ist die Ruhe des Riesen, der mit *einem* Schritte allen voraus ist, und der überzeugt ist, sie werden ihm nicht nachkommen. Euere Indifferenz ist die Furcht der Zwerge, die gewiß sind, daß sie beim ersten Schritte zurückbleiben.

Aus Goetheschem Leder sich den Riemen der Indifferenz herausschneiden, ist grade als wenn man die Indifferenz in der Natur sich zum Muster nehmen wollte. Die Natur sagt allerdings auch mit Montaigne: Que sais-je? Was weiß ich? Ich ergreife keine Partei. Da seht Ihr zu. Wenn man ihr aber ins Herz schaut, wenn man bis zu ihrem Kerne vordringt, so wird man allerdings etwas gewahr, und zwar etwas sehr Bestimmtes und Entschiedenes. Goethe ist wie die Natur, unbestimmt, universell, alles tragend und hegend, ein Allorganismus; sieht man ihm aber ins Herz, so wird man stets die entschiedene Richtung seiner Schöpferkraft auf das Menschliche hin entdecken.

Was weiß ich? Diese skeptische Frage ist heute wieder mehr als je an der Tagesordnung. Es ist so leicht zu erklären, es gebe keinen Zusammenhang und kein Ziel in menschlichen Dingen. Was weiß ich? sagen auch die Impossibilisten, die der Macht des Gedankens nicht zutrauen, eine Festungsmauer aus dem Wege zu räumen, was doch die Macht jeder Kanone vermag, sagen alle die Willigen am Geiste aber Schwachen am Fleische. Was weiß ich? auf diesem süßen Kopfkissen der Indifferenz ruhen sie wie auf einem Lotterbette aus. Dieser absolute Indifferentismus soll sich in Goethe finden, Goethe ist die Weltbibel dieser Zweifler und Zager. Wohlan, wir wollen den Goethe einmal aufschlagen, wir wollen ihn zusammen lesen, Euere Lektüre soll kontrolliert werden, wir wollen sehen, ob Goethe gesagt hat: Was weiß ich? Wir werden aber finden, daß er immer gesagt hat: *Das* weiß ich. Der Indifferentismus, der sich in wichtigen menschlichen Dingen geltend machen will, findet keine Falte in Goethes königlichem Mantel zum Versteck, keinen Winkel seines Hauses, wo er jenes Lotterkissen niederlegen könnte. Der Indifferentismus, der sich auf Goethe stützt, hat Goethe gar nicht gelesen.

Für einseitige, bornierte, egoistische Parteisucht findet sich allerdings in dem großen Humanisten keine Aushülfe; diese einseitige Parteisucht, die immer ein einzelnes Interesse vorschieben muß, um eine Gegenpartei zu bekämpfen und zu beeinträchtigen, ist vielmehr in seinem Kunstuniversum jedesmal so vernichtet, wie die Natur das Gift durch das Gegengift, die Aktion durch die Reaktion aufhebt; es ist sehr leicht zu begreifen, warum Goethen alles Koteriewesen, alle politische Eigensucht von jeher in solche Verzweiflung gesetzt hat. Die Menschheit aber und die Menschlichkeit, wenn man deren Wesen, deren Geltendmachung, deren Widerstreit wider das Unmenschliche noch Partei nennen will – so ist Goethe einer der strengsten und unerbittlichsten Parteigeister. Da ist er unbeugsam, da macht er nicht die mindeste Konzession, da geht er immer entschieden mitten durch. Aber freilich ist diese Parteinahme wieder nur *idealistisch*, freilich ist er nur so unerbittlich streng in dem Glauben, seine Theorie habe mit der Wirklichkeit nichts zu tun, seine Theorie gelte nur im »Staate des schönen Scheins«. Nach dieser Seite hin fällt der Dichter mit sämtlichen Koryphäen deutscher Bildung zusammen, nach dieser Seite hin bleibt uns ein Übersetzungsprozeß übrig, der eben unseren Unterschied gegen ihn ausmacht. Goethe ist ein idealistisches Wesen wie die Religion, die Politik, die Philosophie. Er ist die vollendete Menschlichkeit, der vollendete Humanismus in der Kunst, aber, wie alle Idealisten, mit dem Anspruch, Theorie, Sache des Bewußtseins zu sein und zu bleiben. Diesen Anspruch können wir heute nicht mehr gelten lassen, dieser Anspruch muß aufgehoben werden, auch dieser Humanismus muß, wie jeder andere, *realisiert* werden. Es versteht sich von selbst, daß wir die Begründung dieses Aufhebens, die nachgewiesene Notwendigkeit des idealistischen Humanismus, real zu werden, hier voraussetzen, wir können alles bisher Geleistete hier nicht wiederholen. Daß der Humanismus real werden müsse, dieses Bewußtsein beginnt übrigens in Deutschland populär zu werden, dieser Standpunkt ist für die öffentliche Meinung sichergestellt. Dies ist unser gewaltiger Vorsprung vor Frankreich und England. In Frankreich und England ist der Humanismus selbst noch nicht einmal gewonnen, im Gegenteil man gewahrt in diesen Ländern eine offenbare Scheu und Angst vor dem Humanismus; England, das den Sensualismus und Skeptizismus geboren, Frankreich, das den Materialismus bis zu seiner letzten Spitze ausgebildet hat, beide scheuen sich vor der Vollendung des Atheismus in den Humanismus, beide machen kehrt und tragen Besorgnis, den durch den Atheismus geleerten und gereinigten Menschen mit dem Inhalte jener höheren Mächte zu füllen, von denen sie ihn im vorigen Jahrhunderte befreit hatten, sie wollen ihrem leeren Subjekte Inhalt geben und nehmen in ihrer Verzweiflung Rekurs zu dem unmittelbaren, durch die Tradition gegebenen, nicht zu dem vermittelten, der nach dem Kampfe der Menschen und Götter den ersteren als Beute bleiben mußte. Wenige einzelne in jenen Ländern beginnen zu merken, daß sich in Deutschland etwas Neues, etwas Lebendiges und Lebensfähiges regt, sie bekennen z. B. Frankreichs geistiger Zustand sei in diesem Augenblicke *»traurig«*, sie bekennen, Deutschland bilde jetzt die Avantgarde, und trösten sich in ihrem Halbwissen, in ihrer Beklommenheit damit, Deutschland sei nur der Erbe des achtzehnten Jahrhunderts, Frankreich könne jetzt von Deutschland zurückfordern, was es ihm damals vorausbezahlt habe.

Wir unsererseits haben vor der Hand nichts zu tun, als unseren Standpunkt zu vollenden, keine Lebensäußerung außerhalb des Humanismus zu lassen, sie alle vor dessen Forum zu ziehen, und mit unerbittlicher Konsequenz das ganze Gebiet geistiger und materieller Manifestationen zu unserer Provinz zu schlagen. Wenn gar nichts mehr außer dem Humanismus steht, wenn er alle Quellen des Lebens mit Beschlag belegt hat, wenn die Armut der Wirklichkeit so groß geworden ist, daß sie betteln gehen oder Hunger leiden muß: – dann wird wohl die Zeit erfüllet sein. Als die alte Welt bis zu dieser Hungersnot heruntergekommen war, da erschien der Erlöser. –

In der folgenden Schrift wird Goethe zunächst als Idealist dargestellt, was er seinem deutschen Wesen gemäß sein mußte. Hierauf verfolgen wir fast chronologisch die Entfaltung dieses gewaltigen Idealisten, und untersuchen seine Stellung zur Nationalitätsfrage, zu Religion, Christentum und der Philosophie seines Jahrhunderts, so wie zu den gesellschaftlichen Verhältnissen dieser Zeit. Hierauf verfolgen wir ihn nach Weimar, nach Italien. Dann bietet sich uns sein Verhältnis zur Französischen Revolution von selbst dar. Über die Bedeutung dieser Revolution zur menschlichen Freiheit schalten wir eine Zwischenrede ein. Goethes Humanismus findet seine glänzenden positiven Belege am ›Faust‹, an ›Wilhelm Meisters Lehr- und Wanderjahre‹. Der ästhetische Idealismus erreicht seinen Gipfel im Gedanken einer Weltliteratur. Zum Schluß stellen wir einen kleinen Kanon zusammen, der leicht ins Unendliche vergrößert werden könnte, ein kleines Credo für die Freiwilligen im Befreiungskampfe der Menschheit.

Aus der Betrachtung Goethes, wie sie von diesem Standpunkte aus einzig möglich ist, muß es allen klar werden, welch' unendlicher Schmerz, welches schneidende Wehe die alte Welt durchzuckt, was wir leiden, und wie sehr wir leiden. Dieses Goethesche Reich der transzendentalen Schönheit, diese über die Menschheit hinausgehobene Schönheit, diese transfigurierte Seligkeit des irdischen Daseins: was haben wir von ihr, was genießen wir von ihr? Wir sind ästhetische Proletarier noch in weit entsetzlicherem Grade als wir Proletarier des Bewußtseins und des Geldes sind. Unsere Welt ist nicht nur arm, nicht nur des Selbstbewußtseins bar, sie ist auch häßlich, häßlich wie die Nacht voll Gespenster. Unsere Schönheitsschätze liegen im Kunsthimmel; für wen gebetet worden ist, der kommt hinein, die anderen bleiben draußen; und wer hineinkommt, dem ist es streng untersagt, irgendetwas anzurühren, um es mitzunehmen ins Leben. Wir sind sehr arm. Und Ihr alle, die Ihr an zeitlichen Gütern keinen Mangel leidet, denen es vergönnt war, die Schätze des Gedankens bei sich aufzuhäufen, die Ihr nicht einsahet, wozu grade Ihr Euch der Bewegung anschließen solltet: seht Ihr nicht, wie häßlich Euer Leben ist, wie fratzenhaft häßlich, nebel- und gespenstervoll? Und wollt Ihr diese Euere Erkenntnis schlummern lassen, wollt Ihr die häßliche Welt für die beste erklären? Das wollt Ihr nicht, das könnt Ihr nicht wollen. Auch die Schönheit hat ihre Helden, ihre Märtyrer, und sie wird auch ihre Sieger haben. Selbst der Herr der Götter und Menschen konnte durch den Gürtel der Venus bewältigt werden.

Grade während ich mitten in der Arbeit war, die sozialistischen Geheimnisse der ›Wanderjahre‹ an einem einfachen Faden aufzuschnüren, berichtet der ›Hamburger Korrespondent‹ von einem Briefe der George Sand an Bettina, worin die männliche Dichterin Frankreichs die romantische Capricciosa auffordert, der Welt doch einmal das kommunistische Element im ›Wilhelm Meister‹ nachzuweisen.[6] Und so wird denn, wenn beide Frauen, wie verlautet, diesen Gedanken zur Ausführung bringen, unsere Darstellung als dritte sich hinzugesellen, um den Beweis zu vervollständigen, daß dieser Knecht Ruprecht der liberalen Kinder Deutschlands den Zündstoff zu einem Weltbrande angesammelt hat, daß in dem fern abliegenden Nebelheim des Ideales und der Kunst auch nicht ein Winkel ist, aus dem nicht laut und offen zur Empörung aufgerufen würde.

Kurzer Kanon aus Goethe

Die Welt steht vor einer Krisis. Alles Leben und Denken ist fortan unwürdig, wenn es nicht Vorbereitung auf dieses Krisis ist. Vor einer Krisis muß jeder schlagfertig sein. Wollte man einen Kanon bilden, ein kurzes Credo von Schlagsätzen, die man sich einander zuriefe, und an denen man sich in dem großen Freimaurerorden der Menschheit erkennte: die Schlagsätze wären bei keinem entschiedener und prägnanter zu finden, als bei Goethe. Die ganze neue Welt ist bei ihm fertig, wenn auch nur in der transzendenten Ästhetik. Auf Vollständigkeit soll es uns nicht ankommen, aber wir wollen einmal aufs geradewohl in dieses Goethesche Arsenal hineingreifen.

Goethe betete den heiligen Geist der fünf Sinne an.

Alles was existiert war ihm ein sinnlich Erscheinendes. Das Unsinnliche war ihm nur die feinste Blüte der Sinnlichkeit. Das Übersinnliche war ihm unsinnig. Die Natur war ihm alles; aber wiederum hatte er in ihr nicht den Götzen vieler Naturforscher gefunden, nach deren Meinung man hinter jede Beobachtung ein dickes Ausrufungszeichen machen und, anbetend vor dem unbegreiflichen Naturzusammenhange, in die Knie sinken soll; sondern er wußte, daß in dem Beobachtenden selbst, im Menschen, der Gipfel und Kern der Natur enthalten ist, der die Natur begreift, und nur vor sich selbst, vor der *Gattung* Ehrfurcht haben kann. Der Kern der Natur war, nach ihm, Menschen im Herzen.

Im ›West-östlichen Divan‹ heißt es:

Hafis auch und Ulrich Hutten
Mußten ganz bestimmt sich rüsten
Gegen braun' und blaue Kutten;
Meine geh'n wie and're Christen.[7]

Die unseren auch. Schon Goethe kannte die Übersetzung des religiösen Prinzips in die praktische Sphäre des Lebens. Nicht wider die lebendigen Religiösen haben wir uns zu wappnen, vor ihnen uns zu wahren; sondern wider das religiöse Leben, wider die Kutten, die wie andere Christen gehen.

Er wußte aber auch:

Gegen die obskuren Kutten,
Die mir zu schaden sich verquälen,
Auch mir kann es an Ulrich Hutten,
An Franz von Sickingen nicht fehlen.[8]

Auch uns nicht; die ganze Macht des gesunden Lebens steht mit uns im Bunde wider die Verkehrung des Lebens; das erwachende Leben wird den lebendigen Tod niederkämpfen. Was da lebendig ist, voll wahren Lebensdranges: das ist nichts als Ulrich Hutten und Franz von Sickingen.

Den Schildkröten des Fortschrittes, die auch zu Goethes Zeiten schon prahlten, wie sie nun bereits dreißig Jahre auf demselben Flecke opponierten, und auch noch fernere dreißig Jahre dort stehen würden – um zu opponnieren; diesen rief er zu:

Das ist doch nur der alte Dreck,
Werdet doch gescheiter!
Tretet nicht immer denselben Fleck!
So geht doch weiter![9]

Es ist zweifelhaft, ob sie gescheiter werden, der alte Fleck und der alte Dreck machen ihnen ein unendliches Vergnügen. Lassen wir sie treten.

Töricht auf Bess'rung der Toren zu harren,
Kinder der Klugheit, o habet die Narren
Eben zum Narren auch, wie sich's gebühret.[10]

Was er wollte, was wir alle wollen, unsere Persönlichkeit retten, die *Anarchie* im wahren Sinne des Wortes, darüber spricht Goethe also:

Warum mir aber in neuster Welt
Anarchie gar so wohl gefällt?
Ein Jeder lebt nach seinem Sinn,
Das ist nun also auch mein Gewinn.
Ich laß einem Jeden sein Bestreben,
Um auch nach meinem Sinn zu leben.[11]

Bei dieser Selbstständigkeit der Person, die aber nur möglich ist, wenn die Assoziation aller mit allen erst den Gattungsmenschen möglich gemacht hat, bei dieser eigentlichen Erschaffung des Menschen durch die Assoziation, geht das bisherige Eigentum in Rauch auf.

Ich weiß, daß mir nichts angehört,
Als der *Gedanke*, der ungestört
Aus meiner Seele will fließen,
Und *jeder günstige Augenblick*,
Den mich ein liebendes Geschick
Von grundaus läßt genießen.[12]

Wir haben dann nichts mehr als unser Wesen und die Betätigung dieses Wesens als Genuß. Goethe weiß das sehr real auszudrücken:

Und wer nicht richtet, sondern fleißig ist
Wie ich bin und wie du bist,
Den belohnt auch die Arbeit mit Genuß;
Nichts wird auf der Welt ihm Überdruß.
Denn er blecket nicht mit stumpfem Zahn
Lang' Gesott'nes und Gebrat'nes an,
Das er, wenn er noch so sittlich kaut,
Endlich doch nicht sonderlich verdaut;

Sondern faßt ein tüchtig Schinkenbein,
Haut da gut taglöhnermäßig drein,
Füllt bis oben gierig den Pokal,
Trinkt, und wischt das Maul wohl nicht einmal.[13]

Wer mit seiner Mutter, der Natur, sich hält,
Find't im Stengelglas wohl eine Welt.[14]

In Goethe ist es rücksichtlos ausgesprochen, daß alles das seine vollständige Berechtigung hat, was wir uns heute unter dem Deckmantel der Verschwiegenheit vertrauen, oder mit dem Aushängeschilde der Frivolität erzählen, und was nur zum Unrechte dadurch wird, daß wir es dafür halten. Wir tun das Rechte mit bösem Gewissen, was um nichts besser ist, als wenn die Fanatiker das Unrechte mit gutem Gewissen tun. Im *Ganzen, Guten, Schönen resolut zu leben:* damit hat es Goethe die Zeit seines Lebens gehalten. Er spürte nirgends die Sünde und die

Verworfenheit aus; ohne Reue wie er war, war er auch ohne Sünde, und das sollten wir alle sein. Es freute sein rein menschliches, sauberes und heiteres Wesen, wenn er den Funken der Liebe und der aufopfernden Hingebung selbst in der Bajadere erblickte[15]; er wußte, daß das Menschliche in kranken Herzen immer nur verdeckt ist; daß der rechte, lockende Sonnenstrahl nur zu kommen braucht, so blüht es plötzlich und gewaltig empor.

Und wenn wir uns im Namen dieser menschlichen Natur gegen alles bestehende Unmenschliche empören, wenn wir es nicht länger dulden wollen, daß das Leben unserem Wesen widerspreche: so ist der Ausgang nicht zweifelhaft.

> Am Flusse kannst du stemmen und häkeln,
> *Überschwemmung läßt sich nicht mäkeln.*[16]

Wer sollte sie auch mäkeln? Die Überschwemmten? Die sind besorgt und aufgehoben. Ja, der Alte hat uns schließlich ein Wort hinterlassen, mit dem wir getrost in den Kampf gehen können, wenn die Stunde schlägt, und das wir im Kampfe selbst nicht vergessen mögen:

»Wer das Recht auf seiner Seite fühlt, muß derb auftreten; denn höflich Recht will gar nichts heißen.« [17]

Wir haben das Recht auf unserer Seite; treten wir also derb auf!

30 *Friedrich Engels*

Rezension über Karl Grün »Ueber Göthe vom menschlichen Standpunkte« 1847

Herr Grün erholt sich von den Strapazen seiner »Sozialen *Bewegung* in Frankreich und Belgien«[1], indem er einen Blick auf den sozialen *Stillstand* seines Vaterlandes wirft. Er sieht sich zur Abwechslung einmal den alten Goethe »vom menschlichen Standpunkte« an. Er hat seine Siebenmeilenstiefel mit Pantoffeln vertauscht, sich in den Schlafrock geworfen und dehnt sich selbstzufrieden in seinen Armsessel: »Wir schreiben keinen Kommentar, nur was auf der Hand liegt, nehmen wir mit.« p. 244. Er hat sich's recht behaglich gemacht: »Rosen und Kamelien hatte ich mir ins Zimmer gesetzt, Reseda und Veilchen ins offene Fenster«, p. III. »Und vor allem keine Kommentare! . . . Sondern hier, die sämtlichen Werke auf den Tisch und etwas Rosen- und Resedaduft ins Zimmer! Wir wollen sehen, wie weit wir damit kommen . . . Ein Schuft gibt mehr als er hat!« p. IV, V. Bei aller Nonchalance verrichtet Herr Grün indes die größten Heldentaten in diesem Buche. Aber das wird uns nicht wundern, nachdem wir von ihm selbst gehört haben, daß er der Mann ist, der »an der *Nichtigkeit* der öffentlichen und Privatverhältnisse verzweifeln wollte« (p. III), der »Goethes Zügel empfand, wenn er sich im Überschwenglichen und Unförmlichen zu verlieren drohte« (ibid.), der

»das Vollgefühl menschlicher Bestimmung« in sich trägt, »der unsere Seele gehört – und ging' es in die Hölle« (p. IV.) Wir wundern uns über nichts mehr, nachdem wir erfahren haben, daß er schon früher »einmal die Frage an den Feuerbachschen Menschen gerichtet« hat, die zwar »leicht zu beantworten« war, aber doch für den besagten Menschen zu schwierig gewesen zu sein scheint (p. 277); wenn wir sehen, wie Herr Grün p. 198 das »Selbstbewußtsein aus einer Sackgasse holt«, p. 102 sogar »an den Hof des russischen Kaisers« gehen will und p. 305 mit Donnerstimme in die Welt hinausruft: »Wer durch ein Gesetz einen neuen Zustand aussprechen will, welcher dauern soll, *der sei Anathema!*« Wir sind aufs äußerste gefaßt, wenn Herr Grün p. 187 unternimmt, »seine Nasenspitze an den Idealismus zu legen« und ihn »zum Straßenjungen zu machen«, wenn er darauf spekuliert, »Eigentümer zu werden«, ein »reicher, reicher Eigentümer, den Zensus zahlen zu können, um in die Repräsentantenkammer der Menschheit einzurücken, um auf die Liste der Geschwornen zu kommen, welche über menschlich und unmenschlich entscheiden«.

Wie sollte ihm das nicht gelingen, ihm, der »auf dem namenlosen Grund des allgemein Menschlichen« steht? (p. 182.) Ihn schrecken nicht einmal »die Nacht und ihre *Greuel*« (p. 312), als da sind Mord, Ehebruch, Dieberei, Hurerei, Unzucht und hoffärtiges Wesen. Freilich gesteht er p. 99 ein, er habe auch schon »den unendlichen Schmerz empfunden, wenn der Mensch sich auf dem Punkte seiner Nichtigkeit ertappt«, freilich »ertappt« er sich vor den Augen des Publikums auf diesem »Punkte«, bei Gelegenheit des Satzes: »Du gleichst dem Geist, den du begreifst, Nicht mir –«[2] und zwar folgendermaßen: »Dies Wort ist, wie wenn Blitz und Donner zusammenfallen und zu gleicher Zeit die Erde sich auftäte. In diesem Wort ist der Vorhang am Tempel zerrissen, die Gräber tun sich auf... die Götterdämmerung ist hereingebrochen und das alte Chaos ... die Sterne fahren widereinander, ein einziger Kometenschwanz brennt im Nu die kleine Erde weg, und alles, was ist, ist nur noch Qualm und Rauch und Dunst. Und wenn man sich die gräßlichste Zerstörung denkt, ... so ist das alles *noch gar nichts* gegen die Vernichtung, die in diesen neun Wörtern liegt!« p. 235, 236.

Freilich, »an der alleräußersten Grenze der Theorie«, nämlich auf p. 295, »läuft es« dem Herrn Grün »wie eiskaltes Wasser den Rücken hinab, ein wahrer Schrekken durchzittert seine Glieder« – aber in dem allen überwindet er weit, denn er ist ja Mitglied »des großen Freimaurerordens der Menschheit«! (p. 317.)

Take it all in all, so wird Herr Grün mit solchen Eigenschaften auf jedem Felde sich bewähren. Ehe wir zu seiner ergiebigen Betrachtung Goethes übergehen, wollen wir ihn auf einigen Nebenschauplätzen seiner Tätigkeit begleiten.

[...]

Wir kommen Goethe endlich näher. Auf p. 15 weist Herr Grün das Recht Goethes nach zu existieren. Goethe und Schiller sind nämlich die Aufhebung des Gegensatzes zwischen »tatlosem Genuß«, d. h. Wieland, und »genußloser Tat«, d. h. Klopstock. »Lessing stellte den Menschen zuerst auf sich selbst.« (Ob ihm Herr Grün dies akrobatische Kunststück wohl nachmachen kann?) – In dieser philosophischen Konstruktion haben wir alle Quellen des Herrn Grün zusammen. Die Form der Konstruktion, die Grundlage des Ganzen – der weltbekannte Hegelsche Kunstgriff der Vermittelung der Gegensätze. »Der auf sich selbst gestellte Mensch« – Hegelsche Terminologie, angewandt auf Feuerbach. »Tatloser Genuß« und »Genußlose Tat«, dieser Gegensatz, über den Herr Grün Wieland und Klopstock obige Variationen spielen läßt, ist entlehnt aus den Sämtlichen Werken von M. Heß.[3] Die einzige Quelle, die wir vermissen, ist die Literaturgeschichte selbst, die von den obigen Siebensachen nicht das Geringste weiß und dafür von Herrn Grün mit Recht ignoriert wird.

Da wir gerade von Schiller sprechen, dürfte folgende Bemerkung des Herrn Grün an ihrem Orte sein: »Schiller war alles, was man sein kann, wofern man nicht Goethe ist.« p. 311. Pardon, man kann auch Monsieur Grün sein. – Übrigens pflügt unser Autor hier mit dem Kalbe Ludewigs von Baierland:

> »Rom, Dir fehlt das, was Neapel hat, diesem just, was Du besitzest;
> Wäret ihr beide vereint, wär's für die Erde zu viel.«[4]

Durch diese Geschichtskonstruktion ist Goethes Auftreten in der deutschen Literatur vorbereitet. »Der Mensch«, von Lessing »auf sich selbst gestellt«, kann nur unter den Händen Goethes zu weiteren Evolutionen fortschreiten. Herrn Grün gebührt nämlich das Verdienst, »den Menschen« in Goethe entdeckt zu haben, nicht den natürlichen, von Mann und Weib vergnüglich und fleischlich erzeugten Menschen, sondern den Menschen im höheren Sinne, den dialektischen Menschen, das Caput mortuum im Tiegel, in welchem Gott Vater, Sohn und heiliger Geist kalziniert worden, den cousin germain des Homunculus aus dem ›Faust‹ – kurz, nicht den Menschen, von dem Goethe spricht, sondern »*den* Menschen«, von dem Herr Grün spricht. Wer ist nun »der Mensch«, von dem Herr Grün spricht?

»Es ist nichts als *menschlicher* Inhalt in Goethe.« (p. XVI.) – Pag. XXI hören wir, »daß Goethe *den Menschen* so darstellte und dachte, *wie wir ihn heute verwirklichen wollen*« – Pag. XXII: »Der heutige Goethe, und das sind seine Werke, ist ein *wahrer Kodex des Menschentums.*« – Goethe »ist die *vollendete Menschlichkeit*«. Pag. XXV. – »Goethes Dichtungen sind (!) *das Ideal der menschlichen Gesellschaft*«. Pag. 12. – »Goethe konnte kein nationaler Dichter werden, weil er zum *Dichter des Menschlichen* bestimmt war.« P. 25. – Trotzdem aber soll nach p. 14 *»unser Volk«* – also die Deutschen – in Goethe »sein eigenes Wesen verklärt erblicken«. Hier haben wir den ersten Aufschluß über »das Wesen des Menschen« und wir dürfen uns dabei um so mehr auf Herrn Grün verlassen, als er ohne Zweifel »den Begriff des Menschen« aufs gründlichste »untersucht hat«. Goethe stellt »den Menschen« so dar, wie Herr Grün ihn verwirklichen will, und zugleich stellt er das deutsche Volk verklärt dar – hiernach ist »der Mensch« niemand anders als »der verklärte Deutsche«. Dies wird überall bestätigt. Wie Goethe »kein nationaler Dichter«, sondern »der Dichter des Menschlichen« ist, so ist auch das deutsche Volk »kein nationales« Volk, sondern das Volk »des Menschlichen«. Darum heißt es auch p. XVI: »Goethes Dichtungen, aus dem

Leben hervorgegangen, ... hatten und haben mit der Wirklichkeit nichts zu schaffen.« Gerade wie »der Mensch«, gerade wie die Deutschen. Und p. 4: »Noch zur Stunde will der *französische* Sozialismus *Frankreich* beglücken, die *deutschen* Schriftsteller haben *das menschliche Geschlecht* vor Augen.« (Während »das menschliche Geschlecht« sie mehrenteils nicht »vor Augen«, sondern vor einer ziemlich entgegengesetzten Körperstelle zu »haben« pflegt.) So freut sich Herr Grün auch an zahllosen Stellen darüber, daß Goethe »den Menschen *von innen heraus* befreien wollte« (z. B. p. 225), welche echt germanische Befreiung noch immer nicht »heraus« kommen will.

Konstatieren wir also diesen ersten Aufschluß: »Der Mensch« ist der *»verklärte« Deutsche.*

Verfolgen wir nun den Herrn Grün in der Anerkennung, die er »dem Dichter des Menschlichen«, dem »menschlichen Inhalt in Goethe« zollt. Sie wird uns am besten enthüllen, wer »der Mensch« ist, von dem Herr Grün spricht. Wir werden finden, daß Herr Grün hier die geheimsten Gedanken des wahren Sozialismus[5] enthüllt, wie er denn überhaupt durch seine Sucht, alle seine Kumpane zu überschreien, dazu verleitet wird, Dinge in die Welt hinauszututen, die die übrige Genossenschaft lieber verschwiege. Es war ihm übrigens um so leichter, Goethe in den »Dichter des Menschlichen« zu verwandeln, als Goethe selbst die Worte: Mensch und menschlich in einem gewissen emphatischen Sinne zu gebrauchen pflegt. Goethe gebrauchte sie freilich nur in dem Sinne, wie sie zu seiner Zeit und später auch von Hegel angewandt, wie das Prädikat menschlich besonders den Griechen im Gegensatz zu heidnischen und christlichen Barbaren beigelegt wurde, lange bevor diese Ausdrücke durch Feuerbach ihren mysteriös-philosophischen Inhalt erhielten. Bei Goethe namentlich haben sie meist eine sehr unphilosophische, fleischliche Bedeutung. Erst Herrn Grün gebührt das Verdienst, Goethe zum Schüler Feuerbachs und zum wahren Sozialisten gemacht zu haben.

Wir können hier natürlich über Goethe selbst nicht ausführlich sprechen. Wir machen nur auf einen Punkt aufmerksam. – Goethe verhält sich in seinen Werken auf eine zweifache Weise zur deutschen Gesellschaft seiner Zeit. Bald ist er ihr feindselig; er sucht der ihm widerwärtigen zu entfliehen, wie in der ›Iphigenie‹ und überhaupt während der italienischen Reise, er rebelliert gegen sie als Götz, Prometheus und Faust, er schütttet als Mephistopheles seinen bittersten Spott über sie aus. Bald dagegen ist er ihr befreundet, »schickt« sich in sie, wie in der Mehrzahl der ›Zahmen Xenien‹ und vielen prosaischen Schriften, feiert sie, wie in den ›Maskenzügen‹, ja verteidigt sie gegen die andrängende geschichtliche Bewegung, wie namentlich in allen Schriften, wo er auf die Französische Revolution zu sprechen kommt. Es sind nicht nur einzelne Seiten des deutschen Lebens, die Goethe anerkannt, gegen andre, die ihm widerstreben. Es sind häufiger verschiedene Stimmungen, in denen er sich befindet; es ist ein fortwährender Kampf in ihm zwischen dem genialen Dichter, den die Misere seiner Umgebung anekelt, und dem behutsamen Frankfurter Ratsherrnkind, resp. Weimarschen Geheimrat, der sich genötigt sieht, Waffenstillstand mit ihr zu schließen und sich an sie zu gewöhnen. So ist Goethe bald kolossal, bald kleinlich; bald trotziges, spottendes, weltverachtendes Genie, bald rücksichtsvoller, genügsamer, enger Philister. Auch Goethe war nicht imstande, die deutsche Misere zu besiegen; im Gegenteil, sie besiegte ihn, und dieser Sieg der Misere über den größten Deutschen ist der beste Beweis dafür, daß sie »von innen heraus« gar nicht zu überwinden ist. Goethe war zu universell, zu aktiver Natur, zu fleischlich, um in einer Schillerschen Flucht ins Kantsche Ideal Rettung vor der Misere zu suchen; er war zu scharfblickend, um nicht zu sehen, wie diese Flucht sich schließlich auf die Vertauschung der platten mit der überschwenglichen Misere reduzierte. Sein Temperament, seine Kräfte, seine ganze geistige Richtung wiesen ihn aufs praktische Leben an, und das praktische Leben, das er vorfand, war miserabel. In diesem Dilemma, in einer Lebenssphäre zu existieren, die er verachten mußte, und doch an diese Sphäre als die einzige, in welcher er sich betätigen konnte, gefesselt zu sein, in diesem Dilemma hat sich Goethe fortwährend befunden, und je älter er wurde, desto mehr zog sich der gewaltige Poet, de guerre lasse, hinter den unbedeutenden Weimarschen Minister zurück. Wir werfen Goethe nicht à la Börne und Menzel vor, daß er nicht liberal war, sondern daß er zuzeiten auch Philister sein konnte, nicht, daß er keines Enthusiasmus für deutsche Freiheit fähig war, sondern daß er einer spießbürgerlichen Scheu vor aller gegenwärtigen, großen Geschichtsbewegung sein stellenweise hervorbrechendes, richtiges ästhetisches Gefühl opferte; nicht, daß er Hofmann war, sondern daß er zur Zeit, wo ein Napoleon den großen deutschen Augiasstall ausschwemmte, die winzigsten Angelegenheiten und menus plaisirs eines der winzigsten deutschen Höflein mit feierlichem Ernst betreiben konnte. Wir machen überhaupt weder vom moralischen noch vom Parteistandpunkte, sondern höchstens vom ästhetischen und historischen Standpunkte aus Vorwürfe; wir messen Goethe weder am moralischen noch am politischen, noch am »menschlichen« Maßstab. Wir können uns hier nicht darauf einlassen, Goethe im Zusammenhange mit seiner ganzen Zeit, mit seinen literarischen Vorgängern und Zeitgenossen, in seinem Entwicklungsgange und in seiner Lebensstellung darzustellen. Wir beschränken uns daher darauf, einfach das Faktum zu konstatieren.

Wir werden sehen, nach welcher dieser Seiten hin Goethes Werke »ein wahrer Kodex des Menschentums«, »die vollendete Menschlichkeit«, das »Ideal der menschlichen Gesellschaft« sind.

Nehmen wir zuerst die Kritik der bestehenden Gesellschaft durch Goethe vor, um dann zu der positiven Darstellung des »Ideals der menschlichen Gesellschaft« überzugehen. Es versteht sich bei der Reichhaltigkeit des Grünschen Buchs von selbst, daß wir bei beiden nur einige charakteristische Glanzstellen hervorheben.

In der Tat verrichtet Goethe als Kritiker der Gesellschaft Wunder. Er »verdammt die Zivilisation« p. 34–36, indem er einige romantische Klagen darüber verlauten läßt, daß sie alles Charakteristische, Unterscheidende an den Menschen verwische. Er »weissagt die Welt der Bourgeoisie« p. 78, indem er im ›Prometheus‹ tout bonnement die Entstehung des Privateigentums schildert. Er ist p. 229 »der Weltrichter, ... der Minos der Zivilisation«. Aber das alles sind nur Bagatellen.

P. 253 zitiert Herr Grün: ›Katechisation‹:[6]

Bedenk, o Kind, woher sind diese Gaben?
Du kannst nichts von Dir selber haben. –
Ei, alles hab' ich vom Papa.
Und der, woher hat's der – Vom Großpapa. –
Nicht doch! Woher hat's denn der Großpapa bekommen?
Der hat's *genommen.*

Hurrah! schmettert Herr Grün aus vollem Halse, la propriété c'est le vol[7] – leibhaftiger Proudhon!

Leverrier mit seinem Planeten mag nach Hause gehen und seinen Orden an Herrn Grün abtreten – denn hier ist mehr denn Leverrier, hier ist sogar mehr denn Jackson und Schwefelätherrausch.[8] Wer den für viele friedliche Bourgeois allerdings beunruhigenden Diebstahlsatz Proudhons auf die ungefährlichen Dimensionen des obigen Goetheschen Epigramms reduziert hat, den lohnt nur der grand cordon der Ehrenlegion.

Der ›Bürgergeneral‹ macht schon mehr Schwierigkeiten. Herr Grün besieht ihn einige Zeit von allen Seiten, schneidet wider Gewohnheit einige zweifelhafte Grimassen, wird bedenklich: »allerdings ... ziemlich fade ... die Revolution ist damit nicht verurteilt« p. 150 ... Halt! jetzt hat er's! was ist der Gegenstand, um den es sich handelt? Ein *Topf Milch*[9] und so: »Vergessen ... wir nicht, daß es hier wieder ... die *Eigentumsfrage* ist, welche in den Vordergrund gerückt wird« p. 151.

Wenn sich in der Straße des Herrn Grün zwei alte Weiber um einen gesalzenen Heringskopf zanken, so lasse Herr Grün sich die Mühe nicht verdrießen, aus seinem »rosen«- und resedaduftenden Zimmer herabzusteigen und sie zu benachrichtigen, daß auch bei ihnen »die Eigentumsfrage es ist, welche in den Vordergrund gerückt wird«. Der Dank aller Wohldenkenden wird ihm die schönste Belohnung sein.

Eine der größten kritischen Taten hat Goethe verrichtet, als er den ›Werther‹ schrieb. ›Werther‹ ist keineswegs, wie die bisherigen Leser Goethes »vom menschlichen Standpunkte« glaubten, ein bloßer sentimentaler Liebesroman. Im ›Werther‹ »hat der menschliche Inhalt eine so adäquate Form gefunden, daß in keiner Literatur der Welt etwas gefunden werden kann, was ihm auch nur im entferntesten an die Seite gesetzt zu werden verdiente« p. 96. »Die Liebe Werthers zu Lotten ist ein bloßer Hebel, ein Vehikel der Tragödie des radikalen Gefühlspantheismus ... Werther ist der Mensch, dem der Wirbelknochen fehlt, der noch nicht Subjekt geworden ist« p. 93, 94. Werther erschießt sich nicht aus Verliebtheit, sondern »weil er, das unglückselige pantheistische Bewußtsein, mit der Welt nicht aufs reine kommen konnte« p. 94. »›Werther‹ stellt den ganzen verrotteten Zustand der Gesellschaft mit künstlerischer Meisterschaft dar, er faßt die sozialen Mißstände bei ihrer tiefsten Wurzel, bei dem religiös-philosophischen Fundament« (welches »Fundament« bekanntlich viel jünger ist als die »Mißstände«),

»bei der unklaren, nebulösen Erkenntnis ... Reine, durchlüftete Begriffe vom wahren Menschentum« (und vor allem Wirbelknochen, Herr Grün, Wirbelknochen!), »das wäre auch der Tod jener Misere, jener wurmstichigen, durchlöcherten Zustände, die man das bürgerliche Leben nennt!«

Ein Beispiel, wie »›Werther‹ den verrotteten Zustand der Gesellschaft mit künstlerischer Meisterschaft« darstellt. Werther schreibt: »Abenteuer? warum brauche ich das alberne Wort ... unsre bürgerlichen, unsre falschen Verhältnisse, das sind die Abenteuer, das sind die Ungeheuer!«[10] Dieser Jammerschrei eines schwärmerischen Tränensacks über den Abstand zwischen der bürgerlichen Wirklichkeit und seinen nicht minder bürgerlichen Illusionen über diese Wirklichkeit, dieser mattherzige, einzig auf Mangel an der ordinärsten Erfahrung beruhende Stoßseufzer wird von Herrn Grün auf p. 84 für tiefschneidende Kritik der Gesellschaft ausgegeben. Herr Grün behauptet sogar, die in obigen Worten ausgesprochene »verzweiflungsvolle Qual des Lebens, dieser krankhafte Reiz, die Dinge auf den Kopf zu stellen, damit sie wenigstens einmal ein andres Ansehen bekämen« (!), habe »sich zuletzt das Bette der Französischen Revolution gegraben«. Die Revolution, oben die Verwirklichung des Machiavellismus, wird hier zur bloßen Verwirklichung der Leiden des jungen Werthers. Die Guillotine vom Revolutionsplatz ist nur das matte Plagiat von Werthers Pistole.

Hiernach versteht es sich ganz von selbst, daß Goethe auch in ›Stella‹ nach p. 108 »einen sozialen Stoff« behandelt, obgleich hier nur »höchst lumpige Zustände« (p. 107) geschildert werden. Der wahre Sozialismus ist viel kulanter als unser Herr Jesus. Wo zwei oder drei beisammen sind, sie brauchen es gar nicht einmal in seinem Namen zu sein, so ist er mitten unter ihnen und hat »einen sozialen Stoff«. Er wie sein Jünger Herr Grün hat überhaupt eine frappante Ähnlichkeit mit »jenem platten, selbstzufriedenen Schnüffelwesen, das sich um alles kümmert, ohne etwas zu ergründen« (p. 47).

Unsere Leser erinnern sich vielleicht eines Briefes, den Wilhelm Meister im letzten Bande der ›Lehrjahre‹ an seinen Schwager schreibt, worin nach einigen ziemlich platten Glossen über den Vorteil, in wohlhabenden Verhältnissen heranzuwachsen, die Superiorität des Adels über die Spießbürger anerkannt und die untergeordnete Stellung der letzteren wie aller übrigen nichtadligen Klassen als einstweilen unabänderlich sanktioniert wird. Nur dem einzelnen soll es möglich sein, unter gewissen Umständen sich mit dem Adel auf gleiches Niveau zu stellen.[11] Herr Grün bemerkt hierzu: »Was Goethe von den Vorzügen der höheren Klassen der Gesellschaft sagt, ist *durchaus wahr*, wenn man höhere Klasse mit gebildeter Klasse für identisch nimmt, und dies ist bei Goethe der Fall« (p. 264). Wobei es fernerhin sein Bewenden hat.

Kommen wir zu dem vielbesprochenen Hauptpunkt: dem Verhältnis Goethes zur Politik und zur Französischen Revolution. Hier kann man aus dem Buche des Herrn Grün lernen, was es heißt, durch dick und dünn waten; hier bewährt sich die Treue des Herrn Grün.

Damit Goethes Verhalten gegenüber der Revolution gerechtfertigt erscheine, muß Goethe natürlich *über* der Revolution stehen, sie schon, ehe sie existierte, überwunden haben. Wir erfahren daher schon p. XXI: »Goethe war der *praktischen* Entwicklung seiner Zeit so weit vorausgeeilt, daß er sich gegen sie nur abweisend, nur abwehrend verhalten zu können glaubte.« Und p. 84, bei Gelegenheit ›Werthers‹, der, wie wir sahen, schon die ganze Revolution in nuce enthält: »Die Geschichte steht auf 1789, Goethe steht auf 1889.« Desgleich muß Goethe p. 28, 29 »das ganze Freiheitsgeschrei in wenigen Worten gründlich abtun«, indem er bereits in den siebziger Jahren in den ›Frankfurter gelehrten Anzeigen‹ einen Artikel[12] drucken läßt, der gar nicht von der Freiheit spricht, die die »Schreier« verlangen, sondern nur über die Freiheit als solche, den Begriff der Freiheit einige allgemeine und ziemlich nüchterne Reflexionen anstellt. Ferner: Weil Goethe in seiner Doktordissertation die These aufstellte, jeder Gesetzgeber sei sogar verpflichtet, einen bestimmten Kultus einzuführen – eine These, die Goethe selbst als ein bloßes amüsantes Paradoxon, veranlaßt durch allerlei kleinstädtischen Frankfurter Pfaffenkrakeel, behandelt (was Herr Grün *selbst* zitiert), –, so »lief der Student Goethe den ganzen Dualismus der Revolution und des heutigen französischen Staats an den Schuhsohlen ab« p. 26, 27. Es scheint, als wenn Herr Grün die »abgelaufenen Schuhsohlen« des »Studenten Goethe« geerbt und damit die Siebenmeilenstiefel seiner »sozialen Bewegung« versohlt habe.

Jetzt geht uns natürlich ein neues Licht auf über Goethes Aussprüche in bezug auf die Revolution. Jetzt ist es klar, daß er, der hoch über ihr stand, der sie schon vor fünfzehn Jahren »abgetan«, »an den Schuhsohlen abgelaufen«, sie um ein Jahrhundert devanciert hatte, keine Sympathie für sie haben, sich nicht für ein Volk von »Freiheitsschreiern« interessieren konnte, mit dem er bereits Anno dreiundsiebenzig im reinen war. Jetzt hat Herr Grün leichtes Spiel. Goethe mag noch so banale Erbweisheit in zierliche Distichen setzen, noch so philisterhaft borniert über sie räsonieren, noch so spießbürgerlich zurückschaudern vor dem großen Eisgang, der sein friedfertiges Poeten-Winkelchen bedroht, er mag sich so kleinlich, so feig, so lakaienhaft benehmen, wie er will, er kann es seinem geduldigen Scholiasten nicht zu arg machen. Herr Grün hebt ihn auf seine unermüdlichen Schultern und trägt ihn durch den Dreck; ja, er übernimmt den ganzen Dreck auf Rechnung des wahren Sozialismus, damit nur Goethes Stiefel rein bleiben. Von der ›Campagne in Frankreich‹ bis zur ›Natürlichen Tochter‹ übernimmt Herr Grün p. 133–170 alles, alles ohne Ausnahme, er beweist ein Devouement, das einen Buchez[13] zu Tränen rühren könnte. Und wenn alles nicht hilft, wenn der Dreck gar zu tief ist, dann wird die höhere, soziale Exegese vorgespannt, dann paraphrasiert Herr Grün wie folgt:

> »Frankreichs traurig Geschick, die Großen mögen's bedenken,
> Aber bedenken fürwahr sollen es Kleine noch mehr.
> Große gingen zugrunde: doch wer beschützte die Menge
> Wider die Menge? Da war Menge der Menge Tyrann«[14]

»Wer beschützt«, schreit Herr Grün aus Leibeskräften, mit Sperrschrift, Fragezeichen und allen »Vehikeln der Tragödie des radikalen Gefühlspantheismus«

»wer beschützt namentlich die besitzlose Menge, den sogenannten Pöbel, wider die besitzende Menge, den gesetzgebenden Pöbel?« p. 137. »Wer beschützt namentlich« Goethe gegen Herrn Grün? –

In dieser Weise erklärt Herr Grün die ganze Reihe altkluger Bürgerregeln aus den venetianischen ›Epigrammen‹, welche »wie von der Hand des *Herkules* Ohrfeigen austeilen, die uns erst jetzt recht behaglich« (nachdem die Gefahr für den Spießbürger vorüber ist) »zu klatschen scheinen, da wir eine große und *bittre* Erfahrung« (allerdings sehr bitter für den Spießbürger) »hinter uns haben« p. 136.

Aus der ›Belagerung von Mainz‹ »möchte« Herr Grün »um alles in der Welt die folgende Stelle nicht übergehen: »Dienstag ... eilte ich, meinen *Fürsten* ... zu *verehren*, wobei mir das Glück ward, dem Prinzen usw. ... *meinem immer gnädigen Herrn, aufzuwarten*« usw. Die Stelle, wo Goethe dem Leibkammerdiener, Liebhahnrei und Leibkuppler des Königs von Preußen, Herrn Rietz [15], seine untertänige Devotion zu Füßen legt, findet Herr Grün nicht angemessen zu zitieren.

Bei Gelegenheit des ›Bürgergenerals‹ und der ›Ausgewanderten‹ erfahren wir: »Goethes ganze Antipathie gegen die Revolution, sooft sie sich in dichterischer Weise äußerte, betraf dieses ewige Weh und Ach, daß er die Menschen aus *wohlverdienten* und *wohlerlebten* Besitzzuständen vertrieben sah, welche von Intriganten, Neidischen usw. in Anspruch genommen wurden ... dieses selbe *Unrecht der Beraubung* ... Seine *häusliche, friedliche* Natur empörte sich gegen eine Verletzung des Besitzrechts, die, von der *Willkür* ausgeübt, ganze Menschenmassen in Flucht und Elend jagte« p. 151. Schreiben wir diese Stelle ohne weiteres auf Rechnung »des Menschen«, dessen »friedliche, häusliche Natur« sich in »wohlverdienten und wohlerlebten«, also, gerade herausgesagt, wohlerworbenen »Besitzzuständen« so behaglich fühlt, daß sie die Sturmflut der Revolution, die diese Zustände sans façon wegschwemmt, für »Willkür«, für das Werk von »Intriganten, Neidischen« usw. erklärt.

Daß Herr Grün die bürgerliche Idylle ›Hermann und Dorothea‹, ihre zaghaften und altklugen Kleinstädter, ihre jammernden Bauern, die mit abergläubischer Furcht vor der sansculottischen Armee und vor den Greueln des Kriegs ausreißen, »mit der reinsten Freude genießt« (p. 165), das wundert uns hiernach nicht. Herr Grün »nimmt sogar beruhigt vorlieb mit der engherzigen Mission, welche am Ende dem deutschen Volke ... zugeteilt wird: »Nicht dem Deutschen geziemt es, die fürchterliche Bewegung fortzuleiten und auch zu schwanken hierhin und dorthin«.[16] Herr Grün tut recht daran, mitleidige Tränen zu vergießen für die Opfer der schweren Zeitläufte und in patriotischer Verzweiflung über solche Schicksalsschläge gegen Himmel zu blicken. Es gibt ohnehin der Verderbten und Entarteten genug, die kein »menschliches« Herz im Busen tragen, die lieber im republikanischen Lager in die Marseillaise einstimmen, ja wohl gar in Dorotheens verlassenem Kämmerlein laszive Witze reißen. Herr Grün ist ein Biedermann, den die Gefühllosigkeit entrüstet, mit welcher z. B. ein Hegel auf die im Sturmschritt der Geschichte zertretenen »stillen Blümlein« herabsieht und über »die Litanei von Privattugenden der Bescheidenheit, Demut, Menschenliebe und Mildtätigkeit« spottet, die »gegen welthistorische Taten und deren Vollbringer« erhoben wird.[17] Herr Grün tut recht daran. Es wird ihm im Himmel wohl belohnet werden.

Schließen wir die »menschlichen« Glossen über die Revolution mit folgendem: »Ein wirklicher Komiker dürfte es sich herausnehmen, den *Konvent selbst unendlich lächerlich zu finden*«, und bis dieser »wirkliche Komiker« sich finde, gibt Herr Grün einstweilen die nötigen Instruktionen dazu. p. 151, 152.

Über Goethes Verhältnis zur Politik nach der Revolution gibt Herr Grün ebenfalls überraschende Aufschlüsse. Nur ein Beispiel. Wir wissen bereits, welchen tiefgefühlten Groll »der Mensch« gegen die Liberalen in seinem Herzen trägt. Der »Dichter des Menschlichen« darf natürlich nicht in die Grube fahren, ohne sich ganz speziell mit ihnen auseinandergesetzt, ohne den Herren Welcker, Itzstein[18] und Konsorten einen ausführlichen Denkzettel angehangen zu haben. Diesen Denkzettel spürt unser »selbstzufriedenes Schnüffelwesen« in folgender ›Zahmen Xenie‹ [V] auf: (p. 319).

> »Das ist doch nur der alte Dreck,
> Werdet doch gescheiter!
> Tretet nicht immer denselben Fleck,
> So geht doch weiter!«[19]

Goethes Urteil: »Nichts ist widerwärtiger als die *Majorität*, denn sie besteht aus wenigen, kräftigen Vorgängern, aus Schelmen, die sich akkommodieren, aus Schwachen, die sich assimilieren, und der Masse, die nachtrollt, ohne nur im mindesten zu wissen, was sie will«[20] – dies echte Spießbürgerurteil, dessen Unwissenheit und Kurzsichtigkeit nur auf dem beschränkten Terrain eines deutschen Sedezstaats möglich ist, gilt Herrn Grün für »die Kritik des späteren« (d. h. modernen) »Gesetzesstaats«. Wie wichtig es sei, erfahre man »z. B. in jeder beliebigen Deputiertenkammer« (p. 268). Hiernach sorge der »Brauch« der französischen Kammer nur aus Unwissenheit so vortrefflich für sich und seinesgleichen. Ein paar Seiten weiter, p. 271, ist dem Herrn Grün »die *Julirevolution*« »fatal«, und schon p. 34 wird der *Zollverein* scharf getadelt, weil er »dem Nackten, Frierenden die Lappen zur Bedeckung seiner Blöße noch *verteuert*, um die Stützen des Throns (!!), die freisinnigen Geldherren« (die bekanntlich im ganzen Zollverein »dem Thron« opponieren) »etwas wurmfester zu machen«. Die »Nackten« und »Frierenden« werden bekanntlich in Deutschland überall von den Spießbürgern vorgeschoben, wo es gilt, die Schutzzölle oder irgendeine andere progressive Bourgeoisiemaßregel zu bekämpfen, und »der Mensch« schließt sich ihnen an.

Welche Aufschlüsse gibt uns nun Goethes Kritik der Gesellschaft und des Staats durch Herrn Grün über »das Wesen der Menschen«?

Zuerst besitzt »der Mensch« nach p. 264 einen ganz entschiedenen Respekt vor den »gebildeten Ständen« im allgemeinen und eine geziemende Deferenz gegen einen hohen Adel im besondern. Dann aber zeichnet er sich durch eine gewaltige Furcht vor jeder großen Massenbewegung, vor aller energischen gesellschaftlichen Aktion aus, bei deren Herannahen er sich entweder schüchtern in seinem Ofenwinkel verkriecht oder mit Sack und Pack eiligst davonläuft. Solange sie dauert, ist die Bewegung »eine bittere Erfahrung« für ihn, kaum ist sie vorbei, so pflanzt er sich breit aufs Proszenium und teilt mit der Hand des Herkules Ohrfeigen aus, die ihm erst jetzt recht behaglich zu klatschen scheinen, und findet die ganze Geschichte »unendlich lächerlich«. Dabei hängt er mit ganzer Seele an »wohlverdienten und wohlerlebten Besitzzuständen«; im übrigen besitzt er eine sehr »häusliche und friedliche Natur«, ist genügsam und bescheiden und wünscht, in seinen kleinen, stillen Genüssen durch keine Stürme gestört zu werden. »Der Mensch weilt gern im Beschränkten« (p. 191 lautet so der *erste Satz* des »zweiten Teils«): er beneidet niemanden und dankt seinem Schöpfer, wenn man ihn in Ruhe läßt. Kurz, »der Mensch«, von dem wir schon sahen, daß er ein geborner *Deutscher* ist, fängt allmählich an, einem *deutschen Kleinbürger* aufs Haar zu gleichen.

In der Tat, worauf reduziert sich Goethes durch Herrn Grün vermittelte Kritik der Gesellschaft? Was findet »der Mensch« an der Gesellschaft auszusetzen? Erstens, daß sie seinen Illusionen nicht entspricht. Aber diese Illusionen sind gerade die Illusionen des ideologisierenden, besonders des jugendlichen Spießbürgers – und wenn die spießbürgerliche Wirklichkeit diesen Illusionen nicht entspricht, so kommt das nur daher, weil sie Illusionen sind. Sie entsprechen dafür um so vollständiger der spießbürgerlichen Wirklichkeit. Sie unterscheiden sich von ihr nur, wie sich überhaupt der ideologisierende Ausdruck eines Zustandes von diesem Zustande unterscheidet, und von ihrer Realisierung kann daher weiter keine Rede sein. Ein schlagendes Exempel hierfür liefern Herrn Grüns Glossen zu ›Werther‹.

Zweitens richtet sich die Polemik »des Menschen« gegen alles, was das deutsche Spießbürgerregime bedroht. Seine ganze Polemik gegen die Revolution ist die eines Spießbürgers. Sein Haß gegen die Liberalen, die Julirevolution, die Schutzzölle spricht sich aufs unverkennbarste als der Haß des gedrückten, stabilen Kleinbürgers gegen den unabhängigen, progressiven Bourgeois aus. Geben wir hierfür noch zwei Beispiele.

Die Blüte der Kleinbürgerei war bekanntlich das Zunftwesen. Pag. 40 sagt Herr Grün, im Sinne Goethes, also »des Menschen«, sprechend: »Im Mittelalter verband die Korporation den *starken Mann* schützend mit andern *Starken.*« Die Zunftbürger jener Zeit sind »starke Männer« vor »dem Menschen«.

Aber das Zunftregime war zu Goethes Zeit bereits im Verfall, die Konkurrenz brach von allen Seiten herein. Goethe ergießt sich als echter Spießbürger in einer Stelle seiner Memoiren, die Herr Grün p. 88 zitiert, in herzzerreißenden Klagen über die anfangende Verfaulung der Kleinbürgerei, über den Ruin wohlhabender Familien, über den damit verbundenen Verfall des Familienlebens, Lockerung der häuslichen Bande und sonstigen Bürgerjammer, der in zivilisierten Ländern mit verdienter Verachtung behandelt wird. Herr Grün, der in dieser Stelle eine famose Kritik der modernen Gesellschaft wittert, kann seine Freude so wenig mäßigen, daß er ihren ganzen »menschlichen Inhalt« mit Sperrschrift drucken läßt.

Gehen wir jetzt zum positiven »menschlichen Inhalt« in Goethe über. Wir können jetzt rascher gehen, da wir »dem Menschen« einmal auf der Fährte sind.

Berichten wir vor allen Dingen die erfreuliche Wahrnehmung, daß »Wilhelm Meister das elterliche Haus desertiert« und im ›Egmont‹ »die Brüsseler Bürger auf Privilegien und Freiheiten bestehen«, aus keinem andern Grunde, als um »Menschen zu werden« p. XVII.

Herr Grün ertappte noch einmal den alten Goethe auf Proudhonschen Wegen. Er hat dieses Vergnügen p. 320 noch einmal: »Was er wollte, was wir alle wollen, unsre Persönlichkeit retten, die *Anarchie* im wahren Sinne des Wortes, darüber spricht Goethe also:

> Warum mir aber in neuester Welt
> Anarchie so gar wohl gefällt?
> Ein jeder lebt nach seinem Sinn,
> Das ist nun also auch mein Gewinn ...«[21] usw.

Herr Grün ist überselig, die echt »menschliche« gesellschaftliche Anarchie, die von Proudhon zuerst verkündigt und von den deutschen wahren Sozialisten durch Akklamation adoptiert worden ist, bei Goethe wiederzufinden. Diesmal versieht er sich indes. Goethe spricht von der schon existierenden »Anarchie in neuster Welt«, die sein Gewinn schon »ist«, und wonach jeder nach seinem Sinn lebt, d. h. von der durch die Auflösung des Feudal- und Zunftwesens, durch das Emporkommen der Bourgeoisie, die Verbannung des Patriarchalismus aus dem gesellschaftlichen Leben der gebildeten Klassen herbeigeführten Unabhängigkeit im geselligen Verkehr. Von des Herrn Grün beliebter *zukünftiger* Anarchie im höhern Sinne kann also schon aus *grammatischen* Gründen keine Rede sein. Goethe spricht hier überhaupt nicht von dem, »was er wollte«, sondern von dem, was er vorfand.

Doch so ein kleines Versehen darf nicht stören. Dafür haben wir ja das Gedicht: ›Eigentum‹.

> »Ich weiß, daß mir nichts angehört
> Als der Gedanke, der ungestört
> Aus meiner Seele will fließen,
> Und jeder günstige Augenblick,
> Der mich ein liebendes Geschick
> Von Grund aus läßt genießen.«[22]

Wenn es nicht klar ist, daß in diesem Gedicht »das bisherige Eigentum in Rauch aufgeht« (p. 320), so steht Herrn Grün der Verstand still.

Doch überlassen wir diese kleinen exegetischen Nebenbelustigungen des Herrn Grün ihrem Schicksal. Ihre Zahl ist ohnehin Legion, und die eine führt immer zu noch überraschenderen als die andere. Sehen wir uns lieber wieder nach »dem Menschen« um.

»Der Mensch weilt gern im Beschränkten«, hörten wir. Der Spießbürger tut desgleichen. »Goethes Erstlinge waren *rein sozialer* (d. h. menschlicher) Natur ... Goethe hielt sich ans *Allernächste, Kleinste, Häuslichste*« p. 88. – Das erste, was wir Positives am Menschen entdecken, ist die Freude am »kleinsten, häuslichen« Stilleben des Kleinbürgers.

»Wenn wir einen Platz in der Welt finden«, sagt Goethe, von Herrn Grün resümiert, »da mit unsern Besitztümern zu ruhen, ein Feld, uns zu nähren, ein Haus, uns zu decken, haben wir da nicht ein Vaterland?« Und, ruft Herr Grün aus, »wie ist uns heute das Wort aus der Seele geschrieben?« p. 32. – »Der Mensch« trägt wesentlich eine redingote à la propriétaire und gibt sich auch dadurch als Vollblut-Epicier [23] zu erkennen.

Der deutsche Bürger ist höchstens momentan, in seiner Jugend Freiheitsschwärmer, wie jedermann weiß. »Der Mensch« hat dieselbe Eigenschaft. Herr Grün erwähnt mit Wohlgefallen, wie Goethe in seinen späteren Jahren den noch im ›Götz‹, diesem »Produkt eines freien und ungezogenen Knaben«, spukenden »Freiheitsdrang« »verdammt«, und zitiert sogar den feigen Widerruf in extenso p. 43. Was Herr Grün sich unter Freiheit vorstellt, mag man daraus abnehmen, daß er ebendaselbst die Freiheit der Französischen Revolution mit der [der] fryen Schwyzer zur Zeit von Goethes Schweizerreise, also die moderne konstitutionelle und demokratische Freiheit mit der Patrizier- und Zunftherrschaft mittelalterlicher Reichsstädte und vollends mit der urgermanischen Roheit viehzüchtender Alpenstämme identifiziert. Die Montagnards des Berner Oberlandes unterscheiden sich ja nicht einmal dem Namen nach von den Montagnards des Nationalkonvents![24]

Der ehrsame Bürger ist ein großer Feind aller Frivolität und Religionsspötterei: »Der Mensch« desgleichen. Wenn Goethe sich in dieser Beziehung an diversen Stellen echt bürgerlich aussprach, so gehört dies Herrn Grün auch zum »menschlichen Inhalt in Goethe«. Und damit man es recht glauben möge, sammelt Herr Grün nicht nur diese Goldkörner, sondern setzt p. 62 noch gar manches Beherzigenswerte von seinem Eignen hinzu, daß die »Religionsspötter ... hohle Töpfe und Tröpfe« seien usw. Was seinem Herzen als »Menschen« und Bürger alle Ehre macht.

Der Bürger kann nicht ohne einen »lieben König«, einen teuren Landesvater leben. »Der Mensch« auch nicht. Daher hat Goethe p. 129 an Karl August einen »vortrefflichen Fürsten«. Der wackre Herr Grün, der Anno 1846 noch für »vortreffliche Fürsten« schwärmt!

Den Bürger interessiert eine Begebenheit insofern, als sie direkt auf seine Privatverhältnisse einwirkt. »Selbst die Begebenheiten des Tages werden Goethe zu fremden Objekten, die ihn in der *bürgerlichen Behäbigkeit* entweder stören oder fördern, die ihm ein ästhetisches oder *menschliches* Interesse abgewinnen können, nie aber ein politisches«. p. 20. Herr Grün »gewinnt hiernach einer Sache ein menschliches Interesse ab«, wenn er merkt, daß sie ihn »in der bürgerlichen Behäbigkeit entweder stört oder fördert«. Herr Grün gesteht hier möglichst gerade heraus, daß die bürgerliche Behäbigkeit die Hauptsache für »den Menschen« ist. –

›Faust‹ und ›Wilhelm Meister‹ geben Herrn Grün zu besondern Kapiteln Anlaß. Nehmen wir zuerst den ›Faust‹.

Pag. 116 erfahren wir: »Dadurch, daß Goethe dem Geheimnis der Pflanzen-Organisation auf die Spur kam«, wird er »erst in den Stand gesetzt, seinen humanistischen Menschen« (gibt es denn kein Mittel, dem »menschlichen« Menschen aus dem Wege zu gehen), »den Faust, fertig zu gestalten. *Denn* Faust wird ebensowohl ... als auch durch die Naturwissenschaft auf den Gipfel seiner eigenen Natur (!) geführt«. Wir haben unsre Exempel davon gehabt, wie auch »der humanistische Mensch« Herr Grün »durch die Naturwissenschaft auf den Gipfel seiner eigenen Natur geführt wird«. Man sieht, wie dies in der Rasse liegt.

Wir hören dann p. 231, daß das »Tiergeripp' und Totenbein« in der ersten Szene »die Abstraktion unsres ganzen Lebens« bedeutet – überhaupt verfährt Herr Grün mit dem ›Faust‹ geradeso, als ob er die Offenbarung Sankt Johannis' des Theologen vor sich hätte. Der Makrokosmos bedeutet »die Hegelsche Philosophie«, die damals, als Goethe diese Szene schrieb (1806), zufällig nur noch im Kopfe Hegels und höchstens im Manuskripte der ›Phänomenologie‹ existierte, das Hegel zu derselben Zeit ausarbeitete. Was geht den »menschlichen Inhalt« die Zeitrechnung an?

Die Schilderung des heruntergekommenen Heiligen Römischen Reichs im zweiten Teil des ›Faust‹ versteht Herr Grün p. 240 ohne weiteres für eine Schilderung der Monarchie Ludwigs XIV., »womit«, fügt er hinzu, »wir *von selbst* die Konstitution und die Republik haben!« »Der Mensch« »hat« natürlich alles »von selbst«, was andre Leute sich erst mit Mühe und Arbeit herstellen müssen.

Pag. 246 vertraut uns Herr Grün, daß der zweite Teil des ›Faust‹ nach seiner naturwissenschaftlichen Seite hin »der moderne Kanon geworden, wie Dantes ›Göttliche Komödie‹ der Kanon des Mittelalters war«. Zur Nachahmung für die Naturforscher, die bisher hinter dem zweiten Teil des ›Faust‹ sehr wenig, und für die Historiker, die hinter dem ghibellinischen Parteigedicht des Florentiners ganz etwas andres als einen »Kanon des Mittelalters« gesucht hatten! Es scheint, als ob Herr Grün die Geschichte mit ähnlichen Augen ansieht, wie Goethe nach p. 49 seine eigne Vergangenheit: »In Italien überschaute Goethe seine Vergangenheit *aus den Augen* des belvederischen Apoll«, welche Augen pour comble de malheur nicht einmal Augäpfel haben.

Wilhelm Meister ist »Kommunist«, d. h. »in der Theorie, auf dem Boden der ästhetischen Anschauung« (!!) p. 254. »Er hat sein' Sach' auf Nichts gestellt und sein gehört die ganze Welt«[25], p. 257. Natürlich, er hat Geld genug, und die Welt gehört ihm, wie sie jedem Bourgeois gehört, ohne daß er sich die Mühe zu geben braucht, »Kommunist auf dem Boden der ästhetischen Anschauung« zu werden. – Unter den Auspizien des Nichts, worauf Wilhelm Meister sein' Sach' gestellt hat und welches, wie p. 256 zu ersehen, ein gar weitläuftiges und inhaltsschweres »Nichts« ist, wird auch der Katzenjammer abgeschafft. Herr Grün

»trinkt alle Neigen aus, ohne Nachwehen, ohne Kopfschmerz«. Desto besser für »den Menschen«, der nun ungestraft dem stillen Trunke huldigen darf. Für die Zeit, wo dieses alles erfüllet wird, entdeckt Herr Grün inzwischen schon das Kommerslied des »wahren Menschen« in dem: »Ich hab mein' Sach' auf Nichts gestellt« – »dieses Lied wird man singen, wenn die Menschheit sich ihrer würdig eingerichtet hat«; nur hat Herr Grün es auf drei Strophen reduziert und die für die Jugend und »den Menschen« unpassenden Stellen ausgemerzt.

Goethe stellt im ›Wilhelm Meister‹ »das Ideal der menschlichen Gesellschaft auf«. »Der Mensch ist kein lehrendes, sondern ein lebendes, handelndes und wirkendes Wesen.« »Wilhelm Meister ist dieser Mensch.« »Das Wesen des Menschen ist die Tätigkeit« (ein Wesen, das er mit jedem Floh teilt) p. 275, 258, 261.

Zum Schluß die ›Wahlverwandtschaften‹. Diesen ohnehin moralischen Roman moralisiert Herr Grün noch mehr, so daß es fast scheint, als ob es ihm darum zu tun wäre, die ›Wahlverwandtschaften‹ als passendes Schulbuch für höhere Töchterschulen zu empfehlen. Herr Grün erklärt, Goethe habe »unterschieden zwischen Liebe und Ehe, und zwar so, daß ihm die Liebe das *Suchen* der *Ehe* war und die Ehe die *gefundene*, vollendete Liebe p. 286. Wonach also die Liebe das *Suchen* »der gefundenen Liebe« ist. Dies wird weiter dahin erläutert, daß nach »der Freiheit der Jugendliebe« die Ehe als »Schlußverhältnis der Liebe« einzutreten hat (p. 287). Gerade wie in zivilisierten Ländern ein weiser Familienvater seinen Sohn erst einige Jahre austoben läßt und ihm dann als »Schlußverhältnis« eine passende Ehefrau aussucht. Während man aber in zivilisierten Ländern längst darüber hinweg ist, in diesem »Schlußverhältnis« etwas moralisch Bindendes zu sehen, während dort im Gegenteil der Mann sich Maitressen hält und die Frau ihm dafür Hörner aufsetzt, rettet den Herrn Grün wieder der Spießbürger: »Hat der Mensch wirklich freie Wahl gehabt, ... gründen zwei Menschen ihren Bund auf ihren beiderseitigen vernünftigen Willen« (von Leidenschaft, Fleisch und Blut ist dabei keine Rede), »so hört die Weltansicht eines *Libertins* dazu, die Störung dieses Verhältnisses als eine Kleinigkeit, als nicht so leid- und unglücksvoll zu betrachten, wie Goethe es getan hat. Von *Libertinage* aber kann bei Goethe keine Rede sein« p. 288.

Diese Stelle qualifiziert die schüchterne Polemik gegen die Moral, die sich Herr Grün von Zeit zu Zeit erlaubt. Der Spießbürger ist zu der Einsicht gekommen, daß man den jungen Leuten um so eher etwas durchgehen lassen muß, als gerade die liederlichsten Jungen nachher die besten Ehemänner werden. Sollten sie sich aber nach der Hochzeit noch etwas zuschulden kommen lassen – dann keine Gnade, keine Barmherzigkeit für sie; denn »es gehört die Weltansicht eines Libertins dazu«.

»Weltansicht eines Libertins!« »Libertinage!« Man sieht »den Menschen« so leibhaftig als möglich vor Augen, wie er die Hand aufs Herz legt und mit freudigem Stolze ausruft: Nein! ich bin rein von aller Frivolität, von »Kammern und Unzucht«, ich habe nie das Glück einer zufriedenen Ehe mutwillig gestört, ich hab' immer Treu und Redlichkeit geübt und mich nie gelüsten lassen nach meines Nächsten Weib – ich bin kein »Libertin«!

»Der Mensch» hat recht. Er ist nicht gemacht für galante Abenteuer mit schönen Frauenzimmern, er hat nie auf Verführung und Ehebruch spekuliert, er ist kein »Libertin«, sondern ein Mann von Gewissen, ein ehr- und tugendsamer deutscher Spießbürger. Er ist

> ». . . l'épicier pacifique,
> Fumant sa pipe au fond de sa boutique;
> Il craint sa femme et son ton arrogant;
> De la maison il lui laisse l'empire,
> Au moindre signe obéit sans mot dire
> Et vit ainsi, cocu, battu, content.«
> (Parny, ›Goddam‹, Chant III.) [26]

Es bleibt uns nur noch eine Bemerkung zu machen. Wenn wir in den vorstehenden Zeilen Goethe nur nach einer Seite hin betrachtet haben, so ist das lediglich die Schuld des Herrn Grün. Er stellt Goethe nach seiner kolossalen Seite hin gar nicht dar. Über alle Sachen, in denen Goethe wirklich groß und genial war, schlüpft er entweder eilig hinweg, wie über die ›Römischen Elegien‹ des »Libertins« Goethe, oder er gießt einen breiten Strom von Trivialitäten über sie aus, der nur beweist, daß er mit ihnen nichts anzufangen weiß. Dagegen sucht er mit einem bei ihm sonst nicht häufigen Fleiß alle Philistereien, alle Spießbürgerlichkeiten, alle Kleinigkeiten auf, stellt sie zusammen, outriert sie echt literatenmäßig und freut sich jedesmal, wenn er seine eigene Borniertheit auf die Autorität des, oft noch entstellten, Goethe stützen kann.

Nicht das Gebelfer Menzels, nicht die beschränkte Polemik Börnes war die Rache der Geschichte dafür, daß Goethe sie jedesmal verleugnete, wenn sie ihm Aug in Auge gegenübertrat. Nein,

> So wie Titania in Feen- und Zauberland
> Klaus Zetteln in den Armen fand [27],

so hat Goethe eines Morgens den Herrn Grün in seinen Armen gefunden. Die Apologie des Herrn Grün, der warme Dank, den er Goethen für jedes philiströse Wort stammelt, das ist die bitterste Rache, die die beleidigte Geschichte über den größten deutschen Dichter verhängen konnte.

Herr Grün aber »kann mit dem Bewußtsein die Augen schließen, daß er der Bestimmung, Mensch zu sein, keine Schande gemacht hat« (p. 248).

31 *Karl Rosenkranz*

Aus: Göthe und seine Werke 1847

Weihe

Der Genuß des Wahren, Guten und Schönen hat vor anderm Genuß voraus, daß er in sich unerschöpflich ist. Je öfter wir daran gehen, es uns anzueignen, um so mehr erstaunen wir über das Neue, was sich uns wieder darbietet. Diese in sich unendliche Natur der wahrhaften Idee ist recht der Gegensatz zu dem Ekel, der uns ergreift, wenn wir das Fade, Eitle, Gemachte, Schlechte und Oberflächliche wiederholt uns nahe bringen sollen. Das Wirken eines großen Dichters, wie Goethe, hat diesen unversieglichen Reiz, der uns in dem Wiedergenuß seiner poetischen Taten nicht ermüden läßt und unser Mühen um seine Erkenntnis mit immer schönern Früchten lohnt. Viele Versuche sind schon gemacht, Goethe zu erkennen. Das Bewußtsein der Nation ist durch die Aufnahme seiner Werke an Ideen und an Ideenausdruck fortdauernd gewachsen. Die Interpretation der Fausttragödie ist auf den meisten Universitäten ein stehendes Collegium geworden. Goethes Gedichte haben die fleißigsten und ausführlichsten Kommentatoren gefunden. Alle deutsche Literärgeschichten geben wenigstens eine Übersicht von Goethes Leben und Schriften und fast alle bedeutenderen seiner Dichtungen sind Gegenstand lebhafter Kontroverse und mehr oder weniger umfangreicher Analyse gewesen. Kann es also wohl gerechtfertigt erscheinen, Goethe und seine Werke jetzt einer umfassenden Betrachtung zu unterwerfen?

Hierauf entgegne ich, daß gerade jetzt, nachdem so viel monographische Arbeiten vorangegangen, die Zeit gekommen ist, *Goethe als Ganzes zu erkennen und seine einzelnen Werke als die verschiedenen Stufen seiner Entwickelung;* – eine Aufgabe, welche nicht in flüchtigen Erörterungen weniger Stunden auch nur annäherungsweise gelöst werden kann. Die Zeit eines ästhetischen Sybaritismus ist für uns vorüber. Die Beschäftigung mit der Kunst darf nicht mehr eine bloße Befriedigung unseres Geschmackes sein. Wir müssen einen höhern Standpunkt, einen universell philosophischen, einnehmen. *Gervinus*, am Schluß seiner Geschichte unserer Nationalliteratur, wirft es uns Deutschen vor, daß wir zu sehr dem ästhetischen Müßiggang uns hingäben und fordert von uns größere Allseitigkeit, tatkräftigeres Eingreifen in die Gestaltung der Wirklichkeit.[1] Kann etwas beredsamer sein, als ein solches Resultat der Geschichte unserer Bildung aus dem Munde eines solchen Historikers?‹

Wir Deutsche sind kein Staat, kaum eine Nation. Für unsere Bildung sind deshalb nicht sowohl Fürsten, Staatsmänner und Feldherrn die Maßstäbe, als vielmehr unsere Künstler, Dichter und Philosophen. Die Nation ist einmal in viele Stämme und Staaten zerspalten, deren politische Geschichte auseinandergeht. Indem der Preuße, der Brandenburger sich an Friedrich den Zweiten mit politischem Selbstgefühl erinnert, kann der Württemberger dies nicht ebenso. Er gedenkt etwa des Herzogs Ulrich.[2] Der Bayer, der Sachse wieder eines andern usf.

Wie ganz anders z. B. der Franzose, der mit seinem ersten Franz[3], mit seinem vierten Heinrich[4], mit seinem vierzehnten Ludwig[5], sogleich eine ganz bestimmte Charakteristik seiner ganzen Nation ausdrückt. Wir haben keine fürstliche Dynastien, welche uns die Geschichte der deutschen Nation überhaupt reflektierten. An ihre Stelle treten bei uns die Helden der Intelligenz. Wir orientieren uns an einem Luther, Hutten, Kepler, Herder, Schiller, Pestalozzi, Fichte usw.

Politisch genommen ist dies ein Mangel. An nationaler Entschiedenheit stehen wir dem Selbstgefühl des Engländers, des Franzosen, ja sogar des Russen nach. Der tiefere Grund dieser Schwäche ist aber die intensivere Individualität der Deutschen, welche es nicht zu solcher Einheit kommen läßt, als jene romanischen Völker durch ihre Verfassung, als die Russen durch den Absolutismus des Zarentums besitzen. Die Individualität isoliert den Deutschen vom Deutschen. *Goethe* bemerkt einmal von unserer Zeit, daß wir uns selbst *in Vereinen trennen.*[6] Jeder will selbst prüfen, selbst urteilen. Daher bei uns so oft eine allgemeine Erregung nicht in eine Tat, sondern letztlich nur in eine Literatur ausläuft. Haben wir eine neue Erscheinung begriffen, haben wir unser Urteil drucken lassen, dann sind wir ruhig. So haben wir jetzt eine Rongeliteratur[7], eine Gustav Adolph-Vereinsliteratur u. dgl. m.

Worin wir aber aus der Mannigfaltigkeit der Individualisierungen uns wirklich vereinigen, das ist eben der Kultus der Männer, welche wir als die Repräsentanten unserer Bildung anzusehen haben. Für ihn hört der Unterschied der Namensdifferenzen auf; in ihm stimmt der Schwabe mit dem Westphalen, der Sachse mit dem Bayer, der Preuße mit dem Östreicher überein. Solch' ein Band der Nation, und zwar eines der stärksten, ist auch Goethe. Und indem wir uns seiner erinnern, lernen wir zugleich die Geschichte der Nation selber kennen. Dies Bewußtsein aber über seine Geschichte, die Einsicht in den Prozeß, wie man, was man ist, geworden sei, das erst ist wahrhafte Bildung, nicht jene Summe sozialer Fertigkeiten und eingelernter Reflexionen allgemeiner Verständigkeit, welche oft so benamst wird.

Ein Mensch, der von einer Nation nach einer ihrer wesentlichen Seiten als ihr plastisches Abbild anerkannt wird, ist an sich selbst und in seinen Werken ein allgemein geltender Typus. Wenn wir etwas *goethesch* nennen, so verbinden wir mit dieser Bezeichnung eine ganz bestimmte Anschauung. Ebenso wenn wir sagen: ein Werther, ein Faust, eine Philine – so sind das Typen, welche bei uns den Rang allgemeiner Begriffe einnehmen, eine poetische Ideenmythologie. Ja, viele Äußerungen Goethes sind *sprichwörtlich* geworden und haben in der lebendigen Tradition eine epische Existenz empfangen.

Durch solche Allgemeinheit ist der einzelne groß. Es ist schon richtig, daß in einer Zeit viele andere ähnlich empfinden, ähnlich denken und produzieren. Es sind die wahlverwandten Geister. Es sind die notwendigen Sympathien einer sich vollziehenden Kulturkrisis. Allein zwischen dem, was solche Geister sind und leisten, und zwischen dem großen Manne ist dennoch ein absoluter Unterschied. Ihre Produktionen sind *beinahe* ebenso – und dies Beinahe ist doch eben wieder das, was uns sie zurücksetzen läßt. So wenig scheint, was ihnen noch zur Vollendung fehlt – und doch, dies wenige, der nie aufgehende Rest der geringeren Natur, ist alles. Zwischen ihren allerdings analogen Produkten und denen des Meisters hat der Genius, der gottgebene, eine Kluft aufgerichtet. Der große Mann kann freilich auch das Geringe, das Mittelmäßige hervorbringen, allein nicht umgekehrt kann der Mittelmäßige auch das Hohe, Große, Geniale produzieren. Nur die Sophistik könnte leugnen, daß ein ›Großkophta‹, ein ›Bürgergeneral‹ die ›Aufgeregten‹ usf. in Verhältnis zu Goethes Genie Mittelmäßigkeiten seien. Gewiß. Allein durch sie ist Goethe auch nicht Goethe. Daß er auch solche Produktionen hervorbrachte, beweist nur, daß das Genie auch die Taten des Talents zu vollbringen vermag und daß es viele Stufen der Entfaltung in sich birgt.

Indem wir uns nun diesen Dichter zum Gegenstand unserer Betrachtung machen, schließen wir sofort zwei Manieren des literarischen Verfahrens aus, von denen auch Goethe viel zu leiden gehabt hat. Die eine ist das Urgieren [8] *einzelner Stellen* in Goethes Werken, die andere das *Vergleichen* mit andern Werken. Die einzelne Stelle hat ihren wahren Sinn nur im Zusammenhang aller. Sie ist, was sie sein soll, nur im dialektischen Flusse, in der lebendigen Bewegung. Durch ein exklusives Premieren [9] wird sie aber bald zu hoch, bald zu niedrig angeschlagen. Ihre Bedeutung wird über Gebühr bald erweitert, bald verengt. Eine solche Atomistik, welche den Beweis für den Begriff eines Kunstwerks aus dem Haften an Einzelstellen, besonders den sogenannten schönen, zu Stammbuchverseleien beliebten, führt, muß natürlich unter uns liegen. Sie widerspricht aller philosophischen Auffassung. Die andere Manier des Parallelisierens tut das Entgegengesetzte. Die Stellenjägerei entnimmt ihre dicta probantia [10] der Sache selbst; die Vergleichung geht aus ihr heraus und bezieht sie auf eine andere. Welche andere dies sei, ist zunächst unbestimmt und hängt von der Willkür des vergleichenden Subjektes ab. Weder für die Qualität noch für die Quantität der Objekte ist der komparativen Analyse eine Grenze gegeben. Wollte die Vergleichung im Sinn der komparativen Naturwissenschaft verfahren, so müßte sie zur Geschichte des Objekts werden und seine rückwärtsliegenden Voraussetzungen entwickeln. Allein die gewöhnliche Weise ist ein Herausgreifen anderer Objekte, welche demjenigen, dem es gilt, wie ein Spiegel vorgehalten werden, wobei es denn natürlich ist, daß dasselbe in einem Hohlspiegel sich anders ausnimmt, als in einem Flachspiegel. Nehmen wir z. B. Goethes ›Hermann und Dorothea‹, so bieten sich alle Epen zum Vergleich. Man kann die ›Odyssee‹, den Ariosto, die ›Lusiaden‹ [11], die ›Nibelungen‹ und so fort bis zu Vossens ›Luise‹ heranziehen, hier eine Übereinstimmung, dort eine Abweichung, hier ein Übertreffen, dort ein Zurückbleiben bemerken. *Gervinus* liebt diese Manier vorzüglich. So hoch ich die Verdienste dieses Mannes um die Geschichte unserer Literatur schätze, so muß ich doch unumwunden gestehen, daß sein stetes Parallelisieren, seine Auswanderungssucht aus dem Objekt in alle vier Weltgegenden, ein Mangel bei ihm ist. Er entbehrt einer sichern philosophischen Grundlage für seine Beurteilung und will nun als ein geistreicher Mann durch die Vergleichung sich vor Einseitigkeit schützen.

Es ist ein Unterschied zwischen dem gemütvollen Genießen eines Kunstwerks und zwischen seinem Begreifen, worin der Genuß zu einem selbstbewußten wird.

Die Philosophie wird oft beschuldigt, der Kunst Intentionen unterzuschieben, ihr einen Gehalt zu vindizieren, woran der Dichter gar nicht gedacht habe. Goethe selbst scherzte: »Im Auslegen seid munter; legt ihr nicht aus, so legt was unter.« [12] Das Produzieren ist aber, weil es aus der Ursprünglichkeit des Genius hervorgeht, in dem Sinn eines lediglich absichtlichen, verständigen Bewußtseins bei dem Künstler nicht nur nicht notwendig, es ist bei ihm unmöglich. Denn der Dichter produziert zwar mit vollkommener Besonnenheit, allein als ein *ahnungsvoller* Mensch. Sein Erfinden ist ein von seiner Reflexion unabhängiger Akt, dessen schöpferische Begeisterung ihn selbst mit sich fortreißt. Natur und Geschichte, Himmel und Erde, sind in ihm auf ursprüngliche Weise vermählt. Die Harmonie des Universums ist ihm eingeboren. Aus dem eigenen Busen heraus ergänzt er das Fragmentarische der Erscheinungen, integriert er die Offenbarung ihres öffentlich geheimen Sinnes, löst er, der von den Musen geliebte Zögling, das Rätsel der Welt. Goethe selbst nannte dies Ahnungsvolle im Dichter das *Dämonische* [13] und schrieb solches Übergreifen über die Masse des einzelnen, als den intuitiven Takt, der mit Sicherheit durch alle endliche Wirrnis ohne mühsame Reflexion hindurchschreitet, überhaupt dem providentiellen Menschen, namentlich auch *Napoleon* und *Byron* zu. Der Dichter ist insofern in seiner höchsten Tätigkeit passiv und Goethe selbst hat von sich gesagt, daß alle seine Werke *Gelegenheitsgedichte* [14] seien, indem er einer wirklichen Erregung seines eigensten Menschen sich darin zu entäußern suchte. Freilich ist ihm diese Konfession [15], nichts haben dichten zu können, was er nicht erlebt, nicht in seinem innersten Selbst erfahren hatte, übel genug bekommen. Wolfgang *Menzel* bewies dem Wolfgang Goethe, daß er als ein bloßes Talent ohne spontane Produktivität mit dem Zeitgeiste stets nur gebuhlt habe, stets nur das gefällige Echo seiner Wandelungen gewesen sei.[16] Ein großer Mann, sagt *Hegel*, verdammt die anderen, ihn zu explizieren.[17] Wenn nun die Philosophie sich für das wahrhafte Organ der Interpretation der Poesie hält, so ist sie dies nur kraft ihres Gegensatzes zu ihr, nämlich nichts für sich anzuerkennen, was nicht zur Deutlichkeit des Begriffs, zur Bestimmtheit des reinen Selbstbewußtseins herausgesetzt ist. Der Künstler kann durch die ihm selbst verborgen in ihm waltende Macht des Genius wirklich oft mehr geben, als ihm selbst unmittelbar gegenwärtig ist; er kann, nach Goethes eigenem Ausdruck, vieles in seine Werke *hineingeheimnissen*.[18] Das Geschäft der Philosophie aber muß es sein, den ideellen Gehalt der Poesie und die Notwendigkeit seiner Form zu klarem Bewußtsein zu entwickeln. Bei einem Dichter wie Goethe braucht die Exegese nicht besorgt zu sein, ihm zu viel des Guten zuzutrauen.

32 *Johann Peter Eckermann*

Vorrede zum dritten Teil seiner »Gespräche mit Goethe in den letzten Jahren seines Lebens« 1848

Indem ich endlich diesen längst versprochenen dritten Teil meiner Gespräche mit Goethe abgeschlossen vor mir sehe, beglückt mich das freudige Gefühl überwundener großer Hindernisse.

Mein Fall war sehr schwierig. Er glich dem eines Schiffers, der nicht mit dem Winde segeln kann, der heute weht, sondern mit großer Geduld oft wochen- und monatelang einen Fahrwind erwarten muß, wie er vor Jahren geweht hat. – Als ich so glücklich war, die beiden ersten Teile zu schreiben, konnte ich gewissermaßen mit gutem Winde gehen, weil mir damals das frischgesprochene Wort noch in den Ohren klang und der lebendige Verkehr mit jenem wunderbaren Manne mich in dem Element einer Begeisterung erhielt, wodurch ich mich zum Ziele getragen fühlte wie auf Flügeln.

Jetzt aber, wo jene Stimme schon seit so viel Jahren verstummt ist und das Glück jener persönlichen Berührungen so weit hinter mir liegt, konnte ich die so nötige Begeisterung nur in solchen Stunden erlangen, wo es mir vergönnt war, in mein eigenes Innere zu gehen und in ungestörter Vertiefung das Vergangene wieder zu frischen Farben zu beleben, wo es denn anfing, sich zu regen, und ich große Gedanken und große Charakterzüge vor mir liegen sah, gleich Gebirgen, fernen zwar, aber deutlich und wie von der Sonne des wirklichen Tages beschienen.

So kam mir denn die Begeisterung aus der Freude am Großen; das Einzelne des Ideenganges und mündlichen Ausdrucks ward wieder frisch, als ob ich es gestern erlebt hätte. Der lebendige Goethe war wieder da; ich hörte wieder den besonderen lieben Klang seiner Stimme, die mit keines anderen zu vergleichen. Ich sah ihn wieder abends in schwarzem Frack und Stern bei heller Erleuchtung seiner Zimmer im geselligen Kreise scherzen und lachen und heiteres Gespräch führen. Dann anderen Tages bei schönem Wetter war er im Wagen neben mir, im braunen Oberrock und blauer Tuchmütze, den hellgrauen Mantel über seine Knie gelegt. Seine Gesichtsfarbe braun-gesund, wie die frische Luft; sein Gespräch geistreich in die freie Welt hinein, das Geräusch des Wagens übertönend. Oder ich sah mich abends bei stillem Kerzenlicht wieder in sein Studierzimmer versetzt, wo er im weißen flanellenen Schlafrock am Tische mir gegenübersaß, milde, wie die Stimmung eines gut verlebten Tages. Wir sprachen über große und gute Dinge, er kehrte das Edelste, was in seiner Natur lag, mir entgegen; mein Geist entzündete sich an dem seinigen. Es war zwischen uns die innigste Harmonie; er reichte mir über den Tisch herüber seine Hand, die ich drückte. Dann ergriff ich wohl ein neben mir stehendes gefülltes Glas, das ich, ohne etwas zu sagen, ihm zutrank, indem meine Blicke über den Wein hin in seinen Augen ruhten.

So war ich ihm in voller Lebendigkeit wieder zugesellt, und seine Worte klangen wieder wie ehemals.

Aber wie es auch sonst im Leben zu gehen pflegt, daß wir wohl eines geliebten Toten gedenken, doch bei dem Geräusch des fordernden Tages oft wochen- und monatelang nur flüchtig, und daß die stillen Augenblicke einer solchen Vertiefung, wo wir ein vor uns dahingegangenes Geliebte in der ganzen Frische des Lebens wieder zu besitzen glauben, zu den seltenen schönen Stunden gehören, so erging es mir auch mit Goethe.

Es vergingen oft Monate, wo meine Seele, durch Berührungen des täglichen Lebens hingenommen, für ihn tot war und er meinem Geiste mit keinem Worte zusprach. Und wiederum traten andere Wochen und Monate unfruchtbarer Stimmung ein, wo in meinem Gemüt nichts keimen und nichts blühen wollte. Solche nichtige Zeiten mußte ich mit großer Geduld nutzlos vorübergehen lassen, denn das in solchen Zuständen Geschriebene wäre nichts wert gewesen. Ich mußte vom guten Glück die Wiederkehr von Stunden erwarten, wo das Vergangene mir in voller Lebendigkeit gegenwärtig und mein Inneres an geistiger Kraft und sinnlichem Behagen auf einer Höhe stand, um zur Einkehr Goethescher Gedanken und Empfindungen eine würdige Behausung zu sein. Denn ich hatte es mit einem Helden zu tun, den ich nicht durfte sinken lassen. In der ganzen Milde der Gesinnung, in der vollen Klarheit und Kraft des Geistes und in der gewohnten Würde einer hohen Persönlichkeit mußte er erscheinen, um wahr zu sein, – und das war keineswegs etwas Geringes!

Mein Verhältnis zu ihm war eigentümlicher Art und sehr zarter Natur. Es war das des Schülers zum Meister, das des Sohnes zum Vater, das des Bildungsbedürftigen zum Bildungsreichen. Er zog mich in seine Kreise und ließ mich an den geistigen und leiblichen Genüssen eines höheren Daseins teilnehmen. Oft sah ich ihn nur alle acht Tage, wo ich ihn in den Abendstunden besuchte; oft auch jeden Tag, wo ich mittags mit ihm, bald in größerer Gesellschaft, bald tête-à-tête, zu Tisch zu sein das Glück hatte.

Seine Unterhaltung war mannigfaltig, wie seine Werke. Er war immer derselbige und immer ein anderer. Bald okkupierte ihn irgendeine große Idee, und seine Worte quollen reich und unerschöpflich. Sie glichen oft einem Garten im Frühling, wo alles in Blüte stand und man, von dem allgemeinen Glanz geblendet, nicht daran dachte, sich einen Strauß zu pflücken. Zu anderen Zeiten dagegen fand man ihn stumm und einsilbig, als lagerte ein Nebel auf seiner Seele; ja es konnten Tage kommen, wo es war, als wäre er voll eisiger Kälte, und als striche ein scharfer Wind über Reif- und Schneefelder. Und wiederum, wenn man ihn sah, war er wieder wie ein lachender Sommertag, wo alle Sänger des Waldes uns aus Büschen und Hecken entgegenjubeln, der Kuckuck durch blaue Lüfte ruft und der Bach durch blumige Auen rieselt. Dann war es eine Lust, ihn zu hören; seine »Nähe« war dann »beseligend«[1], und das Herz erweiterte sich bei seinen Worten.

Winter und Sommer, Alter und Jugend schienen bei ihm im ewigen Kampf und Wechsel zu sein; doch war es an ihm, dem Siebzig- bis Achtzigjährigen, wohl zu bewundern, daß die Jugend immer wieder obenauf war und jene angedeuteten Herbst- und Wintertage zu seltenen Ausnahmen gehörten.

Seine Selbstbeherrschung war groß, ja sie bildete eine hervorragende Eigentümlichkeit seines Wesens. Sie war eine Schwester jener hohen Besonnenheit, wodurch es ihm gelang, immer Herr seines Stoffes zu sein und seinen einzelnen Werken diejenige Kunstvollendung zu geben, die wir an ihnen bewundern. Durch eben jene Eigenschaft aber ward er, so wie in manchen seiner Schriften, so auch in manchen seiner mündlichen Äußerungen, oft gebunden und voller Rücksicht. Sobald aber in glücklichen Momenten ein mächtigerer Dämon in ihm rege wurde und jene Selbstbeherrschung ihn verließ, dann ward sein Gespräch jugendlich frei dahinbrausend, gleich einem aus der Höhe herabkommenden Bergstrome. In solchen Augenblicken sagte er das Größte und Beste, was in seiner reichen Natur lag, und von solchen Augenblicken ist es wohl zu verstehen, wenn seine früheren Freunde über ihn geäußert, daß sein *gesprochenes* Wort besser sei als sein geschriebenes und gedrucktes.[2] So sagte *Marmontel* von *Diderot,* daß, wer diesen nur aus seinen Schriften gekannt, ihn nur halb gekannt; daß er aber, sobald er bei mündlicher Unterhaltung lebhaft geworden, einzig und hinreißend gewesen.[3]

Darf ich nun hoffen, daß von jenen glücklichen Momenten in diesen Gesprächen manches festzuhalten mir gelungen, so mag es diesem Bande nicht weniger zugute kommen, daß darin an einigen Stellen eine doppelte Spiegelung[4] von Goethes Persönlichkeit stattfindet, einmal nämlich gegen mich und dann gegen einen jungen Freund.[5]

[...]

Und so wüßte ich nun weiter nichts hinzuzufügen, als daß ich diesem lange und mit Liebe gehegten dritten Band dieselbe gute Aufnahme wünsche, wie sie in so reichlichem Maße den beiden ersten zuteil geworden.

Weimar, den 21. Dezember 1847.

33 *Heinrich Viehoff*

Vorwort zu »Goethe's Leben. Zweiter Theil« 1848

Ein geistreicher Literarhistoriker hat die Ansicht ausgesprochen, zu einer wahren und würdigen Biographie Goethes sei noch nicht die Zeit gekommen[1]; wir seien noch zu tief in der geistigen Bewegung, die durch ihn angeregt worden, befangen; es müsse, um über ihn etwas rein Historisches zu sagen, erst die Epigonenzeit abgelaufen, ja erst wieder ein neuer geisterbeherrschender Genius aufgetreten sein, mit dessen Maße wir ihn messen könnten. Ich verkenne nicht das Wahre dieser Behauptung. Aber jede Zeit hat ihr Recht. Wenn erst spätere Generationen auf ein vollkommenes treues und abgerundetes Gesamtbild von Goethes Leben und Wirken Anspruch haben, so darf die unserige etwas mehr fordern, als Dörings flüchtig hingeworfene Skizze.[2] Alle anderen Schriften über Goethe, wie tief eingehend sie ihren Gegenstand behandeln mögen, fassen immer doch nur eine oder wenige Seiten seines Wesens, eine oder wenige Richtungen seiner Tätigkeit ins Auge; selbst das geistreiche Werk von *Rosenkranz*[3], seiner Aufgabe nach das umfassendste von allen, stellt ihn im wesentlichen nur als *Dichter* dar.

Das Säkularfest von Goethes Geburtstage rückte heran, und noch verlautete von keinem der Schriftsteller unseres Vaterlandes, daß er sich anschicke, den Tag, der hoffentlich als ein Nationalfest begangen wird, mit einer Biographie des Gefeierten zu begrüßen. Da kam über den Kanal her die Kunde, ein Engländer rüste sich, uns den Ruhm des Erstlingsversuches zu entreißen.[4] Der Unmut über diese Nachricht besiegte mein Zagen und Zaudern. Was Begabtere zu tun versäumten, das beschloß ich zu wagen; von deutschem Fleiße, deutscher Sorgfalt und Gewissenhaftigkeit hoffte ich wenigstens ein achtbares Pfund in die Waagschale legen zu können gegen jenes den Briten und Franzosen nachgerühmte Talent, mit leichter Hand ein ansprechendes Lebensbild zu entwerfen. Das Wagnis war vielleicht zu kühn; so ist doch der Mut und die Quelle, woraus er mir geflossen, nicht zu verwerfen.

Goethes Freunde, die um ihn waren und ihn kennen mußten, sagten ihm: was er lebe, sei besser, als was er spreche, dieses besser, als was er schreibe, und das Geschriebene besser, als das Gedruckte.[5] Ist dieser Anspruch wahr, so ist es gerechtfertigt, wenn ich in meiner Schrift in das Detail seines Lebens eingehe und manches von ihm mündlich und brieflich geäußerte Wort in meine Darstellung verwebt habe. Erregt schon der Dichter, wie er uns in seinen Werken entgegentritt, hohe Bewunderung, so wächst das Erstaunen über die Größe des Mannes, wenn uns der Künstler im weitern Sinne, der Lebensphilosoph, der Naturforscher, der Beamte, der Hofmann, der Gesellschafter, der Freund, wenn uns der ganze Mensch nach allen Radien seines Lebens und Wirkens vorgeführt wird. Ich habe dies versucht, so weit es die Quellen, die uns bis jetzt zu Gebote stehen, so weit es der Raum, auf den doch zuletzt eine solche Arbeit zu beschränken ist, so weit es endlich meine Kräfte und Fähigkeiten gestatteten.

Vielleicht wird man über den Weg, den ich dabei einschlagen, mit mir rechten und mich auf *Hoffmeisters* Werk, diese wissenschaftliche Naturgeschichte des Schiller'schen Geistes[6], verweisen, welche, von einigen ursprünglichen Grundtrieben und Grundkräften ausgehend, nachzuweisen sucht, wie aus diesen wesentlichen Elementen sich Schillers Geistesleben, unter der begünstigenden oder hemmenden Macht bestimmter äußerer Einflüsse, mit Notwendigkeit entwickelte. Die größere Schwierigkeit der Aufgabe, in dem größern Reichtume von Goethes Geistesleben begründet, mag mich entschuldigen, wenn ich den umgekehrten Gang gewählt. Ich bemühte mich zuerst die Erscheinungen in ihrer Fülle und Mannigfaltigkeit, in ihrem Werden, Wachsen, Blühen und Verblühen zur Anschauung zu bringen, und versparte mir für das Ende des Werkes den Versuch, die Grundzüge von Goethes Wesen zu entwickeln und die Metamorphosen seines Geistes übersichtlich darzulegen.

Ein flüchtiger Blick in meine Schrift kann die Überzeugung gewähren, daß, wenn ihr Titel auch nur ›Goethes Leben‹ heißt, dennoch der *Erörterung seiner*

Werke darin keine geringe Sorgfalt gewidmet ist. So wahr auch jenes Wort seiner Freunde sein mag, daß sein Leben sich ungleich bedeutender als seine Werke darstellte, so ist *uns* doch Goethe das, was er uns gilt, vorzugsweise durch seine Schriften. Keine seiner wichtigeren Produktionen ist daher unbesprochen geblieben; selbst von seinen kleineren Gedichten ist kaum ein bedeutendes übergangen. Bei den letzteren erlaubte ich mir, aus meinem Kommentar[7] die allgemeinen Resultate zu entlehnen; habe ich dadurch ein Plagiat begangen, so habe ich es nur an mir selbst verübt. Was ich anderen verdanke, habe ich gewissenhaft zu bezeichnen gesucht; nur der Verweisungen auf Goethes Selbstbekenntnisse glaubte ich mich überheben zu können, da ich die Bekanntschaft mit denselben bei meinen Lesern voraussetzen durfte.

Und so möge denn mein Werk sein Glück bei der deutschen Lesewelt versuchen. Jede billige Kritik werde ich dankbar ehren; rücksichtslosen, böswilligen Angriffen setze ich nur den Schlußvers der ›Xenien‹ entgegen:

Hier ist der Bogen, und hier ist zu dem Ringen der Platz![8]

Ich werde es über mich gewinnen, die Freude der Nation mitzufühlen, wenn meine Arbeit einem vollkommen würdigen Lebensbilde unsers größten Dichters weichen muß.

34 *Ferdinand Gregorovius*

Aus: Göthe's Wilhelm Meister in seinen socialistischen Elementen entwickelt — 1849

[. . .]
Wenn nun die pädagogische Provinz das neue Geschlecht der ›Wanderjahre‹ in den Maximen der nützlichen Beschränkung und des naturgemäßen Berufes ohne Umweg erzieht, und eine solche Bildung zur Bedingung der gesuchten Gesellschaft gemacht wird, so muß das autodidaktische Geschlecht der ›Lehrjahre‹ nun endlich auch dartun, daß es seine Bildung in gleichem sozialen Sinne erreicht und beschlossen habe. Dieser Beweis wird wieder durch *Wilhelm*, den Repräsentanten der Bildung, zu liefern sein. Das erste ist daher, daß Wilhelm sich als den für die Gemeinzwecke der Gesellschaft brauchbar und *tüchtig* Gewordenen darstelle. Denn es ist Grundsatz der Verbindung: »in irgend einem Fache muß einer vollkommen sein, wenn er Anspruch auf Mitgenossenschaft machen will.« (III. Kap. 4.) Dieser Grundsatz wird auch sonst von Goethe strenge hervorgehoben. An einem andern Orte sagt er: »Die Außenwelt bewegt sich so heftig, daß ein jeder einzelne bedroht ist, in den Strudel mit fortgerissen zu werden; hier sieht er sich genötigt, um seine eigenen Bedürfnisse zu befriedigen, unmittelbar und augenblicklich für die Bedürfnisse anderer zu sorgen, und da fragt sich denn freilich, ob er irgendeine Fertigkeit habe diesen aufdringlichen Pflichten genug zu tun. Da bleibt nun nichts übrig als sich selbst zu sagen: nur der reinste und strengste Egoismus

könne uns retten; dieser aber muß ein selbstbewußter, wohlgefühlter und ruhig ausgesprochener Entschluß sein.«[1]

»Der Mensch frage sich selbst, wozu er am besten tauge? um dieses in sich und an sich eifrigst auszubilden. Er betrachte sich als Lehrling, als Geselle, als Altgeselle, am spätesten und höchst vorsichtig als Meister.« * Nun dürfte es dem oberflächlich Blickenden trivial erscheinen, daß Wilhelm für sich das Fach der *Chirurgie* gewählt, daß er nach einer so langwierigen Schule, für die eine halbe Welt verwendet worden, es nur zu einem *Wundarzte* gebracht habe. Und doch konnte der Dichter kaum einen glücklichern Griff tun, als diesen, und durch nichts anderes die Genialität des Gedankens seiner Dichtung trefflicher bekunden, noch ihr in bezug auf das soziale Problem einen meisterhafteren Abschluß geben. Man muß die erstaunliche Kunst bewundern, mit der er es verstand, die Wahl gerade dieses Berufes sowohl der Lebensgeschichte und dem Charakters Wilhelms anzupassen, als sie mit dem Prinzipe des Romans in den schönsten Einklang zu setzen. Schon in den ›Lehrjahren‹ ist sie biographisch durch jene Szene begründet, wo der verwundete Wilhelm durch *Nataliens* und des Wundarztes Bemühungen gerettet wird. Die Liebe zu der Amazone, seiner Lebensretterin, läßt ihm dann die chirurgische Kunst in einer ungewöhnlich romantischen Bedeutsamkeit, in einem dauernden reizenden Bezuge auf sein eigenes Leben erscheinen.

In den ›Wanderjahren weiß der phantasievolle Wilhelm das Motiv seines Berufes noch weiter zurück in ein Jugenderlebnis zu legen, welches er Natalien mitteilt. Es ist dies die kleine Idylle vom *Fischerknaben*[3], welche an wahrhaft antiker Schönheit die meisten Novellen Goethes bei weitem übertrifft, und von der zu bedauern ist, daß sie der Dichter im Interesse Wilhelms, des *Chirurgen,* nicht schon für die ›Lehrjahre‹ erfinden durfte. Aus ihr erkennen wir schon, in welchem *idealen* Sinne wir die Chirurgie aufzufassen haben. Sie ist die göttliche Kunst, welche es mit der heiligen und schönen Menschengestalt zu tun hat und über ihr wachen soll, daß das herrliche Ebenmaß ihrer Bildung, wo es verletzt oder gestört worden, wieder hergestellt werde, wie es aus der formenden Hand der Natur hervorgegangen. Der ästhetische Wilhelm, dem das Ideal des schönen Menschen die Seele erfüllt wie einem Künstler, ergreift mit wärmster Leidenschaft diese Plastik des Maßes und der Harmonie, und so bewährt sich gerade an diesem Berufe sein *idealistisches* Vermögen. Wenn er Natalien schildert, mit welchem Entzücken er damals die aus dem Fluß steigende nackte Gestalt des Fischerknaben betrachtet habe, so spricht er wie ein Hellene; und es ist wiederum herrlich und tief gedacht, daß der Dichter ihn am *Schlusse* des Romans, da er den in den Fluß hinabgestürzten *Felix,* seinen *Sohn,* durch die chirurgische Kunst ins Leben zurückgerufen hat, entzückt vor der nackten Jünglingsgestalt ausrufen läßt: »Wirst du noch immer aufs neue hervorgebracht, herrlich Ebenbild Gottes!«[4] Denn so schließt die ganze Dichtung, aus deren aphrodisischer Flut das erwartete schöne Menschenbild emporsteigen sollte, mit dem jugendlich blühenden Apoll in seiner unverhüllten Herrlichkeit, mit dem Menschen, wie ihn die unverfälschte Natur auf das gött-

* ›Ferneres über Weltliteratur‹ im 49. Bande.[2]

lichste gebildet hat. Goethe stellt hier als Grieche die plastische Gestalt des Menschen in dem Tempel der Natur auf als das Höchste und Letzte, was Gott und Natur geschaffen haben, wie er vordem bei Gelegenheit der Humanitätsreligion gesagt hatte. Unbeschadet seiner Dezenz söhnt er sich dadurch mit dem *Heinse* im ›Ardinghello‹ und der ›Hildegard‹ aus, dessen nackte Plastik die Kritik einmal sich verschworen hat, *bloß* auf Rechnung ekler Sinnenlüsternheit zu setzen, ohne wenigstens das Antike und Winckelmannische daran zu retten. Goethe sagt ferner an einer anderen Stelle der ›Wanderjahre‹: »Der Mensch ohne Hülle ist eigentlich der Mensch, der Bildhauer steht unmittelbar an der Seite der Elohim, als sie den unförmlichen widerwärtigen Ton zu dem herrlichsten Gebilde umzuschaffen wußten; solche göttliche Gedanken muß er hegen, dem Reinen ist alles rein, warum nicht die unmittelbare Absicht Gottes in der Natur? Aber vom Jahrhundert kann man dies nicht verlangen, ohne Feigenblätter und Tierfelle kommt es nicht aus, und das ist noch viel zu wenig.« (III. 3.) Gerade so würde *Pausanias* oder würde *Philostrat* sprechen, wenn er heute die feigenbeblätterte Glyptothek zu München gesehen hätte.

Vortrefflich weiß nun der Dichter auch aus der theatralischen Verirrung Wilhelms für seine chirurgischen Studien einen Gewinn zu ziehen und die Mimik der Schönheitskunst dienstbar zu machen, wie im ›Manne von 50 Jahren‹, worin wir zum letzten Male einem *Schauspieler* begegnen, der sich aber nunmehr nicht als Komödianten, sondern als Schönheitskünstler präsentiert. Denn von der Bühne her hat er die Kunst gelernt, die Wohlgestalt des Leibes zu erhalten, was zu einer ergötzlichen Verirrung des Fünfzigjährigen Anlaß gibt und für die Handlung der Novelle mit meisterlicher Geschicklichkeit benutzt wird. Nun wird vom Chirurgen gefordert, daß er sich zum *plastischen Begriffe* erheben solle, daß er nicht bloß die Glieder eines Körpers barbarisch zu sezieren, sondern vielmehr sie darzustellen wisse, daß er *Modelleur* sei, und es ist vortrefflich, was alles Goethe jenem Plastiker über Anatomie in den Mund legt, bei welchem der chirurgische Adept Wilhelm seine Präparate in Wachs bossieren lernt. Nach einem so hohen und reinen Ideale von Wundarzeneikunst, um dessen Realisierbarkeit die Poesie sich nicht zu bemühen braucht, ist denn der modellierende Chirurg auf die nächste Stufe nach dem Bildhauer gestellt, und sein Geschäft soll als ein Mittelwesen zwischen Kunst und Technik betrachtet werden, oder ein zur Kunst gesteigertes Handwerk sein, was dem Lieblingsgedanken der Goetheschen Dichtung vortrefflich entspricht. »Hieran, läßt er Wilhelm berichten, schloß sich die Betrachtung, daß es eben schön sei zu bemerken, wie Kunst und Technik sich immer gleichsam die Waage halten, und so nahe verwandt immer eine zu der anderen sich hinneigt, so daß die Kunst nicht sinken kann ohne in löbliches Handwerk überzugehen, das Handwerk sich nicht steigern ohne kunstreich zu werden.«[5]

Lassen wir also im Interesse Wilhelms *Jarno* Recht behalten, wenn er die Chirurgie das göttlichste aller Geschäfte nennt, ohne Wunder zu heilen und ohne Worte Wunder zu tun, und wenn er behauptet, daß nichts der Mühe wert sei »zu lernen und zu leisten, als dem Gesunden zu helfen, wenn er durch irgendeinen Zufall verletzt sei; durch einsichtige Behandlung stelle sich die Natur leicht wieder her, die Kranken müsse man den Ärzten überlassen, niemand aber bedürfe eines Wundarztes mehr als der Gesunde.« (II. 12.) Wenn sonst häufig in den ›Wanderjahren‹ Goethes Sprache und Darstellung durchaus den reinen Geist der Griechen atmet und an wunderwürdiger Schönheit und Einfachheit mit dem sokratischen Dialoge oder dem homerischen Epos wetteifert, so erinnern namentlich auch seine Gespräche über das chirurgische Wesen, besonders die zuletzt angeführte Stelle auf das lebhafteste an die stille Größe des Platon und seine Ideen. Wer die platonische ›Republik‹ im Gedächtnisse hat, wird sich aus dem dritten Buche erinnern, daß Platon vorzugsweise die *Chirurgie* als eine wahrhaft göttliche Kunst verherrlicht, die Ärzte aber aus seinem »gesunden« Staate sogar verbannt. Sokrates fragt den Glaukon: »Kannst du wohl ein sichereres Kennzeichen schlechter und verwerflicher Sitten in einer Stadt finden, als wenn darin kunstgeübte Ärzte und Richter nicht nur von den schlechten Leuten und Handarbeitern gebraucht werden, sondern auch von denen, die das Ansehn haben wollen auf edlere Weise gebildet zu sein?«[6] Und nun erzählt er von dem *Herodikos,* der sich verwerflicher Weise durch seine Heilkunst als ein doch Scheinlebiger und Sterbender bis zu seinem Tode erhalten habe, und behauptet, daß *Asklepios* nur für die dem Leibe nach Gesunden die Heilkunst eingesetzt habe, für die innerlich durch und durch krankhaften Körper aber nicht, wiewohl die Tragödiendichter und *Pindar* sagen, er habe sich endlich für Geld gewinnen lassen, einen reichen Mann, der schon auf dem Tode lag, zu heilen, wofür er denn vom Blitze sei erschlagen worden. – Wie würde es wohl der heutigen Welt ergehen, wollte man dies dorische Prinzip wieder einführen, daß nur für die Gesunden die Götter den *Asklepios* und *Machaon* bestellt haben? da die lebenden Geschlechter von der Kultur der Jahrhunderte also am Leibe verflucht sind, daß deren Hälfte ihn scheinlebig als einen wahrhaften Leichnam, künstlich zusammengehalten, bis an den letzten Schicksalstag hinüberschleppt. Hier muß denn Platon durch den *Lazarus* Christi widerlegt werden, der Arzt aber mag sich immerhin demütigen vor dem Chirurgen.

Doch sei es eben genug von der göttlichen Chirurgie, der *schicksalabwendenden,* welche Wilhelm Meister sich als das kunstreiche und klassische Handwerk erwählt hat, der menschlichen Gesellschaft im weitesten Umfange dienstbar zu werden.

Was endlich seine Freunde betrifft, so haben auch sie irgendeine beschränkte und realistisch energische Tüchtigkeit sich angeeignet. Der *Abbé* stellt sich als der geborne Pädagog heraus, und wird sich bestens zum Scholarchen und providentiellen Mentor qualifizieren, *Jarno* ist Bergmann, *Lothario* übt die Kunst des Manövrierens, lehrt Angriff und Verteidigung, *Lenardo* ist Techniker im Allgemeinen, *Friedrich* Gedächtniskünstler und schreibseliger Kanzellist, *Philine* und *Lucie* schneidern und nähen mit einer wahren Leidenschaft.

Die übrigen Wanderer, welche wir als eine Assoziation unter der Leitung eines zeremoniösen Verstandes, *Lenardos, Friedrichs* und des *Amtmanns* versammelt antreffen, gehören alle dem *Handwerkerstande* an. Jenseits des Meeres, wo der Mensch ohne Voraussetzung der Kultur von vorn beginnt, gilt es erst das Nützliche zu leisten, das Haus zu richten und den Acker zu bestellen, und für das folgende Geschlecht den Kulturgrund zu legen. Man könnte Goethe deshalb wie den französischen Sozialisten von Saint-Simon bis Proudhon den Vorwurf machen, daß er seinen neuen Menschen nur zu einem anderen Adam gemacht habe, der, nachdem ihn die idealen Götter alle verlassen haben, im Schweiße seines Angesichtes dem handarbeitenden Gotte der Industrie einen Altar baut. Aber obwohl dies Extrem der Industrialität für Amerika so nahe liegt, daß es als ein entgöttertes Paradies der Mathematik und Nationalökonomie anzusehen ist, so würde man Goethe dennoch Unrecht tun, wollte man ihn angesichts seiner ›Lehrjahre‹ in die Kategorie der französischen Sozialisten setzen. Die Franzosen bringen es höchstens zu einer phantastisch geistreichen Systematik der Leidenschaften, in welche sie den Menschen zerteilen; seiner inneren Welt nachzuforschen, sich in den Abgrund seiner Seele zu stürzen und den geheimnisvollen Einklang seiner Kräfte zu begreifen, vermögen sie so wenig, daß sie dreistweg die *Gesellschaft* konstruieren, ohne den Menschen anders denn zufällig konstruiert zu haben, wie *Fourier*[7], welcher die Idee des Menschen willkürlich aus den zwölf Trieben des Luxus, der Gruppe und der Serie herleitet, weil die Harmonie der Leidenschaften als der *Genuß* ihm die Vollendung des Menschen selber ist.

Welche Anstrengungen machte dagegen *Goethe* erst in seinen ›Lehrjahren‹, um den Menschen zu entdecken, wie er von der Natur ist und wie er in der Kultur sich darstellt, und wie tief hat er sein Wesen bis in die kleinste Faser verfolgt, die zum Herzen hinwurzelt oder zum Kopfe sich verzweigt, wie tief schaute er in die heitre Kristallhelle seiner dionysischen Seele und wieder in die düstre Nacht seines dämonischen Wahnes, daß man von ihm sagen kann, er habe gleich den Hellenen das Rätsel der Sphinx gelöst. Und dann erst, nachdem er den *Menschen* begriffen, und bei den Göttern angefragt, wagt er es bescheiden, sich auch für die *Gesellschaft* im solonischen Gesetze zu versuchen.

Wie sehr ihm aber auch das ideale Element des Menschenlebens immer gegenwärtig blieb, dürfte schon aus seiner Verschwisterung von *Handwerk* und *Kunst* zu erkennen sein. Der Abbé schreibt an Wilhelm (II. 7. 150.): »Eine Reise zu den Pädagogen hat er (Lothario) unternommen, um sich tüchtige Künstler, nur sehr wenige, zu erbitten. Die Künste sind das Salz der Erde; wie dieses zu den Speisen, so verhalten sich jene zu der Technik. Wir nehmen von der Kunst nicht mehr auf als nur daß das Handwerk nicht abgeschmackt werde.« Zunächst dürfte diese Stelle rigoristisch klingen und dahin mißverstanden werden, als habe Goethe die Künstler entfernen wollen, mit deren Ausbildung sich doch die pädagogische Provinz so angelegentlich beschäftigte. Bedenkt man, daß es hier darauf ankommt, eine praktische Gesellschaft auf einem geschichts- und kulturlosen Boden zu stiften, so scheint der Gedanke natürlich, daß sie sich erst auf das Nützliche zu beschränken habe. Dies ist übrigens allen Sozialisten gemein, daß sie die Kunst beschränken; man findet dieselbe Ansicht schon in den Utopien des *Thomas Morus* (II. ›Von den Künstlern‹)[8], in dessen Staat der Ackerbau die erste und allgemeine Kunst ist, und der die Handwerke, wie die Weberei, das Schmiedehandwerk, Zimmerhandwerk etc. auch zu Künsten erhebt, alle anderen aber als dem Luxus angehörig abweist, weil das oberste Gesetz des utopischen Staates praktische Tätigkeit und Gemeinnützlichkeit sein müsse.

Ist erst die Befriedigung des Bedürfnisses gegeben und das materielle Wohl realisiert, so erwacht der Genius des Wahren und des Schönen von selbst, also meint auch Goethe. Ein anderes aber ist ferner das Verhältnis der *Kunst* zum *Handwerk,* welches hier berührt wird. Die Kunst, auf so idealer, olympischer Höhe sie auch gestellt sein mag, verdankt ihren Aufschwung nicht dem genialen Gedanken allein, sondern auch dem technischen Fleiße, der mit unermüdlicher Ausdauer für sie die kostbaren Mittel erfindet, mit denen erst die widerspenstige Materie von der schöpferischen Phantasie bezwungen wird. Die Kunst hat deshalb das Handwerk zu Ehren zu bringen und aus der Geringschätzung, in welche man es hinabgestoßen hat, zu sich zu erheben. Von der Werkstatt des Handwerkers soll ein verbindender Weg zum Museum des Künstlers führen. Die Würde der Arbeit, des denkenden Fleißes, der schaffenden Hand, durch welche erst die Welt freundliche Gestalt für uns erhält und zu einer wohnlichen Stätte wird, worauf sich die höheren Genien des Lebens niederlassen mögen, soll auch in der bürgerlichen Welt anerkannt werden. Im Bewußtsein seines Wertes wird sich dann der Handwerker auf eine höhere Stufe der Menschheit erhoben fühlen und seinen Produktionstrieb zum Kunsttriebe steigern.

Dies ist denn der direkte Gegensatz zum Hellenismus. Es ist charakteristisch für den Kultus der *Schönheit* bei den Griechen, deren größte Staatspädagogen, *Platon* und *Aristoteles,* immer nur eine Aristokratie auch der Bildung aufgestellt haben, daß der Handwerkerstand bei ihnen verachtet war, was besonders von den Lakedämoniern und Korinthern galt *. *Aristoteles* stellt bekanntlich den Begriff der *Banausie* (des gemeinen Handwerk- und Tagelöhnergeschäftes) der vornehmen Bildung und edlen Beschäftigung streng entgegen; *Platon* macht sich in seinem ›Staate‹ mit den Handwerkern gar nicht zu schaffen, schließt sie von aller geistigen ästhetischen Bildung aus, und läßt sie nur Arbeitstiere sein; auch *Aristophanes* treibt mit ihnen seinen Spott wie in den ›Rittern‹ [9] und läßt sie, gleich den anderen, nur in der *Demokratie* zu Ehren kommen. Man sehe also, welchen Triumph hier das Christentum feiert, und wie schwer es dennoch, trotz Sankt Joseph und der Apostel, trotz der Zünfte des Mittelalters und ihrer Intelligenz, hält, die Arbeit von dem Fluche der Banausie zu erlösen.

Odoardo, welcher eine Handwerkerassoziation zustande bringt, die Provinz seines Fürsten zu kultivieren, erklärt darin die Handwerke sogleich für Künste und sondert sie als *»strenge«* Künste von den *»freien«,* den schönen Künsten ab. Es dürfen dabei aber nur diejenigen Handwerke berücksichtigt werden, welche zu den Künsten in einer erklärten Beziehung stehen, vornehmlich also die mit dem Bauen zu tun haben. Es adelt Goethe aber die *Arbeit* überhaupt, denn sie ist das erfinderische Genie der Kultur, der siegreiche Gott, welcher auf die ausdenkende Stirne des Menschen die Herrscherkrone der Welt gesetzt hat. Der alte Kampf der Hand mit der Intelligenz soll geschlichtet werden, und jene war es

* Cramer ›Gesch. d. Unterr. u. d. Erzieh. im Altertume‹ II. S. 439.[10]

doch, welche Jahrhunderte lang rastlos arbeitete und schuf, bis sich der siegreiche Gedanke aus der mittelaltrigen Nacht erhob.

Die Hand aber ist eine Feindin der toten Maschine, welche den Arbeiter um die Seele seiner Kunst betrügt, indem sie ihm zugleich das Brot raubt. Diesem schrekkenden Automaten, dem fatalen Gespenste, welches die künstelnde Kultur gegen die arbeitende Menschheit losgelassen hat, und worin gleichwohl die Energie des Menschengeistes ihre wunderbarsten Siege über die rohe Gewalt der Materie feiert, entfliehen Goethes Weber im Gebirge jenseits des Meers, dem Vernichtungskriege der Konkurrenz zu entgehen.

Dem weitblickenden Dichter blieben diese bedrohlichen Übelstände der heutigen Zivilisation nicht verborgen, traten sie gleich zu seiner Zeit noch nicht in so furchtbarer Nacktheit auf, wie wir sie erfahren haben. Hätte Goethe das Dezennium nach der Julirevolution erlebt, wo im Gefolge des Materialismus, den die Restauration über Frankreich brachte, die privilegierte Bourgeoisie das Elend des Proletariats, des besitzlosen peuple hervorrief, er würde vor der grausigen Freskomalerei *Eugen Sues* sich entsetzt haben.[11]

Er aber verklärt nur als wahrer Dichter mit der idealisierenden Liebe seiner allversöhnenden Dichterseele den harten Knechtsdienst des Menschen, das traurige Los des Proletariats, und hebt es in die schönere Menschlichkeit poetisch empor. Dieser tiefe Sinn der Erlösung des Knechtmenschen durch die heilige Gottesidee der Arbeit leuchtet uns aus der Figur *Sankt Christophs,* des herkulischen Lazzaroni, entgegen, der heiteren Mutes und gesangesfroh die schwere Bürde auf seinem Rücken über die Berge trägt. Sankt Christoph ist der Pendant zu *Sankt Joseph.* Wie in diesem die Arbeit des Handwerkers, so ist in ihm das niedrigste Los des *Lastträgers,* des eigentlichen *Proletariers,* durch die Legende geheiligt und idealisiert, welche von Sankt Christoph erzählt, daß er auf seinen Schultern den Heiland durch das Wasser getragen habe.

Daß der Dichter diesen Lastträger als ein ebenbürtiges und brüderliches Glied der Gesellschaft unter die Wanderer aufgenommen hat, ist geradezu der schönste und der menschlichste Zug seiner sozialen Dichtung. Die Differenz der Stände innerhalb der Gesellschaft ist nun vollends aufgehoben. Sie fixierte sich aber in dem unnatürlichen Zivilisationsleben dreifach; einmal durch das Privilegium der Geburt und des Erbgrundbesitzes, durch den *Adel,* dann durch das Kapital, den bürgerlichen *Reichtum,* endlich durch die Aristokratie der *Intelligenz* und einer vorzugsweise noblen Arbeit, gegen welche die niedere Arbeit als unehrenhaft erscheint.

Die Differenz der Stände, insofern sie auf der Geburt beruht, hat Goethe schon am Ende der ›Lehrjahre‹ durch die *Bildung* nivelliert. In den ›Wanderjahren‹ tilgt er nun auch den Standesunterschied der Intelligenz, indem er die *arbeitende* Klasse selbst zu einer intelligenten erhebt. Dies geschieht durch das Medium des Gesanges, welcher für die Handwerker wie für alle Arbeiter das allgemeine Element der Heraufbildung zum Ethischen und Ästhetischen sein soll und die pädagogische Theorie der Musik hier trefflich realisiert. Daß der Gesang ein solches Bildungsmittel für jene Gesellschaftsklassen und gleichsam ein neuer Gottesdienst sozialer Gemeindlichkeit sein könne und müsse, ist eine Wahrheit, die sich nicht nur durch die Zeiten des Meistergesanges und der Meisterschulen bestätigt, sondern gerade in der *Gegenwart* am meisten verwirklicht, wo die Gesellenvereine und Arbeiterverbrüderungen einen neuen Aufschwung genommen haben. Der Gesang ist es, worein der Arbeiter seine Schmerzen, Hoffnungen und Wünsche niederlegt und sich von dem Frondienst des Tages erlöst. Wenn man solche Gesänge kennt, wie den chant des ouvriers [12], welchen die französischen Arbeiter heute bei ihren Zusammenkünften singen, wird man die erstaunliche moralisch veredelnde Gewalt begreifen, welche sie ausüben müssen. Von diesem trefflichen Liede lautet die erste Strophe:

Kaum kräht der Hahn das erste Mal,
So brennt schon unsre Lampe wieder,
Und neu beginnt die alte Qual
Und dröhnend fällt der Hammer nieder.
Für ewig ungewissen Lohn
Mühn wir uns rastlos ab auf Erden,
Die Not vielleicht kömmt morgen schon,
Wie soll es erst im Alter werden? . . .
Liebt Euch einander treu und heiß,
Und lasset, ob die Schwerter blinken,
Ob uns des Friedens Palmen winken,
Im Kreis, im Kreis,
Uns auf die *Welterlösung* trinken! *

Goethe wußte, daß die Arbeit den Gedanken frisch und kräftig, das Herz warm und mutig macht, und daß gerade sie im Arbeiter die rastlose Sehnsucht nach den höheren Besitztümern der intelligibeln Welt erzeugt, welche um so brennender sein muß, je schwerer der Zugang zu ihnen ist. Proudhon, Pierre Leroux, Beranger waren Buchdrucker, Weitling ein armer Schneider, und man lese doch sein ›Evangelium der armen Sünder‹ [13], um, mag man über des Schneiders Ideen denken wie man wolle, jene Sehnsucht des Arbeiters nach der Intelligenz mitzufühlen und die Energie zu achten, womit er selber sie sich erkämpft hat und ihr Recht für das Proletariat zu erkämpfen sich bestrebt. Diese Emanzipation des Arbeiters zur Bildung hat Goethe uns auch in seinen Handwerkern erkennen lassen, deren viele meisterlich geschickt sind Lieder zu improvisieren und singend umzudichten, wie mit Wilhelms Improvisation geschieht; und auch St. Christoph tritt mit einem Wohlanstande auf, daß sich keiner der ehemaligen Freiherrn seiner zu schämen braucht. Er weiß sie gar mit wohlgesetzten Erzählungen zu ergötzen, trotz dem Märchen vortragenden Bartkünstler.

* Man findet diesen Chant des Ouvriers vollständig in *Alfred Meißners*, des herrlichen Dichters der Ziskalieder, Schrift: ›Revolutionäre Studien aus Paris‹. Frkfrt. a. M. 1849, Bd. I. 146.

Endlich zieht Goethe die letzte Konsequenz aus dem sozialen Prinzipe der Gleichberechtigung, indem er durch St. Christoph den Grundsatz darstellt, daß die Arbeit überhaupt absolut *gleichgeltend* sei, daß ihre relative Form indifferent sei gegen den Stand, daß Würde und Adel des Menschen nicht davon abhänge, *womit* er sich beschäftige, sondern daß er überhaupt *arbeite*. Denn jede Arbeit ist Manifestation des reinen Menschen, Ausfluß seiner wesentlichen Kraft, welche die *eine*, das Allgemeine produzierende Kraft ist. Insofern der Mensch arbeitet, stellt er, an welchem Objekt immer er sich produzierend betätigen mag, die unendliche Arbeitskraft der Gattung in ihrer Teilbarkeit dar. Denn die Arbeit ist wie die Wissenschaft *sozialer* Natur, ihr Produkt produziert ideal und materiell die Harmonie der Gesellschaft. Wird also ein einzelnes Moment der Arbeit isoliert gesetzt oder herabgewürdigt, so wird die absolute Einheit der Arbeit überhaupt aufgelöst, ihre Göttlichkeit profaniert und der gesellschaftliche Prozeß vernichtet. Ist das Arbeiten an sich als eine Offenbarung der göttlichen Schöpferkraft im Menschen *heilig*, so heiligt es auch die spezifische Form der Arbeit, und so hat Goethe wieder mit erstaunlichem Tiefsinn den Lastträger Christoph als den heiligen Christoph dem Gesellschaftsbunde unterschiedslos und mit gleicher Berechtigung einverleibt.

Es war aber nur möglich, das Prinzip der Gleichheit durchzuführen, wenn zwei Prämissen festgehalten wurden. Diese sind die *Freiheit* der Arbeit und die Beteiligung *aller* an der Arbeit. Unfrei ist die Arbeit, wenn sie nicht die Tat des eigenen *Willens* und der eigenen *Lust* ist, und wenn ihr Produkt dem Arbeiter kein Recht auf das Eigentum gibt. In solchem Falle ist sie nur eine äußerliche Verrichtung, ein notgedrungener Sklavendienst, worin der Mensch nicht mit seinem ganzen Wesen erscheint, worin er nicht *selbst* ist. Sie ist unfrei und unmenschlich, weil sie dann nicht die Einheit der originalen Selbstbestimmung und des dargebotenen Lebensstoffes, nicht die Harmonie des Idealischen und Materiellen, des Poetischen und Prosaischen in der Menschennatur ist, was begriffsgemäß jeder Beruf und jede Arbeit sein muß, wenn sich der ganze Mensch darin produzieren soll. Aus diesem Gesichtspunkte heraus hat aber der Dichter jedem Mitgliede der Gesellschaft seinen freien und wesengemäßen Beruf zuerteilt; Wilhelm, Lenardo, Lothario, Friedrich, Philinen, und dem Abbé ebensowohl als dem Lastträger Christoph, der seiner herkulischen Individualität im Lasttragen vollkommen genügt, und weil er in seinem Elemente ist und keine Knechtsdienste verrichtet, dahinter der Fronvoigt seine Peitsche dürfte knallen lassen, in naivster Heiterkeit in die Berge hinausschreitet und hinaussingt. Nun sind aber auch *alle* Gesellschaftsgenossen *Arbeiter*, ein jeder nach seiner Weise, seiner Natur und seinem freien Geschick; so daß niemand den andern beneiden oder eine Arbeit der anderen bevorzugt halten mag, da sie eines jeden freie Wahl und selbstbewußte Tat ist. Es wird also in Lotharios Gesellschaftsbunde nicht Menschen geben welche arbeiten, und Menschen welche nicht arbeiten, nicht kapitalistische Müßiggänger, die für sich arbeiten lassen und durch den Arbeitszins ihren Reichtum vermehren; es wird nicht Menschen geben, welche auf dem warmen Polster schlafen, das der frierende Weber für sie verfertigt hat, welche den Wein schlürfen, den der dürstende Kelterer für sie kelterte. Es werden *alle* für sich und für alle arbeiten. In diesem Bewußtsein der Allgemeinheit, der Freiheit und der Gleichgeltung der Arbeit, mögen die rüstigen Wanderchöre frohgemut aufbrechen und das Lied ertönen lassen:

Bleibe nicht am Boden heften,
Frisch gewagt und frisch hinaus:
Kopf und Arm mit heitern Kräften
Überall sind sie zu Haus;
Wo wir uns der Sonne freuen
Sind wir jede Sorge los.
Daß wir uns in ihr zerstreuen
Darum ist die Welt so groß.[14]

Es ist dies das Bewußtsein von der Weltbefreiung und Welterlösung überhaupt durch die Arbeit. Denn darf man sie mit den Sozialisten *heilig* nennen, so sei es weniger darum, weil sie ein göttlich mitgebornes *Recht* des Menschen ist, als weil sie ihn *erlöst*. Dies haben schon die Griechen, die alles vorahnenden, in der Mythe vom *Herkules* dargestellt, Goethe aber zwiefach im ›Faust‹ und im ›Wilhelm Meister‹. Es erlöst die Arbeit nicht das Individuum allein von dem tragischen Schicksal, sondern auch die Welt überhaupt – und wie es schon einmal die Arbeit eines armen Buchdruckers, *Gutenbergs*, und eines armen Mönchs, *Luthers*, war, welche die Menschheit regeneriert hat, so wird auch sie, so wird es die *arbeitende* Klasse wiederum sein, welche auf ihrem Amboß die Blitze der Idee schmiedet, die Welt in allen ihren Verhältnissen zu durchzucken und neu zu gestalten.

Dort, muß man sagen, liegen die tiefsten Grundlagen der goetheschen Idealgesellschaft, in dieser von ihm kühn und groß entworfnen sozialen Stellung der Arbeit, ohne welche der ganze Gemeindestaat, welchen der Dichter aufbaut, und dem ohnehin schon unleugbare Mängel anhaften, nur ein mehr als utopisches Luftgebäude sein müßte.

35 *[Anonym]*

Deutschland und die Goethefeier [1849]

Mitten in den politischen Stürmen von Deutschland ein *Goethefest!* – das gehört auch zu den eigentümlichen Zeichen der Zeit. Es scheint, als könne der Gegensatz nicht größer gedacht werden wie zwischen *diesem* Fest und *dieser* Zeit, als könne der Widerspruch nicht gewaltiger sein: daß ein Volk unter Waffen seine Fahnen über dem Lorbeer vergißt. Es muß in der Tat eine tiefe Sympathie zwischen dem deutschen Volke und seinem größten Dichter ruhen, eine Wahlverwandtschaft, die vielleicht unbewußt, doch unwiderstehlich, zur Offenbarung drängt; es muß ein *deutscher* Mann gewesen sein, ein Prophet seines Volkes, dem alle glänzenden Eigenschaften dieses Volkes zum Diadem des Ruhmes wurden, und den es lieb behält auch in seinen menschlichen Schwächen, darum so lieb, weil diese ihm nichts weiter nachsagen, als eben daß er ein *Deutscher* gewesen; – oder die *Feier des achtundzwanzigsten August* wäre nur die eitle Zeremonie eines geschmeichelten Volkes, nicht der Kultus seines Genius. Wir möchten uns einen Augenblick besinnen über den tiefen Zusammenhang zwischen dem achtzehnten und neunzehnten Jahrhundert, zwischen dem politischen Deutschland von heute und dem künstlerischen Deutschland einer vergangenen Zeit; wir möchten gegeneinanderhalten jene Zeit gegen die unsrige, sie in Vergleich stellen diese Gedanken, die heute mit unwiderstehlicher Macht uns zum Kampfe bewegen, mit jenen Ideen, die einst ein ruhiges bedürfnisloses Volk statt des Schwertes an den Ölzweig erinnerten. Vielleicht daß wir so finden, woran wir glauben: daß es eine romantische Laune wäre, sich zurück zu sehnen in jene Zeit, wo ein deutscher Dichter deutscher Minister war; aber daß es eine humane Begeisterung ist, für die *Ideen* zu leben, mit denen einst ein großer Künstler sein Jahrhundert bewegte. Vielleicht daß wir so erreichen, was wir wollen: ein klares Bild von dem ewig lebendigen *Goethe*, in sicheren Zügen zurückgestrahlt von den ruhigen Strömungen einer poetisch bewegten Vergangenheit, und nun mit seinem ewigen Auge hineinschauend in die stürzenden Wogen einer politisch geängsteten Zeit. Versuchen wir von diesem Bilde zu reden in der Ehrfurcht des Geistes, die uns immer ergreift, wo wir den Genien unsers Volks begegnen, diesen Unsterblichen in dem Marmorsaale der Jahrhunderte.

Wenn es ein Gesetz der Weltgeschichte ist, daß jedes Jahrhundert einen Fortschritt der Menschheit in dem Bewußtsein ihrer Freiheit bezeichnet, dann wird man von den Männern eines Jahrhunderts nicht reden dürfen, ohne von dem Jahrhundert zu reden, dessen Propheten sie sind. Es ist interessant zu sehen, wie in der Geschichte der Welt die Helden der Menschheit, oft unbewußt und doch immer unwiderstehlich dem Geiste des Jahrhunderts folgen, wie einst die Fischer und Zöllner dem Göttlichen von Israel. Sie haben die Mission des Weltgeistes vernommen: »geh' hin, du sollst auf Erden für mich zeugen,« und diese Mission ist ihr Schicksal, es zu erfüllen ihr menschlicher Ruhm. Eine geistreiche französische Frau hat gesagt: der Philosoph spreche das Geheimnis seiner Zeit aus.[1] Aber seit es die Philosophen getan, sind ihnen fortan auch die Dichter gefolgt. Die Gedanken der einen wurden Gesänge der andern, und wenn die Philosophen die Vertrauten des Weltgeistes waren, wurden die Dichter seine Günstlinge. Sie sitzen beide am sausenden Webstuhl der Zeit, sie wirken beide der Gottheit lebendiges Kleid. Es ist der menschliche Ruhm *Goethes,* daß seine Dichtung das Feierkleid seines Jahrhunderts wurde, und wenn die Gottheit die Erinnerung liebt, wird sie in diesem Feierkleide immer erscheinen, wo die beglückte Menschheit atmet in dem Gefühle ihrer Göttlichkeit. Zeichnen wir jenes Jahrhundert in wenigen, aber deutlichen Zügen, weniger des Jahrhunderts wegen, mehr um des Dichters willen, der sein Gesandter, vielleicht sein glücklichster, gewiß sein größter war. Und worin liegt die Macht, die Bedeutung dieses Jahrhunderts? Man hat darauf oft geantwortet: man hat das achtzehnte Jahrhundert das Jahrhundert der Aufklärung genannt. Fügen wir hinzu: es ist die *Aufklärung* des sechzehnten und siebzehnten Jahrhunderts. Und diese Jahrhunderte, beide bewegt von einem einzigen, aber großen Gedanken: der *religiösen Befreiung* der Menschheit; getragen von einem kämpfenden, aber siegreichen Enthusiasmus, dem Enthusiasmus für das Göttliche, führen die Menschheit von den Altären der Priester in die Arme der Gottheit zurück. Ein neuer Himmel und eine neue Erde! Ein Himmel ohne Fegefeuer, eine Erde ohne Priester und Laien. Aber noch gehört der Himmel nur den Auserwählten, die Erde nur den Gläubigen. Die Menschheit ist *erlöst* ohne *befreit* zu sein; – und die *Kirchen*glocken läuten hinüber in das achtzehnte Jahrhundert. Und siehe da, das Herrliche geschieht. Die Menschheit will keine *gerettete* sein, sie will *sich selbst retten;* das neue Jahrhundert klärt die religiöse Befreiung auf in eine *menschliche,* den Enthusiasmus für das Göttliche in den Enthusiasmus für das *Schöne,* das Jenseits der Kirche in den Himmel der *Kunst,* und führt die Geretteten aus den Armen der Gottheit in ihre menschliche Heimat zurück. Einst sollte die *Kirche* die Menschheit erlösen, um sie zu retten, – das neue Jahrhundert glaubt an diese Erlösung nicht mehr. Jetzt soll die *Kunst* die Menschheit erziehen, um sie zu befreien; und eine glückliche Menschheit wird einst ihre Dichter ihre Priester nennen. Der Glaube an die alleinseligmachende Kirche hat sich aufgeklärt in den Glauben an die beseligende Macht der Kunst; immerhin auch ein Glaube, aber ein *neuer* Glaube, immerhin auch ein Dogma, aber ein *menschliches.* Das eben ist der unendliche Zauber des achtzehnten Jahrhunderts, das sein Sirenenlied, das schmeichelnd uns immer hinüberlockt in eine Welt, die nicht die unsere ist, das sein beneideter Vorzug in der großen Gruppe der Jahrhunderte: daß es uns anschaut mit menschlichem Auge, daß es unter allen das *menschliche* ist. Lieben wir es wie die Enthusiasten, ohne es genießen zu wollen wie ein taumelnder Zecher! – Es ist unmöglich, von diesem achtzehnten Jahrhundert zu reden, diesem Jahrhundert der Aufklärung, der Befreiung des deutschen Geistes, diesem Zeitalter weniger der Ideen als der Ideale, mehr der Künstler als Philosophen, – es ist unmöglich von diesem Jahrhundert zu reden, ohne es näher zu beleuchten in seinen ewigen Gedanken, in seinen Idealen, die herniedersteigen, um einen neuen schönern Tempel hineinzubauen in das flüchtige Leben. Es ist ein titanisches Streben, von dem das ganze Jahrhundert ergriffen ist; man hatte den Himmel gestürmt mit seinen gottmenschlichen Idealen, die weil sie beides sein sollten, weder das eine noch das andere waren; man überließ ihn jetzt neidlos den Gläubigen; und ein neuer Himmel spannte sich aus, erfüllt mit menschlichen Idealen, regiert vom Gotte einer neuen Welt, dem nicht mehr Unnahbaren, der es für keinen Raub hielt, ein Mensch unter Menschen zu sein: »nehmt die Gottheit auf in euren Willen und sie steigt von ihrem Weltenthron.«[2] Und wer an *diesen* Himmel glaubte, trug statt des Kreuzes das Schwert – für den Menschen und seine ewigen Rechte. Das ist das Geheimnis des achtzehnten Jahrhunderts, das seine Mission, die ihm die Gottheit vertraute: »der Mensch ist frei, und wär' er in Ketten geboren.«[3] Aber allerdings, daß die Gesänge der Dichter das Klirren dieser Ketten übertönen wollten, das war die Schuld weniger der Dichter als des Jahrhunderts. Vergessen wir einen Augenblick seine Schuld über seinem Verdienste:

daß sein Streben ein gewaltiges war, weil es den *Menschen* gewollt hat, den innerlich befreiten, *den freien Menschen erlöst aus dem Jenseits der Kirche in dem idealen Reiche des Schönen.* Der freie Mensch! Die freie Kunst! das sind die Losungsworte des Jahrhunderts. Von jenen ersten unklaren, vielleicht bewußtlosen Anfängen der Pietisten, hindurch durch den nüchternen Rationalismus eines Thomasius, bis hin zu Klopstock, zu Wieland, zu den Stürmern und Drängern, – und damit gleichzeitig dieser neue Aufbau eines neuen Reiches der Schönheit von den ersten ungeschickten Anfängen Gottscheds und der Schweizer bis hin zu Winckelmann und dem Schöpfer des ›Laokoon‹, – bis endlich das Jahrhundert in *Goethe* seinen vollendeten Ausdruck gefunden, in ihm erreicht, wonach es gerungen: den freien Menschen im Reiche des Schönen. *Goethe* ist der vollendete Mensch des achtzehnten Jahrhunderts. Man versuche es, von diesem Jahrhundert zu reden, und ohne es zu wollen, spricht man von *Goethe;* man rede von *Goethe,* und ohne es zu wissen, spricht man von den Ideen, die das Jahrhundert bewegten.

Heine hat einmal gesagt: die *Natur* wollte wissen, wie sie aussehe, darum schuf sie *Goethe.*[4] Aber mit demselben Rechte darf man sagen: das *Jahrhundert* wollte wissen, wie es aussehe, darum schuf es *Goethe.* Jeder Zoll ein *Mensch!* Jeder Zug sein Jahrhundert! Andere hatten den freien Menschen gelehrt, Er hat ihn *gelebt;* viele hatten das Jahrhundert gelebt, Er hat es *gedichtet.* Es ist der künstlerische Ruhm *Goethes,* daß er, was er gelebt, auch gedichtet hat; es ist sein menschlicher Ruhm, was er gedichtet, auch gelebt zu haben. Ein *Künstlerleben!* – Es mußten schöne, friedensreiche Tage sein, in denen Deutschland am Zauberstabe der Dichtung auf blumigen Pfaden nach der Wahrheit ging, wo nur durchs Morgentor des *Schönen* es wanderte nach der Erkenntnis Land[5], – es mußten griechische Tage auf deutscher Erde sich wiederholen wollen, als die einst strenge Wahrheit jetzt immer nur im Gürtel der Anmut erschien. Und auf einen Tag wenigstens leuchtete wirklich eine griechische Sonne an dem deutschen Himmel, auf einen Tag wenigstens durfte von einer griechischen Göttin ein deutscher Dichter singen: »Geflohn auf ihrem Sonnenthrone, die furchtbar herrliche Urania – mit abgelegter Feuerkrone steht sie – als *Schönheit* vor uns da.«[6] Und die Andacht der Menge verlor sich in die beglückten Sinne. In den Armen des Künstlers sollte jetzt die ganze Welt erwachen zu einem neuen, einem Künstlerleben. Die Welt ist gut, und die Künstler sind das Beste der Welt, – das war das neue Evangelium, das um die Altäre der Kunst eine Gemeinde der Schönen berief. Das ganze Leben sollte sich auflösen in einen einzigen Kultus, in den Kultus des Ideals, und wo der Blitz dieses Ideals in den Herzen der Menschen zündete, da sollte in den entzückten Herzen von selbst die Glut der Leidenschaft erlöschen und jener alte Streit sich schlichten, der zwischen Kopf und Sinnen die betörte Menschheit aus den Armen einer kalten Tugend in die Fesseln der Begierde warf. Die Kunst will mehr als den bloß moralischen Menschen, mehr als den bloß verständigen; sie will ein *künstlerisches Leben* erzeugen, und der *schöne Mensch* wird das Meisterstück ihres Jahrhunderts sein. Dann werden aus schönen Menschen schöne Familien, aus schönen Familien schöne Gesellschaften, aus schönen Gesellschaften schöne Gemeinwesen hervorgehen – und eine *schöne Welt* wird in freier Harmonie sich in das Leben ergießen. Dann wird die *Religion des Ideals* die einzig *menschliche* sein, und wenn das Ideal das Göttliche ist, wird das Göttliche auch das Schöne, das Schöne auch das Sittliche sein. Das war jener ewige Gedanke, in dem unser Dichter gelebt, für den er gewirkt, den er gedichtet hat, so oft sein Genius das Zauberwort der Phantasie vernahm. Ein geistreicher Schriftsteller unserer Tage hat gesagt: »*Goethe* empfing aus den Händen der Wahrheit den Schleier der Dichtung«[7]; fügen wir hinzu: daß er ihn aus den Händen *dieser* Wahrheit empfing. Aber jene heitere Vermählung zwischen der Kunst und dem Leben rauschte vorüber spurlos, wie eine flüchtige Erinnerung an athenische Tage; – es fehlte ja das Volk der Athener! Das Jahrhundert hatte die Aufklärung gebracht, aber das Volk liebte die Mysterien; das Jahrhundert hatte die Künstler zu seinen Propheten erkoren, aber das Volk glaubte an seine Priester. Der Kampf der alten mit den neuen Göttern! Der Sieg wird den Griechen gehören. Aber es wird lange dauern, ehe Ilium fällt, und dann werden die Griechen ihre Besten begraben haben! – Immerhin eine schmerzliche Erinnerung, aber wahr ist es, daß wenn einst die Dichter unser Volk verließen, es nur darum geschah, weil unser Volk seine Dichter verließ. Die Welt glaubte nicht an das Ideal, und das Ideal sehnte sich von dem lauten Markte des Lebens nach seinen einsamen Höhen zurück. Und wenn der Dichter dieser Sehnsucht folgt, wenn er die *schöne* Welt aufgibt um der Welt willen, wenn er der Welt *entsagt*, und nur nach *schönen Menschen* sucht, werden wir es ihm verargen? Und wenn er diese schönen Menschen in Belriguardo findet, werden wir ihm zürnen, wenn der Entsagende nur für Ferrara glüht? Hier ist das Ideal nicht mehr das Mädchen aus der Fremde; hier mag es menschlich sein, es zu vergessen, daß noch ein Tal bei armen Hirten ist. Und wenn er nun von der bedürfnislosen Höhe des Künstlers in dieses Tal herniederschaut, *wie* wird er es schauen? Doch wohl mit dem Auge des *Künstlers*. Und wenn die Welt in ihren gewaltigen Kämpfen ihn im ruhigen Genusse seiner Ideale stört, wenn sie im Donner der Schlachten gewaltsam an seine Türen klopft, wie wird dann die Welt ihm erscheinen? Doch wohl immer nur, wie sie dem *Künstler* erscheint. Der Künstler des achtzehnten Jahrhunderts ist kein Politiker. Der Künstler des achtzehnten Jahrhunderts hat kein Vaterland. Seine Heimat ist, wo er lebt. Sein Wirkungskreis ist die Menschheit. Ihm *kann* die Welt nicht erscheinen in dem Spiegel politischer Begriffe, nicht in den Empfindungen des Patriotismus. Seine Weltanschauung ist die des Künstlers, – die *ästhetische*. Und in diesem Spiegel wird die Geschichte der Völker ein bewegtes *Drama* scheinen, und ihre Helden *Charaktere*. Und wenn er diesem Drama mit bewegter und doch ruhiger Seele zuschaut, wird er nicht anfangen müssen, es zu dichten? Das feindliche Lager wird ihn nicht stören; die Feinde des Vaterlandes sind nicht die Feinde der Menschheit. Das menschlich Große wird ihn bewegen, weil es das *Erhabene* ist; aber wenn das größte Ereignis seines Jahrhunderts im Blute der Leidenschaft befleckt erschiene, wird er mit Mißbehagen diese Erscheinung an sich vorüberziehen lassen, nur darum weil sie ihm eine *häßliche* ist. Ich meine, daß es nicht der Historiker, sondern der Künstler in *Goethe* ist, der mit Enthusiasmus für den Sieger von Roßbach erglüht, und mit Begeisterung dem Helden von Marengo[8] begegnet. Ich meine nicht, daß es der Politiker, sondern der Künstler in *Goethe* ist, der zu Eckermann spricht: »ich konnte kein Freund der französischen Revolution sein; denn ihre Greuel standen mir zu nahe und empörten mich täglich und stündlich, während ihre Folgen damals noch nicht zu ersehen waren.«[9] Und wenn er in bezug auf die Französische Revolution weiter bemerkt: daß jedes Gewaltsame, Sprunghafte ihm in der Seele zuwider sei, – so hätte er hinzufügen sollen, daß es ihm nur darum so zuwider, weil er in dem Sprunghaften das Gesetz der *Schönheit* nicht entdecken konnte. Der Künstler des achtzehnten Jahrhunderts ist zu sehr Künstler, um Politiker zu sein; zu sehr Mensch, um Patriot zu sein. Wollen wir ihm einen Vorwurf daraus machen? Das Jahrhundert wird sein Anwalt sein. Und als auf dieses Jahrhundert der Humanität das neue Jahrhundert der Politik folgte, da hat sein größter Politiker dem Dichter gehuldigt in jenen denkwürdigen Worten: »Vous êtes un homme.«[10] Und diese Worte wurden der Scheidebrief des neunzehnten an das achtzehnte Jahrhundert.

Vergegenwärtigen wir uns diesen Gang der Geschichte, wie ihn Deutschland gesehen. Auf die Jahrhunderte religiöser Befreiung war die menschliche Befreiung des achtzehnten Jahrhunderts gefolgt. Es war das Verdienst dieses Jahrhunderts, daß es den *freien* Menschen geschaffen; aber neben seinem Verdienste lag seine Ohnmacht, daß es eben nur den *Menschen* gewollt. Es lag etwas Aristokratisches in dieser Freiheit des achtzehnten Jahrhunderts, denn nur die Gemeinde der Künstler war die Gemeinde der Freien. Und auch diese nur in der idealen Sphäre der Kunst, frei nur im Denken und Dichten. Aber die freie Kunst ist nicht das Ziel der Geschichte; die Gemeinde der Künstler ist nicht das Volk. Noch war die Befreiung des deutschen Geistes eine nur theoretische; nur die praktisch Entsagenden waren die Freien. Aber die Freien sollen nicht entsagen, sondern herrschen, nicht resignieren, sondern erobern. Die Theorie muß zur Praxis werden: das freie Dichten zum freien Handeln, die Freiheit des Künstlers zur Freiheit des Bürgers, der freie Mensch zum freien Volke. Das ist die Aufgabe des neunzehnten Jahrhunderts. Und diesen Übergang aus dem Gedanken zur Tat, aus der Literatur in das Leben, aus der Kunst in die Politik gemacht zu haben, ist das Verdienst des neuen Jahrhunderts. Die Logik der Freiheit ist unwiderstehlich. Freie Gewissen, freie Menschen, freie Bürger, – siehe da, die Geschichte der drei letzten Jahrhunderte. Auf das Jahrhundert der Kirche das Jahrhundert der Kunst, auf das Jahrhundert der Kunst das Jahrhundert der Staaten. Der religiös-kirchliche Idealismus hat sich aufgeklärt in dem künstlerischen, der künstlerische ist praktisch geworden in dem politischen. Das neunzehnte Jahrhundert ist das Jahrhundert der Politik. Darum war sein Held nicht ein Künstler, sondern ein Politiker. Und wenn der Messias kommen wird, auf den wir hoffen, wird er wieder ein Politiker sein. – Aber wo bleibt *Goethe* der Künstler in dem *neuen* Jahrhundert? Bei der *Kunst,* wäre wohl die einfachste Antwort. Aber wird ihm nicht gerade die Kunst zum Verbrechen werden, wo alle Welt in heftigem Kampfe entbrannt? Und in der Tat der Politiker hat es dem Künstler nicht verzeihen wollen, daß er nicht die Leier mit dem Schwerte getauscht, nicht die Waffen des Patriotismus getragen. Dem mehr als Sechzigjährigen! Ich habe nicht gehört, daß der greise Nestor den Achill in die Mauern von Troja begleitete, als Hektor den Patroklus erschlagen hatte. Und damit wir jene, die uns fast wie die Toren erscheinen, mit *Goethes* eigenen Worten beschämen, wollen wir ihnen sagen, was einmal der Siebzigjährige gegen Eckermann äußerte: »Wie hätte ich die Waffen ergreifen können ohne Haß! und wie hätte ich hassen können ohne Jugend! hätte jenes Ereignis mich als einen Zwanzigjährigen getroffen, so wäre ich sicher nicht der letzte geblieben; allein es fand mich als einen, der bereits über die ersten sechzig hinaus war. Auch können wir dem Vaterlande nicht auf gleiche Weise dienen, sondern jeder tut sein Bestes, je nachdem Gott es ihm gegeben. Ich habe es mir ein halbes Jahrhundert lang sauer genug werden lassen. Ich kann sagen, ich habe in den Dingen, die die Natur mir zum Tagewerk bestimmt, mir Tag und Nacht keine Ruhe gelassen und mir keine Erholung gegönnt, sondern immer gestrebt und geforscht und getan, so gut und so viel ich konnte. Wenn jeder von sich dasselbe sagen kann, so wird es um alle gut stehen.«[11]

Das ist das Ergreifende in dem Bilde des Ewigen, das das Erhabene in seinem Leben, das jene tiefe innige Verwandtschaft zwischen dem deutschen Volke und seinem größten Dichter: *daß sein ganzes Leben ein ewig Wandeln nach der Wahrheit war!* – Und wird nun das politische Deutschland seinen Dichter vergessen? Es wird es nicht können, selbst wenn es wollte. Aber die Deutschen wollen auch nicht. Wir müssen es glauben, weil wir es sehen. Es gibt ewige Ideen, die nicht altern, und in denen die alternde Menschheit sich immer von neuem verjüngt. Ich meine nicht, daß es ein Verrat an dem eigenen Streben ist, wenn ein Volk dieser ewigen Ideen sich erinnert, während es kämpfend um die Freiheit wirbt. Es ist das sichere Zeichen eines gebildeten Volkes, daran zu glauben, daß einst die Freiheit in der Schönheit ihre Schwester erkennen wird. Und dieser Glaube wird sich erfüllen, wenn sich die Zeiten erfüllen werden. Dann wird die Gemeinde der Freien eine Gemeinde der Schönen werden, und die Künstler werden nicht mehr nach einsamen Lorbeerhainen sich flüchten, denn auf seinen Märkten wird das Volk sie begrüßen und sie werden seine Lieblinge sein. Dann wird das Schöne nicht mehr bloß in Belriguardo wohnen; auf den bewegten Höhen des Marktes wie in den stilleren Grenzen des Hauses werden die Menschen überall es genießen, weil sie es schauen. Das Auge des Künstlers ist ein *ewiges:* und wem es vergönnt ist, mit diesem Auge die Welt zu betrachten, den wird die Gegenwart nicht schrecken, weil er der Zukunft vertraut. *Die ideale Welt geht ihm niemals unter!* Und diese Welt, die uns *aufgegangen* ist in einem Volke der Denker und Dichter, – hoffen wir, daß sie sich uns *erfüllt* in einem *freien und darum glücklichen Deutschland.* Dann wird die Sonne uns eine ewige leuchten, die den Dichter am Tage seiner Geburt begrüßte: »Venus blickte die Sonne freundlich an, Saturn und Mars verhielten sich gleichgültig.«[12] Und der Dichter, den man unter Fürsten begrub, wird in dem Volke seine Unsterblichkeit feiern! –

36 *[Julian Schmidt]*

Zu Goethe's Jubelfeier. Studien zu Goethe's Werken von Heinrich Düntzer — 1849

Goethes Kritiker in unserer Zeit haben in der Regel einen Anstrich von Parteilichkeit nicht verleugnen können, der sich einfach aus der Differenz zwischen dem Idealismus unserer Generation und dem des vorigen Jahrhunderts ergibt. Wer die leitenden Ideen, die Probleme, welche jene Zeit bewegten, als die berechtigten anerkannte, oder sich instinktartig von ihnen bestimmen ließ, mußte auch für den vorzüglichsten Repräsentanten derselben eine unbedingte Verehrung empfinden; wer sie verwarf, konnte auch dem Dichter nur ein bedingtes Lob erteilen. Wie jede Reaktion gegen eine populäre Ansicht, trat auch diese kritische Richtung zuerst in leidenschaftlicher Einseitigkeit hervor und führte eben darum auf der andern Seite zu gehässigen Entgegnungen. Dort ging man mit allem Pathos einer neuerworbenen Idee Goethe wegen seiner Immoralität zu Leibe, und warf ihm vor, daß er für das Volk und seine Freiheit kein Herz, für die Geschichte und ihren Geist kein Verständnis gehabt; hier rang man die Hände über den Mangel an Pietät, über die Beschränktheit und den niedrigen Sinn, der sich gegen einen so großen Dichter, den Stolz der Nation, ein so ungebührliches Betragen erlaubte. Man erklärte Menzel für ein schlechtes Subjekt im allgemeinen, Börne für einen Fanatiker, Gervinus für einen Spießbürger; eine Abfertigung, die freilich nur die unbedingten Anhänger der ästhetischen Rechtgläubigkeit befriedigen konnte.

Die Gegner unsers Dichters versehen es in zwei Punkten. Einmal verkannten sie die historische Berechtigung seines Prinzips, und wurden dadurch ungerecht gegen Goethe: um so ungerechter, weil sie sich bei andern Dichtern, z. B. Schiller, durch einzelne Anklänge an ihre Lieblingsansichten bestechen ließen, sie Goethe als die Bessergesinnten gegenüberzustellen. Auf der andern Seite gingen sie wieder nicht weit genug. Sie griffen den Menschen an und ließen den Künstler gelten, als ob das Kunstwerk nicht wesentlich durch seine ethische Grundlage bestimmt würde. Wir sind durch die fortgesetzte Mosaikarbeit der verschiedensten Weltanschauungen, wodurch unsere ganze Literatur sich charakterisiert, in unserm natürlichen Denken und Empfinden so korrumpiert, daß uns die einfache Wahrheit als paradox erscheint, und wenn wir bei den Griechen lesen, daß sie die Begriffe *gut* und *schön* nur der Form nach, nicht aber im Inhalt zu unterscheiden pflegten, so macht uns das stutzig, es kommt uns neu vor, während doch die ganze Verschrobenheit der romantischen Begriffsverwirrung dazu gehörte, zwischen dem, was das Wohlgefallen notwendig erregt (dem Schönen), und dem, was an sich von Wert ist (dem Guten), einen Gegensatz aufzufinden. Der gesunde Menschenverstand der Griechen legte dergleichen Einfälle nur komischen Figuren in den Mund, wie Plato den Sophisten, um sie auszulachen.

Wenn also die Freunde Goethes, die romantische Schule und ihre Epigonen sich an die Schönheit ihres Dichters hielten, und die Güte als etwas Triviales den

Philistern überließen, und wenn seine Gegner, die Rigoristen [1] für Gott, Tugend, Vaterland und Geschichte, seine Schönheit für einen zweifelhaften Vorzug ausgeben, weil ihr die Güte fehle, so verfallen sie beide der nämlichen Einfältigkeit. Was von Goethes Dichtungen schön ist, ging aus seinem Herzen hervor, das frei und warm für alles Natürliche schlug, und was ihnen fehlt – die Energie der künstlerischen Komposition – ist nichts anders als der Ausdruck seiner sittlichen Schwäche. Weil das erste hinlänglich gewürdigt ist, so erfordert es die Gerechtigkeit der ästhetischen Kritik, den stärkeren Akzent auf das zweite zu legen. Es ist aber noch ein anderer Grund dafür anzuführen.

Wir haben bei dem schlechten Ausgang unserer neuesten Revolution alles mögliche angeklagt, den Verrat der Fürsten, die Schwäche der Bourgeoisie, die Übertreibungen des Volkes. Aber *eines* haben wir vergessen. Bei der tiefen und weitausgreifenden Bildung, die uns auch unsere Gegner nicht absprechen werden, ist *eine* Eigenschaft verhältnismäßig sehr wenig entwickelt, der gesunde Menschenverstand. Und zwar in den höchsten wie in den niedrigsten Regionen. Die Unsicherheit unsers Urteils macht sich aber auch in unsern Taten geltend. So lange es bei uns noch möglich ist, daß hochgebildete Männer uns ein wüstes Quodlibet von geistreichen und abgeschmackten Einfällen, wie etwa den ›Faust‹ und die ›Wanderjahre‹ als ein Meisterstück künstlerischer Komposition preisen, und daß dergleichen auch Anklang findet – so lange haben wir auch nicht die Aussicht, in der objektiven Form unsers Wollens, im Staatswesen, etwas anderes zu erreichen, als ein derartiges Quodlibet. Der ästhetische Geschmack steht gar nicht isoliert, und wenn wir – um ein ganz unscheinbares Beispiel zu wählen – es als eine Schönheit bewundern, daß in den ›Wahlverwandtschaften‹ die Erzählung durch ein sogenanntes Tagebuch [2], – d. h. eine Reihe von Bemerkungen über dies und jenes – unterbrochen wird, so werden wir es auch ganz in Ordnung finden, wenn man eine Verfassung gibt, und dann sie auf einmal wieder aufhebt, oder sie wenigstens durch allerlei geniale Einfälle durchlöchert. Gerade weil bei Goethe die angeborene Unart der deutschen Nation, die subjektive Willkür, das charakterlose Verschwimmen im Meere zufälliger Empfindung, das Auflehnen gegen Regel und Gesetz, auf die Spitze getrieben ist (womit gar nicht im Widerspruch steht, daß der Dichter bei seinem feinen Gefühl für alles Schöne unter andern Neigungen – auch die für Regel und Gesetz sehr lebhaft hegte), gerade darum müssen wir ihn, unsern Liebling, einer strengen Kritik unterwerfen, nicht seiner Läuterung wegen, sondern der unsrigen. Wir müssen erst zu der Erkenntnis kommen, daß der ›Faust‹ von Anfang bis zu Ende ein schlechtes Stück ist, ehe wir berechtigt sind, an seinen wunderbaren Schönheiten uns zu erfreuen. Noch steht der Genius, der in Goethe seinen vollkommensten Ausdruck gefunden hat, unserm Leben in zu feindlicher Nähe, als daß wir uns ihm unbefangen hingeben dürften; wir müssen ihn erst vollständig überwunden haben, ehe wir ihn lieben dürfen.

Von diesem Standpunkt aus würde sich auch unser Urteil über die unbedingten Verehrer seiner Richtung bestimmen lassen. Es unterscheiden sich in denselben drei Klassen.

Die erste, zu der auch der Verfasser der uns vorliegenden Schrift gehört, sind die naiven Verehrer des Dichters. Sie sehen es im vollen Ernst als eine Verleumdung an, wenn man ihm irgend eine der Eigenschaften abspricht, die sie für gut und wertvoll halten. Sie wollen nicht haben, daß man an seinem Christentum, seiner Vaterlandsliebe, seinen sittlichen Gefühlen zweifelt, und es ist ihnen Ernst damit. Je unproduktiver in der Regel diese Naturen sind, um so mehr ist ihnen die Hingebung an eine große Erscheinung Herzenssache. Es ist charakteristisch, daß man sie in unsern Tagen mehr unter den bejahrten Leuten und in den höheren Ständen antrifft. Im vorigen Jahrhundert war das anders. Es ist jetzt nicht mehr die Liebe des unmittelbaren Entzückens, sondern der Pietät. Ich komme darauf noch zurück, wenn ich an die nähere Besprechung der ›Studien‹ gehe.

Die zweite ist der junge Nachwuchs der romantischen Schule, die seit Heinrich Heine den moralischen Rigoristen mit ebenso viel genialem Selbstgefühl entgegentrat, als die jugendlichen Dichter der Sturm- und Drangperiode den damaligen »Philistern«, den Aufklärern. Für sie ist der Tadel, den eine strenge Ästhetik gegen Goethe ausspricht, ein Lob. Es ist ihnen ganz recht, daß er das Fleisch der heidnischen Sinnlichkeit gegen die spiritualistischen Anforderungen des Christentums gerettet, es ist ihnen aber ebenso recht, daß er dem gemeinen Menschenverstand, der überall klar sehn will, mit souveräner Ironie die Rätsel eines aus besonderer Begabung quellenden Spiritualismus gleichsam an den Kopf geworfen. Sie teilen ihr Herz zwischen Philine und Mignon, und nehmen es sogar dem Dichter übel, wenn er selber jene nur einer bedingten Anerkennung würdigen poetischen Gestalten in ihre Schranken zurückweist. In den frühern Werken des Dichters verehren sie die Kühnheit des genialen Herzens, die mit der Sitte spielt, wie mit dem Recht, in den spätern die Unnahbarkeit der dichterischen Inspiration, welche den Ungeweihten abstößt und ihn dennoch fesselt. In beiden Fällen heben sie das Irrationelle hervor, die Willkür; für das Maß dagegen, das bei aller Kühnheit eine künstlerische Natur stets bewahrt, haben sie kein Verständnis. Sie empfinden nur den freien Erguß der Seele über die künstlichen, gemachten Grenzen hinaus, nicht die Selbstbegrenzung der schönen Natur. Und gerade das hebt Goethe über seine Generation.

Es liegt nun sehr nahe, im Unmut über jene Verzerrungen dem Dichter aufzubürden, was nur seine falschen Apostel trifft. In unserer Zeit tritt uns die Willkür der Empfindung, die Sentimentalität in allen möglichen Formen, die Caprice, die sich selber anbetet, von allen Seiten her so zudringlich entgegen, daß man es der Poesie mit Recht zum Vorwurf macht, wenn sie an dieses unheilige Treiben ihre Kränze verschwendet. Die Dichtung hat den Beruf, der Menschheit eine höhere Stufe prophetisch vorzubilden, und sie zu ihr zu erheben; sie ist verwerflich, wo sie wie ein Schlinggewächs sich um die zerfallenden Reste einer erstorbenen Welt rankt, und ihr den bösen Schein des Lebens leiht. Aber diese Trümmer waren in Goethes Jugend die Bausteine einer neuen Zeit. Damals haben die Poeten es dem Herzen, das zwischen dürren Verstandsabstraktionen und hohlen konventionellen Formen verkümmerte, wie eine neue Botschaft verkündet, daß es das Recht habe, zu sein, und sich in seiner Freiheit, in seinem Gegensatz zur Welt zu empfinden. Damals war es eine Kühnheit, Gestalten zu konzipieren, wie Faust, wie Werther, wie Tasso, wie Wilhelm Meister, denen die Alltäglichkeit des bürgerlichen Mechanismus eine Qual war, wenn sie ihm vorläufig auch nur ein dunkles Gefühl, ein ganz unbestimmtes Ideal, eine innere Gärung entgegensetzen konnten, die sie trieb, sie wußten selber nicht wohin. Diese Unbestimmtheit des Gefühls, und das soll man nicht vergessen, mußte in ihrer künstlerischen Darstellung ebenfalls zur Formlosigkeit, zur Willkür führen. Jene Periode war nicht eine klassische; der eine hat es dem andern so oft vorgesagt, daß es zuletzt zu einer Art Glaubensartikel geworden ist; sie war die notwendige, aber krankhafte Übergangsphase zu einer neuen Bildungsform, und ihre Produktionen sind in diesem Sinn, und nur in diesem, vollkommen berechtigt. Heute dagegen, wo in jedem Ladendiener, um von der studierenden Jugend ganz zu schweigen, ein kleiner Werther, ein kleiner Faust, ein kleiner Wilhelm Meister steckt, heute ist die Poesie, welche die Sehnsucht ins Blaue feiert, vom Übel, und es ist nicht zu umgehen, daß man sich über die Schwächlichkeit dieser Figuren ins klare setzt. Damals war es etwas Großes, zu lieben, zu empfinden, unzufrieden zu sein, ich möchte aber wissen, wer sich heute mit allen diesen Beschäftigungen nicht bereits so viel abgegeben hätte, daß es gar nicht mehr not tut, sie ihm poetisch einzuschmeicheln. Um den Gegensatz mit einem Wort zu bezeichnen: damals war die Willkür der Natur, die ihre Berechtigung fühlen lernte, *naiv,* heute ist sie reflektiert und darum verwerflich.

Ich komme auf die dritte Klasse des rechtgläubigen Goethekultus. Es sind das die Philosophen. Bekanntlich hat seit Schelling die Philosophie einen ihrer früheren Erscheinung entgegengesetzten Charakter angenommen. Damals konnte Mephistopheles mit Recht sagen:

> Ein Kerl, der spekuliert,
> Ist wie ein Tier, auf dürrer Heide
> Von einem bösen Geist umhergeführt,
> Und rings umher liegt grüne Weide.[3]

Seitdem hat die Spekulation das mögliche getan, diese grüne Weide mit ihrem Netz zu umspannen. Man kann kein philosphisches Buch mehr aufschlagen, ohne in das Sein und Nichtsein, das Ansich und Fürsich, die Transzendenz und Immanenz, dieses graue Gewebe der Abstraktion, die bunten Feldblumen der Kunst und Natur verwickelt zu sehn, und Antigone wie der Urwald, Romeo und Napoleon, schlingen sich wie zierliche Arabesken in die mystischen Hieroglyphen der heiligen Sprache.[4] Wir verdanken dieser ins Fleisch und Blut zurückkehrenden Metaphysik die tiefsten Aufschlüsse über die Mysterien des menschlichen Geistes, und auch der eingebildete Autodidakt, der sie um so gründlicher verabscheut, je weniger er sie kennt, kann sich ihren Einflüssen nicht entziehn, denn sie pflanzt sich fort mit der Sprache, die sie entwickelt und bereichert hat. Aber es ist auch nicht zu leugnen, daß sie sich an der Poesie wie an der Geschichte, schwere Sünden hat zuschulden kommen lassen. Sie sehnte sich aus der Abstraktion heraus, und umschlang mit aller Liebe, die eine lange Entbehrung begreiflich macht, die Schätze des Geistes, des Herzens, denen sie eine tiefere Berechtigung verleihen wollte, indem sie den scheinbaren Erzeugnissen der Willkür den Stempel einer höheren Notwendigkeit aufprägte. So hat sie in den Dichterwerken der verschiedensten Zeiten und Völker die Symbole der absoluten Idee nachzuweisen versucht, und mit besonderer Vorliebe Goethe bedacht, teils weil er ihr zunächst lag, teils weil seine Poesie weich und formlos genug war, um unter geschickten Händen jedes beliebige Gepräge aufzunehmen. Sie ist dabei nach zwei Seiten hin ungerecht geworden: einmal, indem sie durch sophistische Deduktion auch die handgreiflichsten Schwächen der Anlage durch irgend eine allegorische Wendung zu rechtfertigen und gar als ewig gültiges Muster zu preisen suchte, andernteils gegen den Dichter, den sie aus der schönen, lebendigen Individualität, der er war, zu einem Schema des reflektierenden Verstandes herabsetzte. Einer der geistreichsten unter diesen Auslegern, Karl Rosenkranz, hat Goethe in einem eignen Werk auf diese Weise philosophisch zurechtgelegt[5], und mich damals (es war vor der Revolution) veranlaßt, mit allem Pathos einer beleidigten sittlich-politischen Empfindung gegen das »Scholastische« eines solchen Verfahrens zu Felde zu ziehn.* Es ist der gewöhnliche Fehler einer derartigen Entgegnung, daß sie wieder nur die eine Seite hervorhebt. Wenn Rosenkranz auch aus der Mosaikarbeit der ›Wanderjahre‹ usw., die nur aus der Altersschwäche des Dichters erklärlich ist, ein Kunstwerk machte, so lag es nahe, daß der Gegner auf das Unkünstlerische des Produzierens, das in Beziehung auf den Gesamtplan der größten Werke allerdings überall nachzuweisen ist, einen zu scharfen Akzent legte, und darüber eine andere Seite der Kunst, eben jenes Festhalten des Maßes, aus den Augen ließ.

Man sieht, daß die Verehrung der Philosophen nach einer ganz andern Seite hin gerichtet ist, als die unsrer jungen Romantiker. Sie finden Regel, Kunst und Gesetz, wo diese die göttliche Willkür bewundern. Aber in der Voraussetzung, daß in ihrem Dichter überall die Harmonie sein soll, die man als das Merkmal des Klassischen darzustellen pflegt, gehn sie ebenso willkürlich mit ihm um, als die geniale Liederlichkeit, die in dem, was sie liebt, nichts als ihr Ebenbild sucht. Goethe hat für alles Schöne ein Auge, für alles Tüchtige eine warme Empfänglichkeit gehabt, und wenn man ihm in diesem Sinn Universalität zuspricht, daß wie in einem weiten Spiegel alle bedeutenderen Regungen der Zeit irgendwo in ihm ihr Bild finden, so würde man nicht Unrecht haben. Hat ja doch Karl Grün, der Sozialist, in den verschiedenen Entwürfen, mit denen sich die Wanderer zur Verbesserung der menschlichen Gesellschaft tragen, ein vollständiges System seines Glaubens finden wollen.[6] Ein anderes ist es aber, für das Vortreffliche empfänglich zu sein, ein anderes, es zu einer plastischen Totalität zu gestalten. Man hat z. B. in ›Faust‹ eine harmonische Weltanschauung gesucht, aus keinem andern Grunde, als weil alle möglichen Richtungen des menschlichen Lebens fragmentarisch darin ihre Berechtigung finden. Es ist auch wohl eine leitende Idee, ein »roter Faden« nirgend zu verkennen, aber diese Einheit des Prinzips ist überall äußerlich herangebracht, sie verwebt die einzelnen Perlen, ohne sie organisch zu durch-

* Im fünften Bande der ›Epigonen‹.[7]

dringen. Die Humanität, das große Prinzip, dem Goethe und seine Freunde huldigten, ist unendlich in der Fähigkeit zu rezipieren, zur wirklichen Gestaltung fehlt ihr aber die Kraft.

Ich komme bei einer andern Gelegenheit darauf zurück; für jetzt wollen wir das vorliegende Werk im einzelnen verfolgen.

Der Versuch, Goethes politische Ansicht gegen die Vorwürfe des modernen Liberalismus zu retten, ist nicht gelungen.[8] Allerdings wird nachgewiesen, daß Goethe in vielen Fällen für die augenblicklichen Regungen des Freiheitsgefühls ein lebendiges Interesse, zuweilen auch ein Verständnis bewiesen, das mindestens ebenso tief war, als bei vielen, die sich unmittelbar daran beteiligten. Das ist aber weiter nichts, als jene ästhetische Empfänglichkeit, die unter andern auch durch geschichtliche Ereignisse berührt wird. Aber nirgend hat dieses Interesse ihn so ergriffen, daß es die Totalität seines Geistes in Anspruch nahm, und einen Wendepunkt in seiner Entwicklung bildete. Das ist aber erst das Kennzeichen wirklicher Teilnahme. Goethe ließ die Ereignisse an sich vorübergleiten und verfolgte sie mit verständigem Blick; sein Herz haben sie nicht erfüllt. Es war das auch unmöglich, denn die sittliche Idee der neuen Zeit, die sich damals nur in dunkeln, unklaren Regungen verkündigte, war der seinigen entgegengesetzt ungefähr in dem Sinn, wie der Gott, den Ludwig Feuerbach verkündet, dem historischen Gott, dem Geist der sich entwickelnden Menschheit.

Goethe hat dem Aberglauben an die Dogmen der Konvenienz die Idee der *menschlichen* Freiheit entgegengesetzt. Sein Werther verschmäht es, nach der Vorschrift zu lieben, sein Götz, nach der Vorschrift sein Leben einzurichten, sein Faust, nach der Vorschrift zu glauben, und in diesem Sinn polemisch gegen das Gemachte einer fixierten Sittlichkeit sind sein ›Egmont‹, ›Wahlverwandtschaften‹, ›Meister‹ usw. Wie hat nun der Dichter diese äußerliche Grenze, welche er mit der ganzen Fülle eines freien Geistes überschüttet, zu ersetzen gesucht? Durch das der Kraft immanente Maß, durch die freiwillige *Resignation,* welche sich der Notwendigkeit freudig unterwirft, weil sie lieben gelernt, was sie als eine Seite ihres eignen Daseins erkennt. Das ist die Lehre, die er in seinen reifern Werken, ›Iphigenie‹, ›Tasso‹, ›Herrmann und Dorothee‹, und ebenso in seinen spätern verkündigt hat, das Evangelium seines Lieblings Spinoza, die Idee der griechischen Sittlichkeit im modernen Gewande. Die Empfindung Gottes war ihm nicht, wie dem Christen, das erschütternde Gefühl der menschlichen Nichtigkeit, sondern das wohltuende Gefühl der menschlichen Bedingtheit.

Diese Religion der reinen Humanität, welche wir künftig als die eine Seite unsers Glaubens wieder werden hervorheben müssen, steht mit der neuen Idee in ihrer ursprünglichen, also abstrakten Erscheinung, in direktem Widerspruch. Die Freiheit des souveränen Menschen (und in diesem Sinn ist erst der schöpferische Dichter der vollendete Mensch), widerspricht dem, was wir politische Freiheit nennen. Ich komme dabei auf einen Ausdruck, den unser Verfasser ebenso leichtfertig verwertet, als es im vorigen Jahr überhaupt Sitte war: die *Volkssouveränität.* Düntzer meint, der Dichter habe diese große Errungenschaft des vorigen Jahres noch nicht gekannt. In dem Sinn, wie unsere Apostel sie aufgefaßt haben, hat er sie wohl gekannt und verachtet: er durfte nur Shakespeares ›Coriolan‹ oder ›Cäsar‹ oder Aristophanes ›Ritter‹ aufschlagen, um ein vollkommen getreues und erschöpfendes Bild dieser Volkssouveränität zu finden. Es gehört wohl unter die sichersten Errungenschaften unserer glorreichen Revolution, daß wir diesen absurden Begriff überwunden haben, diese Fiktion, welche der blinden Masse, die nur getrieben werden kann, nicht bloß einen Willen, sondern sogar einen souveränen Willen verlieh; eine Fiktion, die beiläufig noch immer die Idee des konstitutionellen Staates verwirrt.

Aber die Volkssouveränität hat eine andere, höhere Bedeutung, die zugleich den wesentlichen Inhalt unsers Glaubens ausmacht: daß nämlich der Mensch seinen vollen Wert erst als Bürger hat, als integrierendes Glied einer sittlichen Gemeinschaft, deren Inhalt er in sich weiß und fühlt. In diesem souveränen Staat, namentlich in der ersten Form seiner Erscheinung, als streitende Kirche, findet die »menschliche« Freiheit, wie sie Werther, Götz, Faust, Meister, Hermann, Eduard und Goethe für sich fordern, keinen Raum; mit zwingender Gewalt bannt der Geist des Staats den einzelnen in seine Kreise. Es ist sogar notwendig, daß diese Gewalt zunächst terroristisch auftritt; sie darf erst dann liberal werden, wenn sie sich völlig durchgesetzt haben wird. Dann werden wir zu unserm Dichter wieder zurückkehren.

[. . .]

Wenn ich also von Goethe behaupte, er habe mit vollem Bewußtsein sein Prinzip der subjektiven Freiheit im Leben wie in der Dichtung verfolgt, und die moderne Kritik habe die Pflicht, diesen Gegensatz so scharf als möglich hervorzuheben, so erweise ich ihm damit eine Ehre. Wenn wir seine Werke vom Standpunkt der reinen Ästhetik betrachten, so wird vielleicht kein einziges als vollkommen mustерhaft aus dieser Kritik hervorgehn; betrachten wir sie aber als Ausdrücke eines zwar einseitigen, aber relativ höchst berechtigten sittlichen Prinzips, so treten sie wieder in ihre alte Bedeutung zurück.

Der Verfasser möge mir verzeihen, daß ich sein Werk nur als Veranlassung betrachtet habe, einen Beitrag zu dem Verständnis Goethes vom Standpunkt unserer Bildung aus zu liefern. Wer sich für den Dichter interessiert, wird in diesen fleißigen, mit großer Sorgfalt und Unbefangenheit fortgeführten Studien eine reiche Quelle der Belehrung finden. Ich hebe nur die eine Abhandlung über ›Werther‹ hervor, weil sich an sie eine weitere Bemerkung anknüpft.

Es ergibt sich nämlich aus dieser sehr gründlichen Analyse, daß der Roman, welcher unter allen am meisten als ein freies Werk jugendlicher Schöpfungskraft erscheint, eigentlich nichts anderes ist, als eine Nachbildung wirklicher Verhältnisse, zwischen dem Dichter und der wirklichen Lotte und zwischen dem jungen Jerusalem und einer andern Dame. Die Nachbildung hat sich zuweilen so treu an das Original gehalten, daß bei dem Erscheinen ›Werthers‹ von seiten der Familie lebhafte Remonstrationen erfolgten.

Im ersten Augenblicke macht eine solche Sektion in den Organismus der Dichtung einen unheimlichen Eindruck. Es sieht so aus, als ob man nicht mehr mit unbefangener Freude und Hingebung sich einer schönen Gestalt würde nahen können, in deren Inneres man einmal geblickt. Bei näherer Betrachtung verliert sich aber diese Furcht. Die Dichtung kann doch in ihrem wesentlichen Kern nichts anderes sein, als eine Idealisierung des Wirklichen. Die Empfindung, Stimmung usw., die der Dichter schildert, muß er wirklich empfunden, oder wenigstens nachempfunden haben; es kommt nur darauf an, für eine Reihe von Stimmungen den gleichmäßigen, dem erstrebten Eindruck entsprechenden Ton und die lebendige Gestalt, oder wenn man will, den ideellen Zusammenhang zu finden. Nur das macht den Dichter. Wenn Goethe die Empfindung, die er seinem idealen Helden leiht, unmittelbar der Natur entnehmen durfte, so hat er dem Glück zu danken, und er ist vollkommen gerechtfertigt, wenn er das empirische Material der Herrschaft des poetischen Gedankens zu unterwerfen verstand.

Für die Kritik ergibt sich aus solcher Analyse ein wesentlicher Vorteil. Die Freunde des Dichters haben sich häufig abgemüht, auch aus kleinen Nebenumständen eine bestimmte Absicht des Dichters herauszufühlen, eine Beziehung auf den Gesamtzweck. Ein bestimmtes Urteil darüber gewinnt man nur durch einen Vergleich der Quellen. Ich bemerke beiläufig, daß in vielen Fällen der Zweck des Dichters durch einen solchen Vergleich nur noch schärfer herausgestellt wird; man wird sich z. B. der tiefen Absichtlichkeit in den Charakterwendungen Hamlets erst dann völlig bewußt, wenn man die frühere Bearbeitung, die der Dichter vorfand, der seinigen zur Seite stellt.

Goethes Geburt fällt ungefähr zusammen mit dem Erscheinen der ersten Gesänge des ›Messias‹ (1748). Hundert Jahre sind seitdem verflossen, und in der Mairevolution eröffnet sich ebenso eine neue Phase des deutschen Lebens, wie in jenem merkwürdigen Gedicht. Von Klopstock bis zu Herwegh hin war die Literatur und in ihr der Idealismus des Herzens das Zentrum des deutschen Dichtens und Trachtens. Selbst die Freiheitskriege tragen einen lyrischen Charakter; sie liefen in burschenschaftliche Devisen, Elegien im Kerker und Veteranenfeste aus. Auch die Revolution des vorigen Jahres fing mit dem Idealismus an, und zwar mit einem sehr groben, aber sie hat sich sogleich verweltlicht, indem sie die Masse in Fluß setzte und die handelnden Personen vor das Forum der Öffentlichkeit zog. Wie es nun auch mit den einzelnen Errungenschaften unserer Revolution aussehen mag, soviel hat sich herausgestellt, daß unsere Helden die private Charaktermaske [9] abwerfen müssen.

Das vorige Jahrhundert, von Klopstock an, war in dem Kultus abstrakter Persönlichkeiten befangen. Man befleißigte sich, da man in zugleich zweckmäßig und idealer Beschäftigung sich zu betätigen keine Gelegenheit hatte, in aller Eile soviel als möglich zu empfinden, und die Reihe dieser Empfindungen sich und der Nachwelt zum Frommen aufzuzeichnen. Was ist nicht damals korrespondiert worden! Von den Tagebüchern, die einer schönen Seele unumgänglich nötig waren, gar nicht zu reden! Große Männer schilderte man in ihrem ›Leben und Meinungen‹ oder in ihren Leiden; die Virtuosität in Genuß und im Schmerz machte den

Mann der Zeit. Goethes Werke sind eigentlich nur eine Reihe von Memoiren zum Verständnis dieser schönen Seele, an deren Bilde die gesamte Nation sich weidete.

Man interessiert sich jetzt wohl auch noch für die Äußerlichkeiten der Koryphäen des Tages, ob sie einen starken Bart haben, ob sie in Baß oder Tenor sprechen, ob sie verliebter Natur sind, viel trinken usw., aber das ist nur nebenbei. Ein junger Freund von Gervinus hat in diesen Blättern den Idealismus dieses edlen Mannes bis in sein äußeres Gebaren verfolgt, daß er nicht raucht usw. Diese Anschauungsweise gehört wesentlich der jetzt abgeschlossenen Periode an. Um unsere Männer kennen zu lernen, hat man nicht mehr nötig, sie in ihrem Kabinett zu belauschen; Intimität gehört nicht mehr zum Verständnis. Die Rednerbühne, der Markt, allenfalls das Feldlager sind offen für jeden Blick; die Herzensgeschichte überläßt man dem Roman.

Daß damit die Kunst einen neuen Stil annehmen muß, ist evident. Früher mußte man sein überquellendes Herz in einsamer Lyrik ausströmen, jetzt aber ist es aller Welt verstattet, so laut zu sein, als es die unmittelbare Stimmung mit sich bringt. Von der Poesie wie vom Leben wird man jetzt nicht mehr Energie der Stimmung fordern, sondern Energie des Charakters. Man gewöhnt sich, die Helden des Lebens in ihrer Totalität zu übersehen, man wird auch in der Dichtung in reiner Fassung suchen, was die Wirklichkeit durch äußerliche und zufällige Zutaten vermischt: Einheit und Totalität.

37 *Gustav Freytag*

Eine Bemerkung über Goethe zum 28. August 1849 — 1849

Drei Tage lang nahm er Anstand auf die Welt zu kommen. Als er endlich heut vor hundert Jahren in Frankfurt erschien, war er scheintot und sah recht schwärzlich und unansehnlich aus; sie bähten ihn mit Wein, bis er anfing zu schreien. – Später hat sich das Unansehnliche an ihm auffallend verloren. –

Keines Menschen Leben ist so viel begutachtet, gefeiert und beneidet worden, als das seine; mehr als ein Gott, denn als ein Staubgeborner wurde er verehrt; durch den Zauber einer großen und schönen Persönlichkeit unterwarf er sich Dorf und Stadt, Schlafzimmer und Hof; fast 50 Jahre hat er jede Tätigkeit im Reich des deutschen Geistes geleitet, gefördert, bestimmt; er ist der gelehrteste und doch der gesündeste Dichter jener wunderbaren Periode gewesen, wo man durch schöne Gelehrsamkeit und subtile Gefühle die Privilegien der Aristokratie erhielt, das Recht über dem gemeinen Leben des Volkes in reiner Höhe zu stehn und sich anstaunen zu lassen.

Das Gemisch von edler Schönheit, jugendlicher Sentimentalität und abstoßender Pedanterie, welches die künstlerischen Erscheinungen jener Periode charakterisiert, ist durch Goethe auch auf uns übergegangen, noch sind wir alle unter dem Einfluß seiner Bildung erzogen und die Geschichte der letzten Zeit lehrt, wie die deutsche Volksseele geformt wurde durch die letzten hundert Jahr, deren vollkommenste Blüte er war.

Deutsche Nation, mein vielbesungener, vielbeschäftigter Herr Geheimer Rat, seit dem Jahr 48 spielst Du Goethes Dichtungen in der Politik ab. Wie das Schauspiel ›Götz von Berlichingen‹, so war Deine Erhebung von 48 eine Reihe von kleinen Szenen, Episoden, plastischen Momenten und wie dem Dichter jenes Theaterstücks fehlte Dir die Kraft der dramatischen Konzentration; Dein Frankfurter Parlament war wie Egmont, ein Held ohne Taten, mit brillantem Kostüm und edlen Gefühlen, zuletzt ein Opfer der höfischen Intrige und eigener Überschätzung, und jener Römer ist das knorrige Klärchen dieses Egmonts; und wieder die Stimmung unsrer Patrioten in diesem Jahr entspricht genau dem Leiden des jungen Werthers, der sich und seine Zukunft aufgibt, weil ihm ein geliebtes Ideal verloren ist. Jetzt ist die Politik in die Hände der Höfe gekommen, wie Goethe, als er den ›Werther‹ geschrieben hatte. – Ob das Leben der deutschen Nation unter dem Einfluß der Höfe so weit kommen wird, wie Goethe in Weimar, wollen wir abwarten. –

Bei allen deutschen Poeten ist der kleine Klatsch aus ihrem Leben unausstehlich, selbst bei Schiller. Bei Goethe aber muß man schon entschuldigen, wenn auch der honnette Mann stellenweis eine rechte Sehnsucht bekommt nach dem pikanten Detail seiner wirklichen Existenz. Nicht nur deshalb, weil sie ihn so sehr zum Götzen gemacht haben, sondern aus einem bessern Grunde. Goethes Wesen ist mehr und zuweilen besser aus seinem Leben, als aus seinen Schriften zu erkennen. Es ist wunderbar, wie der geniale Mensch überall, wo er dazu kam, einen epischen Ton, einen gewissen Idealismus in das Treiben seiner Mitmenschen hereinbrachte, wie allen *der* Teil ihres Lebens, den sie mit ihm gemeinsam verlebten, noch in später Erinnerung geweiht und mit einem heiligen Schimmer verblutet erscheint. Und geschah den Männern grade so, wie den Frauen. – Alle empfanden etwas Besonderes, Imponierendes in ihm, dem sie sich hingaben, das befruchtend und verändernd auf ihr Leben wirkte; sie nannten das entweder unwiderstehliche Liebenswürdigkeit oder erhabene Menschengröße und lassen doch mit diesem Lob Wesen und Wirkung von Goethes Natur sehr wenig erklärt. Er war unwiderstehlich, nicht weil er in der Tat liebenswürdig und groß sein konnte, sondern weil er die Eigenschaft hatte, Liebenswürdigkeit und Größe in andere hereinzudichten und deshalb aus ihnen herauszulocken. Er idealisierte sich mit poetischer Schnelligkeit die Persönlichkeit jedes Menschen, den er anschaute, und setzte sich mit diesem Ideal in Rapport, nicht mit dem wirklichen Kauz, den er dann gar nicht mehr sah. Da er aber dabei ein so scharfes Auge für das Charakteristische hatte, passierte es ihm nicht, daß er Ungereimtes und Ungehöriges in die Personen hineindichtete; es war allerdings ein Teil ihres Wesens, den er sich erfaßt und poetisch zugerichtet hatte, und da er ferner mit merkwürdiger Ausdauer an diesem geschaffenen Ideal und dem Rapport festhielt, in den er sich mit dem idealisierten Geschöpf gesetzt hatte, so erhielt er sich seine Beziehungen zu den andern entweder dauernd groß und rein, oder sie hörten plötzlich und ganz auf; er brach mit ihnen, sobald ihm irgendeine Seite ihres Wesens in die Seele fiel, die nicht zu dem idealen Bild paßte, das er von ihnen brauchen wollte. Auf andere wirkte er daher zunächst erhebend und befreiend, es schmeichelte und tat so wohl, einem Menschen zu begegnen, der so »rein« auffaßte, die starke elektrische Spannung Goethes rief die entsprechende Spannung in dem Wesen aller hervor, die er anzog; sie gebärdeten sich möglichst fein und subtil, so wunderlich das auch zuweilen den einzelnen stand, sie empfanden in seiner Nähe mit Befriedigung sich selbst als anders, und bei vielen entwickelte sich kräftig und dauerhaft die geforderte künstliche Persönlichkeit als ein Teil ihres Wesens. – Aber die Sache hatte gleichwohl ihre Bedenken. Die Angezogenen empfanden oft mit Befremden und Schrecken, daß sie mit Goethe über eine gewisse Linie hinaus nicht menschlich verkehren konnten, daß manche und berechtigte Seiten ihrer Persönlichkeit für ihn nicht vorhanden waren, die er doch vielleicht an anderen gelten ließ; sie wollten ihm näher treten, mehr von sich geben und mehr von ihm haben, das war unmöglich; unverändert sah der Angebetete nicht auf sie selbst, sondern auf das Zeichen, das er ihnen auf die Stirn gedrückt hatte, das störte und verstimmte die Selbständigen, und machte die Schwächeren zu seinen Sklaven. Das hat ihm viele harte Urteile zugezogen, er sei furchtbarer Egoist, ein übermütiger Aristokrat, ein herzloser kalter Diplomat. – Er war das alles nicht, er war nur ein Dichter mit merkwürdiger Spannung seines Idealismus; und diese Dichtereigenschaft war seine Schönheit, seine Schwäche und sein Verhängnis.

Die größte Dichtung, welche wir von ihm besitzen, fast die einzige künstlerisch fertige und vollendete, ist sein eigenes Leben. *Er hat sich sein ganzes Leben selbst gedichtet,* seine Poesien sind nur die erklärenden Noten dazu, seine Selbstbiographie ist eine kurze Beschreibung schöner Stellen aus dem großen Roman. Von seiner Kindheit an, wo er sich seinen Gott idealisierte, ihm einen Altar baute und Räucherwerk verbrannte, und wo er seiner Seele die alten Originale aus der Frankfurter Bürgerschaft poetisch zurichtete; über das Verhältnis zu Gretchen, Friederike, Lotte, zu Lavater, Basedow, Jacobi, zum Herzog und seinem Hofe, zur Vulpius und zum Theater in Weimar hinaus bis zu dem schönen Höhepunkt seines Lebens, der Freundschaft mit Schiller, bis in sein Greisenalter, wo Bettine seine Art das Leben zu erfassen in chargierter Weise fortsetzt, überall ist ihm die Wirklichkeit nichts als Stoff, den er sich heranzieht, in Ideale umformt und wieder aufgibt, wenn er ihm nicht mehr paßt. Überall diese Weise eines halb künstlerischen, halb dämonischen Schaffens. Damals als er Gretchen und ihre Genossen sich idealisiert hatte, litt er noch bittere Schmerzen, indem er den Gegensatz zwischen seinem Bild, das er liebte, und den wirklichen Menschen erfuhr; später hat er diese Schmerzen getäuschter Liebe auch oft anderen bereiten müssen. – Er liebte das Ideal sehr, das er sich von Friederiken gemacht hatte; aber als sie in seinen städtischen Kreis gekommen war, empfand er aus der Unbehilflichkeit ihrer Schwester eine Differenz zwischen dem wirklichen Leben des Mädchens und dem, was er sich daraus gemacht hatte, und er verließ sie; man kann nicht sagen, daß er ihr untreu wurde, sie selbst hatte er nie geliebt, und dem Bild, das er liebte, hat er die Liebe bewahrt. Sein Verkehr mit Lotte und Albert war durch seine Persönlichkeit schon so künstlerisch zugerichtet, daß er fast noch während seinem Liebesrausch wirklich geschriebene Briefe der beiden in Teile des Romans, den er leidend und entzückt in seiner Phantasie durchspielte, abdrucken konnte. Als er nach Weimar kam, und den jungen Herzog und Hof in seligem Übermut poetisch behandelte und umformte, wurde allmählich auch er durch große Verbindungen und große Pflichten gegen das wirkliche Leben gefesselt, und es ist sehr belehrend zu untersuchen, wie er sich im Lauf eines langen Lebens zu der unpoetischen und unbezwinglichen Wirklichkeit des weimarischen Staates stellte. Einmal entfloh er ihm aus innerster Angst nach Italien, als die Prosa der höfischen Verhältnisse mächtiger geworden war, denn seine Kraft. Als er aus Italien zurückkam, verführte ihn das Behagen, mit dem er die schöne Sinnlichkeit Italiens sich idealisiert hatte (die ›Elegien‹), sich die kleine Vulpius in sein Gartenhaus in Weimar zu ziehen, sie gebar ihm einen Sohn und er fühlte die Verpflichtung, auch in ihr die gemeine Wirklichkeit bei sich zu dulden, nachdem sie ihm unbequem geworden war. Und doch, wenn jenes kleine Gedicht wirklich auf sie gemacht ist, konnte er noch, als sie starb, von ihr sagen: »meines Lebens ganzer Gewinn ist deinen Verlust zu beweinen«[1]; und man kann vielleicht selbst aus der geistreichen Antithese in dieser herzlichen Klage schließen, wie frei er der Toten gegenüberstand, und doch wie liebevoll seine Seele noch an dem selbstgemachten Bilde von ihr hing.

Die schönste Zeit in seinem Leben war seine Verbindung mit Schiller. In allen andern Verhältnissen zu Männern und Frauen, welche er eingegangen war, selbst seinem Herzog gegenüber, war ihm die Reaktion ihres wirklichen eigenen Wesens gegen die Seiten ihrer Persönlichkeit, welche er sich in sicherem Stolz verklärt und an ihnen herausgebildet hatte, wohl hier und da bemerkbar geworden und hatte ihn verstimmt und abgekühlt; jedenfalls hatte er bei seiner Auffassung der Menschen ihnen mehr gegeben, als er von ihnen zurückerhielt. Bei Schillern war das ganz anders. Hier trat ihm eine mächtige schöpferische Kraft, welche sich schneller und stärker als er selbst konzentrieren konnte, allmählich nahe, mit ähnlichem Bedürfnis für ideale Freundschaft, aber zugleich mit einer ungewöhnlichen Fähigkeit, sich das Fremde durch Reflexion verständlich zu machen. Der Anfang ihrer Freundschaft war kein schnelles Hingeben, sondern ein sorgfältiges Beobachten und Studieren der gegenseitigen Persönlichkeit, wie sie sich im Leben und in ihren Werken aussprach, darauf ein Aufschließen des eigenen Innern und ein fortdauerndes Vergleichen der beiderseitigen Urteile. Wie Schiller erst durch die Verbindung mit Goethe ein kunstvoller Dichter in der besten Bedeutung des Wortes wurde, so hat Goethe erst durch ihn das Verständnis über die Tragweite, die Höhe und den Adel seiner dichterischen Kraft und über das Verhältnis des poetischen Schaffens zum wirklichen Leben erhalten. – Die Stunde, in welcher Goethe die Nachricht von Schillers Tode erhielt, war die schwerste in seinem Leben, für uns eine sehr rührende Katastrophe. Wohl war er verwaist und einsam seit der Zeit, von da an begann er alt zu werden. Jene eigentümliche Begabung, die Menschen seiner Umgebung zu idealisieren und dadurch umzuformen, wird seit der Zeit oft lästig und drückend. Der stolze Greis sucht nur heraus, was ihm bequem ist, ihm schmeichelt und wohltut; er wird seiner Zeit fremd, deren unreifes Streben nach neuen Gestaltungen er nicht achten, noch weniger beherrschen will. Und da er in den Sarg gelegt wird, noch immer schön und kräftig, wie ein Göttersohn, ist es den Überlebenden wirklich so, als wäre ein Gott geschieden, einer der herniederkam aus den Wolken, um unter uns zu leben, zu schaffen und der doch nicht ganz so gelebt und geschaffen hat, wie die Besten der andern; es war etwas sehr Ungewöhnliches und schwer Verständliches in ihm; oft nennen wir es wunderschön, zuweilen dünkt es uns ein Mangel. Wohl hat er die Menschen gekannt und geliebt, aber anders als wir; wohl hat er alle Dinge dieser Welt mit scharfem Auge betrachtet, aber was er ansah, erfuhr unter dem Strahl seiner Augen eine Veränderung, es wurde, so weit es konnte, ihm selbst ähnlich.

Wir feiern jetzt sein Gedächtnis durch Rede und neue Schriften über ihn. Ein Buch fehlt uns noch immer, sein Leben. Wer uns Deutschen das reichen könnte, wie es geschrieben werden muß, ohne Diplomatie und Schonung, mit großem Blick und genauer Kenntnis des Details, dem wollten wir sehr danken.

38 *Karl August Varnhagen von Ense*

Aus den »Tagebüchern« 1836–1856

Den 15. März 1836.

Ich ergehe mich in Goethes ›Wanderjahren‹ mit erneutem Genuß, mit wachsendem Staunen und Ertrag. Ein weiter großer Dom, nicht ausgebaut, aber in seiner Unvollendung schön und erhaben, heiter im einzelnen, beruhigend durch Hindeutung auf ein zu erahnendes Ganze. Schätze der Weisheit liegen hier ausgestreut, Gaben der Schönheit in tausend Formen. Goethe ist ein wahrer Lehrer, ein starker, kundiger Menschenführer. Die Mannigfaltigkeit der Welt, die Fülle des Lebens lehrt er kennen, und zuletzt führt er auf weise Betrachtung, auf höchsten Seelentrost, auf wohltuende Frömmigkeit zurück. Ich finde hundert seiner Sprüche und Schilderungen ganz biblischer Art und Kraft; der Dichter verschwindet fast unter dem weisen Lehrer, dem versöhnenden Vermittler, dem großen Verkündiger. Aber nicht nur das Größte und Wichtigste lehrt er, sondern auch im besondern und kleinen weiß er tausend Vorteile anzugeben, durch erfahrene Klugheit Schaden abzuwenden, Gewinn zu mehren. Ich habe mir in diesen Tagen Schätze und Ratschläge von ihm entlehnt, die dem nächsten Geschäfte der Viertelstunde wie vielleicht auch dem ganzen Jahre gleich heilsam sind. Große Gedanken und ein reines Herz sollen wir von Gott erbitten, sagt er einmal[1]; wie schön! Dann wieder, der Mensch möge sich selbst etwas Gutes gönnen![2] – Wie wenig ist noch diese Seite in Goethe gewürdigt worden!

Düsseldorf, Montag, den 11. Juli 1836.

Es ist ein herrlicher Zug von Goethe, aus der Tiefe der reinsten Frömmigkeit geschöpft, daß Faust durch die Vermittelung Gretchens, der vorangegangenen

Geliebten, selber zur Seligkeit geführt wird. Alles irdische Verbrechen, Greuel und Schmach, die Betörung, der Mißbrauch, die Verlassung, die Ermordung des Bruders, die Hindrängung zum Kindermord, der Tod durch das Schwert, – nichts, nichts von allem diesen Entsetzlichen vermag der einfachen, unwidersprechlichen Wahrheit entgegenzutreten, daß doch *Liebe* es war, welche Faust und Gretchen vereinigt hatte, diese Wahrheit ist eine ewige, nichts kann sie aufheben oder ihre Wirkung schwächen. Liebe war es, *doch* Liebe! die stärkste, alles Irdische weit überragende Liebe! Sie führt überschwengliche Verzeihung und Reinigung mit, die höchste Seligkeit bleibt ihr Preis. Eine tröstliche, erhabene Vorstellung, die mich vorgestern auf der Reise viel beschäftigte, mein bestes Denken und Sinnen erweckte, mir im tiefsten Herzen wohltat! Ich war Goethe innig dankbar für die schöne Dichtung, die gleich einer Tatsache zu uns spricht.

Sonnabend, den 6. Januar 1838.

In der Nacht hatte ich einen schönen Traum; ich hörte Goethen ein paar Stunden sprechen, in größtem Eifer und Fluß, meistens über das Buch Bettinas [3]; er rühmte, schalt, pries und verwarf, und erörterte sein Verhältnis zu dem Buche mit glänzenden, scharfen Ausdrücken. Ich hörte ihm mit Staunen und Vergnügen zu. Schon halb erwacht, vernahm ich ihn noch immer, die Reden, von denen ich schon wußte, daß nur der Traum sie gebe, dauerten fort. Ich erinnere mich, daß er unter anderm sagte: »Ich kann es nicht annehmen, denn es ist mir zuwider, ich darf es nicht wegwerfen, denn es gehört mir doch einmal an; will ich es an die Brust legen, so sticht es mich, halt' ich es mir fern, so reizt es mich; und so muß ich es schweben und flattern lassen zwischen Himmel und Erde, bis es von selbst seine Richtung und Stätte findet!« Was ist das mit solchem Traum? Ist es der Sinn, die Fähigkeit, die ich für Goethe habe, und die aus bloßer Empfänglichkeit plötzlich Selbsttätigkeit wird?

Freitag, den 6. April 1838.

Abends zu Frau von Froloff, wohin später auch Herr von Neweroff kam.[4] Ich war leidend und nahm wenig teil am Gespräch, doch gab der ›Wilhelm Meister‹ mir Anlaß zu einigen Bemerkungen, die indes wenig Eingang fanden. Ich verteidigte das Wesen Wilhelms; aber ich spreche es nur Goethen und Raheln [5] nach, daß reine Liebenswürdigkeit und echter guter Willen die höchsten menschlichen Eigenschaften sind, gegen welche alles tatkräftige Heldentum mit seinem Glanz und Ruhm zurücktritt. Dann verteidigte ich auch die Bedeutung Lotharios, diese aber, wie ich bekannte, auch gegen Rahels Ansicht. (Goethe nennt einmal Lothario'n ganz unvermutet den »edeln«[6], und zu der Stelle hatte Rahel gleich beim ersten Lesen beigeschrieben: »Warum das Lob?«) Aber Lothario wird uns wirklich als ein edler und hoher Mensch dargestellt. Wie Meister überall Neigung und Wohlmeinung erweckt, so Lothario leidenschaftliche und achtungsvolle Anschließung; eine reich ausgestattete, tapfere, empfindungsvolle Persönlichkeit, und die von ihren eignen Gaben wie von Flügeln über alle Gegenstände, welche sie fesseln könnten, hinweggeführt wird. Die Höhe der Betrachtung, welche er gewonnen hat, bleibt aber nicht unfruchtbar. Schon durch seine Persönlichkeit edel, wird er dies noch mehr durch die Tat. Er arbeitet an Befreiung des Landeigentums, er bringt Opfer dafür, und nicht als schwärmerischer Phantast, sondern als besonnener Weltkundiger, der die Vorteile wägt, die Bewegungen erkennt; er bildet weltumfassende, sicherstellende Verbindungen, er steht als das Haupt großer Kräfte und bedeutender Geister da. Dieser politische Inhalt im Goetheschen Roman, so wichtig und merkwürdig zugleich, wurde von den frühern Lesern ganz übersehen, besonders von uns jugendlichen Freunden, die wir ganz andere Seiten darin suchten und fanden. Jetzt aber bewundere ich täglich mehr, welche Stoffe und Kräfte der Wirklichkeit unter der leichten Dichtung verborgen arbeiten, und daß gerade sie es sind, welche der Dichtung so mächtigen Reiz und so tiefen Eindruck verleihen. – Ein schwer zu durcharbeitendes Thema! Heute gelingt es mir am wenigsten! – Ganz demokratisch ist der ›Wilhelm Meister‹ im aristokratischen Stoffe; wie großartig und dichtungsgewaltig schon dies!

Goethe'n verstand man nicht, und man versteht ihn nicht! Der wird noch lange nicht trivial werden! Da ich ihn schon jetzt so anders verstehe, als vor dreißig Jahren, wie dürft' ich ihn zu verstehen hoffen nach dreihundert Jahren? Das Individuum erlebt das nicht, aber die Nation um so gewisser, diese wird die gereiften Früchte immer reichlicher pflücken, und sind deren auch ihr einige zu hoch und hart, nun so kommen noch später fremde Hände!

Dienstag, den 15. Mai 1838.

Ich war im Opernhause, sah zwei Akte von Goethes ›Faust‹, den Mephistopheles von Seydelmann.[7] Mehr als zwei Akte vermocht' ich nicht; das Haus war ganz voll, die hiesigen und fremden Höfe, die höhere Staats- und Literaturwelt, die Studenten, Offiziere, ein wunderbarer Eindruck, diese wohlbekannten Sprüche an dieser Stelle zu hören, vor allem Volke, dem hohen und niedern, nur Rahel fehlte mir, Rahel, gerade sie, die leidenschaftliche Freundin Goethes, des Theaters, der Geselligkeit! die Pulse schlugen mir heftig, als wollten sie ersetzen, was mir fehlte, als könnten sie auf ihren Wogen herbeiführen, was ich ersehnte. Und Radziwills Musik[8], und Seydelmanns Spiel, alles, alles drängte mich zu derjenigen hin, die für alles das den reinsten, lebendigsten Sinn, das schärfste Urteil, die frischeste Wärme hatte! – Rechts von mir war Hotho, weiterhin Bettine von Arnim mit Savignys, links Mendelssohns; Gans, Werder, Benary, Pitt-Arnim sprach ich im Weggehen.[9] Ich mußte lachen, daß sie nach meinem Urteil fragten; ein Urteil ist eine Landung, und ich wogte auf hohem Meere. Im Drange von Ereignissen, im Wechsel der Eindrücke, im Sturm von tausendfachen Betrachtungen über Welt, Zeit, Dichtung, Inhalt, Gestalt, Kunst und Künste, Sprüche, Bedeutung, Gegenwart, – ich kam gar nicht zu mir selber! Oft war ich um fünfzig Jahre zurück, sah Goethe diese Verse dichten, oft um dreißig, hörte sie in unserm Jugendkreise als die Lehrsprüche unsrer Bildung. Die Großherzoglich weimarische

Familie zugegen, – der Herzog Karl August nicht, Goethe nicht! Für diesen ist es wirklich ein entscheidender Sieg in Meinung und Ansehn, daß dieser sein ›Faust‹ in Berlin zur Aufführung gekommen. Er dachte es nicht, so wenig wie Lessing, daß sein ›Nathan‹ hier auf der Bühne erscheinen würde. (Und beide mit großer Schwierigkeit, eigentlich ganz gegen den Sinn und Willen des Königs!) – Wie die Schauspieler ihre Sache gemacht haben? Ich habe noch keine Zeit gehabt, das recht zu überdenken! (Auch blieb ich nicht lange genug.)

25. Mai 1840.

[...]
Meine Welt, um es kurz auszudrücken, ist die Welt Goethes und der Revolution, da gab es andre Nahrung und Aufschlüsse und Durchbrüche als jetzt!

1. November 1840.

Die Ausstellung der Gewerks-Insignien gibt zu großen Betrachtungen Anlaß. Man muß an den Inhalt der ›Wanderjahre Wilhelm Meisters‹ denken. Was Goethe dichtete, das geschah bereits. Das Handwerk hat sich unendlich gehoben; eine Welt des Gewerbefleißes, wie sie hier sich den Sinnen darstellt, ist keine gemeine und rohe mehr, die flößt Achtung ein, und alle andern Stände müssen die Bedeutung anerkennen. Wie stehen dabei die Adelsideen, die der König hegt?

Sonntag, den 27. Dezember 1840.

Ein junger Freund stellt mich zur Rede, wie es möglich sei, daß ich mich gegen Konstitution, ja nur zweifelhaft darüber äußere? Ich erwidre ihm, ich sei im Innern vor wie nach entschieden konstitutionell, und würde nichts lieber von allem, was mir noch zu erleben möglich sei, verwirklicht sehen, als ein preußisches Parlament, oder auch ein deutsches, wenn es dazu kommen könne. Aber was mich für Preußen und für den gegenwärtigen Zeitpunkt bedenklich mache, das sei die Rohheit und Borniertheit derer, in deren Hände *jetzt* die Sache fallen müßte. Ich glaubte, der gute Augenblick sei versäumt, man müsse seine Wiederkehr abwarten, und nicht den schlimmen ausbeuten wollen. – Näher befragt über die Rohheit und Borniertheit, die mich erschreckt, gab ich Auskunft und Beispiele. Es ist wahr, man könnte die Satisfaktion haben, manchen hochstehenden Halunken gestürzt zu sehen, aber wie teuer wäre dies erkauft, wenn man dafür alle Macht in den Händen von X. Y. Z. sehen müßte, vor denen sich zu beugen dann weit härter wäre, als vor der jetzigen Beamtenwelt. Eine Freiheit, wobei vielleicht Börnes Statue errichtet, aber die von Goethe gestürzt würde, könne ich nicht wünschen usw. Die Beispiele machten doch Eindruck. Ich gab übrigens die Versicherung, daß, wenn etwas Vernünftiges je auf die Bahn gebracht würde, man mich nicht säumig finden solle; [...].

Dienstag, den 26. Oktober 1841.

Neue Bücher von Dümmler kamen mir eben recht. Bartholds ›Geschichte des Dreißigjährigen Krieges‹ von Gustav Adolfs Tode ab, mit Gesichtspunkten von der Einheit Deutschlands her, und gegen den »protestantischen Stolz«.[10] Das Buch dankt sein Erscheinen ohne Zweifel den kriegerischen Aussichten des vorigen Herbstes. Es ist verfehltes Beginnen, kurzatmigen Krisen mit langatmigen Werken beizuspringen! Der Verfasser hat gewiß auf Dank gerechnet, der ihm nun kaum noch werden wird. – Ferner: Gervinus' ›Deutsche Nationalliteratur‹, fünfter Band.[11] Damit erfüllte ich den übrigen Abend bis in die Nacht hinein. Das Werk ist ein gewaltiges, aber leider nicht auf der rechten Höhe. Er verkennt Goethen, er hat nur beschränkte Fassungskraft für ihn, und hält falsche Vorstellungen und Maßstäbe hartnäckig fest. An der Art, wie er Schillern hebt und Goethen zu senken bemüht ist, erkennt man recht den Unterschied beider Männer; keines von beiden gelingt! Ich sehe aufs neue, wie sehr Goethe seinem Freunde überlegen ist, ja mir wird es nun erst recht lieb, gegen Gervinus schon im voraus Riemern auf dem Kampfplatze zu sehen.[12] Ohne Goethes ›Dichtung und Wahrheit‹, ohne seine kritischen und aufschließenden Bemerkungen, hätte Gervinus gar nicht sein Buch unternehmen können, ich sehe auf allen Seiten Goethisches hineinverarbeitet. – Wie doch der lebendige Mensch unter den willkürlichen Kategorien einer solchen Kritik völlig schwindet! Hier wird nichts erklärt, immer nur zersetzt, und nicht nur die Gestalt zerstört, sondern auch ein falscher Gehalt ans Licht gebracht, weil der Tiegel, in welchem die Schmelzung vorgeht, schon nicht rein war, oder selber Teile in die Schmelzung absetzt. Und so geht das nun in die Jahrhunderte weiter, es möchte einem fast bange werden! Zum Glück bleiben die ursprünglichen Zeugnisse, und es werden auch wieder Menschen geboren, die mit frischem Auge, durch Dunst und Nebel hindurch, das Wahre und Echte erblicken, die Gabe der Anschauung über jede Verzerrung herrschen lassen!

Wenn ich die Zeit, welche ich selber durchlebt habe, so verarbeitet sehe, wie von Hormayr[13] und Gervinus, so komm' ich mir selber fast wie verstorben vor, und ich fühle, daß ich auf diesem Markte der heutigen Durchsprechung wenig mehr zu sagen habe; ich werde schon mitverkauft als Ware! – Doch nein! ich lebe noch, und denke noch manches Zeichen davon zu geben!

Sonntag, den 28. August 1842.

Goethes Geburtstag; sonst ein lebendiger Feiertag, jetzt ein vergessener, unbeachteter! – Mich dünkt, die Zeit von Goethe ist schon weit von uns ab; die Welt hat seitdem eine andere Wendung genommen, sie sieht wenig zurück, sie kann nicht viel zurücksehen, sie hat so viel vor sich, hat alle Hände voll zu tun. Das Leben wird alle Tage unruhiger, geräuschvoller, eiliger, zerstreuter. Der Zollverein und die Eisenbahnen tun viel dazu, aber auch die jüngere Denkart überhaupt. Alles ist gespannt, gehetzt, nimmt an allem ringsumher Anteil und will in allem nur sich selbst. Überall ist ein zu großer Maßstab angelegt, da wird denn alles klein, Bildung so gut wie Vermögen, Geselligkeit und Bedeutung. – Ich selber finde die Stimmungen von ehemals nicht wieder, mein Verhältnis und mein Gefühl zur Welt sind ganz andere geworden, seit nur zehn Jahren, und ich bin ganz versichert, daß mehr die Welt mir entschlüpft als ich ihr. Das Geschlecht, das mir angeboren, mindert sich; was hilft es mir da, daß sich das mir erworbene mehrt?

Freitag, den 9. September 1842.

Nun kommt die Zeit immer stärker heran, die ich schon früher, die ich schon bald nach Goethes Tod erwartete, die Zeit, wo sein Name sich den Deutschen verdunkelt, wo man ihn stets weniger versteht und ihn auch schon äußerlich weniger kennt. Es ist ein Wunder, daß sein Stern noch an die zehn Jahre so stark hat nachleuchten können. Nun aber tritt wirklich die Verdunklung ein. Der heimliche Haß der Romantiker, der Schlegel und Tiecks, der offene Haß der Pfaffen haben allein nichts gegen ihn vermocht, so wenig wie Börnes und des jungen Deutschlands Unglimpf. Aber nun kommt die neuste politisch-poetisch-philosophische Deutschtümelei und kommt Gervinus mit seinen Mißurteilen, die ihren pedantisch-gelehrten Nachdruck haben und schon eine Schule bilden – und diese dunklen Rauchwolken verdüstern das hohe Licht.

Alles wollen sie historisch ordnen, zerlegen, zusammensetzen. Sie treiben mit Historisch jetzt den Mißbrauch, der früher mit Philosophisch getrieben wurde, alles wollen sie konstruieren, herleiten, begründen. Und wie armselig, ja wie kindisch ist da nicht selten ihr Verfahren! Die Zeit wird auch das wieder wegschieben und zerstören und Goethes Stern so hell und rein glänzen wie nur je! Dessen bin ich sicher, mir ist für ihn nicht bange!

Überhaupt laß' ich das kritische Gerede draußen toben und wogen; zu mir herein darf es nicht, nicht in das Innere, wo ich wahrhaft daheim bin. Ich nehme mir die Evangelien, Homer und Shakespeare und Goethe, ja und Voltaire und Rousseau und Mirabeau dazu, fest unter den Arm, trage sie ruhig fort und lasse mir von dem Kern und Schatze nicht das geringste rauben und verkümmern.

28. Juni 1843.

General von Rühle [14] erzählte mir, Goethe selbst habe ihm einmal gesagt, er habe die erste Anregung zu den ›Wahlverwandtschaften‹ durch Schelling erhalten, wie Kapp in seinem Buche richtig bemerkt.[15] In der Charlotte wollte man die Herzogin Luise erkennen, in dem Hauptmann den Freiherrn von Müffling, jetzigen Gouverneur von Berlin, in Luciane einige Züge der Fräulein von Reitzenstein, und so noch andre, – in dem Maler einen jungen Künstler aus Kassel. – Goethe sagte einmal zu Rühle: »Ich heidnisch? Nun, ich habe doch Gretchen hinrichten und Ottilien verhungern lassen, ist denn das den Leuten nicht christlich genug? was wollen sie noch Christlicheres?« [16] – Das erinnert an die empörte Antwort, die er Knebel'n wegen der sittlichen Bedenken desselben gegen die ›Wahlverwandtschaften‹ gab: »Ich habs auch nicht für euch, ich habs für die jungen Mädchen geschrieben!« [17] Kann man einem alten, sonst klugen, hier aber stockdummen Freude deutlicher sagen: »Du bist ein Rindvieh?«

Sonntag, den 25. Mai 1845.

Der trübe, wolkenschwere Vormittag verging mir in schwermütiger Verstimmung. Nachmittags klärte sich der Himmel auf, es wurde heiter und schön, und neubelebt beschloß ich zu Frau von Stein nach Schöneberg zu fahren. Erquickende Luft, nicht mehr kalt und noch nicht heiß. Tausende von Menschen strömten dem Tore zu, bis nach Schöneberg war alles eine gedrängte Prozession; tausende von Fliederbüschen längst des Weges, besonders schöne in Schöneberg selbst. – Frau von Stein * war allein zu Hause, aber Allwina Frommann [18] zum Besuche dort. Wir setzten uns auf der steinernen Terrasse vor dem Hause, und Frau von Stein begann uns Goethesche Briefe vorzulesen.[19] Ein Schatz, wie kein Kaiser und König ihn hat! Ich hörte mit Andacht zu, mit Empfindungen, die mir das Herz erschütterten. – Goethe erschien in dem Vorgelesenen als die herrlichste Jugendgestalt, als ein reines Menschenbild, von Gott auf die Erde gesandt, seine Schöpfung zu betrachten. Frau von Stein sagte sehr gut, so wie Goethe hier sich zeige, denke sie sich den ersten Menschen, so rein, so kräftig, so sinnbegabt. Der Eindruck wurde sehr vorherrschend, daß Goethe in jedem kleinsten Gegenstand eine Fülle des Lebens genossen, in jedem Augenblicke auf dem Gipfel des Daseins gestanden, wie nicht leicht ein andrer; er schuf seine Welt durch Auffassung, durch frische Regsamkeit, jeder Kiesel war ihm ein Diamant. Seine menschliche Begabung – sieht man aus diesen Briefen aufs neue – war der Grund und die Wurzel seiner künstlerischen, und überragte diese weit. Das Menschliche und Sittliche erfüllen sein Gemüt, sein Herz hegt die reinste, die wärmste Liebe, er ist gotterfüllt, echt fromm und heilig in seinem tiefsten Wesen. Er macht keine Worte von Christus, er prahlt nicht mit seinem Bekenntnis auf ihn, aber Jesus hätte ihn zum teuersten Freunde gehabt, wäre er ihm begegnet! Für die Kenntnis von Goethes Innerm sind diese Briefe ganz unschätzbar, sie drücken bestimmt aus, was mir freilich schon auch anderwärts hinlänglich angedeutet war, daß der größte Dichter auch der edelste, der menschlichste Mensch gewesen.

Wir gingen nachher im Garten spazieren, ich eine Zeit lang mit Frau von Stein besonders. – Es war sehr schön, der Flieder in Blüte, die Kastanienbäume. – Gegen sieben Uhr schieden wir und nahmen den Rückweg über das Feld und durch das Anhalt-Tor. – Schöner Abendsonnenschein, friedliche fruchtbare Landschaft, belebt von geputzten Spaziergängern.

Abends bei *. – Mich konnte nichts mehr stören, der Tag war mir durch Goethe zu einem glücklichen gemacht.

30. März 1849.

[...]

Herzerfreuend ist die Anführung Goethescher Worte bei Verkündigung der Kaiserwahl im Frankfurter Parlament; der Vorsitzende Simson führte drei Verse aus

* Eine Verwandte von Goethes Freundin Charlotte von Stein.

›Hermann und Dorothea‹ sehr glücklich an: »Nicht dem Deutschen geziemt es usw.«[20]

28. August 1849.

Hundert Jahr! Ganz Deutschland feiert den heutigen Tag. Goethe ist sein größter Name seit Luther. Heil und Segen seinem Andenken! Aber der Zustand der Nation tötet jeden Sinn für Festfreude, ich empfinde sie wirklich nicht. Und Philister sind's, die den Helden jetzt feiern!

13. Oktober 1849.

Hr. Professor von der Hagen[21] fragt in einem Billet, ob ich am Fünfer-Ausschuß des Goethevereins teilnehmen will, oder ob er für mich eintreten soll? Ich antworte, daß ich entschieden um letzteres bitte. Durch die ›National-Zeitung‹ hatte ich eben erfahren, daß ich gewählt worden war. Was das für Dinge sind! Treiben ihre eitle Philisterei unter dem Glanznamen Goethes, als ob es nicht dieses Jahr 1849 wäre, in dem wir leben. Echte Byzantiner! Der Untergang der Nation steht vor Augen, und sie denken an literarische Festlichkeiten.

In das Goethe-Album von Frankfurt a. M.

Die Zeit ist nicht fern, wo die Deutschen in Goethe nicht den Dichter allein, sondern auch vorzugsweise den Lehrer dankbar erkennen und ehren werden. Wie er die Natur und das Leben geschaut, sie zu Genuß und Tat ergriffen, den Sinn immer sich klar und den Geist frei erhalten, überall das Ursprüngliche, das Menschliche beachtet und gepflegt, mit dem Schönen stets das Gute und das Wahre erstrebt, wie er Zeit und Kräfte zweckmäßig angewendet, das Kleinste nicht verwahrlost und dabei das Größte vor Augen gehabt, seinen Aufgaben eifrige Pflichttreue, seinen Mitmenschen Anteil und Hülfe gewidmet, – das alles bildet einen Zusammenhang tätiger Tugend, musterhaften Lebens, in welchem die Gabe der Dichtung nur Ausdruck und Glanz höchster Weisheit ist. –

Varnhagen von Ense.

Berlin, 21. Februar 1850.

23. August 1850.

Stimmungen längstvergangener Tage kommen mir zurück, Stimmungen, in denen ich ganz glücklich war, und noch glücklich sein kann, wenn mir nur nicht einfällt, daß sie unwiederbringlich vergangen sind; bisweilen fällt mir dies nicht ein, ich lebe ganz in alten Szenen, (Wetter, Luft, Bäume, sind eine Hauptsache dabei,) doch dann plötzlich fällt es mir ein, wie ein Erwachen, und der schöne Traum ist fort. Heute steht mir Rahel vor der Seele, im Hochbergschen Garten, in Heidelberg, und so gedenk' ich auch Tettenborns, Bentheims, und der ganzen Umgebung![22] Für solche Schwermut und Sehnsucht find' ich nirgends einen so hinreißenden Ausdruck wie bei Goethe. –

28. August 1850.

Goethes Geburtstag. Ich wollte sie ließen ihn ungefeiert, in solcher düstern Zeit muß man schweigen, trotzen, harren! Und die Nichtswürdigen, die sich zu solcher Feier mit herandrängen, die bei ihr vorherrschen! Mich reut meine vorjährige Teilnahme an den Philisterberatungen, an den Betteleien bei Theatern und Fürsten. Und wie jämmerlich fällt alles aus! Natürlich, eine zerrissene, geknechtete Nation! Er sagt es selbst: »Weisheit im Sklaven verstummt«.[23]

1. April 1851.

Betrachtungen. Leibniz war nach seinem Tode völlig vergessen, niemand nannte ihn nur, sein Name war mit ihm begraben, aber gegen Ende des Jahrhunderts, wie stand er wieder in vollem Ruhmesglanze! Doch in betreff Goethes ist das Verhältnis doch anders; seine Schriften sind in allen Händen, werden immerfort gelesen, erleben neuen Abdruck. Nur gegen die Briefwechsel ist man gleichgültig, man ist übersättigt von den zu vielen, oft sehr ungeschickten Herausgaben. Und dann die Zeitumstände! Abgaben, Verluste, Besorgnisse, Not und Elend überall! Die Vornehmen schwelgen in Luxus, aber frech und roh, sie haben die Maske abgeworfen, Bildung ist revolutionär, und wozu sollen sie Bücher kaufen! –

6. Juli 1851.

In Goethes Briefen an Zelter gelesen, aus gegebenen Anlässen. Ich bin wieder inne geworden, welche Schätze wir haben, und in den Schatzkammern liegen lassen! Ganz allein aus Goethe läßt sich schon ein Leben führen, eine Literatur, ein Zeitalter aufbauen; und was haben wir nicht alles außer ihm! ja hätten wir ihn noch nicht, wir hätten ihn doch schon, denn er ist vorbereitet durch alles Frühere, das in ihm zur Blüte wird, zur Frucht. –

Nächstens wird das Rauchen auf der Straße verboten; man zaudert nur noch, weil man es auch den Soldaten mitverbieten muß; diesen zwar verbietet man es am liebsten, denn die Zuchthalter sollen vor allem selber in strenger Zucht stehen, aber man will damit sachte zu Werk gehen, man fürchtet ihr Mißvergnügen. – Der König, der sich immer furchtbar ärgert, wenn die Leute in seiner Nähe den Hut nicht vor ihm abziehen, ärgert sich noch heftiger, wenn sie noch überdies rauchen. Auf den Bahnhöfen sind ihm die Raucher am lästigsten, er geht schimpfend weiter, hat aber seinen Zorn bis jetzt noch nie gegen einzelne ausbrechen lassen. Die Landedelleute mit den großen Bärten und trotzigen Gesichtern sind die allerschlimmsten, *sie* grade grüßen den König nicht, und stoßen den Tabaksrauch gegen ihn aus, geschimpft aber werden die Demokraten, die Bummler! –

25. Juli 1851.

In Goethes und Zelters Briefen gelesen; der letztere hat doch keinen guten Einfluß auf Goethe gehabt; ohne eignes sichres Urteil horchte er schlau die Meinung und Neigung Goethes aus, und schmeichelte dann dieser, brachte seine Mißstimmungen gegen Personen, die hoch über ihm standen, die er aber als seinesgleichen nahm, sehr unbillig bei Goethen zur Geltung, z. B. über Friedr. Aug. Wolf, Spontini etc. und suchte den Kreis Goethischer Anerkennung möglichst enge zu halten, auf solche Personen, die auch Zeltern schmeichelten, Staatsrat Schultz, Förster, Henning, Schubarth etc. Das ganze Verhältnis ist für Goethen ein Mißverhältnis.

23. November 1851.

Welch ein Fest für mich ist das Lesen der Goethischen Briefe! Indem sie beleben und anregen, jeden Anteil und jede Tätigkeit erwecken, sind sie doch hauptsächlich beruhigend, erhebend. Sie geben überall das Echte, oder führen darauf hin. Ich durchmesse den zurückgelegten Zeitraum meines Lebens in ihnen aufs neue, füge zu meinen Anschauungen und Eindrücken die des Weisen, des Dichters hinzu, und die eignen, die ich mit keinen andern vertauschen möchte, werden mir nur um so werter in dem neuen Lichte. Ich kann mich in dieser Betrachtungsweise ganz glücklich fühlen und bin fromm dankbar für alles mir Gewährte. –

Eine strenge Stelle von Goethe gegen Friedrich Heinrich Jacobi [24] läßt schauerlich das tiefe Mißverhältnis erblicken, das die beiden Freunde im Innern feindlich gegeneinanderstellt, während auf der Oberfläche alles noch glatt und freundlich ist. Wer hat nicht Ähnliches mit alten Freunden erfahren! Selbst ihre Liebe wird zum Bleigewicht, das sich an uns hängt, uns zu hemmen. Der Unwillen, den Goethe hierüber empfindet, geht aus tiefster Sittlichkeit hervor. –

Mit größter Strenge wird darauf gesehen, daß von Beamten keine demokratische Zeitung zu Einrückungen benutzt wird; sie dürfen ihre Bekanntmachungen nur gebilligten Blättern geben, sollten diese auch wegen geringer Verbreitung den Zweck nicht erfüllen! –

Neue Haussuchungen hier, in Posen, in Breslau, am Rhein. Gesetzloser Zustand in Kassel. –

Der Handelsminister erlegt den Mitgliedern der Eisenbahndirektion in Köln willkürliche Geldstrafen auf. –

Montag, den 24. November 1851.

Einiges geschrieben; ich wollte mich auch einmal wieder in Versen versuchen, in politischen Xenien, das Versemachen ist leicht und lustig genug, die alte Übung noch nicht verlernt, aber der Inhalt widerstrebt zu sehr, er will sich nicht dem anmutigen Spiel gesellen, umgekehrt wie beim Juvenalis, macht der Unwille hier keinen Vers, er wartet auf die scharfe Prosa künftiger Volksbeschlüsse, Richtersprüche. Nicht meine Schuld ist es, wenn mir alle sanften, liebevollen, versöhnlichen Gefühle, deren mein Herz voll ist, und die jeder Tag neu erzeugt, in bittern Haß und zornige Rachelust umgewandelt werden. Ich leide dabei, das weiß Gott! –

19. Februar 1852.

Die ganze Nacht von Goethe und von Rahel geträumt, sehr gut! Mit größter Innigkeit Goethen angeschlossen, macht' ich alles mit, was er in Freud' und Leid erlebte, seine Gemütsbewegungen, seine Phantasien und Anschauungen, und war überaus glücklich, besonders da auch Rahel an allem teil nahm; der Traum führte schöne Gegenden vor, angenehme Erlebnisse mit dem Herzog Karl August, mit Frau von Stein, mit Corona Schröter usw. Dabei guter Schlaf. –

22. April 1852.

Einiges zur Empfehlung von Düntzers Buch aufgesetzt.[25] – Ich finde diese Fülle der Erläuterungen und genauen Erforschungen unschätzbar, obschon ich wohl sehe, daß vieles darin zu weit geht, irrig oder überflüssig ist. Es ist in diesen Sachen schwer ein richtiges Maß zu halten, man muß bis an die äußersten Grenzen vorschreiten. Die Nachwelt wird schon beschränken und einziehen, was sich zu üppig ausdehnt. Die Poesie aber, und das ist merkwürdig, steht unangefochten von diesem Schwall von Bemerkungen, Fragen und Untersuchungen, sie wird wie ein Felsen im Meere von den Wogen nur umspült, nicht erschüttert. Goethe selbst würde sich entsetzt haben vor all' diesen Schriften, aber das schadet nicht! wir haben sie anders anzusehen. Und neben den Ausgaben cum notis variorum wird es immer noch genug Ausgaben des bloßen Textes geben, für die Schule, für die Tasche. Wie wenige Leser des Homers lesen den Eusthatios[26], aber welcher Freund des Dichters freut sich nicht, daß ein solcher Kommentator vorhanden ist! – Düntzer sollte mit Viehoff[27] etwas milder verfahren, aber – Philologen! –

16. Februar 1853.

Merkwürdig ist es, wie sehr noch immer Goethes Sprüche in unsern parlamentarischen Verhandlungen vorkommen. Alle Parteien zitieren ihn, und gewöhnlich treffen seine Worte gut.

22. September 1853.

Über eins ist es im Alter schwer hinwegzukommen, daß nämlich nichts mehr gilt, was in unserer Jugend galt! Andre Grundsätze und Namen, andre Ansichten, andre Ereignisse. Wenn alle Autoritäten erschüttert sind, unser Geschmack und unser Wohlgefallen überall Widerspruch erfahren, andre Gegenstände die Teilnahme der Mitlebenden in Beschlag nehmen – da bedarf es großer inneren Festigkeit und äußeren Standhaftigkeit, um nicht zu wanken. – Goethe hat dies alles schwer empfunden, und schmerzlich ausgedrückt! –

29. September 1853.

– Goethe selbst hat einmal gegen Eckermann seinen Unwillen geäußert, daß man von ihm habe wissen wollen, ob er bei dem Städtchen in ›Hermann und Dorothea‹

einen bestimmten Ort im Auge gehabt und welchen? Diese Anfrage hatte ich an ihn gerichtet, im Namen mehrerer Personen, denen damals dieser Gegenstand eine angenehme Beschäftigung war.[28] Goethe hatte keine Ursache, darüber unwillig zu sein; bei andern Gelegenheiten gibt er selbst und recht gern solche Aufschlüsse. Wohl möglich, daß Goethe bei seiner Äußerung gegen Eckermann meinen Namen genannt hat, und dieser ihn aus Rücksicht verschwiegen hat. Ich schrieb ihm darüber, und meldete mich gleichsam, indem ich ihm sagte, ich sei nicht so schüchtern, und er hätte mich dreist nennen dürfen. Der dumme Kerl mißverstand das so arg, daß er meinte, ich sei nur deshalb unzufrieden, weil mein Name überhaupt in seinem Buche nicht vorkäme! Zum Glück ist mein Brief selbst ein Zeuge für mich! –

2. Oktober 1853.

Zu * gefahren. Alwina Frommann, die ich weiß nicht aus welchem Anlaß allerlei von Goethen erzählte, und das war das Beste vom ganzen Abend. Sie sagte unter anderm, man habe es Goethen immer angesehen, wie schwer es ihm wurde, ja wirklich weh tat, wenn er genötigt war zu tadeln, zu verwerfen; dagegen leuchteten seine Augen freundlich, wenn er irgend tüchtigen Sinn, frischen Geist, oder irgend Geschicklichkeit und Talent wahrnahm, das Kleinste wußte er in dieser Richtung anzuerkennen, zu ermutigen, zu fördern.

2. September 1854.

Die Betrachtung in ›Wilhelm Meisters Lehrjahren‹, daß aller Boden auf der Erde schon genommen, schon in irgend einem Besitz ist [29], hat man auf das geistige Gebiet anwenden wollen, und gemeint, in Poesie und Philosophie sei jetzt nichts mehr zu leisten, alles sei besetzt und erfüllt, neben Goethe und Schiller, neben Kant, Fichte, Schelling und Hegel könne jetzt nichts mehr aufkommen, als bis diese zerfallen und vergessen wären. Ich kann das nicht gelten lassen. Die unfähige Mittelmäßigkeit möchte sich auf diese Weise gern entschuldigen, daß sie nicht als siegender Genius auftritt. Aber neue Große schaffen sich Raum und finden ihren Weg, nicht weil jene weichen, und kein Gedränge sie mehr hindert, sondern weil sie neue Wege gehen, und neue Einöden in fruchtbares Land umschaffen. Überhaupt brauchen sich die Menschen keine Sorge zu machen, daß es an frischem Leben fehlen werde! Sie denken allzu geringe von der schöpferischen Gotteskraft! –

19. September 1854.

Erwägung der allgemeinen Zustände; alles geht vorwärts, unzweifelhaft, aber ungestüm, wild, in keinem für uns schönen Gange; das Menschengeschlecht in Folge der in ihm liegenden Naturkräfte, nicht in Folge des Geistes, der in ihm wohnt, und der leiten könnte und müßte; blind, nicht sehend. Der Mangel an guten und sichern Leitern ist offenbar, kein Fürst, kein Held, kein Weiser, kein Dichter! Der Fortschritt ist in der großen Masse, das ist eine gute Bürgschaft, die

Sache hängt an keiner Zufälligkeit einzelnen Lebens mehr, recht schön! Aber einen Friedrich den Großen, einen Washington, einen Goethe vor Augen zu haben, wär' doch ein großes Glück! –

Dienstag, den 19. Juni 1855.

Schwere Träume, früh wach. – Geschrieben, in meinen Papieren gearbeitet. – Die ›Grenzboten‹, No. 25 vom 15. Juni, enthalten einen großen Aufsatz ›Wilhelm Meister im Verhältnis zu unserer Zeit‹.[30] Der Verfasser gibt sich das Ansehn tiefer Forschung und Kenntnis, hat aber nur die traurigen Wahngebilde und gemeinen Stichwörter unsrer Zeit, und will nach diesen messen und beurteilen, was sittlich-ästhetisch und geschichtlich außerhalb seines Gesichtskreises liegt. Trotz aller üppigen Bewunderung, die er dem Werke darbringt, ist er im Grunde doch nur ein etwas besser gekleideter Pustkuchen für dasselbe. Die Grundlagen seiner Kritik sind entweder ganz falsch oder doch schief und wackelig, voll willkürlicher Annahmen, die nur ein ganz Unkundiger kann gelten lassen. Immerfort bringt er die heutigen meist hohlen Anforderungen des Tages in jene Zeit hinein, die von solchen nichts wußte, nichts wissen konnte, und von denen man auch nächstens nichts mehr wissen wird, als daß sie leeres und eitles Gepränge waren. Von Vaterland, Volk, Nation, Freiheit, Heldentum ect. machen die Gothaer[31] immer viel Geschrei, sie die am meisten gegen diese Dinge gesündigt, sie schief behandelt haben, und sie sind zu blödsinnig um zu erkennen, daß Goethe, und namentlich im ›Wilhelm Meister‹, mehr von dem Wesen derselben hat, als in allen ihren Zerrbildern steckt! Weil mit dem Namen nicht geprahlt wird, meinen sie daß die Sache fehlt! Über Adel und Bürgertum sind sie vollends schief; es ist unsinnig und lächerlich, von Stein und Gneisenau zu sprechen im Gegensatz von Lothario! Der Aufsatz schließt mit einem schein- und halbwahren, streng genommen jämmerlichen Ausspruche des Plutarchos, nach welchem kein Jesus, kein Luther, überhaupt kein Genius je Recht haben könnte.[32] Solch ein Aufsatz vergeht wie welkes Gras, es ist nicht der Mühe wert, gegen ihn zu schreiben, sonst tät ichs.

14. Juli 1855.

Häusser in seinem Geschichtsbuche[33] wundert sich und klagt, daß in der Zeit, wo das deutsche Reich zugrunde ging, die deutschen Fürsten, große und kleine, niedrige und schlechte Streiche machten, das Ausland die Herrschaft bei uns führte, daß in dieser Zeit weder Goethe noch Schiller von diesem Zustand der Dinge ergriffen und davon empört waren, daß man in Schillers und Körners Briefwechsel diese Gegenstände gar nicht berührt findet. Ich fände eher das Gegenteil zu verwundern, und in betreff Goethes und Schillers zu beklagen; sie würden das eigne Feld töricht verlassen haben, um auf dem fremden nutzlose Klage zu führen. Häusser hat sich in jene Zeit schwerlich recht lebendig zu versetzen gewußt, noch gehörig klar überdacht, was Vaterland, Staat und Freiheit in jener Zeit, und wo sie waren. –

28. August 1855.

Heute Goethes Geburtstag! Ruhm und Ehre seinem Namen! Dank und Heil und Segen allem, was er getan, gewirkt! Wunderbar, wie viele Widersacher gegen den großen und guten Mann sich immer noch aufstellen! Aber sie dienen ihm wider ihren Willen, sie halten die Verehrung und Liebe für ihn wach und tätig. Wir Deutsche haben keine allgemeinen Helden, keine von der ganzen Nation anerkannten, immer entzieht ein Teil der Nation sich dem Kultus. Wir haben keinen Washington, keinen Shakespeare, keinen Cervantes, keinen Heinrich den Vierten von Frankreich usw.

10. September 1855.

In Bulwer [34] gelesen, – o wie langweilig! Reflexionen von Goethe zur Erholung und Anregung. –

Von Julian Schmidts deutscher Literaturgeschichte ist eine neue umgearbeitete Auflage erschienen.[35] Wie der Mensch über Goethe spricht! mit vollem Unverstand. Man sollte glauben, aller Gewinn an Bildung, Geist, Einsicht, den die Deutschen seit achtzig Jahren gemacht, sei wieder verloren gegangen. Selbst die Heldentat der ›Xenien‹ – es war wirklich eine – wird getadelt, gelästert, in Antrieb und Wirkung gänzlich verkannt! Vermag ein Geschichtschreiber sich nicht besser in den Sinn und die Bedeutung der Erscheinungen zu versetzen, von denen er spricht? Er und sein Freund Freytag verdienten selber in den ›Xenien‹ vorzukommen, mit ihrer engherzigen Ästhetik und ihrer noch engherzigern Moral, auf die sie sich soviel einbilden! Sie scheinen ein Gefühl davon zu haben, daß alles Große, Frische, Geniale, gegen sie mit gerichtet ist. –

9. Oktober 1856.

In Weimar ist der Advokat Müller in Apolda, wegen einer Zusammenstellung Goethescher Verse, in der man eine Gotteslästerung sehen will, zu zwei Monaten Gefängnis verurteilt, der Legationsrat Panse dagegen, der jene Blumenlese in die weimarsche Zeitung aufgenommen hatte, freigesprochen worden. –

39 *Joseph Freiherr von Eichendorff*

Aus: Der deutsche Roman des achtzehnten Jahrhunderts in seinem Verhältniß zum Christenthum 1851

[. . .]
Auch auf diesem Gebiete [1], wie auf allen hervorragenden Pfaden seiner Zeit, finden wir abermals *Goethe* als den besonnensten Führer. Auch er adoptierte, wenngleich nicht ohne eigentümliche Färbung, die damalige subjektive Humanitätsreligion, die den Menschen mit seiner Sehnsucht und deren Erfüllung lediglich

auf sich selber verwies. Der Unterschied lag nur in der verschiedenen individuellen Auffassung. Während Jean Paul die ganze Welt in dem idealen Hohlspiegel auffangen wollte, sollte umgekehrt bei Goethe schon die Welt selbst, wie sie eben war und blieb, den Himmel abspiegeln. Das Endliche in seinen mannigfaltigen Gebilden und Manifestationen war ihm die Unendlichkeit, die Weltseele oder Gott; die Natur seine Offenbarung. »Ich bete *den* an«, sagte er, »der eine solche Produktionskraft in die Welt gelegt hat, daß, wenn nur der millionste Teil davon ins Leben tritt, die Welt von Geschöpfen wimmelt, so daß Krieg, Pest, Wasser und Brand ihr nichts anhaben können. Das ist *mein* Gott.«[2] Das Sichtbare, Sinnliche soll ihn zum Höchsten tragen, und alle Ideale Lavaters sollen ihn nicht irre führen, wahr zu sein und gut und böse wie die Natur[3]: er glaube auch aus der Wahrheit zu sein, aber aus der Wahrheit der fünf Sinne.[4] Er springe nach keinem Ideale, sondern kämpfend und spielend wolle er seine Gefühle sich zu Fähigkeiten entwickeln lassen. Und in diesem realen Boden wurzelt auch sein Unsterblichkeitsglaube; denn vom Untergang so hoher Seelenkräfte könne in der Natur nie und unter keinen Umständen die Rede sein; so verschwenderisch behandle sie ihre Kapitalien nie. »Lebe und du wirst leben!«[5] Der Durst nach Leben, die Erkenntnis der unsterblichen Naturordnung, die Ermunterung zu rühmlichen Gedanken und Taten – nur diese sei Unsterblichkeit. Ja, bei dem Gesetz weiser Erhaltung und Entfaltung, wonach die Natur unaufhörlich mit dem bereits Gewonnenen durch alle Reiche ihres Wirkens glücklich, ja bis ins Unendliche fortspiele, frage es sich vielmehr, ob nicht der ganze Mensch wieder nur ein Wurf zu einem höhern Ziele sei. Die Natur könne die Entelechie nicht entbehren; aber wir seien *nicht auf gleiche Weise* unsterblich, und um sich künftig als große Entelechie zu manifestieren, müsse man auch eine sein; denn jede Entelechie sei ein Stück Ewigkeit, »und die paar Jahre, die sie mit dem irdischen Körper verbunden ist, machen sie nicht alt. Ist diese Entelechie geringerer Art, so wird sie während ihrer körperlichen Verdüsterung wenig Herrschaft ausüben, vielmehr wird der Körper vorherrschen, und wie er altert, wird sie ihn nicht halten und hindern. Ist aber die Entelechie mächtiger Art, wie es bei allen genialen Naturen der Fall ist, so wird sie bei ihrer belebenden Durchdringung des Körpers nicht allein auf dessen Organisation kräftigend und veredelnd einwirken, sondern sie wird auch bei ihrer geistigen Übermacht ihr Vorrecht einer ewigen Jugend fortwährend geltend zu machen suchen.«[6]

Diese Ansicht prädestiniert aber, genau genommen, zwei verschiedene Menschenrassen: eine hohe Geistesaristokratie neben ordinärem Weltfutter. Gegen eine solche Unterscheidung ließe sich, bei dem unerforschlichen Plan, wonach die Vorsehung Glück und Gaben an die Sterblichen verteilt, faktisch wenig einwenden, insofern nur nicht jener geistige Geburtsadel schon an sich zugleich als Freibrief für die andere Welt gelten und dabei ganz übersehen werden soll, daß nicht das Genie als solches, sondern der Gebrauch, der davon gemacht wird, zum Himmel hilft, und zwar hier um so bedenklicher, da von dem, dem viel gegeben ist, auch viel gefordert wird. So ist es aber bei Goethe keineswegs gemeint; denn er spricht zwar einige Mal von der Notwendigkeit, daß unsere bessere Natur sich kräftig durchhalte, und den Dämonen nicht mehr Gewalt einräume als billig; allein ebenso entschieden behauptet er: kein Mensch könne auch nur eine Faser seines Wesens ändern. Unsere Tugenden ruhten mannigfaltig verzweigt auf unsern Fehlern wie auf ihrer Wurzel; indem wir jene ausbildeten, bauten wir zugleich auch diese mit an.[7] Dies sei aber nur verlorene Mühe, er vertraue sich daher ganz der Natur; »sie mag mit ihm schalten; sie wird ihr Werk nicht hassen; er spricht nie *von* ihr, sondern was er Wahres und Falsches sagte, alles hat *sie gesprochen*, alles ist *ihre* Schuld, alles *ihr* Verdienst; habe er einen Fehler begangen, so könnte es keiner sein!«[8] Hiernach käme es also eigentlich nur darauf an, den unabweisbaren Forderungen der Natur zu folgen, oder mit andern Worten: unsere dämonischen Kräfte und Anlagen zum möglichst ungehinderten Selbstgenuß zu befähigen. Und für diese Ausbildung erkannte er die *Kunst* als die wirksamste Schule. Es ist wahrhaft hinreißend, mit welcher Andacht er in Rom von seiner innern Erweckung vor den alten Götterbildern spricht. »Ich habe keine Worte«, sagt er, »die stille wache Seligkeit auszudrücken, mit der ich nun die Kunstwerke zu betrachten anfange, mein Geist ist erweitert genug, sie zu fassen. Ich habe wieder die schönsten – ich darf wohl sagen – Offenbarungen. Es ist mir erlaubt, Blicke in das Wesen der Dinge und ihre Verhältnisse zu werfen, die mir einen Abgrund von Reichtum eröffnen. Wenn man sich immerfort in Gegenwart plastischer Kunstwerke der Alten befindet, so fühlt man sich, wie in Gegenwart der Natur, vor einem Unendlichen, Unerforschlichen. In Rom habe ich mich selbst zuerst gefunden, ich bin zuerst übereinstimmend mit mir selbst, glücklich und vernünftig geworden. Es ist mir, als hätte ich die Dinge der Welt nie so richtig geschätzt als hier; ich freue mich der gesegneten Folgen auf mein ganzes Leben.«[9]

Der Segen wurde auch sehr bald wirksam, doch mehr äußerlich als nach der innern Tiefe hin, nicht als Erfrischung der dämonisch produktiven Macht, die Goethes Jugend so wunderbar macht, sondern eben als stille *bildende* Kraft. Eine gewisse Logik der Gefühle gibt fortan seinen Gestaltungen durch weise Selbstbeschränkung Ruhe und symmetrisches Ebenmaß; ›Tasso‹, ›Iphigenia‹ usw., längst im prosaischen Umriß fertig, wurden erst jetzt in musikalische Verse übersetzt und in diejenige Form gegossen, die allgemein als klassisch gilt. Dagegen unterwühlte diese Kunstreligion auf andere Weise den Boden der Poesie. Da nämlich in ihr notwendig das ethische Element nur ein untergeordnetes sein kann, so glaubt sie es auch ignorieren oder mit vornehmer Geringschätzung behandeln zu dürfen. Sie kennt im Grunde bloß ein *poetisches* Gewissen und Sünden gegen den heiligen Geist der Kunst. Die Tugend soll nur durch die Schönheit ihrer Erscheinung gelten, die Sünde durch schöne Formen sich rechtfertigen können und die höhere Bildung überhaupt von der gemeinen Sittlichkeit dispensiert sein, als einer bloßen magern Diät für diejenigen, die jener Himmelsspeise nicht teilhaftig werden und sich sonst an der Hausmannskost den Magen verderben möchten; ein Grundsatz, den unsere neue Literatur der genialen Liederlichkeit[10] sich trefflich gemerkt und Goethe selbst in seinem ›Faust‹ im Großen ausgeführt hat. Dieser ist keineswegs der Faust der alten Sage, welcher um der Welt Lust und Ehre sich keck dem Teufel verschreibt, sondern ein durchaus modernes Genie, welches alle einsamen Spitzen und Abgründe der Menschenbrust schauerlich beleuchtend, das kurze irdische Leben sich innerlich zu einem harmonischen Kunstwerk gestalten und die Urschönheit der Welt selbst im Bilde der heidnischen Helena wieder beleben will. Aber dort wird der Faust vom Bösen, hier der Böse vom Faust betrogen; jener wird, wie billig, zuletzt vom Teufel geholt, während der Goethesche, trotz aller Frevel, kraft seiner höhern Bildung und lichten Aperçus, ohne Reue oder innerliche Umkehr dennoch unter großem Applaus der liberalen Engelscharen gen Himmel fährt.

Aus diesem Dogma einer vegetativen Fortbildung des Kunstsinnes aber, die alles Anomale abzuwehren und auszuscheiden strebt, erklärt sich nicht nur Goethes vielberufener Quietismus in politischen Dingen, deren springende Übergänge und gewaltsames Überstürzen ihn überall störend berührten, sondern auch sein Haß gegen das positive Christentum, indem dieses gerade umgekehrt das, was ihm als Selbstzweck galt, jederzeit nur als Mittel höhern Absichten unterordnet. Mit bitterer Gereiztheit zählt er daher das Christentum zu den ihm widerwärtigsten Dingen[11], wie Tabak, Knoblauch und Hundegebell, erklärt sich offen und wiederholt für einen »dezidierten Nichtchristen«[12], findet tausend geschriebene Blätter alter und neuer von Gott begnadigter Menschen ebenso schön und der Menschheit nützlich und unentbehrlich als die Evangelien, und bemitleidet freundschaftlich Lavaters Durst nach Christo[13], der seine ganze Kraft anwende, um ein Märchen wahr zu machen, eine hohle Kindergehirnempfindung zu vergöttern. Er gönne ihm gern dieses Glück, da er ohne dasselbe elend werden müßte; denn bei seiner Begierde, in einem Individuum alles zu genießen, sei es herrlich, daß aus alten Zeiten uns ein *Bild* übriggeblieben, an dem er sich bespiegeln und anbeten könne. »Nur das ist«, fährt er fort, »ungerecht und Raub, daß du alle köstlichen Federn der tausendfältigen Geflügel unter dem Himmel ausraufst, um deinen Paradiesvogel damit zu schmücken; dies verdrießt uns, die wir als Söhne Gottes ihn *in uns selbst und in allen seinen Kindern anbeten.*[14] Du nennst das Evangelium die göttliche Wahrheit; mich würde eine vernehmliche Stimme vom Himmel nicht überzeugen, daß das Wasser brennt und das Feuer löscht, und ein Weib ohne Mann gebärt und ein Toter aufersteht; vielmehr halte ich dies für Lästerungen gegen den großen Gott *und seine Offenbarung in der Natur.* In diesem Glauben ist es mir ebenso heftig Ernst, wie dir in dem deinen, und wenn ich öffentlich zu reden hätte, so würde ich für die nach meiner Überzeugung *von Gott eingesetzte Aristokratie* mit eben dem Eifer sprechen, wie du für das Einreich Christi.«[15] Also auch hier wieder eine exklusive Religion der Gebildeten, vornehme Abwehr des tausendjährigen Volksglaubens, und ein Christus, der keiner ist, der nie wirklich gelebt hat, sondern, wie andere mythologische Personen, nur ein selbstgeschaffenes Bild unserer Sehnsucht sein soll; denn was wären, meint er, die tausendfältigen Religionen überhaupt anderes als tausendfache Äußerungen einer Heilungskraft, welche die Natur in die Existenz eines jeden lebendigen Wesens gelegt, damit es sich, wenn es an dem einen oder andern Ende zerrissen wird, selbst wieder zusammenflicken könne. An irgendwas müsse der Mensch glauben, um nicht an sich selber zu verzweifeln; aber ob er an Christ glaube oder Götz oder

Hamlet, das sei eins. Mit dem Glauben, in welchem ein jeder sein Gefühl, seinen Verstand, seine Einbildungskraft, so gut als er es vermöge, zu opfern bereit stehe, verhalte es sich gerade umgekehrt als mit dem Wissen: es komme gar nicht darauf an, *daß* man wisse, sondern *was* man wisse, wie gut und wie viel man wisse, während es beim Glauben nur darauf ankomme, *daß* man glaube. Das Wort der Menschen ist ihm daher Wort Gottes, und mit inniger Seele falle er dem Bruder um den Hals: Moses, Prophet, Evangelist, Apostel, Spinoza oder Macchiavelli; dürfe aber auch zu jedem sagen: »Gehts dir doch wie mir. Im einzelnen sentierst du kräftig und herrlich; das *Ganze* ging in euern Kopf so wenig als in meinen.«[16]

Löst man nun die Hülsen dieser bloß abwehrenden Negationen aufmerksam ab, so bleibt als Kern seines »Nichtchristentums« – außer dem schon oben erwähnten auf Naturnotwendigkeit gegründeten Unsterblichkeitsglauben – eigentlich wieder nur der alte Überall und Nirgends eines Naturgottes, der eben nichts anderes ist als das Dasein selbst. »Fragt man mich, ob es in meiner Natur sei, die *Sonne* zu verehren, so sage ich abermals: durchaus! Denn sie ist gleichfalls eine Offenbarung des Höchsten. Ich anbete in ihr das Licht und die zeugende Kraft Gottes, wodurch allein wir leben, weben und sind.«[17] Und auf diese schon ursprünglich durch die ganze Natur verbreitete Kraft *selbständiger* Fortentwickelung baut er sodann getrost sein humanistisches Bildungsprinzip, sowie seinen persönlichen Beruf, hierbei tätig und hülfreich zu sein; denn »Gott ist noch fortwährend wirksam wie am ersten Schöpfungstage. Diese plumpe Welt aus einfachen Elementen zusammenzusetzen hätte ihm sicher wenig Spaß gemacht, wenn er nicht den Plan gehabt hätte: sich auf dieser materiellen Grundlage eine Pflanzschule für eine Welt von Geistern zu gründen. So ist er nun fortwährend in höhern Naturen wirksam, um die geringern heranzuziehen«.[18] Hierzu aber sei mit dem Dogmatischen des Christentums nicht im mindesten geholfen. Alles Gute vielmehr sei »angeborene schöne Natur. Es ist mehr oder weniger dem Menschen im allgemeinen angeschaffen, im hohen Grade aber einzelnen ganz vorzüglich begabten Gemütern. Diese haben durch große Taten oder Lehren ihr göttliches Innere offenbart, welches sodann *durch die Schönheit seiner Erscheinung* die Liebe der Menschen ergriff und zur Verehrung und Nacheiferung gewaltig vorzog«.[19] Diese (pelagianische) Ansicht[20], wonach der Natur ein gewisser Keim inwohnt, der zu einem frohen Baume geistiger Glückseligkeit emporwachsen kann, habe ihn stets der sonst von ihm verehrten Brüdergemeine entfremdet, welche die menschliche Natur für durchaus verdorben erkläre. Er unterscheidet daher eine Art Urreligion von der Kirche, eine Religion der Natur und Vernunft, also göttlicher Abkunft, welche ewig dieselbige bleiben und dauern und gelten werde, solange gottbegabte Wesen vorhanden. Doch sei sie nur für Auserwählte, und viel zu hoch und edel, um allgemein zu werden; denn die armen schwachen Menschen ertrügen das ungetrübte Licht göttlicher Offenbarung nicht. Die Kirche dagegen sei mehr menschlicher Art, wohltätig dämpfend, ermäßigend, aber gebrechlich, wandelbar und im Wandel begriffen; doch auch sie werde *in ewiger Umwandelung* dauern, solange es schwache menschliche Wesen gebe.

Auf diesem ziemlich nüchternen Hintergrunde nun bewegen sich ›Wilhelm

Meisters Lehrjahre‹, die der Held eben in jener Allerweltsschule verbringen soll. Es handelt sich hier keineswegs um Entwickelung und Verherrlichung einzelner Kräfte oder Talente, z. B. etwa für die Bühne, wie die ersten Bücher dieses Romans allerdings vermuten lassen, sondern um eine *allgemeine* Menschenbildung, um harmonische Entfaltung aller menschlichen Anlagen, und zwar nicht, wie bei Jean Paul, durch Wissenschaft und Kunst, sondern durch das Leben der Gegenwart selbst; es soll gleichsam praktisch gezeigt werden, wie weit es der Mensch, abgesehen von allen positiv religiösen Motiven, bloß durch jene ihm von der Natur eingepflanzte Urreligion zu bringen vermag. Daher wird zunächst, ohne die mindeste ideale Anspannung und Verklärung, vielmehr die verhüllte Poesie *des gewöhnlichen Lebens* – und das noch obendrein in der widerstrebenden Zopfzeit der siebziger bis achtziger Jahre des vorigen Jahrhunderts – spielend zur Erscheinung gebracht; die reizende Sinnlichkeit und Anmut Philinens, die abenteuerliche Seiltänzerbande, die wandernden Schauspieler usw., während die tiefern und geheimnisvollen Klänge in Mignon und dem Harfner austönen. Ja, selbst der kaufmännische Handelsverkehr wird durch Werners geistreiches Lob desselben als ein belebender Strom in das Reich der Poesie mit aufgenommen. Über allem aber ruht, wie ein zauberischer Morgenduft, die Ahnung der Schönheit der Welt, gleich der vorausdichtenden Neugier, womit ein Kind zum ersten Mal im Theater vor dem noch unaufgerollten Vorhang sitzt, oder nach den fernen blauen Bergen seiner Heimat in die werdende Zukunft blickt; und mit Recht hat daher Fr. Schlegel diesen Roman eine Naturgeschichte des Schönen genannt.[21]

Mitten in dieses buntbewegte Leben nun ist der junge bildungssüchtige Wilhelm Meister gestellt, ein *passives* Genie, das alle Eindrücke geistreich aufnimmt, ohne jemals selbst einen geistreichen Eindruck zu machen, an dem alle meistern, ohne ihn doch über die Lehrjahre hinwegbringen zu können; der immer sucht, was er schon hat, und stets auf den allerweitesten Umwegen. Jener poetische Zauberblick des Lebens hat auch ihn getroffen; im ersten Jugendrausch trinkt er gutmütig den gewöhnlichsten Gesellen Brüderschaft zu, das Theater wird seine Kirche, Mariane seine Muse. Aber schon hier lüftet sich der Schleier der eigentlichen Absicht. Eine erst leise mit den Dingen spielende, dann immer schärfer und tiefer einschneidende Ironie, die gegen die souveränen Prätensionen der Gefühlspoesie, wie sie z. B. bei Jean Paul vorwalten, gerichtet ist, geht unerbittlich durch das Ganze. Wilhelm Meisters erste Jugendliebe zu Marianen wird durch Norbergs rohe Mitbewerbung gleichsam parodiert, seine dichterischen Versuche werden als kindisch beseitigt, und seine mit so großem Aufwand von Einsicht, Begeisterung und weitläufigen Anstalten begonnene Schauspielerlaufbahn scheitert fast lächerlich; denn es gilt hier nicht die Täuschungen der Kunst, sondern die Kunst des wirklichen Lebens, zu dem sich nun die Bühne allmählich erweitert. Die Komödianten treten von den Brettern in die vornehme Welt, während die vornehme Welt Komödie spielt; beide nicht zu ihrem sonderlichen Vorteil. Zu dieser verwandelten Szenerie aber paßt das alte poetische Rüstzeug nicht mehr; Wehmut, Reue und der leise Hauch der Sehnsucht sind, etwa wie Volkslieder bei Hofkonzerten, durchaus nicht salonfähig und anständig genug, und der Harfenspieler wird wahnsinnig in dieser fremden Atmosphäre, und Mignon muß sterben, ihre Exequien sind gleichsam der Abschiedsgruß der Poesie.

Dagegen betritt nun eine ganz andere Gesellschaft von aristokratischen Schauspielern, die schon lange vorgespukt, die gesäuberten Bretter; die neue Komödie handelt ganz ernsthaft von Menschenbildung; die Szene ist ein alter Turm in Lotharios Schloß, wo, sehr bezeichnend, eine ehemalige Kapelle freimaurerisch modernisiert, und anstatt des Altars ein großer mit grünen Teppichen behangener Tisch zur Bühne eingerichtet worden, von der die Orakelsprüche sich geheimnisvoll vernehmen lassen. Die Hauptakteurs sind wohl jedem Leser wohlbekannt. Der kluge Jarno, der alles Außerordentliche meist töricht findet und den Harfenspieler einen vagierenden Bänkelsänger und Mignon ein albernes zwitterhaftes Geschöpf nennt, drängt den armen Meister fast gewaltsam zum sogenannten Praktischen. Der vielbeschäftigte Abbé, ziemlich stark in die josephinische Aufklärungszeit hinüberschielend, ist der Meinung, daß alle Erziehung sich nur an die Neigung des zu Erziehenden anschließen müsse, denn jede, auch die geringste Fähigkeit sei uns angeboren, und es komme daher bloß darauf an, deren natürliche Entwickelung nicht zu stören und zu hemmen, ein Grundsatz, der indes bei der liederlichen Neigung des leichtfertigen Friedrich gar übel angeschlagen. Beide Bildungskünstler charakterisiert die unglückliche Lydie in ihrer leidenschaftlichen Heftigkeit ganz treffend, indem sie sagt: Jarno habe kein Gemüt, und der Abbé wäre fähig, wegen einer Grille die Menschen in Not zu lassen oder sie gar hineinzustürzen. Das Ideal jener negativen Pädagogik aber ist der erste Liebhaber: Lothario; er treibt die Naturreligion des Egoismus im Großen und behandelt die Liebe cavalièrement als pikanten Schmuck des Lebens, bis er zuletzt, sichtbar blasiert, sich auf die rationelle Landwirtschaft wirft. Und dieses immer lauter und breiter vordringende Evangelium der Ökonomie [22] verkörpert sich nun ganz in Therese, der holländischen Fee von Küche, Keller und Kohlgarten; und in höherm Sinne in dem praktischen Wohltätigkeitstriebe Nataliens, die von sich selbst sagt: daß die Reize der leblosen Natur keine Wirkung auf sie haben, und beinah noch weniger die Reize der Kunst; ihre angenehmste Empfindung sei, wenn sich ihr ein Mangel, ein Bedürfnis in der Welt darstelle, sogleich im Geiste einen Ersatz, ein Mittel, eine Hülfe aufzufinden. Die Tante: Schöne Seele, endlich spielt nur eine flüchtige Gastrolle und macht sorgfältig Toilette vor dem geistigen Spiegel, ohne daß irgend jemand von der Gesellschaft Lust verspürt, sich an *ihr* zu spiegeln. Fragen wir aber nun nach dem eigentlichen Humor [23] des Ganzen, so bleibt zuletzt nur eine praktische Nützlichkeitstheorie, die sich über die gewöhnliche Moral, über Poesie und Religion erhaben dünkt und nicht bloß den Meister, sondern alle Welt gern meistern möchte.

Es hieße denn doch wohl den natürlichen Begriffen Gewalt antun, wollte man diese ökonomische Propaganda auch noch etwa für eine tiefere Poesie des Lebens nehmen. Viel eher könnte man sich versucht fühlen zu glauben, der Dichter habe es auch in dieser zweiten Hälfte des Romans mit den Turmgeheimnissen jener Erziehungsanstalt nur ironisch gemeint. Allein Ton und Anlage widersprechen durchaus einer solchen Voraussetzung. Der wohlgefügte Bau strebt überall fast pyramidalisch der Spitze zu, und diese Spitze ist der Lebenskünstler Lothario, der eigentliche Held des Ganzen. Auch erinnere man sich nur, wie durchsichtig in den ersten Büchern die Ironie mit dem Ernst der Gefühlspoesie und einer bloß konventionellen Bildung spielt, und wie ernst dagegen hier das Spiel des Verstandes behandelt wird. Wir glauben vielmehr, daß Goethe nach seiner gewohnten Art, innerlich abgemachte Bildungsphasen durch ihre poetische Objektivierung sich vom Halse zu schaffen, gleichwie er das Geniefieber der Empfindsamkeit im ›Werther‹, den Sturm und Drang im ›Götz‹ hinter sich warf, so auch hier seinen eigenen rationalistischen Übergang von der Jugend zum Alter abzutun und poetisch zu rechtfertigen versucht hat; denn Goethe war im Grunde gewissermaßen selbst so eine Art von Wilhelm Meister, und wir erfahren nachträglich aus ›Dichtung und Wahrheit‹, wie überraschend viele Jugenderinnerungen, Personen und Zustände aus seinem eigenen Leben in diesen merkwürdigen Roman übergegangen sind. Er selbst war, wie Wilhelm Meister, aus der Beschränktheit einer wohlhäbigen bürgerlichen Häuslichkeit plötzlich und wie durch einen Zauberspruch in die höhern Lebenskreise versetzt worden. Auch ihn sehen wir dann in Weimar in einer profusen Gegenwart aufgehen, Hofbälle, Wasserfahrten und Liebhabertheater dichterisch arrangieren, stets bemüht, sich für die vornehme Welt aristokratisch auszubilden; eine zerstreute nach allen Seiten hin zerfahrene Universalität, die eine ›Achilleis‹ projektiert [24] und zur Abwechselung mit den Büchern Moses spielt [25], die »den Hof probiert hat und nun auch das Regiment probieren will« [26], und hinter der späterhin der ernste Schiller wie sein poetisches Gewissen mahnend steht; bis endlich das Leben, mit dem er zu spielen meinte, mit ihm selbst zu spielen begann, und ihn allgemach in seine eigenen Grundsätze wie eine Mumie einwickelte, so daß der Herzog, der im Jahre 1780 die Besorgnis äußerte: Goethe werde in seinem Wesen noch so ätherisch werden, daß ihm endlich das Atemholen entgehen werde, jetzt seine ministerielle Vornehmtuerei lächerlich fand.[27]

Goethe hat bekanntlich die letzten Bücher des ›Wilhelm Meister‹ bedeutend später geschrieben als die ersten, und diesem zufälligen Umstande will man den nach den jugendlich leidenschaftlichen Anfängen unerwarteten, etwas kühlen und altgewordenen Ausgang des Romans beimessen. Wir aber sind der Meinung, jene Naturbildung in und durch den Rummel der Welt hätte, auch ohne diese Unterbrechung, denselben Ausgang nehmen müssen, wie sie ihn ja auch bei Goethe selbst in der Wirklichkeit genommen hat. Das sich selbst überlassene Leben, wenn es nicht in beständigem Rapport mit dem Überirdischen bleibt und von diesem erfrischt wird, dieses auch noch so künstlerisch dekorierte Evangelium der fünf Sinne gleitet, bei seiner angeborenen Schwere, notwendig immer tiefer zum Realismus hinab, und wenn im Anfange des ›Wilhelm Meister‹ der jugendliche Rausch des Lebens zuweilen anstößig geworden, so wird zuletzt der reflektierende Katzenjammer noch verletzender. Schiller sagt darüber mit der Pietät der Freundschaft: »Wilhelm tritt von einem leeren und unbestimmten Ideal in ein bestimmtes tätiges Leben, aber ohne die idealisierende Kraft dabei einzubüßen«; und anderwo noch unumwundener: »er sehe ihn am Ende in der menschlichen Mitte zwischen Phantasterei und *Philisterhaftigkeit* stehen«.[28]

Und ganz in derselben Mitte bewegen sich auch ›Wilhelm Meisters Wanderjahre, oder die Entsagenden‹, das wunderlich skizzierte Schema eines Romans, als ob dem Dichter über der Arbeit zur lebendigen Ausführung Geduld und Lust vergangen wäre. Hier soll die Schlußphilosophie der ›Lehrjahre‹ sich welthistorisch machen; alles, Landschaft und Staffage, wird fast allegorisch; die Flucht nach Ägypten, die Mutter Gottes, der heilige Joseph, als bloße Mythen, werden ins Reinmenschliche übersetzt; anstatt der religiösen Mysterien greifen die Ordensgeheimnisse des Lothariotums praktisch nach allen Richtungen hinaus. Über dem Ganzen aber waltet, als Hohepriesterin, Makarie, eine Art somnambuler Heiligen, welcher die Verhältnisse unsers Sonnensystems eingeboren sind. Auch Jarno (hier Montan genannt) tritt nun als Wissender immer deutlicher in den Vordergrund. Er hat sich ganz dem Studium der Natur ergeben, der »wundervollen heiligen Schrift, worauf die Priester ihren Altar gegründet«[29], und von ihm erfahren wir gelegentlich einige Hauptgrundsätze jenes Geheimbundes. Die Entsagenden dürfen weder vom Vergangenen noch Künftigen miteinander sprechen, nur das Gegenwärtige soll sie beschäftigen; denn es sei jetzt die Zeit der Einseitigkeiten; ein jeder habe nur ein einzelnes Organ aus sich zu machen und abzuwarten, was für eine Stelle ihm die Menschheit im allgemeinen Leben wohlmeinend zugestehen werde. Die ganze Bildungsaufgabe wird daher mit einem Kohlenmeiler verglichen, wo man den Holzstoß zwar anzündet, aber die durchschlagende Flamme dann eilig wieder mit Rasen und Erde zudeckt, nicht um sie auszulöschen, sondern um sie zu dämpfen, bis alles nach und nach in sich selbst verkühlt, und zuletzt auseinander gezogen, als verkäufliche Ware an Schmied und Schlosser, an Bäcker und Koch abgelassen und verbraucht werden kann. Der allgemeine Wahlspruch ist: »Vom Nützlichen durchs Wahre zum Schönen.«[30] In diesem Sinne wird der gute Wilhelm Chirurgus, Jarno, schon etwas besser bedacht, erscheint als Berghauptmann, Lucie hat sich in eine Näherin, Philine in eine Schneiderin verwandelt, die mit ihrer Schere lustig nach allen Seiten schnappt. Das mag nun, jenem Motto gemäß, immerhin nützlich und auch wahr sein, aber *schön* ist es nicht.

Der weitverzweigte Bund begnügt sich indes nicht mehr damit, einzelne zu meistern; er hat jetzt, um die Sache ins Große zu treiben, eine ganze pädagogische Provinz eingerichtet, voll Kohlgärten, Baumschulen und Handwerksplätzen, mit besondern Pferderegionen, Kunstbezirken usw., wo ein jeder als Organ zu künftigem Verbrauch sich praktisch ausbilden soll. Die Musik ist zum Hauptelement dieser Bildung gewählt. Ihre *religiöse* Erziehung aber geht auf die Erweckung der Ehrfurcht, die überall eine dreifache ist, weshalb es denn auch, je nach den Objekten der Andacht, nur drei echte Religionen gibt; nämlich die ethnische[31], welche auf Ehrfurcht vor dem, was *über* uns ist, beruht und wozu alle sogenannten heidnischen Religionen gehören. Sodann die philosophische Religion, die sich auf jene Ehrfurcht gründet, die wir vor dem haben, was uns *gleich* ist; denn der Philosoph, der sich in die Mitte stellt, muß alles Höhere zu sich hinab, alles Niedere zu sich hinaufziehen, und nur in diesem Mittelzustande verdient er den Namen des Weisen, indem er nun das Verhältnis zur ganzen Menschheit, das Verhältnis zu allen übrigen irdischen Umgebungen, notwendigen und zufälligen, durchschaut, und also im kosmischen Sinne allein der Wahrheit lebt. Und endlich die *christliche* Religion, gegründet auf die Ehrfurcht vor dem, was *unter* uns ist, weil sie, sich auf einen höhern Geburtsort berufend, nicht nur die Erde unter sich liegen läßt, sondern auch Niedrigkeit und Armut, Spott und Verachtung, Schmach und Elend, Leiden und Tod als göttlich anerkennt, ja Sünde selbst und Verbrechen nicht als Hindernisse, sondern als Fördernisse des Heiligen verehrt und liebgewinnt. Alle diese drei Religionen zusammen bringen aber erst die wahre Religion hervor. Sie werden durch stündlich zugängliche Wandgemälde gelehrt und zwar die ethnische an Bildern, welche neben der israelitischen Geschichte zugleich auch Gleichbedeutendes aus andern Religionen darstellen, z. B. Apollo neben Abraham. Die philosophische Religion wird gelehrt durch Abbildungen aus dem Leben Christi bis zum Abendmahle, denn der Wandel dieses »vortrefflichen Mannes« sei für den edlen Teil der Menschheit noch belehrender und fruchtbarer als sein Tod; zu jenen Lebensprüfungen sei jeder, zu diesem nur wenige berufen. Die christliche Religion dagegen, »jene Verehrung des Widerwärtigen, Verhaßten, Fliehenswerten«, geben sie einem jeden nur ausstattungsweise zuletzt in die Welt mit, damit er wisse, »wo er dergleichen zu finden habe, wenn ein solches Bedürfnis sich in ihm regen sollte«.[32] Ein seitdem auch schon außerhalb der Grenzen der pädagogischen Provinz beliebt gewordenes Verfahren, das allerdings konsequent genannt werden muß, wenn man einmal die übermenschliche Göttlichkeit des »vortrefflichen Mannes« nicht anerkennen und ganz übersehen will, daß sein Wandel sich vernünftigerweise von »jener Verehrung des Widerwärtigen« und von seinem Tode gar nicht trennen läßt, sondern durch diesen erst seine wahre Bedeutung erhält. Von jener anmutigen Religion aber ist ihre Sittenlehre ganz abgesondert, sie ist rein tätig und wird in den wenigen Geboten begriffen: »Mäßigung im Willkürlichen, Emsigkeit im Notwendigen. Nun mag ein jeder diese lakonischen Worte nach seiner Art im Lebensgange benutzen, und er hat einen ergiebigen Text zu grenzenloser Ausführung.«[33] Daher will der Abbé keine Hausfrömmigkeit, sondern Weltfrömmigkeit, die unsere redlich menschlichen Gesinnungen in einen praktischen Bezug ins Weite setze, um nicht nur unsern Nächsten zu fördern, sondern zugleich die ganze Menschheit mitzunehmen; denn die Frömmigkeit sei kein Zweck, sondern ein Mittel, durch die reinste Gemütsruhe zur höchsten Kultur zu gelangen. Diese Ansicht bedingt aber zugleich eine allgemeine Weltbürgerei, die hier durch den Wahlspruch: »Wo ich nütze, ist mein Vaterland«[34] formuliert wird, und die Abiturienten der pädagogischen Provinz zuletzt auch wirklich nach allen Himmelsgegenden hin zerstreut.

Von diesen ›Wanderjahren‹ gilt noch in höherm Maße, was wir schon bei den ›Lehrjahren‹ über die zweideutige Intention des Dichters bemerkt haben. Auch hier sehen wir abermals eitel Komödie, die entweder die Ironie des Dichters mit dem Leser, oder jene vornehme Schauspielergesellschaft mit der Welt spielt, welche in den ›Lehrjahren‹ nur erst hinter den Kulissen agierte, hier aber »viel ernster, nicht zum Scherz auf Schein, sondern auf bedeutende Lebenszwecke gerichtet«[35] sein soll. Diese Lebenszwecke aber wären allerdings – wie schon von mehren, je nach den verschiedenen Weltansichten, lobpreisend oder tadelnd erkannt worden – keine andern, als nach innen eine quietistische Entsagung des Unmöglichen, um das Mögliche desto ruhiger zu *genießen,* und nach außen hin eine Art von Simonismus [36], das Streben nämlich, jedem Mitgliede der fortschreitenden Menschheit einen richtigen Anteil am Besitz und Genusse der vorhandenen Güter zu gewähren; ein Unternehmen, das freilich jene Entsagung des Unmöglichen geradezu wieder aufzuheben scheint.

Es ist überhaupt interessant und in vieler Beziehung lehrreich, durch die weitläufige Goethe-Literatur die durchaus verschiedenen, ja einander entgegengesetzten Urteile zu verfolgen, die von sonst gleich gutgesinnten und geistvollen Männern über das innere Wesen seiner Dichtungen (denn seine künstlerische Vollendung in den Formen wird wohl jetzt allgemein anerkannt) ergangen sind. Goethe ist, wie Blücher und Napoleon, fast schon bei Lebzeiten eine mythische Person geworden, an der die Nachkommen, ein jeder nach seinem individuellen Maß und Talente, bildend fortdichten. Während er selbst sich häufig und unumwunden einen Heiden nennt, ruft Steffens aus: »Wahrlich, es gibt eine Bewunderung der hohen Gaben Gottes, die wahrhaft fromm ist; und wer nicht durch Shakespeare *oder Goethe* oder durch die Größe der alten Welt oft zum Knien gebracht ward und recht innig das ganze Geschlecht lieb gewann, *dem Gott so Großes anvertraute,* der kennt den hellen Tag der segensreichen Liebe nicht.« [37] Und Göschel [38] (in den ›Unterhaltungen zur Schilderung Goethescher Dicht- und Denkweise‹): »Wenngleich sich unser Dichter für sein ganzes Leben die christliche Terminologie versagt hat, weil ihm nach seinem eigenen Bekenntnis deren Anwendung nie recht glücken wollte, so hat er doch *in seiner Sprache* das Evangelium gepredigt, und darum brauchen die Frommen seiner und seines Heils wegen nicht in der mindesten Sorge zu sein.« Wolfgang Menzel dagegen erkennt in Goethes ganzer Erscheinung einen Reflex seiner Zeit, der nationalen Entartung, der politischen Schande, schadenfrohen Unglaubens, koketter, wollüstelnder Frömmelei, die ängstliche Pflege des Egoismus der Genußsucht unter der Maske des feinen Anstandes, oder gar des Heiligen, des Geistreichen und Tiefverständigen; von Religion, weil diese jede Maske entschieden verabscheue, könne daher bei Goethe nie die Rede sein.[39] Wieder andere, in totaler Einseitigkeit vernarrt, haben sich aus des Dichters geistiger Physiognomie nur den heidnischen Zug behalten, und ihn bacchantisch zum Heiland der Sinnlichkeit und ihrer Fleischesreligion ausgerufen.

Wir aber meinen, man sollte überall vom Dichter nichts anderes verlangen oder ihm unterschieben wollen, als er zu gewähren vermag. Goethe ist uns immer wie ein herrlicher Baum erschienen, der, mächtig in der Erde wurzelnd, gar nicht in den Himmel wachsen *mag,* und doch, weil er eben nicht anders kann, mit allen Zweigen und Knospen durstig von dem Lichte trinkt, das durch sein kräftiges Laub zittert. Wir wollen keine Sterne von den Bäumen schütteln, aber wie in einem schönen Walde uns an dem geheimnisvollen Rauschen der Wipfel erbauen, das uns Wunder genug erzählt; denn Goethes Poesie – wie wir schon anderswo gesagt haben [40] – war und blieb eine Naturpoesie im höhern Sinne. Da ist nichts

Gemachtes; in gesundem frischen Trieb greift sie fröhlich und ahnungsreich in die schöne weite Welt hinaus, von allem Nektar der Erde und den darüberwehenden Himmelslüften sich nährend und stärkend. Sie gibt alles, was die Natur Köstliches geben kann: plastische Vollendung und sinnliche Genüge, aber sie gibt auch nicht *mehr*. Ihre Harmonie ist ihre Schönheit, die Schönheit ihre Religion; so wächst sie unbekümmert in steigender Metamorphose bis zur natürlichen Symbolik des Höchsten, vor dem sie scheu verstummt. Die Natur mit ihren mannigfachen Gebilden war ihm die ganze Offenbarung und der Dichter nur der Spiegel dieser Weltseele. Allein die Natur ist in ihrem Wesen auch mystisch, als ein verhülltes Ringen nach dem Unsichtbaren über ihr. Das fühlte er, wie er sich auch sträubte, und so beschloß er, wie die Natur ihr Tagewerk mit Symbolik, so das seinige im zweiten Teil des ›Faust‹ mit einer unzulänglichen Allegorie der Kirche.

40 *Arthur Schopenhauer*

Aus: Parerga und Paralipomena: kleine philosophische Schriften. Zweiter Band. Kapitel VII. Zur Farbenlehre 1851

§. 104

Da an der Überzeugung von der Wahrheit und Wichtigkeit meiner Theorie der Farbe die Gleichgültigkeit der Zeitgenossen mich keineswegs irremachen konnte, habe ich dieselbe zwei Mal bearbeitet und herausgegeben: Deutsch, im Jahre 1816, und Latein, im Jahre 1830, im dritten Bande der Scriptores ophthalmologici minores von J. Radius. Weil jedoch jener gänzliche Mangel an Teilnahme mir, bei meinem vorgerückten Alter, wenig Hoffnung läßt, eine zweite Auflage dieser Abhandlungen zu erleben [1]; so will ich das wenige, was ich über den Gegenstand noch beizubringen habe, hier niederlegen.

Wer zu einer gegebenen Wirkung die Ursache zu entdecken unternimmt, wird, wenn er überlegt zu Werke geht, damit anfangen, die Wirkung selbst vollständig zu untersuchen: da die Data zur Auffindung der Ursache nur aus ihr geschöpft werden können, und sie allein die Richtung und den Leitfaden zur Auffindung der Ursache gibt. Dennoch hat keiner von denen, die vor mir Theorien der Farben aufgestellt haben, dies getan. Nicht allein Newton ist, ohne die zu erklärende Wirkung irgend genau gekannt zu haben, zur Aufsuchung der Ursache geschritten, sondern auch seine Vorgänger hatten es so gemacht, und selbst Goethe, der allerdings viel mehr, als die andern, die Wirkung, das gegebene Phänomen, also die Empfindung im Auge, untersucht und dargelegt hat, ist darin noch nicht weit genug gegangen; da er sonst hätte auf meine Wahrheiten geraten müssen, welche die Wurzel aller Theorie der Farbe sind und zu der seinigen die Gründe enthalten. So aber kann ich ihn nicht ausnehmen, wenn ich sage, daß alle vor mir, von den ältesten bis zu den letzten Zeiten, nur darauf bedacht gewesen sind, zu erforschen, welche Modifikation entweder die Oberfläche eines Körpers, oder aber das Licht, sei es nun durch Zerlegung in seine Bestandteile, oder durch Trübung oder sonstige Verdunkelung erleiden müsse, um Farbe zu zeigen, d. h. um in unserm Auge jene ganz eigentümliche und spezifische Empfindung zu erregen, die sich durchaus nicht definieren, sondern nur sinnlich nachweisen läßt. Stattdessen nun aber ist offenbar der methodische und rechte Weg, sich zunächst an diese Empfindung zu wenden, um zu sehn, ob nicht aus ihrer näheren Beschaffenheit und der Gesetzmäßigkeit ihrer Phänomene sich herausbringen lasse, was physiologisch dabei vorgehe. Denn so allererst hat man eine gründliche und genaue Kenntnis der *Wirkung*, als des Gegebenen, welche jedenfalls auch Data liefern muß zur Erforschung der Ursache, als des Gesuchten, d. h. hier des äußeren Reizes, der, auf unser Auge wirkend, jenen physiologischen Vorgang hervorruft. Nämlich für jede mögliche Modifikation einer gegebenen Wirkung muß sich eine ihr genau entsprechende Modifikabilität ihrer Ursache nachweisen lassen; ferner, wo die Modifikationen der Wirkung keine scharfen Grenzen gegeneinander zeigen, da dürfen auch in der Ursache dergleichen nicht abgesteckt sein, sondern muß auch hier dieselbe Allmählichkeit der Übergänge stattfinden; endlich, wo die Wirkung Gegensätze zeigt, d. h. eine gänzliche Umkehrung ihrer Art und Weise gestattet, da müssen auch hiezu die Bedingungen in der Natur der angenommenen Ursache liegen, u. dgl. m. Die Anwendung dieser allgemeinen Grundsätze auf die Theorie der Farbe ist leicht zu machen. Jeder mit dem Tatbestande Bekannte wird sofort einsehn, daß meine Theorie, welche die Farbe nur an sich selbst, d. h. als gegebene spezifische Empfindung im Auge, betrachtet, schon Data a priori an die Hand gibt, zur Beurteilung der Newtonischen und Goetheschen Lehre vom Objektiven der Farbe, d. h. von den äußeren Ursachen, die im Auge solche Empfindung erregen: bei näherer Untersuchung aber wird er finden, daß, vom Standpunkt meiner Theorie aus, alles für die Goethesche und gegen die Newtonische Lehre spricht.

Um hier, für Sachkundige, nur *einen* Beleg zu dem Gesagten zu geben, will ich mit wenigen Worten darlegen, wie die Richtigkeit des Goetheschen physikalischen Urphänomens aus meiner physiologischen Theorie schon a priori hervorgeht. – Ist die Farbe an sich, d. h. im Auge, die qualitativ halbierte, also nur teilweise erregte Nerventätigkeit der Retina; so muß ihre äußere Ursache ein *vermindertes* Licht sein, jedoch ein auf ganz besondere Weise vermindertes, die das Eigentümliche haben muß, daß sie jeder Farbe geradesoviel Licht zuteilt, als dem physiologischen Gegensatz und Komplement derselben Finsternis (σκιερον). Dies aber kann, auf einem sicheren und allen Fällen genügenden Wege, nur dadurch geschehn, daß die Ursache der *Helle* in einer gegebenen Farbe, gerade die Ursache des Schattigen oder *Dunkeln* im Komplement derselben sei. Dieser Forderung nun genügt vollkommen die Scheidewand des zwischen Licht und Finsternis eingeschobenen Trüben, indem sie, unter entgegengesetzter Beleuchtung, allezeit zwei sich physiologisch ergänzende Farben hervorbringt, welche, je nach dem Grade der Dicke und Dichtigkeit dieses Trüben, verschieden ausfallen, zusammen aber immer zum Weißen, d. h. zur vollen Tätigkeit der Retina, einander ergänzen werden. Demgemäß werden diese Farben, bei größter Dünnheit des Trüben, die gelbe und die violette sein; bei zunehmender Dichtigkeit desselben werden diese in Orange und Blau übergehn, und endlich, bei noch größerer, Rot und Grün werden; welches letztere jedoch, auf diesem einfachen Wege, nicht wohl darzustellen ist; obgleich der Himmel, bei Sonnenuntergang, es bisweilen zu schwacher Erscheinung bringt. Wird endlich die Trübe vollendet, d. h. bis zur Undurchdringlichkeit verdichtet; so erscheint, bei auffallendem Lichte, Weiß; bei dahinter gestelltem, die Finsternis, oder Schwarz. – Die Ausführung dieser Betrachtungsart der Sache findet man in der lateinischen Bearbeitung meiner Farbentheorie, § 11.

Hieraus erhellt, daß wenn Goethe meine physiologische Farbentheorie, welche die fundamentale und wesentliche ist, selbst aufgefunden hätte, er daran eine starke Stütze seiner physikalischen Grundansicht gehabt haben und zudem nicht in den Irrtum geraten sein würde, die Möglichkeit der Herstellung des Weißen aus Farben schlechthin zu leugnen; während die Erfahrung sie bezeugt, wiewohl stets nur im Sinne *meiner* Theorie, niemals aber in dem der Newtonischen. Allein obwohl Goethe die Materialien zur physiologischen Theorie der Farbe auf das vollständigste zusammengebracht hatte, blieb es ihm versagt, jene selbst, welche doch, als das Fundamentale, die eigentliche Hauptsache ist, zu finden. – Dies läßt sich jedoch aus der Natur seines Geistes erklären: er war nämlich zu objektiv dazu. Chacun a les défauts de ses vertus soll irgendwo Madame *George Sand* gesagt haben.[1] Gerade die erstaunliche *Objektivität* seines Geistes, welche seinen Dichtungen überall den Stempel des Genies aufdrückt, stand ihm im Wege, wo es galt, auf das *Subjekt,* hier das sehende Auge selbst, zurückzugehn, um daselbst die letzten Fäden, an denen die ganze Erscheinung der Farbenwelt hängt, zu erfassen; während hingegen ich, aus Kants Schule kommend, dieser Anforderung zu genügen aufs beste vorbereitet war: daher konnte ich, ein Jahr nachdem ich Goethes persönlichem Einfluß entzogen war, die wahre, fundamentale und unumstößliche Theorie der Farbe herausfinden. Goethes Trieb war, alles rein *objektiv* aufzufassen und wiederzugeben: damit aber war er dann sich bewußt, das Seinige getan zu haben, und vermochte gar nicht, darüber hinauszusehn. Daher kommt es, daß wir in seiner ›Farbenlehre‹ bisweilen eine bloße Beschreibung finden, wo wir eine Erklärung erwarten. So schien ihm denn auch hier eine richtige und vollständige Darlegung des objektiven Hergangs der Sache das letzte Erreichbare. Demgemäß ist die allgemeinste und oberste Wahrheit seiner ganzen Farbenlehre eine ausgesprochene, objektive Tatsache, die er selbst ganz richtig *Urphänomen* benennt. Damit hielt er alles für getan: ein richtiges »so ist's« war ihm überall das letzte Ziel; ohne daß ihn nach einem »so muß es sein« verlangt hätte. Konnte er doch sogar spotten:

> »Der Philosoph, der tritt herein,
> Und beweist euch, es müßt' so sein.«[3]

Dafür nun freilich war er eben ein Poet und kein Philosoph, d. h. von dem Streben nach den letzten Gründen und dem innersten Zusammenhange der Dinge nicht beseelt, – oder besessen; wie man will. Gerade deshalb aber hat er die beste

Ernte mir, als Nachlese, lassen müssen, indem die wichtigsten Aufschlüsse über das Wesen der Farbe, die letzte Befriedigung und der Schlüssel zu allem, was Goethe lehrt, allein bei mir zu finden sind. Demgemäß verdient sein Urphänomen, nachdem ich es, wie oben kurz angegeben, aus meiner Theorie abgeleitet habe, diesen Namen nicht mehr. Denn es ist nicht, wie er es nahm, ein schlechthin Gegebenes und aller Erklärung auf immer Entzogenes: vielmehr ist es nur die Ursache, wie sie, meiner Theorie zufolge, zur Hervorbringung der Wirkung, also der Halbierung der Tätigkeit der Netzhaut, erfordert ist. Eigentliches Urphänomen ist allein diese organische Fähigkeit der Netzhaut, ihre Nerventätigkeit in zwei qualitative entgegengesetzte, bald gleiche, bald ungleiche Hälften auseinandergehen und sukzessiv hervortreten zu lassen. Dabei freilich müssen wir stehnbleiben, indem, von hier an, sich höchstens nur noch Endursachen absehn lassen; wie uns dies in der Physiologie durchgängig begegnet: also etwa, daß wir, durch die Farbe, ein Mittel mehr haben, die Dinge zu unterscheiden und zu erkennen.

[...]

Goethe hatte den treuen, sich hingebenden, objektiven Blick in die Natur der Sachen; *Newton* war bloß Mathematiker, stets eilig nur zu messen und zu rechnen, und zu dem Zweck eine aus der oberflächlich aufgefaßten Erscheinung zusammengeflickte Theorie zum Grunde legend. Dies ist die Wahrheit: schneidet Gesichter wie ihr wollt!

Hier mag nun noch ein Aufsatz dem größeren Publiko mitgeteilt werden, mit welchem ich mein Blatt des, bei Gelegenheit des hundertjährigen Geburtstages Goethes, im Jahr 1849, von der Stadt Frankfurt eröffneten und in ihrer Bibliothek deponierten Albums auf beiden Seiten vollgeschrieben habe. – Der Eingang desselben bezieht sich auf die höchst imposanten Feierlichkeiten, mit denen jener Tag öffentlich daselbst begangen worden war.

In das Frankfurter Goethe-Album.

Nicht bekränzte Monumente, noch Kanonensalven, noch Glockengeläute, geschweige Festmahle mit Reden, reichen hin, das schwere und empörende Unrecht zu sühnen, welches Goethe erleidet in betreff seiner *Farbenlehre*. Denn, statt daß die vollkommene Wahrheit und hohe Vortrefflichkeit derselben gerechte Anerkennung gefunden hätte, gilt sie allgemein für einen verfehlten Versuch, über welchen, wie jüngst eine Zeitschrift sich ausdrückte, die Leute vom Fache nur lächeln, ja, für eine mit Nachsicht und Vergessenheit zu bedeckende Schwäche des großen Mannes. – Diese beispiellose Ungerechtigkeit, diese unerhörte Verkehrung aller Wahrheit, ist nur dadurch möglich geworden, daß ein stumpfes, träges, gleichgültiges, urteilsloses, folglich leicht betrogenes Publikum in dieser Sache sich aller eigenen Untersuchung und Prüfung, – so leicht auch, sogar ohne Vorkenntnisse, solche wäre, – begeben hat, um sie den »Leuten von Fach«, d. h. den Leuten, welche eine Wissenschaft nicht ihrer selbst, sondern des Lohnes wegen betreiben, anheimzustellen, und nun von diesen sich durch Machtsprüche und Grimassen imponieren läßt. Wollte nun einmal dieses Publikum nicht aus eigenen Mitteln urteilen, sondern, wie die Unmündigen, sich durch Autorität leiten lassen; so hätte doch wahrlich die Autorität des größten Mannes, welchen, neben Kant, die Nation aufzuweisen hat, und noch dazu in einer Sache, die er, sein ganzes Leben hindurch, als seine Hauptangelegenheit betrieben hat, mehr Gewicht haben sollen, als die vieler Tausende solcher Gewerbsleute zusammengenommen. Was nun die Entscheidung dieser Fachmänner betrifft; so ist die ungeschminkte Wahrheit, daß sie sich erbärmlich geschämt haben, als zutage kam, daß sie das handgreiflich Falsche nicht nur sich hatten aufbinden lassen, sondern es hundert Jahre hindurch, ohne alle eigene Untersuchung und Prüfung, mit blindem Glauben, und andächtiger Bewunderung, verehrt, gelehrt und verbreitet hatten, bis denn zuletzt ein alter Poet gekommen war, sie eines bessern zu belehren. Nach dieser, nicht zu verwindenden Demütigung haben sie alsdann, wie Sünder pflegen, sich verstockt, die späte Belehrung trotzig von sich gewiesen und durch ein, jetzt schon vierzigjähriges, hartnäckiges Festhalten am aufgedeckten und nachgewiesenen offenbar Falschen, ja, Absurden, zwar Frist gewonnen, aber auch ihre Schuld verhundertfacht. Denn veritatem laborare nimis saepe, extingui nunquam, hat schon Livius gesagt: der Tag der Enttäuschung wird, er muß kommen: und dann? – Nun dann – »wollen wir uns gebärden wie wir können«. (›Egm.‹ 3, 2)

In den deutschen Staaten, welche Akademien der Wissenschaften besitzen, könnten die denselben vorgesetzten Minister des öffentlichen Unterrichts ihre, ohne Zweifel vorhandene, Verehrung Goethes nicht edler und aufrichtiger an den Tag legen, als wenn sie jenen Akademien die Aufgabe stellten, binnen gesetzter Frist, eine gründliche und ausführliche Untersuchung und Kritik der Goetheschen Farbenlehre, nebst Entscheidung ihres Widerstreites mit der Newtonischen, zu liefern. Möchten doch jene hochgestellten Herren meine Stimme vernehmen und, da sie Gerechtigkeit für unsern größten Toten anspricht, ihr willfahren, ohne erst die zu Rate zu ziehn, welche, durch ihr unverantwortliches Schweigen, selbst Mitschuldige sind. Dies ist der sicherste Weg, jene unverdiente Schmach von Goethen abzunehmen. Alsdann nämlich würde die Sache nicht mehr mit Machtsprüchen und Grimassen abzutun sein und auch das unverschämte Vorgeben, daß es hier nicht auf Urteil, sondern auf Rechnerei ankäme, sich nicht mehr hören lassen dürfen: vielmehr würden die Gildenmeister sich in die Alternative versetzt sehn, entweder der Wahrheit die Ehre zu geben, oder sich auf das allerbedenklichste zu kompromittieren. Daher läßt, unter dem Einfluß solcher Daumschrauben, sich etwas von ihnen hoffen; fürchten hingegen, nicht das geringste. Denn, wie sollten doch, bei ernstlicher und ehrlicher Prüfung, die Newtonischen Chimären, die augenfällig gar nicht vorhandenen, sondern boß zu Gunsten der Tonleiter erfundenen sieben prismatischen Farben, das Rot, welches keines ist, und das einfache Urgrün, welches auf das deutlichste, vor unsern Augen, sich ganz naiv und unbefangen aus Blau und Gelb zusammenmischt, zumal aber die Monstrosität der im lautern, klaren Sonnenlichte steckenden und verhüllten, dunkeln, sogar indigofarbnen, homogenen Lichter, dazu noch ihre verschiedene Refrangibilität, die jeder achromatische Opernkucker Lügen straft, – wie sollten, sage ich, diese Märchen Recht behalten, gegen Goethes klare und einfache Wahrheit, gegen seine auf ein großes Naturgesetz zurückgeführte Erklärung aller Farbenerscheinungen, für welches die Natur überall und unter jedweden Umständen ihr unbestochenes Zeugnis ablegt! Ebensogut könnten wir befürchten, das Einmaleins widerlegt zu sehn.

Qui non libere veritatem pronuntiat proditor veritatis est.[4]

41 *Hermann Hettner*

Goethe und der Socialismus. [Rezension über:] »Göthe's Wilhelm Meister in seinen socialistischen Elementen; entwickelt von Ferdinand Gregorovius. Königsberg 1849«[1] 1852

1.

Wir sind schon seit einigen Jahren daran gewöhnt, bei der Betrachtung Goethes von Sozialismus sprechen zu hören. Machte doch Karl Grün in einem besonderen Buche ›Goethe vom menschlichen Standpunkte. Darmstadt 1846‹[2] den merkwürdigen Versuch, die ganze Goethesche Denkweise als eine im modernen Sinne des Wortes durch und durch sozialistische darzustellen. Dies Buch war in vieler Beziehung vortrefflich; aber in seiner Grundansicht war es doch durchaus verfehlt. Es war voll Übertreibung und willkürlicher Spitzfindigkeit. Es wollte zu viel, und schoß deshalb notwendig an seinem Ziel vorüber.

Gregorovius steckt sich sein Ziel bestimmter. Er beschränkt den Goetheschen Sozialismus nur auf die ›Wanderjahre‹. Und hierzu sind ihm, seitdem überhaupt die sozialistischen Doktrinen allgemeiner bekannt sind, schon mehrere vorangegangen; namentlich haben Varnhagen und Rosenkranz[3] hier Bahn gebrochen. Ja, öffentliche Blätter wollten sogar einmal wissen, daß auch George Sand sich vom sozialistischen Standpunkte aus mit einer Entwickelung der Goetheschen ›Wanderjahre‹ beschäftige, und daß sie Bettina zu einem gleichen Unternehmen aufgefordert habe.[4]

Das Gregoroviussche Buch ist höchst interessant. Es ist mit gründlichster Sachkenntnis geschrieben und verfolgt bis in das einzelnste die überraschenden Vergleichungspunkte, die sich zwischen den sozialistischen Lehren und den Goetheschen ›Wanderjahren‹ bieten. Niemand kann verkennen, die Organisation, die Goethe seinem wandernden Bunde zuteilt, ist in den wesentlichsten Stücken durchaus mit den Idealen des modernen Sozialismus übereinstimmend. Die Grundlagen der neuen Gesellschaft sind hier wie dort genau dieselben.

Wie aber kommt Saul unter die Propheten? Wie mag sich Goethe, der doch sein ganzes Lebelang immer so höchst konservativer Natur war, zuguterletzt in seinem Alter einer Weltansicht zuneigen, die durch und durch revolutionär ist, und die, ins Leben eingeführt, alles Bestehende über den Haufen stürzen müßte?

Diese Frage ist von Gregorovius nicht berührt worden. Jeder aber, der mit der Goetheschen Denkweise vertraut ist, wird hierüber vor allem Aufklärung verlangen.

Freilich jene Zeiten, wo es an der Tagesordnung war, Goethe einen herzlosen Aristokraten zu schelten, sind glücklicherweise nunmehr für immer vorüber. Wer Goethes Briefe an Frau von Stein [5] gelesen hat, der weiß es, was für ein tiefes Mitgefühl Goethe für die leidende Armut hatte, wie emsig er bemüht war, daß in seinem amtlichen Wirkungskreise durch gewissenhafte Verwaltung soviel als möglich den materiellen Notständen abgeholfen werde, und wie gründlich er die innere Hohlheit des gleißenden Hoftreibens verachtete. Aber nichtsdestoweniger wissen wir es doch ebenfalls, wie ihn die Stürme der französischen Revolution völlig außer Fassung brachten, wie er, »um sich aus diesem gräßlichen Unheil zu retten, die ganze Welt für nichtswürdig erklärte« [6], und in dieser ärgerlichen Stimmung eine Reihe von Dichtungen in die Welt schickte, von denen jeder aufrichtige Freund Goethes wünschen möchte, er hätte sie lieber nicht geschrieben.

Erlebte also Goethe wirklich noch seinen Tag von Damaskus?

Die Antwort ist leicht. Es ist nur ein scheinbarer Widerspruch. Goethe war immer frei in der Theorie, aber er hatte niemals den Mut, diese ins Werk zu setzen. Goethe war nie Politiker; er war immer nur Ideologe. Er schreckte vor der rauhen Tat zurück. Er war, wie man sich heutzutage ausdrücken würde, ein Fanatiker der Ruhe.

Sein Verhalten zur französischen Revolution und zu den darauf folgenden Napoleonischen Kriegen zeigt dies unzweideutig.

Nicht sein politisches Prinzip macht ihn zum Feinde der Revolution, sondern die angeborene Scheu vor dem Trubel und der Unruhe, die notwendig mit solchen gewaltsamen Umwälzungen verknüpft sind. Goethe erzählt, daß er während des Feldzuges niemals Fischers physikalisches Wörterbuch habe von der Seite kommen lassen und daß er bei der Belagerung von Verdun an den Refraktionserscheinungen die Farbenlehre studierte.[7] Wäre er für das legitimistische Prinzip der intervenierenden Mächte in der Tat so fanatisch entbrannt gewesen, wie man sich dies gewöhnlich vorstellt, wie hätte er zu solchen Studien und Beobachtungen Ruhe und Zeit gewonnen? Nicht bloß den ›Bürgergeneral‹ und ›Die Aufgeregten‹ schreibt er, sondern auch den ›Reineke Fuchs‹. Und dies Gedicht ist, wie Goethe selbst gesteht, durch und durch ein eben nicht sehr schmeichlerischer Hof- und Regentenspiegel.[8] Er wollte die ungeheuchelte Tierheit der Regierenden vortragen, nachdem er sich so lange hatte an Straßen- und Markt- und Pöbelauftritten übersättigen müssen.

»Raubt der König ja selbst so gut als einer, wir wissen's;
Was er selber nicht nimmt, das läßt er Bären und Wölfe
Holen und glaubt, es geschähe mit Recht. Da findet sich keiner,
Der sich getraut, ihm die Wahrheit zu sagen, so weit hinein ist es
Böse; kein Beichtiger, kein Kaplan; sie schweigen! Warum das?
Sie genießen es mit, und wär nur ein Rock zu gewinnen.

Komme dann einer und klage! Der haschte mit gleichem Gewinne
Nach der Luft, er tötet die Zeit und beschäftigte besser
Sich mit neuem Erwerb. Denn fort ist fort, und was einmal
Dir ein Mächtiger nimmt, das hast du besessen. Der Klage
Gibt man wenig Gehör, und sie ermüdet am Ende.«[9]

»Es liegt nun einmal in meiner Natur, ich will lieber eine Ungerechtigkeit begehen, als Unordnung ertragen.«[10] In diesen Worten Goethes liegt das ganze Geheimnis seiner politischen Stellung. Jene »rekonziliante« Gesinnung, die ihm zuletzt sogar die friedlichen Erschütterungen der Tragödie verleidete, scheuchte ihn zurück vor jeder stürmischen Massenbewegung. Es kommt ihm dann nicht im mindesten darauf an, um was es sich handle; gleichviel! Alles ist ihm zuwider, was seinem reinlichen Ordnungssinne Gefahr droht. In den ›Weissagungen des Bakis‹ findet sich das bedenkliche Distichon:

»Franztum drängt in diesen verworrenen Tagen, wie ehemals
Luthertum es getan, ruhige Bildung zurück.«[11]

Und Goethe ging sogar hierin noch weiter. Auch die patriotische Erhebung Deutschlands gegen Napoleon erweckte ihm ganz dieselben unangenehmen Empfindungen. Über das Jahr 1806 sagt er in den ›Tag- und Jahresheften‹: »Angst und Gefahr jedoch vermehrte der brave tüchtige Wille echter deutscher Patrioten, welche in der ganz ernstlichen und nicht einmal verhohlenen Absicht einen Volksaufstand zu organisieren und zu bewirken, über die Mittel dazu sich leidenschaftlich besprachen, so daß, während wir von fernen Gewittern uns bedroht sahen, auch in der nächsten Nähe sich Nebel und Dunst zu bilden anfing.«[12] Und als im Jahre 1813 alles sich gegen Napoleon rüstete, da äußerte er besorgt: »den werdet Ihr nicht zwingen, der ist Euch zu mächtig.«[13]

Wenn sich daher in den ›Wanderjahren‹ ganz unleugbar sozialistische Sympathien aussprechen, so kann man doch nicht sagen, daß Goethe später wesentlich seine frühere politische Ansicht geändert habe. Sie sind Theorien, das müssen wir bedenken. Der sozialistischen Propaganda aber, die ihrer Natur nach auf den Umsturz der herrschenden Regierungsformen gestellt ist, würde sich Goethe nach wie vor auf das entschiedenste entgegengestellt haben. Die Ungunst, mit der schon der Goethe der Sturm- und Drangperiode die Kämpfe des Bauernkrieges behandelt, läßt darüber gar keinen Zweifel. Und Lenardo legt den Wandernden ganz ausdrücklich die Pflicht auf, wie jeden Gottesdienst in Ehren zu halten, so auch »ferner alle Regierungsformen gleichfalls gelten zu lassen«.[14] Goethe schickt, damit alles friedlich verlaufe, seinen neuen Gesellschaftsbund hinüber nach Amerika. Und wirklich scheint der Gedanke, daß die Zukunft der Welt in Amerika zu suchen sei, bei Goethe fest gewesen zu sein. Auch in einem seiner späteren Gedichte verweist er uns in die neue Welt.[15]

Also darf man nicht fragen: Wie kommt Saul unter die Propheten? denn dieser Saulus ist in der Tat von Hause aus ein Paulus gewesen. Die Frage ist vielmehr:

Wie ist gerade diese Art der Idealpolitik aus der Goetheschen Sinnesweise entsprungen? Was nehmen die ›Wanderjahre‹ für eine Stelle in Goethes Entwickelung ein? Sind sie durch die früheren Werke bereits vorbereitet, oder sind sie nur eine flüchtige Grille eines träumenden Weisen?

Und da zeigt sich bald, daß der ganze Bildungsgang Goethes erst in diesen ›Wanderjahren‹, man mag über ihren dichterischen Wert noch so geringschätzig urteilen, seinen naturgemäßen Abschluß gefunden hat. Die ›Wanderjahre‹ sind der Kern der gesamten Goetheschen Lebensweisheit.

2

Hotho hat in einer meisterhaften Abhandlung im Dezemberheft der ›Jahrbücher für wissenschaftliche Kritik‹ 1829 einen inneren Zusammenhang zwischen den ›Lehrjahren‹, den ›Wahlverwandtschaften‹ und den ›Wanderjahren‹ darzustellen versucht.[16] Rosenkranz ist ihm darin gefolgt.[17] Ich für mein Teil bekenne, daß ich weit lieber als die ›Wahlverwandtschaften‹ den ›Werther‹ in diesen Kreis ziehe.

Gegenüber dem platten Verstandesnivellement der Aufklärungsmoral macht die Sturm- und Drangperiode das Recht des eigenen Herzens geltend. »Ein eigen Herz ist das Kostbarste, und unter Tausenden haben es kaum zwei.«[18] Daher die allgemeine Empfindsamkeit dieser Zeit. Werther ist ihr beredtester Ausdruck. Es ist nicht bloß die Liebe, die Werthern aufreibt; ein tatkräftiges Herz kann auch diese überwinden. Werther geht unter, weil er eben nur der Leidenschaft lebt, weil er »sein Herz wie ein Kind hätschelt«, und doch nirgends so viel Kraft hat, seine Leidenschaft durchzusetzen. Werther ist ein eitler Gefühlsmensch, der überall nur sein eigensinniges Gelüst zum Maß der Dinge macht und deshalb von der rauhen Tatsächlichkeit, vom Lauf der Welt, dem sich der einzelne unterzuordnen hat, zermalmt wird.

Diese Gefühlsüberschwenglichkeit hat Goethe schwere Kämpfe gekostet. Sie ist auch das Thema des ›Tasso‹. Und ›Wilhelm Meisters Lehrjahre‹ nehmen auch von ihr ihren Ausgangspunkt und bringen sie zur endlichen Versöhnung. Wilhelm ist weder empfindsam wie Werther, noch eigenlaunig phantastisch wie Tasso; aber überschwenglich ist er auch. Er lebt nur in träumerischen Idealen und hat in seinem Inneren keine Handhabe für jene sittliche Selbstbeschränkung, die für den Menschen die unverbrüchlichste Pflicht ist. Zu dieser Selbstbeschränkung erzieht ihn die Schule des Lebens. Diese Lehrjahre sind die Geschichte eines Menschen, der, nach Schillers Ausdruck, »von einem leeren, unbestimmten Ideal in ein bestimmtes werktätiges Leben tritt, ohne die idealisierende Kraft dabei einzubüßen«.[19]

Überblicken wir rasch den Verlauf dieser Lehrjahre.

Schon als Knabe lebt Wilhelm nur in der selbstgeschaffenen Welt seiner Puppenkomödie. Diese idealistischen Neigungen werden mit den Jahren nur immer stärker. Alle Ermahnungen bleiben fruchtlos. Der Jüngling mag sich nicht einengen in den engen Kreis des kaufmännischen Geschäftslebens, zu dem ihn sein Vater bestimmt hat, er will überhaupt von der Philisterei beschränkter Häuslichkeit nichts wissen; er schweift unstet hin und her; sein Ideal winkt ihm nur in Poesie und Schauspiel. Dieses genialisierende Leben findet seine Befriedigung in der Liebe zu Mariannen. Sie ist Schauspielerin, und in ihren äußeren Lebensverhältnissen läßt sie sich nicht durch die verhaßten Fesseln der bürgerlichen Sitte beschränken. Aber schon naht sich ihm mitten im ersten Vollgefühle seines jungen Glückes die erste Enttäuschung. Mit Schreck gewahrt er, daß er von der Geliebten treulos hintergangen wird. Dies ist für ihn eine ernste Warnung, wie das von der Weltsitte emanzipierte Leben von Haus aus die rächende Nemesis in sich trägt.

Bittere Tage bitterer Qualen! Wilhelm wird irre an seinem ganzen Leben. Werner führt ihm die Poesie des Handels zu Gemüt und das Glück des häuslichen Lebens. Und auf einer Reise lernt er Melina kennen, einen Schauspieler, der die prosaische Not des vagabundierenden Schauspielerlebens in herben Farben schildert, und der froh ist, wenn er seinen Unterhalt in einer kärglichen Schreiberstelle findet. Wie lernt hier Wilhelm das Leben von einer so ganz anderen Seite kennen, als er es sich bisher in seiner Traumwelt gedacht hatte! Dumpfe Verzweiflung! Er pfercht sich ein in das gleichgültige Einerlei des täglichen Geschäftslebens, aber dies bietet ihm keinen Trost, keine Freude. Nichts als gärende Kämpfe! Geheimnisvoll ragt bereits die rätselhafte Gestalt des Fremden herein, als dunkle Ahnung des Kommenden und als beruhigende Perspektive aufs Ende.

Der Vater überträgt Wilhelm eine Geschäftsreise. Wilhelm bleibt diesem Zwecke nicht lange getreu. Soll er dereinst mit Freudigkeit sich dem Geschäftsleben zuwenden, so muß er sich erst mit seiner bildungsbedürftigen idealen Seite abfinden. Er trifft mit Schauspielern zusammen. Wie könnte er dieser Lockung widerstehen? Nach wie vor lebt die Schauspielkunst als das Höchste, als das einzig freie und ideale Leben in seiner Seele. Und doch wie gefährlich ist ein solches von der Wirklichkeit abgezogenes Leben. Es mag scheinbar noch so ideal sein, es macht immer einseitig. Und diese Einseitigkeiten erscheinen hier in den verschiedensten Gestalten; die liederliche Frivolität in Philine und Friedrich, die zur Phantastik gesteigerte sich in sich selbst verzehrende Gefühlsromantik in Mignon und im Harfner. Und Laertes zeigt, wie selbst ein tüchtiges Naturell, immer nur an die Scheinidealität eines von der Welt ausgeschlossenen Kreises gebunden, zuletzt malkontent wird und zum puren Philister herabsinkt.

Aus diesem Grunde erscheint jetzt neben dieser von der Welt geächteten und verfemten Idealität eine andere Art der Idealität, die nicht von der gesitteten Welt ausgeschlossen ist, sondern recht eigentlich deren höchste Spitze zu sein scheint. Es ist dies die Darstellung der freien Persönlichkeit, wie sich diese in den aristokratischen Umgangsformen bietet; das Leben der sogenannten höheren Stände. Aber diese Idealität wird ebensowenig von innerer Bildung getragen wie jene; es ist die Idealität der Zeremonie, die Idealität der Etikette. Daher der pedantische Graf mit seinem veralteten Allegorienkram, der Baron mit seinem unreifen Kunstdilettantismus, die Offiziere, die überall den Schauspielerinnen nachlaufen, die unwürdigen Zänkereien der Herrschaften untereinander, die Baronesse, die frivol ist, und die Gräfin, die nur darum rein ist, weil ihr bisher die

Versuchung fehlte. Wilhelm fühlt es, daß hier in der Stellung etwas liege, das die Erwerbung und den Genuß innerer Bildungsharmonie wesentlich erleichtere; aber er fühlt auch, daß hier nicht sein ganzes Ideal, die reine Poesie reinen Menschentums, zu finden sei.

Eines jedoch hat er erreicht. Poesie und Leben sind ihm von nun an nicht mehr durch eine unüberspringbare Kluft getrennt. Daher eröffnet sich ihm hier erst die Kenntnis und das Verständnis Shakespeares. Solange er noch im Traume einer vom Leben scharf getrennten Idealität lebte, solange begeisterte ihn noch der französische Klassizismus. Schon zeigt sich ihm rasch vorübereilend in dämmernder Ferne die reitende Amazone, die einst das Ideal seines Lebens erfüllen soll. Noch aber ist er nicht reif dazu. Für jetzt sucht er die Poesie immer noch ausschließlich in der Poesie selbst; deshalb meint er auch, sich selbst poetisch darstellen könne er nur in der Darstellung der poetischen Gestalten Shakespeares. Ja, Schauspieler zu sein, das gilt ihm jetzt noch weit mehr als früher als einzig würdige Lebensaufgabe.

Wilhelm geht zu Serlo. Er tritt auf die Bühne. Aber man sieht es deutlich, obgleich er es sich selbst nicht eingesteht, ihm ist die Kunst nicht Selbstzweck. Er sucht in der Kunst nur das, was er subjektiv für sich zum Nutzen seiner eigenen Bildung verwenden kann. In die Betrachtung Hamlets bohrt er sich hinein; denn in diesem findet er seine eigene unstete, tatfaule, vor der Härte des Lebens zurückschreckende Schwäche. Man kann nicht zugleich Künstler der Bühne und Künstler des Lebens sein. Das Leben verlangt eine feste Persönlichkeit, einen selbstständigen Charakter; die dramatische Darstellung aber im geraden Gegensatz, das Verleugnen des eigenen Selbst, die Selbstentäußerung. Es sind hier nur zwei Fälle möglich. Entweder der Bühnenkünstler erreicht dieses selbstlose Hineinschmiegen in fremde Charaktere, und dann kommt das Leben dabei zu kurz. Ein solcher Schauspieler ist im Leben meist leichtfertig und genußsüchtig. Dies ist Serlo. Oder der Bühnenkünstler nimmt es umgekehrt mit dem Leben und der eigenen Charaktereigentümlichkeit ernst und dann stellt er immer nur sich selbst dar. Auf der Bühne trägt ein solcher subjektiver Künstler seine heiligsten und geheimsten Gefühle zur Schau und entweiht sie; im Leben dagegen verfällt er ins Theatralische, in hypochondrische Selbstquälerei, und in dieser reibt er sich endlich auf. Dies ist Aurelie. Hier also ist kein Heil für Wilhelm. »Flieh, Jüngling! Flieh«, ruft ihm der Genius seines Lebens.

Für Wilhelm entschwindet die letzte Selbsttäuschung. Das sieht er, ausschließlich in der Kunst als Kunst ist die Möglichkeit wahrhaft harmonischer Menschenbildung nicht gegeben. Wo also ist das Ideal des Lebens, oder vielmehr das Leben des Ideals? Die Wissenschaft ist es nicht. Denn stützt sich diese nicht auf harmonische Bildung, die erst das Resultat des ganzen Romans ist, so führt sie nur zur einseitigen Fachgelehrsamkeit, zum geisttötenden Handwerk. Es bleibt die Religiosität, das instinktive Idealgefühl des Lebens. Dies ist die innere Notwendigkeit, warum hier die ›Bekenntnisse einer schönen Seele‹ eingefügt sind. Jedoch hat in dieser die Religiosität nur noch eine sehr krankhafte Form. Vom Leben abgezogen, rein in sich vergraben, ist sie gefühlsschwelgerische Selbstbespiegelung, empfindsame Schönseligkeit, die schöne Seele reibt sich auf, ebenso wie Mignon und Aurelie.

Also weder Kunst noch Religion, einseitig für sich herausgehoben, versöhnen mit dem Leben. Sie verweichlichen und verdumpfen nur. Wie aber, wenn eine durch Kunst und Religiosität genährte und gehobene Stimmung die Grundlage eines werktätigen Lebens ausmacht?

Wir treten jetzt in einen Familienkreis, in dem sich alle Elemente vereinigen, die bis dahin nur vereinzelt sich geltend gemacht hatten. Die Glieder dieser Familie sind Nachkommen der schönen Seele, sie sind unter deren gemütserwärmender Einwirkung erzogen und aufgewachsen. Der Oheim besitzt große Kunstsammlungen, seine ganze Umgebung trägt das Gepräge dieses lebendigen Kunstsinnes. Das Selbstbewußtsein und die Lebensfreiheit, wie sie das Eigentum der höheren Stände ist, tritt hinzu. Und dieses ideale Walten erscheint hier nicht bloß in beschaulicher Ruhe, sondern alle Persönlichkeiten, die diesem Kreise angehören, stehen mitten im Kampfe und in der Tat des Lebens, die Frauen sowohl wie die Männer. Es sind hier also wieder die höheren Stände, denn diese konnten zu der Zeit, in der der Roman geschrieben, fast ausschließlich nur zur Darstellung und zum Genusse höherer Lebenskunst kommen. Aber wie ganz anders ist es hier als dort auf dem Schlosse des Grafen! Diese Menschen sind gebildet durch ein vielbewegtes Leben, sie kokettieren nicht mit eitler Repräsentation, sie streben eifrig nach Erwerb und praktischer Tätigkeit. Sie merken und forschen, freilich in Gestalt der damals herrschenden Geheimbünde, nach den höchsten Lebens- und Bildungsmächten. Wilhelm sieht hier vor Augen, was er so lange vergeblich gesucht hat. Er entsagt seiner hohen Überschwenglichkeit, er erkennt die Notwendigkeit und Bedeutung des praktischen Lebens. Zu glücklicher Stunde wird ihm ein Sohn überbracht, der ihm als Pfand von Mariannens Liebe geblieben ist. Denn erst durch die Sorge für unsere Kinder lernen wir die Notwendigkeit des Schaffens nach außen, die Sammlung der Kräfte. Dies werktätige Leben, das er einst so sehr verachtete, geht ihm jetzt erst in seiner Tiefe auf. Aber allerdings, er hat die Zeit nicht verloren, die er auf seine innere Bildung verwandt hat. Werner zeigt sich wieder. Was hat Wilhelm für ein ganz anderes freieres Behaben! Wie vorteilhaft sticht er ab gegen diesen kargen Geschäftsphilister!

In dieser praktischen Stimmung glaubt Wilhelm in der geschäftstätigen Haushälternatur Theresens seine Ergänzung und das Ziel seines suchenden Bildungsdranges gefunden zu haben. Dies ist ein Irrtum. Dazu hat er zu viel Idealität, zu viel Harmonie und Poesie in sich. Natalie, die werktätig und ideell zu gleicher Zeit, die mit einem Worte in Wahrheit eine schöne Seele ist, ist in naiver Weiblichkeit durch ihre Natur das, was Wilhelm erst durch langen Kampf sich hat mühsam erringen müssen. Sie ist es wenigstens ihrem Wesen nach, obgleich der Dichter versäumt hat, sie zur festen Plastik herauszugestalten. Hier sieht Wilhelm seine innerste Befriedigung, seine Versöhnung. Auch Natalie liebt ihn. Und dadurch, daß diese ihn als ihresgleichen erkennt und in ihm ihre eigene Seelenharmonie wiederfindet, sind Wilhelms Lehrjahre geschlossen. Der Schüler ist zum Meister gesprochen.

Diese Verbindung tritt um so bedeutsamer als der ideelle Abschluß hervor, da der Dichter dafür gesorgt hat, die Einzigkeit einer solchen aus der innersten Wesensgleichheit hervorgehenden Ehe recht ausdrücklich vor Augen zu stellen. Gregorovius hat völlig Recht, wenn er hervorhebt, wie neben Wilhelm und Natalie die Verbindung zwischen Lothario und Theresen, Friedrich und Philinen, Jarno und Lydia, nur als sehr alltägliche Verhältnisse erscheinen. Wilhelm besiegelt durch seine Ehe das letzte Ergebnis all seiner Kämpfe. Er weiß nunmehr sicher, daß sich in der Beschränkung erst der Meister zeigt.

Wilhelm war ausgegangen nach der Schauspielkunst, und er hat die Lebenskunst erobert; er suchte die Idealität des schönen Scheins und er fand die Idealität der schönen Wirklichkeit. Er wollte des Vaters Eselin suchen und er fand ein Königreich.

3

An diesen Schluß knüpft sich unmittelbar der Anfang der ›Wanderjahre‹.

Spricht man von den ›Wanderjahren‹, so kann vernünftigerweise nur von deren Ideengehalt die Rede sein. Die dichterische Form derselben müssen wir rückhaltlos preisgeben. Die ›Wanderjahre‹ sind nicht aus Einem Stücke, sie sind nur aus Einem Sinne.[20] Der Held hat nicht an sich Interesse; »dem Dichter liegt daran«, wie Goethe selbst einmal bei Eckermann eingesteht, »eine mannigfache Welt auszusprechen, und er benutzt die Fabel des Helden bloß als eine Art von durchgehender Schnur, um darauf aneinanderzureihen, was er Lust hat«.[21]

Die ›Lehrjahre‹ haben die Aussicht auf einen bestimmten Lebenskreis eröffnet, der sich auf die Einseitigkeit eines bestimmten Berufes beschränkt hat und dabei doch den Blick ins Allgemeine und die idealen Güter menschlicher Bildung sich zu wahren weiß. Die ›Lehrjahre‹ haben den schönen Menschen hervorgebracht, die ›Wanderjahre‹ sollen die schöne Gesellschaft, den schönen Staat hervorbringen.

In diesem Sinne steht hier sogleich am Eingang sehr bedeutsam das reizende Idyllion von St. Joseph. St. Joseph ist der schlichte tüchtige Handwerker, der einfach seinem Gewerbe nachgeht und sich darin nur um so inniger befriedigt fühlt, je sinniger er durch die angeborene Poesie, mit der er sich überall mit den Wundern alter Legenden und heiliger Geschichten in Verbindung setzt, sein ganzes Dasein verklärt und adelt. Diese praktische und dabei doch ideale Denkart St. Josephs leitet uns hinüber aus der Welt der ›Lehrjahre‹ in die Welt der ›Wanderjahre‹. St. Joseph ist das, was Wilhelm und die Seinigen erst werden wollen. Der Dichter führt daher bald darauf Jarno vor, der sich emsig um bergmännische Kenntnisse und Tätigkeit müht. Das Ziel also, um das es sich handelt, tritt uns noch einmal recht eindringlich entgegen. Jarno fordert Wilhelm wiederholt auf, nun auch seinerseits rasch ans Werk zu gehen, und sich eine nützliche Beschäftigung zu wählen.

Wilhelm kommt auf seiner Wanderung auf das Gut des Oheims, in den Familienkreis Makariens. Jene sinnige Lebenspraxis, die bei St. Joseph nur als vereinzelt und aus den gewöhnlichen Verhältnissen herausgehoben erscheint, erscheint hier als die Grundlage weitgreifender gesellschaftlicher Sitten und Einrichtungen. Hier daher ist es, wo die so eigentlich sozialen Fragen uns zum ersten Male bestimmt entgegen klingen. Es sind die Fragen nach dem Wesen der Familie und des Eigentums.

Die Innigkeit des Familienlebens wird aufs strengste gewahrt. Karl Grün meint zwar, Goethe dringe wie Platon und Fourier auf die Aufhebung der Familie; aber das ist nicht wahr. Im Gegenteil! Die ganze mystische Art, mit der der elementare Geist Makariens in einen magischen Zusammenhang mit dem Planetarsystem gebracht wird, ist nichts als die sehr bestimmte, wenn auch sehr wunderliche und barocke Apotheose des sittlichen Familiengeistes. Und ebensowenig dringt Goethe hier auf die Aufhebung des Privatbesitzes. »Besitz und Gemeingut«, das ist der Wahlspruch des Oheims. »Jede Art von Besitz«, sagt er, »soll der Mensch festhalten, er soll sich zum Mittelpunkt machen, von dem das Gemeingut ausgehen kann; er muß Egoist sein, um nicht Egoist zu werden, zusammenhalten, damit er spenden könne. Was soll es heißen, Besitz und Gut an die Armen zu geben? Löblicher ist, sich für sie als Verwalter betragen. Dies ist der Sinn der Worte Besitz und Gemeingut. Das Kapital soll niemand angreifen, die Interessen werden ohnehin im Wettlaufe schon jedermann angehören.«[22] Gregorovius bemerkt (S. 105) zu diesen Worten: »Es ist hier also jede Kritik des Eigentums, jede Philosophie der materiellen Gleichheit ausgeschlossen. Von Proudhon's Qu'est ce que la proprieté? (c'est le vol) würde er jede Zeile mit dem Ausrufe lesen: Quel renversement des idées humaines! Voici le tocsin de 93! Voici le branle-bas des révolutions! Würde sich der Oheim aber von seinem falschen Sozialismus überzeugen lassen und eine neue Sozialtheorie akzeptieren, so ließe sich dreist das Prognostikon stellen, daß ihn Louis Blanc für sein System des industriellen Unitarismus gewinnen würde, wonach der Staat alles Besitztum in seine Hand zu bringen, alle Fabriken an sich zu kaufen und auf seine Kosten die Nationalwerkstätten gemeinsam habe produzieren zu lassen. Denn von solcher allgemeinen Staatsdomäne dürfte der kapitalistische Oheim nach den Prinzipien seiner Familiendomäne nur wenige Schritte entfernt sein.«

Dem sei wie ihm wolle. Das steht fest, mit den bestehenden Verhältnissen verglichen ist diese Ordnung der Eigentumsverhältnisse durchaus selbstlos. Nur in einem neuen, selbstloseren Geschlechte kann sie Verbreitung gewinnen. Wilhelm und alle die Menschen, die in den alten Verhältnissen groß wurden, haben sich erst durch unsägliche Kämpfe diese ideale Hingebung erringen müssen. Warum sollen diese dem folgenden Geschlechte nicht erspart werden? Eine neue Erziehung tut not. Wilhelm reist in die pädagogische Provinz, um seinen Sohn Felix dort unterzubringen.

Zunächst handelt es sich um die allgemein menschliche Bildung, um die Erziehung des ethischen Menschen. Wie bekundet sich hier der tiefe Blick des Dichters! Das Individuelle soll nicht erdrückt werden, denn vernünftig ist nur, was jedem gemäß ist. Daher merken die Erzieher sorgfältig auf die angeborenen Neigungen des einzelnen und das nivellierende Uniformwesen wird mit Strenge ferngehalten. Aber das Individuelle darf sich auch nicht selbstsüchtig aufspreizen.

Werther war ja nur daran zugrunde gegangen, daß er sein Herzchen wie ein krankes Kind hielt und ihm jeden Willen gestattete. Und so spricht sich die Summe dieser Erziehungsweisheit in dem Gebote der drei »Ehrfurchten« aus, die nach allen Seiten hin den Kreis aller menschenmöglichen Verhältnisse und Pflichten umfassen, in der Ehrfurcht vor dem, was über uns ist, in der Ehrfurcht vor dem, was unter uns ist, und in der Ehrfurcht vor dem, was uns gleich ist. Aus diesen drei Ehrfurchten entspringt dann naturgemäß »die oberste Ehrfurcht, die Ehrfurcht vor sich selbst und jene entwickeln sich abermals aus dieser, so daß der Mensch sich selbst für das Beste halten darf, was Gott und Natur hervorgebracht haben, ja, daß er auf dieser Höhe verweilen kann, ohne durch Dünkel und Selbstheit wieder ins Gemeine gezogen zu werden«.[23]

Wer diese Gesinnung sich zu eigen gemacht hat, der kann dann getrost in seinen bestimmten Beruf eintreten; er läuft gewiß nicht Gefahr, daß er in ihm die Harmonie seines inneren Menschen verliere. Deshalb wird uns nun, nachdem auch Wilhelm inzwischen sich für einen bestimmten Beruf geschickt gemacht hat, eine neue Seite der Erziehungsprovinz aufgetan, die Erziehung für die Berufstätigkeiten des praktischen Lebens. Auch hier erstreben alle Einrichtungen das strengste Gleichgewicht der idealen und materialen Interessen. Die Baukunst als die Kunst, die dem praktischen Handwerk am nächsten verwandt ist, erscheint als der Mittelpunkt. Drama und Theater, als die Kunst des bloßen Scheins, wird ganz ausgeschlossen. Und umgekehrt wird dem Handwerk zu seiner idealen Erhebung immer ein musisches Gegengewicht geboten, wie denn fast bei jeder Arbeit schallender Gesang ertönt. Geht diese Erziehung der Pferdezüchter z. B. vornehmlich auf Ausbildung des Sprachtalents, so ist dies eine Grille, die zwar mit Recht viele in arge Verwunderung gesetzt hat, die aber in der Tat nichts ist als eine neue Spiegelung jenes alten Grundgedankens.

Nun aber ist die Zeit gekommen, in der der Gewinn aller dieser Bildungsexperimente sich darlegt. Es ist die Organisation der neuen Gesellschaft.

Sie geht von einem Bunde aus, dem Wilhelm und der ganze Freundeskreis der ›Lehrjahre‹ angehören. Oberstes Gesetz ist, in irgendeinem Fache muß einer vollkommen sein, wenn er Anspruch auf Mitgenossenschaft machen will. Der größte Teil gehört dem Handwerkerstande an, und der herkulische St. Christoph zeigt uns, daß auch der lasttragende Proletarier darin nicht vergessen ist. Standesunterschiede gibt es nicht, in dieser »Assoziation« gilt nur das Recht und der Adel der Arbeit.

In der zivilisierten Welt kann diese Assoziation keine Stätte finden. Diese ist bereits in Besitz genommen und Goethe hat ausdrücklich in der Geschichte der »schönen und guten« Susanne darauf hingewiesen, wie hier die Macht des Kapitals das Recht der Arbeit immer mehr zu erdrücken und zu verschlingen droht. Für unseren Zweck hier ist es auch ganz gleichgiltig, ob ein Teil dieses wandernden Bundes mit Wilhelm und dessen Freunden nach Amerika wandert, oder ob er sich in den unbebauten Strecken der alten Welt ansiedelt, oder ob gar einige sich vom Amtmann zum Bleiben bewegen lassen, – für uns ist es nur von Bedeutung, auf welche Formen und Mittel diese Gesellschaft ihr Dasein gründet.

Grund und Boden ist die natürliche Voraussetzung. Er ist durch den großen Güterbesitz der Kolonisationsunternehmer gesichert. »Und doch darf man sagen«, ruft Lenardo aus, »wenn das, was der Mensch besitzt, von großem Wert ist, so muß man demjenigen, was er tut und leistet, noch einen größeren zuschreiben. Wir mögen daher den Grundbesitz als einen kleineren Teil der uns verliehenen Güter betrachten, die meisten und höchsten derselben bestehen aber eigentlich im Beweglichen, und in demjenigen, was durchs bewegte Leben gewonnen wird.«[24] Dies ist, wie wir nicht zweifeln können, die Kraft und der Erwerb der Arbeit. Damit aber ein jeder zur vollen Verwertung seines Arbeitskapitals komme, ist ein Zentralkomitee errichtet, das ihn in seinem Maße und nach seinen Zwecken aufklärt. Allen wird der größte Respekt für die Zeit eingeprägt. Die Familienkreise haben für strenge Zucht und Sitte zu sorgen; und wo diese nicht ausreichen, da greift eine mutige Obrigkeit ein, eine sorgsame Polizei, die den Unbequemen beseitigt, bis er begreift, wie man sich anstellt, um geduldet zu werden. Die Obrigkeit ist niemals an *einem* Orte; sie zieht nach Art der deutschen Kaiser beständig umher, um Gleichheit in den Hauptsachen zu erhalten und in läßlichen Dingen einem jeden seinen Willen zu gestatten. Solange es möglich ist, wird das Emporkommen einer Hauptstadt vermieden. Stehende Heere gibt es nicht, alle Bürger sind der Verteidigungskunst kundig.

Dies sind die allgemeinsten Punkte, die die Grundlage der neuen Gesellschaftsordnung bilden. Und es ist leicht zu sehen, daß sie noch ebenso embryonisch und unbestimmt sind, wie die Phantasiegebilde der neuesten französischen Reformer. Der Dichter fühlt dies, und setzt daher hinzu, daß diese Grundbedingungen beim Zusammentreten der Gesellschaft immer wieder aufs neue durchsprochen werden sollen, bevor schließlich ein Gesetz den neuen Zustand als bindend erkläre.

Aber auf die größere oder geringere Durchbildung dieser neuen Organisationsideen kommt es im Grunde genommen auch nicht an. Es genügt die einfache Tatsache, daß Goethe sich überhaupt in derartige Ideen hineingesponnen hat. Mit Verwunderung sehen wir, daß gerade Goethe, dem doch von unserer Kritik herkömmlich der herbe Vorwurf gemacht wird, als sei er nur der Dichter subjektiver Seelenleiden und Bildungskämpfe gewesen, in seinem späten Greisenalter sich so angelegentlich die Zukunft des Staats- und Gesellschaftslebens zum Gegenstand der Betrachtung gewählt hat, daß er in der Tat der erste deutsche Sozialist genannt werden muß.

Und was das Wunderbarste ist, Goethe scheint durchaus nicht, wie die meisten unserer Zeitgenossen, diese sozialistischen Theorien in das Reich der Träume verweisen zu wollen. »Einfach groß«, sagt er, »ist der Gedanke, leicht die Ausführung durch Verstand und Kraft. Das Jahrhundert muß uns zu Hilfe kommen, die Zeit an die Stelle der Vernunft treten, und in einem erweiterten Herzen der höhere Vorteil den niederen verdrängen.«[25]

42a *Viktor Hehn*

Deutsche Dichtung nach Schiller und Goethe 1848/1911

Nachdem die deutsche poetische Literatur in den drei letzten Dezennien des achtzehnten Jahrhunderts durch Goethe und Schiller eine Höhe erreicht, die noch jetzt unsern Stolz und Trost bildet, ist sie im neunzehnten Jahrhundert ebenso rasch wieder hinabgestiegen. Auf die schönste Blüte ist der kläglichste Verfall gefolgt. Nimmt man dasjenige aus, was der alternde Goethe seiner Nation noch schenkte, so kann man seit Schillers Tode kein einziges größeres poetisches Werk nennen, das Anspruch auf Vollendung hätte und eine ganz reine Freude gewährte. Manches erlangte zu seiner Zeit lauten Beifall, ward als klassisch und epochemachend begrüßt, und in wenig Jahren war es gänzlicher Vergessenheit anheimgefallen. Wir sehen keinen einzigen Dichter, der aus der Gewalt schöpferischen Genies unwiderstehlich die Mitlebenden zwänge, hinrisse, beherrschte, der bei voller Originalität doch im Zentrum der Zeit stünde und so neue Wege gebahnt, neue poetische Ausgangs- und Standpunkte festgesetzt hätte. Vielmehr ist die ganze schöne Literatur des neunzehnten Jahrhunderts nichts als Abglanz, Nachklang, geschwächter Widerhall, auch wohl Ausartung jener Blütezeit, es ist ein Nachbeben der geistigen Bewegung, in deren Mitte Goethe steht. Auf ästhetischem Gebiet sind alle Chorführer mehr oder minder Epigonen, das heißt Nachgeborene stärkerer Heldenväter, und wir können das Wort des alten Horaz [1], das er beim Untergang der römischen Republik gebrauchte: die Zeit unsrer Eltern hat eine schwächere Nachkommenschaft geboren – wohl auf unsre jetzige Literatur anwenden. Länger als das poetische *Ideal* erhält sich der philosophische *Gedanke*. Wie eine doppelte mächtige Gebirgskette nämlich läuft der Reihe großer Dichter eine Reihe großer Denker parallel, von Kant, Jacobi und Fichte bis Schelling, Hegel und Feuerbach; dieselbe innere Erhebungskraft hat beide emporgetrieben, beide ruhen auf demselben Prinzp freier Menschlichkeit; nur in der *Zeit* dem Ausgangspunkt nach etwas jünger und daher bis in unsre Tage sich erstreckend, ist das deutsche Denken doch eine Frucht derselben Saat, aus welcher Goethes und Schillers Dichtungen hervorgingen. Mit Recht hat Schelling an seinem Nebenbuhler und Feinde Hegel doch als Verdienst gerühmt, daß durch sein Auftreten und seine Lehre der Zusammenhang mit der goldenen philosophischen Zeit am Schlusse des achtzehnten Jahrhunderts erhalten worden sei.

Ein Hauptmerkmal aller dichterischen Erzeugnisse der letzten vierzig bis fünfzig Jahre, der tödliche Wurm, der an jeder poetischen Blüte nagt, ist das Vorherrschen der *Kritik* und *Reflexion*. Man sieht, die ästhetische Bildung ist ausgebreitet, Literaturgeschichte, Sprachstudium, Übersetzung in Massen, die poetischen Schätze aller Zeiten und Völker, große Muster schweben vor, auch die jedesmalige Aufgabe der Zeit ist leicht in eine allgemeine Formel zu fassen – daher ein Überwiegen des Wissens über das Können, daher die Abwesenheit warmen Lebens und voller Realität in den poetischen Gebilden, daher bei dem Mangel der eigentlich schaffenden und bildenden Phantasie das vergebliche Gelüste, dennoch ihre Wirkungen zu erreichen. Die Dichter sind mehr Literaten und Belletristen als Dichter. Sie haben literarische *Zwecke*, ästhetische *Absichten*, religiöse, soziale *Tendenzen*. Der ins Unendliche vermehrte, überall hindringende ästhetische Journalismus hat, wie ein feines zerstörendes Element, keine dunkle, naive, einsame Stelle übrig gelassen, wo ursprüngliche Natur wäre, wo das Leben für sich gälte. Den schaffenden Trieb, der, sich selbst ein Rätsel, einer innern Notwendigkeit folgte, hat, wo er sich regte, das Licht früh geweckter Reflexion getroffen und im Augenblick dieser Berührung seine Kraft gebrochen. So war es in der eigentlichen romantischen Schule, so mit dem sogenannten jungen Deutschland, so ist es auch mit der neuesten Schule der liberalen Dramatiker, politischen Lyriker und sozialen Novellisten. Die romantische Schule phantasierte über Phantasie, sie trieb Poesie der Poesie und spiegelte sich bei all ihrem dichterischen Tun in dem Bewußtsein eigner Genialität. Die Schlegel machten triumphierende Verse über ihres Freundes Tieck romantische Dichtungen, ja sie besangen ihr eignes kritisches Journal, das ›Athenäum‹.[2] Dichter und Dichterleben wurde der Lieblingsstoff poetischer Darstellungen. Novalis ließ die zerflossene Gestalt Heinrichs von Ofterdingen, des vermeintlichen mittelalterlichen Dichters, in täuschender Zauberbeleuchtung vor uns aufsteigen[3], Tieck zeigte uns in zwei seiner besten Novellen Shakespeares und Camoëns' Dichten und Trachten[4], und der Lorbeer, den er jenen Vorgängern wand, war mit für die eigne Stirn bestimmt. Und bis in die jüngste Zeit herab geht diese Lust der Poesie, ihr eignes Spiegelbild zu haschen. Da werden uns Gottsched und Gellert, Schiller und seine Mitschüler auf der Karlsakademie, Schiller während seiner Heimatsjahre, Richard Savage und Molière, Lessing als Jüngling und Spinoza als Opfer des Fanatismus, und Bürger und Schubart und Goethe in Straßburg usw. als Helden von Dramen, Novellen und Romanen vorgeführt.[5] – Damit hängt auch der äußere Umstand zusammen, daß die Dichter meist dem Norden und Nordosten Deutschlands (nicht mehr dem Südwesten und Süden) angehören[6] und daß Berlin im neunzehnten Jahrhundert die literarische Hauptstadt Deutschlands wurde. Schiller und Goethe, Schelling und Hegel besaßen die *positive* Kraft der poetischen *Tat* und der intellektuellen *Anschauung* als ein Erbteil ihrer Heimat, wo das Gemüt ein ungebrochenes, der Mensch ein vollerer, der Sinn für die umgebenden Dinge heiterer und offener ist. Die Mitglieder der Romantik (und ihre Nachfolger) wurden alle in dem naturlosen reflektierenden Norden geboren, wo Mensch und Welt im Zwiespalt ist, und sie erwärmten sich an dem individuellen Leben, das in Goethes Dichtungen mit so entzückender Wahrheit atmete, und an Schellings anschauungsreichen Synthesen dessen, was in ihnen selbst entzweit war.

Ein zweites in die Augen fallendes Merkmal der Literatur des letzten halben Jahrhunderts ist ihr *reaktionärer* Charakter. Reaktionär ist sie im Vergleich zu der klassischen Epoche in doppelter Hinsicht. Sie ruht nämlich erstens nicht mehr, wie damals, auf einer liberalen Weltansicht, auf edler Geistesfreiheit, auf Unbefangenheit der Sitte, des Lebens und der religiösen Meinung. Goethe und Schiller sind die edlen Blüten der großen emanzipativen Bewegung des achtzehnten Jahrhunderts; die Aufklärung ist der Boden, auf dem sie kampflos wandeln, das Element, in dem sie ruhig atmen. Voltaire und Rousseau bilden für beide die bewußte oder unbewußte Voraussetzung. Der eine, Kind und Priester der *Natur*, schließt sich an Spinoza und gewinnt in dessen erhabener Ethik eine selige Weite des Blickes über die in Haß und Liebe getrennte Welt; der andere, das Genie der *idealen Freiheit*, stärkt die Kraft seines Wollens an Kants strengen Abstraktionen, um in seinen letzten Lebensjahren im Umgange mit seinem reifern Freunde gleichfalls in die Bahn schöner Versöhnung einzulenken. So genährt mit der Lebensluft der Vernunft und Freiheit, stellen beide, in sich und ihren Werken, das griechische Altertum wieder her, dessen Pforten Winckelmann geöffnet hatte, und gewinnen durch ihr kritisches Jahrhundert Raum zu der positiven Erfüllung mit dem Geist des Hellenismus, dem Geist der Humanität und sittlichen Schönheit. Wie an Homer und Sophokles, lehnen sie sich auch an Shakespeare, den Dichter des fröhlichen England, nicht des spätern bigotten, wie es aus der puritanischen Revolution hervorging, den Dichter, dessen Blick, von keinem Dogma umwölkt, mit so sichrer Unparteilichkeit den Weltlauf überschaut. – Diese freie Atmosphäre, in welcher unsre beiden Dichter leben und weben, hat sich im neunzehnten Jahrhundert sichtlich verdickt und getrübt. Hierophanten aller Art traten hervor und schrieben Hieroglyphen und zündeten die Weihrauchpfannen an. Des scharfen Tageslichtes überdrüssig, wirft sich das Gemüt in die primitiven Urzeiten zurück, wo ahnende Völker in pflanzenhafter Stille bedeutsame Bildungen geschaffen. Die Vernunft beugt sich der Tradition, die Bildung des Jahrhunderts wird als nichtig weggeworfen vor der tiefen Priesterweisheit, die in grauer Vorzeit der Besitz eines noch nicht abgefallenen, in Einheit mit Gott verbliebenen Geschlechtes war. Der Standpunkt der Wissenschaft wird mit dem der Mythik und Symbolik vertauscht. Glaube, Gemüt, Sehnsucht nach dem Unbegreiflichen setzen sich dem revolutionären Aufklärungszeitalter entgegen. Die Kritik gilt für seicht, die Aufklärung für trivial, die Philosophie für beschränkt verständig. Jakob Böhme, Angelus Silesius, solche lange verschüttete Quellen theosophischer Mystik, werden wieder aufgegraben und betäuben die eifrig schöpfenden Adepten. Das griechische Altertum tritt zurück, und die beiden dem alten griechischen Leben entgegengesetzten Pole, der Orient, der gebundene, priesterliche, und der Norden, der harte und lichtlose, ziehen herrschend die Geister an. Die mittelalterliche Kunst und Poesie, seit dem Renaissancezeitalter des fünfzehnten Jahrhunderts als kindisch und barbarisch verachtet, wird mit ihrer altertümlichen Form*armut* und phantastischen Form*losigkeit*, mit der Kinderweisheit ihres märchenhaften Inhaltes aus einer armen Aschenbrödel zur Prinzessin gemacht und mit Hohn gegen ihre antike Schwester auf den Thron gesetzt. Der griechische Säulentempel muß sich gefallen lassen, daß der gotische Dom sich als ebenbürtig neben ihn stellt, und der alte Homer muß dulden, daß das Nibelungenlied sich ihm vergleicht und ihn sogar aus den Schulen zu verdrängen sucht. In der griechischen Götterlehre, diesem wunderbarsten Gedicht, das der menschliche Geist geschaffen, schaute der Seherblick romantischer Mythologen kein leichtsinniges Spiel mit Fabeln mehr, sondern Trümmer urweltlicher Philosopheme, verhüllte Sinnbilder altorientalischer Erkenntnis, das zu Farben gebrochene reine Licht einer Urreligion. Wie auf theologischem, trat auch auf politischem Gebiet die Mystik dem Rationalismus entgegen. Ein großer Rechtsgelehrter sprach unserer Zeit überhaupt den Beruf zur Gesetzgebung ab[7]; der Staat war in den Augen politischer Romantiker nicht mehr ein freies Kunstwerk der Vernunft, dem die natürlichen Bedingungen nur als zu verarbeitender Stoff unterliegen, sondern ein Naturgewächs, das in einem organischen Lebensprozeß begriffen ist, an den keine unheilige Hand störend rühren soll. Die ideale Anerkennung alles Schön-Menschlichen, von welchem Volke es uns auch zugekommen, jener Humanismus, für den Herder geschwärmt, zog sich zusammen in die Enge und den Eifer nationalen Vorurteils, in deutschen Rassenstolz, der sich besonders im antiquarischen Aufstöbern der Vergangenheit und im Hasse gegen Frankreich, das vorzugsweise *moderne* Land, befriedigte. Es war natürlich, daß in einer so schwülen Luft auch die Poesie kein gesundes Wachstum entfalten konnte und die unheimlich brennende Farbe ihrer Blüten ein innerlich wirkendes Gift verriet. Selbst die Philosophie, die ihre Wurzeln noch in der klassischen Epoche hatte, gab dem veränderten Zeitgeist nach. Schon Fichte zeigt den Übergang: was er früher *das Ich* nannte, hieß ihm später nicht ohne mystische Färbung *Wesen Gottes;* statt des absoluten Subjekts, das im Wissen sich und die Welt setzt, pries er nun die *Liebe,* die über dem Wissen und der Vernunft steht.[8] Schellings Naturphilosophie stand im Bunde mit dem romantisch-katholischen Obskurantismus; an Hegel lehnte sich die protestantische Theologie, die mit unerwarteter Freude aus seinen Händen eine Restauration ihrer am meisten gefährdeten Besitztümer entgegennahm. Zwar die beiden entgegengesetzten Elemente, die die Hegelsche Philosophie zufolge ihrer Abkunft von der Hochschule Jena zu Fichtes und Schillers Zeit und dann zufolge ihrer Stellung mitten in dem Zeitalter der Restauration in sich trug, diese beiden Seiten trennten sich in gegenseitiger Empörung, die Schule zerfiel in eine rechte und eine linke Seite, die letztere trat in eine immer engere Verbindung mit der unterdes im stillen erstarkten Partei des politischen Radikalismus – aber auch dies alles ohne Gewinn für die Dichtung, vielmehr zu ihrem Nachteil. Manches längst errungene ästhetische Gut wurde wieder in Frage gestellt. Man kam dahin, Poesie und Kunst als bestimmten politischen Systemen dienend zu denken und ein poetisches Produkt, einen Dichter zuerst nach seinem religiösen und politischen Glaubensbekenntnis zu fragen. Die Grundunterscheidung zwischen Stoff und Form, die in ästhetischen Dingen so wesentlich ist, Goethes und Schillers immer wiederholte Forderung, nicht pathologisch durch die Materie, sondern künstlerisch durch die Form eine Dichtung auf sich wirken zu lassen, diese Unterscheidung, diese Forderung wurde nicht beachtet oder ausdrücklich in die entgegengesetzte verwandelt. Schon Gervinus, ein sonst verdienter Geschichtschreiber, trägt diese Schuld: er maß die Dichter nicht nach dem Grade künstlerischer Vollendung, den sie erreicht, sondern nach ihrer Stellung zu dem moralisch-nationalen Rigorismus, den er bekannte. Bald hörte man aus dem Munde der jüngsten politischen Kritik, Goethe sei noch nicht der Rechte; er sei bloß schöne Subjektivität, das heißt ein Subjekt, das erst *in sich* das schöne Gleichgewicht zwischen Empfindung und Gedanken, Begehren und Einsicht, Herz und Welt hergestellt; das höhere Ziel aber, das die Poesie suche, sei die Objektivität der Freiheit, das heißt Darstellung einer großen, lebendig bewegten, nach sittlichen Zwecken gestalteten öffentlichen Ordnung der Dinge, in deren Verpflechtung der einzelne erst seine wahrhafte Bestimmung, die Erfüllung mit wahrhaftem Inhalt finde. In Goethe fand sich nur *Seelen*schönheit und deren Ausdruck, Schmerzen des *Gemütes,* die tiefen Verwandlungen, Irrungen und Heilungen des *psychologischen* Lebens – in Schiller aber schon Andeutung der Zeitverhältnisse und der Tatendrang nach außen strebender männlicher Heldennaturen. Daher nun bei jener liberalen Schule von Kritikern das Verhältnis von Goethe und Schiller sich umkehrt: hatte bei den Romantikern, die noch den rein poetischen Gesichtspunkt festhielten, Goethe als der einzige unvergleichliche Meister gegolten, hatte Friedrich Schlegel von dem bleiernen moralischen Schiller gesprochen, so wurde nun der Dichter des Posa und Tell geflissentlich hervorgestellt, der den Anfang des Weges betreten habe, den man weiter wandeln müsse. Indessen fing auch die politische Poesie an, sich zu versuchen; sie versuchte sich in Novellen und Romanen, in Lyrik und Dramatik. Und von allen Seiten ein Freudengeschrei darüber: die Tendenz entschied. Anspielungen, Sentenzen, Rhetorik, Tagespointen riefen den Beifall der Theatermenge und der befreundeten kleinen Journale hervor. Es fragte sich nicht mehr, ob die politische Idee wirklich rein und ganz in Phantasie aufgegangen, ob sie zum organisierenden Kern, zum unmittelbaren Leben der Dichtung geworden, ob die politische Absicht in die Sphäre reiner Menschlichkeit erhoben worden – die bloße Absicht genügte. In eben dem Maße, als das *politische* Interesse in den Vordergrund trat, ging die *ästhetische* Erziehung, über die Schiller einst so herrliche Briefe geschrieben, verloren. In eine ergreifende Spitze faßt sich dieses Verhältnis zusammen in dem langen erbitterten Kampfe Ludwig Börnes gegen Goethe, des armen Judenknaben aus dem Frankfurter Getto gegen den reichen Frankfurter Patriziersohn, des Unglücklichen, zu Tode Gequälten, tief Blickenden, von seiner Zeit des Wahnsinns und Frevels Angeklagten gegen den Vergötterten, den im Sonnenlichte des Lebens und im Schmucke der Schönheit Dahinwandelnden. So stiegen aus den tiefen Regionen die zerlumpten trotzigen Gestalten auf, der ganzen alten Welt und ihrer gewohnten Sitte und Kunst drohende schreckliche Fragen stellend.[9]

Und dies ist die zweite Seite der reaktionären Bewegung des neunzehnten Jahrhunderts. Die erste bestand in einer rückgängigen Wendung der Prinzipien überhaupt, in einer Wiederkehr überwundener Dunkelmächte; sie geht bis zum Juli 1830; die zweite betrifft den drohenden Verlust aller ästhetischen Güter, deren Besitz die großen Dichter und Denker für immer gesichert zu haben schienen.

42b *Viktor Hehn*

Aus: Ueber Goethes Hermann und Dorothea 1851/1893

Wahl des Stoffes. Warum kein politischer

In Goethe selbst lagen alle Bedingungen zum epischen Dichter: desto schwieriger war es mitten in der Prosa einer alternden Welt einen Stoff zu finden, der der epischen Darstellung fähig war. Treten wir den damaligen Zeiten und Volksverhältnissen näher, um zu sehen, welcher Art dieser Stoff nur sein konnte.

Man hat es in neuerer Zeit Goethe oft zum Vorwurf gemacht, daß er so egoistisch sich abgeschlossen und nichts für sein Volk getan. Er mit seiner mächtigen Rede hätte die schlummernde Nation zur Freiheit wecken, zu Taten begeistern und zur politischen Größe führen sollen. Aber statt dem unterdrückten Recht seine hilfreiche Stimme zu leihen, suchte er Selbstgenuß in der schönen Kunst; ohne Herz für die Leiden des Vaterlandes, das in den Fesseln feudaler Barbarei oder moderner Polizeigewalt lag und in unzählige Herrschaften zerstückt das Schlachtfeld Europas bildete, vergnügte er sich als Höfling in Weimar und weder die Taten Friedrichs des Großen noch die Unmacht des heiligen römischen Reichs deutscher Nation erregten ihn zu Begeisterung oder Unwillen. Besonders gegen das große Weltereignis, das am Ende des Jahrhunderts von Frankreich aus seine Donner über den Weltteil rollen ließ, hätte er nicht mit solcher Abneigung sich verschließen sollen: denn wo ließ sich ein mächtigerer Stoff für Epos oder Tragödie finden und wodurch konnte ein wahrhafter Dichter würdiger zu großen Gesängen gestimmt werden und tiefer alle Herzen der Zeitgenossen und der nachkommenden Geschlechter zu bewegen hoffen?

Es war besonders Ludwig Börne, ein gewiß ebenbürtiger Gegner, der diese Vorwürfe häufte. Lessing sagt in einem Briefe, er laufe Gefahr ärgerlich zu werden und mit Goethen trotz dem Genie, worauf dieser so poche, anzubinden.[1] Ein halbes Jahrhundert später erfüllte ein Geistesverwandter Lessings die Drohung gegen den unterdes mächtig gewordenen Dichter. In immer erneuerten hingeworfenen Bemerkungen kommt er auf Goethe zurück, den er von Anbeginn gehaßt zu haben gesteht, und schleudert aus der Glut seines edeln Herzens, in der sich sein Märtyrerleben verzehrte, leuchtende Brandkugeln in Goethes Kunstanlagen. Goethe, ruft er aus, hätte ein Herkules sein können, sein Vaterland von großem Unrate zu befreien; aber er holte sich bloß die goldenen Äpfel der Hesperiden, die er für sich behielt, und dann setzte er sich zu den Füßen der Omphale und blieb da sitzen. Wie ganz anders lebten und wirkten die großen Dichter und Redner Italiens, Frankreichs und Englands! Und nun führt er das Beispiel Dantes, Alfieris, Montesquieus, Voltaires, Rousseaus, Miltons usw. an. Die furchtlose unbestechliche Richterin, sagt er ein andermal, wird Goethe fragen: Dir ward ein hoher Geist, hast du je die Niedrigkeit beschämt? Der Himmel gab dir eine Feuerzunge, hast du je das Recht verteidigt? Du hattest ein gutes Schwert, aber du warst immer nur dein eigener Wächter! Wenn Gottes Donner rollen und niederschmettern das Gequieke der Menschlein da unten, dann horcht ein edles Herz und jauchzt und betet an und, wer angstvoll ist, hört und ist still und betet; der Dämische aber verstopft sich die Ohren und hört nicht und betet nicht und betet nicht an. Schiller während der heißen Tage der Französischen Revolution schrieb in der Ankündigung der ›Horen‹ [2]: Vorzüglich aber und unbedingt wird sich die Zeitschrift alles verbieten, was sich auf Staatsreligion und politische Verfassung bezieht. So sprach und dachte auch Goethe, er, der angstvoller als eine Maus beim leisesten Geräusche sich in die Erde hineinwühlt und Luft, Licht, Freiheit, ja des Lebens Breite, wonach sich selbst die totgeschaffenen Steine sehnen, alles, alles hingibt, um nur in seinem Loche ungestört am gestohlenen Speckfaden knuppern zu können. Als ich heute gegen Weimar zu fuhr, schreibt er in einem Briefe [3], und es vor mir lag mit seinen roten Dächern im Wintersonnenschein kalt und freundlich, und ich dachte, daß Goethe darin schon länger als fünfzig Jahre wohne, daß er es nie verlassen, da überfiel mich wieder der Groll gegen diesen zahmen, geduldigen, zahnlosen Genius. Wie ein Adler erschien er mir, der sich unter der Dachtraufe eines Schneiders angenistet. Und ein solcher Mensch sollte doch ein fleischfressendes Tier sein und nicht wie ein Spatz Gerste essen, auch nicht aus der schönsten Hand. Und zu Goethes Tag- und Jahresheften von 1790 ruft er [4]: Was? Goethe, ein reichbegabter Mensch, ein Dichter, damals in den schönsten Jahren des Lebens, wo der Jüngling neben dem Manne steht, wo der Baum der Erkenntnis zugleich mit Blüten und Früchten prangt, er war im Kriegsrate, er war im Lager der Titanen, da, wo vor vierzig Jahren der zwar freche, doch erhabene Kampf der Könige und Völker begann, und zu nichts begeisterte ihn dies Schauspiel, zu keiner Liebe, zu keinem Hasse, zu keinem Gebete, zu keiner Verwünschung, zu gar nichts trieb es ihn an als zu einigen Stachelgedichten, so wertlos nach seiner eigenen Schätzung, daß er sie nicht einmal aufbewahrte, sie dem Leser mitzuteilen? Und als die prächtigsten Regimenter, die schönsten Offiziere an ihm vorüberzogen, da gleich der jungen blassen Frau eines alten Mannes bot sich seinem Beobachtungsgeiste kein anderer, kein besserer Stoff dar als die vergleichende Anatomie? Und als er in Venedig am Ufer des Meeres lustwandelte, Venedig, ein gebautes Märchen aus Tausend und einer Nacht, wo alles tönt und funkelt, Natur und Kunst, Mensch und Staat, Vergangenheit und Gegenwart, Freiheit und Herrschaft, wo selbst Tyrannei und Mord nur wie Ketten in einer schauerlichen Ballade klirren, die Seufzerbrücke, die zehn Männer, es sind Szenen aus dem fabelhaften Tartarus, Venedig, wohin ich sehnsuchtsvolle Blicke wende, doch nicht wage ihm nahe zu kommen, denn die Schlange österreichischer Polizei liegt davor gelagert und schreckt mich mit giftigen Augen zurück, dort, die Sonne war untergegangen, das Abendrot überflutete Meer und Land und die Purpurwellen des Lichts schlugen über den felsigen Mann und verklärten den ewig Grauen und vielleicht kam Werthers Geist über ihn und dann fühlte er, daß er noch ein Herz habe, daß es eine Menschheit gebe um ihn, einen Gott über ihm, und dann erschrak er wohl über den Schlag seines Herzens, entsetzte sich über den Geist seiner gestorbenen Jugend, die Haare standen ihm zu Berge und da in seiner Todesangst, »nach gewohnter Weise, um alle Betrachtungen loszuwerden«, verkroch er sich in einen geborstenen Schafschädel und hielt sich da versteckt, bis wieder Nacht und Kühle über sein Herz gekommen! Und den Mann soll ich verehren? den soll ich lieben? usw.

Um diese Vorwürfe zu würdigen, ist es nötig, das Jahrhundert, in dem Goethe lebte, und die Nation, die ihn hervorgebracht hatte, kurz zu zeichnen.

[...]

Aus jenem Formenzwange nun, aus der Selbstentfremdung in dürren objektiven Satzungen die Nation zu Wahrheit und Natur zurückzuführen, dem Gemüte, der innerlichen Welt des Subjekts ihr Recht wiederzuerobern, die falschen Konvenienzen zu brechen, die dumpfen Kerker der Pedanterie und Scholastik dem Licht zu öffnen, dies war die Arbeit und die Aufgabe des achtzehnten Jahrhunderts, und auf diesem Punkt ist es, wo Goethe durch seine Dichtungen den unvergänglichen Lorbeer gewann. Alle politischen Fragen lagen bei dieser naturalistisch-ästhetischen Emanzipation außer dem Gesichtskreise. Der Kampf richtet sich gegen die Schranken, die die freie Subjektivität einengen: das Individuum soll mit den tiefen Rätseln und Mysterien seines Inneren, mit der ganzen Unendlichkeit seiner Empfindung das arme Schema der fertigen äußeren Gattungen durchbrechen, es soll zugleich in schöner Selbstbildung die Welt anerkennen und mit der positiven Vernunft ihrer Einrichtungen sich erfüllen; die abstrakten Sätze des hochmütigen, in Kirche und Wissenschaft verhärteten Verstandes sollen sich in dem Lebensstrom der totalen allumfassenden Natur auflösen; die Sitte soll wieder die Wahrheit ursprünglichen Menschengefühls aussprechen und durch schöne Kultur die elende, heuchlerische Moral ersetzen. Wie seit den Zeiten der Reformation über zwei Jahrhunderte lang die Theologie das Szepter geführt und das theologische Interesse den Mittelpunkt gebildet hatte, so setzte diese neue Zeit über den Trümmern der theologischen Welt die Schönheit als Herrscherin ein. Winckelmann führte zuerst die Nation in die Heiligtümer der alten Kunst ein, wo die Versöhnung der Natur und des Geistes sichtbar vollzogen war; in den marmornen Darstellungen griechischer Götter, die die Theologen als Teufelswerke und Götzenbilder der Heiden gebrandmarkt hatten, gingen ihm Ideale der Schönheit und echten Menschlichkeit auf, die er in seiner Kunstgeschichte mit naiver Begeisterung beschrieb. Lessings Bestimmung war es, die Schule, diesen Alp, der auf Deutschland drückte, wegzuwälzen. Mit gewandter Unruhe in alle Gebiete der Wissenschaft und Kunst bald kritisch, bald produktiv Streifzüge machend, störte er überall die hochmütige Sicherheit des gelehrten Besitzstandes und legte Feuer an die morschen hölzernen Burgen, in denen dieser verschanzt saß. Indem er die Stellen bezeichnete, wo die wahre Quelle der Poesie, des echten religiösen Gefühls sprudelte, warf er die Gedichte und orthodoxen Lehren seiner Zeit als leere Hülsen fort. Wie Winckelmann, der Kunstbegeisterte, aus dem alten Luthertum austrat, so wußte auch Lessing nicht bloß in seinen Schriften die umfassendste Gelehrsamkeit in die Form der leichteren dialogischen Prosa zu bringen, sondern warf auch in seinem Leben allen pedantischen Zwang ab. ›Nathan der Weise‹, sein letztes Werk, befreite ganz im Sinne des Jahrhunderts die Idee der Menschenliebe und Menschenachtung aus den positiven Religionen, die auf den Haß und die alleinige Formel gebaut waren. Gleicherweise ist auch in Herders langer Schriftstellerlaufbahn die primitive Menschennatur der überall durchklingende Grundton. Auch er suchte das starre Eis der leblos gewordenen Formen durch den warmen Hauch des Gemütes zu schmelzen; in die dürre altlutherische Orthodoxie führte er die belebenden Mächte der Dichtung und Sage, der Liebe und Phantasie, die Mystik, Vision und orientalische Bilderwelt, in die Theorie der Dichtkunst die Natur, die Genialität, das Volkslied, die Unmittelbarkeit der künstlerischen Produktion, die nationelle und historische Charakterbestimmtheit ein. So knüpfte sich an ihn der Anbruch jener Epoche, die stürmend und drängend den inneren Genius aus den Fesseln jeglicher Unnatur zu befreien trachtete. Goethe war das poetische Genie, das diese Befreiung in positiven Dichtertaten vollzog; er wollte nach seinen eignen Worten den Menschen das Gefühl eines edeln und wahren Daseins zum Bewußtsein bringen. Schon in seinen Jugendliedern, die auf die kalte, moralisierende, gemachte Lyrik unmittelbar folgen, trifft die wahrste, naivste, seelenvollste Melodie unser Ohr; im ›Werther‹ werden alle Leiden und Seligkeiten eines einseitigen Gemütslebens, das mit sich und der Welt in grausamem Bruch ist, vor uns erschlossen; im ›Tasso‹ ist gleichfalls die innere Welt der Dichterbrust in ihrem tränenvollen Kampf mit der herben Realität, mit der sie eigenwillig und übergreifend sich noch nicht in Einklang gesetzt hat, vor unser Auge gezaubert; der ›Faust‹ ist das tiefsinnige Drama von dem Ich, das auf sich selbst gestützt an sich verzweifelt, schmerzvoll ringt, in Genuß und Erkenntnis vergeblich sich zu genügen strebt und endlich in freier Wirksamkeit und Tätigkeit den Frieden gewinnt; in der ›Iphigenie‹ stehen wir auf dem Boden des schon gewonnenen Sieges und die Schönheit einer edeln Seele ist Herrin über die blinde Verworrenheit der Leidenschaft und über Fluch und Frevel grauenvoller Vergangenheit; in den ›Römischen Elegien‹ ist in dem süßen Genuß befriedigter Liebe, in der unbefangenen Grazie reinen menschlichen Empfindens alle negative, naturfeindliche Moral auch selbst als Feindin aus dem Bewußtsein geschwunden und nur die hineinblickenden Zeugen einer großen untergegangenen Welt mischen Tropfen der Wehmut in den Kelch heiterer Freude, diese mehr lindernd als trübend. So bilden in Goethes Dichtungen überall innere Seelenstimmungen das Thema und in tausend variierenden Modulationen singt er von den Leiden und der Heilung der Brust. Die innere Unendlichkeit des Subjekts hat sich aufgetan und es läutert sich zu Schönheit und Adel. Daher das weibliche Ideal Goethe am herrlichsten gelungen ist, denn des Weibes Bestimmung ist, sich mit der Welt ins Gleichgewicht zu setzen, nicht mit ihr heroisch zu kämpfen. Mit der Politik, wo im Lärm der Leidenschaft und Tat die innere Musik der Seele verhallt und die stille Entwicklung natürlichen Werdens durch die Empörung des Eigenwillens unterbrochen wird, mit dieser konnte Goethe und das ganze ihn umgebende Geschlecht nichts zu schaffen haben wollen. Wo Goethe ein politisches Thema zu behandeln unternimmt, z. B. im ›Götz‹, im ›Egmont‹, da verwandelt es sich unter seiner Hand in ein Gemälde innerer Seelenzustände. So bekämpft und verhöhnt auch Lessing die Aristokratie hochgelehrter Perückenhäupter, nirgends die politische Aristokratie, den Sultanismus, die Favoritenherrschaft seiner Zeit. Auch er war ein Literat, kein Publizist. Die Männer des achtzehnten Jahrhunderts in Frankreich kamen in die Bastille, sie mußten ihre Bücher in Holland drucken lassen und diese wurden von Staatswegen öffentlich verbrannt: die gleichzeitigen deutschen Reformatoren blieben in Frieden mit der Zensur, denn ihre Bücher waren auf Befreiung des inneren Menschen und des Privatlebens, nicht auf bürgerliche Emanzipation gerichtet; was sie zerstören wollten, war die Satzung in Kunst, Moral und Sitte; was sie erobern wollten, war die Welt im theologischen Sinne des Wortes. Selbst Schiller, den man als den historischen Dramatiker zu bezeichnen pflegt, hielt sich unter den Kantschen Werken am meisten an die ›Kritik der Urteilskraft‹, wo der Kampf der Freiheit in der Schönheit sich versöhnt, und entfaltet in seinen Dramen mehr Neigung zu psychologischen Schilderungen und zum Pathos des Individuums, als Talent für Zeichnung der ehernen Züge der Zeitphysiognomie im großen. Mit Recht sagt Gustav Pfizer über den ›Wallenstein‹[5]: ›Wallenstein‹ macht doch nicht den Eindruck, daß von dem Schicksal des darin auftretenden Helden die Wendung des welthistorischen Krieges und das Schicksal Deutschlands großenteils abhänge; Wallenstein selbst interessiert uns nur als Individuum, als psychologischer, nicht als historischer Held; Deutschland, das blutende, zerrissene und einer noch grausenvolleren Zukunft entgegenschauende Deutschland jener Zeit ist weder in den ›Piccolomini‹, noch in ›Wallensteins Tod‹ vertreten. Auch in der ›Maria Stuart‹ ist es nicht der Konflikt zwischen dem Staatsinteresse Englands und den Forderungen der Menschlichkeit, nicht der Konflikt zwischen Katholizismus und Protestantismus, auch nicht der zwischen dem sächsischen und dem schottisch-französischen Volksstamm, es ist nicht dieser politische Konflikt, der die Seele des Stücks ausmacht, sondern weibliche Eifersucht führt die tragische Katastrophe herbei und wir befinden uns ganz in dem privaten Gebiet individueller Charakterentwicklung. Ganz in dem Sinne jener Literaturepoche ist es, wenn Schiller in der Ankündigung der ›Horen‹ sagt, es sei Bedürfnis, durch ein allgemeines höheres Interesse an dem, was rein menschlich ist, die Gemüter wieder in Freiheit zu setzen und die politisch geteilte Welt unter der Fahne der Wahrheit und Schönheit zu vereinigen. Daß auch in den ›Briefen über ästhetische Erziehung‹ Schiller nicht die ästhetische Kultur zu einem geschichtlichen Durchgangspunkt machen wollte, durch welchen die Völker in den verschiedenen Perioden der Weltgeschichte gehen müssen, um für die politische Freiheit reif zu werden, daß also der ganze Gegensatz für Schiller nicht, wie Gervinus will, ein empirischer Einteilungsgrund des historischen Materials ist, sondern die ästhetische Erziehung nur eine sittlich-schöne Wiedergeburt bezweckt, welche, wird sie jemals vollendet, die politische Wiedergeburt ersetzte und sie enthielte, dies hat Guhrauer vortrefflich gegen Gervinus und dessen einseitige Betonung des historisch-politischen Elementes auseinandergesetzt.[6]

Nichts natürlicher also, als daß Goethe, der Dichter des achtzehnten Jahrhunderts (denn das war er, obgleich sein Leben auch das erste Drittel des neunzehnten umfaßte), von dem politischen Geiste unberührt blieb, der jenseit des Rheins so furchtbare Ereignisse ins Leben rief. Das deutsche Publikum war allen politischen Gegenständen gegenüber apathisch, es bewegte sich in ganz anderen Sphären; so auch die Dichter. Ich selbst und mein engerer Kreis, erzählt Goethe von seiner Jugend, befaßten uns nicht mit Zeitungen und Neuigkeiten; uns war darum zu tun, den Menschen kennen zu lernen; die Menschen überhaupt ließen wir gern gewähren.[7] Die Revolution fand zwar anfangs in Klopstock einen enthusiastischen Anhänger, aber wie alles bei diesem Dichter war auch diese Bewunderung eine abstrakte; die Freiheit, die ihm vorschwebte, war eine Seifenblase, die sehr bald zerplatzte; als die Revolution sich auf konkretem Boden nach den Bedingungen der Wirklichkeit gestaltete, als sie wie jedes Ideal in die historischen Verhältnisse eingehend durch diese sich durchkämpfen mußte, da hatte er nicht Sinn für wirkliche Politik genug, um sie in diesem Kampf zu begleiten; er ward der Idee bei der ersten unvollkommenen Gestalt, die sie annahm, untreu und schmähte sie nun mit derselben Grandiloquenz, mit der er sie früher gepriesen hatte.

Im allgemeinen, muß man bekennen, liegt in der deutschen Natur wenig politischer Sinn. Wir sind ein Volk der Familie, des Privatlebens, des Gemütes, und dieser Zug geht durch die ganze Geschichte Deutschlands. Der Feudalstaat des Mittelalters, dieses germanische Produkt, ruht auf der Treue, der Liebe, dem Gemüte, der Hingabe des einzelnen an den einzelnen. Der Vasall folgt dem Lehnsherren, der selbst wieder Vasall eines Höheren ist: er ergibt sich dem Dienst einer Persönlichkeit, nicht einem allgemeinen Gedanken. Privatbeziehungen, privatrechtliche Verhältnisse bilden zusammengerechnet den mittelalterlichen Staat. Alles zerfällt in eine bunte Mannigfaltigkeit besonderer Existenzen. Jeder Stand hat seine Rechte und Vorrechte, eine Freiheit steht neben der andern. Eine allgemeine ordnende Vernunft, ein auf dem gleichen humanen Anspruch aller einzelnen ruhendes Gesetz gibt es nicht. Der Baron, der oben auf dem Felsen haust, wird anders gerichtet als der Leibeigene, der unten an die Scholle gebannt ist, beide anders als der Bürger der Reichsstadt; in der Stadt hat jede Zunft ihre Gerechtigkeit, ihr Herkommen, ihren Schutzpatron; dieses Kloster hat Immunitäten, die jenem fehlen; der einzelne steuert nicht dem Staate, sondern demjenigen, dem er pflichtig ist; er gehört in Gesichtskreis und Sitte nicht dem Vaterlande, denn ein solches gibt es nicht, sondern dem Gau, in dem er geboren ist, und auch nicht dem Gau, sondern der Stadt, deren Bürger er ist, und auch nicht dieser, sondern der Zunft, zu der er gehört.

Der Feudalstaat ist eigentlich gar kein Staat, weil ihm die Form der Allgemeinheit fehlt und in ihm alles privatrechtlich und lokal ist. Der Sinn für das Lokale und im engsten Sinne Heimische ist in der deutschen Natur vorherrschend. Deutschland hat keine großen Städte erzeugt, wo der Weltverkehr sich drängt, wo das Leben sich zu großen Verhältnissen aufhäuft und in raschem Umschwung fortbraust: höchstens kommen solche Städte und auch die größeren Staaten da vor, wo im Osten das deutsche Blut schon durch Vermischung alteriert ist. In den kleinen Städten unter engen lokalen Verhältnissen hat sich die eigentümliche deutsche bürgerliche Sittlichkeit ausgebildet. Arbeitsam und fleißig mehrt der deutsche Bürger in ruhigem Tagewerk seine Habe, lebt dem kleinen Amte und Gewerbe, erfüllt geduldig seine Pflichten und Gewohnheit und Geduld, diese echt deutschen Genien, führen ihn täglich auf demselben Pfade hin und zurück. Einem hereinbrechenden Landesunglück, dem Kriege, der Feuersbrunst setzt er den passiven Widerstand seines Fleißes, seiner heimischen Anhänglichkeit entgegen: die böse Zeit geht vorüber und mit den alten Gesinnungen richtet sich das alte Leben wieder ein. Individuelle Existenzen und beschränkte Sphären gliedern die Stadt in ihrem Innern, das Staatsganze liegt außer der Reflexion des echten deutschen Bürgers; Verordnungen, höhere Befehle nimmt er mit angeborner Scheu vor der Obrigkeit entgegen; in ferner Glorie schwebt der Fürst vor seiner Phantasie und tief rührt es ihn, wenn dieser durch persönliches Erscheinen, durch Herablassung oder auch nur durch erzählte Anekdoten humanen Benehmens seinem treuen Gemüte nähergerückt wird. Vor einem Kaiser oder König gestanden, ein Wort aus ihrem Munde vernommen zu haben ist eine Ehre, die durch Tradition von Großmutter auf Enkel vererbt wird; wer bei der Durchreise des Prinzen durch die halbgeöffnete Tür hat lauschen können, weiß nachher seinen horchenden Freunden von der wunderbaren Einfachheit oder dem wunderbaren Überfluß der fürstlichen Tafel, Garderobe usw. zu erzählen. Dem deutschen Bürger in seiner stillen Privatexistenz verwandelt sich alles Politische in ein Persönliches, eine Anekdote. In dem Wochenblatt nimmt er besonders diejenigen Stellen mit Interesse auf, die von merkwürdigen Naturspielen, sonderbaren Prozessen und Testamenten und dergleichen handeln. Höchstens abends mit dem Nachbar beim Kruge Bier liebt er es, zu kannegießern und aus gemütlichem Hafen sich erzählen zu lassen, wie weit hinten in der Türkei die Völker aufeinander schlagen.[8] Er phantasiert lieber über die Politik des Auslands, als er in den einheimischen Angelegenheiten einen Schritt tut und, wenn bei andern Nationen morgens im Kaffeehaus aus den Zeitungsblättern die Stimmung sich bildet, aus der die Taten des Tages hervorgehen, so politisiert der deutsche Bürger abends nach vollbrachtem Tagewerk zur Erholung auf Museen, Ressourcen, Kasinos und legt sich dann zu Bett, um alle Träume und Großtaten zu verschlafen. Er baut sich in seiner Häuslichkeit, in seinem Familienleben seine eigene kleine Welt, die mit Wall und Graben umzogen ist und von der aus er das übrige große Welt- und Völkerleben als ein Fremdes und Feindliches sich gegenüberliegen sieht; er ist in seinem Hause nach Goethes Ausdruck wie im Schiff auf dem Meere.[9] Der Romane lebt in der Gesellschaft, im politischen Gewühl, auf der Straße und flieht seine vier Wände als drückend und beengend und den Aufenthalt in ihnen als tat- und gedankenlos; der Deutsche atmet auf, wenn er seine Schwelle wieder betritt, die sein Heiligtum von der harten Außenwelt scheidet. Dort trägt alles das Gepräge gemütlicher Innigkeit, behaglicher Ruhe, des Langsamen, Gewohnten und Ererbten von dem Schlafrock und der Pfeife bis zu den blankgescheuerten Türgriffen, dem Familiensalzfaß, dem einförmigen Tiktak der Wanduhr, die noch vom Großvater stammt, der alten Bibel, auf deren erstem Blatt der Geburtstag von Vater, Mutter, sämtlichen Kindern und beiden Großeltern steht, der Wochenordnung, wonach der Montag diese, der Sonnabend jene bestimmte Speise bringt usw. In der deutschen Ehe, der deutschen bürgerlichen Häuslichkeit und lokalen Genügsamkeit waltet Treue und Gemüt, in der Tätigkeit der mehr politischen Völker Verstand und Wille. Mit dem Familienprinzip hängt die aristokratische Über- und Unterordnung, die gleichfalls dem deutschen Stamme eigen ist, eng zusammen. Das Adelsgefühl ruht auf dem Gefühl der unverletzten Heiligkeit der Familie, die sich bis auf Voreltern und Enkel erstreckt und alle Glieder derselben, ja das Stammschloß, die Bilder, Sammlungen und Diener zu einem gemütlichen Ganzen vereinigt. Tritt der Deutsche aus der Familie heraus, so empfängt ihn nicht die Welt oder der Staat, sondern der Stand; die Erweiterung des Familiengeistes ist der Standesgeist. Daher in Deutschland Rangstufen, Kastenabsonderungen, Absonderung der höheren und der niederen Klassen, die in romanischen Ländern, wo alle durch eine gewisse Gleichheit des Benehmens, der Empfindung und der Sprache verbunden sind, nicht vorkommt. Abneigung und Scheu trennt in Deutschland den Zivilisten vom Militär, den Edelmann vom Bürger, diesen vom Bauer, den Kaufmann vom Gelehrten; auch hier also das vorherrschende Prinzip die Privatexistenz.

Alle diese Züge sind seit Goethes Zeit durch die fortgehende Geschichte gemildert worden; in den größeren Städten hat sich das Leben dem der übrigen europäischen Länder ähnlich gestaltet und die Eisenbahnen werden dazu beitragen, die nationellen Schranken und die partikulären Lebenskreise zu erweitern. Goethe selbst aber und sein Jahrhundert hatten keinen Beruf, weder politisch zu wirken noch eine politische Wirksamkeit, die nicht vorhanden war, poetisch darzustellen. Die Französische Revolution war etwas Fremdes, von dem deutschen Gefühl nicht Geteiltes; sie fand in der Masse kein Echo und konnte also auch nicht Stoff eines Epos sein. Aber noch war jenes stille und sittliche deutsche Familien- und Bürgerleben vorhanden, dort war ein echt nationaler Kern gegeben; noch bestand jene zwar beschränkte, aber in sich volle und tiefe Empfindung, die allmählich von den Wogen der anbrechenden politischen Ära verschlungen und in dem Mechanismus und der Berechnung der Fabrikindustrie erstickt werden sollte. ›Hermann und Dorothea‹ ist das Epos von der deutschen Bürgertugend, das Epos von der Familie und dem Privatbesitz, dieser Substanz des deutschen Geistes. Es ist darum ein episches Idyll, wie es Jean Paul benannte [10], ein bürgerliches Epos nach Humboldts Bezeichnung [11], kein heroisches und historisches. Idyllisch ist es, weil das einfach Menschliche, die überall wiederkehrende, auf dem Menschengefühl selbst ruhende Sitte, die stillen Verhältnisse, mit denen die ewig gleiche Natur selbst den Menschen umgibt, heiter und warm uns aus dem Gedichte entgegenwehen. In einer Zeit der Reflexion und der Zerfallenheit machen diese Darstellungen und Zustände nach Hegels Bemerkung [12] dasjenige in uns lebendig, was zum unvergänglichen Reiz in den ursprünglich menschlichen Verhältnissen der ›Odyssee‹ und der patriarchalischen Gemälde des Alten Testaments gehört, das Freien am Brunnen, das Leben mit den Herden, Zorn und Segen des Vaters, das Keimen der Familie aus der Familie usw. Erhöht wird der Reiz dieser Schilderung noch durch den Umstand, daß wir das idyllische Privatleben gleichsam noch am Rande des Abgrunds in den letzten Momenten vor seinem Untergange fassen: schon kündigt sich das politische Zeitalter dumpfgrollend im Hintergrunde an; schon steht der festgestalteten Lebensordnung unsrer Familie die wilde Auflösung des Zuges der Vertriebenen gegenüber und, wie ferne Gebirge vom Horizont in ein friedliches Tal hinübersehen, so hallen die gewaltigen Ideen und wilden Männer und furchtbaren Ereignisse der Revolution aus gedämpfter Ferne bis in unsre idyllische Welt, die durch den Kontrast nur noch inniger an unser Herz tritt. Hierin könnte man ›Hermann und Dorothea‹ mit Virgils ›Eklogen‹ vergleichen, wo gleichfalls ländliche Gemälde auf den schrecklichen Hintergrund der römischen Revolutionsgeschichte aufgetragen werden, nur daß bei Virgil die innere Wahrheit der Darstellung fehlt, die an ›Hermann und Dorothea‹ entzückt. Das Bewußtsein eines glücklichen Privatlebens dem Schwanken politischer Umwälzungen gegenüber wird in dem Gedichte selbst an mehreren Stellen deutlich ausgesprochen. So sagt die Mutter zu Hermann:

> Denn es ist deine Bestimmung, so wacker und brav du auch sonst bist,
> Wohl zu verwahren das Haus und stille das Feld zu besorgen.[13]

Und der Pfarrer verteidigt in einer herrlichen Schilderung das verharrende, immer wiederkehrende Leben des ruhigen Bürgers:

> Aber jener ist auch mir wert, der ruhige Bürger, u.s.w.[14]

Und den gleichen Gedanken als den Sinn und das Resultat des ganzen Gedichtes spricht Hermann am Schlusse aus:

> Desto fester sei bei der allgemeinen Erschüttrung,
> Dorothea, der Bund! u.s.w.[15]

›Hermann und Dorothea‹ ist so wenig ein politisches Gedicht, daß es vielmehr in seiner innersten Substanz antipolitisch ist, daß es uns als ein unverdorbenes Vermächtnis aus jener stillen Zeit überliefert ist, die den Stürmen der politischen Epoche vorausging. Es ist aus der inneren Tiefe der deutschen Nationalität hervorgehoben, die überall nur die zweite Rolle spielen wird, wo die Aufgabe aus der Stille der Natur in den Kampf des Willens, aus der Familie in den Staat sich versetzt.

Karl Grün wendet Goethes Abkehr von der Politik positiv und will dartun, die Erringung abstrakter politischer Rechte sei Goethe zu wenig gewesen und er habe weiterblickend jenes ganze Streben als zu eng und leer verschmäht.[16] Allein Goethe ruht nicht auf der überwundenen politischen Bewegung, nicht auf deren Konsequenzen, sondern auf der Zeit vor der Revolution, wo jene Bewegung noch gar nicht hervorgebrochen war. Der Kommunismus[17] setzt die Tendenzen des Liberalismus als durchgeführt voraus; das System politischer Gleichheit, die gleiche Geltung abstrakter Persönlichkeit ist ihm nur nicht genug: er will jedem einzelnen auch gleiches Wohlsein, gleiche Möglichkeit humaner Bildung, wahrhaften Anteil an den materiellen und geistigen Gütern des Lebens verbürgen und den Individualismus in einem sozialen Organismus zugleich binden und befreien. Nun strebt zwar auch die deutsche Dichtung nach dem Besitz humaner Schönheit, aber ohne dem Leben die vorgefundene, durch Naturkräfte ihm gegebene Gestalt nehmen zu wollen. Im Gegenteil, die Idee der Natur ist es, die jenes ganze Geschlecht, an dessen Spitze Goethe steht, bei seinem Abfall wie bei seinem Schaffen leitet. Der Frieden der Natur, ihre stille Entwicklung, ihr Gewährenlassen wird das Vorbild auch im Menschenleben: Was die Pflanze willenlos ist, sei du es wollend, das ists.[18] Die Liebe wird wieder in ihr Recht eingesetzt, ebenso die dunkle mächtige Naturkraft des Genies, die Familie, die Tradition, die Sage, die Poesie. Der Mensch fühlt sich mitbegriffen in dem großen schaffenden All, ordnet sich ihm unter und wird in offener Hingabe, im Drang der Umstände und Bedingungen zum Gleichgewicht schöner Bildung getragen. Aller starren Satzungen, durch welche die Menschenwillkür der Natur entgegentritt, allem leblosen Dünkel des Verstandes, den abstrakt formalistischen Diktaten der Kirche entzieht sich das Subjekt durch Wiederherstellung lauteren Menschengefühls in sich. Alle Unruhe der kämpfenden Geschichte, jeder Anspruch, empörerisch Leben und Gesellschaft umzugestalten, wird von Goethe als dem Werden und Wachsen der Natur entgegengesetzt verabscheut. Die ausbrechenden politischen Stürme sind daher störend, sie drängen nach Goethes eigenem Ausdruck ruhige Bildung zurück.[19] Der Sozialismus betrachtet nun zwar sein Objekt, den Menschen, auch nicht als abstraktes Rechtsindividuum, sondern als lebendiges Ganzes, dem in allen Bedürfnissen und in seiner vollen Bestimmung Rechnung getragen werden soll; er will ihn kein Opfer werden lassen weder der negativen Moralität noch den Scheinbildern religiöser Transzendenz; hier in dem Rhodos dieser reichen Gegenwart soll er genießen und sich bilden und der Fülle der Welt sich bemächtigen. Aber der Sozialismus will mit dem autonomischen Prinzip der Revolution eingreifen und gestalten und das Recht des Individuums auf allseitige Existenz in Vollzug setzen. Der Sozialismus verwirktlicht ein philosophisches Ideal, er ist revolutionär und so dem naturphilosophischen Humanismus Goethes gerade entgegengesetzt. Goethe steht außer der Geschichte, der Kommunismus fußt auf ihr, indem er ihre bisherigen Resultate bekämpft. Goethe läßt bei seiner Humanisierung des Individuums den Staat außer Augen, der Kommunismus will gerade die leere Form des Staates erfüllen. Goethe ist unpolitisch, der Kommunismus ist ultrapolitisch. Und welche Verwandtschaft hätte die affirmierende Anerkennung des Privateigentums in ›Hermann und Dorothea‹, welches Gedicht Karl Grün auch weislich übergeht, mit den Tendenzen des Kommunismus? Gewiß finden wir gerade hier den echten Goethe reiner als in manchen Grillen der ›Wanderjahre‹, die der Greis geschrieben.

[...]

43 *Hermann von Helmholtz*

Ueber Goethe's naturwissenschaftliche Arbeiten 1853

Goethe, dessen umfassendes Talent namentlich in der besonnenen Klarheit hervortrat, womit er die Wirklichkeit des Menschen und der Natur in ihren kleinsten Zügen mit lebensfrischer Anschauung festzuhalten und wiederzugeben wußte, wurde durch diese besondere Richtung seines Geistes auch mit Notwendigkeit zu naturwissenschaftlichen Studien hingeführt, in denen er nicht nur aufnahm, was andere ihn zu lehren wußten, sondern auch, wie es bei einem so ursprünglichen Geiste nicht anders sein konnte, bald selbsttätig und zwar in höchst eigentümlicher Weise einzugreifen versuchte. Er wandte seine Tätigkeit sowohl dem Gebiete der beschreibenden, als dem der physikalischen Naturwissenschaften zu; jenes geschah namentlich in seinen botanischen und osteologischen Abhandlungen, dieses in der Farbenlehre. Die ersten Gedankenkeime dieser Arbeiten fallen meist in das letzte Jahrzehnt des vorigen Jahrhunderts, wenn auch ihre Ausführung und Darstellung teilweise später vollendet ist. Seitdem hat die Wissenschaft in sehr ausgedehnter Weise vorwärtsgearbeitet, zum Teil ganz neues Ansehen gewonnen, ganz neue Gebiete der Forschung eröffnet, ihre theoretischen Vorstellungen mannigfach geändert. Ich will versuchen, im Vorliegenden das Verhältnis von *Goethes* Arbeiten zum gegenwärtigen Standpunkte der Naturwissenschaften zu schildern und den gemeinsamen leitenden Gedanken derselben anschaulich zu machen.

Der eigentümliche Charakter der beschreibenden Naturwissenschaften, Botanik, Zoologie, Anatomie usw., wird dadurch bedingt, daß sie ein ungeheures Material von Tatsachen zu sammeln, zu sichten und zunächst in eine logische Ordnung, ein System, zu bringen haben. So weit ist ihre Arbeit nur die trockene eines Lexikographen, ihr System ein Repositorium, in welchem die Masse der Akten so geordnet ist, daß jeder in jedem Augenblicke das Verlangte finden kann. Der geistigere Teil ihrer Arbeit und ihr eigentliches Interesse beginnt erst, wenn sie versuchen, den zerstreuten Zügen von Gesetzmäßigkeit in der unzusammenhängenden Masse nachzuspüren und sich daraus ein übersichtliches Gesamtbild herzustellen, in welchem jedes einzelne seine Stelle und sein Recht behält und durch den Zusammenhang mit dem Ganzen an Interesse noch gewinnt. Hier fand der ordnende und ahnende Geist unseres Dichters ein geeignetes Feld für seine Tätigkeit, und zugleich war die Zeit ihm günstig. Er fand schon genug Material in der Botanik und vergleichenden Anatomie gesammelt und logisch geordnet vor, um eine umfassende Rundschau zu erlauben und auf richtige Ahnungen einer durchgehenden Gesetzmäßigkeit hinzulenken; dagegen irrten die Bestrebungen seiner Zeitgenossen in dieser Beziehung meist ohne Leitfaden umher, oder sie waren noch so von der Mühe des trockenen Einregistrierens in Anspruch genommen, daß sie an weitere Aussichten kaum zu denken wagten. Hier war es *Goethe* vorbehalten, zwei bedeutende Gedanken von ungemeiner Fruchtbarkeit in die Wissenschaft hineinzuwerfen.

Der erste war die Idee, daß die Verschiedenheiten in dem anatomischen Baue der verschiedenen Tiere aufzufassen seien als Abänderungen eines gemeinsamen Bauplanes oder Typus, bedingt durch die verschiedene Lebensweise, Wohnorte, Nahrungsmittel. Die Veranlassung für diesen folgereichen Gedanken war sehr unscheinbar und findet sich in der schon 1786 geschriebenen kleinen Abhandlung über das Zwischenkieferbein.[1] Man wußte, daß bei sämtlichen Wirbeltieren (d. h. Säugetieren, Vögeln, Amphibien, Fischen) die obere Kinnlade jederseits aus zwei Knochenstücken besteht, dem sogenannten Oberkiefer- und Zwischenkieferbein. Ersteres enthält bei den Säugetieren stets die Backen- und Eckzähne, letzteres die Schneidezähne. Der Mensch, welcher sich von ihnen allen durch den Mangel der vorragenden Schnauze unterscheidet, hatte dagegen jederseits nur ein Knochenstück, das Oberkieferbein, welches alle Zähne enthielt. Da entdeckte *Goethe* auch an menschlichen Schädeln schwache Spuren der Nähte, welche bei den Tieren Oberkiefer und Zwischenkiefer verbinden, und schloß daraus, daß auch der Mensch ursprünglich einen Zwischenkiefer besitze, der aber später durch Verschmelzung mit dem Oberkiefer verschwinde. Diese unscheinbare Tatsache läßt ihn sogleich einen Quell des anregendsten Interesses in dem wegen seiner Trockenheit übel berüchtigten Boden der Osteologie entdecken. Daß Mensch und Tier ähnliche Teile zeigen, wenn sie diese Teile zu ähnlichen Zwecken dauernd gebrauchen, hatte nichts Überraschendes gehabt. In diesem Sinne hatte schon *Camper* die Ähnlichkeit des Baues bis zu den Fischen hin zu verfolgen gesucht.[2] Aber daß diese Ähnlichkeit auch in einem Falle der Anlage nach bestehe, wo sie den Anforderungen des vollendeten menschlichen Baues offenbar nicht entspricht, und ihnen deshalb nachträglich durch Verwachsung der getrennt entstandenen Teile angepaßt werden muß, das war ein Wink, welcher *Goethes* geistigem Auge genügte, um ihm einen Standpunkt von weit umfassender Aussicht anzuzeigen. Weitere Studien überzeugten ihn bald von der Allgemeingültigkeit seiner neugewonnenen Anschauung, so daß er im Jahre 1795 und 1796 die ihm dort aufgegangene Idee näher bestimmen und in dem ›Entwurf einer allgemeinen Einleitung in die vergleichende Anatomie‹ zu Papier bringen konnte.[3] Er lehrt darin mit der größten Entschiedenheit und Klarheit, daß alle Unterschiede im Baue der Tierarten als Veränderungen des einen Grundtypus aufgefaßt werden müßten, welche durch Verschmelzung, Umformung, Vergrößerung, Verkleinerung oder gänzliche Beseitigung einzelner Teile hervorgebracht seien. Es ist das im gegenwärtigen Zustande der vergleichenden Anatomie in der Tat die leitende Idee dieser Wissenschaft geworden. Sie ist später nirgends besser und klarer ausgesprochen, als es *Goethe* getan hatte, auch hat die Folgezeit wenige wesentliche Veränderungen daran vorgenommen, deren wichtigste die ist, daß man den gemeinsamen Typus jetzt nicht für das ganze Tierreich zugrunde legt, sondern für jede der von *Cuvier* aufgestellten Hauptabteilungen desselben.[4] Der Fleiß von *Goethes* Nachfolgern hat ein unendlich reicheres, wohlgesichtetes Material zusammengehäuft und, was er nur in allgemeinen Andeutungen geben konnte, in das speziellste verfolgt und durchgeführt.

Die zweite leitende Idee, welche *Goethe* der Wissenschaft schenkte, sprach eine ähnliche Analogie zwischen den verschiedenen Teilen ein und desselben organischen Wesens aus, wie wir sie eben für die entsprechenden Teile verschiedener Arten beschrieben haben. Die meisten Organismen zeigen eine vielfältige Wiederholung einzelner Teile. Am auffallendsten tun das die Pflanzen; eine jede pflegt eine große Anzahl gleicher Stengelblätter, gleicher Blütenblätter, Staubfäden usw. zu haben. Indem nun *Goethe,* wie er erzählt[5], zuerst bei einer Fächerpalme in Padua darauf aufmerksam wurde, wie mannigfache Übergänge zwischen den verschiedensten Formen die nacheinander sich entwickelnden Stengelblätter einer Pflanze zeigen können, wie statt der ersten einfachsten Wurzelblättchen sich immer mehr und mehr geteilte bis zu den zusammengesetztesten Fiederblättern entwickeln, gelang es ihm auch später die Übergänge zwischen den Blättern des Stengels und denen des Kelchs und der Blüte, zwischen letzteren und den Staubfäden, Nektarien und Samengebilden zu finden und so zur Lehre von der Metamorphose der Pflanzen zu gelangen, welche er 1790 veröffentlichte.[6] Wie die vordere Extremität der Wirbeltiere sich bald zum Arm beim Menschen und Affen, bald zur Pfote mit Nägeln, bald zum Vorderfuß mit Hufen, bald zur Flosse, bald zum Flügel entwickelt und immer eine ähnliche Gliederung, Stellung und Verbindung mit dem Rumpfe behält, so erscheint das Blatt bald als Keimblatt, Stengelblatt, Kelchblatt, Blütenblatt, Staubfaden, Honiggefäß, Pistill, Samenhülle usw. immer mit einer gewissen Ähnlichkeit der Entstehung und Zusammensetzung und unter ungewöhnlichen Umständen auch bereit, aus der einen Form in die andere überzugehen, wie z. B. jeder, der reich gefüllte Rosen aufmerksam betrachtet, die teils halb, teils ganz in Blütenblätter verwandelten Staubfäden erkennen wird. Auch diese Anschauungsweise *Goethes* ist gegenwärtig in die Wissenschaft vollständig eingebürgert und erfreut sich der allgemeinen Zustimmung der Botaniker, wenn auch über einzelne Deutungen gestritten wird, z. B. ob der Samen ein Blatt oder ein Zweig sei.

Unter den Tieren ist die Zusammensetzung aus ähnlichen Teilen sehr auffallend in der großen Abteilung der Geringelten, z. B. Insekten, Ringelwürmer. Die Insektenlarve, die Raupe eines Schmetterlings besteht aus einer Anzahl ganz gleicher Körperabteilungen, der Leibesringel; nur die erste und letzte zeigen geringe Abweichungen. Bei ihrer Verwandlung zum vollkommenen Insekte bewährt sich sehr leicht und deutlich die Anschauungsweise, welche *Goethe* in der Metamorphose der Pflanzen aufgefaßt hatte, die Entwickelung des ursprünglich Gleichartigen zu anscheinend sehr verschiedenen Formen. Die Ringel des Hinterleibes behalten ihre ursprüngliche einfache Form, die des Bruststücks ziehen sich stark zusammen, entwickeln Füße und Flügel, die des Kopfes Kinnladen und Fühlhörner, so daß an vollkommenen Insekten die ursprünglichen Ringel nur noch am Hinterteile zu erkennen sind. Auch in den Wirbeltieren ist eine Wiederholung gleichartiger Teile in der Wirbelsäule angedeutet, aber in der äußeren Gestalt nicht mehr zu erkennen. Ein glücklicher Blick auf einen halbgesprengten Schafschädel, welchen *Goethe* 1790 im Sande des Lido von Venedig zufällig fand, lehrte ihn auch den Schädel als eine Reihe stark veränderter Wirbel aufzufassen.[7] Beim ersten Anblick kann nichts unähnlicher sein, als die weite, einförmige, von platten Knochen begrenzte Schädelhöhle der Säugetiere und das enge zylindrische Rohr der Wirbelsäule, aus kurzen, massigen und vielfach gezackten Knochen zusammengesetzt. Es gehört ein geistreicher Blick dazu, um im Schädel der Säugetiere die ausgeweiteten und umgeformten Wirbelringe wiederzuerkennen, während bei Amphibien und Fischen die Ähnlichkeit auffallender ist. *Goethe* ließ übrigens diesen Gedanken lange liegen, ehe er ihn veröffentlichte; wie es scheint, weil er seiner günstigen Aufnahme nicht recht sicher war. Unterdessen fand 1806 auch *Oken* denselben, führte ihn in die Wissenschaft ein und geriet darüber in einen Prioritätsstreit mit *Goethe,* welcher erst 1817, als der Gedanke anfing sich Beifall zu erwerben, erklärte, daß er ihn seit 30 Jahren gehegt habe.[8] Über die Zahl und die Zusammensetzung der einzelnen Schädelwirbel ist und wird noch viel gestritten, der Grundgedanke hat sich aber erhalten.

Übrigens scheinen auch seine Ansichten über den gemeinsamen Bauplan der Tiere nicht eigentlich direkt in den Entwickelungsgang der Wissenschaften eingegriffen zu haben. Die Lehre von der Pflanzenmetamorphose ist als sein anerkanntes und direktes Eigentum in die Botanik eingeführt worden. Seine osteologischen Ansichten dagegen stießen zuerst auf Widerspruch bei den Männern vom Fache und wurden erst später, als sich die Wissenschaft, wie es scheint, unabhängig zu derselben Erkenntnis durchgearbeitet hatte, Gegenstand der Aufmerksamkeit. Er selbst klagt, daß seine ersten Ideen über den gemeinsamen Typus zur Zeit, als er sie in sich durcharbeitete, nur Widerspruch und Zweifel gefunden hätten, daß selbst Geister von frisch aufkeimender Originalität, wie die Brüder *v. Humboldt,* sie mit einer gewissen Ungeduld angehört hätten. Übrigens liegt es in der Natur der Sache, daß theoretische Ideen in den Naturwissenschaften nur dann die Aufmerksamkeit der Fachgenossen erregen, wenn sie gleichzeitig mit dem ganzen beweisenden Materiale vorgeführt werden und durch dieses ihre substantielle Berechtigung darlegen. Jedenfalls gebührt aber *Goethen* der große Ruhm, die leitenden Ideen zuerst vorausgeschaut zu haben, zu denen der eingeschlagene Entwickelungsgang der genannten Wissenschaften hindrängte, und durch welche deren gegenwärtige Gestalt bestimmt wird.

So groß nun aber auch die Verehrung ist, welche sich *Goethe* durch seine Leistungen in den beschreibenden Naturwissenschaften erworben hat, ebenso unbedingt ist der Widerspruch, den sämtliche Fachgelehrte seinen Arbeiten aus dem Gebiete der physikalischen Naturwissenschaften entgegensetzen, namentlich seiner Farbenlehre. Es ist hier nicht die Stelle, mich in die darüber geführte Polemik einzulassen, ich will nur versuchen, den Gegenstand des Streites darzulegen und nachzuweisen, was sein verborgener Sinn, seine eigentliche Bedeutung sei. Es ist in dieser Beziehung von Wichtigkeit, auf die Entstehungsgeschichte der Farbenlehre und ihren ersten einfachsten Stand zurückzugehen, weil hier schon die Gegensätze vollständig vorhanden sind und, nicht durch Streit um die Richtigkeit besonderer Tatsachen und verwickelter Theorien verhüllt, sich leicht und klar aufweisen lassen.

Goethe erzählt selbst sehr hübsch in der Konfession am Schlusse seiner ›Geschichte der Farbenlehre‹, wie er dazu gekommen sei, diese zu bearbeiten.[9] Weil er sich die ästhetischen Grundsätze des Kolorits in der Malerei nicht klar machen konnte, beschloß er, die physikalische Farbenlehre, wie sie ihm auf der Universität gelehrt worden war, wieder vorzunehmen und die dazu gehörigen Versuche selbst zu wiederholen. Er borgt zu dem Ende ein Glasprisma vom Hofrat *Büttner* in Jena[10], läßt es aber längere Zeit unbenutzt liegen, weil andere Beschäftigungen ihn von seinem Vorsatze ablenken. Der Eigentümer, ein ordnungsliebender Mann, schickt nach mehreren vergeblichen Mahnungen einen Boten, der das Prisma gleich mit sich zurücknehmen soll. *Goethe* sucht es aus dem Kasten hervor und möchte doch wenigstens noch einen Blick hindurch tun. Er sieht auf das Geratewohl nach einer ausgedehnten hellen weißen Wand hin, in der Voraussetzung, da sei viel Licht, da müsse er auch eine glänzende Zerlegung dieses Lichts in Farben sehen, eine Voraussetzung, welche übrigens beweist, wie wenig gegenwärtig ihm *Newtons* Theorie der Sache war. Er findet sich natürlich getäuscht. Auf der weißen Wand erscheinen ihm keine Farben, diese entwickeln sich erst da, wo sie von dunkeleren Gegenständen begrenzt wird, und er macht die richtige Bemerkung, welche übrigens in *Newtons* Theorie ebenfalls ihre vollständige Begründung findet, daß Farben durch das Prisma nur da erscheinen, wo ein dunkelerer Gegenstand an einen helleren stößt. Betroffen von dieser ihm neuen Bemerkung und in der Meinung, sie sei mit *Newtons* Theorie nicht vereinbar, sucht er den Eigentümer des Prisma zu beschwichtigen und macht sich nun mit angestrengtem Eifer und Interesse über die Sache her. Er bereitet sich Tafeln mit schwarzen und weißen Feldern, studiert an diesen die Erscheinungen unter mannigfachen Abänderungen, bis er seine Regeln hinreichend bewährt glaubt. Nun versucht er, seine vermeintliche Entdeckung einem benachbarten Physiker zu zeigen, und ist unangenehm überrascht, von diesem die Versicherung zu hören, die Versuche seien allbekannt und erklärten sich vollständig aus *Newtons* Theorie der Sache. Dieselbe Erklärung trat ihm von nun an unabänderlich aus dem Munde jedes Sachverständigen entgegen, selbst bei dem genialen *Lichtenberg*, den er eine Zeit lang vergebens zu bekehren suchte.[11] *Newtons* Schriften studierte er, glaubte aber Trugschlüsse darin aufgefunden zu haben, welche den Grund des Irrtums enthielten. Da er von seinen Bekannten keinen überzeugen konnte, beschloß er endlich vor den Richterstuhl der Öffentlichkeit zu treten und gab 1791 und 1792 das erste und zweite Stück seiner ›Beiträge zur Optik‹ heraus.[12]

Darin sind die Erscheinungen beschrieben, welche weiße Felder auf schwarzem Grunde, schwarze auf weißem und farbige Felder auf schwarzem oder weißem Grunde darbieten, wenn sie durch ein Prisma angesehen werden. Über den Erfolg der Versuche ist durchaus kein Streit zwischen ihm und den Physikern. Er beschreibt die gesehenen Erscheinungen umständlich, streng naturgetreu und lebhaft, ordnet sie in einer angenehm zu übersehenden Weise zusammen und bewährt sich hier wie überall im Gebiete des Tatsächlichen als der große Meister der Darstellung. Er spricht dabei aus, daß er die vorgetragenen Tatsachen zur Widerlegung von *Newtons* Theorie geeignet halte. Namentlich sind es zwei Punkte, an denen er Anstoß genommen hat, daß nämlich die Mitte einer weißen breiteren

Fläche durch das Prisma gesehen weiß bleibe, und daß auch ein schwarzer Streifen auf weißem Grunde ganz in Farben aufgelöst werden könne.

Newtons Farbentheorie gründet sich auf die Annahme, daß es Licht verschiedener Art gebe, welches sich unter anderen auch durch den Farbeneindruck unterscheide, den es im Auge mache. So gebe es Licht von roter, orangener, gelber, grüner, blauer, violetter Farbe und von allen zwischenliegenden Übergangsstufen. Licht verschiedener Art und Farbe zusammengemischt gebe Mischfarben, die teils anderen ursprünglichen Farben ähnlich sehen, teil neue Farbentöne bilden. Weiß sei die Mischung aller genannten Farben in bestimmten Verhältnissen. Aus den Mischfarben und dem Weiß könne man aber stets die einfachen Farben wieder ausscheiden, die letzteren seien dagegen unzerlegbar und unveränderlich. Die Farben der durchsichtigen und undurchsichtigen irdischen Körper entständen daher, daß diese von weißem Lichte getroffen einzelne farbige Teile desselben vernichteten, andere, welche nun nicht mehr im richtigen Verhältnisse gemischt seien, um Weiß zu geben, dem Auge zuschickten. So erscheine ein rotes Glas deshalb rot, weil es nur rote Strahlen durchlasse. Alle Farbe rühre also nur von einem veränderten Mischungsverhältnisse des Lichtes her, gehöre also ursprünglich dem Lichte an, nicht den Körpern, und letztere geben nur die Veranlassung zu ihrem Hervortreten.

Ein Prisma bricht das durchgehende Licht, d. h. lenkt es um einen gewissen Winkel von seinem Wege ab; verschiedenfarbiges einfaches Licht hat nach *Newton* verschiedene Brechbarkeit, schlägt nach der Brechung im Prisma deshalb verschiedene Wege ein und trennt sich voneinander. Ein heller Punkt von verschwindend kleiner Größe erscheint deshalb durch das Prisma gesehen aus seiner Stelle gerückt und in eine farbige Linie ausgezogen, ein sogenanntes Farbenspektrum, welches die genannten einfachen Farben in der angegebenen Reihenfolge zeigt. Betrachtet man eine breitere helle Fläche, so fallen die Spektra der in ihrer Mitte gelegenen Punkte so übereinander, wie eine leichte geometrische Untersuchung zeigt, daß überall alle Farben in dem Verhältnisse, um Weiß zu geben, zusammentreffen. Nur an den Rändern werden sie teilweise frei. Es erscheint daher die weiße Fläche verschoben, an dem einen Rande blau und violett, am andern gelb und rot gesäumt. Ein schwarzer Streif zwischen zwei weißen Flächen kann von deren farbigen Säumen ganz bedeckt werden, und wo sie in der Mitte zusammenstoßen, mischen sich rot und violett zur Purpurfarbe; die Farben, in die der schwarze Streif aufgelöst erscheint, entstehen also nicht aus dem Schwarzen, sondern aus dem umgebenden Weißen.

Im ersten Augenblicke hat *Goethe* offenbar *Newtons* Theorie zu wenig im Gedächtnisse gehabt, um die physikalische Erklärung der genannten Tatsachen, die ich eben angedeutet habe, finden zu können. Später ist sie ihm vielfach und zwar durchaus verständlich vorgetragen worden, denn er spricht darüber mehrere Male so, daß man sieht, er habe sie ganz richtig verstanden.* Sie genügt ihm aber so

* In der Erklärung der neunten Kupfertafel zur ›Farbenlehre‹, welche gegen *Gren* [13] gerichtet ist.

wenig, daß er dennoch fortwährend bei der Behauptung bleibt, die angegebenen Tatsachen seien geeignet, jedem, der sie nur ansehe, die gänzliche Unrichtigkeit von *Newtons* Theorie vor Augen zu legen, ohne daß er aber weder hier noch in seinen spätern polemischen Schriften auch nur ein einziges Mal bestimmt bezeichnet, worin denn das Ungenügende der Erklärung liegen solle. Er wiederholt nur immer wieder und wieder die Versicherung ihrer gänzlichen Absurdität. Und doch weiß ich nicht, wie jemand, er möge eine Ansicht über die Farben haben, welche er wolle, leugnen kann, daß die Theorie in sich vollständig konsequent ist, daß ihre Annahmen, wenn man sie einmal zugibt, die besprochenen Tatsachen vollständig und sogar einfach erklären. *Newton* selbst erwähnt an vielen Stellen seiner optischen Schriften solcher unreinen Spektra, deren Mitte noch weiß ist, ohne sich je in eine besondere Erörterung darüber einzulassen, offenbar in der Meinung, daß die Erklärung davon aus seinen Annahmen sich von selbst verstehe. Und er scheint sich in dieser Meinung nicht getäuscht zu haben, denn als *Goethe* anfing, auf die betreffenden Erscheinungen aufmerksam zu machen, trat ihm jeder, der etwas von der Physik wußte, wie er selbst berichtet [14], unabänderlich mit dieser selben Erklärung aus *Newtons* Prinzipien sogleich entgegen, die sich also ein jeder doch auf der Stelle zu bilden imstande war.

Den Lesenden, der aufmerksam und gründlich jeden Schritt in diesem Teile der ›Farbenlehre‹ sich klar zu machen sucht, überschleicht hier leicht ein unheimliches ängstliches Gefühl; er hört fortdauernd einen Mann von der seltensten geistigen Begabung leidenschaftlich versichern, hier in einigen scheinbar ganz klaren, ganz einfachen Schlüssen sei eine augenfällige Absurdität verborgen. Er sucht und sucht, und da er beim besten Willen keine solche finden kann, nicht einmal einen Schein davon, wird ihm endlich zumute, als wären seine eigenen Gedanken wie festgenagelt. Aber eben wegen dieses offenen und schroffen Widerspruchs ist der Standpunkt *Goethes* in der Farbenlehre von 1792 so interessant und wichtig. Er hat hier seine eigene Theorie noch nicht entwickelt, es handelt sich noch um einige wenige leicht zu übersehende Tatsachen, über deren Richtigkeit alle Parteien einig sind, und doch stehen beide mit ihren Ansichten streng gesondert einander gegenüber; keiner begreift auch nur, was der Gegner eigentlich wolle. Auf der einen Seite steht eine Zahl von Physikern, welche durch lange Reihen der scharfsinnigsten Untersuchungen, Rechnungen, Erfindungen die Optik zu einer Vollendung gebracht haben, daß sie als die einzige der physikalischen Wissenschaften mit der Astronomie fast zu wetteifern anfing. Alle haben teils durch direkte Untersuchungen, teils durch die Sicherheit, mit der sie den Erfolg der mannigfaltigsten Konstruktionen und Kombinationen von Instrumenten voraus berechnen können, Gelegenheit gehabt, die Folgerungen aus *Newtons* Ansichten an der Erfahrung zu prüfen, und stimmen in diesem Felde ausnahmslos überein. Auf der andern Seite steht ein Mann, dessen seltene geistige Begabung, dessen besonderes Talent für die Auffassung der tatsächlichen Wirklichkeit wir nicht nur in der Dichtkunst, sondern auch in den beschreibenden Teilen der Naturwissenschaften anzuerkennen Ursache haben, der mit dem größten Eifer versichert, jene seien im Irrtume, der in seiner Überzeugung so gewiß ist, daß er sich jeden Widerspruch nur durch Beschränktheit oder bösen Willen der Gegner erklären kann, der endlich seine Leistungen in der Farbenlehre für viel wertvoller achten zu müssen erklärt, als was er je in der Dichtkunst getan habe.*

Ein so schroffer Widerspruch läßt uns vermuten, daß hinter der Sache ein viel tiefer liegender prinzipieller Gegensatz verschiedener Geistesrichtungen verborgen sei, der das gegenseitige Verständnis der streitenden Parteien verhindere. Ich will mich bemühen, im Folgenden zu bezeichnen, worin ich einen solchen finden zu können glaube.

Goethe, obgleich er sich in vielen Feldern geistiger Tätigkeit versucht hat, ist doch seiner hervorragendsten Begabung nach Dichter. Das Wesentliche der dichterischen wie jeder künstlerischen Tätigkeit besteht darin, das künstlerische Material zum unmittelbaren Ausdrucke der Idee zu machen. Nicht als Resultat einer Begriffsentwickelung, sondern als das der unmittelbaren geistigen Anschauung, des erregten Gefühls, dem Dichter selbst kaum bewußt, muß die Idee in dem vollendeten Kunstwerk daliegen und es beherrschen. Durch diese Einkleidung in die Form unmittelbarer Wirklichkeit empfängt der ideelle Gehalt des Kunstwerks eben die ganze Lebendigkeit des unmittelbaren sinnlichen Eindrucks, verliert aber natürlich die Allgemeinheit und Verständlichkeit, welche er in der Form des Begriffs vorgetragen haben würde. Der Dichter, welcher in dieser besonderen Art der geistigen Tätigkeit die eigene wunderbare Kraft seiner Werke begründet fühlt, sucht dieselbe auch auf andere Gebiete zu übertragen. Die Natur sucht er nicht in anschauungslose Begriffe zu fassen, sondern stellt sich ihr wie einem in sich geschlossenen Kunstwerke gegenüber, welches seinen geistigen Inhalt von selbst hier oder dort dem empfänglichen Beschauer offenbaren müsse. So macht er beim Anblick des gesprengten Schafschädels auf dem Lido von Venedig, an dem ihm die Wirbeltheorie des Schädels aufgeht, die Bemerkung, daß ihm davon sein alter, durch Erfahrung bestärkter Glauben wieder aufgefrischt sei, welcher sich fest darauf begründet, daß die Natur kein Geheimnis habe, was sie nicht irgendwo dem aufmerksamen Beobachter nackt vor die Augen stellt. Dasselbe in seinem ersten Gespräch mit *Schiller* über die Metamorphose der Pflanzen.[16] Für *Schiller,* als einen Kantianer, ist die Idee das ewig zu erstrebende, ewig unerreichbare und daher nie in der Wirklichkeit darzustellende Ziel, während *Goethe* als echter Dichter in der Wirklichkeit den unmittelbaren Ausdruck der Idee zu finden meint. Er selbst gibt an, daß dadurch der Punkt, der ihn von *Schiller* trennte, auf das strengste bezeichnet war. Hier liegt auch seine Verwandtschaft mit *Schellings* und *Hegels* Naturphilosophie, welche ebenfalls von der Annahme ausgeht, daß die Natur die verschiedenen Entwickelungsstufen des Begriffs unmittelbar darstelle. Daher auch die Wärme, mit der *Hegel* und seine Schüler *Goethes* naturwissenschaftliche Ansichten verteidigt haben.[17] Die bezeichnete Naturansicht bedingt bei *Goethe* denn auch die fortgesetzte Polemik gegen zusammengesetzte Versuchsweisen. Wie das echte Kunstwerk keinen fremden Eingriff erträgt, ohne beschädigt zu werden, so wird ihm auch die Natur durch die Eingriffe des Experi-

* S. Eckermanns ›Gespräche‹.[15]

mentierenden in ihrer Harmonie gestört, gequält, verwirrt, und sie täuscht dafür den Störenfried durch ein Zerrbild.

> Geheimnisvoll am lichten Tag
> Läßt sich Natur des Schleiers nicht berauben,
> Und was sie deinem Geist nicht offenbaren mag,
> Das zwingst du ihr nicht ab mit Hebeln und mit Schrauben.[18]

Demgemäß spottet er namentlich in seiner Polemik gegen *Newton* häufig der durch viele enge Spalten und Gläser hindurchgequälten Farbenspektra und preiseit die Versuche, welche man in klarem Sonnenschein unter freiem Himmel anstellen könne, nicht nur als besonders leicht und besonders ergötzlich, sondern auch als besonders beweisend.

Die dichterische Richtung geistiger Tätigkeit charakterisiert sich schon in seinen morphologischen Arbeiten ganz entschieden. Man untersuche nur, was denn nun eigentlich mit den Ideen geleistet sei, die die Wissenschaft von ihm empfangen hat, man wird ein höchst wunderliches Verhältnis finden. Niemand wird sich gegen die Evidenz verschließen, wenn ihm die Reihenfolge der Übergänge vorgelegt wird, womit ein Blatt in einen Staubfaden, ein Arm in einen Flügel oder eine Flosse, ein Wirbel in das Hinterhauptbein übergeht. Die Idee, sämtliche Blütenteile der Pflanze seien umgeformte Blätter, eröffnet einen gesetzmäßigen Zusammenhang, der etwas sehr Überraschendes hat. Jetzt suche man das blattartige Organ zu definieren, sein Wesen zu bestimmen, so daß es alle die genannten Gebilde in sich begreift. Man gerät in Verlegenheit, weil alle besonderen Merkmale verschwinden, und man zuletzt nichts übrig behält, als daß ein Blatt im weiteren Sinne ein seitlicher Anhang der Pflanzenaxe sei. Sucht man also den Satz: »die Blütenteile sind veränderte Blätter«, in der Form wissenschaftlicher Begriffsbestimmungen auszusprechen, so verwandelt er sich in den anderen: »die Blütenteile sind seitliche Anhänge der Pflanzenaxe«, und um das zu sehen, braucht kein *Goethe* zu kommen. Ebenso hat man der Wirbeltheorie des Schädels nicht mit Unrecht vorgeworfen, sie müsse den Begriff des Wirbels so sehr erweitern, daß nichts übrig bleibe, als ein Wirbel sei ein Knochen. Nicht kleiner ist die Verlegenheit, wenn man in klaren wissenschaftlichen Begriffen definieren soll, was es bedeute, daß dieser Teil des einen Tieres jenem des andern entspreche. Es ist nicht der gleiche physiologische Gebrauch, denn dasselbe Knochenstück wird bei einem Säugetiere ein winziges, in der Tiefe des Felsenbeins verborgenes Gehörknöchelchen, welches bei einem Vogel zur Einlenkung des Unterkiefers dient, – es ist nicht die Gestalt, nicht die Lage, nicht die Verbindung mit anderen Teilen, welche einen konstanten Charakter seiner Identität abgäben. Aber dennoch ist in den meisten Fällen durch Verfolgung der Übergangsstufen möglich gewesen, mit ziemlicher Sicherheit auszumitteln, welche Teile sich entsprechen. *Goethe* selbst hat dies Verhältnis sehr richtig eingesehen, er sagt bei Gelegenheit der Wirbeltheorie des Schädels: »Ein dergleichen Aperçu, ein solches Gewahrwerden, Auffassen, Vorstellen, Begriff, Idee, wie man es nennen mag, behält immerfort, man gebärde sich, wie man will, eine esoterische Eigenschaft; im ganzen läßt es sich aussprechen, aber nicht beweisen, im einzelnen läßt es sich wohl vorzeigen, doch bringt man es nicht rund und fertig.«[19] So steht die Sache größtenteils noch jetzt. Man kann sich den Unterschied noch klarer machen, wenn man überlegt, wie die Physiologie, die Erforscherin des ursächlichen Zusammenhangs der Lebensvorgänge, diese Idee des gemeinsamen Bauplanes der Tiere behandeln müßte. Sie könnte fragen: Ist etwa die Ansicht richtig, wonach während der geologischen Entwickelung der Erde sich eine Tierart aus der andern gebildet habe, und hat sich dabei die Brustflosse des Fisches allmählich in einen Arm oder Flügel verwandelt? Oder sind die verschiedenen Tierarten gleich fertig erschaffen worden, und rührt ihre Ähnlichkeit daher, daß die frühesten Schritte der Entwickelung aus dem Ei bei allen Wirbeltieren nur auf eine einzige, sehr übereinstimmende Weise von der Natur ausgeführt werden können, und sind die späteren Analogien des Baues durch diese ersten gemeinsamen Grundzüge der Entwickelung bedingt? Zu der letztern Ansicht möchte sich die Mehrzahl der Forscher gegenwärtig neigen*, denn die Übereinstimmung in den früheren Zeiten der Entwickelung ist sehr auffallend. So haben selbst die jungen Säugetiere zeitweise die Anlagen zu Kiemenbögen an den Seiten des Halses, wie die Fische, und es scheinen in der Tat die sich entsprechenden Teile der erwachsenen Tiere während der Entwickelung auf gleiche Weise zu entstehen, so daß man neuerdings angefangen hat, die Entwickelungsgeschichte als Kontrolle für die theoretischen Ansichten der vergleichenden Anatomie zu gebrauchen. Man sieht, daß durch die angedeuteten physiologischen Ansichten die Idee des gemeinsamen Typus ihre begriffliche Bestimmung und Bedeutung bekommen würde. *Goethe* hat Großes geleistet, indem er ahnte, daß ein Gesetz vorhanden sei und die Spuren desselben scharfsichtig verfolgte, aber *welches* Gesetz da sei, erkannte er nicht und suchte auch nicht danach. Das letztere lag nicht in der Richtung seiner Tätigkeit, und darüber ist selbst bei dem jetzigen Zustande der Wissenschaft noch keine feststehende Ansicht möglich, kaum daß die Art erkannt wird, wie die Fragen zu stellen sein werden. Gern erkennen wir also an, daß *Goethe* in diesem Gebiete alles geleistet hat, was in seiner Zeit überhaupt zu leisten war. Ich sagte vorher, er stelle sich der Natur wie einem Kunstwerke gegenüber. In seinen morphologischen Studien spielt er dieselbe Rolle, wie der kunstsinnige Hörer einer Tragödie, welcher fein herausfühlt, wie in dieser alles einzelne zusammengehört, zusammenwirkt, von einem gemeinsamen Plane beherrscht wird, und sich an dieser kunstvollen Planmäßigkeit lebhaft erfreut, ohne doch die leitende Idee des Ganzen begriffsmäßig entwickeln zu können. Das letztere Geschäft bleibt der wissenschaftlichen Betrachtung des Kunstwerks vorbehalten, und jener ist vielleicht, wie *Goethe* der Natur gegenüber, kein Freund solcher Zergliederung des Werks, an dem er sich freut, weil er – aber mit Unrecht – fürchtet, seine Freude könne ihm dadurch gestört werden.

Ähnlich ist *Goethes* Standpunkt in der Farbenlehre. Wir haben gesehen, daß seine Opposition gegen die physikalische Theorie bei einem Punkte anhebt, wo

* Dies ist vor *Darwins* Buche über den Ursprung der Art geschrieben.[20]

diese ganz vollständige und konsequente Erklärungen aus ihren einmal angenommenen Grundlagen gibt. Er kann offenbar nicht daran Anstoß genommen haben, daß die Theorie in dem einzelnen Falle nicht ausreiche, sondern vielmehr an den Annahmen, die sie zum Zwecke der Erklärung macht, und die ihm so absurd erscheinen, daß er deshalb die gegebene Erklärung als gar keine achtet. Es scheint ihm namentlich der Gedanke undenkbar gewesen zu sein, daß weißes Licht aus farbigem zusammengesetzt werden könne; er schilt schon in jener frühesten Zeit* auf das ekelhafte *Newton*sche Weiß der Physiker, ein Ausdruck, welcher anzudeuten scheint, daß es besonders diese Annahme gewesen sei, welche ihn in jener Erklärung beleidigte.

Auch in seiner spätern Polemik gegen *Newton*, welche erst herausgegeben wurde, nachdem seine eigene Theorie der Farben vollendet war, geht sein Streben mehr dahin zu zeigen, daß die von *Newton* angeführten Tatsachen sich auch aus seiner Ansicht erklären ließen, und daß deshalb *Newtons* Ansicht nicht genügend bewiesen sei, als daß er eigentlich in dieser Widersprüche gegen die Tatsachen oder in sich selbst nachzuweisen suchte. Vielmehr scheint er die Evidenz seiner eigenen Ansicht für so groß zu halten, daß er sie nur vorzuführen brauche, um die *Newtons* zu vernichten. Es sind nur wenige Stellen, wo er die von *Newton* beschriebenen Versuche bestreitet. Bei einigen dieser Versuche** scheint ihm die Wiederholung deshalb nicht geglückt zu sein, weil nicht bei allen Stellungen der dabei gebrauchten Linsen der Erfolg gleich leicht zu beobachten ist, und ihm die geometrischen Verhältnisse unbekannt waren, durch welche sich die günstigste Stellung der Linsen bestimmt. Bei anderen Versuchen über die Ausscheidung einfachen farbigen Lichtes mit Hülfe bloßer Prismen sind *Goethes* Einwürfe nicht ganz unrichtig, insofern die Reinigung der isolierten Farben auf diesem Wege wohl schwerlich so weit getrieben werden kann, daß die Brechung in einem andern Prisma nicht noch Spuren einer andern Färbung an den Rändern geben sollte. Eine so vollständige Ausscheidung des einfach farbigen Lichtes läßt sich nur in sehr sorgfältig geordneten, gleichzeitig aus Prismen und Linsen bestehenden Apparaten bewirken, und die Besprechung gerade dieser Versuche, welche *Goethe* auf einen supplementaren Teil verschoben hatte, ist er schuldig geblieben. Wenn er auf die verwirrende Komplikation dieser Vorrichtungen schilt, so denke man an die mühsamen Umwege, welche der Chemiker oft nehmen muß, um gewisse einfache Körper rein darzustellen, und man wird sich nicht verwundern dürfen, daß die ähnliche Aufgabe für das Licht nicht unter freiem Himmel, im Garten und mit einem einfachen Prisma in der Hand zu lösen ist.*** *Goethe* muß

* Konfession am Schluß der ›Geschichte der Farbenlehre‹.[21]

** Polemischer Teil. §. 47 u. 196.

*** Ich erlaube mir hier noch zu bemerken, daß ich die Unzerlegbarkeit und Unveränderlichkeit des einfachen farbigen Lichtes, diese beiden Grundlagen von Newtons Theorie, nicht bloß vom Hörensagen, sondern durch eigenen Augenschein kenne, indem ich in einer meiner eigenen Untersuchungen (›Über D. Brewsters neue Analyse des Sonnenlichts‹ in Poggendorfs ›Annalen‹ Bd. 86. S. 501) gezwungen war, die Reinigung des farbigen Lichtes auf die möglichst zu erreichende Spitze zu treiben.

seiner Theorie gemäß die Möglichkeit, reines farbiges Licht abzuscheiden, gänzlich in Abrede stellen. Ob er jemals mit Apparaten experimentiert hat, welche geeignet waren, diese Aufgabe zu lösen, bleibt zweifelhaft, da eben der versprochene supplementare Teil fehlt.

Um eine Anschauung von der Leidenschaftlichkeit zu geben, mit welcher der sonst so hofmännisch gemäßigte *Goethe* gegen *Newton* polemisiert, zitiere ich aus wenigen Seiten des polemischen Teil der ›Farbenlehre‹ folgende Ausdrücke, mit denen er die Sätze dieses größten Denkers in dem Gebiete der Physik und Astronomie belegt: – »bis zum Unglaublichen unverschämt« – »barer Unsinn« – »fratzenhafte Erklärungsart« – »höchlich bewundernswert für die Schüler in der Laufbank.« – »Aber ich sehe wohl, Lügen bedarfs und über die Maßen.«[22]

Goethe bleibt auch in der Farbenlehre seiner oben erwähnten Ansicht getreu, daß die Natur ihre Geheimnisse von selbst darlegen müsse, daß sie die durchsichtige Darstellung ihres ideellen Inhalts sei. Er fordert daher für die Untersuchung physikalischer Gegenstände eine solche Anordnung der beobachteten Tatsachen, daß eine immer die andere erkläre, und man so zur Einsicht in den Zusammenhang komme, ohne das Gebiet der sinnlichen Wahrnehmung zu verlassen. Diese Forderung hat einen sehr bestechenden Schein für sich, ist aber ihrem Wesen nach grundfalsch. Denn eine Naturerscheinung ist physikalisch erst dann vollständig erklärt, wenn man sie bis auf die letzten ihr zugrunde liegenden und in ihr wirksamen Naturkräfte zurückgeführt hat. Da wir nun die Kräfte nie an sich, sondern nur ihre Wirkungen wahrnehmen können, so müssen wir in jeder Erklärung von Naturerscheinungen das Gebiet der Sinnlichkeit verlassen und zu unwahrnehmbaren, nur durch Begriffe bestimmten Dingen übergehen. Wenn wir einen Ofen warm finden und dann bemerken, daß Feuer darin brennt, so sagen wir allerdings vermöge eines ungenauen Sprachgebrauches, daß durch die zweite Wahrnehmung die erste erklärt werde. Im Grunde heißt das aber doch nichts anderes als: Wir sind immer gewohnt, wo Feuer brennt, auch Wärme zu finden, so auch dieses Mal im Ofen. Wir reihen also unser Faktum unter ein allgemeineres, bekannteres ein, beruhigen uns dabei und nennen dies fälschlich eine Erklärung. Die Allgemeinheit dieser Beobachtung führt offenbar noch nicht die Einsicht in die Ursachen mit sich; letztere ergibt sich erst, wenn wir ermitteln können, welche Kräfte in dem Feuer wirksam sind, und wie die Wirkungen von ihnen abhängen.

Aber dieser Schritt in das Reich der Begriffe, welcher notwendig gemacht werden muß, wenn wir zu den Ursachen der Naturerscheinungen aufsteigen wollen, schreckt den Dichter zurück. In den Dichtwerken hat er dem geistigen Gehalte derselben die Einkleidung der unmittelbarsten sinnlichen Anschauung gegeben, ohne alle begrifflichen Zwischenglieder. Je größer hier die sinnliche Lebendigkeit der Anschauung war, desto größer war sein Ruhm. Er möchte die Natur ebenso angegriffen sehen. Der Physiker dagegen will ihn hinüberführen in eine Welt unsichtbarer Atome, Bewegungen, anziehender und abstoßender Kräfte, die in zwar gesetzmäßigem, aber kaum zu übersehendem Gewirre durcheinander arbeiten. Letzterem ist der sinnliche Eindruck keine unumstößliche Autorität, er untersucht die Berechtigung desselben, fragt, ob wirklich das ähnlich, was die Sinne für ähnlich, ob wirklich das verschieden, was sie für verschieden erklären, und kommt häufig zu einer verneinenden Antwort. Das Resultat dieser Prüfung, wie es jetzt vorliegt, ist, daß die Sinnesorgane uns zwar von äußern Einwirkungen benachrichtigen, dieselben aber in ganz veränderter Gestalt zum Bewußtsein bringen, so daß die Art und Weise der sinnlichen Wahrnehmung weniger von den Eigentümlichkeiten des wahrgenommenen Gegenstandes, als von denen des Sinnesorgans abhängt, durch welches wir die Nachricht bekommen. Alles, was uns der Sehnerv berichtet, berichtet er unter dem Bilde einer Lichtempfindung, sei es nun die Strahlung der Sonne, oder ein Stoß auf das Auge, oder ein elektrischer Strom im Auge. Der Hörnerv verwandelt wiederum alles in Schallphänomene, der Hautnerv in Temperatur- oder Tastempfindungen. Derselbe elektrische Strom, dessen Dasein der Sehnerv als einen Lichtschein, der Geschmacksnerv als Säure berichtet, erregt im Hautnerven das Gefühl des Brennens. Denselben Sonnenstrahl, den wir Licht nennen, wenn er in das Auge fällt, nennen wir Wärme, wenn er die Haut trifft. Objektiv dagegen ist das Tageslicht, welches in unsere Fenster eindringt, und die Wärmestrahlung eines eisernen Ofens nicht mehr und nicht anders von einander unterschieden, als es die roten und blauen Bestandteile des Lichtes unter sich sind, d. h. wie sich die roten von den blauen Strahlen nach der Undulationstheorie durch größere Schwingungsdauer und geringere Brechbarkeit unterscheiden, so haben die dunklen Wärmestrahlen des Ofens eine noch größere Schwingungsdauer und noch geringere Brechbarkeit als die roten Lichtstrahlen, sind ihnen aber in jeder andern Beziehung vollkommen ähnlich. Alle diese Strahlen, leuchtende und nicht leuchtende, wärmen, aber nur ein gewisser Teil derselben, den wir eben deshalb mit dem Namen Licht belegen, kann durch die durchsichtigen Teile unseres Auges bis zum Sehnerven dringen und Lichtempfindung erregen. Wir können das Verhältnis vielleicht am passendsten so bezeichnen: Die Sinnesempfindungen sind uns nur Symbole für die Gegenstände der Außenwelt und entsprechen diesen etwa so, wie der Schriftzug oder Wortlaut dem dadurch bezeichneten Dinge. Sie geben uns zwar Nachricht von den Eigentümlichkeiten der Außenwelt, aber nicht bessere, als wir einem Blinden durch Wortbeschreibungen von der Farbe geben.

Wir sehen, daß die Wissenschaft zu einer ganz entgegengesetzten Schätzung der Sinnlichkeit gelangt ist, als sie der Dichter in sich trug, und zwar war *Newtons* Behauptung, Weiß sei aus allen Farben des Spektrums zusammengesetzt, der erste Keim dieser erst später sich entwickelnden Ansicht. Denn zu jener Zeit fehlten noch die galvanischen Beobachtungen, welche den Weg zur Kenntnis der Rolle eröffneten, die die Eigentümlichkeit der Sinnesnerven bei den Sinnesempfindungen spielt. Weiß, welches dem Auge als der einfachste, reinste aller Farbeneindrücke erscheint, sollte aus dem unreineren Mannigfaltigen zusammengesetzt sein. Hier scheint der Dichter mit schneller Vorahnung gefühlt zu haben, daß durch die Konsequenzen dieses Satzes sein ganzes Prinzip in Frage komme, und deshalb erscheint ihm diese Annahme so undenkbar, so namenlos absurd. Seine Farbenlehre müssen wir als den Versuch betrachten, die unmittelbare Wahrheit des sinnlichen Eindrucks gegen die Angriffe der Wissenschaft zu retten. Daher der Eifer, mit dem er sie auszubilden und zu verteidigen strebt, die leidenschaftliche Gereiztheit, mit der er die Gegner angreift, die überwiegende Wichtigkeit, welche er ihr vor allen seinen anderen Werken zuschreibt, und die Unmöglichkeit der Überzeugung und Versöhnung.

Wenden wir uns nun zu seinen eigenen theoretischen Vorstellungen, so ergibt sich schon aus dem vorigen, daß *Goethe* keine Erklärung der Erscheinungen geben kann, welche im physikalischen Sinne eine wäre, ohne seinem Prinzipe untreu zu werden, und so finden wir es wirklich. Er geht davon aus, daß die Farben stets dunkler als das Weiß sind, daß sie etwas Schattiges haben (nach der physikalischen Theorie: weil Weiß, die Summe alles farbigen Lichtes, heller sein muß als jeder seiner einzelnen Teile). Direkte Mischung von Licht und Dunkel, von Weiß und Schwarz gibt Grau; die Farben müssen also durch eine andere Art der Zusammenwirkung von Licht und Schatten entstanden sein. Diese glaubt *Goethe* in den Erscheinungen schwach getrübter Medien zu finden. Solche sehen in der Regel blau aus, wenn sie selbst vom Lichte getroffen vor einem dunklen Grunde gesehen werden, gelb dagegen, wenn man durch sie einen hellen Gegenstand sieht. So erscheint die Luft bei Tage vor dem dunklen Himmelsgrunde blau, und die Sonne, beim Untergange durch eine lange trübe Luftschicht gesehen, gelb oder gelbrot. Die physikalische Erklärung dieses Phänomens, was sich jedoch nicht an allen trüben Körpern zeigt, z. B. nicht an mattgeschliffenen Glasplatten, würde uns hier zu weit von unserem Wege abführen. Durch das trübe Mittel soll nach *Goethe* dem Lichte etwas Körperliches, Schattiges gegeben werden, wie es zum Entstehen der Farbe notwendig sei. Schon bei dieser Vorstellung gerät man in Verlegenheit, wenn man sie als eine physikalische Erklärung betrachten will. Sollen sich etwa körperliche Teile dem Lichte zumischen und mit ihm davonfliegen? Auf dieses sein Urphänomen sucht *Goethe* alle übrigen Farbenerscheinungen zurückzuführen, namentlich die prismatischen. Er betrachtet alle durchsichtigen Körper als schwach trübe und nimmt an, daß das Prisma dem Bilde, welches es dem Beobachter zeigt, von seiner Trübung etwas mitteile. Hierbei ist es wieder schwer, sich etwas Bestimmtes zu denken. *Goethe* scheint gemeint zu haben, daß das Prisma nie ganz scharfe Bilder entwirft, sondern undeutliche, verwaschene, denn in der ›Farbenlehre‹ reihet er sie an die Nebenbilder an, welche parallele Glasplatten und Kristalle von Kalkspat zeigen. Verwaschen sind die Bilder des Prisma allerdings im zusammengesetzten Lichte, vollkommen scharf dagegen im einfachen. Betrachte man, meint er, durch das Prisma eine helle Fläche auf dunklem Grunde, so werde das Bild vom Prisma verschoben und getrübt. Der vorangehende Rand desselben werde über den dunklen Grund hinübergeschoben, und erscheine als helles Trübes vor Dunklem blau, der hinterher folgende Rand der hellen Fläche werde aber von dem vorgeschobenen trüben Bilde des darnach folgenden schwarzen Grundes überdeckt und erscheine als ein Helles hinter einem dunklen Trüben gelbrot. Warum der vorgeschobene Rand vor dem Grunde, der nachbleibende hinter demselben erscheine, und nicht umgekehrt, erklärt er nicht. Man analysiere aber diese Vorstellung weiter und mache sich den

Begriff des optischen Bildes klar. Wenn ich einen hellen Gegenstand in einem Spiegel abgebildet sehe, so geschieht dies deshalb, weil das Licht, welches von jenem ausgeht, von dem Spiegel gerade so zurückgeworfen wird, als käme es von einem Gegenstande gleicher Art hinter dem Spiegel her, den das Auge des Beobachters demgemäß abbildet, und den der Beobachter deshalb wirklich zu sehen glaubt. Jedermann weiß, daß hinter dem Spiegel nichts Wirkliches dem Bilde entspricht, daß auch nicht einmal etwas von dem Lichte dort hindringt, sondern das Spiegelbild ist nichts als der geometrische Ort, in welchem die gespiegelten Strahlen rückwärts verlängert sich schneiden. Deshalb erwartet auch niemand, daß das Bild hinter dem Spiegel irgendeine reelle Wirkung ausüben solle. Ebenso zeigt uns das Prisma Bilder der gesehenen Gegenstände, welche eine andere Stelle als diese Gegenstände selbst haben. Das heißt, das Licht, welches der Gegenstand nach dem Prisma sendet, wird von diesem so gebrochen, als käme es von einem seitlich liegenden Gegenstande, dem Bilde, her. Dieses Bild ist nun wieder nichts Reelles, sondern es ist wiederum nur der geometrische Ort, in welchem sich rückwärts verlängert die Lichtstrahlen schneiden. Und doch soll bei *Goethe* dieses Bild durch seine Verschiebung reelle Wirkungen hervorbringen. Das verschobene Helle soll wie ein trüber Körper das dahinter scheinende Dunkle blau erscheinen lassen, das verschobene Dunkle das dahinter liegende Helle rotgelb. Daß *Goethe* hier ganz eigentlich das Bild in seiner scheinbaren Örtlichkeit als Gegenstand behandelt, zeigt sich auch namentlich darin, daß er in seiner Erklärung annehmen muß, der blaue Rand des hellen Feldes liege örtlich vor, der rote hinter dem mitverschobenen dunklen Bilde. *Goethe* bleibt hier dem sinnlichen Scheine getreu und behandelt einen geometrischen Ort als körperlichen Gegenstand. Ebensowenig nimmt er daran Anstoß, Rot und Blau sich zuweilen gegenseitig zerstören zu lassen, z. B. in dem prismatischen blauen Rande eines roten Feldes, in andern Fällen dagegen daraus eine schöne Purpurfarbe zusammenzusetzen, wenn sich z. B. die blauen und roten Ränder über einem schwarzen Felde begegnen. Noch wunderlicher sind die Wege, wie er sich aus den Verlegenheiten zieht, welche ihm *Newtons* zusammengesetztere Versuche bereiten. Solange man seine Erklärungen als bildliche Versinnlichungen der Vorgänge gelten läßt, kann man ihnen beistimmen, ja sie haben oft etwas sehr Anschauliches und Bezeichnendes, als physikalische Erklärungen dagegen würden sie sinnlos sein.

Daß der theoretische Teil der Farbenlehre keine Physik sei, wird hiernach jedem einleuchten, und man kann auch einigermaßen einsehen, daß der Dichter eine ganz andere Betrachtungsweise, als die physikalische, in die Naturforschung einführen wollte, und wie er dazu kam. In der Dichtung kommt es ihm nur auf den »schönen Schein« an, der das Ideale zur Anschauung bringt; wie dieser Schein zustande komme, ist gleichgültig. Auch die Natur ist dem Dichter sinnbildlicher Ausdruck des Geistigen. Die Physik sucht dagegen die Hebel, Stricke und Rollen zu entdecken, welche hinter den Kulissen arbeitend diese regieren, und der Anblick des Mechanismus zerstört freilich den schönen Schein. Deshalb möchte der Dichter gern die Stricke und Rollen hinwegleugnen, für die Ausgeburten pedantischer Köpfe erklären und die Sache so darstellen, als veränderten die Kulissen sich selbst oder würden durch die Idee des Kunstwerks regiert. Auch liegt es in *Goethes* ganzer Richtung, daß gerade er unter allen Dichtern gegen die Physik polemisch auftreten mußte. Andere Dichter, je nach der Eigentümlichkeit ihres Talents, achten entweder in der leidenschaftlichen Macht ihrer Begeisterung nicht auf das störende Materielle, oder sie erfreuen sich daran, wie auch in ihm trotz seines Widerstrebens sich der Geist Wege bahnt. *Goethe*, nie durch eine subjektive Erregung über die umgebende Wirklichkeit geblendet, kann sich nur da behaglich verweilen, wo er die Wirklichkeit selbst vollständig poetisch gestempelt hat. Darin liegt die eigentümliche Schönheit seiner Dichtungen, und darin liegt auch gleichzeitig der Grund, warum er gegen den Mechanismus, der ihn jeden Augenblick in seinem poetischen Behagen zu stören droht, kämpfend auftreten muß und den Feind in seinem eigenen Lager anzugreifen sucht.

Wir können aber den Mechanismus der Materie nicht dadurch besiegen, daß wir ihn wegleugnen, sondern nur dadurch, daß wir ihn den Zwecken des sittlichen Geistes unterwerfen. Wir müssen seine Hebel und Stricke kennen lernen, wenn es auch die dichterische Naturbetrachtung stören sollte, um sie nach unserem eigenen Willen regieren zu können, und darin liegt die große Bedeutung der physikalischen Forschung für die Kultur des Menschengeschlechtes und ihre volle Berechtigung gegründet.

Aus dem Dargestellten wird es klar sein, daß allerdings *Goethe* in seinen verschiedenen naturwissenschaftlichen Arbeiten die gleiche Richtung geistiger Tätigkeit verfolgt hat, daß aber die Aufgaben sehr entgegengesetzter Art waren, und wenn man einsieht, daß gerade dieselbe Eigentümlichkeit, welche ihn in dem einen Felde zu glänzendem Ruhme emportrug, es war, die sein Scheitern in dem andern bedingte, so wird man vielleicht geneigter werden, den Verdacht gegen die Physiker schwinden zu lassen, welchen gewiß noch mancher der Verehrer des großen Dichters hegt, als könnten sie doch wohl in verstocktem Zunftstolze für die Inspirationen des Genius sich blind gemacht haben.

44 *Alexander Jung*

Aus: Göthe's Wanderjahre und die wichtigsten Fragen des 19. Jahrhunderts 1854

Die Wanderjahre und die Zukunft

Haben wir in dem Vorhergehenden das Goethesche Dichterwerk uns in seiner Beziehung auf die Ferne des *Raums*, nämlich auf das Ausland, vorgeführt, wie solcher Bezug in jenem selbst dadurch gegeben ist, daß sich in ihm dem Auslande Verwandtes teils dargestellt, teils in prophetischer Verkürzung zusammengedrängt findet, so werden wir jetzt die Beziehung desselben Romans auf die Ferne der *Zeit*, auf die Zukunft, mit einigem uns vergegenwärtigen.

Hier werden wir uns vor allem der Kürze zu befleißigen haben, denn hat schon der Prophet überhaupt einen mißlichen Stand, indem man ihm wenig Glauben schenkt, so dürfte es erst recht mißlich sein, über ein prophetisches Buch, wie die ›Wanderjahre‹ es sind, selbst wieder prophetisch zu werden. Goethe sogar hat es erfahren müssen, daß der Prophet als *Prophet* in seinem Lande nicht viel gilt. Kein Werk dieses Dichters ist mehr angegriffen, in seinem unendlichen Werte kleinlicher behandelt worden als eben die ›Wanderjahre‹. Es ist das Merkwürdige dabei, daß man sich, ich weiß nicht aus welcher wunderlichen Laune der menschlichen Natur, den Propheten seines Landes doch noch eher gefallen läßt, wenn er Unerquickliches, Jammervolles voraussagt, als wenn er voll Zuversicht, wie öde und traurig seine Gegenwart auch sei, in die Zukunft blickt, und deutlich voraussieht, daß Gott und nicht der Teufel in der Geschichte siegen werde. Diese Voraussicht hat Goethe durchaus. Hat man ihm dieselbe doch auch an seinem ›Faust‹ verdacht, und nun gar die treffliche Ausführung im zweiten Teile mit beispielloser Gedankenunfähigkeit vielfach bemäkelt. Goethe ist Optimist im umfassendsten Sinne des Wortes, und ist dieses in seinem Glauben an die Vernunft, an die menschliche Würde, zumal aber in seinem Glauben an Gott. Da nun bei vielen Modernen dieses heilige Credo teils Aberglaube, teils Unglaube geworden, so ist darin vielleicht der Grund zu suchen, daß man der Prophetie der ›Wanderjahre‹ so wenig Glauben geschenkt und sie fabelhaft, ja verworren befunden hat. Erst als es sich schlagend bewähren sollte, daß seit der Veröffentlichung der ›Wanderjahre‹ vieles von dem eingetroffen ist, was in ihnen verzeichnet steht; erst als man sich davon überzeugte, daß Goethe weder auf Nichts die Zukunft basiere, noch sie aus Nichts voraussage, sondern daß er den Wegen Gottes und der Vernunft in der Natur und in der Geschichte nachgehe, daß er die Bildung aller Zeiten zusammennehme und daraus weiter schließe und gestalte, seitdem erst ist man denn doch von verschiedenen Seiten auf den sibyllinischen Schatz aufmerksam geworden, welcher in den ›Wanderjahren‹ niedergelegt ist.

In welcher Art lassen sich nun aber aus diesem Roman Schlüsse auf die Zukunft machen? oder vielmehr, was bieten die ›Wanderjahre‹ dar, um das Wie der Zukunft einigermaßen zu bestimmen?

Wir haben gesehen, daß Goethe in seinem Werke von keiner andern Macht ein Vorwärtsrücken der Menschheit und ein Besserwerden für alle erwartet als von *der Macht des Geistes*. Daher eben ist Goethe so gleichgültig gegen alle bloß materiellen Gewalten und Hebel, gegen die Macht des physisch Stärkeren; aber er ist nicht bloß gegen die physische Macht, als bloße Körperlichkeit, gleichgültig, auch die strategische Macht, mit wie vielem Behagen und Spannung des Geistes er auch einer Kampagne in Frankreich beiwohnt und sie beschreibt, und die Feldherrngröße bis auf die ungeheure Produktivität in Napoleon anerkennt, sie genügt ihm nicht, er sieht darin immer nur einen Aufschub des eigentlichen Zwecks der Geschichte; er will vielmehr die Bildung, die Bildung im Ideellen und Reellen, nach allen Seiten hin so fortrücken sehen, daß daraus die Sicherheit des Menschengeschlechts gegen die Gewalten der Rohheit und Willkür sich von selbst ergibt, aber auch ein positives Resultat, das Wohlsein der Menschheit durch erworbenen Besitz, gewonnen wird.

Nun will der Verfasser der ›Wanderjahre‹ die durch Arbeit und den Kampf der Jahrhunderte bereits erlangte Errungenschaft der Kultur auf zwei Wegen gefördert sehen, auf dem *pädagogischen* und *sozialen.* Das Pädagogium, wie Goethe es konstruiert, erzieht den Menschen schon in das Soziale hinein und zwar aus einem bestimmten, wenn auch im Keim noch verschlossenen Prinzip, denn, indem das Pädagogium auf der Grundlage der Religion, d. h. der drei Ehrfurchten, den Menschen erzieht, wie er nun auch vor sich selbst Ehrfurcht gewinnt (diese Ehrfurcht ist jenes Prinzip), erhält es den Menschen von früh auf in der Gemeinschaft mit andern, einer Gemeinschaft zu der er hier sogar aus der Einsamkeit und dem Studium erstarkt. Denn die Künstler bilden einsam nur für die Gemeinschaft, um später sogar in der Gemeinschaft, durch sie potenziert, zu bilden. So erzieht Goethe den Zögling zu dem Bewußtsein, zu der Gewißheit, daß das Individuum in der Verbindung mit andern nicht aufhört Individuum zu sein, sondern an Individualität, an Eigentümlichkeit noch gewinnt, indem es andere Eigentümlichkeit kennenlernt, sie sich zu Nutz und Erhebung dienen läßt. So entsteht in der aller Orten organisierten Gemeinschaft das, durch den Geist vieler Individuen potenzierte Individuum. So gilt es nicht bloß mehr von der Kirche, sondern auch vom Staate (denn das Reich Gottes soll ja in jeder Hinsicht kommen), daß wo zwei oder drei versammelt sind, sie im Namen Gottes und aus dem Rechte Gottes versammelt sind, so lange nicht etwa nachgewiesen werden kann, daß sie unheiligen Geistes sich versammelt haben. In jenem Rechte liegt das nie aufzuhebende, immer nur zu überwachende Recht der Assoziation. In diesem Sinne wird das soziale Leben der Zukunft die Kirche und den Staat nicht gefährden, sondern sichern, nicht untergraben sondern noch ausgebreiteter organisieren, denn es gilt in diesem Sozialismus nicht jenes abstrakte und in der Abstraktion allerdings gefährliche und fanatische Losungswort: Freiheit und Gleichheit, sondern es gilt eine Freiheit, die aus der Entsagung, d. h. aus der Zucht und Ehrfurcht vor dem Gesetz hervorgeht, und eine Gleichheit, die darin Unterschiedenheit ist, daß sie die Eigentümlichkeit des Individuums in jedem anerkennt, und es daher auch zu keinem Nivellement, sondern zu einer immer reicheren Individualisierung der Gesellschaft bringt.

Mit solcher Anerkennung der Würde des Individuums – in welchem der Geist Gottes der Würdenverleiher ist, der sich in keinem Menschen wiederholt, worauf denn die Eigentümlichkeit und Einzigkeit eines jeden beruht, welche das Pädagogium zum Bewußtsein und zum rechten Maß zu bringen hat – würde denn auch das Recht und das Maß seiner Gedankenäußerung zur Anerkennung gebracht. Hier beginnt die Sphäre der *Literatur,* welche die ›Wanderjahre‹, da sie ein literarisches Werk sind, unmittelbar durch sich selbst repräsentieren. Aus der Literatur aber hat sich das öffentliche Leben, da das mündliche Wort zu schnell vorübergeht, oft auch zu unüberlegt ausgesprochen wird, zu unterrichten. Da die Literatur in dem Worte, dieser reichsten und klarsten Form des Gedankens, ihren Ausdruck findet, so ist sie auch vorzugsweise dazu berufen, die Rechte der Wissenschaft, der Kunst, der Religion, aber auch die der Öffentlichkeit überhaupt zu vertreten und zu verteidigen.

Die ›Wanderjahre‹ Goethes, als ein religiöses, pädagogisch-soziales und literarisches Werk zugleich, werden sich nach dem, was sie in ihrer organischen Verbindung mit den ›Lehrjahren‹ bereits geleistet haben, besonders was die Annäherung der Stände zueinander und die geistige Armierung des Individuums durch das Individuum betrifft, immer mehr in der Zukunft geltend machen. Aus den ›Wanderjahren‹ entspringt auch die Wiedergeburt des Staats durch die Kirche, durch die Kunst, die Literatur und die Assoziation, die der Staat als selbständige Sphären anerkennen, aber sich auch selbst mit deren Geiste durchdringen, wie seinerseits auf sie wieder wirken wird. Wir meinen hier jene Kirche, wie sie sich aus der Religion der drei Ehrfurchten ergibt, und meinen jene Kunst, wie sie in der Stadt der bildenden Künstler zur Ausübung gelangt, und meinen jene Literatur, deren schaffender Geist mit einem so geschärften, schriftstellerischen Gewissen, so künstlerisch und sicher zu verfahren vermag, wie die Ausübung aller Kunst in eben jener Stadt der Künstler uns erklärt worden ist, endlich meinen wir jene Assoziation, wie sie in dem dritten Buche unsers Romans vielfach zur Sprache kommt.

Ob auch wohl nur diejenige Kirche, als erscheinende und nicht als unsichtbare, nicht bloß in heiterer Toleranz, sondern auch in liebevoller Umfassung aller in ihr sich bildenden Differenzen, irgendwo schon existiert, welche sich aus der Lessingschen Erziehung des Menschengeschlechts ideell vor uns aufbaut? oder derjenige Staat, welcher, gerecht und milde zugleich, sich folgerichtig aus den Briefen Schillers über ästhetische Erziehung des Menschen konstituiert? – Und wenn beide in der Erscheinung schon existierten, obwohl sie in ihr noch nicht vorhanden sind, so wäre von diesen Instituten doch noch ein beträchtlicher Weg bis zur Kirche und dem Staate der ›Wanderjahre‹. Und doch wird auch dieser Weg zurückgelegt werden. Denn die Kirche und der Staat der Zukunft werden auch auf das Gutachten des Genius, auf die ewigen Muster seiner Schöpfungen lauschen, um sie zu verwirklichen, denn auch diese sind Gottesoffenbarungen.

Es gibt freilich auch eine all' dem entgegen arbeitende Tendenz in unsern Tagen, die sich anmaßt, oder vielmehr es bloß vorgibt, soziale Zwecke zu haben, eine Tendenz, in der die Gegenwart bei einem Raffinement und einer Frivolität sondergleichen angekommen ist. Diese Tendenz steht im Widerspruche gegen die Humanität, auf welche sie sich so gerne beruft. Sie steht aber auch im Widerspruche gegen allen wahren Sozialismus, denn dieser arbeitet auf die Anerkennung der Völker vom Vaterlande aus, auf die Benutzung der Gesamtkraft in jener großen Verbrüderung aller hin, welche auch das Christentum lehrt, während jene in der kleinlichsten Parteiung steckenbleibt, und auf die Entzweiung der Menschen untereinander hinlenkt, um von solcher Entzweiung selbstische Vorteile zu ziehen. Jene Tendenz offenbart sich in dem Hohne gegen alle bisherige Kultur, in dem Wahne, daß die Zivilisation erst von jetzt, von dieser destruktiven Kritik ab, beginne.

Da wird mit dem Heiligsten, dem Ursprünglichsten in zersetzender Weise der Anfang gemacht. Alle Religion – die Kirche ohnehin – soll entweder überhaupt bloßer Aberglaube sein, oder doch künftig nur auf Selbstanbetung beruhen. Das

Christentum, diese Institution, welche vor allem den Blick auf das *Universelle* richten lehrt, soll sich überlebt haben! Dieses wird sogar, und jetzt ganz besonders von *Deutschen* behauptet, welche mit ihrem sonstigen Sinn für *universelle* Bildung vorzugsweise dazu berufen sind, das Christentum tiefer auszulegen und weiter zu verbreiten. Dem folgen die ähnlich schamlosen Bestrebungen in betreff des Staates und der Literatur. Hier ist und bleibt das Ausland, sobald es nur der Opposition huldigt, die Parole des Tages. Alle Grade der Verirrungen, alle Scheußlichkeiten des Umsturzes werden hier gutgeheißen, und womöglich dem Auslande nachgemacht. Es soll die Menschheit in ihrem bisherigen Bestehen, nach jener Tendenz, erst auf Null, d. h. auf den ehrfurchtslosen Glauben bloß an sich selbst zurückgesetzt werden. Wo hier die Stärke und Weite eines *Bandes* erreicht werden sollen, welches die Menschheit, welches Erde und Himmel umfaßt, das ist gar nicht abzusehen. Auch zerreißt jene soziale Tätigkeit, wie sie sich aus der Einzelnheit des Individuums willkürlich hervorspinnt, schon in der Partei, die zeitig genug wieder als Fraktion in Zwietracht auseinanderstiebt. Freilich müssen wir der Wahrheit gemäß behaupten, daß hier oft *keine* Partei vor der andern etwas voraus hat; die rechte Seite, das Zentrum machen in diesem bloß *vorgegebenen* sozialen Prozesse in ihrer Art es ebenso wie die linke.

Nun geht – was die Opposition betrifft – durch die Goetheschen ›Wanderjahre‹, wie es von einem ausgezeichneten Manne auch bereits hervorgehoben worden ist [1], allerdings ein Zug, der das Bisherige keineswegs unbedingt gelten läßt, aber es ist ein schöpferischer Zug, der nicht mit nichts anfängt, sondern der in allen Zonen und Nationen, bis auf jedes Individuum herunter, die ganze Errungenschaft der *Bildung* anerkennt und sich zugute kommen läßt, um dieses Besitztum weiter zu kultivieren, damit es *allen* zugute komme. Aus solcher Ehrfurcht vor der Überlieferung schlingt sich denn auch nach der vorausgegangenen, pädagogischen Grundlegung ein »Band« hervor, welches mit einer kleinen Gesellschaft von Handwerkern und Männern der eigentlichen Intelligenz beginnt, von der Lage eines vereinsamten Schlosses, von einem Turme aus, über Weltteile, über alle Stände und Völker sich zu verbreiten bereits im Begriff ist. Daher eben heißt es aus Jarnos Munde in den ›Lehrjahren‹: »Aus unserm alten Turm soll eine Sozietät ausgehen, die sich in alle Teile der Welt ausbreiten, in die man aus jedem Teile der Welt eintreten kann. Wir assekurieren uns untereinander unsere Existenz.« [2]

Wir sehen hier sogleich wieder jenen Unterschied, wie er in dem Franzosen und im Deutschen nach dem Typus ihrer Nationalität und Sitte angelegt ist, zum Vorschein kommen, einen Unterschied über den selbst George Sand in ihrem Roman [3] noch nicht hinausgehen *darf*, wenigstens dem Thema gemäß nicht (obwohl sie in den Grundideen längst darüber hinaus ist), da sie eben den *französischen* Handwerksburschen darstellen will. Die *deutschen* ›Wanderjahre dagegen greifen in ihrem sozialen Teil sogleich in jene, unsrer Nation angestammte und ihren Handwerkern auch wieder zu gewährende Freizügigkeit in alle Länder der Erde ein, indem sie einen Teil der Wanderer nach Amerika fortführen. Das Band der Kultur soll alle Stände verbinden, vom Handwerker bis zum Intelligenten, es soll aber auch über den ganzen Planeten geschlungen werden. Der französische Handwerker beschränkt seine Wanderung auf Frankreich, er wird von dem höheren Stande anfangs an sich gezogen, später wieder (mit Ausnahme von Yseult, welche die Zukunft ahnt und liebt), abgestoßen. Der deutsche Handwerker beschränkt sich in seinen Wanderungen nicht auf Deutschland, sondern erstreckt sich auf das Ausland, auf alle Weltteile der Erde. Er gelangt aber auch schon vielfach mit den höheren Ständen zur Eintracht. Daher schließt sich ihm auf seiner Wanderung, nach den Goetheschen ›Wanderjahren‹, auch die Klasse der Intelligenz an, wie es in der Tat die neueste Zeit schon bewährt hat. Man findet den deutschen Arbeiter und Intelligenten, vom Künstler bis zum Gelehrten, in der alten und neuen Welt, in allen Ländern der Erde, teils angesiedelt, teils einstweilen sich aufhaltend und überall beliebt. Die *Wanderungen* deutscher Handwerker und Männer des Geistes sind bereits *Auswanderungen eines Teils der Nation geworden.* Dies deutet mit unserm Roman auf die wahre große Zukunft unserer Nation hin, welche den Samen der zuverlässigen Arbeitskraft und den des Geistes über die ganze Erde verbreiten *soll* und verbreiten *wird.* Schon hören wir nicht bloß von dem Wohlergehen deutscher Ansiedler, wiefern sie *Hand*arbeiter sind, wir hören auch vom dem Wohlsein deutscher Arbeiter mit dem *Geiste,* von der Verbreitung sogar deutscher Literatur in der westlichen Hemisphäre.

Aber die ›Wanderjahre‹ streben, bei dem richtigsten Prophetenblick, nicht eine Entvölkerung Deutschlands an. Sie leiten nur die Übervölkerung ab, sie eröffnen der Besitzlosigkeit und Konkurrenz neue Felder und Bahnen in andern Gegenden der Erde. Daß sie das Vaterland ebenso liebevoll im Auge haben und bedenken, beweist Odoard neben Lenardo. Ein Teil der Verbundenen bleibt zurück und ist ebenso emsig. Aber auch die Assoziation der Zurückbleibenden ist bereits Wirklichkeit und Gegenwart geworden, wenn wir die vielfachen Assoziationen der Handwerker und aller Stände uns vergegenwärtigen, welche die letzten Jahre, wenn auch neben vielem Unholden, uns gebracht haben. An diesem Unholden, welches jene untergrabende, oben bezeichnete, frivole Tendenz uns leider bereitete, ist der Sozialismus einstweilen zur Unterbrechung gekommen. Sein Name sogar ist verrufen. Sehr mit Unrecht im allgemeinen, nicht ohne seine Schuld im besondern und einzelnen. Er hat durch gewisse Frevel das Verhängnis verdient, welches über ihn hereingebrochen ist. Es wird solches Verhängnis ihn zur sittlich-religiösen Wiedergeburt bringen, und verjüngt zu unwiderstehlicher Lebenskraft wird er wieder auferstehen. Er wird sich von jenen durch und durch selbstischen Parteigängern und Wühlern reinigen, und neben der deutschen Einheit eine Weite der Weltwirksamkeit antreten, durch welche er das Band der Kultur um alle Völker schlingt, und jene Mächte des Geistes in Bewegung setzt, welche stärker sind als die Gewalten der bloßen Materie.

Wir haben absichtlich an *mehreren* Orten unserer Entwickelung darauf hingewiesen, daß Goethe kein besonderes Interesse für den Krieg in der Geschichte hatte, für den Kampf mit den materiellen Gewalten, um ein desto wärmeres für das Wohl der Menschheit, für ihre Erziehung, für den edleren, gehaltvolleren Teil der Geschichte zu haben. Goethe war sogar in der Literatur kein besonderer Freund jener Polemik, welche vom Persönlichen aus, in das Persönliche fortgeht, und nur der Leidenschaft, der Eitelkeit dient, ohne mit den geführten Waffen etwas Dauerndes, Positives zu erreichen. *So sehr war Goethe ein Feind des Krieges.* Goethe wußte sehr wohl, daß sich aller Geschichts- wie Natur-Prozeß in der Reibung von Gegensätzen verläuft, durch welche ein Drittes erreicht wird. Aber wie er in dem Naturprozeß überall das Gesetzmäßige, das Weise erkannte, und durch denselben stets eine Erscheinung von Belang, einen erreichten, wohltuenden Zweck, ein wirkliches, heilsames Objekt herausgefördert sah; so forderte er auch von den Reibungen der Geschichte Gesetzmäßigkeit, Weisheit und Erfolg, wie jenes Wohlwollen für alle, welches Wohlsein herbeiführt. Goethe scheint uns mit seinem Widerwillen gegen die bloße Anfeindung, gegen die Auflehnung und Kriegführung sagen zu wollen: sehet zu, was bei einer solchen Tätigkeit auf die Länge herauskommt; ob nicht in jedem Kampfe mit materiellen Gewalten und Mitteln, *aus* Leidenschaft und Eitelkeit *mit* Leidenschaft und Eitelkeit, die Barbarei, die Grausamkeit Platz behält, und sich nun wieder auf lange hin der Menschheit bemächtigt. – Wie Goethe ein Feind des bloß Massenhaften, Unförmlichen, Unorganisierten war, um ein desto innigerer Freund der organisierten, durchgeisteten Leiblichkeit zu sein, und wie er überall mit den Alten die wahre Gesundheit und Vollendung in der Ineinsbildung des Seelischen und Leiblichen erkannte; so wollte er auch Erziehung durch erhöhete und rastlos fortgeführte Kultur, alle Rohheit, diesen dunkeln Hintergrund alles Bösen im Menschen, und allen Kampf aus Haß ein für allemal besiegt wissen.

Wie viele Vorwürfe ihm aus so überlegenen Ansichten erwachsen sind, er hat dennoch richtig gesehen, und wir Jetzigen namentlich müssen mit ihm uns fragen, was denn auch neuerdings wieder aus dem Zusammenstoß materieller Gewalten, aus jenem Zurückversetzen der Menschen in den Totschlag wenn auch oft aus Pflicht, was aus der Antastung und Vernichtung der Kultur und des Lebens, auf dem Wege von Revolutionen und Kriegen, für die Bildung unmittelbar des Positiven herausgekommen sei. Wie man in neuerer Zeit der Anerkennung auch der *Leiblichkeit* durch den Geist wieder ihr Recht hat zuteil werden lassen, und sich losgemacht hat von der Schwärmerei für eine abstrakte Idealität; so hat dieselbe Zeit doch auch nach der entgegengesetzten Seite hin eine großartige Erscheinung hervorgerufen (der wir schon einmal gedacht haben), welche von einer bestimmten Assoziation aus den Kampf mit materiellen Gewalten verwirft, weil nichts als Unheil daraus hervorgeht, und Goethe ist also auch hierin der glücklichste Prophet gewesen.

Jene *Friedensgesellschaft*[4], zusammengesetzt aus Repräsentanten aller zivilisierten Nationen, wird jetzt ähnlich angefeindet, wie die einst angefeindet worden sind und dennoch gesiegt haben, welche auch dem *Leibe* sein Recht zuwenden wollten. Die Friedensgesellschaft befindet sich ganz auf der Mission der Goetheschen ›Wanderjahre‹. Sie will, wenn wir ihre Absichten richtig verstanden haben, den *Geist* in seine Rechte einsetzen, sie will die Arbeit des Friedens, die härter, schwerer, entsagungsvoller aber auch sicherer, fruchtbringender, beseligender ist als die des Krieges. Wahrlich, es täten uns noch andre solcher Konferenzen und Kongresse der Kultur not!

Die ›Wanderjahre‹ Goethes arbeiten auf eine Zeit hin, und werden sie herbeiführen helfen, welche den Kultus der *Erziehung* und *Gesellung* fürs Leben zu einem allgemeinen macht, auf eine Zeit, welche durch Arbeit und Feier, und deren umgestaltete, zweckmäßige Verteilung ein allgemeineres Wohlsein herbeiführt, einen Zustand, im fortgehenden Prozesse der Kultur, der da beweist, daß die Geschichte einen Zweck, ein letztes Ergebnis hat, und nicht in jenem wahnwitzigen oder gar teuflischen Schaukelspiel besteht von der rechten zur linken Seite, vom Vorwärts zum Rückwärts und wieder umgekehrt. Beim Schaukelspiel bloßer Extreme der Leidenschaft und des Gelüstes kommt nichts heraus als eine trübe, öde Mittelmäßigkeit.

Der organisierte Kultus der Arbeit und Feier wird das große Erbe der Zukunft sein nach Maßgabe und zu Gunsten einer jeden Eigentümlichkeit, ein Erbe welches in den deutschen ›Wanderjahren‹ wie nirgends anders angelegt ist. Das Einerlei stumpft ab. Der Mensch wird künftig kein bloßes Lasttier der Arbeit sein, kein Quietist einer träumerischen und doch eigentlich gedankenlosen Feier. Geist und Leib müssen miteinander und füreinander arbeiten, um das Reich Gottes zu erobern. Die Extreme von Armut und Reichtum erzeugen auf beiden Seiten die gleichen oder doch ähnliche Ungeheuer der Verwilderung; dort Aberglauben hier Unglauben, dort Rohheit hier Frivolität, dort Stumpfheit hier Blasiertheit, dort Stupidität hier Borniertheit, dort Unbildung hier Verbildung, dort unwürdige *Arbeit* hier unwürdige *Feier*. Die Arbeit des menschlichen Tieres, die Arbeit der ohne Ende Verdammten in den Zuchthäusern, in den Festungen, dieses lebenslängliche Gefängniswesen, die Arbeit der Duelle, der Mordgewehre, der Schafotte soll und wird aufhören. Diese Arbeiten führen oft nichts anderes herbei als die Ausarbeitung des Infernalen, des Diabolischen. Wo bleibt da Gottes Ebenbild, das aus *jeder* Entstellung und Verschüttung verdient wiederhergestellt und ausgegraben zu werden?! Aber auch die Feier des raffinierten, gedankenlosen Genusses, die Feier des so beliebten modernen Flanierens, die Feier des Schwelgens und Prassens, um die Lebenssattheit und Verzweifelung wenigstens für Augenblicke im Taumel solcher Orgien los zu werden, und so auch die letzten noch erregbaren Nerven zu verlieren, soll und wird aufhören.

Die Geschichte der großen Erfindungen und Entdeckungen, an denen die neue und neueste Zeit so unendlich reich sind, arbeitet der Menschheit vor, und läßt die Zukunft deutlich erblicken. Eine solche Erfindung, eine Schöpfung voll unerschöpflichen Reichtums zum Wohle der Menschheit sind auch Goethes ›Wanderjahre‹. Aber auch die Erfindungen mehr nach außen gerichtet, das Maschinenwesen, Eisenbahn und Dampfschiff deuten darauf hin, daß das Zeitalter gekommen ist, welches den Menschen los machen will von einem Joche, worin er wie ein Tier arbeitet. Das Maschinenwesen ist, vom Geiste des Dampfes getrieben, in einer solchen Vollkommenheit in die Geschichte getreten, auf daß der Mensch aufhöre, selbst Maschine oder bloß Rad oder gar nur Zahn im Rade zu sein, und auf daß er als bewußtvoller Geist wirke, wie er seinem Ursprunge nach Geist ist. Diese Zeit, diese Zukunft ist die Zukunft der ›Wanderjahre‹.

45 *Julian Schmidt*

Aus: Weimar und Jena in den Jahren 1794–1806 1855

Das klassische Zeitalter

Es war eine schöne, lebensvolle Zeit, diese kurze Blüte des künstlerischen Idealismus. Im Mittelpunkt des deutschen Lebens, die aufstrebende Jugend gewaltsam mit sich fortreißend, zwei große Dichter, die sich trotz ihrer entgegengesetzten Natur in einer idealen Freundschaft zusammengefunden hatten, deren Geist nur auf das Große und Schöne gerichtet war, und die ein starkes Streben mit schöner Vollendung paarten. An sie sich anschließend, ein auserwählter Kreis edler Frauen, der jede allgemeine Idee in individuelle Empfindung verwandelte. Von Jahr zu Jahr werden uns neue Blicke in dies reiche Gemütsleben eröffnet, die uns zeigen, daß Goethe mit Recht von seinen Frauengestalten sagen konnte:

> Es sind nicht Schatten, die der Wahn erzeugte,
> Ich weiß es, sie sind ewig, denn sie sind.[1]

Die willkürlichen Schranken versöhnten sich in freiem, schönem, selbstgesetztem Maß; der Adel der Empfindung verklärte selbst die Zufälligkeiten der Gesellschaft. Ganz in griechischem Geist hatte die starre Sonderung der Wissenschaften aufgehört; sie erhoben sich zu einem individuellen Leben und schmiegten sich der Dichtkunst an. Die Philosophie, bisher in ihren Formen hart und strenge, suchte sich der Phantasie verständlich zu machen: sie eröffnete bedeutende Aussichten in das Gebiet der Natur und der Geschichte, sie verklärte mit ihrem etwas träumerischen, aber anziehenden Schimmer die dürren Steppen des empirischen Wissens und eroberte sie der Dichtkunst. Die Ideen des Guten und Schönen, durch eine unnatürliche Abstraktion voneinander getrennt, fanden sich wieder zusammen; neben dem Ideal wurde die Sinnlichkeit in ihr Recht eingesetzt. In dem heitern Kreise dieser Idealwelt eröffneten sich die kühnsten Perspektiven nach allen Seiten hin, fragmentarisch, abgerissen, schattenhaft, aber blendend und bezaubernd. Was in unaufgelösten Widersprüchen zurückblieb, war doch nur ein Ausdruck für die unendliche Sehnsucht nach der verlorenen Totalität der menschlichen Natur. So reich diese Welt an Widersprüchen war, so wurde sie doch durchaus durch ein im strengsten Ernst gehaltenes künstlerisches Streben und durch ein inniges Gefühl der Liebe getragen, das auch in der Form die höchste Vollendung hervorbrachte. Die schöne Sprache jener Zeit, die wir in unserer neuen Poesie fast bis auf die Ahnung verloren haben, war nur der Ausdruck der schönen, gesättigten, mit sich selbst übereinstimmenden Empfindung.

Bei dem universellen Streben der Kunst, das jede Einheit ausschloß, war es ein Glück, daß sie vorläufig im *Griechentum* einen idealen Mittelpunkt fand; aus den Schriften der Alten lernten unsere Dichter schauen und empfinden, wie man nur in der Jugend der Welt geschaut und empfunden hatte. Mehr an ihnen, als an unsern christlichen Vorfahren haben wir unsere Sprache, unsere Empfindung, unsere Wissenschaft, unsere Kunst aufgerichtet. In der reinsten Sprache Homers verklärte Goethe in ›Hermann und Dorothee‹ die Sonntagsstimmung des Bürgertums, mit der Würde des Sophokles adelte Schiller im ›Wallenstein‹ das deutsche Kriegsleben. In den Schmeichellauten des Properz lernte der Dichter, seiner Liebe den wahrsten und tiefsten Ausdruck zu geben; aus Platos Ironie schöpften unsere Philosophen die Kunst, ernst und zugleich gebildet zu denken. Wer heute noch die Griechen schmähen wollte, striche aus unserm eigenen Leben die schönere Hälfte aus.

Die Erscheinung dieses künstlerischen dem griechischen Leben nachgebildeten Idealismus war darum so schön und groß, weil die Persönlichkeiten, von denen er getragen wurde, so ganz in ihn aufgingen. Man hat über Schillers philosophische Beschäftigungen verschieden geurteilt, indem man sie immer nur als Vorstudien zu seinen Kunstwerken betrachtete; allein das ist nicht der richtige Gesichtspunkt. Seine philosophischen wie seine historischen Arbeiten waren für seine innere Natur notwendig, denn es war ihm unmöglich, etwas Unklares und Ungewisses in seinem Geist zu lassen, so lange er nicht die Hoffnung aufgeben mußte. Die Idee trat ihm niemals als Abstraktion entgegen, sondern stets in ihrem vollen Gehalt, mit der Ahnung aller aus ihr hervorgehenden Folgen. Seine geistige Beschäftigung war immer die angestrengteste Selbsttätigkeit; jede Beziehung war auf das engste an den Gedanken in allen seinen Höhen und Tiefen geknüpft. Das bloß stoffliche Wissen erregte ihm kein Interesse; er warf jedes Gewöhnliche und Kleinliche aus seinem Leben wie aus seinen Dichtungen heraus. Sein Leben bestand darin, daß er als Dichter übte, was er vom idealisch gebildeten Menschen überhaupt verlangt: so viel Phantasie, als er mit seiner Welt zu umfassen vermochte, mit der ganzen Mannigfaltigkeit ihrer Erscheinung in sich zu ziehen und in die Einheit der Kunstform zu verschmelzen. Aus einem unendlich kleinen Vorrat des Stoffs hatte er eine sehr vielseitige Weltansicht gewonnen, die selbst die Kundigen zuweilen durch ihre geniale Wahrheit überraschte. Daher seine langsame Entwickelung, daher aber auch sein fester Glaube an die Gewalt des Geistes, dem die Wirklichkeit untertan sei. Man hat ihn einen Dichter der Freiheit genannt, und diese Bezeichnung, die gewiß unrichtig ist, wenn wir an die politische Freiheit denken, gewinnt ihre höhere Bedeutung durch die Freiheit des Geistes von den Mächten der Natur. Sein Geist selbst war eine hohe Erscheinung der Freiheit; er hatte die Fähigkeit, durch bedeutende Geister, die neben ihm standen, auf das mächtigste angeregt zu werden, aber niemals ließ er sich in einen fremden Kreis herüberziehen, er verwandelte das Aufgenommene sofort in sein ideales geistiges Eigentum. Aus diesem hohen und großen Idealismus erklärt sich die Verehrung, die Schiller allgemein einflößte, sobald man die erste Härte und Schroffheit seiner Form überwunden hatte. Goethes Gemüt neigte sich der Verehrung und der Treue nicht übertrieben zu; wo er aber von Schiller spricht, bis in sein letztes Lebensalter hinein, ist es immer ein inniger, herzlicher, mitunter könnte man sagen, ein demütiger Ton. Schillers Einfluß auf ihn war außerordentlich. [...]

Der Briefwechsel zwischen den beiden Dichtern gehört zu den schönsten Schätzen unserer Nation, aber die ganze Fülle der Liebe, die zwischen ihnen stattfand, kann man nicht daraus ermessen; man muß Schilderungen wie die von Heinrich Voß [2] zu Hülfe nehmen, um sich zu überzeugen, daß die Idee, die uns in ihren Schriften so rührt, durchaus mit dem Leben Hand in Hand geht. Der Verkehr mit Schiller war die Poesie in Goethes späterm Leben. Als er ihm gestorben war, lag es kalt und farblos vor ihm.

[. . .]

Schillers Tod zerriß das Band der klassischen Poesie. Die Elastizität seines Wesens, sein ungestümer schöpferischer Drang und seine edle Begeisterung, die nichts Schlechtes neben sich duldete, hatte auch die Widerstrebenden gewaltsam mit sich fortgerissen. Obgleich sein Idealismus strenger war, als der seiner übrigen Freunde, hatte ihn doch sein leidenschaftliches Temperament in fortwährende Beziehungen zum öffentlichen Leben gebracht. Goethe hatte zu diesen Beziehungen kein inneres Bedürfnis. Er war durch Schillers Tod sehr vereinsamt, und wenn auch seine dichterische Kraft nicht erlosch, so fehlte ihm doch der frische Jugendmut. Mit der unendlichen Empfänglichkeit seiner Natur hat er jede neue geistige Richtung auf irgend eine Weise verarbeitet, aber nur, wie man etwas Fremdes aufnimmt, das noch den Verstand und die Einbildungskraft, nicht mehr das Herz beschäftigt. Ein Jahr nach Schillers Tod erfolgte die Schlacht von Jena, die wie ein elektrischer Schlag die bisherige Atmosphäre unsers geistigen Lebens fast gänzlich zerstreute. Unmittelbar darauf fielen die einzelnen Momente des geistigen Lebens, die sich bis dahin zu einer schönen, aber künstlichen Einheit in der Dichtung zusammengefunden hatten, auseinander. Die Wissenschaft zog sich aus der Verbindung mit Kunst und Philosophie wieder zurück, und es drängte sich, wie es nach der unnatürlichen Übergeistigung nicht anders möglich war, das Streben nach materiellem Wissen über das Streben nach Gestaltung. Sie hatte nur kurz gedauert, jene klassische Zeit, »die frische Morgenröte einer mächtigen Gesinnung, die zwar von einem furchtbaren Verhängnis ergriffen scheinbar untergehen sollte, aber nur, um nach langer Prüfung gereinigt zur Befreiung der Völker und zur Grundlage einer neuen, noch in der Entwickelung begriffenen Zeit wieder zu erstehen«. (Steffens V. S. 172.) – Die Ahnung, daß es so kommen müßte, war schon früher von Zeit zu Zeit aufgetaucht. »Als ich Goethe 1799 verließ«, erzählt Steffens IV. S. 167, »schwebten mir die Verhältnisse, aus welchen ich mich jetzt losgerissen hatte, lebhaft vor Augen; eine dunkle Ahnung, als wenn die dort eben aufgeschossene Blüte im Begriff wäre, die bunten Blätter und die Düfte allen Winden preiszugeben, befiel mich mit unendlicher Wehmut«.[3]

Es bleibt uns übrig, diese subjektive Ahnung aus innern Gründen zu rechtfertigen. Die Blüte der deutschen Kunst konnte nicht fortdauern, weil sie kein eigenes Leben besaß. So schön ihr den Griechen nachempfundenes Leben erschien, es blieb doch immer ein fremdes, es widersprach dem kalten Himmel unsers gotischen Lebens, nur der Künstler konnte sich zu ihm aufschwingen. Um uns an den

Werken unserer Dichter so zu erfreuen, wie sie es wert waren, mußten wir uns vorher die Wirklichkeit aus dem Sinn schlagen. Selbst eine feindliche Beziehung auf den Vorstellungskreis unsers gewöhnlichen Lebens würde uns verständlicher sein, als die vornehme Ablehnung, die sich der Heimat gar nicht mehr erinnert. Selbst wenn die Dichter dem Anschein nach wirkliche Zustände des Lebens behandeln, wird vorher der Duft der griechischen Atmosphäre darüber ausgebreitet; um die Schönheiten unserer eigenen Natur nachzufühlen, müssen wir vergessen, daß wir Deutsche sind, wir müssen uns im Traum in Griechen verwandeln. Die Sprache gewinnt einen andern Rhythmus, eine andere Bedeutung; die Physiognomie, Haltung und Gewandung der Menschen ist eine fremde; die mythischen und geschichtlichen Anspielungen beziehen sich lediglich auf Griechenland; die Sitten, an die wir uns bei unserm Urteil erinnern sollen, sind uns nur durch die griechischen Dichter überliefert, und selbst die höhern Gebote der Sittlichkeit sollen wir auf die Weise empfinden, wie sie Äschylus und Sophokles empfand. Über manches Unbegreifliche finden wir nur Aufschluß, wenn wir uns erinnern, daß nicht unser heimisches Gesetz, sondern das Gesetz der absoluten Kunst zugrunde liegt. So war es in den Zeiten des Perikles keineswegs, und der künstlerische Horizont unserer Dichter umschloß trotz ihrer innigen Vertiefung in die Antike nur ein romantisch reflektiertes Griechentum.

Bei den klassischen Dichtern aller übrigen Nationen gab das Gewissen des Volks die Grundlage ihrer Empfindungen: sie suchten es zu läutern und zu verklären, aber nicht seine eigentliche Substanz zu verwandeln. In unserer klassischen Zeit dagegen war der Idealismus der Wirklichkeit entgegengesetzt: die Dichtkunst suchte ihre Ideale, d. h. ihr ästhetisches Gewissen bei den Heiden, bei den Katholiken, bei den Griechen und Indiern, sie suchte es in den Lehrbüchern der Physik und Chemie, in den Mythen barbarischer Stämme; sie suchte es überall, nur nicht im eigenen Volk. Diese stolze Vernachlässigung des angeborenen Instinkts rächt sich früher oder später. Die ästhetische Sittlichkeit der schönen Seelen, die Goethe und seine Zeit vor den Verirrungen seiner Nachfolger bewahrte, ist nur eine Gabe vornehmer Naturen und hat keine Dauer. Den Nachkommen blieb von dieser poetischen Lebensweisheit nichts als die vollständige Ratlosigkeit in der Wahl der Gesichtspunkte, die traurigste Unfähigkeit, zu lieben und zu hassen, zu wollen und sich zu entscheiden. In dem Kampf gegen die Barbarei und Gedankenlosigkeit der durch die Franzosen vermittelten Aufklärung ist es unsern Dichtern zuweilen begegnet, mit den Irrtümern jener einseitigen Verstandesaufklärung auch die durch sie festgestellten Grundwahrheiten in Zweifel zu ziehen, wenn sie sich auch bald wiederfanden, da ihr wohlgebildeter Geist auf die Dauer kein unaufgelöstes Moment in sich ertrug.

Die Verbindung mit der Philosophie hat die Blüte unserer Dichtkunst beschleunigt, aber sie hat ihr auch einen frühreifen, hektischen Ausdruck gegeben. Um Alles zu sein, hat die Kunst ihr individuelles Leben aufgeopfert. Es ist eine hohe Idee, wenn man die Kunst zur Prophetin des Lebens macht, aber sie ist dieser Aufgabe nicht gewachsen, sie kann die Rätsel der Wirklichkeit nicht lösen, sie kann die Wirklichkeit nicht ersetzen. Und das wurde in der Tat von ihr verlangt.

Nur den Künstler ließ man als den echten Menschen gelten, höchstens gab er sich dazu her, die übrige Masse allmählich in sein Heiligtum hinüberzuleiten. Aber wie Antäus verliert die Kunst ihre Kraft, wenn ihr Fuß den Boden verläßt. Wie uns auch die Pracht der Farben, die Fülle und Sinnigkeit der Bilder entzückt, es sind doch nur träumerische Luftgebilde, die den Schein des Lebens an sich tragen. Eine solche Poesie verleitet leicht, das Spiel im Leben zur Hauptsache zu machen, und dadurch das Leben selbst in ein Spiel zu verwandeln, d. h. in den höchsten Ideen desselben nur künstlerische Stoffe zu suchen.

In ihrem tiefsten Grunde ist die Idee der künstlerischen Resignation, in welcher sich der Instinkt der Poeten mit dem kategorischen Imperativ der Philosophen versöhnte, nichts anderes, als eine Flucht aus der Wirklichkeit. Wenn Fichte die sogenannte Wirklichkeit nicht bloß als ein Unrecht gegen die Ideale des Herzens und des Verstandes, sondern geradezu als einen Aberglauben der Phantasie in das Reich der Schatten verbannte, so war das nur die philosophische Rechtfertigung der Empfindsamkeit, mit der man sich früher aus dieser Welt der Lüge in das verlorene Paradies der Unschuld und Natur zurücksehnte. Die Siegesgewißheit des Ideals verwandelte sich in den Glauben, daß das Schöne nicht wirklich sei.

> In des Herzens heilig stille Räume
> Mußt du flüchten aus des Lebens Drang,
> Freiheit wohnt nur in dem Reich der Träume,
> Und das Schöne blüht nur im Gesang.[4]

Es war das nicht eine vorübergehende Empfindung, sondern ein festes, nach allen Seiten hin durchgebildetes Prinzip, daß durch die Beziehung auf die Wirklichkeit die Kunst ihre Würde preisgebe, daß sie sich ein eigenes Gesetz, ein eigenes Maß, eine eigene Form und einen eigenen Inhalt schaffen müsse. Wie Kant auf das Gewissen seine ganze intellektuelle und praktische Weltanschauung gründete und den Weltlauf als etwas Gleichgültiges beiseite ließ, so leiteten Goethe und Schiller aus der Idee des Schönen, deren ewiges Vorbild und Muster ihnen in der griechischen Kunst vorleuchtete, ihre ganze Empfindungswelt her. Die einzige Beziehung zur Wirklichkeit ist die stille Trauer, daß dieses Ideal nicht wirklich ist oder wenigstens nur einmal Wirklichkeit war.

Selbst in den Dramen ist nicht die geschichtliche Kraft das Ideal, sondern das in sich selbst vollkommene Gemüt, das von der Welt nur befleckt werden kann und das ihr je eher je lieber entfliehen muß. Den in den Leidenschaften der Zeit befangenen Helden stehen die idealen Gestalten gegenüber, die in der Reinheit ihres Gemüts über den geschichtlichen Widerspruch hinaus sind. Die Abstraktion der Pflicht tritt überall wie ein Gespenst der Neigung entgegen. Der Dichter ist nicht imstande, eine kühne Tat aus der einfachen, sehr begreiflichen Leidenschaft herzuleiten. Tell begeht seinen Meuchelmord aus Pflichtgefühl nach langer kasuistischer Überlegung, und Posa opfert sich, wie später Charlotte Stieglitz[5], um der Seele seines Freundes neue Spannkraft zu geben. – Auch bei Goethe fallen die Ideale der reinen Humanität als unschuldige Opfer den historischen Mächten. Die

Philosophie des absoluten Gewissens und das dichterische Interesse an der reinen Individualität haben sich doch nur scheinbar versöhnt. Das Verhältnis der Helden zu ihrem Schicksale ist ein akzidentelles, es ist nicht in ihrer Natur voraus bestimmt, es ist von ihrer Seite, um uns dieses häufig gemißbrauchten Ausdruckes zu bedienen, keine Schuld: *es ist das Los des Schönen auf der Erde!*[6] Das Ideal hat die Wirklichkeit außer sich: nicht die Notwendigkeit, sondern der Zufall ist der Meister.

[...]

46 *Theodor Wilhelm Danzel*

Einleitung zu dem Commentar zu Goethe's Werken [1855]

Ein Kommentar über die Werke eines volks- und zeitverwandten Dichters wie Goethe kann sich in engeren Grenzen halten, als sie bei der Bearbeitung der Griechen und Römer oder mittelalterlicher Dichtungen herkömmlich sind. Der Zweck des Philologen ist seine Philologie, das heißt, die Vermittlung einer möglichst vollständigen Anschauung eines vergangenen Kulturzustandes, und die Betrachtung eines einzelnen Werkes, oder wenn es auch eine Reihe von Werken, die Gesamtheit der Werke eines Dichters oder einer Klasse von Dichtern wäre, kann immer nur ein Mittel zur Erreichung dieses Zweckes sein. Nun wird dies zwar in unseren Tagen nicht mehr in dem groben Sinne aufgefaßt, daß die alten Schriftsteller nur dazu benutzt würden, irgendwelche Kenntnisse gelegentlich an den Mann zu bringen, so wie man auf der Schule, was den *gemeinen* Philologen eben von der Schule her oft lebenslang anklebt, die herrlichsten Werke gar nur liest, um ein bißchen Griechisch und Latein zu lernen, vielmehr wissen es die wahren Altertumsforscher wohl gerade am besten, daß es zum Behufe der Rekonstruktion des Altertums in seiner Ganzheit keinen sichreren Weg gebe, als wenn nur vorerst das einzelne Werk für sich betrachtet und in seiner ganzen Herrlichkeit vor dem geistigen Auge aufgebaut werde; aber auch so noch sehen wir die Erklärer bei solchen Gelegenheiten beständig mit einer Menge von Fragen beschäftigt, die mehr das Altertum überhaupt als dieses bestimmte Werk angehen, oder die wenigstens ein andres Werk derselben Art oder Gattung ebenso nahe angehen würden. Nämlich sie sind genötigt, bei der Behandlung eines Werkes der Dichtung immer noch erst auf die *Voraussetzungen* einzugehen, auf denen dasselbe ruht und ohne welche es nicht aufgefaßt werden kann, die dasselbe aber nicht *ausmachen;* sie müssen uns das Werk erst sprachlich und sachlich *erläutern,* ehe sie uns das geistige Verständnis desselben erschließen können, und daher gewähren ihre Kommentare immer noch einen sehr bunten und zerstreuenden Anblick, und bieten uns das, worauf es im Grunde allein ankommt, im besten Falle nur vermischt mit demjenigen dar, wessen wir, um jenes nutzen zu können, gar nicht mehr bedürfen müßten. Bei einem vaterländischen Dichter unserer Zeit ist es damit ganz anders. Hier kann es nicht erst darauf ankommen, nur erst ein gemeines Sach- und Wortverständnis zu eröffnen; wo sollte man anfangen, wenn man sich darauf einlassen wollte; eine entlegene Anspielung mag durch eine Notiz erläutert werden, aber im allgemeinen muß das, was man Bildung nennt und was zwar niemand im bestimmten Falle so recht definieren kann, aber jeder aus eigenem Besitze kennen muß, so wie die Sprache ohnehin, vorausgesetzt werden, und so hat es denn hier der Erklärer wirklich mit dem Dichterwerke als einem solchen zu tun.

Ich befürchte nicht, daß meine Leser mich fragen werden, was dem Erklärer denn aber in einem solchen Falle überhaupt noch zu tun übrigbleibe? Es bleibt ihm eben noch alles zu tun übrig, was zur Sache gehört.

»Natur- und Kunstwerke« sagt Goethe selbst in einem Briefe an Zelter[1] »lernt man nur kennen im Aufhaschen ihrer Entstehung; sind sie reif und fertig, da sehe zu, wer sie begreifen will.« Das bedarf beim Kunstwerke kaum noch einer weiteren Erörterung, denn dieses beruht ganz und gar auf einem wundersamen Entstehen, welches gleichsam fortdauernd in ihm wohnt, sowie die Gottheit das Weltganze in zeitloser Tathandlung nicht nur erschaffen hat, sondern auch erhält. Was liegt uns im Kunstwerke vor? Die engste Verbindung zweier an sich vollkommen heterogener Elemente. Eine nur in der Anschauung zu erfassende Form, eine *Gestalt*, regt uns mit so objektiver Notwendigkeit zu einer gewissen Gemütsstimmung an, daß wir nicht anders sagen können, als: sie spricht dieselbe aus. Das ist die Tatsache aller Kunst. Am klarsten liegt das Verhältnis in der Architektur vor. Hier sind es zum Teil die einfachsten räumlichen Verhältnisse, welche in mannigfaltigen Kombinationen, die aber um so wirksamer sind, je weniger die Grundformen durch sie verdeckt werden, den bestimmtesten und bedeutendsten Eindruck hervorrufen. Ein andres Beispiel, welches eine reine Sonderung zuläßt, bietet die Landschaftsmalerei dar. Hier sind es die Gestaltungen der Erdoberfläche mit der sie bedeckenden Vegetation und diesen oder jenen Anlagen der Menschen, welche die verschiedensten psychischen Stimmungen auszudrücken fähig befunden werden. Was haben aber diese Dinge überhaupt miteinander zu tun? was geht das Innere des Menschen und sein Gefühlsleben die sinnlich-räumliche Gestaltung der Dinge an, und umgekehrt? Mag es im allgemeinen Plane der Welt liegen, daß neben den Dingen auch bewußte Wesen da seien, welche sie beschauen und sich ihrer freuen, an und für sich *sind* die Dinge eben nur, der Baum trägt seine Frucht und die Wolke ergießt ihren Regen allein um der Sache selbst willen, ohne alle koketten Nebengedanken, wie sie sich dabei nun ausnehmen mögen; wir haben unser ästhetisches Wohlgefallen daran ganz für uns, und sind mit der Natur recht eigentlich in dem Falle der Philine – »wenn ich dich liebe, was gehts dich an« –, und auf der andern Seite besteht auch wieder unser eigenes Gefühls- und Gedankenleben für sich und trägt an und für sich gar keine Notwendigkeit in sich, uns nur erst aus den Formen der Außenwelt, aus dem was nicht *wir* sind, entgegenzuleuchten; wir leben ebensowohl wie der Baum und die Wolke nur eben in uns selber gerade vor uns hin. Wenn man nun die Frage aufwirft, wie es denn aber *möglich* sei, daß diese ganz gesonderten Elemente einander in der Kunst durchdringen, so mag das vielleicht die Philosophie des Schönen und der Kunst ermitteln können, genug es *ist so,* in Kunstwerken schießen diese Elemente durch eine wunderbare Tat zu Einem zusammen, sowie chemische Verbindungen durch den elektrischen Funken vermittelt werden können.

Wenn nun hieraus erhellt, was das heißt, ein Kunstwerk verstehen, nämlich den Entstehungsprozeß desselben auf eine gewisse Weise nachleben, so ergibt sich die Aufgabe desjenigen, welcher uns zur Erreichung eines solchen Verständnisses behülflich sein will – und das ist eben der Erklärer – ganz von selbst.

Erstlich muß er uns jene Elemente in ihrer Sonderung vor Augen führen. Und da bleibt denn, um hier auch zunächst bei der bildenden Kunst stehen zu bleiben, demjenigen, welcher uns die *Gestalt* begreiflich machen will, für das Allgemeine im Grunde nichts andres übrig, als daß er uns zeichnen lehre; wie sollen wir außerdem vollkommen innewerden, was es mit derselben auf sich hat, denn nur wenn wir sie zeichnen, leben wir wirklich in ihr, in Gestalten leben heißt eine der bildenden Künste ausüben. Im besondern muß uns dann womöglich die bestimmte Anschauung vor Augen geführt werden, welche dem Künstler zu seinem Werke Veranlassung gegeben hat, sowie es z. B. eine Geschichte vom Raphael gibt, die Idee der ›Madonna della Sedia‹ sei in ihm entsprungen, da er auf einem Spaziergange eine junge Frau mit einem Kinde neben einem ausgeschlagenen Faßboden habe sitzen sehen, wie denn bei diesem Bilde offenbar die runde Form die Konzeption des Ganzen bestimmt hat, – und wenn natürlich solche Anknüpfungen, die freilich fast immer vorhanden sein werden, sich nur selten nachweisen lassen können, so kann in dieser Beziehung auch die Kunstgeschichte viel Licht auf das einzelne Kunstwerk werfen, indem dieses oftmals nichts anderes ist, als die Umbildung eines früheren in einem neuen Sinne. Und ebenso ists auch mit dem Elemente der *Auffassung* zu halten, welche der Künstler in die Behandlung der ihm von außen zukommenden Anschauungen hineinlegt: es muß die Stimmung und Anschauungsweise, welche ihn im allgemeinen und besonderen beherrscht, nachgewiesen werden, wozu dann zuerst auf den Geist seiner Zeit und seines Volkes hingewiesen, dann auf seine innere und äußere Lebensgeschichte, soweit sie sich ermitteln läßt, eingegangen werden mag; auch hier kommen allerlei auf das einzelne Kunstwerk bezügliche Überlieferungen zu Hülfe, z. B. wenn Phidias bekannt haben soll, zu dem olympischen Zeus durch die Verse des Homer angeregt worden zu sein

> Und die ambrosischen Locken des Königs wallten ihm vorwärts
> Von dem unsterblichen Haupt; es erbebten die Höhn des Olympos.

Und wenn nun in beiden Beziehungen zusammengetragen sein wird, was sich mit Sicherheit nachweisen läßt, und dasselbe mit Geschick gruppiert ist, so wird auch *zweitens* dafür, daß jene Elemente in unserm Geiste zusammentreten, von dem Erklärer geleistet sein, was er eben leisten *kann.* Denn im eigentlichen Sinne *herbeiführen* kann er das freilich nicht; er kann nur die Bedingungen dazu herbeischaffen; das eigentliche Nacherleben eines Kunstwerkes kann nur aus dem Menschen selbst kommen, nur daß es, weil ihm hier im Kunstwerk gleichsam das Schema dazu vorliegt, unendlich viel leichter ist, als die Erschaffung desselben selbst; es kann eben keiner für den andern eine innere Geistestat vollführen, so wie keiner, nach Hegels kernigem Worte, für den andern essen kann, und namentlich ist für das Verständnis des physischen Elementes im Kunstwerk immer erforderlich, daß man ein gereiftes Individuum sei, welches etwas erlebt habe, nämlich innerlich erlebt, denn freilich gibts auch Menschen, die zwar das Schicksal ihr Lebelang herumgeschleudert hat, wie das Meer einen Uferstein, sinds aber ebensowenig innegeworden, wie ein solcher.

Was in der bildenden Kunst die räumlichen Gestalten sind, ist in der Poesie ein Stück Menschenleben; ein Gedicht behandelt entweder, wie im dramatischen und epischen Fache, geradezu irgendeine Geschichte, oder es geht wenigstens, in der lyrischen Poesie, von einer bestimmten Situation aus, wie denn Goethe von einem jeden Gedichte verlangt, daß es ein *Gelegenheitsgedicht* sein solle.[2] Und so wird auch dieser Stoff nur erst durch die Behandlung zu dem, was er im Gedicht ist, denn das Leben selbst lebt sich ebenso nur in den Tag hinein, wie die Pflanze rein um ihres Wachstums willen in die Höhe wächst; es begegnen uns zwar der merkwürdigen und tragischen Dinge genug, aber so erscheinen sie uns nur erst hinterher; an sich leben wir ebensowenig Tragödien und Novellen, wie die Kinder der Niobe gleich in treppenartiger Aufstellung hingestürzt sind, damit sie in ein Giebelfeld paßten, oder Laokoon sich die Schlangenwindungen an irgendeinem Körperteile abgestreift hat, weil sie hier gerade einen schlechten malerischen Effekt machen würden. Daher ist mit dem, was über die Erklärung von Kunstwerken überhaupt gesagt ist, auch die Aufgabe des Erklärers von Gedichten im allgemeinen angegeben, nur daß hier vermöge der besonderen Natur des Gegenstandes noch einige nähere Bestimmungen hinzukommen.

Der Stoff, welchem der bildende Künstler eine geistige Bedeutung einhaucht, ist die einfache Tatsache der Natur selbst, wie sie ihm aus erster Hand durch sein eignes Auge bekannt wird. Auf dieselbe Weise kann nun zwar häufig der Dichter selbsterlebte Situationen zur Darstellung bringen, sei es, daß er ausschließlich solche in sogenannten freigeschaffenen Werken behandle, oder daß er sie in die Behandlung einer überlieferten Tatsache einlege. Dagegen insofern er es mit Gegenständen dieser letzten Art zu tun hat, ist das Verhältnis ein anderes: hier kann als sein Stoff durchaus nicht die historische Tatsache selbst bezeichnet werden, denn zu dieser hat er möglicherweise gar keine Beziehung, da sie ihm ja ihrem wahren Sachverhalte nach ganz unbekannt geblieben sein kann, und ein Zurückgehen auf sie würde daher nur das Interesse einer ganz äußerlichen Vergleichung haben können; der Stoff des Dichters im wahren kunstwissenschaftlichen Sinne des Wortes ist nur diejenige Überlieferung, von welcher sich nachweisen läßt, daß sie ihm bei seinem Werke vorgelegen habe – weshalb der Fall auch ganz derselbe ist, wenn der Dichter an einen Mythus anknüpft, das heißt, an eine Überlieferung, der vielleicht gar nichts Tatsächliches zugrunde liegt. Es ergibt sich daraus die Aufgabe, bei Erklärung von epischen und dramatischen Gedichten den Darstellungen nachzuspüren, durch welche der Dichter eben jetzt zur Behandlung einer vielleicht allgemein und auch ihm selbst schon lange bekannten Tatsache angeregt worden ist, was freilich selbst in den neuern Jahrhunderten bei solchem Reichtum der Literatur oft mit unübersteiglichen Hindernissen verknüpft sein, aber wenn es gelingt, für das künstlerische Verständnis der Werke selbst, deren einzelnsten Motiven man auf diese Weise nachzusinnen veranlaßt werden wird, von dem größten Nutzen sein muß; sind doch z. B. die Sammlungen der Quellen, aus denen Shak[e]speare geschöpft hat, aus diesem Interesse hervorgegangen.

Auch die Seite des geistigen Gehaltes bietet in der Poesie besondere Schwierigkeiten dar. Insofern in ihr den Stoff der Darstellung menschliche Vorgänge mannigfaltiger Art bilden, findet das menschliche Innere des Künstlers hier reichere Gelegenheit sich zu entfalten, und es wenden sich der Poesie auch wohl von vornherein diejenigen Individuen zu, die bei einem bildnerischen Talent von der Natur auf die Ausübung einer gewissen sittlichen Reflexion hingewiesen sind. Soll nun hier alles ins volle Licht treten, so wird, namentlich bei dem modernen Dichter, wo häufig dem einzelnen ganz individuelle Erlebnisse zugrunde liegen, ein biographischer Apparat erforderlich sein, dessen Herbeischaffung ebensoviel Mühe machen wird, wie es Schwierigkeit haben muß, ihn mit einiger Gewandtheit zu handhaben.

Wenn man schwerlich wird umhin können, diesen Gesichtspunkten eine allgemeine Geltung zuzuerkennen, so finden sie bei Goethe noch in ganz besonderem Grade Anwendung.

Denn gehen wir auf das Zuletztgenannte zuerst ein, so verdient Goethe ohne allen Zweifel von allen Dichtern, die jemals gelebt haben, der *individuellste* genannt zu werden. Kann nämlich der Dichter überhaupt nichts schildern, als was er innerlich selbst erlebt hat, so ist doch dieses Erleben einer weiteren oder engeren, einer entfernteren oder näheren Bedeutung fähig. Der Unterschied liegt darin, ob er die Situationen, welche er schildert, an sich selber erfahren oder ob er, als ein im Erleben wohlerfahrnes und durch ein besonderes Talent begünstigtes Individuum dieselben nur in sich zu reproduzieren gewußt habe. Im allgemeinen wird nur das letztere der Fall sein, wofür hier nur auf Schiller und Shak[e]speare hingewiesen sein möge. Das Leben des ersteren kennen wir genau, aber so sehr der allgemeine ästhetische Charakter seiner Werke auf seinen allgemeinen geistigen Entwickelungsgang zurückzuführen ist, im speziellen läßt sich eine Verarbeitung individueller Erlebnisse kaum an einigen wenigen Stellen der Jugendschriften nachweisen, ja der Inhalt der Werke hat an und für sich einen gewissen Zug von Allgemeinheit, der die Lust nach dergleichen zu suchen, gar nicht aufkommen läßt. Mit Shak[e]speare verhält es sich etwas anders; hier ist auf der einen Seite alles so konkret wie möglich, und auf der andern wissen wir von seinem Leben so gut wie nichts, so daß hier dann freilich die mannigfaltigsten Bezüge verborgen sein könnten, dafür ist aber hier nun wieder alles so eigenartig und in sich selbst abgeschlossen, daß es uns gar nicht einfallen kann, anzunehmen, daß das auf den innern Lebensgang eines Menschen zurückzuführen sein sollte. Dagegen läßt sich von Goethe behaupten, daß er im großen und ganzen betrachtet, eigentlich nie etwas anderes dargestellt habe, als seine eigenen individuellen Schicksale: daß seine Werke nichts als Bearbeitungen von Problemen seien, die ihn selbst persönlich beschäftigten, biographische Fragmente, wie denn die umfangsreichsten unter ihnen, der ›Meister‹ und der ›Faust‹, auch wirkliche Biographien sind. Darin liegt auch der Grund, weshalb Goethe immer nur von wenigen verstanden wird, denn die meisten leben nur gerade in den Tag hinein, und haben gar keinen Begriff davon, was das nur überhaupt heiße, daß ein Mensch seiner selbst gewahr werde; sie betrachten die Poesie bloß als ein Gläschen Schnaps, das sie nur immer weiter aus ihnen selbst hinausführe in eine sogenannte ideale Stimmung; wie sollten sie sich gar darein versetzen können, daß einem andern sein Inneres sich im Bewußtsein abspiegelt? Am wenigsten aber können sich die Frauen mit ihm befreunden, denn so lange sie Mädchen sind, wissen sie freilich nicht, was das Leben für ein Ding ist, und sind überhaupt darauf angewiesen es nicht in sich selber, sondern in der Ferne der Zukunft zu suchen, und dagegen ist sogar viel auch gar nicht einmal zu sagen, denn eine gewisse keusche Scheu, ihrer selbst ganz inne zu werden, die wir ihnen unmöglich erlassen können, würde das eben schon nicht mehr sein, wenn sie sich ihre Gegenstände so ganz genau abzugrenzen wüßten, – und als Gattinnen und Mütter sind die Frauen im Gegenteil größtenteils dermaßen in die Realität des Lebens verrannt, daß sie zu einem Gewahrwerden seiner konkreten poetischen Motive zuerst keine Zeit und später keinen Sinn mehr haben.

Nur daß dieser individuelle Zug bei Goethe nicht so verstanden werde, daß er, so wie ungebildete Leute jedermann von ihrer Kinder Zahnfiebern und ihrer Frauen Wochenbetten erzählen, sich von dem, was ihm nun gerade passiert war, nicht habe losmachen können, vielmehr wissen wir ja alle, daß ihm seine Poesie, wie er selbst oft bekannt hat, dazu gedient habe sich über seine Schicksale zu erheben, so daß bei ihm das Dichten geradezu ebensosehr eine sittliche, wie eine ästhetische Tätigkeit ist, weshalb es denn auch mit demselben bei ihm zuletzt auf ein Aussprechen von sittlichen Reflexionen hinausläuft. Das Selbsterlebte ist in Goethes Dichtungen immer mit Beseitigung der zufälligen äußeren Umstände nach seinen rein sittlichen Motiven, das heißt, unter dem Gesichtspunkte der sittlichen Konflikte selbst, aus denen die Erlebnisse hervorgegangen waren, aufgefaßt, und daher auch jedem tiefer angeregten Menschen verständlich; die Gedichte tragen, wo sie in vollendeter Form vorliegen, von ihrem Ursprunge nichts an sich, als eine Frische und Innigkeit der Behandlung, wie sie eben nur die eigene innere Erfahrung geben kann; im übrigen ist in ihnen das Individuellste so tief an seiner Wurzel, wo es auf dem Allgemein-Menschlichen ruht, ergriffen, daß es sich geradezu als das, was es ja auch im Grunde ist, als eine Abzweigung des letztern darstellt. Goethe hat mit einem Worte die Dinge in einem großen Sinne angesehen und behandelt; es ist nicht zu sagen, was für ein *Stil* in dem Menschen gewesen ist. Man reise nur nach Weimar, man sehe das kleine einfache Studierzimmer, das ärmliche Gartenhaus, die Enge und Beschränktheit der städtischen Umgebung und ziehe in Betracht, daß in Goethes bester Zeit das alles noch nicht einmal so bedeutend gewesen ist, z. B. das Herzogtum um ein großes Stück kleiner, ja die herzogliche Familie nach dem Brande des Schlosses ohne anständige Wohnung – das waren die Vorbedingungen und Lokalitäten, aus denen die Werke hervorgegangen sind, an denen wir alle unsern Sinn auszuweiten, unsere Anschauung zur Auffassung größerer Verhältnisse auszubilden gewohnt sind – und ebenso verhält es sich mit den sittlichen Grundlagen; es kann auch wohl einem andern begegnen, was Goethen mit den Gretchen und Ännchen und Friederiken widerfahren ist; dann denke man wieder an die Weimarer Verhältnisse: ihr »Verdruß über des Herzogs Hund war auch so sichtlich«, schreibt er einmal an die Frau von Stein über die Herzogin Luise »sie haben eben immer beide Unrecht; er hätt' ihn draus lassen sollen und da er hinn war, hätt' sie ihn eben auch leiden können«[3] – an so etwas gehen wir gewöhnlichen Menschen dann stumpf vorbei, wo es uns nicht etwa gar in den Nacken packt und ein für allemal in den gemeinen Jammer des Lebens untertaucht: Goethe aber findet nun gar nicht einmal etwa bloß nebenbei die Motive z. B. zu einem Hofleben heraus, wie es im ›Tasso‹ geschildert wird, sondern es gestaltet sich auch die reine Darstellung des Tatsächlichen in seiner Lebensbeschreibung zum anmutigsten und bedeutendsten Kunstwerk.

Aber wenn dem nun so ist, wird dann nicht dadurch das Kommentieren wieder überflüssig, ja das Zurückführen der Dichtung auf ihre wirkliche Veranlassung zum kindischen Vorwitz, der das Spielwerk zerbricht, um zu sehen, wie es inwendig aussieht, oder gar zur unsaubern Neugierde, die dabei sein will, wie aus dem Gemeinsten das Schönste hervorsprießt? »Ich habe nun noch eine besondere Qual« schreibt Goethe an Zelter d. 27. März 1830 »daß gute, wohlwollende verständige Menschen meine Gedichte auslegen wollen, und dazu die Spezialissima, wobei und woran sie entstanden sind, zu eigentlichster Einsicht unentbehrlich halten; anstatt, daß sie zufrieden sein sollten, daß ihnen irgend einer das Spezielle so ins Allgemeine emporgehoben, damit sie es wieder in ihre eigene Spezialität ohne weiteres aufnehmen könnten.«

Dagegen mag nun zuerst bemerkt werden, daß Goethe selbst sogleich hinzusetzt: »doch fällt mir ein, daß auch manchmal etwas Anmutiges aus solchem Bestreben nach Partikularitäten entspringen kann«, und daß zu solchem Anmutigen die vielfältigen Erläuterungen, welche er selbst teils in eigenen Aufsätzen, teils in dem im voraus zum Druck bestimmten Zelterschen Briefwechsel gegeben hat, in erster Reihe gehören würden; hat er doch überhaupt durch seine vielfältigen autobiographischen Auslassungen selbst auf weitere Forschungen in dieser Weise hingewiesen: es lag ihm, als er jene Worte schrieb, wohl nur ein Frager im Sinne, wie jener gekrönte, der, wie man sagt – diesmal gewiß nicht in der Voraussetzung, daß die Stätte, welche ein guter Mensch betreten, immer notwendig eine heilige sei – schlechterdings aus ihm hatte herausbringen wollen, was für eine Person in den ›Römischen Elegien‹ gemeint sei.* Es ist ein ganz richtiges Gefühl, wenn man das Bedürfnis hat, sich das Allgemeine selbst, von welchem Goethe spricht, wieder durch ein Zurückgehen auf das Spezielle, aus welchem es gezogen worden,

* »Ihro Majestät gedachten meines Aufenthaltes in Rom mit vertraulicher Annäherung, woran man denn freilich den daselbst eingebürgerten Kunstfreund ohne weiteres zu erkennen hätte. Was sonst noch zu sagen wäre, würde ganze Seiten ausfüllen.« Goethe an Zelter d. 6. September 1827.

zu beleben, denn da es sich hier nicht von einem toten abstrakten Allgemeinen handelt, sondern von dem Leben selbst in seinem kürzesten und gedrängtesten Ausdrucke, so wird es uns andern, die wir nicht so ohne weiteres im großen Stile zu leben gewohnt sind, gewiß gar sehr zur Verständigung gereichen, wenn uns dasselbe vorerst einmal in seiner Ausführlichkeit vor Augen tritt. Überdies schleppen Goethes Dichtungen, so sehr sie sich für das Große und Ganze in die Sphäre des Allgemeinen erheben, immer noch einen Faden von Hindeutungen und Anspielungen auf die besondre Veranlassung nach sich, und selbst davon abgesehen, wäre für ein wahres Verständnis des Verdienstes der Dichterwerke schon die bloße Vergleichung zwischen den Keimen, welche dem Dichter das Leben dargeboten, und der Ausbildung, welche er denselben gegeben, erforderlich. Es ist gar wundersam, wie hier das Äußerlichste und Unerfreulichste mit dem Innerlichsten und Lebensfrischesten unmittelbar zusammenhängt. Goethe ist bekanntlich in seiner letzten Periode in ein allegorisches Wesen, in ein Hineingeheimnissen, wie er es selbst nennt [4], verfallen, wogegen der Tadel nachgerade so allgemein ausgesprochen wird, daß man ihm endlich doch den Wahlspruch des Spinoza entgegenhalten möchte, die menschlichen Dinge weder zu belachen, noch zu beklagen, noch zu verwünschen, sondern zu *verstehen*.[5]

Ebenso wie der geistige Inhalt von Goethes Dichtungen verdient auch der überlieferte Stoff, welcher in ihnen bearbeitet ist, gerade wegen ihrer eigenen Kunstart eine genauere Nachforschung als bei den meisten andern Dichtern. Goethe steht in bezug auf das Verhalten, welches er zu demselben beobachtet, namentlich zu Schiller in einem geraden Gegensatz. Dieser geht, wie er selbst irgendwo sagt, von einer gewissen lyrischen Stimmung aus, zu deren Ausdruck er dann hinterher irgend einen Stoff angemessen fand, woraus denn natürlich ein ziemlich willkürliches Gebaren mit demselben hervorging; er faßt die Dinge, wie Goethe selbst in den Gesprächen mit Eckermann sagt [6], gleichsam nur von außen an, wobei ihm übrigens eine entschiedene Großheit der Gesinnungen nicht abzusprechen ist. Umgekehrt Goethe: diesen interessiert der Stoff selbst, das eigentümliche Ereignis, die merkwürdige Persönlichkeit, sowie etwa der Landschaftsmaler an irgend einem Prospekt, der ihm zufällig aufstößt, Gefallen findet und ihn in sein Studienbuch einzeichnet, und solcher Stoff wird dann von Goethe vielleicht ein Vierteljahrhundert, nachdem er ihn sich zuerst gemerkt, gelegentlich zu einem unabhängigen Kunstwerke gestaltet, in welchem sich dann der geistige Inhalt wie von selbst hinzufindet und uns – auch das wieder ganz wie in der Landschaftsmalerei – auf gelinde und sanfte Weise wie etwas, das sich von selbst versteht, entgegenweht. Es ist bekannt, was für eine wichtige Stelle in Goethes naturwissenschaftlichen Studien die Idee der *Metamorphose* einnimmt: man habe immer von einer Stufenleiter der Geschöpfe gesprochen, aber dabei einen ganz unklaren Begriff von Vollkommenheit und Angemessenheit zu äußeren Zwecken, nach welchen die Geschöpfe sich abstufen sollten, zugrunde gelegt und überdies keinen lebendigen Zusammenhang zwischen den einzelnen Stufen nachzuweisen gewußt; und da faßt nun Goethe die Naturwesen nach ihrer reinen Erscheinung wie sie in das sinnliche Auge fällt – er sagt selbst einmal, der Kreis seiner Naturbetrachtung beschränke sich auf die Welt des Auges[7] – und weist eine Entwickelung der einzelnen Organe und der ganzen Gestalt der Pflanzen und Tiere durch die verschiedenen Gattungen hindurch nach, durch welche diese letzteren in einer natürlichen Reihe vor uns hintreten und sich, wie geschichtliche Ereignisse in ihrer Zeitfolge, als ein zusammengehöriges Ganzes darstellen. Diese Anschauungsweise beruhte bei ihm auf einer ganz ungemein zarten und liebevollen Hingabe an die Erscheinung selbst, wie sie ihm vor Augen lag, woraus auch sein Zeichnen zu erklären ist, bei dem er es doch nach eigenem Geständnis zu künstlerischer Vollendung niemals gebracht hat – und eben dies ist nun auch der Grundzug seiner Dichtung: wie in der Natur die eine Gestaltung zu der andern sich in zarter Kontinuität gleichsam hinüberlebt, so kann man von Goethes Gedichten sagen, daß die Form, welche ein überlieferter Stoff in ihnen erhalten hat, demselben nicht von außen mitgeteilt, sondern vermöge einer liebevollen warmen Bebrütung aus ihm selbst hervorgelockt und emporgesprossen ist – wo es dann nicht anders als interessant und lehrreich sein kann, denselben in seiner ursprünglichen Gestalt neben das Kunstwerk zu stellen.

Hierzu kommt nun noch ein Drittes. Es ist in allen Gebieten zu bemerken, daß gerade dasjenige, was am meisten dem Zufall anheimgegeben, ja von dem freien Entschlusse vernünftiger Wesen abhängig zu sein scheint, gerade auf die strengste Weise unter der Herrschaft einer geheimen Gesetzmäßigkeit steht. Das auffallendste und schlagendste Beispiel bieten die statistischen Verhältnisse dar: in einer mäßig großen Stadt wird sich schon die Zahl der Geburten, Todesfälle und Trauungen in einer Woche fast genau so herausstellen, wie in der andern. Ähnliches findet in allem Geschichtlichen statt: der einzelne handelt wie es ihm eben einfällt vermöge ganz individueller Impulse, und hinterher stellt sich das Ganze als eine stetig fortschreitende Entwickelung dar. Dies ist nun auch der Fall in der Kunstgeschichte. Im Altertum zwar war die Ausübung der Kunst an eine bestimmte Technik gebunden, wobei es erklärlicher ist, daß jede neue Form eine Weiterbildung der älteren ist, aber in der Neuzeit hängt die Form des Kunstwerkes gänzlich vom Ermessen des Künstlers ab, und gilt für das allerfreiste, was es nur gebe, und man sollte also denken, es müßte hier alles nach allen Seiten atomistisch auseinanderfahren: nichtsdestoweniger ist auch hier eine zwar bunte und vielverschlungene aber doch immer an irgendeinem Punkte an das Frühere anknüpfende Entwickelung nachzuweisen. Auch hier nimmt Goethe eine Stellung ein, welche bei Betrachtung seiner Gedichte auf mancherlei außerhalb derselben liegende Elemente zurückzugehen zwingt. Was bei andern Dichtern der Neuzeit ihnen unbewußt stattfindet, ist von Goethe mit Bewußtsein ausgeübt worden. Fast jedes seiner Werke lehnt sich der Form nach an irgendein früheres Werk oder an eine Gattung von solchen an. Man hat ihn deshalb den allgemeinen Nachahmer gescholten. Nichts kann geistloser und von einem wahren Verständnis entfernter sein, als dieser Vorwurf. Goethe ist gerade ebenso in der Weise, wie er darstellt, ein bloßer Nachahmer seiner Vorgänger in der Kunst, wie er in dem, *was* er darstellt, ein bloßer Nachahmer der Wirklichkeit ist. Wenn er hier, wie wir soeben gesehen haben, zwar einen sich von außen darbietenden Stoff auf das innigste in sich aufnimmt, aber ihn ebendarum weil er ihn so zu einem Teil von seinem eigenen Leben gemacht hat, auf eine Weise reproduziert, die wie eine neue Gestaltung der eigensten Eigentümlichkeit sowohl seiner selbst als seines Stoffes ist, so ist dies auch sein Verhältnis zu der überlieferten Kunstform: er erfindet zwar niemals eine solche schlechthin, aber aus derjenigen, welche er vorfindet, macht er immer etwas ganz Neues, was auf der einen Seite aus ihr, wie sie vorher festgestellt war, und auf der andern Seite nur von ihm, wie wir die Grundstimmung seines Geistes kennen, entspringen konnte. In diesem Sinne sind in Goethes Werken noch gar manche der zartesten und gewaltigsten Geheimnisse verborgen, welche nur die sorgfältigste Vergleichung seiner Kunstformen mit denen seiner Vorgänger ans Licht befördern kann.

Wenn nun allem diesem bei Goethe nachzugehen unerläßlich ist, so ist es auf der andern Seite hier auch wieder so sehr erleichtert, wie bei keinem andern Dichter. Die Briefwechsel teils von ihm selbst teils von seinen Zeitgenossen und aus seiner nächsten Umgebung, deren Zahl ungemein groß ist, gewähren einen Einblick in sein inneres Leben, wie er uns bei keinem andern Individuum, welches der Geschichte angehört, gestattet ist; dazu kommen mannigfaltige andere Veröffentlichungen über ihn und die Hindeutungen, die er selbst in seinen Druckschriften über die Quellen, Veranlassungen und Tendenzen seiner Werke gibt, und endlich sind schon viele wackre Leute tätig gewesen, zur Erläuterung derselben von allen Seiten das Erforderliche zusammenzutragen. Aus allen diesen Quellen werde ich zusammenstellen, was zum innern Verständnis der Werke erforderlich ist; und wenn freilich der himmlische Strahl, welcher den Scheiterhaufen entzündet, nach dem, was ich oben gesagt habe, im allgemeinen aus des Lesers eignem Geiste hineinschlagen muß, so werden sich doch Formen finden, um hier und da die einzelnen Linien wenigstens insoweit zusammenzuziehen, daß ein sinniges Auge den Punkt ihres Zusammentreffens mit Leichtigkeit finden kann.

Ein gründliches Verständnis der geschichtlichen Stellung der Werke eines Schriftstellers wird durch nichts so sehr befördert, als durch die Bekanntschaft mit den Urteilen seiner Zeitgenossen über ihn, denn in diesen mißt sich der unmittelbar vorhergehende Standpunkt selbst gegen den seinigen ab. Auch in dieser Beziehung sind wir bei Goethe sehr wohlberaten, insofern bei glücklichem Flore literarischer Journalistik während der ganzen Zeit seiner Schriftstellerei der kritische Spitz zu bellen nicht aufgehört hat, und es wird um so weniger überflüssig sein, daß bei jedem Werke die bedeutendsten Rezensionen, welche er erfahren, ganz oder im Auszuge mitgeteilt werden, als teils einzelne Produktionen ganz eigens als Abwehr gegen solche Angriffe entstanden sind, teils Goethes spätere literarische Richtung überhaupt durch die Aufnahme, welche er früher gefunden, wesentlich bedingt ist.

Endlich entsteht für den Erläuterer von Goethes Dichtungen noch eine besondere Obliegenheit daraus, daß diese größtenteils nicht sogleich in der Form abgeschlossen worden sind, wie sie uns in der Ausgabe der letzten Hand und in der vierzigbändigen, auf welche ich mich in allen Dingen beziehen werde, vorliegen.

Die größeren Werke haben eine Entstehungsgeschichte, welche sich oft durch viele Jahre – beim ›Faust‹ durch sechs Jahrzehnte – hindurchzieht; natürlich ist diese bei einem Dichter, dessen Anschauungsweise sich im Lauf der Zeit so sehr geändert hat, und bei welchem überhaupt so vieles aus den augenblicklichen Verhältnissen zu erklären ist, von großer Wichtigkeit; es werden daher die Notizen, welche sich über diese finden, bei jedem Werke sorgfältig zusammengestellt werden. Außerdem haben aber auch dieselben, auch nachdem sie schon gedruckt waren, bedeutende Umgestaltungen erlitten, die zum Teil höchst charakteristisch sind, und überdies ist es längst anerkannt, daß die gangbaren Ausgaben an einzelnen Stellen an lang vererbten Mängeln und Druckfehlern leiden: es werden daher auch die *Varianten* der verschiedenen Ausgaben mit Ausschluß der ganz unerheblichen z. B. der bloß orthographischen, bei einem jeden Gedichte anzuführen sein.

Bei dieser Gelegenheit muß ich noch über die Ausgaben gesammelter Schriften, welche öfter anzuführen sein werden, ein paar Worte sagen; die Einzeldrucke, deren Kenntnis ich wie diesen ganzen kritischen Apparat, ausschließlich der Güte des Herrn S. Hirzel[8] hierselbst verdanke, der seine Goethebibliothek, welche er einem künftigen Herausgeber zu Gebote stellt, auch einem gegenwärtigen Kommentator nicht hat verschließen wollen, werden bei den verschiedenen Gedichten selbst angeführt werden.

47 *Karl Rosenkranz*

Ueber den Vergleich von Göthe's Wanderjahren mit G. Sand's Compagnon du tour de France 1856

Nichts wird uns Menschen schwerer, als gerecht zu sein. Diesen Gemeinplatz hat auch die Geschichte der Literatur von jeher bestätigt und einzelne hervorragende Werke haben vorzüglichen Anlaß gegeben, die Ungerechtigkeit des Hasses wie der Liebe im Kampf gegeneinander hervortreten zu lassen. Wir haben uns über diese Erscheinung nicht weiter zu beklagen. Sie ist einmal die Form, in welcher das Leben des Geistes sich entwickelt, um aus der Entzweiung der Gegensätze schrittweise die höhere Versöhnung hervorzuarbeiten. Von Goethes Dichtungen haben viele das angedeutete Schicksal gehabt und wir dürfen dasselbe als ein Zeugnis ihres hohen Wertes ansprechen; denn es drückt das große Interesse aus, welches sie in den Gemütern erregt haben. Am meisten sind nun wohl die Meinungen auseinandergegangen über den zweiten Teil des ›Faust‹ und über die ›Wanderjahre‹, über die letztere Dichtung aber noch mehr, als über die erstere. Goethe hatte die Eigenheit, seine Produktionen durch viele Jahre in sich zu hegen und, nachdem er den ersten Entwurf zu ihnen gemacht hatte, die Ausführung der Zeit und Stimmung zu überlassen. Als er die ›Lehrjahre Meisters‹ abschloß, faßte er schon den Entschluß zu ihrer Fortsetzung und begann sie noch im ersten Jahrzehnt dieses Jahrhunderts. 1821 erschien eine erste Veröffentlichung derselben, die jedoch dem Dichter so wenig genügte, daß er sich wiederholt mit ihrer Verbesserung beschäftigte, bis er 1829 eine zweite erweiterte und umgestaltete Darstellung geben konnte. *Hotho* war es, der damals gleich nach ihrem Erscheinen in den Berliner ›Jahrbüchern‹ eine ausführliche Kritik derselben mit jener seelenvollen Feinsinnigkeit schrieb [1], welche diesen Ästhetiker, der an umfassender Bildung auf seinem Gebiete keinem der Mitlebenden nachsteht, vor allem auszeichnet. Aber Hothos ebenso gründliche als sittlich gemütvolle Würdigung der ›Wanderjahre‹ blieb nur von wenigen beachtet, weil solche Arbeiten durch ihren Ort sehr bald dem Publikum unzugänglich werden, denn Zeitschriften machen wohl etwas rasch bekannt, aber sie verbergen es auch ebenso schnell. Als *Laube* 1840 seine ›Geschichte der deutschen Literatur‹ herausgab [2], war von Hothos Kritik zwar noch eine respektable, allein dunkle Erinnerung geblieben, im wesentlichen jedoch war sie leider vergessen und unbenutzt und Laube hielt sich vorzüglich an einige von mir 1835 über den sozialen Charakter der ›Wanderjahre‹ gemachte Äußerungen.[3]

Nach meinem Bedünken muß man diesen Roman im Zusammenhang mit Goethes übrigen Dichtungen, namentlich mit seinen andern Romanen, auffassen. Goethe hat nur wenig Romane geschrieben, die aber vor andern den Vorzug haben, durch den Fortschritt einer ethischen Idee verbunden zu sein und von der leidenschaftlichen Zerrissenheit eines vereinsamten Gemüts bis zur freien Ehrfurcht vor den sittlichen Mächten des Lebens durch Bildung und Entsagung emporzusteigen. Im ›Werther‹ schilderte er noch den Widerspruch des poetischen Gemütes mit der Prosa und Philisterei einer geistverlassenen Gegenwart. Mit unvergänglichen Farben malte er die in sich versinkende und verglühende Melancholie eines natur- und liebedürstigen Herzens, das, unfähig, die Qual der Existenz länger zu ertragen, endlich einen gewaltsamen Ausweg ergreift. Anders im ›Wilhelm Meister‹, der sich durch eine Reihe von Irrnissen stufenweise zur Selbsterkenntnis fortbildet, Herr seiner Schmerzen zu werden und im Verein mit edlen, von tiefer Einsicht erleuchteten Menschen zu einem nützlichen und tätigen Mitgliede der Gesellschaft sich zu entwickeln sucht. Der Zeit nach folgten auf ›Meisters Lehrjahre‹ die ›Wahlverwandtschaften‹. Wilhelm Meister hatte die rücksichtslose Ausbildung seiner Individualität zur Aufgabe. Wie groß ein geistiges Werk sei, kann man auch an den Nachahmungen ermessen, die es hervorruft. Um gerecht gegen einen Autor zu sein, muß man wissen, ob er der erste war, der ein Werk schuf, oder der zweite, dritte, vierte, der nur nachahmt und weiter nach andern Seiten hin wendet, was der Genius vor ihm als eine neue Welt hingestellt hatte. Wie viele Romane der deutschen Literatur sind eben nur Nachahmungen von Goethes ›Werther‹ und ›Wilhelm Meister‹! Noch mehr aber wurden die ›Wahlverwandtschaften‹ der Beginn einer unübersehlichen Menge von Romanen, welche den Widerspruch der Ehe mit der Liebe und die fatalistische Macht der geheimnisvollen Sympathie der Natur über die Anstrengungen des freien Willens zu ihrem Thema machten. Die Einwirkung der ›Wahlverwandtschaften‹ ist jedoch verhüllter geblieben, als die der ›Lehrjahre‹, allein man kann sie bis in die neuesten Zeiten verfolgen und ein vielbesprochener Roman der Gegenwart: ›Eritis sicut Deus‹ [4], der eine scharfe Polemik gegen Goethe enthält, ist noch im wesentlichen, poetisch genommen, nichts als eine pietistisch verzerrte Nachbildung der ›Wahlverwandtschaften‹. Die ganze moderne Novelle hat von ihnen namentlich den Ton und die Art der Behandlung angenommen. Die ›Wahlverwandtschaften‹ sollten aber nach der ursprünglichen Absicht des Dichters nur eine von den Erzählungen sein, die er in den ›Wanderjahren‹ einfügte, um in ihnen sittliche Kollisionen zu schildern, welche nur durch Entsagung gehoben werden können. Sie würden dann offenbar zur Erzählung: ›Der Mann von fünfzig Jahren‹, das besondere Seitenstück abgegeben haben, worin der Major und die schöne Witwe, Flavio und Hilarie, durch unsäglichen Seelenschmerz hindurch zur Resignation und durch sie zu einer heitern Lösung gelangen, während Eduard und Ottilie in den ›Wahlverwandtschaften‹ sich in den Schauern zartester Gewissenhaftigkeit und dämonischer Willenlosigkeit selbst verzehren. Dieser Roman lief aber zu weit auf, weshalb Goethe ihn zu einer selbständigen Isolierung von den ›Wanderjahren‹ ausschloß.

Diese sollten nach seiner Intention die Gesellschaft darstellen, wie sie das Unglück der sittlichen Verirrung durch eine sorgfältige Erziehung vermeiden oder, ist es geschehen, durch entsprechende Buße und Tätigkeit heilen will. Dieser Zweck ist ein didaktischer und bringt viel Prosaisches für die Darstellung mit sich. Vergleichen wir jedoch Goethes Werk mit andern pädagogischen Romanen, z. B. Rousseaus ›Emil‹, so müssen wir immer noch bewundern, wie sehr er den Stoff poetisch zu beleben gewußt hat. In den ›Wanderjahren‹ ist der sittliche Ernst der Gesamthandlung ein so entschiedener, daß die Konflikte der Leidenschaft in einer episodischen Form auftreten. Die Novellen irren nicht, wie Laube sagt [5], schüchtern umher, sondern stehen immer in einem bestimmten Verhältnis zum Zwecke des Ganzen. Man möchte fast bedauern, daß wir durch Goethes Briefe und Tagebücher so genau über seine Arbeiten unterrichtet sind, denn diese Geständnisse haben ihnen den Nachteil gebracht, daß man nunmehr sich auf ihn selbst beruft, zu beweisen, wie gering ihr Wert sei. Und so hat er in die ›Wanderjahre‹ selbst überall einen Bericht über seine künstlerische Tätigkeit eingefügt, der unumwunden die Schwierigkeiten der Erzählung darlegt, Forderungen stellt, die der Dichter jetzt oder überhaupt nicht befriedigen könne und mit Bescheidenheit eingesteht, daß zum Gelingen mancher Szene eine jugendlichere Kraft gehöre, als der Greis sich zutrauen dürfe. Diese freimütige Selbstschätzung, die uns ebensowohl von der Besonnenheit des Dichters als von der Strenge, mit der er sein Werk treibt, ein edles Zeugnis gibt, hat man sofort ausgebeutet, seine Dichtung überhaupt als einen blutlosen Schemen zu verschreien. Als ob nicht an der Stelle des weltanstürmenden Pathos, das im ›Werther‹ braust, an die Stelle der behaglich verweilenden Anmut, welche die ›Lehrjahre‹ schmückt, an die Stelle der vornehm sauberen Eleganz, die aus den ›Wahlverwandtschaften‹ hervorglänzt, hier eine andere Schönheit möglich wäre, eine in sich bewegte Ruhe und weithinblickende Klarheit, die man der Homerischen vergleichen möchte. Als ob der Dichtergreis nicht doch noch Dichter zu sein vermöchte!

Die ›Wanderjahre‹ zerfallen in drei Bücher, von denen jedes sich auf einen Gegenstand ohne Pedanterie konzentriert. Das erste Buch behandelt den ländlichen Grundbesitz, der, klug bewirtschaftet, ein ebenso nützliches, als angenehmes Dasein möglich macht. [...]

Das zweite Buch behandelt daher vornehmlich die Erziehung in der sogenannten pädagogischen Provinz und gibt uns eine Anschauung des Ackerbaues, der Viehzucht, des Bergbaues und der verschiedenen Künste. [...]

Das dritte Buch behandelt den Bund, der sich zusammengetan, seinen Angehörigen eine menschenwürdige Existenz den Unfällen der Natur und den Katastrophen der Geschichte gegenüber zu sichern. [...]

Dies im allgemeinen ist die Anordnung der ›Wanderjahre‹. Das erste Buch hat in unserer Poesie einen Schößling in Immermanns ›Epigonen‹ [6] hervorgetrieben, in denen Hermanns Onkel als ein ähnlich dem Goetheschen Oheim wirkender Mann ausführlich geschildert wird. Das pädagogische Utopien, wie Goethe selber es nennt, hat im St. Simonismus und Fourierismus seine phantastische Parallele gefunden. Der Gedanke des Bundes hat in Gutzkows ›Rittern vom Geist‹ und der einer Schilderung der Arbeit und des Verkehrs in Freytags Roman: ›Soll und Haben‹, eine weitere Entwicklung empfangen.[7] Diese Erinnerungen an die Organisation der ›Wanderjahre‹ und an die Bedeutung ihres Inhalts, der in andern Werken sich ebenfalls geltend macht, werden ausreichen, das Bild der ›Wanderjahre‹ so weit zu vergegenwärtigen, als für die folgende Betrachtung erforderlich ist, die sich dem Vergleiche zuwenden soll, den man zwischen den ›Wanderjahren‹ und einem Werk der George Sand hat ziehen wollen. Sie werden auch ausreichen, uns die Mißurteile zu berichtigen, die seit Laube bei uns über die ›Wanderjahre‹ mit immer grellerem Ton lautgeworden sind. *Gervinus* trug hierzu vieles bei, indem er im fünften Band seiner ›Geschichte der deutschen Nationalliteratur‹ 1842 fast verächtlich von ihnen sprach, ohne den geringsten tatsächlichen Beweis für die Härte seines Urteils beizubringen.[8] Je weiter man in den ›Wanderjahren‹ liest, je mehr man sich in dem zuletzt Geschriebenen bewegt, desto häufiger macht man nach ihm die Bemerkung, wie die lebenvollen Augen des Alten die Ermüdung überfällt. Weder die Novellen an sich haben ihm irgendeinen bedeutenden Wert, noch auch der Faden, der um sie geschlungen ist, noch die quietistische Tendenz. Goethe ließ sich ihm zufolge gemächlich gehen. Ein eigner Märchenstil und ein Anklang an den Erzählton der Amme bezeichnet ihm schon hier den Vortrag des Greisen, der sich in keiner Weise mehr aufregen mag.

[...]

Was nun den Vorwurf des Ammentons betrifft, den Gervinus macht, so kann er doch, wie wir zu seinen Gunsten annehmen wollen, sich nur auf das Märchen von der neuen Melusine beziehen, welches der Barbier erzählt. Sieht man hier aber strenge zu, so muß man bekennen, nicht zu wissen, wie ein Märchen anmutiger und schalkhafter erzählt werden könne. Die Verknüpfung, worin der Dichter unser heutiges Treiben, unser Gasthausleben zumal, mit der altdeutschen Vorstellung von einem Zwergenvolk gebracht hat, ist in dem leichtfertigen genußsüchtigen Barbier und in der allerliebsten Zwergprinzessin, die er im Kasten mit sich führt, so glücklich und originell angelegt, als sie mit Laune und Anschaulichkeit durchgeführt ist. Wenn Goethe dies Märchen seiner Friederike schon in der Laube zu Sesenheim erzählt haben will [8a], so ist dies Stück der ›Wanderjahre‹ wenigstens kein Produkt des Greisenalters.

[...]

Daß Goethe die Novellen nur habe unterbringen wollen – als ob sie nicht durch sich selbst schon einen hohen Wert ansprechen dürften – widerlegt sich dadurch, daß die Personen der Novellen auch zu handelnden Personen des Romans selber werden. Im Läßlichen hat Goethe wohl das Publikum zuweilen durch kleine Mystifikationen geneckt; wer aber, wo es sich um die ganze Anlage einer so bedeutenden Dichtung handelt, glauben wollte, daß Goethe dieselbe nur als ein Mittel ersonnen habe, jene an sich schon trefflichen Erzählungen vor dem Übersehenwerden zu retten, würde von dem Ernst einer so großen Künstlernatur eine sehr schiefe Vorstellung haben. Wir haben oben leise die Wechselbeziehung angedeutet, die zwischen der Verteilung der einzelnen Novellen und dem Hauptinhalt der drei Bücher der ›Wanderjahre‹ liegt, in denen der selbstverwaltete Grundbesitz als bequemste und zuverlässigste Basis des Familienlebens, die Erziehung zum Wirken für die Gesellschaft und der freie Bund freier Männer sich scheiden. Daß nun der ›Mann von fünfzig Jahren‹ dem zweiten Buch zugeteilt ist, hat seinen Grund darin, daß Felix, der sich in dem Erziehungsinstitut befindet, sich in Hersilie verliebt hat, die älter ist, als er. So ist aber auch Flavio jünger, als die schöne Witwe, und Hilarie jünger als der Major. Es ist also eine parallele Kollision vorhanden. Wenn aber Felix und Hersilie einander entsagen müssen, so werden jene durch Makariens Weisheit glücklich aus ihrer Kollision befreiet und erscheinen später unter den Auswanderern. Dieser Fall wird ausdrücklich als ein Beispiel angeführt, wie Makarie in die Lösung sittlicher Verwirrungen eingreift. Jede Novelle ist also als Episode ein Glied des gesamten poetischen Organismus. Jede aber ist zugleich eine in sich abgeschlossene Einheit. Jede enthält eigentümliche Charaktere, originelle Situationen und interessante Schicksalswendungen, die mit den Grundgedanken des Ganzen, Familienglück, Erziehung, entschiedene Tätigkeit, Assoziation, Schicksal, Entsagung, zusammenklingen. Der allgemeinen Geschichte aber stehen sie in der Art gegenüber, daß in ihnen die Glut und Unruhe der Leidenschaft dämonisch waltet, während der Gang der erstern ein in aller Bewegtheit beruhigter ist und die Personen, die mit ihm fortschreiten, aus den Verwicklungen der Leidenschaft schon herausgetreten sind. Diese Novellen gleichen Bergströmen, die mit raschen Kaskaden in den breiten epischen Fluß des Romans herabstürzen.

Wenn Julian Schmidt den Roman seines Freundes Freytag: ›Soll und Haben‹, so außerordentlich bewundert, weil er die Arbeit des deutschen Volkes darstelle, was freilich auf die jüdischen und slavischen Elemente desselben nicht passen will; wenn Schmidt dem Dichter der ›Wanderjahre‹ das Talent zu einer solchen Darstellung zuerkennt, ihm jedoch die Leistung selbst wieder abspricht, weil er die Individualität an die Arbeit opfere [9], so muß man mit Erstaunen fragen, wo denn dies geschieht? Wo würde dann bei Goethe die Arbeit vom Schaffenden nicht als seine Selbstbefriedigung genossen? Wo würde denn von ihm, der so unendlich hochschätzte, was er eine Natur nannte, die Eigentümlichkeit des einzelnen nicht frei gelassen? Wo wäre denn der einzelne bei ihm verdammt, ein bloßes Triebrad in einer Maschine zu sein? Schranken innerhalb der Erziehung, Unterordnung der einzelnen bei gemeinsamen Zwecken, sind doch noch kein Abstrahieren von der Individualität? Selbst der Lastträger, der starke Christoph, tritt mit der Würde des freien Mannes auf, der seinen auch notwendigen Beruf mit Liebe erfüllt und der seine geistige Einheit mit den übrigen dadurch sogleich dokumentiert, daß er sie mit der Erzählung von der gefährlichen Wette unterhält. Der Bund hat Führer, aber innerhalb desselben sind alle Glieder einander gleich und drücken dies symbolisch auch in ihrem Wechselgesange aus. Ja der Handwerker soll nicht bloß für das Bedürfnis der Notdurft arbeiten, sondern auch er soll sich als Künstler fühlen, indem die Künste ausdrücklich in strenge und freie eingeteilt werden.

Die Sprache der ›Wanderjahre‹ soll trocken und phantasielos sein, obwohl Schmidt so gerecht ist, ihr einiges zuzugestehen, das zum vollendetsten in unserer Literatur gehöre. Geht man auch hier zur Sache, so hat man Mühe, Beweise für die vermeinte Dürftigkeit und greisenhafte Abgelebtheit zu finden, denn die Sprache ist im Gegenteil mit einer gewissen Knappheit und Reserve, die dem hohen Zweck gemäß sind, durchaus tüchtig und im äußersten Grade anschaulich, indem die spezifische Prägnanz des Ausdrucks die Gegenstände uns gleichsam von innen her erscheinen läßt. Eine besondere Schönheit erhält sie dadurch, daß alle Arten menschlicher Werktätigkeit sich auf einem landschaftlichen Grunde in passenden Gebäulichkeiten entfalten, die in aller Kürze mit wunderbarer Kraft eines vielgeübten Blicks gezeichnet sind. Ist nicht mit unbeschreiblicher Kunst die landschaftliche Gestalt der Erde von den Eiskronen rauher und unwegsamer Gebirge durch Waldungen und fruchtbare Gehänge bis in die Saatengefilde der Niederung und bis in die bunten Blumenbeete der Hausgärten hinab geschildert? Die Ansiedlung der Menschen und ihr Verkehr miteinander ist überall durch die Beschaffenheit und Gestalt der Oberfläche der Erde bedingt. Wir lernen die Gewinnung des Rohmaterials menschlicher Arbeit kennen, wie es aus den Eingeweiden der Erde, von den Bäumen der Wälder, von den Tieren der Jagd gewonnen wird. Es ist in den ›Wanderjahren‹ ein Element, das sie mit den ›Werken und Tagen‹ Hesiods, mit den ›Georgika‹ Virgils vergleichen läßt, während sie zugleich bis zu den verfeinertsten Spitzen menschlicher Zivilisation und ihrer Eigensinnigkeit vordringen. Je öfter man diese Landschaftsbilder und Wohngelegenheiten durchwandert, umso deutlicher springt uns ihre klassische Vortrefflichkeit entgegen. Wie anziehend erscheint nicht auf diesem Teppich der Reichtum menschlicher Lebensarten, die sich untereinander tragen und ergänzen! Jagd, Fischerei, Ackerbau, Gewerk, Handel, Kunst und Wissenschaft breiten sich bis in das Detail ihrer Technik aus, während zugleich pausenweise durch Montan der Blick von der kulturgesättigten Oberfläche der Erde bis zu den schauerlichen Perioden ihrer Urbildung zurückgelenkt und durch Makariens krankhaften visionären Zustand die Erde als ein bloßes Glied im Riesenbau des Weltorganismus veranschaulicht wird. Die außerordentliche Sachkenntnis, die Goethe von den verschiedensten Gewerben besaß, machte ihm bei aller Richtigkeit der Beschreibung möglich, in der Genauigkeit die Poesie nicht verloren gehen zu lassen und immer über den Einzelheiten zu schweben, während sein Auge den reellen und ideellen Zusammenhang aller Produktion wie einen industriellen Kosmos mustert, so daß ein Franzose im Sommer der Pariser Weltausstellung in der ›Revue des deux mondes‹ behauptete, in den Goetheschen ›Wanderjahren‹ sei der Gang, den die Industrie in der Bewältigung der Materie für unser Jahrhundert zu nehmen habe, im wesentlichen vorgezeichnet.[10] Ihr Stil ist nichts weniger als altersschwach und diplomatisch parfümiert. Bei näherer Prüfung verrät er eine markige Haltung, die nicht nur aller Formen mit seltenster Virtuosität mächtig ist, sondern die auch aus dem gesamten Sprachschatz sowohl in altertümlichen und volksmäßigen Bezeichnungen, wie in urneuen Bildungen, eine unerschöpfliche Fülle herauffördert, wobei die Deutschheit des Ausdrucks bewundernswert rein ist. Wenn Goethe an einigen Stellen sich als bloßen Redakteur ihm zugekommener Mitteilungen Briefe und Tagebücher geriert, so ist er darin einem modernen Rhapsoden vergleichbar, der die Kunden, die ihm zuteil werden, ordnet und dem Leser, der an die Stelle des Hörers getreten ist, vorträgt. Nicht diplomatisch verzierlicht, sondern episch gesänftigt und ausgerundet ist der Stil.

Was soll man solcher motivierten Erkenntnis gegenüber sagen, wenn ein Engländer, Herr *Lewes*, in einem soeben erschienenen sehr umfänglichen Buch über Goethes Leben und Werke von den ›Wanderjahren‹ ohne alle Analyse derselben nur einige schöne Stellen anzuerkennen und im übrigen zu urteilen vermag, sie seien unverständlich, langweilig, gewöhnlich, fragmentarisch, wunderlich und schlecht geschrieben.[11] Goethe habe sich mit ihnen und namentlich mit den Fragmenten aus Makariens Archiv eine Impertinenz gegen das Publikum erlaubt, die ein französischer oder englischer Autor nie hätte wagen dürfen! Es würde daher für ihn besser gewesen sein, sie nie veröffentlicht zu haben. Wir glauben, daß es auch für Herrn Lewes besser gewesen sein würde, sein Urteil nie veröffentlicht zu haben.

Im Widerstreit solcher Ansichten hat Königsberg [12] im ganzen auf der Seite der Verteidigung des Dichters gestanden. Die Darstellung seiner Werke, die ich 1847 hier vortrug, bemühete sich um eine zusammenhängende und eindringende Erkenntnis ihrer Schönheit. Ihr folgte 1849 eine spezielle Entwicklung des Wilhelm Meister in seinen sozialistischen Elementen von Ferdinand *Gregorovius*. Dieser treffliche Autor zeigte in einer klaren und gemütinnigen Sprache den Zusammenhang, in welchem Goethes Sozialideen teils mit den antik Platonischen, teils mit den modern Rousseauschen und Fourierschen stehen. 1854 folgte der Schrift von Gregorovius eine andere von Dr. Alexander *Jung* über ›Goethes Wanderjahre und die wichtigsten Fragen des neunzehnten Jahrhunderts‹. Dieser Titel schon verrät, daß der Verfasser sich weniger mit der ästhetischen Analyse, als mit dem in den ›Wanderjahren‹ niedergelegten Fond von Sozialreformen beschäftigt hat. Auf die von Karl *Grün*, von mir und von Gregorovius geäußerten Meinungen hat derselbe ebensowenig Rücksicht genommen, als auf die Abhandlungen, welche

Düntzer 1849 in seinen ›Studien‹ zu Goethes Jubelfeier[13] über denselben Gegenstand mit großer Eindringlichkeit und in Ansehung der künstlerischen Schwächen und Mängel, die sich in den Einzelheiten der ›Wanderjahre‹ auch finden, mit einer Schärfe und Freimütigkeit gegeben hatte, die man bei diesem verehrungsvollen Kommentator und Herausgeber Goethes vielleicht nicht erwartet. Jung hat sich in einer durchaus originellen Weise seinen Inspirationen überlassen. Liebevoll schmiegt er sich der Goetheschen Muse an, lauscht andächtigst ihren Intentionen und sucht das Gewicht ihrer Bedeutung für die noch kommende Zivilisation der Menschheit gleichsam zu prophezeihen. Bei einer geistvollen Reproduktion seines Gegenstandes hat er sich oft weit von demselben entfernt und ihn mit sinnreichen Kombinationen gewissermaßen überfrachtet. Unter der Überschrift: ›Die Wanderjahre und das Ausland‹, hat er auch eine anregende Parallele zwischen dem Goetheschen Roman und dem Roman der Sand: ›Le compagnon du tour de France‹, angestellt.[14] Über einzelne Analogien zwischen beiden Werken bringt er Treffendes bei, scheint aber eine zu große Übereinstimmung auch in ihrer Substanz vorauszusetzen. Das Ähnliche, kann man sagen, hat sich ihm wohl eröffnet, aber das, worin sie einander unähnlich sind, hat er weniger beachtet. Diese Angelegenheit ist für die deutsche wie die französische Literatur wohl belangreich genug, um ihr einige Aufmerksamkeit zu schenken.

George Sand ist gewiß in der Geschichte der Literatur ein beispielloses Phänomen, weil es wohl nie eine Frau gegeben hat, die mit soviel Phantasie zugleich einen solchen Umfang der Bildung und einen so unerbittlich gesunden Menschenverstand vereinigt hätte. Mit der Feinfühligkeit des Weibes, der auch die zartesten Nüancen nicht entgehen, verbindet sie die Energie männlicher Denkkraft, die vor keinem Problem zurückschreckt, und sich kühn auch in die tiefsten Abgründe der Betrachtung hinunterwagt. Die Macht ihrer Phantasie ist extensiv ebenso universell, als sie intensiv von holder Wärme beseelt und von höchster Klarheit durchleuchtet ist. Sie besitzt das in Nordfrankreich schon von den Trouvères ausgebildete Talent der unterhaltenden Erzählung im eminentesten Grade. Als nur unterhaltende Schriftstellerin würde sie aber in der Menge solcher Talente, wie Paris sie beständig großzieht, nur einer der vielen Namen sein, die nebeneinander als im Grunde wenig sich unterscheidende eine vorübergehende Berühmtheit empfangen. Was sie aus dieser Menge hervorhebt, ist die ungesuchte Tiefe eines nach Wahrheit, Freiheit, Liebe, Verständigung und Versöhnung ringenden Geistes. Einfach ist der Plan ihrer Werke, unscheinbar sind ihre Worte. Aber indem wir lesen, fühlen wir uns trotz der schlichten Diktion von einer magischen Kraft angezogen und für die handelnden Personen, so eng oft der Kreis ihres Daseins, von wachsendem Interesse ergriffen. Dieser Zauber liegt in der Ideenfülle der Sand, worin sie allen andern heutigen Autoren Frankreichs ebenso, als in der unverwelklichen Frische ihres Herzens überlegen ist. Ihre Fruchtbarkeit ist dabei so groß, daß ihre Werke von Publikum mehr genossen, als von der Kritik durchdacht werden, denn immer existiert von ihr ein neuestes Produkt, mit welchem man sich beschäftigt und über dessen Reiz man vergißt, seinen Zusammenhang mit ihren frühern Leistungen aufzusuchen.

Unter denselben nimmt der ›Compagnon du tour de France‹ eine ganz eigentümliche Stellung ein, denn er ist, obwohl unvollendet, in vielem Betracht der Mittelpunkt aller ihrer Tendenzen und Formen, worin dieselben zur idealsten Ausgleichung gediehen sind. Es lassen sich nämlich bei der Sand drei verschiedene Kreise ihrer Dichtung unterscheiden, die auch als Perioden ihrer Entwicklung zum Vorschein gekommen sind. Der erste derselben ist der, in welchem sie das Recht der Liebe verteidigte; der zweite, in welchem sie die Sozialreform zum Gegenstand machte; der dritte, in welchem sie zur Idylle überging.

[. . .]

[Folgt Inhaltsangabe des Romans von George Sand]

Die geheimen religiösen und politischen Gesellschaften machen nach der Sand einen sehr wichtigen Teil der Weltgeschichte aus, weil sie die öffentliche und privilegierte Gesellschaft beständig als Exponent des in ihr herrschenden Drucks und Mißbehagens begleiten, weil sie die Gleichheit, welche diese versagt, zu gewähren suchen und weil sich in ihnen gewöhnlich diejenige Gestaltung vorankündigt, die später auch in den Massen zu allgemeiner Existenz gelangt. Die Sand führt daher im ›Compagnon‹ die 1823 in Frankreich bestehenden Geheimgesellschaften zwar in ihrer historischen, relativen Berechtigung vor, deckt aber auch durch ihre Kritik die Mängel und Schwächen, ja das Verwerfliche derselben unverholen auf, um die Erhebung zu einem noch höhern Prinzip, zum reinen Urbilde der Menschheit, zu gewinnen. Diese Kritik muß man als den Schwerpunkt ihres Romans erkennen, woraus sich ohne weiteres ergibt, daß derselbe zu Goethes ›Wanderjahren‹, die alles direkt Politische vermeiden, fast gar keine Beziehung hat. Goethes ›Wanderjahre‹ sind das soziale Testament eines großen Geistes, der mit seinen Erfahrungen abschließt, Sands ›Compagnon‹ ist eine Parteischrift des Humanitarismus, voll von unbestimmter Sehnsucht nach einer Zukunft, in welcher Parteizwiste nicht mehr die Entwickelung des wahrhaft Menschlichen trüben. Die Handwerkerverbindungen gewähren allerdings Gleichheit ihrer Mitglieder, aber dem Gesellen, der nicht zu ihnen gehört, erklären sie den Krieg. Jede beschuldigt die andere der Fälschung der Geschichte. Die eine beruft sich auf Salomo, die andere auf Jakob. Haß, Neid, Aufpasserei, Verleumdung, Streit, Kampf, Mord, sind die Folgen dieser Rivalität. Der Gesell, der an eine Reform denkt, gilt für einen Verräter, der, welcher zur Vertragsamkeit mahnt, für einen Feigling. Jede Genossenschaft erhebt sich beständig zu einem aristokratischen Selbstgefühl, indem sie ihre Gegnerin verachtet und erniedrigt. Die Handwerkervereine haben jedoch als rein gesellschaftlicher Natur ihren Zweck in sich, der Karbonarismus dagegen, als rein politischer Natur, außer sich in der Revolution. Was er aber, wenn ihm der Sturz der Regierung glückt, an die Stelle des Bestehenden setzen solle, ist ihm bei aller Einsicht in die Schattenseiten der Gegenwart unklar und die Hofpartei ist ihm daher unendlich überlegen, weil sie ihren Anhängern Ämter und Ehren für ihr Fortkommen zu bieten hat. [. . .]

Poetisch ist daher dies Werk zwar eine Meistergabe und vielleicht diejenige, worin alle Kräfte der Dichterin im glücklichsten Gleichgewicht und alle ihre Tendenzen im keuschesten Maßverhältnis ohne jene grelle Zeichnung der Wirklichkeit erscheinen, mit welcher die Romane ihrer ersten Periode uns öfter verletzen und, ohne frivol zu sein, doch den Schein des Frivolen hervorrufen. Mit sicherer Hand ist das Ganze angelegt; mit plastischer Klarheit bis in die kleinsten Einzelheiten ausgeführt; die Personen entwickeln sich vor unsern Augen mit einer psychologischen Treue, die jede ihrer Handlungen, jedes ihrer Worte auf das lebendigste individualisiert. Kein Zug bleibt müßig, jedes Ereignis greift in alle andern ein und die an sich sehr einfache Geschichte bewegt sich Stufe um Stufe ihrer Katastrophe entgegen. Das soziale und politische Räsonnement schlottert niemals in der Form von Reflexionen des Autors neben der Geschichte her, sondern entspringt unmittelbar aus den Situationen derselben. Politisch aber befriedigt der Roman noch nicht, weil er die positive Lösung der großen in ihm aufgeworfenen Fragen erst der Zukunft überweist, wenn wir auch über den Sinn der Dichterin nicht in Zweifel sein können, daß die Lösung der politischen Frage bei ihr mit der Lösung der ethischen zusammenfallen müsse und daß sie keinen Staat mehr wollen könne, in welchem das Unsittliche unter dem Ausdruck eines sogenannten notwendigen Übels geduldet, erlaubt, wohl gar privilegiert sein könne.

Kommen wir nunmehr auf den Vergleich des Sandschen Romans mit dem Goetheschen zurück, so werden wir uns nicht mehr verhehlen können, daß wir statt einer großen Ähnlichkeit im Gegenteil eine große Unähnlichkeit wahrnehmen. Der Goethesche Roman steigt von dem Familienleben durch die Erziehung zur nützlichen und durch freie Assoziation geordneten Tätigkeit für das Gemeinwesen auf; der Sandsche geht von dem Individuum durch das Interesse der Partei der Revolution entgegen. Wir zweifeln daher, dem Urteil Dr. Jungs beistimmen zu können, daß Sands ›Compagnon du tour de France‹ für die französische Literatur dieselbe Bedeutung habe, wie Goethes ›Wanderjahre‹ für die deutsche und sind geneigt zu glauben, daß viel eher sich zwischen ›Consuelo‹ und den ›Lehrjahren‹, zwischen der ›Gräfin von Rudolstadt‹ und den ›Wanderjahren‹ eine Analogie herausstellen würde.[15] Vergleichen läßt sich am Ende alles, aber der Grundgedanke einer Komposition muß über die Zulässigkeit des Vergleichs entscheiden. Es scheint uns, als wenn Dr. Jung sich hat verführen lassen, auf Einzelheiten einen übergroßen Wert zu legen, die mit dem eigentlichen Wesen beider Dichtungen in keinem Zusammenhang stehen. Hiedurch getäuscht, hat er eine Menge Parallelen hervorgesucht, die nach unserer Meinung etwas Gezwungenes haben. [...]

Doch wir wollen diese Kritik nicht weiter fortsetzen, weil das bisher Angeführte zur Unterstützung unserer Meinung ausreichen wird. Es bleibt Jungs Verdienst, zu einer nähern Prüfung und Erkenntnis des deutschen Dichters wie der französischen Dichterin eine der fruchtbarsten Anregungen gegeben zu haben, wenn auch der Vergleich der ›Wanderjahre‹ statt mit jenem Roman Sands treffender und lohnender vielleicht mit der praktischen Philosophie und Pädagogik eines deutschen Philosophen angestellt würde. Wir haben uns immer nicht des Gedankens erwehren können, daß zwischen dem Bau der Goetheschen ›Wanderjahre‹ und zwischen Herbarts System der praktischen Philosophie eine überraschende Analogie herrsche, während seine Pädagogik die ›Lehrjahre‹ illustriere.[19] Die Grundsätze seiner Pädadogik sind bekanntlich Vielseitigkeit des Interesses und Festigkeit der Charakterbildung. Läßt sich der Weg der Bildung, den Wilhelm zurücklegt, mit wenigen Worten besser bezeichnen? In der praktischen Philosophie aber unterscheidet Herbart die Ideen des Rechts, der Billigkeit, des Wohlwollens, der Vollkommenheit und der Freiheit, aus denen er die Systeme des Rechts, des Lohns, der Verwaltung, der Kultur und der beseelten Gesellschaft ableitet. Von diesen entsprechen die drei erstern als eine in sich zusammenhängende Einheit dem ersten Buch der ›Wanderjahre‹, welches den verständig und wohlwollend verwalteten Grundbesitz zum Inhalt hat; das vierte, das Kultursystem, entspricht als Entwickelung der Vollkommenheit dem zweiten Buch von der pädagogischen Provinz; das fünfte aber, das System der beseelten Gesellschaft, entspricht dem dritten Buch, welches den Bund, seine Wirksamkeit und den durch sie bedingten Genuß wahrhaft menschlicher Freiheit schildert. Vom politischen Staat ist bei Herbart so wenig die Rede, wie bei Goethe. Bei einem solchen Durchdenken würden wir auch recht erkennen, wie sehr Goethe den Sandschen Sozialismus durch positive Vernunft überragt. Wenn die Sand die Dialektik im Prozeß der Parteien mit einer ironischen Feinheit entwickelt, die ein glänzendes Zeugnis ihrer eigenen humanen Freiheit von aller fanatischen Parteibefangenheit ablegt, und ihr Buch zu einem bleibenden Denkmal jener Epoche Frankreichs vor der Julirevolution macht, so steht Goethe als Deutscher auf einem kosmopolitischen Boden, auf welchem er von der Nationalität zur Menschheit, von der Skepsis zum Glauben, von der heuristischen Analyse zur architektonischen Synthese übergeht, die in einem äußerlich geringen Umfang sachlich zur Weite einer Perspektive sich ausdehnt, innerhalb welcher Sands ›Compagnon‹ bequem als eine jener novellistischen Episoden eingereihet werden könnte, die uns das Abenteuerliche und die Irrung jugendlicher Leidenschaft vorführen. Das Werk der George Sand atmet in jeder Zeile die skeptische Unruhe eines edlen Geistes, dem zwar die allgemeinen Prinzipien der Freiheit unerschütterlich feststehen, der aber noch über die besondere Art und Weise ihrer Durchführung verlegen ist. Goethes Werk ist ein Versuch, die Sozialfragen über Eigentum, Familie, Erziehung, Individualität, Assoziation, Öffentlichkeit, Auswanderung, Religion positiv zu lösen. Das Detail dieses Positiven läßt sich anfechten, ohne deshalb seinen Wert zu vernichten. Es ist kleinlich, sich an einzelne Wunderlichkeiten und Widersprüche zu hängen und die allgemeinen Wahrheiten zu übersehen. In dem, was vorliegt, ist genug gegeben worden, Korrekturen des einzelnen im Sinn der großen durchaus liberalen Grundsätze zu machen, so daß unsere vom Sehergeist des Dichters erregte Phantasie sich selbst in bildenden Träumen ergehen kann und wir überall die Worte zu vernehmen glauben, die das Wanderlied der Handwerker als oberste Regel einleiten:

Von den Bergen zu den Hügeln
Niederab das Tal entlang,
Da bewegt sichs wie von Flügeln,

Da ertönt es wie Gesang.
Auch dem unbedingten Triebe
Folget Freude, folget Rat,
Und dein Streben, seis in Liebe,
Und dein Leben sei die Tat! [17]

48 *Herman Grimm*

Aus: Schiller und Goethe 1859

Die wahre Geschichte Deutschlands ist die Geschichte der geistigen Bewegungen im Volke. Nur da, wo die Begeisterung für einen großen Gedanken die Nation erregte und die erstarrten Kräfte ins Fließen brachte, geschehen Taten, die groß und leuchtend sind. Wo es sich um gemeineren Vorteil handelt, überragen uns die andern Völker an Energie und an Leichtigkeit.

Man kann die Geschichte der französischen Könige und Kaiser diejenige Frankreichs nennen: die Namen der deutschen Kaiser und Könige aber sind keine Meilensteine für den Fortschritt des Volkes. Die Geschichte der englischen Staatsverfassung enthält die Englands, aber die Kämpfe auf deutschen Reichstagen und Ständeversammlungen stehen außer Zusammenhang mit der Entwicklung des Ganzen, selbst die Kriege, die Friedensschlüsse, die Spaltungen des Landes spielen eine untergeordnete Rolle; es fragt sich immer zuerst, welcher Gedanke ergriff die gesamte Nation, welche Männer waren es, die ihn zuerst empfanden, welche, die ihm freie Bahn brachen, und nach welcher Richtung riß er das Schicksal Deutschlands mit sich vorwärts?

Die deutsche Geschichtschreibung muß an die höchsten Dinge anknüpfen, welche den Menschen bewegen. Die Reformation, die Blüte der neueren Literatur sind Epochen für uns und haben eine würdige Darstellung erfahren. Für Frankreich war ein Buch möglich unter dem Titel »Das Zeitalter des großen Ludwig«; bei uns gibt es keinen Fürstennamen, der so wie der Ludwigs alle Strahlen an sich sog und alle wieder ausstreute. Aber »ein Zeitalter Luthers oder Goethes« hätte Sinn und Inhalt. Ihrem Einflusse entzog sich nichts, so lange sie wirkten. Ihr Charakter wird zu einem Durchschnittsmaße, nach dem wir die andern um sie her abmessen. Die Fürsten, welche gegen den Kaiser rebellieren, die Bauern welche ihre Herrn angreifen: Luther steht in der Mitte, um ihn ereignen sich die Dinge; strichen wir ihn aus, so wären es lauter einzelne Vorfälle ohne Beleuchtung und ohne Zusammenhang. Nicht anders mit Goethe. Was hat Goethe mit den Freiheitskriegen zu tun? Er kämpfte nicht mit, schrieb keine patriotischen Gesänge, keine Broschüren gegen die Franzosen oder vaterländische Tragödien. Aber man sehe die Bildung der Männer, welche damals den Kern des Volkes bildeten, genauer an: lauter Schüler seiner Lehre, die sich bemühen, in seinem Geiste zu handeln. Corneilles oder Shakespeares Leben dem Goethes gegenüber verhalten sich wie die Schicksale einer Stadt zu dem eines ganzen Landes.

Nur in Deutschland konnte die ideale Macht eines Schriftstellers so tief die Gemüter ergreifen. Seit Luthers Zeiten ist die Geschichte der Literatur die innerste Geschichte des Volkes. Alles andere spiegelt sich in ihr und ordnet sich unter. In diesem Sinne bekannte Friedrich der Große in hohem Alter, als er alle seine Schlachten geschlagen, Preußen zu einer Macht ersten Ranges erhoben und die Erbärmlichkeiten aller Handwerke kennengelernt hatte, der Ruhm eines großen Schriftstellers erscheine ihm bedeutender als der des größten Fürsten. So schrieb er an Voltaire zu einer Zeit, wo er es aufgegeben hatte, diesem Manne Schmeicheleien zu sagen, oder seinen Versicherungen Glauben zu schenken, daß er selber einmal als großer Schriftsteller genannt werden würde.

Wenn wir von unsern großen Dichtern sprechen, so reden wir davon wie die Franzosen von ihrer Gloire und die Engländer von ihrem Reichtum. Goethe und Schiller sind nicht bloß Männer, deren Arbeiten uns ergötzen oder momentan rühren, sondern wir betrachten sie als die Schöpfer der geistigen Höhe, auf der wir uns befinden. An ihrem Ruhme haben wir alle Anteil und zehren von ihm. Keiner von uns, der nicht ein ganz besonderes, persönliches Verhältnis zu ihnen hätte und seine eigene Meinung über ihre Schriften und ihren Charakter. Darin ändert er sich nicht und nimmt keine Belehrung an; denn diese Meinung wuchs mit ihm selber langsam auf und hat teil an seinen Fehlern und seinen Tugenden.

Über Goethe und Schiller ist so viel Bedeutendes geschrieben worden, aus ihrem Leben sind so viele Einzelnheiten bekannt gemacht, daß ein Studium dazu gehört, das Ganze zu umfassen. So ist denn von ihren Werken wie von den Nachrichten über ihr Leben nur eine fragmentarische Kenntnis, und diese nicht im richtigen Zusammenhange in das Volk gedrungen. Goethes Leben umfaßt beinahe ein Jahrhundert, seine Werke bilden ganze Reihen von Büchern. Die, welche sie seit langen Jahren lesen, sind oft unbekannt mit vielen der wichtigsten Dinge, welche darin stehen. Der eine will nur die Werke seiner Jugend anerkennen, der andere nur das lesen, was er im Alter schrieb. Jeder scheidet das allmählich heraus, was ihm am meisten zusagt, und bleibt dabei stehen. Alle die Schicksale des Mannes und jeder einzelnen Arbeit klar im Gedächtnisse zu besitzen, ist ohne angestrengte Arbeit nicht möglich. Die Bücher, welche über Goethe geschrieben sind, setzen aber entweder diese Kenntnis des Materials voraus, oder, wo sie es dem Leser mitzuteilen versuchen, stehen sie nicht auf der Höhe ausgezeichneter Arbeiten.

Indessen wir bedürfen ihrer kaum, denn wer in Wahrheit etwas davon wissen will, muß selbst suchen. Lieber sich durch eigenes, wenn auch unvollkommenes Studium selber eine Meinung bilden, als die Resultate annehmen, die andere zu einem Bilde eigener Erfindung zusammensetzten. Nur der hat eine Idee von Kunst und Wissenschaft, der selbst gesehen und gelesen hat, auf dessen Seele die Werke der Meister wirken konnten. Nur dem sind Kunst- und Literaturgeschichten nützlich, der die in ihnen ausgesprochenen Ansichten seinen eigenen zur Vergleichung gegenüberstellen kann, die er vorher durch eigene Erfahrung gewann. Goethes Leben in dieser Weise aus der Quelle selbst zu schöpfen, ist nicht schwer. Für die Jugend bis zum Eintritt in Weimar haben wir sein Werk ›Wahrheit und Dichtung‹; für Weimar, bis er nach Italien ging, den Briefwechsel mit Frau von

Stein[1]; aus Italien das Buch die ›Italienische Reise‹; über die nächste Zeit seinen Bericht über die ›Kampagne in Frankreich‹ und die ›Belagerung von Mainz‹, für die folgenden zwölf Jahre aber seinen Briefwechsel mit Schiller, dessen eigenes Leben jetzt in seinen gesamten, chronologisch hintereinander abgedruckten Briefen am deutlichsten niedergelegt ist.[2]

Schillers und Goethes Briefwechsel ist ein Besitz, wie ihn kein anderes Volk aufweisen kann. Wenn wir die Dichtungen der beiden Männer als die edelsten Geschenke betrachten, welche Deutschland jemals dargeboten wurden, so kann man diesen Briefwechsel als das reichste Vermächtnis bezeichnen, das uns zufiel. Man hat die Bemerkung gemacht, daß ungebildete Menschen, wenn sie durch Langeweile auf Reisen getrieben wurden und nach Rom kommen, wo sie nur zur Befriedigung ihrer Neugier und Eitelkeit die dort angehäuften Reliquien der Jahrhunderte betrachten, unwillkürlich von einem heiligen Respekt vor der Kunst und ihrer idealen Macht erfüllt werden; ebenso müssen die, welche Schillers und Goethes Briefe lesen, von dem Werte des Lebens ergriffen werden, das diese beiden, jeder für sich, wie gemeinsam, führten; mitten unter der Übermacht der materiellen Ansprüche unsrer Zeit muß ihnen die Ahnung aufdämmern von einer Existenz, deren Arbeit wertvoller als jene den augenblicklichen, sichtbaren Gewinn fördernde Tätigkeit der Hände oder des Geistes ist, die heute allein mit dem ehrenvollen Namen Arbeit belegt wird. Jahre hindurch verfolgen wir hier das Streben zweier Geister, die sich über das Treiben der Menschen rings um sie herum erhoben hatten. Wir sehen, wie sie das Große und das Gemeine beurteilen und behandeln, wir erblicken die Früchte ihres Dranges nach wahrer Arbeit, wie sie es sich sauer werden ließen, die eigenen hohen Ansprüche an sich selbst zu befriedigen, wie sie ohne Innehalten sich abmühten, höher zu steigen, zu lernen, zu verbessern und an neuen Schöpfungen das zu verwerten, was die abgetanen, vollendeten sie gelehrt hatten.

[. . .]

Welch ein Volk besaß einen solchen Mann? Voltaire ist eine Karikatur neben ihm. Auch dieser beherrschte seine Zeit Jahrzehnte lang, aber wie ein kleinlicher Tyrann, während Goethe ein uneigennütziger Herrscher war. Wen hat er geärgert, wie Voltaire seine Gegner? wo hat er gelogen, geschmäht oder dergleichen? Er hat niemals seine Nebenbuhler bekämpft, er ist immer mit gesenkten Waffen abwartend zurückgetreten. Die, welche er in seiner Jugend angriff, waren nicht Nebenbuhler, sondern Vertreter von Richtungen, die er für falsch und verderblich hielt und die er als der Schwächere anpackte. Wo er der Stärkere war, ließ er stets großmütig den andern die Straße frei. Hülfreich war er gegen alle in einer Weise, die oft so schön ist, daß seine Handlungen rührend wie seine Gedichte werden. Sein Leben gewährt uns, was wir in ihm suchen. Jedes Gefühl findet Beruhigung in ihm, weil er voll empfand und treulich aussprach. Wie ein Felsen stand er da und ließ die schwankenden Meinungen seines Zeitalters an sich vorüberfließen, aber wo man an ihn anschlug, sprang eine lebendige Quelle hervor. Was seine Verkleinerer gegen ihn vorbringen, ist nichts als die Geschichte ihrer eigenen Schwäche. Der beste Beweis für die lebendige Kraft, die ihm innewohnte, ist die

Frische, in der heute noch seine Dichtungen glänzen. Das Feuer ist unsterblich, mit dem er seine Lieder geschrieben hat. Bei Schiller ist es nicht weniger die Begeisterung, mit der er die Hoffnung seiner Zeit in seinen Dramen aussprach. Heute, wo alles anders ist, wo seit seinem Tode fünfzig Jahre vergangen sind, klingt uns noch dieser Drang nach Freiheit aus den Worten seiner Gestalten wie eine fremde begeisternde Musik. Ich muß gestehen, es macht mir einen halb lächerlichen halb traurigen Eindruck, wenn ich einen Schauspieler das »Sire, geben Sie Gedankenfreiheit« herausbrüllen und das Parterre Beifall klatschen höre. Was begeistert die Leute? Ist Gedankenfreiheit heutigen Tages noch ein Geschenk, das ein Fürst gewähren könnte auf den Fußfall eines Marquis Posa hin? Daran denkt aber auch niemand, sondern das wahrhaft jugendliche Feuer, mit dem einst Schiller diese Tirade gegen eine Tyrannei schrieb, die begraben und vergessen ist, teilt sich so lebendig wieder mit durch seine Worte, daß allen zumute wird wie ihm in jenen längst verlebten Zeiten.

Hätten Schiller und Goethe in unsern Tagen gelebt, in einem Lande, das durch Eisenbahnen und Telegraphen beinahe zu einer einzigen ungeheuren Stadt geworden ist, nimmermehr hätten sie sich zu dem entwickeln können, was durch den Einfluß ihrer Zeit und ihrer Zustände aus ihnen wurde. Ihre literarische Oberhoheit, als sie zusammen waren, Goethes einsame Autorität bis zu seinem Ende wären heute vielleicht unmögliche Erscheinungen. Bis zu den dreißiger Jahren unseres Jahrhunderts dauerte immer noch die Herrschaft der Gebildeten, die in Sachen des guten Geschmacks ein letztes entscheidendes Urteil behielten und sich ihrerseits Goethes Einflusse nicht zu entziehen vermochten. Heute aber herrscht niemand. Jeder steht heute ganz allein. An den Erfolg mancher literarischen Spekulationen, welche jetzt etwas gewöhnliches sind, hätte man damals so wenig gedacht, als man heute etwa noch nicht an die Warenbeförderung durch Luftballons denkt. Als Cotta noch seine Pakete langsam abtraben ließ, als ein Buch Monate bedurfte, ehe es dem Autor ein Resümee der öffentlichen Stimme nur seiner Freunde einbrachte, kannte man die Industrie nicht, die heute notwendig geworden ist. Heute ist ein Buch im Momente überall. Man schreibt in kollossalem Maßstabe und im ganzen besser als sonst. Hätten Goethe und Schiller heute geschrieben, so hätten sie vielleicht schärfer gesprochen, vieles nicht gesagt, das sie sagten, vieles aber auch ausgesprochen, das sie verschwiegen. Darauf aber kommt es nicht an. Immer wird es die Menschen durchdringen, wenn eine große Kraft sich unter ihnen geltend macht, niemals kann die zauberische Gewalt einer großen Persönlichkeit wirkungslos bleiben. Niemand kann den Einfluß ermessen, den das Auftreten eines Mannes haben würde, der ruhig wie Goethe alle übersähe und in den Schranken hielte, oder der wie Schiller alle an sich kettete und mit sich fortrisse. Gerade eine Zeit, wie die unsrige würde ihrem durchgreifenden Einflusse doppelten Raum gewähren. Sie lebten beide unter Bedingungen, *trotz* denen sie sich entwickelten. Die Freiheit des öffentlichen Lebens, die heute geringere Talente nicht aufkommen läßt, ist stärkeren Naturen erst die rechte Lebensluft. Goethe empfand den Druck der öffentlichen Zustände und ihren einengenden Einfluß auf die Literatur. »Man sehe unsere Lage, wie sie war und ist«, schreibt er 1795, »man betrachte die individuellen Verhältnisse, in denen sich deutsche Schriftsteller bildeten, so wird man auch den Standpunkt, aus dem sie zu beurteilen sind, leicht finden. Nirgends in Deutschland ist ein Mittelpunkt gesellschaftlicher Lebensbildung, wo sich Schriftsteller zusammenfänden und nach *einer* Art, in *einem* Sinne, jeder in seinem Fache sich ausbilden könnten. Zerstreut geboren, höchst verschieden erzogen, meist nur sich selbst und den Eindrücken ganz verschiedener Verhältnisse überlassen, von der Vorliebe für dieses oder jenes Beispiel einheimischer oder fremder Literatur hingerissen; zu allerlei Versuchen, ja Pfuschereien genötigt und ohne Anleitung, ihre eigenen Kräfte zu prüfen; erst nach und nach durch Nachdenken von dem überzeugt, was man machen soll, durch Praktik unterrichtet, was man machen kann; immer wieder irre gemacht durch ein großes Publikum ohne Geschmack, das das Schlechte nach dem Guten mit eben dem Vergnügen verschlingt; dann wieder ermuntert durch Bekanntschaft mit der gebildeten, aber durch alle Teile des Reichs zerstreuten Menge, gestärkt durch mitarbeitende, mitstrebende Zeitgenossen – so findet sich der deutsche Schriftsteller endlich in dem männlichen Alter, wo ihn Sorge für seinen Unterhalt, Sorge für seine Familie sich nach außen umzusehen zwingt, und wo er oft mit dem traurigsten Gefühl durch Arbeiten, die er selbst nicht achtet, sich die Mittel verschaffen muß, dasjenige hervorbringen zu dürfen, womit sein ausgebildeter Geist sich allein zu beschäftigen strebt. Welcher deutsche geschätzte Schriftsteller wird sich nicht in diesem Bilde erkennen, und welcher wird nicht mit bescheidener Trauer gestehen, daß er oft genug nach Gelegenheit gesucht habe, früher die Eigenheiten seines originellen Genius einer allgemeinen Nationalkultur, die er leider nicht vorfand, zu unterwerfen? Denn die Bildung der höheren Klassen durch fremde Sitten und ausländische Literatur, so viel Vorteil sie uns auch gebracht hat, hinderte doch den Deutschen als Deutschen, sich früher zu entwickeln.«

»Und nun betrachte man die Arbeiten deutscher Poeten und Prosaisten von entschiedenem Namen! Mit welcher Sorgfalt, welcher Religion folgten sie auf ihrer Bahn einer aufgeklärten Überzeugung!« – Er redet von Wielands unermüdeter Arbeit an den eigenen Werken und fährt dann fort: »Denn worauf ungeschickte Tadler am wenigsten merken, das Glück, das junge Männer von Talent jetzt genießen (1795), indem sie sich früher ausbilden, eher zu einem reinen, dem Gegenstande angemessenen Stil gelangen können, wem sind sie es schuldig als ihren Vorgängern, die in der letzten Hälfte dieses Jahrhunderts mit einem unablässigen Bestreben unter mancherlei Hindernissen sich jeder auf seine eigene Weise ausgebildet haben? Dadurch ist eine Art von unsichtbarer Schule entstanden, und der junge Mann, der jetzt hereintritt, kommt in einen viel größeren und lichteren Kreis, als der frühere Schriftsteller, der ihn erst selbst beim Dämmerschein durchirren mußte, um ihn nach und nach, gleichsam nur zufällig, erweitern zu helfen. Viel zu spät kommt der Halbkritiker, der uns mit seinem Lämpchen erleuchten will; der Tag ist angebrochen und wir werden die Läden nicht wieder zumachen.«[3]

So hat Goethe nach dem Jahre 1806 nie wieder geurteilt. 1795 glaubte er, der

Tag sei angebrochen. Die unsichtbare Schule, die er damals nannte, hat seitdem ihr Wachstum erlebt und ihren Untergang. Heute ist der Tag da, aber keine Schule. Wir besitzen jetzt ein allgemeines großes Publikum, wir sind unabhängig von fremder Bildung, wir haben ein großartiges öffentliches Leben, endlich, wir haben jene Umwälzungen erlebt, von denen Goethe in demselben Aufsatze voll von ahnender Voraussicht sagte, daß er sie dem deutschen Volke nicht wünschen wolle, obgleich sie allein geeignet seien klassische Werke hervorzubringen. Unsere Richtung auf das Praktische, Materielle scheint die ideale Anschauung des Lebens heute beinahe auszuschließen. Im Gegenteil, sie schärft den Blick dafür. Wir glauben nicht mehr an äußerliche politische Wunderkuren, aber wenn ein Mann aufträte, wie Goethe, so würde er sich bald ein Reich erobern; nicht indem er die literarischen Formen des alten Goethe nachahmte, sondern indem er die Wahrheit stark empfände, und frei und in einer lebendigen Sprache mitteilte, wie es ihm ums Herz war. Darin zeigte sich Goethes Genius, alles übrige waren zufällige Zutaten vergänglicher Verhältnisse.

Einstweilen aber sind die Schätze, die wir ihm verdanken, noch wenig bekannt. Alle nennen Goethes Namen, wenige kennen in der Tat seine Worte. Träte eine barbarische Zeit ein, die alle Denkmäler des geistigen Lebens vernichtete, diese Werke ausgenommen, es ließe sich aus ihnen ein neues leuchtendes Bild unserer Größe formen, wie in den wenigen Schriften der griechischen Dichter und Philosophen ihr ganzes Vaterland verborgen liegt. Goethes Schriften alle zusammen, seine Poesien, seine wissenschaftlichen Arbeiten und seine Briefe ordnen sich heute organisch zueinander in ein großes Ganze. Der andern Menschen Leben, so weit wir umhersehen, sind dunkle Ströme, die im verborgenen entsprangen und verrauschten. Nur hie und da fließen sie eine Strecke lang bei offener Tageshelle. Und selbst dies sind wenige. Goethes Leben strömt offen dahin vor unsern Augen, und jeder, der sich in ihm spiegelt, erblickt in *seinem* Schicksale tiefer und vollkommener das eigene wieder. Goethe schrieb nichts, das er nicht erlebte. Alles rührte ihn, was in den Bereich des menschlichen Lebens fallen kann, und erweckte ein Echo aus seiner Seele. Ich habe Schicksalsverwirrungen durchgemacht, die mir ohne Beispiel schienen, so eigentümlich waren die Charaktere der Menschen und die Verhältnisse, unter denen sie zusammentrafen: plötzlich entdeckte ich bei Goethe eine Relation darüber, als hätte er daran teilgenommen, so genau stellte er die Menschen und die Dinge dar. Und dabei kam alles an ihn heran. Nichts suchte er auf. Seine Seele war wie mit Samt bekleidet, an dem jedes fliegende Stäubchen hängenbleibt und sichtbar wird. Wo er ging, flogen ihm die Ereignisse zu, er sog die Dinge auf, wie die Sonne die Feuchtigkeit der Erde zu sich aufzieht und die schimmernden Wolken dann bestrahlt, die sich aus den unendlichen Teilen in tiefgesetzlicher Weise frei zusammenballten.

Von einer solchen Tätigkeit, wie sie der Mann ausübte, der sich nach dem Urteile der Menschen in kalt abschließendem Egoismus zurückzog, finden wir keine Spur bei Schiller, der alle Menschen liebend an sein Herz zog – seid umschlungen Millionen! und doch eine so enge Straße ging. Er hatte weder das Talent noch die Gelegenheit zu beobachten, wie Goethe es verstand. Er schreibt über Ästhetik, aber Malerei, Skulptur, Architektur sind ihm so gut wie unbekannt. Er bittet einmal Körner, ihm einige gute Stiche nach Raffael zu besorgen, er wolle doch wenigstens einen Anflug von diesen Dingen haben. Sie beschäftigten ihn niemals. Das Theater war seine Leidenschaft, er nimmt es im höchsten Sinne, aber seine Idee war eine Illusion. Die feinere Ausführung bekümmerte ihn nicht, Goethe bedachte jede Handbewegung. Goethe, der sogenannte Realist, hatte beim Theater niemals einen außer der Kunst selber liegenden Zweck vor Augen; die Poesie sollte auch hier wirken, ohne etwas zu wollen, wie ein Blick ins Paradies den Menschen beglücken, ohne ihn um bestimmte Ideen reicher zu machen. Schiller hatte einen Zweck dabei, der außerhalb der Poesie liegt: eine Tragödie soll als die höchste geistige Arznei die Seele des Menschen ergreifen und veredeln, an das Gewissen anklopfen und dem Bösewicht seine Sünden vorhalten. Goethe widerstrebte eine solche moralische Nutznießung. Er erklärte die Aristotelische Katharsis deshalb auch nicht als eine Reinigung der Leidenschaften des Publikums, sondern meinte, es seien damit diejenigen Leidenschaften gemeint, aus deren Kontakte die Tragödie selbst sich entwickelte, und die nun vor den Augen des Publikums sich, von den irdischen Zufälligkeiten gereinigt, in ihrer freien Wirkung auf den Menschen darstellten.[4] Aber gerade Schillers moralische und politische Hintergedanken bestachen viele zu seinen Gunsten. Die Leute begreifen das Praktische leicht, sie sehen einen edlen Zweck und edle Mittel. Vergeblich suchen sie das bei Goethe, der sein Licht leuchten läßt über die Gerechten und Ungerechten. Schiller richtete, Goethe richtete niemals. Schiller, von Anfang an mit wahren und großartigen Intentionen begabt, drang auf die Verwirklichung seiner Ideale – Goethe kannte sich selbst zu gut, was er gefehlt und gelitten, er erblickte in jedem Akte der Natur die Manifestation einer bis ins kleinste sich erstreckenden Ordnung, er sah überall Symptome der Vorsehung, er tadelte nicht, er korrigierte nicht, er zog sich höchstens zurück, wo ihm etwas unerträglich war. Selbst das Absurde konnte er so verteidigen. In einer Abendgesellschaft bei Hofe kommt die Rede auf das Nützliche und das Unnütze. Es wird jener Mann erwähnt, der aus einer gewissen Entfernung Hirsekörner durch ein Nadelöhr werfen konnte und von Alexander dem Großen, statt eine Belohnung zu empfangen, seiner unnützen Künste wegen ausgelacht wurde. Goethe verteidigte ihn. Es sei doch immer eine durch große Übung erlangte Fertigkeit gewesen. Nun kann sich Wieland nicht mehr halten und bricht los gegen eine solche Ansicht. Goethe läßt ihn ausreden und bemerkt dann, Alexander hätte diesen Mann den Seinigen als Exempel aufstellend sagen sollen: Wenn man durch Beharrlichkeit in solchen Kleinigkeiten solche Sicherheit erwerben kann; wie weit werdet ihr erst kommen, wenn ihr mit euren Kräften und eurer Ausdauer das Große angreift![5] – Aber Goethe war auch mutig und groß genug, sich der Welt gegenüber zu stellen, wenn es sein mußte. Das ist ihm wiederum zum Vorwurf gemacht worden. Diejenigen nämlich, die ein ähnliches Gelüsten verspürten und plötzlich zu ihrem Schrecken innewurden, daß ungemeine Kraft dazu gehört, eine eigene Meinung angesichts der Nation aufzustellen und durchzufechten, klagten ihn nun der Vermessenheit an. Alle seine Feinde sind Dilettanten auf irgendeinem der Gebiete, die er ganz beherrschte, das auch sie sich aneignen wollten, schließlich aber bemerkten, daß sie zu schwach seien. Das Verfahren solcher beschränkter Naturen ist überall das gleiche. Willkürlich nehmen sie eine der unendlichen Äußerungen seiner Tätigkeit aus dem Zusammenhange heraus, erklären sie dann von ihrem eigenen beschränkten Standpunkte nach Belieben und schließen endlich von diesem einzelnen, das sie so zugerichtet haben, rückwärts auf den ganzen Goethe. Er aber wird einst nur dem fortschreitenden Genius der Menschheit unterliegen. Man kann der Sonne den Rücken zudrehen, aber sie nicht auslöschen. Man kann ihre Flecken beobachten und zählen, aber sie wärmt und leuchtet und lockt das Lebendige aus dem Boden.

Goethe sagte von sich selbst, alle nennten ihn Meister, aber niemand sei sein Schüler gewesen.[6] Das heißt wohl, er wollte sagen, daß er keinen Meister gezogen habe, der in seinem Geiste weiter dichtete. Schüler hatte er die Fülle, wir alle haben von ihm sprechen und schreiben gelernt, während Schillers sogenannte Schüler einen hohlen, süßlich philosophischen Ton annahmen, der mit Schiller selbst wenig zu tun hat. Denn seine Seele war groß genug, um alle die prachtvollen Phrasen, die er gebrauchte, mit Lebenskraft und Wärme auszufüllen. Das konnte ihm keiner nachmachen. Er hatte Nachahmer, keine Schüler eigentlich. Nachahmer hatte Goethe besonders unendliche; er war aber auch nicht zu umgehen, er unterjochte die Gedanken der Menschen, ohne daß sie es wußten. Schlegels Shakespeare, Tieck und so weiter die ganze Reihe der Dichter bis auf Platen reden seine Sprache; wenn wir die Kraft der einzelnen messen wollen, legen wir den Maßstab an, daß wir sehen, wie weit sie es darin brachten, sich von Goethescher Ausdrucksweise loszureißen. Zweien gelang es, Kleist und Arnim. Arnim steht noch freier da als Kleist, weil er Sprache sowohl als Komposition am unbekümmertsten und am kräftigsten seiner Individualität unterordnete. Er dichtete, ohne sich um irgendetwas in der Welt zu scheren. Oft ist er inkorrekt, nachlässig, seltsam, nirgends aber ein Nachahmer fremder Persönlichkeiten, seine Welt ist sein Eigentum, er ist in jedem Betracht ein Mann, der auf eigenen Füßen einhergeschritten kommt. Man kann dies Kleist nicht in ebenso hohem Grade nachrühmen, obgleich er und Platen durch sorgfältige Arbeit da über ihm stehen, wo es auf Arbeit ankommt. An innerem Reichtum erreichen sie ihn nicht von ferne. Arnim dichtete für sich, nicht für die Leute, die es lesen würden. Kleist und Arnim sind einer wie der andere von Goethe verkannt worden. Sie paßten nicht in das Reich, das er errichtet hatte. Ihre Dichtungen erfüllten ihn mit Unbehagen, und er wandte sich ab davon. Ebenso fremd blieben ihm Clemens Brentano und Uhland, deren Schule das deutsche Volkslied war.

Wie Goethe konnte freilich keiner für sich selbst dichten, denn keiner sah wie er die Dinge in ihrem eigenen Wesen. Mit wenig Worten deutet er etwas an und scheint es zugleich ganz zu erschöpfen. Seine ›Italienische Reise‹ atmet die Luft Italiens aus; es ist das einzige Buch, das nicht geschminkte, parfümierte Ballettdekorationsmalereien bringt, sondern den reinen Himmel, der sich über Rom ausspannt.[7] Er sagt so wenig über die herrliche Stadt, er berührt das wenigste von dem, was man dort, auch nur beim flüchtigen Besuche, zu sehen pflegt, manches nennt er ohne weitere Beschreibung nur mit seinem Namen, meistens redet er von seinen Gedanken, Versuchen, Arbeiten; aber als ich diese Briefe später las, da stiegen mir die Dinge alle, die ich gesehen und geliebt hatte, so schön in der Erinnerung empor, als lockten sie unbekannte Mächte. Die nüchternen Beschreibungen des Buches sind die getreuesten Bilder. In ihm finden wir nichts von jenen, das große Publikum bestechenden Landschaften, wo eine inkorrekte Zeichnung sich mit abenteuerlichen Lichteffekten verbindet. Goethe sah die Dinge selber so wahr und deshalb so schön, daß er sich keine Illusion zu fingieren brauchte, um von der Natur entzückt zu sein. Niemals wollte er bestechen oder blenden. Nur einmal in seinem Leben täuschte ihn die Welt: damals, als er im vollsten Glanze nach Italien abreiste, nach zwei Jahren wieder kam und seinen Platz von andern ausgefüllt sah. ›Iphigenie‹, ›Egmont‹ und ›Tasso‹ ließen die große Menge kalt. Es empörte ihn, es war seine erste Erfahrung, aber auch die letzte auf diesem Gebiete. Fortarbeitend verachtete er den Beifall des Tages und begnügte sich, den Anforderungen eines idealen Publikums zu genügen, an das er glaubte, wie er an sich selbst und an die Nation glaubte. Aus dem innern Drange allein, den er stets verspürte, sich auszusprechen und seine Gedanken schriftlich niederzulegen, hätte er für seine eigene Beruhigung die Berechtigung seiner Arbeit deduzieren können, wenn er dieses Trostes jemals bedürftig gewesen wäre. Er folgte seinem Instinkt und zweifelte nie wie Schiller, der stets mit tausend Ängsten zurück und in die Zukunft sah. Seine Art tätig zu sein ist gründlich verschieden von der seines Freundes. Er läßt sich vom leisesten Luftzuge der Laune regieren, weil er aus Erfahrung wußte, daß Widerstand unmöglich sei. So weiß er nie was er tun wird, nie, wann er das tun wird, was er tun möchte, niemals, wie lange er bei der Arbeit aushält. Plötzlich kreuzt ein Gedanke den andern und schnappt ihm das Leben fort; er beschließt eine Arbeit und beginnt sie niemals, beginnt sie und beendet sie nicht; wie vom Himmel herab fällt ein Gedanke in seine Phantasie, und er bringt bei anhaltender Arbeit ein Werk zustande, das ihn ebenso sehr erstaunt als die, denen er es mitteilt. Er schreibt, er legt die Feder hin: in allem folgt er der Stimme, die ihm zuruft. Schiller dagegen, der für das Volk schrieb, das er begeistern wollte, Dramen, die nicht seine eigene Geschichte enthielten, sondern Taten, die er fremd in sich aufnahm und wiedergab, und zwar so, daß sie rührten, rührten wie er wollte, nahm sich ein Pensum vor und führte es trotz allen Hindernissen durch. Krankheiten hemmen ihn nicht immer, den erschöpften Geist belebt er durch gewaltsame Reizmittel, bösen und unbehaglichen Tagen gibt er durch seine Energie eine Art gleichmäßiger, erträglicher Temperatur; er will vorwärts, er hat Eile, er drängt zum Schlusse seines Werkes. Goethe ist nirgends pressiert. Hemmt ein plötzlicher Frost das Eintreten des Frühlings, so werden schon sonnige Tage das Versäumte wieder einbringen. Wird es nicht fertig, so ergibt er sich darein. Er kommt über alles hinweg. Gut oder böse, ein Weg findet sich immer. Gelingt es nicht mit der Poesie, so greift er zur Naturgeschichte; indem er sich den Umständen völlig fügt, gewinnt es den Anschein, als dienten sie ihm. Weil niemand sieht, wie er dagegen ankämpft, scheint es, als träfe er sie immer am bequemsten, glücklichsten, und selbst die Widerwärtigkeit scheint er herbeigerufen zu haben; während Schiller, der etwas festhielt, das er durchsetzen wollte, überall Plackereien und Aufenthalt erlebte.

Lassen wir alles das beiseite und stellen noch einmal die beiden Männer einen dem andern gegenüber, suchen wir den einfachsten letzten Grund ihrer Verschiedenheit, so sehen wir in ihnen den ewigen alten Zwiespalt neu verkörpert, der seit Beginn der Welt die Menschheit teilte und in allen Jahrhunderten die Parteien bildete, die sich bekämpfen, deren Kampf und abwechselnde Oberherrschaft der Inhalt aller Geschichte und der Grund alles Fortschrittes sind. Überall reduzieren sich auf diesen Zwiespalt die letzten Ursachen der Begebenheiten. Er ist zu oft genannt, als daß es vieler Worte bedürfe. Aber wir sehen auch, daß eine Versöhnung unmöglich ist.

Beide Parteien streben dem Göttlichen entgegen, aber die einen sehen es *in* den Dingen, die andern *außer* den Dingen; die einen haben ein Gefühl des Ganzen von Anfang an und erblicken alles einzelne nur als seinen Bruchteil; die andern sehen eine unendliche Masse einzelner Erscheinungen, das Ganze aber suchen sie erst zu entdecken, zu konstruieren. Beide kennen sie die geheimnisvolle Mischung von Freiheit und Notwendigkeit, durch welche unsere Geschicke vorwärts getrieben werden, jene aber teilen der Notwendigkeit die größere bewegende Kraft zu, diese geben der Freiheit das Übergewicht. Schiller entwickelte die Idee der Tragödie, indem er seine Helden dadurch dem Untergange entgegenführt, daß er sie die Pflichten verletzen läßt, die ihnen eine außer ihnen herrschende göttliche oder menschliche Autorität auflegt; Goethe gibt den tragischen Konflikt, indem er einem bestimmten Menschen sich seiner eigenen Natur hingeben läßt, die ihn durch eine innere Stimme dahin oder dorthin lockt, Iphigenie zur Freiheit, Egmont zum Tode, Tasso zur Trennung von der Geliebten, alle aber zur Versöhnung. Hätte Schiller einen Egmont zu schreiben gehabt: der Kampf in dem Grafen, ob er dem Könige anhänglich bleiben solle, oder sich dem Vaterlande, oder den Interessen seiner Frau und Kinder zu weihen habe, ob er rebellieren oder protestieren solle, hätte den Inhalt seines Stücks gebildet. Nichts davon bei Goethe. Er stellt einen lebensfrohen, unbekümmerten Menschen hin, der plötzlich durch seine edle Natur zum Rebellen gemacht, aus einem Lieblinge des Volks eine Beute des Schaffots wird und sorglos in seiner letzten Stunde die Freiheit seines Vaterlandes lächelnd in der Gestalt seiner Geliebten erblickt. So verliert er sein Leben unter dem Beile des Henkers, als fiele er mitten im Schlachtgewühle. Er sinkt nieder wie Achill und Siegfried sanken. Die Liebe und die Schönheit einer vollen, überschwellenden Jünglingsnatur verklären seinen Untergang. Es bedurfte keiner Sünden, keiner Pflichtübertretung. Er scheint kaum einen Willen zu haben. Er ging unter, weil er, für glückselige Inseln bestimmt, vom Schicksale des Lebens in ein Land geschleudert ward, dessen Unglück ihm und vielen Tausenden den Tod brachte. Tragisch wird uns sein Schicksal, weil er so schön war, weil wir trauern, daß ein so wundervoller Mensch zugrunde ging. Wir ahnen es gleich im Anfang, welches Los ihm fallen werde. In der Herrlichkeit seiner Jugend, die dem unbarmherzigen Fanatismus verfallen mußte, liegt der tragische Konflikt. Wenn wir eine rohe Faust sehen, die einen blühenden jungen Baum knickt, da fühlen wir, wie das volle Leben die Vernichtung heranlockt, und daß das Schöne zu gut sei, um zu leben. Tragisch ist für Goethe das Schicksal eines Menschen, der das innerste, reinste Gefühl seines Herzens in das Leben hineinträgt und damit siegt oder untergeht. Notwendig wird die Tat erst, weil sie geschah. Schiller war anfangs noch so sehr im Äußerlichen gefangen, daß er Goethes unsichtbare Kraft nicht sah. Er lernte den ›Egmont‹ später anders verstehen, als wie er ihn früher rezensierte.[8] Schiller verlangte einen schärferen Sporn für die Taten seiner Personen, als den aus der Tiefe strömenden Drang, von dem keine Rechenschaft gegeben wird. Er läßt gewaltsame, zwingende Begebenheiten eintreten. Was bleibt übrig, wenn wir dem Wallenstein das Heer, den Sterndeuter und die Tochter nehmen, Marie und Elisabeth ihrer Krone und des Purpurs entkleiden? Was aber, wenn wir Iphigenie, Tasso, Egmont, Klärchen, Gretchen aus all ihren Schicksalen herausrissen und ihr Jahrhundert, ihre Kleider, ihre Sprache, ihre Armut, ihren Reichtum vergäßen? – Fülle der Jugend und wunderbare Schönheit; nackt wie die griechischen Götter über Wolken wandelnd, würden sie ihre Natur bewahren. Solche Menschen hat Schiller nicht geschaffen.

Aber er ist neben Goethe der größte Dichter Deutschlands. Wer ihn mit Goethe auf *eine* Höhe stellen wollte, würde ihm einen Platz anweisen, den er sich selbst niemals zu geben wagte. Er wußte zu gut, wo seine Kräfte anstießen, er empfand Goethes Übergewicht und war dankbar für das, was er von ihm lernte. Goethe hat ihm das Glück gewährt, das den wenigsten zuteil wird: einer stärkeren Kraft sich neidlos hingeben zu dürfen in vertrauungsvoller Verehrung; durch ihn aber empfing Goethe die Wohltat, einen Mann zum Freunde zu haben, der *ein* Ziel mit ihm verfolgte, der ihn liebte, ihm in der schönsten Sprache sagen konnte, wie tief er ihn verstanden, und nie die leiseste Befürchtung entstehen ließ, es könne seine Nähe ihm beschwerlich werden. Ihre Freundschaft entbehrte des jugendlichen Reizes leidenschaftlicher Anhänglichkeit; kein Moment der Begeisterung, kein Zufall, kein Zwang führte sie zusammen, sondern freie Wahl lenkte den einen zum andern und sie hielten treulich ihre Hände gefaßt, bis der Tod sie trennte.

49 *Karl Gutzkow*

Nur Schiller und Goethe? 1860

Bei jenen vorjährigen Festmahlen zu Ehren Schillers, wo die Toaste auf das Ideal mit dem Realismus der Rindsfilets, der Gesang des Liedes an der Freude »schönen Götterfunken«[1] mit den inzwischen kalt gewordenen Puddings abwechselte, konnte man unter den Reihen der Gäste manchen beobachten, der es zwar am Bescheidtun mit seinem Glase nicht fehlen ließ, jedoch nach jeder Rede, der ein schmetternder Tusch gefolgt war, sich zu seinem Nachbar wandte und allerlei kleine Verschwörungsgedanken zu brüten schien.

Jedenfalls war es eine der bedeutsamern Physiognomien.

Entweder ein Gelehrter mit einem feinen und geistreichen Lächeln, hinter dem sich allerlei kritische Bedenken zu verstecken schienen, oder ein Beamter mit einem Ordensbande, der mit gelassener Miene hinnahm, was sich heute alles von gefährlichen demagogischen Anschauungen unter dem Deckmantel – der Literaturgeschichte einschmuggelte, oder einer jener höchst verehrungswürdigen Handelsherren, die, unbeschadet ihres Kommerzienrattitels, für höhere Interessen als die der Crédit mobiliers nicht unempfänglich geblieben sind und z. B. beim Kunstverein die maßgebende Stimme haben.

Alle diese Flüsternden und eigentlich etwas ironisch in den Jubel Dreinschauenden hatten offenbar einen geheimen Privatkultus. Auf die rauschendsten Toaste brachten sie kleine Was-wir-lieben-Gesundheiten aus, nickten sich mit pfiffigen Mienen, blinzelten mit klugbedeutsamen Äuglein.

»Nicht wahr«, lispelte der Geheime Oberregierungsrat seinem Nachbar, dem Gymnasialdirektor, »Ihr Herz gehört denn doch wesentlich nur Goethen an?«

Der Gymnasialdirektor sieht schmunzelnd auf seinen eben gewechselten Teller und spricht: »Man macht das nun in diesen Tagen eben so mit! . . .«

Ja der Mann erhebt sich sogar nach einigen Minuten und bringt einen Toast aus auf Schiller als den Sänger der Frauen, einen offiziellen, auf dem Programm vorgezeichneten, der mit »Ehret die Frauen, sie flechten und weben –« beginnt.[2] Er erntet ein stürmisches Bravo; jeder Ehemann nickt schwärmerisch seiner Ehehälfte; die Damen in der Nähe der Festredner beeilen sich, mit dem Direktor, einem alten Junggesellen, ermunternd anzustoßen.

Zehn Sekunden darauf sagt der Justizrat ihm zur linken: »Wie fein Sie aber andeuteten, daß im Grunde doch Goethe die Frauen viel besser verstanden hat und – Schiller sie eigentlich alle nach einer einzigen Schablone zeichnete!«

»St! St! Vorsicht!« heißt es beim Direktor und ringsum; denn schon hat sich die Zahl der stillen Goethe-Separatisten vermehrt und wieder hält ein anderer einen Vortrag über – Schillers enges Verhältnis – sogar zur Religion und zum Christentum! – –

Gewiß eine merkwürdige Erscheinung, daß eine Nation zwei Dichter hat, die so ganz entgegengesetzten Naturen, der beschaulichen sowohl wie der tatkräftigen, als voller Ausdruck ihres Seins und Empfindens dienen können.

Wenn man in Weimar das Doppelstandbild sieht, das Rietschels Kunst geschaffen[3], glaubt man anfangs an eine organische *Einheit* beider Gegensätze. Das (beiläufig: unruhige, weder Schiller noch Goethe ganz zu dem ihnen gerade auf *weimarischem* Boden gebührenden Recht der eigenen und getrennten Individualität kommenlassende Bildwerk) will gleichsam sagen: Hier ist Anfang und Ende der deutschen Literatur! Hier ist ein Ganzes, bestehend aus zwei gleichen, ebenbürtigen Teilen! Hier ist eine in sich abgeschlossene große und einheitliche Epoche!

Wie nahe sich Goethe und Schiller berührten, wie sie in den Zeiten ihrer Reife sogar ihr Schaffen zum Gegenstand einer gemeinschaftlichen Beratung machten, sie sind an sich in ihrem Wesen doch mehr getrennt, als man einzuräumen pflegt. Aus dem kleinsten Gedicht Goethes oder Schillers weht ein verschiedener Geist.

Man kann sie nicht in demselben Tonfall lesen, man kann sie nicht mit derselben Wirkung für das Ohr hören. Selbst die ruhige Betrachtung, wo sie in Schiller überwiegt, hat eine Wirkung auf das sanguinisch-melancholische Temperament, während die ruhige Betrachtung Goethes, obgleich sie lebensvoller scheint, obgleich sie sich von der wirklichen Erscheinung der Dinge nicht in bloßes Denken und Beobachten nach allgemeinen Begriffsmerkmalen zurückzieht, beruhigend wirkt und das cholerisch-phlegmatische Temperament ergreift. Der Moment der Tat, die sittliche Wirkung fehlt keinem, aber bei Schiller geht die Wirkung mehr nach außen und reißt den Menschen zum Anschluß an das Schöne und Gute hin, das ihm in allgemeinen Idealgestalten vorschwebt (daher ein bei seinen Schöpfungen durchgehendes Preisen der Freundschaft und Verbrüderung); bei Goethe geht der sittliche Entschluß mehr innenwärts und festigt die Widerstandskraft im Menschen bei den Stürmen des Geschicks und vorzugsweise durch Isolierung. Bei Schiller suchen sich die Wipfel der Bäume zu berühren, bei Goethe die Wurzeln. Man kann nicht sagen, was besser. Die angeborene Natur entscheidet, jene Mischungen des Bluts, die das Temperament und die Empfänglichkeit bilden. Und nach dieser Voraussetzung sagen in dem Denkmal Goethe und Schiller gleichsam: Mann und Weib bilden den Menschen, Tag und Nacht die Zeit – auch wir sind in dieser Art eine Einheit.

Es liegt hierin viel Wahres und doch kann man in solchen Parallelen zu weit gehen. Wenn man z. B. nur allein sagen wollte, Goethe wäre der Dichter der männlichen Kraft und Weisheit, Schiller der Dichter der strahlenden Jugend, so irrt man sich. Goethe zeigt wohl einen frühen Abschluß des ersten Lenzstrebens, er macht den Eindruck, daß die erste Frühlingsluft des Daseins bald in ihm verwehte und alles in und an ihm dem schönen Herbst und kräftigenden Winter zueilte; andern dagegen, denen seine Weise wegen ihrer gleichgearteten Natur entspricht, wirkt sie gerade unausgesetzt lenzhaft, immer jugendlich und neubelebend, immer zu frischem Beginnen anspornend. Unser Leben ist eben kein Leben der ständigen Tat. Was wir tun, verrechnet die große Staatsbuchhalterei des 19. Jahrhunderts zu den allgemeinen Tatsachen des Friedens und der Ordnung. Wir würden erschrecken über einen jugendlichen Sinn, der gleich in der ersten Bewährung seiner Kraft nach Goethes Lebensregeln handeln wollte – der Pedant, der künftige engherzige Aristokrat würde uns fertig erscheinen –, um aber ausharren zu können auf dem Posten, den unsere schwache Kraft in Zeiten wie die unsrigen erreichen kann, um sich eine stets lebendige Empfänglichkeit und einen freudigen Sinn der Anteilnahme an allem, was die Zeit und das Leben bietet, sichern zu können, erhält die Bildung mehr Ermunterung durch Goethe als durch Schiller. Wen erhebt das Gefühl, sich sagen zu müssen: Du bist im Alter der entschwundenen »Ideale«! Wen erhebt es, anfangs die Welt und das Leben nach Schillers Auffassungen zu ergreifen und dann doch aus Schillers eigenen Epigrammen und Xenien hören zu müssen, daß es eigentlich »so nicht gemeint gewesen«!

Scheine es aber darum nicht etwa, als ob wir allzu lebhaft jenen stillen Separatisten das Wort redeten, die unter den grünen Kränzen und Fahnen zu Ehren

Schillers für Goethe tagten. Wir wollen das Gleichgewicht herstellen und nur bestreiten, daß Schiller und Goethe ein Ganzes ausdrücken.

Aus Tausenden von Abbildungen sind dem, der in Weimar nicht die Rietschelsche Schöpfung selbst sah, die beiden hehren Gestalten bekannt. Beide halten einen Lorbeerkranz. In Goethes Hand ruht er schon länger, schon sicherer. Schiller berührt ihn halb, halb erst faßt er danach. Goethes linker Arm ruht auf Schillers rechter Schulter. Goethe steht fest, Schiller scheint im Vorschreiten begriffen. Im ganzen genommen macht die Gruppe den Eindruck, als führte Goethe dem deutschen Volk eine Erscheinung vor, die die Zeit gewagt hat, neben ihn zu stellen und die er als ihm ebenbürtig anerkennt. Diese Auffassung entspricht dem Gesamtbilde, das wir von dem Doppelwert und der Doppelbedeutung beider großen Namen haben dürfen. Richtiger historisch müßte allerdings das handelnde Spiel der Gruppe umgekehrt sein. Schiller müßte Goethe vorführen. Schiller müßte gerade dem zagenden, der Dichtkunst abgewandten, ja in tiefe Verstimmung und Lebensverdüsterung gefallenen Goethe die Kränze zeigen, die ihm immer noch in der Ferne winkten, während seine bisherigen alten zu des reifern Mannes Füßen von ihm zu unbeachtet und verstreut liegen. Doch wollen wir von der Gruppe nicht alle unsere Bedenken wiederholen. Sie ist unruhiger, als sie sein sollte: sie macht den Eindruck eines *Aktes,* der der monumentalen Würde widerspricht; sie hebt eben *durch* den Akt die irdische *Zutat* zum Ideellen, z. B. die Bekleidung, zu sehr hervor und beschäftigt durch die Gegensätze, z. B. dieser Tracht, das Auge bis zum Eindruck des Genrebildes. Auf alle Fälle lieber wäre uns, Weimar hätte ein Standbild, das Goethe allein, und ein anderes, das Schiller allein feiert, oder beide stünden zusammen – dann freilich als ideale Allegorie, als *Gedanke* in antikem Gewande.

Zusammen also standen sie im Leben allerdings – –

Als der lebensvolle, ruhmgefeierte Dichter des ›Werther‹, ›Götz‹, ›Clavigo‹ mit seinem fürstlichen Protektor und *jüngern* Freunde eine gemeinschaftliche Reise nach der Schweiz machte, kehrten sie auf der Rückfahrt in Stuttgart ein und wohnten einem jener Akte der herzoglich württembergischen »Karlsschule« bei, die wir in neuerer Zeit auf der Bühne und durch bildliche Darstellung uns so gegenwärtig veranschaulicht gesehen haben. Schiller gerade 20 Jahre alt (1779), erhielt drei Preise – nicht für deutsche Sprache und Philosophie – für Arbeiten in der Medizin. Wie befriedigt, zukunftssicher und stolz mag der junge Rat des Herzogs von Weimar auf den schüchternen Eleven geblickt haben, der mit den andern jungen Akademikern in seiner hellblauen Uniform, mit Zopf und in Gamaschen, vor den hohen Herrschaften seine Belobigungen erhielt! Und diesem Bilde bedeutungsvoll analog – sehen wir zehn Jahre später in engster Verknüpfung mit Schiller den aus Italien heimkehrenden Goethe, von dessen wiedergewonnener Kraft und Sammlung man Großes erwartet hatte, der unter den Anschauungen der alten klassischen Trümmerwelt nach aller Hoffnung die erhabensten Befruchtungen der Phantasie mitbringen sollte und von alledem nichts wahr machte; selbst ›Iphigenie‹ und ›Tasso‹ hatte er aus Deutschland bereits mitgenommen und brachte sie nur umgeschmolzen in Verse zurück, ebenso wie die Überarbeitung von ›Egmont‹. Ein tiefer Verdruß nagte an Goethes Leben; die lange Einsamkeit der Reise hatte ihn auch für Weimar zum Einsiedler gemacht; neues Leben, neue Bewegung rauschte um ihn her; er begann eins und das andere und ließ es liegen, nahe daran, seine dichterischen Stimmungen bereits für abgeschlossen zu erklären. Eingebungen einer ihn immer mehr beschleichenden Philosophie der Abstreifung aller Blütenhoffnungen vom Leben, eines fast gewaltsamen Verharrenwollens im kleinen und unbedeutenden, im kleinsten Teile, der jedem das Ganze erscheinen dürfe, griffen immer mehr in ihm Platz. Wohl mag die immer ernster werdende Zeit diesen Druck auf Goethes Innere unterstützt haben. Seine Natur wurde die, sich in dem Maße, als der Mensch in das Allgemeine herausgefordert wird, in das Allerbesonderste zurückzuziehen. Gegen die Zumutungen des immer lebendiger, in Deutschland namentlich von der Philosophie mächtig bewegten Jahrhunderts war Goethe imstande, sich mit mathematischem Planzeichnen und Anlegung von Herbarien zu verwahren. In diesen Stimmungen näherte sich ihm Schiller. Schiller war inzwischen durch die ›Räuber‹, ›Fiesco‹, ›Kabale und Liebe‹, ›Don Carlos‹, seinen ›Abfall der Niederlande‹, seine schwungvollen philosophischen größern Gedichte ein Liebling des Tags geworden, ein schon gefeierter Schriftsteller, ein Mittelpunkt, um den sich begeisterte Freunde scharten, ein Mittelpunkt der tonangebenden Produktion, der er in einem neu von ihm begründeten Journal einen Sammelplatz eröffnete.[4] Goethes Lesen dieser Aufforderung zur Mitarbeiterschaft an einer Zeitschrift, die der emporgekommene Karlsschüler herausgab, ist der Anfang der Vereinigung. Goethe antwortet, sagt zu, erbietet sich zu jeder Beihilfe, selbst zu Lückenbüßern, selbst zur Füllung leeren Raums. Wie ein Neuling, wie ein Anfänger feiert der in Mißmut und Vertrocknung Geratene eine Wiedergeburt und einen neuen Ansatz zum Leben *durch* Schiller.

Alles das ist unleugbar. Und doch sind Goethe und Schiller zu sehr zwei Begriffe geworden, die sich gegenseitig ergänzen und die volle, von allen Seiten mögliche Betrachtung der Literatur ausdrücken sollen. Diese Allheit bestreiten wir. »Schiller und Goethe« drücken nicht das ganze Gebiet des dichterischen Schaffens aus, bezeichnen nicht die Bahnen, in denen allein die deutsche Literatur zu wandeln hat. Es gibt Notwendigkeiten im geschichtlichen Gang unserer Literatur, für welche sich *weder* bei Schiller *noch* bei Goethe der entsprechende Ausdruck findet.

Zwei Richtungen werden in der deutschen Literatur immer gleichzeitig nebeneinander gehen: die ideale und die reale.

Bei andern Nationen ist dies nicht der Fall.

Bei uns bekämpfen sie sich – oft mit dem bittersten Haß. Man kann nicht liebloser urteilen, als die Romantiker über Schiller urteilten. Ebenso ist von der in Schiller lebenden Kritik Goethe verketzert worden. Der Gegensatz dauert bis auf den heutigen Tag und richtet Verwirrung und Entmutigung genug an.

Andere Literaturen sind zur Vermeidung solchen Streites besser dran. Ihre Sprache hat größere Armut, aber festere Grundsätze. Gerade der Reichtum der deutschen Sprache läßt bei uns so vieles zu, was der Franzose sogleich ausschließt. Der Franzose hat eine einzige bestimmte poetische Sprechweise, die auf jedem Gebiet der Poesie gleich ist, während sogar der Deutsche nicht einmal die Sprache der Bilder und des pathetischen Glanzes vorzugsweise für alle Gebiete der Poesie fordert und in der Tat im Erhabenen noch naiv sein kann. Die Franzosen haben bis zur Stunde nicht gewagt, die Tragödien Shakespeares auf ihre Bühne zu verpflanzen. Das schallende Gelächter, das sich erhob, als man ›Othello‹ in Ducis' Übersetzung gab [5] und der Mohr seine auf den höchsten Ernst berechnete Leidenschaft an ein Schnupftuch anknüpfte, hat jeden Versuch, es in Paris mit Macbeths, Lears, Richards III. Natürlichkeiten zu wagen, abgeschreckt. Der Franzose steht ganz auf dem Standpunkte Schillers und kann von Goethes Art nur die eine Hälfte begreifen.

Schiller und Goethe passen allerdings im wesentlichen für ein vollständiges Decken der Begriffe Ideal und Real, aber dennoch muß man das Zuspitzen und Aufgipfeln unserer ganzen Literatur in die Pyramide »Schiller und Goethe« nicht nur eine Ungerechtigkeit gegen so viel anderweitig Würdiges und Bedeutendes, sondern auch ein gefahrvolles Prinzip für die Beurteilung der Gegenwart nennen.

Man hat in diesen beiden Heroen alles finden wollen; man hat schon angefangen, Lessing, Herder, Wieland ihnen nur in der Art beizuordnen, daß sie allenfalls in ihrem Schatten Platz haben. Die Erläuterungen über Schiller und Goethe nehmen kein Ende. Vom Standpunkt des wirklich Geleisteten mag diese Huldigung begründet sein; bedenklich wird sie für das lebenschaffende, befruchtende, fortzeugende Prinzip der Literatur.

Um aus dem Bann des Begriffs »Schiller und Goethe« herauszukommen, hat man angefangen, andere Namen höher zu heben, als sie bisher standen, z. B. Heinrich von Kleist; eine Neuerung jedoch, die wir bei aller Achtung vor diesem Dichter nicht unterschreiben können.

Glücklicher war es, als man (vorzugsweise nach Gottschalls Literaturgeschichte) mit gleicher Berechtigung des tonangebenden Wertes neben Schiller und Goethe Jean Paul stellte.[6]

Dieser Ausweg läßt sich nicht rechtfertigen durch die Leistungen Jean Pauls, denn sie sind vergessen bis auf einige Bruchstücke, die in den »Mustersammlungen«[7] mitgeteilt werden; aber in Jean Pauls dichterischem Wesen liegt etwas, das sich als vollkommen gleichberechtigt neben Goethe und Schiller stellen darf. Es ist dies eine Eigentümlichkeit, die sogar nachhaltiger und bedeutsamer wirkend geworden ist als die Nachzeugung des Goethe-Schillerschen Geistes. Wir meinen damit nicht allein den Humor an sich, sondern die ganze freie Subjektivität, das *dichterische Ich*, im Gegensatz zur Gebundenheit dieses Ichs durch die Dichtgattungen. [...]

Jean Paul ist nun aber in der Tat in gewissem Sinne mehr als Schiller und Goethe der Vater der ganzen neuern Literatur von Bedeutung geworden. Er ist es nicht deshalb, weil sein Humor sofort ansteckte und eine neue Form der Dichtweise aufbrachte, die im wesentlichen die Romantiker angenommen haben, sie nur von ihrer Überladung befreiend, sie sozusagen goethisierend; noch weniger durch seine gestaltungslosen Romane – er ist es geworden z. B. durch seinen durchgängigen Gebrauch der Prosa, einer Dichtform, deren unwiderleglich *dennoch* poetische Wirkung die Notwendigkeit des Verses für den Begriff des Dichters bei uns ein für allemal ausgeschlossen hat; er ist es geworden durch das in seinem Dichten und Schaffen festgehaltene, nicht in die überlieferten Dichtungsformen untergetauchte, nicht von ihnen absolut verbrauchte Ich. Nenne man dies Jean Paul'sche Prinzip Humor oder Ironie, nenne man es Geist oder Esprit, nenne man es Witz oder Phantasie – Goethe und Schiller stehen vereinsamt, wenn man sich vergegenwärtigt, was um sie her sich seit ihrer Blütezeit in Deutschland an Schönheit und Eigentümlichkeit entwickelte. Tieck ist z. B. der geläuterte und geschmackvoller wiedergegebene Jean Paul, sowohl der Jean Paul der Erfindung wie der Jean Paul der Selbstironie und der Ansicht des bürgerlichen Lebens. Bei E. T. A. Hoffmann kann man sich nicht lange aufhalten wollen; aber die ganze Periode unserer spätern *Lyrik,* von Platen an bis Lenau, ist das subjektive, träumerische, gestaltungslose *Ich* und mit Schiller gar nicht, mit Goethe *nur* im ›Faust‹ und im Liede verwandt. Immermann ist der potenzierte und kräftigere Tieck. Heine und Börne bekennen sich ausdrücklich zu Jean Paul. Und der Reiz dieser Individualitätspoesie entfaltete sich immer mehr; er wurde zur Poesie der Arabeske, des Beiwerks, jener sinnigen Beobachtung, die dem träumerischen, die Dinge am Sonnenstrahl widerglänzenlassenden Ich entspricht; er wurde so zur Poesie des *Details,* des *notwendigen* Details, und führte zum Idyll. Unsere Dorfgeschichten, einige unserer neuern Theaterstücke sind Eingebungen jenes sich im Detail vertiefenden All-Blicks, der am einzelnen verweilt und im subjektiven Behagen die schöpferische Kraft mit ihrem Stoffe heiter und frei spielen läßt. Diese Macht des Ich kann sich in der Behandlung ihrer Stoffe zum abgeschlossenen Kunstwerk erheben. Der richtige Weg, die Literatur der Deutschen fortzuführen, bleibt es gewiß. Alle unsere neuern Arbeiten von Bedeutung auf dem Gebiet der Novelle und des Dramas haben mit »Schiller und Goethe« wenig gemein.

Als Goethe und Schiller zu schaffen anfingen, gab es einen Begriff, den man wohl hier und da als das Kennzeichen des Nichtpoeten hinstellt und der doch damals, als ›Fiesco‹ und ›Clavigo‹ geschaffen wurden, mit dem dichterischen Genie völlig gleichbedeutend war, den »witzigen Kopf«. Das sind die Dichter noch bei Gottsched, Gellert, Bodmer, Haller, Lessing. »Originalgenies«, »ingeniöse Köpfe« kamen nach ihnen auf und erst später kamen mit den Romantikern die »Titanen«, die »Propheten«, die »träumerischen Menschenkinder«, die »Offenbarungen Gottes« usw. Wir möchten wohl, daß die Dichter wieder »witzige Köpfe«, »ingeniöse Köpfe« und »Originalgenies« würden. Diese Bezeichnung schließt die Möglichkeit, ein Dichterleben später im großen und ganzen wieder einen »Tempel« und dergl. zu nennen, wie bei den rhetorischen Dekorationen des Schillerfestes geschehen, gar nicht aus – Schillers ›Geisterseher‹ könnte sich mit seinem vexierend spielenden Inhalt aus Voltaires und Diderots Schule alle Tage in einem französischen Feuilleton sehen lassen.

Doch nicht bloß das freie Ich und der »ingeniöse«, »witzige Kopf« möge der

Literaturgeschichte erhalten bleiben als Drittes neben der »klassischen Harmonie« Schillers und Goethes, sondern die resolute Freiheit des Dichtens, Denkens und Empfindens überhaupt in ihrem ganzen Umfange. Es hat gewiß sein Herrliches, wenn man das Doppelstandbild in Weimar von allen Seiten betrachtet und andachtsvoll von diesen beiden großen Genien, von ihren Wirkungen und von der Welt spricht, die sie in sich bargen, und von ihrer weihevollen Weise, diese Welt zu beherrschen und zu verkündigen; heilige Worte sind: Adel der Anschauungen, sittliche Vertiefung, Kultus des Schönen, klassische Vollendung. Wollte man aber sofort jeden jetzt noch Schaffenden nach diesen Maßstäben beurteilen, wollten wir seinem ersten Worte, das uns von der Leier entgegenrauscht, gleich aufhorchen und dann erwarten, daß sofort auch bei ihm und über ihn diese majestätischen Tubaklänge ertönen, so würde sich die Literatur bald in Sonntagsnachmittagsgottesdienst verwandeln; selbst die stolzeste, auf den Schiller- und Goethe-Kultus gegründete *Akademie* mit dem glänzendsten Marmorgetäfel der »Formen« würde etwas Ödes, Kaltes und Langweiliges haben.

Eine kritisch-pragmatische deutsche Literaturgeschichte mit scharfer Hervorhebung Leipzigs, Berlins, Hamburgs, Braunschweigs, Frankfurts am Main, Straßburgs, Zürichs, Pempelforts, Münchens, Jenas und – mit bedeutender Einschränkung – Weimars wäre eine Arbeit von großem Verdienst.

50 *Karl Köstlin*

Aus: Göthe's Faust, seine Kritiker und Ausleger — 1860

Die goldene Ära der Fausterklärungen und Faustkritiken liegt weit hinter der Gegenwart zurück. Sie stand in voller Blüte, solange das Gedicht noch Bruchstück war und durch diese seine Unabgeschlossenheit der Freiheit des Ein- und Auslegens unbeschränkten Spielraum gewährte; sie begann bereits zu erbleichen, als das Werk endlich vollständig vorlag und hiemit eine Masse von Fragen und Vermutungen über Fortsetzung und Schluß, über Sinn und Absicht des Ganzen erledigt war; sie ging ihrem Ende entgegen, seit das einseitige literarische Interesse der zwanziger und dreißiger Jahre hinter andern großen Zeitbewegungen zurücktrat und damit auch für die Untersuchungen über Goethes ›Faust‹ ein gutes Teil derjenigen Wichtigkeit wegfiel, welche sie in jener philosophischästhetischen Epoche des deutschen Geisteslebens behauptet hatten. Das strenge Gericht, welches damals der erste Ästhetiker der Jetztzeit über die bisherigen Bearbeitungen und Erklärungen ergehen ließ [1], kam eben recht, um auch auf dem Boden der Wissenschaft jener ersten Periode der Faustliteratur ihren Ausgang anzukündigen; es setzte der begeisterten Überschwenglichkeit, der gemütlichen Redseligkeit, der gedankeneifrigen spekulativen Deutungslust, welche bis dahin in unschuldigem Behagen ungestört sich breit gemacht, ein unwiderrufliches Ziel; es reinigte die schwül und dunstig gewordene Luft, es wies hin auf die einzig richtige und gesunde Bahn philosophischer Auffassung ohne falsche Mystik, dialektischer Durchdringung ohne leere Grübelei, scharfer Kritik ohne Voreingenommenheit und abgöttische Bewunderung. Seitdem ist daher denn auch der Charakter der Behandlung ein ganz anderer geworden. Man bestrebt sich das Gedicht zu verstehen, statt es spekulativ zu begreifen; man bemüht sich es zu erklären, statt es »aus der Idee« zu konstruieren; man geht namentlich dem Prozeß seiner Entstehung bestimmter nach, man sondert schärfer als früher die ältern Stücke von den jüngern und sucht über das Verhältnis beider ins klare zu kommen, man nimmt das tatsächlich nur langsam und allmählich ausgereifte Gedicht nicht mehr in Bausch und Bogen hin als ein Werk aus einem Guß, sondern zerlegt es in seine Teile, selbst auf die Gefahr, daß dabei vielfach Risse und Brüche zutage kommen, die mit der Forderung strenger poetischer Einheit in keiner Weise verträglich sind. Auch dieses Werk der kritischen Zergliederung hat nach teilweisem Vorgang Weißes[2] Vischer[3] entschieden durchgeführt; er wendet sich mit kaum geringerer Schärfe, wie früher gegen die Kommentatoren des Dichters, so nun gegen diesen selbst, er deckt klaffende Widersprüche zwischen ältern und spätern Bestandteilen auf, und erhebt eine Reihe stark motivierter philosophischer und ästhetischer Bedenken gegen die letztern, welche dem Umfange nach weit die Hauptmasse des großen Ganzen bilden. Von andrer freilich sehr verschiedener Seite her hat sodann in den letzten Jahren auch die Erklärung des einzelnen eine fruchtbarere Behandlung erhalten vor allem durch den *Düntzer*schen Kommentar[4], welcher endlich den für die Auslegung notwendigen gelehrten Stoff vollständig beischafft und hiedurch auch die schwerer verständlichen Abschnitte namentlich des zweiten Teils zugänglich macht. Auch hier ist auf dem allerdings trockenen und nüchternen Weg eingehender Erörterung des Besondern weit mehr für das Verständnis des Ganzen erzielt, als es dereinst bei aller scheinbar geistreichen, aber im Grunde doch nur oberflächlich spielenden Art der Betrachtung möglich war. Kurz eine hinter der jetzigen Stufe deutscher Wissenschaft und Gelehrsamkeit nicht zurückstehende Kritik und Erklärung des Faustgedichts ist erreicht, und zwar dadurch erreicht, daß eben jene verfehlte spekulative Manier durch ihre innere Hohlheit zu einer ernstern schärfern verständigern positivern Behandlung mit Notwendigkeit hindrängen mußte.

Eine ganz andere Frage ist jedoch die, ob dieser unleugbare Fortschritt, welchen die Kritik und die Erklärung errungen haben, auch einem Dritten, dem gewiß vor allem ein vollberechtigter gleicher Anteil an diesem Gewinne zusteht, nämlich dem Dichterwerk selbst, genügend zugute gekommen sei. Diese Frage nun muß ich verneinen; ich muß sie verneinen sowohl den Kritikern als den Kommentatoren gegenüber, ich muß gegen beide im Interesse des Dichters eine Reihe von Einwendungen erheben, die ich um meinen Standpunkt gleich von vornherein klar zu bezeichnen hier zunächst noch ohne nähere Beweise im allgemeinen und wesentlichen zusammenstelle. Die *Faustkritik* in ihrer jetzigen Entwicklung hat zwar ganz gewiß die Schwächen des Kindesalters entschlossen abgestreift, aber sie hat zugleich, wie ich glaube, mit zu scharfem Mut ihre Waffen gegen schwächere nicht nur, sondern auch gegen bloß schwachscheinende Seiten des Gedichtes eingelegt; sie hat die Nebel, in die sie einst selbst Sinn und Plan des Ganzen hüllte, wieder zu verjagen angefangen, aber sie hat dies teils nicht ganz und überall, teils nicht ohne zu weit treffende Schläge gegen den ureignen Glanz des Werkes selbst getan; sie hat längst aufgehört, rat- und hülflos in den labyrinthischen Gängen des weiten Baus herumzuirren, sie hat sich zur klaren Übersicht über seine stückweise Entstehung und Zusammensetzung, über Alter und Stil seiner verschiedenen Teile erhoben, aber sie ist stehengeblieben bei diesem Geschäfte des Scheidens, Trennens, Breschelegens; sie sieht in den spätern Umgestaltungen und Erweiterungen des Dichters fast nur Rückschritte und Verschlimmerungen; und sie tut auch dem Gesamtwerk immer noch philosophisches Unrecht damit an, daß sie die Lösung allgemeiner metaphysischer Probleme von ihm fordert, welche wohl als poetisches Material zu gebrauchen, nicht aber selbstständig und erschöpfend zu behandeln des Dichters Pflicht und Absicht sein konnte. Die *Fausterklärung* andrerseits kümmert sich in ihrem neusten Stadium, wie es besonders von *Düntzer* vertreten ist, um das Allgemeine doch gar zu wenig, und verhält sich in kritischer Beziehung übermäßig unparteiisch; sie klebt am einzelnen, gibt keine großartigern An- und Übersichten, sie sucht offenbare Mängel zu entschuldigen, bewundert viel zu viel, und geht dann in Folge dieser geistigen Unfreiheit, zu der sie sich selbst verurteilt, da und dort auch mit dem Erklären selbst im Finstern und Ungewissen; auch sie kommt an das Werk selber nicht recht heran aus übergroßem Respekt, wie die Kritik wegen übergroßer philosophischer Ansprüche und Zumutungen. Beide gehen noch immer nicht unbefangen genug ihren Weg, geben sich immer noch nicht eine einfache natürliche Stellung zum Gegenstande; die Kritik fordert vom Dichter zu viel, die Erklärung läßt sich zu viel von ihm gefallen; jene bringt zu viel Gedanken mit, diese zu wenig; jene urteilt zu früh und zu schnell ab von dem Standpunkt aus, den sie dem Dichter gegenüber einmal eingenommen, diese geht des Rechts eigener Bewegung sich begebend mit ihm fort durch Dick und Dünn, auch wo er irrt und strauchelt, und tut bei allem Fleiße doch nicht, was sie bei freierer Auffassung für die Aufhellung des Werks im ganzen und großen leisten könnte.

Die Akten über ›Faust‹ sind somit immer noch nicht geschlossen, dem Dichter sein Recht immer noch nicht geschehen; dieses letzte mit aller Anerkennung des bisher Erreichten zu tun scheint mir jetzt die Aufgabe. Stellen wir uns daher auf einen einfachern, unbefangenern Standpunkt der Betrachtung; vielleicht daß es gelingt, von da aus auch das Dichterwerk in einem einfachern und ungetrübtern Licht zu sehen, und eine Ansicht von ihm zu gewinnen, welche, ohne blind zu sein für seine Mängel, ihm das Recht angedeihen läßt, nur mit eigenem Maß gemessen, nur nach dem was es selbst sein will und soll geprüft, nur nach poetischem, nicht nach philosophischem Gesetz gerichtet zu werden.

51 *Adolf Schöll*

Aus: Goethe als Staats- und Geschäftsmann 1862/63

[...]
Wenn es nun dem Einsichtigen nicht mehr erlaubt ist, die pflichtliche und sachliche Tüchtigkeit herabzusetzen, die der Dichter in jener administrativen Laufbahn bewiesen, so wird sich das alte Mißurteil sofort wieder auf die andere Seite mit der Folgerung werfen: um so gewisser habe er die dahin gewendete Kraft seinem Hauptberufe zur Dichtung abgebrochen. Habe diesen schon seine begabte Natur nicht verscherzen können, so würden doch ohne diesen Abweg seine Fortschritte größer, seine Früchte reicher gewesen sein. Wieder werden zum Beweise die lebhaften Ausdrücke seines tiefen Aufatmens im Äther des klassischen Bodens herangezogen werden, diese Worte des Entzückens in den italienischen Briefen, daß er »einen zweiten Geburtstag zähle, eine wahre Wiedergeburt von dem Tage da er Rom betrat – wie er hier umlernen, weiter wieder zurücklernen müsse als er gedacht – wie mit dem Kunstsinn der sittliche eine große Erneuung leide – wie er sich hier wiedergefunden als Dichter.«[1]

Hieraus folgt schlechterdings nichts anderes, als daß Goethe in hohem Grade dem *entgegengebildet* war, was so lebensvoll zu seiner eigenen Überraschung aus ihm hervortreten konnte.

Es ist nur die einstimmige Gegenseite von diesem Bekenntnis der Wiedergeburt, wenn er ebendort sagt: »Ob ich gleich noch immer derselbe bin, so mein' ich bis ins innerste Knochenmark verändert zu sein. Ich habe keinen ganz neuen Gedanken gehabt, nichts ganz fremd gefunden, aber die alten sind so bestimmt, so lebendig, so zusammenhangend geworden, daß sie für neue gelten können« – dann wieder: »Ich fühle, daß sich die Summe meiner Kräfte zusammenschließt, und hoffe, noch etwas zu tun.«[2] Weil er sich die Jahre her so gründlich und standhaft geübt hatte, in Natur und Wirklichkeit Seele zu schauen, seine Seele ganz in wirkliche Anschauung zu entfalten, darum stand er zu Rom in dieser prächtigen Landschaft voll naturgewordener Kultur, voll Sittengeist in Kunstgestalten erst recht in seiner Heimat, und konnte sein großes Auge mit den stummberedten Großen verlebter Jahrhunderte lebendige Gespräche führen. Was fremd, was neu, was hinnehmend und überwältigend schien, war doch für ihn in dieser Offenheit des Tages nur ein größerer und ungemeiner Maßstab der Einheit und Freiheit seiner eigenen Vorstellungskraft.

Es ist hier nicht meine Aufgabe, an das Unterscheidende der Poesie Goethes von Grund aus zu erinnern. Es liegt mir aber ob, den ganzen Wert seiner Geschäftstätigkeit, zumal jener, die am entferntesten von Poesie scheint, auszusprechen, und weil diese Poesie ein so unschätzbares Geschenk für uns alle ist, auch in Rücksicht ihres Hervorgangs aus diesem Geschäftsleben die Schuld unserer Dankbarkeit für des Dichters Berufstreue in seiner Weltrolle, die Schuld unserer Dankbarkeit für den Edelsinn des Herzogs nicht verkümmern zu lassen, der den Dichter in diese ihm fruchtbare Weltrolle gezogen hat.

Wir haben gefunden, daß die zwei Hauptpläne, in welchen Karl Augusts Jünglingsfreundschaft mit Goethe sich zusammenschlang, während dieser Lehrperiode bis ins achtundzwanzigste Lebensjahr des Herzogs nicht zur Hinausführung kamen. Der eine dahin gehende ein Konzert von mannigfaltigen Talenten zusammenzuwerben, schritt nicht vor, weil ein solches weit mehr auf die Gunst der Vorsehung als auf bereitwillige Einladung ausgesetzt bleibt. Der andere, einer gründlichen Hebung der Landeskultur, trat zurück, weil der ritterliche Herzog dem Zuge zu weitergespannter Bewegung nicht gegen die patriarchalische Eingezogenheit, wie Goethe sie anriet, entsagen mochte. Unerachtet dieses Zwiespalts war die Kongenialität der beiden seltenen Charaktere schicksalsicher, die Neigung echt, die dem Prinzen in dem Dichter *den* Genossen zeigte, dem *er* sich, der *ihm* sich anvertrauen müsse, und das Vorgefühl, das jenen Plänen zugrunde lag, war kein Wahn, daß ihrem Bunde ein schöner Tag, eine genußreiche Tätigkeit von dauerndem Wert, ein veredeltes Leben ins Allgemeine entsteigen müsse. Die gemeinsam angegriffene rationelle Ökonomie, wenn sie noch nicht zum Ausbau gelangte, so gewann doch der Herzog die reelle Kenntnis von den Zuständen und Kräften seines Landes, gewann dieses in selbsttätiger Anschauung ihm anwachsende Verständnis der Naturgrundlagen des Menschenvermögens und seiner Verwertung in der Gemeinschaft, wie er diese Einsichten wissenschaftlich gehoben, nach der Zwischenperiode seiner auswärts bewegten Tatkraft in patriarchalischer Kulturförderung auf seinem Boden entwickelt hat, mit einer Unermüdlichkeit und einem gemütlichen Großsinn, die sich außerdem in liberaler Teilnahme an Bildungsansaaten jeder Art und geistigen Fortschritten nah und fern so vielseitig anregend bewährten. So war es auch mit dem anderen Hauptplan. Die in Aussicht genommene Akademie von Genialitäten in Weimar erhielt allerdings, seitdem zu dem länger heimischen, immer noch erheblich tätigen Wieland die bedeutende Gestalt Herders hinzugewonnen war[3], für jetzt keinen Zuwachs, keine Rundung: aber Goethes Poesie nährte, bildete, weitete sich hier; und ich bin wohl sehr entfernt hyperbolisch zu sprechen, wenn ich sage: noch ist keine Akademie-Generation bekannt, die einen so tiefen Tag neuer Bildung so weit in die Nation gebreitet hätte, wie der Aufgang dieser Poesie. Und hier ist es nun eben zur Steuer der Wahrheit von Bedeutung, einzusehen, wie mit dem gerade, wodurch Goethes Dichtung eine Lebenserhöhung und Beseligung uns gegeben hat, wie sie vor ihm nicht da war, wie sie nach ihm unübertrefflich bleibt, die Nahrung, Übung, Prüfung unzertrennlich zusammenhängt, welche sein einziges weimarisches Freundschafts- und Dienstverhältnis, welche Karl Augusts Anforderungen und Begünstigungen ihm zugewendet haben.

Es bedarf hierzu nur der Erinnerung an die Gesamtwirkung jener *Sammlung von Goethes Werken,* die schon gleichzeitig mit seinem Eintritt in Italien erschien, – während seines Dortseins die ersten fünf Bände, die anderen drei in den nächstfolgenden Jahren.[4] Was zumeist nach Gehalt und Form sie auszeichnet, davon sind entweder Entstehung oder Ausführung, vor allem aber die umfassenden Sinnbewegungen nach ihrer entscheidenden Bildung in den Arbeiten und sittlichen Prozessen seines weimarischen Lebens im Hof- und Amtsverhältnis deutlich zu finden. Und was die fünf Bände ›Neuer Schriften‹ betrifft, die, nur durch *ein* Zwischenjahr von der ersten Sammlung getrennt, in den weiteren drei Jahren herauskamen [5], so ist auch in diesen der sie vollendende ›Wilhelm Meister‹ nicht allein, aber dieser vornehmlich hierherzuziehen, weil der größere Teil nicht bloß der Arbeit daran, sondern des Urteilsgehaltes und Stils, der dem Buche die unverwüstliche Klarheit und unmerklich unwiderstehliche Wirkung gibt, in der Schule derselben praktischen Verhältnisse gediehen ist.

Über die Bedeutung dieser gesammelten Poesie-Erscheinung verfahren wir nur historisch und erheben die Tatsache, daß fortschreitend seit ihrem Herauftritt bei weitem das meiste, was bis dahin, und was zunächst andauernd noch daneben für völlige Poesie galt, unaufhaltsam veraltete; was aber von nun an von poetischen Leistungen anderer aufkam, unter dem Einflusse dieses neuen Weltmorgens der Schönheit so unleugbar stand, daß selbst der mächtigste und originellste der nächsthervortretenden deutschen Dichter, selbst Schiller nicht eher in seiner ganzen Größe und Eigenheit sich ausprägen konnte, als nachdem er aus Goethes Dichtung und Genius sich ein liebevolles Studium gemacht und an diesem sich in seinem Unterschied von Goethe und in seinem tiefen Einverstand mit Goethe erkannt hatte. Noch viel sichtbarer war bei den gleichzeitig um sich greifenden Anstrebungen einer überschwenglichen Poesie-Erhebung aus den Blüten aller Zeiten, Nationen, Ideen, bei diesen theoretischen und praktischen Versuchen der Romantiker die Abhängigkeit ihres Schwunges von den übermächtigen Eindrücken der Goetheschen Poesie. Sie huben offenermaßen mit der begeisterten Verkündigung an, daß erst durch Goethe die Autonomie des Schönen, erst mit seinen Schöpfungen der absolute Begriff der Dichtkunst ins Leben getreten sei; und wie es in der Blüte ihrer Wirksamkeit war, daß sie von Goethes Entfaltung lehrten, sie sei die Poesie der Poesie, so vollendeten sie dies Zeugnis darin, daß ihre nachmaligen Exzeptionen gegen Goethe mit der Zersplitterung ihrer Sonderleistungen und Verdampfung ihrer Ansprüche in eins zusammenfielen. Und so ist es geblieben. Neuere und noch neuere Reizungen, Richtungen der Einbildung und Kontroversen der Sittlichkeit haben die Bühne des Lebens eingenommen und geräumt: und indem sie wechselten, stand der Berg der Dichtung Goethes immergleich über ihnen, unverrückbar, unveräußerlich, immer derselbe in Himmelsklarheit und quellendem Reichtum des Lebens. *Wir* sind hier zum Zeugnis der beglückenden Macht dieses Dichters, heute, ein Menschenalter nach dem Hingang des Langlebenden, und wenn wir lange vergessen sind, werden die Deutschen sich immer noch fragen, ob sie unter ihren Dichtungsheroen zwei oder einen neben *seiner* Größe noch nennen können. Diese Stärke und Dauer der *Wirkung* weist von selbst auf die *Genesis*.

Was so allseitig in die Lebenskreise, und fortgiltig durch die Zeiten, die Seelen hinnehmen und ausfüllen kann, muß notwendig einen Gehalt haben, der mitten in der Verschiedenheit menschlicher Interessen ursprünglich und gleichsehr bedeutend bleibt, muß eine Form haben, deren Sicherheit und Reiz in dem beruht, was im Empfinden und Verstehen der Menschen bei allem Wechsel der Meinungen und Sitten unveränderlich ist. An der außerordentlichen Leichtigkeit, mit welcher Goethes Vorstellungen in die Einbildung treten, und dem Nachdruck, womit sie die Gefühle bestimmen, hat man von Anfang über den hohen Grad sich nicht täuschen können, in welchem seiner Dichtung das *Natürliche*, das *Wahre*, das *Individuelle* eigen ist. Und je mehr in der Nation mit der Liebe zu dieser Dichtung ihr Verständnis gewachsen ist, um so reicher ist empfunden, um so einsichtiger ausgelegt worden, wie diese Poesie die *konkreteste* sei.

Ein Reich konkreter Poesie kann nur der erschaffen, der lebendig eingegangen ist in die Höhen und Tiefen der Wirklichkeit und doch mit der offensten Hingebung die reine Selbsttätigkeit so zu vereinen vermochte, daß das natürlich Bestimmteste nur als Bewegung seiner eigenen Seele, aus ihr mit dem Stempel ihrer Totalität und dem Atem ihrer Freiheit ins Licht vollkommener Vorstellung tritt. Ohne vielseitige Erfahrung und starke sittliche Selbsterhaltung kann kein Dichter groß werden. Wie es Goethes auszeichnende Genialität war, daß er bei der feurigsten Reizbarkeit und zartesten Sympathie eine standhafte Selbstbestimmung bewahrte, so war es das Auszeichnende seines Loses, daß ihn die Liebe eines Fürsten von Natursinn und Freimut zu einem Kreise von umfassenden Erfahrungen in ein praktisches und doch nach keinem Bezug ihn erschöpfendes Verhältnis setzte.

Aufgenommen bei dem jungen Regenten als der Liebling, dem alles gezeigt wurde: Hof und Gesellschaft, Wälder und Burgen, teilgegeben ward an allem: Festen und Jagden, Rat und Regiment, und dessen Anteil allem die Weihe geben sollte, wurde der Frankfurter Doktor sofort in einen Spielkreis mannigfaltiger Bewegung gezogen, der ebenso fortwährend die sympathetische Fähigkeit des Dichters als seine achtsame Besinnung beschäftigte. Als Freund des Fürsten wurde er mit den benachbarten Herrschaften und Fürsten in freundlichen Verkehr gesetzt, als des Herzogs Gefährte besuchte er Friedrichs des Großen Hof und Residenzen, den Hof von Braunschweig und eine Reihe süddeutscher. Er kam Generalen, Staatsmännern, Personen von viel Welt, kam der höheren Gesellschaft ganz nahe, ohne daß er darin etwas anderes zu suchen hatte als die unbefangene Empfindung, welches in den Gruppen und Einzelfiguren dieser Schichte die Phase des Menschlichen sei. Nicht minder erhielten ihn die Besuche mit dem Herzog und Aufträge von ihm in Berührungen mit Gelehrten und Künstlern fern und nah, mit den Wegen solcher, die einen Bezirk der Wirkung sich bereits erobert, und wieder mit den Anfechtungen Ringender, mit Bildnern, Malern, die er zu bemerken, mit Musikern, Schauspielern, Sängerinnen, Tänzern, für die er zum Teil den Direktor zu machen hatte. Dazwischen fielen Kurierritte mit dem Herzog jetzt zur Leipziger Messe, jetzt ins preußische Heerlager; dann wieder Landfahrten zu bürgerlichen und bäuerlichen Festen, zur herben Lust der Winterjagd oder tätigen Nothilfe in Feuersbrünsten, zur Wirtschafts-Inspektion oder fröhlichem Waldleben unter Hirten, Gärtnern, Jägern zwischen Schützenlauben und Köhlerhütten. – Kein anderer Dichter hat das Glück gehabt, von den Schichten der Gesellschaft, von dem Leben aller Stände eine so völlige, von so freiem Mitmachen und Mitempfinden ihrer Zustände und Gebarungen belebte Anschauung zu erhalten. Keiner hat aber auch bei seiner nur teilweisen Anschauung gegen die Reize und Andränge des beschränkteren Mitlebens *die* dehnbare Offenheit und unüberwindliche Simplizität wie Goethe mitten in einem so viel reicheren behauptet. Nicht eher hatte er zur Einflechtung in diese Umschwünge geselliger Bildung und Welterfahrung sich entschlossen, als bis eine Bauernhütte mit Baumflur vor der Stadt ihm den einfachsten Herd zur Wohnung und zur Sammlung im dauernd schlichten Umgang mit Erde und Jahreszeit gewährte, und bestimmte Dienstgeschäfte im Lande in seine Bewegung nach außen beschränkende Ziele und feste Standpunkte legten. So war durch bescheidenes Eigentum und durch gemessene Pflicht der wirkliche Boden und das sittliche Dasein seinem Leben und seiner Tätigkeit angeeignet, und die Amtserfahrung, in der die treue Erkenntnis des Wirklichen zugleich als Erprobung der eigenen Natur und Spannkraft ebenso völlig entwickelte Selbstempfindung war, erwarb der Dichtweise Goethes jene Aufrichtung in Wahrheit und seinen Vorstellungen jenen objektiven Charakter, worin die damaligen Dichter so sehr zurückstanden.

Den Sturm- und Drang-Genossen, die auch nur Natur und vollkommene Wirklichkeit wollten, fehlte, um sie zu entwickeln, dieses zugleich festgestellte und tätigfreie Verhältnis zur wirklichen Welt. Der eine, heimatlos abenteuernd, hetzte seine leere Seele mit erträumter Natur in Wahnsinn; der andere, dem die erlangte Weltstelle nur Sinekure war, versank mit seiner üppigen Naturliebe in das unwahre Ideal absoluten Sinnengenusses; einem dritten, der männlich im Dienst der wirklichen Welt sich heraufarbeitete, ging in der Strenge die freie Stimmung, die Poesie verloren.[6] Ganz anders großziehend war Goethes Lage und Ausdauer.

Seine engeren Amtsaufgaben, mit ihren wesentlich wirtschaftlichen, auf Existenzleben und Wohlordnung gerichteten Zwecken, in der Ausübung nicht beschränkt auf den Formalismus der Aktenarbeit, führten immer wieder gerade hinaus auf die Leute und Bezirke selbst, die Gegenstände und reellen Arbeiten. Hier war es, wo Goethe sein Vertrauen in die Vollgültigkeit der Gegenwart, in die Vollkommenheit des Wirklichen, in die Güte der Natur in einer ganz anderen Ernstlichkeit zur Ausführung brachte als seine Jugendgenossen. Wenn die Natürlichkeit dieser begehrlichen Poeten, geteilt zwischen den Reizen und Erschütterungen des Gemeinmenschlichen und dem negativen Bezug auf die konventionell-sittliche Welt, die wahre Natur nur vermissen und in der Form der Unbefriedigung anerkennen konnte, so wollte *er* ungezwungen zu Haus sein in der ihm geschenkten Welt seines Gottes und richtete ohne Umstände sich ein, mit der Freude eines Gotteskindes sie in Besitz zu nehmen. Es war ihm Bedürfnis, immer in bewußtem Zusammenhang mit der Ökonomie der wirklichen Natur, mit Sonne und Luft, Flur und Wasser zu leben, den Witterungswechsel, den Schritt des Jahres, den Sternkreis der Nacht über sich stetig zu schauen und zu fühlen. Er wußte aber wohl, daß Auge und Sinnenempfindung und der Bezug der Begierde auf das Natürliche ihm noch nicht die Wahrheit der Natur aneignen könne, sondern nur ein reines und tätiges Verhältnis seines ganzen Wesens, des denkenden und gemütlichen, zur ganzen Schöpfung. Nicht nur, daß die wahlverwandte kühne Jagd- und Strapazenlust seines Herzogs ihn häufig in einen derartigen Umgang mit der Natur zog, wo die tüchtige Ausdauer im Unbehaglichen sich zum Behagen durchsetzt: seine Amtspflichten hatten zum Grundmaterial die natürliche Leistungsfähigkeit der Menschen, und die Bedingnisse des Urbaus der Natur in Gestein und Wasser, Boden und Gewächs für Wohnung und Verkehr, Nahrung und Bestand der Menschen. Zur richtigen Erkenntnis hiervon hatte der Dichter die Gründlichkeit, vom ABC anzufangen. Mit dem Bezug auf eigene Pflicht und allgemeinen Lebenszweck ging er für seine Weg- und Wasserbauten, für landwirtschaftliche Anlagen, Bergbau, die er leiten, wie für die Vorbildung zur Kunst, die er anknüpfen sollte, auf das Studium der elementaren und der organischen Naturgestaltung los. Bei dem Dauerhaftesten in beiden, den Felsen im Boden und den Knochen in den Lebendigen, fing er an, um diese einfachsten Systeme des ruhenden Bestandes und der bewegten Selbständigkeit zu begreifen, um bei Schwierigkeiten und Erfolgen seiner Verwaltungsaufgaben über das Fundamentale nicht dunkel zu sein, und um selber hinfort, wenn seine Sinne das Gefühl des Daseins an der Oberfläche der Natur schöpften, auch mit dem Verstande ihren Kern zu berühren. Sobald er aus Büchern für Mineralogie und Geologie das Nötigste genommen, trieb er diese Wissenschaft unmittelbar auf dem Boden seiner praktischen Zwecke, den Ilmgrund und Saalgrund auf und ab, auf dem Thüringerwald, in den Gebirgen und Gruben der Nachbarschaft, wo er praktische Kunde und Rat für die Ilmenauer Unternehmung zu holen hatte. Es war ihm ebenso sehr als um die Resultate um das Selbst-Suchen und Finden zu tun; damit er am Ton und Gestein entlang das Bett des Flusses, der unter seinem Schlafzimmer rauschte, Glieder seines Verstandes, an Stollen und Schachten das Dasein seiner Willenskraft, in seines Wohnens und Wirkens reeller Umgrenzung die Erweiterung seines Selbstbewußtseins habe. So bestand nun auch bei der vergleichenden Osteologie für ihn das tief Reizende seiner Entdeckung eines kleinen verkannten Knöchleins[7] darin, die Einigkeit der Natur im Typus tierischer Formen und, an der Menschengestalt, die Nicht-Ausnahme, sondern Übereinstimmung mit der Struktur der ganzen großen Familie bewährt zu sehen. Wie er seine Abhandlung[8] auf die Bestätigung dieses Grundgedankens stellte, ohne diesen selbst auszusprechen, so gewann er auch in der Betrachtung der Gebirgsbildung zu seinem geheimen Schatz gewisse Grundgesetze derselben, für deren Darstellung er nur eine Harmonie von Wirkungen gruppieren wollte, welche die *eine* gemeinsame Ursache *ahnen* lassen.

Indem Goethe am bar Wirklichen der größten Massen und am Körperlichen der zahllosen Lebendigen einfache Gesetzmäßigkeit, Folgerichtigkeit, Zusammenstimmung gewahrte, fand er den Verstand, der *sein* Wesen war, die Harmonie, die Einheit als Inneres der Natur, die Natur als Dasein *seiner* Seele. Und so ganz machte er ihr sich gleich, daß er das Gesetz, weil *sie* es nur als Zusammenhang entwickelt, unabgezogen, nur in der Sammlung der wirklichen Anschauung seelenvoll genoß. Es behauptet sich erweitert bei seiner Beobachtung von Gesäme und Pflanzen eben diese Stärke des Begriffs und der Gemütsbefriedigung in der wirklichen Anschauung. »Am meisten«, schreibt er, »freut mich jetzt das

Pflanzenwesen – es zwingt sich mir alles auf, ich sinne nicht mehr darüber, es kommt mir alles entgegen und das ungeheure Reich simplifiziert sich mir in der Seele. – Wenn ich nur jemanden den Blick und die Freude mitteilen könnte! es ist kein Traum, es ist ein Gewahrwerden der wesentlichen Form, mit der die Natur gleichsam nur immer spielt und spielend das mannigfaltige Leben hervorbringt.«[9]

Also auf dem Felde der ihm gegebenen Gegenwart, im Zusammenhang mit den Bewegungen und Zwecken seines Amtes und zur Veredlung seines Umgangs mit denen, die er zu beaufsichtigen und zu vertreten hatte, bildete sich bei Goethe zur habituellen Anschauung eben die Vergeistigung der Erscheinung, bewußtvolle Entfaltung der Seele in Wirklichkeit, reine Befriedigung in der Natur, die der Fundamentalakt der Kunst, die Weihe des Dichters, die Genesis der Schönheit ist.

Vergleichbar dem Charakter, mit dem die verschiedenen Gegenden, Gewächse, Individuen eines Landes den Himmelstrich an sich tragen, ist in Goethes Dichtungen an den besonderen Szenen und Gestalten eine klimatische Physiognomie der Wahrheit, ein Ton der Eigenberechtigung im mitgehenden Äther ihrer Mutterschönheit zu fühlen. Es rührt daher, daß sie in einer großen ganzen Poesie liegen, daß in dem Dichter selbst, der diese Vorstellungen hebt und führt, die Poesie ganz Natur, daß diesem Dichter seine Heimat und ganze Wirklichkeit Poesie geworden ist. Wenn andere Dichter meinten, sie müßten durch Phantasien ersetzen, was ihnen die Wirklichkeit versagt, und die Leser, solche Träume müßten die Gedichte sein, um auch sie des Lebens vergessen zu machen, so hatte Goethe vielmehr das, was den Grund und Schwung seiner Poesie macht, im Leben vollzogen. Wie notwendig also muß seine Stellung zur Wirklichkeit günstig, sein Dienstverhältnis gewinnreich gewesen, wie unzweifelhaft müssen jene seine Jahr um Jahr wiederkehrenden Versicherungen wahr gewesen sein, daß »seine Lage die erwünschteste« sei, daß er »in stiller Nacht seine Glückseligkeit summierend eine ungeheure Summe gefunden.«[1]

[...]

Alles dies, und wie vieles mehr dazwischen, waren ebenso viele Ergänzungen seines Weltkreises und Stoffe seiner genialen Auffassung. Und er nahm sie so mit unermüdlicher Offenheit; Fürsten und Prinzen, unter welchen er sich häufig befand oder die er für Momente nahe sah, den Herzog von Braunschweig und sein zweckvolles Benehmen, den Prinzen Heinrich von Preußen in seiner Heerführerhaltung und sichern Feinheit ergriff sein Blick. Den sogenannten Weltleuten paßte er ab, worin es ihnen denn eigentlich sitzt, was sie guten Ton heißen; worum sich ihre Ideen drehen und was sie wollen und wo ihr Kreischen sich zuschließt; und entwarf das Rezept eines Hofes aus Ingredienzen »eines Erbprinzen, eines abgedankten Ministers und einer Hofdame, eines apanagierten Prinzen und einer zu verheiratenden Prinzeß, dazu einer reichen und schönen Dame, einer ditto häßlich und arm, eines Hofkavaliers, der nie etwas anderes als seine Besoldung gehabt hat, und eines Kavaliers auf seinen Gütern, der als Freund vom Haus bei Hofe traktiert wird, eines Avanturiers in französischen Diensten, eigentlicher in französischer Uniform, eines Chargé d'affaires bürgerlich, eines Musikus, Virtuosen, Komponisten, beiher Poeten, eines alten Bedienten, der mehr zu sagen hat als die meisten, eines Leibmedikus, einiger Jäger, Lumpen, Kammerdiener.«[11] – Er nahm Gelgenheit wahr, die Bekanntschaft eines Probstes[12] zu machen, den er jung und offen fand, unbefangen und unverfänglich wie einer der reich geboren ist, seinen katholischen National- und Familienschnitt, seine behagliche und verständige Mutter, seine Diskurse zu bemerken, die nach Fulda, Würzburg, Bamberg, Mainz führten, deren Verfassung ganz andere Menschen bildet als die unsrigen. Wohin des Dichter-Geheimrats Füße nicht reichten, mußten andrer kluge Augen ihn tragen, mußte ein Abbé Raynal, der voll angenehmer Anekdoten stak, die er mit dem französisch-philosophischen Weltgeiste untereinander verband, der den Königen die Wahrheit sagte und den Frauen schmeichelte, der sich aus Paris verbannen ließ und sehr gut in jeden kleinen Hof zu schicken wußte, ihm viele Ideen komplettieren[13], mußte ein Isenflamm, mit dem er brav politisierte, ihm Wien in- und auswendig schildern[14], Grimm, der ami des philosophes et des grands, ihm wie einem Swedenborgschen Geiste ein groß Stück Land sichtbar machen[15], Edelsheim Staats- und Wirtschaftssachen im Gespräch ihm öffnen[16], wie auch helfen zur Charakteristik der Stände, auf die der Dichter so ausging. Dabei spannte er nicht minder auf das, was ohne geerbte Macht die Gewalt des Geistes ausbreitet und befestigt. Hell unterschied er die Voltairesche frivole Überlegenheit, diese Höhe des Geistes – nicht Hoheit – indem er sie einem Luftballon verglich[17], der sich durch eine eigene Luftart über alles wegschwingt und da Flächen unter sich sieht, wo wir Berge sehen; und an Lavater, dessen Leben in der Häuslichkeit der Liebe, dessen Genuß im Wirken und unglaubliche Aufmerksamkeit, seine Freunde zu tragen, nähren, leiten, erfreuen, er im eignen Innern als eine moralische Kur fühlte, traf er doch scharf das feine und unauflösliche Band, das bei diesem Propheten den höchsten Menschenverstand mit dem krassesten Aberglauben zusammenknüpfte.[18] Als Rousseaus Nachlaß ihm zur Hand gekommen war, sprach er in seiner Freude: »Wie wunderbar ist es und angenehm, die Seele eines Abgeschiedenen und seine innerlichsten Herzlichkeiten offen auf diesem oder jenem Tische liegen zu finden!«[19] Aber in voller Gegenwart, indem er mit den Lebenden lebte, redete, sich erzählen ließ, gingen ihm viele Lichter auf, und indem er am Platze alles anders erkannte, als wie es durch die Filtriertrichter der Expeditionen hinausläuft, fand er so schön, daß alles so anders ist, als sich's ein Mensch denken kann. An wie viele Schwellen führte ihn sein eigentümlicher Dienst, und überall schöpfte er Charakterfiguren in Lebenszügen des Augenblicks, mit besonderer Laune die selbstsichern, die, in den hohen Gesellschaftsgraden durchgelebt, mit ihrer Würde eigene Verschrobenheiten zum besten gaben. Auf solche »Rattenmanöver«[20], wie er es nannte, war er sehr präpariert, bemächtigte sich gleich einiger von diesen in- und ausländischen Tieren, sezierte sie, um ihren inneren Bau kennenzulernen, beobachtete die andern und bemerkte ihre Art die Schwänze zu tragen, um gute physiologische Rechenschaft davon geben zu können. Er erstaunte, wie das Plumpste so fein und das Feinste so plump zusammenhing. Vom Parkettboden hinweg kroch er dann wieder gerne in den Eingeweiden der Erde herum und tat sich mit einer glücklichen Menschenart was rechts zugute, mit einem, der hergekommen von der Krummhälser Arbeit[21], jetzt das Faktotum war in einem kleinen, aber doch sehr mannigfaltigen Kreise, wo einer vielerlei wissen, vielerlei tun und ein Geschick haben muß sich in allerlei Menschen und Umständen zu richten. Wohl begriff er dessen Versicherung, mit mehr Vergnügen Bergmann als, wenn er's auch könnte, Minister zu sein – besonders wenn er recht wüßte, was das hieße, Minister sein. – Mitten im praktischen Gedränge, wenn er sagen mußte: man hat keine Idee, wie die Menschen sind und doch, wenn ich's recht überlege, müssen sie so sein, – machte es den Dichter im innersten lachen, wie sich bei einem nüchtern Angestrengten in drastischer Klarheit und unerzählbar pantomimisch die Spitze der Situation äußerte. Wenn in einer Amtspause die Stadtvögte und ein Hauptmann alte Geschichten erzählten, wie sie sich im Krieg aus allerlei Verlegenheit hinausgeholfen, war's ihm auch im Kleinen interessant zu sehen, wie der Mensch sich wendet und dreht und sein Geschick gelten macht. [...]

So deutlich und reichlich liegt es vor, daß alle die geselligen Berührungen und Teilnehmungen, die geschäftlichen Umblicke, Fahrten, Einkehre, die amtlichen Augenscheine, Aufsichten, Verhandlungen dieser Dienstperiode dem Dichter die Menschenwelt im großen und kleinen zum Atelier seiner selbstbewußten produktiven Einbildung in einem Umfange bereitstellten und in einer Zugänglichkeit und Handlichkeit entgegenhoben, wie er sie nicht annähernd mit irgendeinem Privatleben oder bürgerlichen Gewerbe hätte haben können. Und wenn Goethes Dichtung eine Wahrheit der Situationsschilderung und Klassencharakteristik, eine Natürlichkeit der Gestaltenschöpfung und plastischen Vollendung des Individuellen in die Welt gestrahlt hat, wie sie vorher nicht da waren, so war dies *darum* möglich, weil sich dieser Dichter zu den Systemen des Menschendaseins, den Lagen und Schichten der Gesellschaft in ein ungleich vielseitigeres, praktischer wirkliches Verhältnis gesetzt hatte, als irgendeiner seiner Vorgänger oder Nebenbuhler.

Bis dahin unterschied es die modernen Poeten von den einzelnen großen der Übergangsepoche aus dem Mittelalter, daß sie im eigenen Lebenslauf weit weniger als die letzteren in das praktische Gedränge des Geschäfts- und Weltverkehrs mit hineingezogen, weit weniger als jene durch eigene Welterfahrung hindurch und aus ihr heraufgebildet waren. Ihre Poesie, auch wenn sie ein Amt oder Gewerbe hatten, wuchs nicht aus diesem wirklichen Boden, sondern aus der Schulbildung und abstrakt in sich fortlaufenden Literatur; oder sie hatten gar, ohne andern Geschäfts- und Nahrungszweig, eben nur das Schriftstellern selbst zu ihrem Wirkungs- und Erfahrungsberuf, die Schreibstube zu ihrer Totalwelt. So konnte ihre Anschauung und Einbildung keine recht konkrete sein. Unter die kleine, monotone Welt der Häuslichkeit oder Erholungsgeselligkeit hinab in die Lebenstiefen und hinaus in die größeren Weltverhältnisse und Verwicklungen der Sittlichkeit reichten sie nicht mit reeller Erfahrung, sondern schöpften ihre Vorstellungen davon aus Blättern und Büchern, Moralsystemen und theoretischen Gemeinplätzen oder Paradoxen. Bei allen Unternehmungen selbständiger, ausführender Poesie machte notwendig dieser Mangel der Anschauung, dieser ungleiche Guß der Bildung sich in der Armut an Stoffen, der Unstetigkeit der Formenzeichnung, in den Klüften sichtbar, die das Ideale und das Wirkliche auseinanderfallen ließen. Ein *Klopstock*, der sein Selbstgefühl nur auf dem Boden der lateinischen Schule und des protestantischen Dogmatismus aufbaute, der zu keinem Amt, nicht einmal zu einer andern Geselligkeit sich verstehen konnte, als mit einem engen Kreise von Anhängern seiner Gefühls-, Gesinnungs- und Glaubenspostulate, konnte nicht ausgerüstet sein zu einer selbständigen Darstellung und lebensähnlichen Gestaltenbildung. Seine Ideale waren nicht mehr wirkliche und noch nicht wirkliche; sie erschienen in seiner Dichtung bald als physiognomielose Schatten der Vergangenheit und bloße Namen, bald als Traumschimmer der Zukunft, als gefühlte Wesen ohne Körper und Ideen ohne Gegenwart, wenn Gegenwart und Welt verschwanden in Orakelsprache und alles hinübergezogen ward auf ein Jenseits unendlicher Hoffnungen und unvollziehbarer Vorstellungen. *Wielands* Gestalten schienen wirklicher, wenigstens suchte er sie nicht aus solchen sublimierten Stoffen, mehr aus Erdenton zu nehmen und ließ sich keine Mühe dauern, sie ins Kleine auszuführen. Aber wie viel er auch aus klassischer und romantischer, französischer und englischer Literatur zusammenborgte, um die Situationen und die Figuren seiner Märchen und philosophischen Romane mit gewähltem Kostüm und elegantem Beiwerk auszustatten und aus allen Farbentöpfchen gelehrter und feinweltlicher Phraseologie ihre Reize zu höhen: eine wahre Objektivität der Gestalten und Gruppen, ein volles Leben der Ideale kam nicht hervor, sondern ein klassenhafter Maskencharakter hing von ihrem griechischen oder orientalischen Namen und Rang, ihren romantischen oder satirischen Vorbildern ihnen an, und aus der nur schematischen Bedeutung, über die sie trotz aller Tropen der Darstellung sich nicht genug heben wollten, sie zu momentaner Lebensähnlichkeit zu bringen, mußte sich der Poet zum öftern der Zumischungen lasziven Kitzels, breitspuriger Plattheit, zynischer Nacktheit bedienen. Daß diese Dichtung vom Konkreten abstand, bekannte sie durch ihre Wahl vorzeitlich präparierter oder phantastischer Fabelbezirke, und ihr wiederholtester Inhalt lief darauf hinaus, daß das Vollkommene nur unwirklich, das Wirkliche nur unvollkommen sei. Wieland war auf ein Gelehrtenleben in schönen Wissenschaften bereits völlig eingelassen, als er in jungen Jahren durch die praktischen Verhältnisse von Amt und Gesellschaft sich drückte, die ihn ernüchterten und seine Aufklärung förderten. Da er von nun an sich wesentlich auf den mäßigen Genuß eines bescheidenen Privatlebens mit unausgesetzter Schriftstellerei beschränkte, so war es natürlich, daß er nur die mittelbare Weltbetrachtung eines Abgezogenen mit ausgelassenem Erinnern von Schwärmerei und Ernüchterung wiederholen konnte. Stärker auf Selbsterfahrung in der äußern Welt gerichtet, hatte sich *Lessing* vielseitiger mit Niedern und Hohen, Vielen und Wenigen berührt und umfassenden praktischen Betätigungen Aufmerksamkeit und Mitgefühl gewidmet. Indes zu einer angestellten, fortschreitend praktischen Wirksamkeit gewann er teils nicht die Neigung, teils boten ihm Vaterland und Zeitalter keine seiner Tätigkeit entsprechende. Sein äußeres Leben sah daher einem abenteuernden Umtreiben ähnlich, sein spätes Amt war nur das eines Bücherverwalters, –

wie er von Haus aus und in vielen Erstreckungen ein Gelehrter und Schriftsteller auf seine Hand war. Mehr Zuschauer als Genießer, mehr Kenner als Besitzer, mehr Kritiker als Schöpfer warb Lessing um Freiheit durch Verstand und Rechtschaffenheit, und lebte im selbsttätigen Suchen der Wahrheit. Von dieser Bildungsart und auf diesen Zweck ging sein Dichten aus und zurück. Er brachte es darin auf ungleich mehr Wirklichkeit als Klopstock, reicher und schärfer bestimmte Welt als Wieland: aber dem gelehrten und lehrhaften Grundelement, dem herrschenden Prozeß und Reiz der Verstandesdialektik hielt nicht genug eine unwillkürliche, passive, aus Genuß und Leiden naiv nachklingende Realität die Waage, um nicht die objektive Wahrheit seiner Figuren immer noch etwas von ihren didaktischen und moralisierenden Spitzen und Kanten überschneiden zu lassen. Ja Lessing hielt diesen Schnitt, der das Leben der Anschauung ins Abstrakte abkältet, für das Nötige und Richtige der Dichtung, und es war ebendies, was er an Goethes ›Werther‹ vermißte, wenn er dessen konsequente Erschöpfung nicht gelten lassen, sondern durch eine derb rückschlagende Belehrung umgeknickt sehen wollte.[22] Auch hierin lag noch immer die Meinung, daß Geist und Wirklichkeit schließlich unvereinbar seien und das Schöne in bleibender Kluft zwischen dem Seienden und dem Seinsollenden.

Es war erst *Goethe*, in dessen Dichtung das Ideale ganz wirklich, das Wirkliche selbst ideal, das Schöne frei wurde. Wie ohne Vergleich mehr Phasen des Menschlichen und mannigfaltigere Individualbildungen er in seinen lyrisch-epischen und elegisch-epischen Gedichten, seinen Dramen und Erzählungen entwickelte als die bisherigen Dichter, zugleich von einer totalen Bestimmtheit, leichtgerundeten Zeichnung und Lichthöhe, wie sie keiner von ihnen erreicht, das stand eben so vielfältig *damit* in Zusammenhang, daß ihm seine Stellung und Amtsführung die mitlebende Menschheit vollständiger und einlässiger als jenen zur Anschauung gebracht hatte und seine Fassung der Formen und Grenzen des Menschlichen eine reiner notwendige, der Einbildung und Empfindung aus dem Leben selbst eingedrückte war. Freilich konnte ihm dieser größere Reichtum von Bekanntschaften und Erfahrungen zu so ganzer Poesie nur gedeihen, weil er diesen Vorrat und Bildungswahlplatz, den das Hof- und Staatsleben ihm gewährte, von Anfang aus jenem Prinzip des reinen Dichterberufes annahm und angriff, jenem Anspruche seiner Genialität, daß das Vollkommene wirklich, daß der Wert und Sinn des Lebens im Dasein zu finden, die vorhandene Welt das Dasein seines Geistes sei. Entsprang die bisherige Poesie und das Unvollkommene ihrer Darstellungsarten aus *der* Grundvoraussetzung, das Ideale – dessen Verknüpfung mit dem Wirklichen eben Poesie ist – müsse vom Wirklichen als ein mystisches oder moralisches, ein schwärmerisches oder doktrinales Jenseits abstehen, so kam die lautere und volle Poesie erst durch Goethe nur dadurch zum Leben, daß er von sich die Anerkennung der Wirklichkeit als des wahren Idealen, die Hingabe seines ganzen Menschen an die Gegenwart forderte. Wie er zur seelenvollen Befriedigung in der Anschauung der natürlichen Schöpfung dadurch sich hob und ausbreitete, daß er am barwirklichen Grunde seiner Existenz, an Stein und Boden der Heimat, in Struktur und Formen der mitlebenden Geschöpfe seinen Sinn und

Verstand betätigte, in Auf- und Niederfahrten und im Witterungswechsel seinen Körper und Willen die Arbeiten der Natur und Atemzüge der Landschaft bewußt mitfühlen machte: so sah Goethe auch den Kreis von Menschen, mit dem er zusammengeführt war, in dem Leben und Streben miteinander und durcheinander, wie er sie vorfand, durchaus als die Bühne seiner Sinne und Gemütskräfte, die Totalhälfte seiner Ideale, als die Welt an, die er mit sich, mit der er sich zur Schönheit zu entwickeln habe. Die hohe Unbefangenheit, die ihn nichts, was vorhanden war, verachten, nichts, was mitging, unterschätzen, jedem, wie er wirkte, gerecht werden ließ, gab seinen Begriffen und Ausfühlungen eine Eingänglichkeit ins Zufällige und Momentane, seinen Bemerkungen des Besondern und Einzelnen eine Innigkeit und Größe, daß er viel tiefer als andere Dichter seine Gedanken in spezifische Wirklichkeit leiten, viel mehr Leben seinen Figuren einhauchen konnte und den Menschenzirkel seiner Gegenwart selbst, die kleine weimarische Welt, wie sie war, ins volle Licht der Schönheit erhob. So wahrhaft und rührend hat kein Pindar seinen Helden verewigt, als das Gedicht ›Auf Miedings Tod‹ [23] den armen Hofebenisten und die edelreizende Corona, mit welchen es die Gruppe untergeordneter Gehilfen des tumultuarischen Kunsttreibens heiter mitbelebt und durch Erinnern der bunten Reihe poetischer Spiele in Schloß und Wald die Szene glänzend erweitert. So unumwunden nahegehend in der Schilderung, und so aus wirklichen Anschauungen zur leuchtenden Erhebung aufgerichtet ist kein Hofpoeten-Carmen, wie Goethes rückwärts und vorwärts blickendes Geburtstagsgedicht aus *Ilmenau*.[24] In beiden wird das bestimmt Bedingte der Charaktere und Zustände, das Unzulängliche, Gebrechliche, Bedenkliche dermaßen mithereingenommen ins Gemälde, daß es die Annäherung, die Illusion, die Empfindung der Wahrheit vollendet, und ebendarum den durchwaltenden Gehalt hoher Begeisterung zum erscheinenden fühlbaren Vorgang verwirklicht.

Diese Weise, die Tugend nicht aus Predigten, sondern aus sinnvoller Hingebung an den Nächsten, die Natur nicht aus Kompendien, sondern mittelst Durchwandern, Genießen, Aushalten der wirklichen, die Menschen nicht aus Psychologien, sondern im Leben mit ihnen kennenzulernen, formte Goethes Geist und Sprache. So erwarb er die konkrete Stärke der Vorstellung und Elastizität des Ausdrucks, die uns im ›Egmont‹ Straßenvolk und Kabinett der Regentin, Bürgertum und spanische Politik, den eisenkalten, staatsehrgeizigen Soldaten mit den abhängigen Glückswerbern, den klugen, festen Standesherrn und den geborenen Ritter mit den individuellsten Zügen durch die Seele führt, in ›Iphigenie‹ die Bedingnisse einer fremden, vorzeitlich wilden Welt als rein verständliche, unserer Sittlichkeit wesengleiche Aufgaben der besinnungsvollen Seele uns auseinanderlegt und sie aus der tiefen Einheit dieser Seele mit sich, der Einheit ihrer Wahrhaftigkeit und Liebe mit der dunkeln Schicksalsführung zur klarsten Befriedigung uns löst. Und im Fragmente ›Faust‹ – welche Realität des Abstraktesten, welche Nähe der Abgründe des Gemüts und Schwindelhöhen des Geistes in den konkreten Schulmauern, Zwingergärten und Kellerlöchern, Kirchengewölben und Kerkerhöhlen deutscher Volkszucht!

[. . .]

›Meisters Lehrjahre‹ geben uns ganz unsere Welt, ihre Stadt und Landschaft, ihre Stände und Gewerbe, Arbeiten und Vergnügungen, Leidenschaften und Ideale. Und welche Leichtigkeit, welche leise Feinheit und Vergegenwärtigung und Bewegung, der Führung und Wandlung hebt sie uns in eine Helligkeit, worin wir sie nie zuvor gesehen, in eine Welt-Einheit, die sich als ewig ruhiger Äther über sie ausbreitet! Die Seele saugt sie ein mit dem stillen Erstaunen, das Alltägliche so offen sinnreich, das Bekannte so bedeutend schön, das Leichtsinnige, Törichte, Frivole so unbeschönigt und so unverletzend, das Verwickelte so verständlich, das Üppige und Schmerzliche so rein, das Erschütternde, Herzzerreißende so durchdrungen von mächtiger Liebe, das Ernste, Edle, Heilige so menschlich zu finden. Welche Fülle ganz bestimmter Physiognomien, individueller Gestalten verschiedenster Art, jede einig mit sich, das Versteckte an jeder, wo es zu Tag tritt, am fühlbarsten wahr, das Rätselhafteste, wie es gelöst wird, von der stärksten Seeleneinheit! ihre Verbindung jetzt in kleinen, jetzt in dichtgedrängten Gruppen immer ungezwungen in Anziehung und Bewegung, immer so maßvoll in Schatten und Licht, daß es der Tag der Wirklichkeit, die Familie unserer Menschheit ist. Wohl sind frischer anmutige, tiefer rührende Geschöpfe, originellere und edlere Charaktere darunter als die geläufigen unserer Erfahrung; aber sie prägen unsern Sinnen und Gefühlen sich ein, daß sie uns gegenwärtiger leben als die Lebendigen um uns her. Wir zerstreuen uns in dieser Wirklichkeit und sind immer gesammelt, wir werden überrascht und erkennen das Seltsame vorbereitet, das Zufällige folgerichtig. Wir genießen und irren mit, sehnen uns und leiden mit, und ein stets wachsender Gehalt macht uns dies Leben immer lieber und stärkt das Behagen bis in seine bittern Widersprüche, bis in seine ehrwürdigen Höhen. Es ist die moderne Welt, ist unser Dasein, aber getaucht in den Frieden schöpfungseiniger ewiger Wahrheit. Es ist das deutsche Epos unserer Bildungsperiode, aber es kann so wenig veralten als das homerische und wird andern Völkern und spätkünftigen Geschlechtern noch wahr und wirklich, schön und behagend sein.

Der Dichter, der die ›Lehrjahre‹ bildete, ging bei der praktischen Erfahrung dieser Wirklichkeit und Bildungsgegenwart, in unvorgreifender Selbstverleugnung, von Natur auf Natur mit der natürlichen Harmonie eines individuell in Liebe Beseligten. Das Bedingte, Unvollkommene, Gebrechliche im Dasein leugnete er sich nicht ab, er nahm es in ungeteilte Anschauung, verfolgte es mit gelassener Ausdauer und sah, daß es mit Notwendigkeit hervorgehe und zurückgehe auf einigschaffende, allverbindende Natur. In seiner epischen Anschauung tritt daher das menschlich Beschränkte, Mangelhafte, Widersprechende deutlicher als bei irgendeinem Zeichner und dennoch frei vom übertreibenden oder abstoßenden Ausdruck eines selbstgereizten Darstellers in der nur natürlichen Wahrheit hervor, zu der es in seinem naturbefriedigten Geist sich klärte. Auch was zeitsittlich, Kostüm, moderne Wirklichkeit in diesem Epos ist, hat von diesem reinen Bezuge auf den beständigen Naturgrund und die immerwährende menschliche Natur, die hier die Bestimmtheit seiner Vorstellung und Einheit der Verknüpfung macht, eine überall gültige Wahrheit, und dies ist die Idealität dieser reellen Gestalten und Szenen. Es hat hier auch das Geringe, mit keiner geliehenen Trefflichkeit Herausgesteigerte einen fühlbaren Adel, hat diese Idealität lediglich von seiner richtigen Stellung zur Gesamtanschauung, welches die des vollkommenen Daseins in der Natureinheit ist. Diese Idealität ist so unvergänglich wie die Natur selbst, diese epische Form wahr für alle Zeiten. Nicht um ein historisches Inventar seines Zeitalters war es diesem Epiker zu tun, sondern um die wesentliche Wahrheit desselben. Er ging in praktischer Übung der Aufgabe nach, innerhalb des Sittensystems seiner Gegenwart auf ein vollkommenes Leben, nach Ordnung und Genuß der Existenz, hinzuwirken. Er erprobte an diesem Zeitsystem, daß es nach allen Seiten bedingt, in dieser Bedingtheit nur das Natürliche, so nützlich wie schädlich wirksam, unbedingt wirkend nur das einige Totalwesen der Schöpfung sei. Auf allen Stufen des Naturreichs erschaute er die Gegenwart dieses schaffenden Wesens in der Einstimmigkeit der Teile und Glieder als Lebensgrund und Leben, das Vollkommene als Wahrheit des Daseins. Am Menschen erprobte er, daß er wahrhaft nur durch natürliche Totalität lebe, wirke, genieße. Alle Individuen und Gruppen seines Epos sind in bedingten Zuständen innerhalb des Zeitsystems, in schädlichen und nützlichen, alle deutlich nach ihrem Verhältnis zur wirklichen Totalität der Menschennatur vorgestellt und entwickelt. Geschlechter und Stände werden nach dieser Beziehung auf harmonische Totalität verglichen, Ungebildete und Gebildete, Unschuldige und Bedachte, Leichtsinnige und Begeisterte, Glückliche und Unglückliche in diesem Licht unterschieden und verbunden. Der Mensch hat die Totalität seines Wesens in sich, wirklich aber nur im harmonisch-tätigen Leben. Sie wirkt in ihm als Anspruch auf Herrschaft, Freiheit, Lebensgenuß, und da er sich jederzeit in bedingten Zuständen findet, wird sie ihm gebrochen wirklich im Mißverhältnis seiner Zustände zu seinen Ansprüchen. Dies sind die Ideale der Menschen. Auch diese bringt das Epos der ›Lehrjahre‹ zur Vorstellung, die zeitsittlichen Ideale des Lebensgenusses und der Virtuosität, der geerbten oder erarbeiteten Herrschaft, naiven oder erschlichenen Freiheit, der künstlerischen, politischen, religiösen Begeisterung. Es führt an individuellen Darstellungen auch ihre Wahrheit auf Natureinigkeit, auf harmonische Totalität zurück und macht rein anschaulich, daß sie in jeder unnatürlichen, abstrakten Wirklichkeit nur pathologische Ergänzungen unreifer oder stockender Zustände, verstimmter Individuen, flikkende Einbildungen für gestörte menschliche Totalitäten sind. Und es gipfelt seine immer anschaulichen, lebensgleichen Prozesse mit den Lehren und dem Gemälde eines durch natureinige Lebensökonomie, Bildungsverbindung, Kunst vollkommenen Menschendaseins. Der moderne Mensch kann dies Epos durchwandern zu einer Wallfahrt, die ihn aus seinem betäubten Wesen zu sich selbst, aus dem zerstückten Leben ins ganze führt.

52 *Moritz Müller*

Göthe als Arbeiter! Rede im Arbeiter-Bildungs-Verein zu Pforzheim am 28. August 1865

Verehrte Versammlung!

Es wird gerechtfertigt erscheinen, wenn ich heute am Tage unseres zweiten Stiftungsfestes und bei der Feier unserer Einweihung der *Arbeiterhalle* auch einige Worte über einen Mann spreche, dessen Geburtstag mit diesem Fest zusammenfällt, und um so mehr wird es gerechtfertigt sein, den verklärten Geist unseres großen *Wolfgang Goethe* auf einige Minuten in Ihre Mitte zu führen, je mehr wir bedenken, wie sehr er auch den Mitgliedern unseres Vereins als *Vorbild* dienen könne, denn es gab in seiner Art keinen bessern und fleißigeren *Arbeiter* als er. Daß *Goethe* mein Liebling ist, davon will ich nicht reden, auch davon nicht, wie er so oft geschmäht, verkannt und zur deutschen Schmach sogar beschimpft wird – nein, meine Worte sollen nur eine kleine Anrege bedeuten, um Ihnen den großen Geistesfürsten und edlen Mann etwas näher zu bringen, denn wie vermöchte *ich*, mit meiner schwachen Kraft, Ihnen ein halbwegs genügendes Bild von ihm zu entwerfen? – Wenn ich Ihnen einige Pflanzen und Früchte aus heißen Ländern vorzeigte, hätten Sie dann schon ein genügendes Bild und einen wahren Begriff von der vollen Pracht und Schönheit des ganzen Südens? – So ist es mit meinen wenigen Worten über Goethe. – Lassen Sie mich vor allem Sie zuerst darauf aufmerksam machen, daß wir überall hienieden drei Hauptfeinde aller Kultur und Bildung zu bekämpfen haben, von deren Besiegung menschliche Wohlfahrt und wahres Glück mit abhängen. Diese Hauptfeinde heißen: *Unwissenheit, Rohheit, Selbstsucht.* Die Bedingung zum Sieg über diese drei Hauptfeinde heißt *arbeiten* und zwar in zweierlei Weise: Erstens müssen wir das Wahre, Gute und Schöne zu verbreiten und zweitens müssen wir alles Entgegengesetzte, das Schlimme, Böse und Schlechte, zu vernichten suchen; mit einem Worte: wir müssen einesteils *aufbauen,* und andernteils *niederreißen.* Wir erreichen beides am besten, wenn wir einesteils recht an unserer eigenen Selbstvervollkommnung arbeiten und andernteils uns mit den Bessergesinnten *verbinden, zusammenwirken* und *vereint* das Gute, Schöne, Wahre, sowie das Schlimme, Schlechte fest ins Auge fassen.

Was die drei Hauptfeinde betrifft, so werden Sie bei genauer Prüfung gewiß finden, daß mit der Unwissenheit, der Rohheit und der Selbstsucht alle Übel, ja Verbrechen im engsten Zusammenhang stehen. Lassen Sie mich nur zwei so Übel oder Verbrechen jetzt berühren. Das eine ist, daß man Menschen *gewissenlos erzieht,* das andere, daß man sie *gewissenlos aus der Welt schafft.* Nie haben alle Teufel mehr Ursache zu jubilieren und zu frohlocken, als bei einer schlechten Erziehung, namentlich Volkserziehung; ebenso bei jenen blutigen Metzeleien und barbarischen Abschlachtereien, welche Menschen im Krieg gegen einander vollführen. Hier finden die Unwissenheit, Rohheit und Selbstsucht am besten ihre

Rechnung. Diese finstern Mächte aus der Welt mit vertreiben oder sie abschwächen zu helfen ist demnach erste Pflicht für jeden Menschen, auch für unseren Verein.

Es gibt leider noch eine zu große Menge geistesträger Menschen, welche die Übel, die uns noch plagen, als *»notwendige Übel«* ausgeben möchten, gegen die sich nichts tun lasse. Allein bei genauer Prüfung finden wir die Wahrheit, daß ein großer Teil der Übel einesteils von der Selbstschuld der einzelnen abhängt, andernteils von der *Gesamtschuld* der Menschheit. Wem es daher mit seiner eigenen Vervollkommnung nicht Ernst ist, wer nicht mit anderen in Vereinen, in der Gemeinde, im Staate, im großen Menschenbruderbunde *zusammenarbeitet,* der gehört mit in eine jener Kategorien, die unter dem Schilde der Selbstsucht, der Rohheit oder der Unwissenheit den Fortschritt hemmt und den Stillstand befördert. Wer aber in jeder Beziehung *vorwärts* will, der muß doch zu der Einsicht und Überzeugung gekommen sein, daß wir *vor allem, dasjenige mit Ernst und Liebe ins Auge fassen müssen, was uns unsere größten Geister, unsere edelsten Männer und unsere besten Volkserzieher vorgefühlt, vorgedacht und vorgearbeitet haben.* Eines dieser hohen *Vorbilder* der Menschheit war, wie gesagt, unser *Goethe.* Es ist durchaus nicht zuviel behauptet, wenn ich hier ausspreche, wem dieser Geist *langweilt,* wie manche sagen, *der steht noch auf einer niedern Stufe der Bildung.* –

Daß sich, meine Verehrten, von diesem Vorbild noch so viele nicht nach Wunsch angezogen, oder daß sich manche von ihm abgestoßen fühlen, oder sogar dieses Vorbild hassen, – das ist nicht zu verwundern. Es liegt gerade mit an der großen Unwissenheit, Rohheit und Selbstsucht, welche unter den Menschen, auch in unserem lieben Deutschland, noch herrscht, daß es so ist. Dem Unwissenden oder dem Unreifen kann *Goethe* nicht gefallen, – dem Rohen oder leidenschaftlich Einseitigen wird er abstoßen –, und der Selbstsüchtige, der Heuchler, der Sophist, der Schwätzer, muß ihn fürchten oder hassen. Dem erfahrenen, gereiften, gebildeten Manne ist Goethes Genius das Höchste wie im Reiche der Kunst, so im Gebiete der Sittlichkeit. Daß er kein Politiker und Freiheitsapostel im heutigen Sinne war, das ist, wer Goethe und seine Zeit kennt, zu entschuldigen und nur die Unwissenheit oder die Gemeinheit kann Steine auf ihn werfen mit solchen Vorwürfen. Aber er »war ein Aristokrat«, so heißt es, »und er liebte das Volk nicht.« Wollte Gott, wir könnten den größten Teil unserer sogenannten Aristokraten einschmelzen und wieder damit einen Aristokraten Goethe herausbringen! Wenn jene erhabene Ruhe, die einem Manne nicht allein auf der Götterstirne thronte, sondern auch jene Geisteshoheit, jener Seelenadel, der ihm eigen war, wenn jene großartige Harmonie in *Goethes* ganzem Wesen das Zeichen der Aristokratie würde, dann gratulieren wir uns nur recht zu solchem Adel!

Goethe spricht selbst zu Euch, meine Freunde: »Uneigennützig zu sein in allem, am uneigennützigsten in Liebe und Freundschaft, war meine höchste Lust, mein Grundsatz, meine Ausübung.«[1] – »Schädliche Vorurteile zu bekämpfen, engherzige Ansichten zu beseitigen, den Geist meines Volkes aufzuklären, dessen Geschmack zu reinigen und dessen Gesinnungs- und Denkweise zu veredeln, das war mein unausgesetztes patriotisches Wirken.«[2] – »Das Bedürfnis meiner Natur zwang mich zu einer mannigfaltigen Tätigkeit und ich würde in dem geringsten Dorfe und auf einer wüsten Insel ebenso betriebsam sein müssen, um nur zu leben.«[3] – »Elender ist nichts als der behagliche Mensch ohne Arbeit!«[4] – »Alle Arten von Bequemlichkeiten waren mir von Natur zuwider, ebenso unnötiger Luxus, als prächtige Zimmer usw.«[5] – »Ich habe es mir meiner Lebtage sauer werden lassen, ich habe mein Tagewerk, das mir von Gott aufgetragen wurde, redlich erfüllt« und »ich habe gelernt, wo ich nur lernen konnte, aus den Werken der Natur und der Menschen.«[6] – »Ich glaube an Gott und die Natur und an den Sieg des Edeln über das Schlechte, aber«, so klagt er als Greis, »aber man war im Grunde nie recht mit mir zufrieden, man wollte mich immer anders, als es Gott gefallen hatte, mich zu schaffen. Auch war man selten zufrieden mit dem was ich hervorbrachte. Wenn ich mich Jahr und Tag mit ganzer Seele abgemüht hatte, der Welt mit einem Werke etwas zu Liebe zu tun, so verlangte sie, daß ich mich noch obendrein bedanken sollte, daß sie es nur erträglich fand. Lobte man mich, so sollte ich das nicht in freudigem Selbstgefühl als innern schuldigen Tribut hinnehmen, sondern man erwartete von mir irgend eine ablehnende bescheidene Phrase, worin ich demütig den völligen Unwert meiner Person und meines Werkes an den Tag legen möchte, oder man erwartete Gegenkomplimente, wo ich keine geben konnte.* Ich hätte ein elender Lump sein müssen, wenn ich gegen meine innerste Natur hätte heucheln und lügen wollen. Da ich aber stark genug war, mich immer in ganzer Wahrheit so zu zeigen wie ich bin und wie ich fühle, so galt ich für stolz und gelte es noch bis auf den heutigen Tag.«[7] – »Aber«, sagt er ein andermal, »aber ich halte die Klasse von Menschen, die man die niedere nennt, für Gott die höchste. Hier finden sich noch am meisten alle Tugenden beisammen.«[8] – Weiter: »Die hohe reich dotierte Geistlichkeit fürchtet nichts mehr als die Aufklärung in der unteren Masse – sie will herrschen und da muß sie eine bornierte Masse haben, die sich duckt und die geneigt ist, sich beherrschen zu lassen.«[9] So in einigen Punkten *Goethe* selbst. Aber wo finde ich Worte, verehrte Versammlung, erst alle jene Weisheitssprüche, jenes Wirken für Kultur und Bildung, jene Arbeiten im *aufbauenden* Sinn zu würdigen und Ihnen die hohen Eigenschaften *Goethes,* dieses Urbildes der Humanität, genügend zu zeichnen?

Lassen Sie mich daher noch mit den Worten anerkannter Autoritäten sprechen, wenn ich fortfahre: »*Goethe* war es, der alle Höhen und Tiefen der menschlichen Natur gleichmäßig ausgemessen, alle Gebiete menschlichen Wissens und Könnens mit demselben unermüdlichen Wissensdurst durchwandert, allen gleichmäßig den Stempel seines großen und erhabenen Geistes aufgeprägt hatte, so daß noch Jahrhunderte vergehen können, bevor die Menschheit und speziell das deutsche Volk im ganzen zu der Höhe emporwächst, auf welche er in einsamer Größe sich bewegte. Auch bricht diese Überzeugung, daß Goethe nicht nur einer der größten Dichter und Künstler, sondern daß er auch einer der größten und besten Menschen

* Geht andern Leuten auch oft so.

gewesen, die jemals gelebt, sich immer mehr Bahn; immer mehr verschwinden die Vorurteile, die sich so lange gleich Wolken um das Haupt des Olympiers gelagert und immer deutlicher erkennen wir, welch edles, warmes, für alles Wohl und Wehe der Menschheit innigst empfängliches Herz in der Brust dieses eben so guten wie großen Menschen klopfte. *Goethe* mit seinen großen und glänzenden Vorzügen und den kleinen Schwächen, mit denen auch er der Natur ihren Tribut zollte, war eben ein richtiger Mensch und trug als solcher ein so zu sagen instinktives Verständnis für die geheimsten Falten und verborgensten Anlagen des menschlichen Wesens in sich; kein anderer neuer Dichter seit dem großen *Shak[e]speare,* hat so tiefe und dabei so vorurteilslose Blicke in das Innerste der menschlichen Brust getan; keinem liegt das Herz mit seinen Irrgängen so klar, so offen vor Augen; keiner glaubt bei alledem so fest an den angebornen Adel der menschlichen Natur und ist daher auch voll so echter, schöner Duldung als der Dichter des ›Faust‹, der ›Iphigenie‹ und des ›Tasso‹. Darum aber sind auch die Schriften keines andern modernen Dichters so geeignet, nicht nur die menschliche Natur und die unermeßliche Mannigfaltigkeit ihrer Anlagen, Triebe und Leidenschaften kennenzulernen, sondern auch – was damit freilich aufs innigste zusammenhängt – das Herz des Lesers mit Duldung und tatkräftiger Liebe zu seinen Mitmenschen zu erfüllen, wie die *Goethe*schen Schriften; es ist unsere aufrichtige Überzeugung, ja, wir dürfen hinzusetzen, unserer eigenen Erfahrung nach nicht möglich, diesen Schriften längere Zeit hindurch eine eingehende und ernstliche Beschäftigung zu widmen, ohne nicht nur den Kreis seiner Anschauungen und Erfahrungen wesentlich erweitert zu sehen, sondern auch ohne sich selbst sittlich gereinigt und gebessert und doppelt empfänglich zu fühlen für die Gebote der Menschlichkeit und Brüderlichkeit!« *

Wer wollte nicht gerne von diesem Meister lernen und sich ihn zum Führer, zum Lehrer nehmen?

Goethe war in allem ein echter Meister – sagte einer unserer ausgezeichnetsten Pädagogen –, also auch ein großer *Schulmeister.* Denn jeder Meister bildet um sich eine Schule, sei sie eine sichtbare oder eine unsichtbare, die er durch das Gewicht seines Wortes und durch das Ansehen seines Beispiels beherrscht – und nur mit um so größerer Wirkung, je weniger er schulmeistert, das heißt, das Belehren, das Bessern, das Wirken überhaupt sich zum Geschäft macht.

Aus dem ganzen Reiche der Kunst, der Wissenschaft und des menschlichen Lebens zog *Goethe* gleichsam die Dinge auf wie die Sonne die Feuchtigkeit der Erde zu sich aufzieht und in schimmernden goldenen Wolken dann bestrahlt, die sich aus den unendlichen Teilen in tiefgesetzlicher Weise zusammenballen. Nicht allein jene verschiedenen kostbaren Gebilde der Dichtkunst, alle jene Reihen von herrlichen Frauen- und Männergestalten sind Gebilde seiner Hand – dieselbe Hand rückte uns auch dem Ausland und seinen großen Geistern näher – dieselbe Hand bildete die Morphologie der Pflanzen und der Tiere aus – dieselbe Hand vermählte das Altertum innig mit der Gegenwart – dieselbe Hand regierte auch

* Professor Dr. Robert Prutz, Redakteur des ›Deutschen Museums‹.[10]

den Staat und bemühte sich um alles bis zum Kleinsten herab – dieselbe Hand wechselte tausende von Gedanken mit tüchtigen Männern und Frauen in Briefen aus – dieselbe Hand arbeitete unermüdet für die Wissenschaft – ja, es war ein und derselbe Geist, der in alle Regionen drang, *und dabei nie seine* KINDLICHKEIT *verlor!* Das ist vielleicht das höchste Lob, das man ihm mit *Herder* gibt: »*Goethe ist und bleibt bei alledem ein großes Kind!*« [11]

Davon, nämlich von dieser Kindlichkeit neben dieser Geisteshoheit und diesem Seelenadel, hat natürlich die *Unwissenheit, Rohheit* und *Selbstsucht* keinen Begriff! Aber wir, die wir gegen DIESE Feinde kämpfen, und bei aller EINFACHHEIT die höchste EINSICHT zu erzielen suchen, – verstehen Sie wohl? – *wir,* im *Arbeiter-Bildungs-Verein* können uns keinen bessern Schulmeister, keinen größeren Erzieher wünschen als diesen Goethe.

Was dieses wunderbar schöne Menschenbild dichtete, hat er auch im Leben durch die Tat vollbracht:

»Edel sei der Mensch, hilfreich und gut,
Unermüdlich schaff' er das Gute, Rechte und Nützliche,
Sei uns ein Vorbild jener geahneten Wesen!« [12]

So sei Er auch uns ein Vorbild und sein Angedenken unter uns gesegnet!

53 *Michael Bernays*

Aus: Über Kritik und Geschichte des Goetheschen Textes

1866

Den Studien, die ich seit längerer Zeit der Geschichte des Goetheschen Textes gewidmet, haben Sie, mein hochverehrter Freund, eine herzliche, eine wahrhaft aufmunternde und erfrischende Teilnahme bezeigt. Wohl darf ich es daher wagen, mich vornehmlich an Sie zu wenden, und Ihre Aufmerksamkeit in Anspruch zu nehmen, wenn ich jetzt, Ihrem eigenen Rate und der Meinung einsichtiger Freunde folgend, einige von den unzweifelhaften Ergebnissen dieser Untersuchungen dem größeren Kreise derjenigen vorlege, die für das Schicksal, welches die Werke unseres Dichters betroffen, nicht gleichgültig sind.

Es ist eine allgemeine Klage – und lauter als je ist sie in den letzten Jahren vernommen worden – daß der Text unserer klassischen Dichterwerke sich in einem verwahrlosten Zustand befinde, in dem er nicht länger verharren dürfe. Diese Klage ist nicht ungerecht, obgleich man allerdings vermuten darf, daß diejenigen, welche sie am heftigsten erhoben, von der Art und dem eigentlichen Umfange der Verderbnis am wenigsten eine deutliche Vorstellung erlangt hatten. Was *Joachim Meyer* für eine kritische Bearbeitung des Schillerschen Textes teils schon glücklich geleistet, teils mit hartnäckigem Fleiß und umsichtiger Sorgfalt im einzelnen vorbereitet hat[1], wird bei einer anderen Veranlassung näher zu erörtern sein. Was jedoch für Goethes Werke *, wenigstens für einen bedeutsamen Teil derselben, geschehen müsse, damit sie in unverletzter, ursprünglicher Reinheit erscheinen, das ist bisher nicht erkannt und nicht geahnt worden.

Von meiner Jugend an dem unablässigen Studium unserer großen Autoren mit Begeisterung hingegeben, hatte ich lange in die Welt der Goetheschen Poesie mich eingelebt, ohne daß es mir in den Sinn gekommen wäre, seine Worte, so wie sie mir überliefert vorlagen, mit dem Auge des philologischen Kritikers zu betrachten. Ich suchte den Gehalt der Dichterrede zu durchdringen, ihn, nach dem Maße meiner Empfänglichkeit, mir anzueignen; immer weiter drang ich im Laufe der Jahre vor; mit der Einsicht wuchs die Liebe, und ich ruhte nicht eher, als bis mir die Werke des Dichters, auch in ihren kleinsten Teilen, lebendig geworden, bis ein klares, umfassendes Bild seines Lebens und Schaffens vor meinem Blicke stand, und bis er selbst, in der einsamen Hoheit seines Wesens, oder im Geleite seiner mitstrebenden Genossen, auf dem Boden seiner Zeit, mir leibhaftig entgegengetreten war. So liebte ich in Goethe einen erhabenen Freund, einen weisen Führer durch so manche Irrgänge des Lebens; sein Wort klang mir lieblich und erhebend, seine Dichtungen trug ich in mir, eine unerschöpflich strömende Quelle des edelsten Genusses, der herrlichsten Geistesnahrung; aber fern blieb mir der Gedanke, daß ich es jemals unternehmen würde, auch nur an eine einzige Zeile des Dichters die kritisch bessernde Hand anzulegen.

Gewiß haben mich Neigung und Geschick hier den richtigen Weg geführt. Man muß lange in ungestörter Unbefangenheit mit einem großen Dichter verkehrt haben, ehe er uns eine wirkliche Einsicht in sein Wesen vergönnt. Man muß mit ihm verkehrt haben ohne jeden Hintergedanken, ohne jeden Nebenzweck; nur den einen, einfachen Zweck muß man im Auge behalten: den Dichter, wie ein lebendiges Individuum, in vertrauensvollem Umgange kennenzulernen. Und für diese selbstlose Hingebung wird man auf das schönste belohnt. Denn wie in einem langen Zusammenleben der Freund dem Freunde sich unverhüllt zeigen muß mit allen Kräften des Gemüts und Geistes, mit allen Eigenheiten seiner Natur, so muß auch der Dichter, dem wir vertrauensvoll genaht sind und in dessen Nähe uns die wachsende Neigung festgehalten, allgemach sich herbeilassen, das Geheimnis seines Daseins vor uns zu entschleiern. Wir erfahren, wie es in seinem Innern beschaffen ist; wir lernen aber auch den Ausdruck seiner Mienen kennen; Wort, Blick und Gebärde wird uns vertraut; in der lieben Gewohnheit des fortdauernden Umgangs gewinnen wir einen Instinkt, durch den wir unmittelbar empfinden, was dem Dichter gemäß sein mag, was ihm natürlich ansteht, und was ihm fremd, ungeziemend oder widerstrebend ist.

Aber bei dieser Empfindung beruhigen wir uns nicht. Wir streben nach der Klarheit sicherer Erkenntnis, die nur erlangt werden kann durch eine scharfe, sorgfältig durchgeführte Beobachtung alles dessen, was zu den Eigenschaften und

* Goethes Werke sind im folgenden überall, wo keine besondere bibliographische Notiz sich findet, nach der ›Ausgabe letzter Hand‹ zitiert.

Eigentümlichkeiten des Dichters zu rechnen ist: *er* teilt uns seinen Geist mit; wir aber müssen durch die ausharrende Tätigkeit selbständiger Forschung uns dieser Mitteilung zugleich versichern und würdig machen.

Unmittelbare, lebendige, sichere Empfindung und zuverlässige Einsicht, deutliche Erkenntnis müssen also in festem Bunde ungeschieden zusammenwirken, wenn die philologische Kritik ihr Werk mit Erfolg vollbringen, wenn sie dem Autor, in dessen Dienst sie sich begibt, auch in der Tat dienlich sein will.

Denn was will die Kritik? Was darf sie wollen? – Will sie, in gewissenlos keckem Selbstvertrauen, dem Dichter etwas entziehen, was er als sein Eigentum mit seinem Stempel bezeichnet hat? Oder treibt ein anmaßlicher Dünkel sie gar so weit, daß sie – ein noch gefährlicheres Unterfangen! – dem Dichter aus eigenen unzulänglichen Mitteln etwas aufdringen will, was er von sich gewiesen hat? Will sie nach wechselnder ästhetischer Laune, nach dem engen Gesetz einer starren Doktrin das Wort des Dichters ummodeln, oder es dem grillenhaften Geschmacke der Zeit gefällig anbequemen? – Nein, die echte Kritik weiß nichts von solcher Vermessenheit und Selbstüberhebung; ihr genügt an einer bescheidenern Rolle; sie will, wie eine sorgsam tätige Dienerin, nur Hab' und Gut ihres Herrn, des Autors, treulich zusammenhalten, daß es unverringert und unverkümmert bleibe; ist es verschleudert und beschädigt worden, so sucht sie es wieder zu gewinnen und wieder herzustellen. Gerade diese Unterordnung gewährt der Kritik eine sichere Selbständigkeit; in dieser Unterordnung findet sie ihren Ruhm und ihren Lohn.

Alles wissenschaftliche Tun kann nur *ein* Ziel haben, die Wahrheit. Jede einzelne Wissenschaft aber hat ihre bestimmte Aufgabe zu lösen; ihr muß sich daher auch die Wahrheit, die gesucht und erstrebt wird, unter einer bestimmten Form verkörpert darstellen. Jenes einzige Ziel hat auch die Kritik im Auge: das Wahre ist aber in diesem Falle *das Wort des Autors*, wie es aus seinem Munde, aus seiner Feder hervorgegangen. Daß dies unverändert erhalten bleibe, darüber hat die Kritik zu wachen. In der Tat, eine leichte Aufgabe, wenn nur die Überlieferung, welche das Werk aus ferner oder naher Vergangenheit zu uns herüber bringt, sich stets als zuverlässig bewährte. Aber so bewährt sie sich nicht. Aus allen Zeiten vielmehr bestätigt sich uns die Erfahrung, daß ein Schriftwerk, mit welchen Mitteln es auch auf Pergament oder Papier fixiert worden, durch störende Einwirkungen der verschiedensten Art eine Verletzung seiner Integrität erduldet. Unmerklich schleicht sich das Verderbnis ein; hat es einmal Platz genommen, so zeigt es den Augen der meisten Leser den täuschenden Schein des Echten, und ist hartnäckig genug, sich nicht wieder vertreiben zu lassen. Nachlässigkeit und ein tätiger Mißverstand der Schreiber und Setzer bereiten immer neues Unheil. Hier hat der Autor mit gutem Bedacht sich einer kühnen, bildlichen, oder durch ihre Seltsamkeit energischen Redeweise bedient, er hat aus dem Schatz der Sprache ein altertümlich kräftiges, halb vergessenes Wort verdientermaßen wieder hervorgeholt: aber eine solche Freiheit will ihm der Setzer nicht vergönnen, er nimmt Anstoß an dem Ungewohnten und hält sich berechtigt, dafür das Herkömmliche einzuschieben. Dort wird durch die leichtfertige Verwechselung zweier ähnlich lautenden Wörter der Sinn eines ganzen Satzes verzerrt; dort endlich ist gar eine ganze Zeile ausgefallen, weil das Auge des Setzers, vielleicht getäuscht durch die Wiederkehr derselben Buchstaben oder Wörter, achtlos über sie hingeglitten. Doch, wer könnte sie alle aufzählen, die Möglichkeit der Verderbnis und Entstellung, von denen das schutzlose Wort des Dichters bedroht ist! In allen diesen Fällen hat der Kritiker als der Anwalt des Autors zu handeln; er hat von diesem Befugnis und Vollmacht erhalten, ihn rechtlich zu vertreten, für sein Bestes tatkräftig zu sorgen, und seine begründeten, wenn auch schon fast erloschenen Ansprüche wieder zur Geltung zu bringen und durchzuführen. Glücklich ist der Kritiker, wenn ihn die Umstände derart begünstigen, daß er nicht nötig hat, zu gewagten Behauptungen, zu verwickelten Schlüssen seine Zuflucht zu nehmen, sondern untrügliche Dokumente vorweisen kann, aus denen das Recht seines Autors deutlich erhellt. Mit andern Worten: der Kritiker geht alsdann am sichersten, darf alsdann die schönste Ausbeute seiner Bemühungen erwarten, wenn seiner Tätigkeit eine feste diplomatische Grundlage geboten wird, wenn die unwiderleglichen Zeugnisse für das Echte und Rechte noch vorhanden sind. Weiß er solche kostbare Urkunden ihrem ganzen Werte nach zu würdigen, weiß er sie nach den Gesetzen der kritischen Kunst folgerecht zu behandeln, so muß er sich des Wahren bemächtigen, und er erlebt die Freude, seinem Autor alles unrechtmäßig Eingebüßte wieder zu erstatten. – Aber freilich nicht immer fällt dem Kritiker ein so günstiges Los. Oft genug sieht er sich einem Autor gegenüber, dem die Spuren vielfältig erlittener Schäden nur allzu wahrnehmbar anhaften: aber die diplomatische Kritik bietet keine Heilmittel: keine unzweifelhafte Urkunde kommt ihm zu Hülfe, und so verlassen von allen äußeren Zeugnissen, muß er vertrauensvoll seine eigene divinatorische Kraft aufbieten. Hier muß es sich nun bewähren, ob er wirklich im Geiste mit seinem Autor *eins* geworden ist, ob er dessen Wesen nach allen Seiten hin so durchdringend erkannt hat, daß ihm das Wahre, nach dem er sucht, wie durch eine innere Notwendigkeit entgegenkommt; hier muß das Gefühl ebenso wirksam tätig sein *, wie der sondernde Scharfsinn: der Geist des Kritikers muß sich schöpferisch erweisen. Nicht selten tragen die Ergebnisse dieser schöpferischen Tätigkeit die Gewähr einer vollkommenen Sicherheit in sich und mehrmals hat es sich ereignet, daß sie durch die nachfolgende Entdeckung zuverlässiger Urkunden die glänzendste äußere Bestätigung erhielten. Immer jedoch wird der Kritiker, wenn er jene höchste und schwierigste Probe seiner Kunst ablegt, sich selbst zur Bescheidenheit nötigen, indem er einsieht, daß auch die innigste Kenntnis seines Autors ihn nicht vor Fehlgriffen schützen kann; er wird demgemäß in seinem Verfahren, vornehmlich den neuern Schriftstellern gegenüber niemals eine weise Behutsamkeit verleugnen, er wird niemals die Grenze zwischen dem Wahren und dem Wahrscheinlichen aus den Augen verlieren. Er wird stark und enthaltsam genug

* Is demum se sciat ad hanc iudicandi facultatem perventurum, qui saepius repetita lectione in iustam scriptoris consuetudinem venerit, eiusque ingenium dicendique formam ita cognorit, ut, quid γνήσιον, quid ὑποβολιμαῖον sit, sentire et quasi gustare possit. Nam saepe haec sentiuntur facilius, quam verbis explanantur. D. Ruhnkenii Epistola critica I p. 5.[2]

sein, den Verlockungen eines müßig spielenden Scharfsinns zu widerstehen; er wird den Wahrheitssinn, der vor allem in ihm mächtig sein muß, rücksichtslos walten lassen. –

Von solchen Anschauungen geleitet, entschloß ich mich, den Text der Werke Goethes nach jener strengen Methode zu untersuchen und zu bearbeiten, welche den Schriftwerken des klassischen und unseres eigenen Altertums schon längst zugute gekommen ist. Mußte ich freilich, ungeachtet vieljähriger Vorbereitung, meine Kräfte im Mißverhältnis zu der Schwierigkeit und Bedeutung dieses Geschäftes erblicken, so durfte ich doch mit einiger Zuversicht mich an das Unternehmen wagen, wenn ich bedachte, daß ich der fördernden Teilnahme *Salomon Hirzels* [3] sicher sein konnte. Leider muß ich mir die Freude versagen, hier im einzelnen darzulegen, wieviel ich seinem stets zur Tat bereiten Wohlwollen schuldig geworden. Kann aber aus meinen Bemühungen für die Sicherung und Wiederherstellung des Goetheschen Textes wirklich etwas Ersprießliches hervorgehen, so mögen die Freunde des Dichters wissen, daß Hirzel vornehmlich das Anrecht auf ihre Dankbarkeit besitzt. Hätte er sich mir nicht »tröstlich und hülflich« erzeigt, so wäre mir ein sicheres Vorschreiten in einer durch mannigfache Hemmnisse so sehr erschwerten Bahn nicht möglich gewesen. Aus seinem Bücherschatze wie aus den Schätzen seines Wissens hat er mir gern alles dargereicht, um meine Zwecke, im ganzen wie im einzelnen, zu begünstigen; niemals ward sein Rat erfolglos in Anspruch genommen; ihm während des Fortgangs der Untersuchung meine Funde und Fündlein mitzuteilen, war schon ein erfreulicher Lohn aller Mühen, und seine Billigung ermunterte und stärkte zu neuer Tätigkeit. – Niemand wird erwarten, daß ich hier mit unnötiger Ausführlichkeit die Verdienste des Mannes preise, der von allen Seiten her, mit ausharrender Liebe, das Studium Goethes gefördert hat. Von allen, die in dem Kreise dieses Wissens heimisch sind, wird er schon längst einmütig anerkannt als »der Meister derer, die da wissen«.

[. . .]

Und hiermit sei die Reihe der Emendationen für diesmal abgeschlossen! *

Ein stiller, mächtiger Reiz begleitet die kritischen Arbeiten, die man den Werken eines großen Autors widmet. Man glaubt ihm näher zu rücken, man fühlt sich ihm durch ein innigeres Band verbunden, ja, in eine Art von Geistesgemeinschaft zu ihm emporgehoben, während man jedem seiner einzelnen Worte nachgeht, während man die Gedanken und Anschauungen, die er gehegt und schöpferisch hervorgerufen, ihm nachzudenken, ihm nachzubilden bestrebt ist. Wir sind seiner geistigen Persönlichkeit fest angeschlossen; sein geistiges Dasein enthüllt sich uns, und wir mögen uns wohl nur allzu gefällig mit der Hoffnung schmeicheln, als beglückte Vertraute dieses großen Daseins die mächtigen Einwirkungen desselben voller, reiner und unmittelbarer zu empfangen. Dies Gefühl trägt uns empor während der Arbeit; es entschädigt mit überschwänglichem

* Ich halte es für angemessen, zu bemerken, daß ich einen beträchtlichen Teil der hier vorgelegten Emendationen, so wie andere, die hier nicht mitgeteilt sind, in die jetzt erscheinenden ›Ausgewählten Werke‹ Goethes aufgenommen habe.[4]

Lohn für alle Mühe, die sie uns auflegt; es adelt alles Geringfügige, alles Kleinliche, das sie in ihrem Gefolge hat; dies Gefühl erhöht aber auch die Lust, mit der uns das Gelingen erfüllt. So wird denn unter allen, die jemals der edeln Kunst der Kritik tätig gedient, wohl keiner mich schelten, wenn ich bekenne, daß ich nicht ohne heitere Befriedigung auf das Geleistete, und mit freudiger Zuversicht auf das Schwere, was noch zu leisten steht, hinblicke. Selbst wenn an allen den Stellen, wo wir das Wort des Dichters wieder in sein Recht eingesetzt haben, die Kraft der Darstellung, die Bedeutsamkeit des Ausdrucks keinen wesentlichen Zuwachs erhielte, so müßte der Kritiker, dem es vor allem auf das Wahre ankommt, die erlangte Gewißheit: *so* und nicht anders hat der Dichter geschrieben, immer noch als einen nicht verächtlichen Gewinn ansehen. Aber indem wir das Ursprüngliche wieder herstellen, führen wir meist das *Schöne* auf seinen verlassenen Platz zurück. Die Verbesserungen treffen ganz eigentlich in das Mark der Dichterrede. – Ich habe bei der kritischen Behandlung der einzelnen Lesarten nur auf die sinnliche Wahrheit des Ausdrucks, nur auf den notwendigen Zusammenhang der Gedanken und der Darstellung gesehen; ich habe es absichtlich vermieden, jedesmal das poetische Verdienst der echten Lesart rühmend hervorzuheben. Denn was fruchten hier Erläuterungen und Ausdeutungen? Für den klarblickenden, für den empfindenden Leser sind sie nutzlos, wenn nicht gar beleidigend; man sucht ihn mit zudringlichem Eifer auf etwas hinzuweisen, worauf ihn seine eigene Empfindung schon unfehlbar hingelenkt hat; – demjenigen aber, der nichts sieht und fühlt, oder vielmehr der hier nicht *alles* sieht und fühlt, kann man hier auch nichts vordemonstrieren. Niemand dürfte sich an solche Untersuchungen heranwagen, der nicht die regste poetische Empfänglichkeit und ein im dauernden Verkehr mit großer Dichtung allseitig ausgebildetes Gefühl ihnen entgegenbrächte; und wer von diesem Gefühl nicht die richtige Leitung empfängt, der wird auch der eindringlichsten Demonstration gegenüber bei tauben Sinnen verharren. – Aber man unternehme es nun, man vergleiche in Hinsicht auf dichterische Schönheit den herkömmlichen Text mit dem ursprünglichen! Überall ist das gediegene Gold Goethescher Worte wieder aus dem Schutt hervorgegraben und leuchtet uns mit frischem Glanze entgegen. Oft erhält erst durch die Wiedereinsetzung des Echten die Rede einen wahrhaft poetischen Charakter, und ebenso oft ist es, als ob ein Schleier vor den Darstellungen des Dichters weggezogen würde und uns ihr voller ungetrübter Anblick erst jetzt verstattet sei. Nur selten hat sich die Kritik in dem glücklichen Falle befunden, einem neueren Autor so erhebliche Dienste leisten zu können.

Und dies alles leisten wir ihm mit der frohen, sichern Überzeugung, daß wir ihm nur sein Eigentum wieder darbieten. Mit sicherer Überzeugung – denn hier geben wir nicht etwa geistreichen Vermutungen einen unrechtmäßigen Wert: alles unsichere Wähnen und Meinen ist hier vielmehr ausgeschlossen; nicht eine trügerische Wahrscheinlichkeit schwebt uns vor, wir sehen das Wahre, das Echte. Mit unwiderstehlicher Notwendigkeit erobert es sich seinen Platz und wird ihn trotz allen Anfechtungen zu behaupten wissen. Das ist die Frucht, das ist der Segen einer methodisch angelegten und folgerecht durchgeführten Untersuchung.

Aber wahrlich, diese Äußerungen sind nicht dazu bestimmt, in mir und andern eine eitle Befriedigung zu nähren. Sie sollen nicht zum ruhigen Genuß des Gewonnenen einladen; ein Mahnruf sollen sie sein, den ich an alle Geist- und Sinnverwandten richte, ein Mahnruf, der zum rüstigen Tun antreibt.

Unter den großen Autoren, deren sich das neuere Deutschland rühmt, hat bis jetzt erst *Lessing* durch Lachmanns Muster- und Meisterwerk [5] sein volles Recht erhalten. Goethe mußte sich, gleich andern, bisher gedulden. Meine Untersuchung hat ausgewiesen, daß bis auf diesen Tag niemand die mühevollen Vorarbeiten auf sich genommen oder in dem erforderlichen Umfange durchgeführt hat, aus denen allein der Goethesche Text in echter Gestalt, urkundlich bewährt, hervorgehen kann. Es ist nun wohl an der Zeit, daß auch Goethe sein Recht erhalte; es ist an der Zeit, daß die noch immer ausstehende Schuld dem großen Dichter der Nation entrichtet werde, dem Gewaltigen, der durch sein schöpferisch mächtiges Wort zuerst wieder bei den Völkern Europas Ehrfurcht erzwang für die so lange verkannte, so lange herabgewürdigte Majestät des deutschen Geistes.

Nehmen wir wahr, mit welcher emsigen, immer sich steigernden Sorgfalt die Franzosen, die Engländer jene Produkte ihrer klassischen Schriftsteller behandeln und ausstatten, aus welchen die Nation fort und fort die Anregung und die Mittel zu höherer Geistesbildung schöpft; bemerken wir, wie die Ausgaben sich nicht bloß wiederholen, sondern durch immer entschiedenere Vorzüge einander zu überbieten und den Kennern sich zu empfehlen trachten, so muß ein Rückblick auf unser eigenes Verhalten uns ein beschämendes Gefühl erwecken. Dort wird den Stiftern und Meistern der Literatur die gebührende Verehrung durch wirksame und fruchtbare Tat bewiesen. Ich rede hier nicht von den Werken der älteren Zeit, die den wissenschaftlichen Apparat nicht entbehren können und deren Studium ein Vorrecht der Gelehrten bleibt; ich rede hier nur von den Werken, die in aller Händen sind und die lebendig von einer Generation zur andern hinübergehen. Wie sorgen die Franzosen für die Dichter, für die herrlichen Prosaiker des siebenzehnten Jahrhunderts *, auf deren großen Schöpfungen noch immer die Geisteskultur der Nation beruht! Welch einen anhaltenden liebevollen Fleiß widmen die Engländer, nicht allein ihrem Shakespeare, ihrem Bacon und den andern großen Erscheinungen der Elisabethanischen Zeit: – nein, auch die bedeutenden Autoren, die erst in unserm Jahrhundert aufgestanden sind, werden in gleicher Weise geehrt. Man nehme die aus Murray's Verlag stammende Gesamtausgabe der Byronschen Werke [6] zur Hand, und frage sich, für welchen deutschen Autor bisher etwas Ähnliches geschehen ist!

* Wer sich in solchen Studien bewegt hat, mag an alles das zurückdenken, was die Franzosen allein für ihren *Pascal* geleistet! Mit wahrhaft religiöser Hingebung haben sie das kaum leserliche Manuskript der ›Pensées‹ durchforscht und entziffert; jede Variante, jeder auch nur zur Hälfte niedergeschriebene, vom Autor selbst durchstrichene Satz ist wieder ans Licht gebracht worden. Wir können gleichsam mit Augen sehen, wie der wunderbare Mann mit seinen Gedanken verkehrte, wie er sie künstlerisch bewältigte. Mit Recht haben die Kritiker hier auch das Kleinlichste nicht verschmäht: denn nichts ist kleinlich, was in der Gedankenwelt eines so außerordentlichen Geistes auch nur für einen kurzen Augenblick gelebt hat.

Doch sollte es des anspornenden Beispiels der Nachbarvölker bedürfen, um uns an unsere Pflichten zu mahnen? – Oder, möchte man in einem andern Sinne fragen, ist dies Beispiel in der Tat so beschämend für uns? Kann unser untätiges Verhalten nicht vielfach entschuldigt, nicht befriedigend erklärt werden? Bei jenen Völkern stehen die großen Autoren schon im zweiten, im dritten Jahrhundert ihrer Wirksamkeit; eine lange Reihe von Generationen hat sich schon an ihnen herangebildet und die Völker haben Zeit gehabt, ihnen alle schuldigen Ehren zu erweisen. Bei uns ist die Literatur, die unmittelbar auf die Gesamtbildung des Volkes wirkt, erst ein Jahrhundert alt; sind weitere hundert Jahre verstrichen, so wird den Ausgaben auch unserer Autoren nichts Wünschenswertes mangeln: jetzt ist hier, bei der großen Jugend unserer Literatur, alles noch im Werden. –

Nun wohl, diese entschuldigende Erklärung soll gelten. Wir wollen uns bescheiden und keinen vorwurfsvollen Blick auf das Vergangene zurückwerfen. Aber um so ernstlicher sollen wir uns rüsten, um tatbereit zu sein für die Zukunft. Wenn bei uns alles noch im Werden ist, so muß doch endlich eine tätige »Werdelust« erwachen.

Ich will hier nicht den Plan einer umfassenden Gesamtausgabe der Goetheschen Werke aufstellen, einer Ausgabe, in welcher ein dauerndes Denkmal, gleich ehrenvoll für die Nation wie für den Dichter, geschaffen würde. Jedem Plane dieser Art muß die Möglichkeit einer wahrhaft befriedigenden Ausführung abgehen, so lange das Archiv in Goethes Hause uns verschlossen bleibt, so lange der Zugang zu den dort aufbehaltenen Schätzen uns verwehrt ist. Inzwischen aber, bis es gestattet sein wird, diese Schätze zu heben, auf deren Besitz die Nation vielleicht ein Anrecht dürfte geltend machen, – inzwischen können wir, auch nur auf die uns zugänglichen Hilfsmittel beschränkt, Großes und Gewichtiges leisten; wir können es leisten durch die kritische Bearbeitung der einzelnen Werke, wodurch wir die Gesamtausgabe vorbereiten und ihr die unentbehrliche Grundlage liefern, auf der sie alsdann, wenn der günstige Zeitpunkt eintritt, um so sicherer der Vollendung entgegengeführt wird.

Bei diesen Bearbeitungen muß unser Absehen vor allem darauf gerichtet sein, den Text der einzelnen Werke endgültig festzustellen.

Wie mannigfache, wie ernste Schwierigkeiten an diese Aufgabe sich heften, ist mir wohl am allerwenigsten verborgen, der ich ja zuerst die tiefliegenden Schäden des Textes aufgedeckt habe. Indes wird eine durch strenge Methode sicher geleitete Arbeit diese Schwierigkeiten bewältigen. Sie sind in der Tat von eigentümlicher Art; sie sind aber nicht abschreckender als andere, denen wir bei solchen Schriftstellern zu begegnen gewohnt sind, deren Text überhaupt eine Geschichte aufzuweisen hat. Denn was wir Geschichte des Textes nennen, ist ja nur Geschichte seiner Korruptionen. Ein Text, der von jeder Korruption verschont geblieben, hat auch keine Geschichte. Wir erfreuen uns nun der günstigen Lage, die Textesgeschichte mit der Rehabilitierung des Echten abschließen zu können, während andere Kritiker dazu verurteilt sind, eine lange Liste vielverzweigter Verderbnisse aufzustellen und wohl gar selbsttätig zu vermehren, ohne jemals zu dem ersehnten Abschluß zu gelangen. Diejenigen, die sich am Sophokles, am Shakespeare abmühen, wie glücklich möchten sie sich schätzen, wenn sie auf den Pfaden kritischer Forschung jedesmal zu dem sicher verbürgten Worte des Dichters hingeführt würden! Sie dürfen uns wohl beneiden, da wir fast überall Ergebnisse gewinnen, so gesichert durch die Gewähr der Urkunden, so überzeugend durch innere Wahrheit, daß vor ihnen auch nicht die Möglichkeit eines Zweifels bestehen kann.

Ferner ist bei jenen Bearbeitungen die eingehendste Sorgfalt auf alle diejenigen Verschiedenheiten der Lesart zu wenden, die sich von der Hand des Dichters selbst herschreiben. Ein Werk, dessen allmähliche Entstehung wir etwa im Manuskripte des Autors verfolgen könnten *, oder das vom Verfasser, sei es im großen ganzen, sei es in kleinen Einzelheiten, umgebildet worden, nachdem es schon einmal abgeschlossen und der öffentlichen Mitteilung übergeben war, – ein solches Werk hat für uns, in anderm Sinne als der Text, eine Geschichte, und die Urkunden dieser Geschichte müssen uns vorgelegt werden. Denn wir, die wir nicht bloß zum Genusse der Werke, die wir zum ernsten Studium des Dichters berufen sind, wir wollen uns nicht allein am Anblick des Vollendeten erheben, wir wollen auch, so weit eine solche Einsicht nur irgend vergönnt ist, dem Werden, dem Entstehen zuschauen. Im Jahre 1795 ** forderte Goethe zu einer »Vergleichung der sämtlichen Ausgaben unseres Wielands« auf und pries die Frucht, den Nutzen, den eine solche Arbeit versprach. Mit wieviel größerer Befugnis dürfen wir jetzt dazu auffordern, den eigenen Werken Goethes eine solche Arbeit zu widmen. Eine umfassende, methodisch angeordnete Sammlung der Varianten wird uns mannigfache Gelegenheit bieten, die Kunst des Dichters im Kleinen und Kleinsten zu studieren, und dies Kleine wird uns oft genug auf die Erwägung der bedeutsamsten Fragen hinlenken die eben so wohl den Autor als sein Werk betreffen.*** Eine solche Sammlung eröffnet uns aber auch zuerst die Möglichkeit eines gründlichen Studiums der Goetheschen Sprache, aus welchem mit der

* So hat man uns aus den Handschriften Byrons alle ersten, aber von dem Dichter noch vor dem Druck verworfenen Lesarten mitgeteilt.

** In dem Aufsatz ›Literarischer Sansculottismus‹, der zuerst anonym in den ›Horen‹ (1795, fünftes Stück) erschien; jetzt in den Werken 45, 125 ff. – »So ist es zum Beispiel nicht zu viel gesagt, wenn wir behaupten, daß ein verständiger, fleißiger Literator durch Vergleichung der sämtlichen Ausgaben unsres Wielands, eines Mannes, dessen wir uns, trotz dem Knurren aller Smelfungen, mit stolzer Freude rühmen dürfen, allein aus den stufenweisen Korrekturen dieses unermüdet zum Besseren arbeitenden Schriftstellers die ganze Lehre des Geschmacks würde entwickeln können. Jeder aufmerksame Bibliothekar sorge, daß eine solche Sammlung aufgestellt werde, die jetzt noch möglich ist, und das folgende Jahrhundert wird einen dankbaren Gebrauch davon zu machen wissen.« –

*** Nicht allein bei den Jugendwerken geben uns die größeren oder geringeren Verschiedenheiten Anlaß zu eindringendem Studium. Auch die in späteren Jahren entstandenen Dichtungen haben Varianten aufzuweisen, deren Studium sich lohnt. Wie lehrreich bleiben in diesem Betracht die Elegien, Episteln und Epigramme, die meist aus metrischen Rücksichten umgebildet wurden. (Ein besonders anziehendes Beispiel solcher Umbildung ist im Weimarischen Jahrbuch 3, 460 mitgeteilt.) Aber auch die späteren Gedichte, die, wie aus *einem* Guß geschaffen, gleich bei ihrem ersten Erscheinen in makelloser Vollendung darstanden, zeigen Varianten, die der Aufmerksamkeit wert sind. Die erste Strophe der ›Braut

Zeit eine *Geschichte* dieser Sprache erwachsen muß. Zu einem solchen unerläßlichen Studium hat man bisher keinen, oder nur einen sehr verkehrten Anfang gemacht. Auf wissenschaftlicher Grundlage muß es nun endlich begonnen werden. Und nicht bloß des Dichters eigene Sprache, auch die seiner frühern Zeitgenossen erfordert eine strenge, tiefgehende Untersuchung, aus welcher dann, was ihm eigentümlich ist und was er gemeinsam mit seinen Zeitgenossen besitzt, klar gesondert hervortreten wird. Deutlich mögen wir dann erkennen und mit Sicherheit ermessen, wie er den ihm überlieferten Sprachvorrat genutzt, und wie er aus der Fülle seines eigenen Genius, der wie in geheimem Einverständnis mit dem Sprachgeiste schuf *, sein geliebtes Deutsch bereichert, veredelt und verherrlicht hat.

Indem wir dem Dichter die Früchte solcher historisch-kritischen Arbeiten zugute kommen lassen, befriedigen wir nicht nur unsere eigenen, so sehr gerechtfertigten Wünsche; wir können uns ebenso entschieden überzeugt halten, daß wir durch diese Tätigkeit auch dem Sinne, ja, den Anforderungen Goethes selbst entsprechen. Ich habe früher scherzend bemerkt, daß Goethe den Pflichten eines Korrektors nur unvollkommen genügte; aber deshalb wollte er es doch nicht gelassen dulden, daß ein unaufmerksamer Setzer seine Worte der Entstellung preisgab oder ein beschränkt eigenwilliger Korrektor an ihnen herumstümperte. Er glaubte sich, besonders in späteren Jahren, jener Pflichten enthoben, weil er den zu solchem Geschäft Berufenen, vor allem wohl seinem Hausgenossen Riemer, jede erforderliche Umsicht und Sorgfalt bereitwillig zutraute. Er ahnte nicht, was wir jetzt so deutlich wissen und bezeugen können, daß dies Vertrauen ein gänzlich unverdientes war. Bei manchem Anlaß zeigte er sich sogar in seiner Weise sorgfältig genug. So hatte er hinreichende Geduld, um im Jahre 1814, als eine neue Ausgabe der Werke vorbereitet ward **, den ›Wilhelm Meister‹ noch einmal mit Riemer durchzugehen; aber trotzdem konnte er das Eindringen so mancher schlimmen Fehler nicht verhüten. Wenn man liest, wie er Riemern lebhaft dafür

von Korinth‹ schloß im ›Musen-Almanach für 1798‹ mit den Worten: »Hatten frühe schon / Töchterchen und Sohn / Braut und Bräutigam, in Ernst, genannt.« – Im siebenten Band der ›Neuen Schriften‹ (Berlin 1800) haben wir zuerst die jetzige Lesart: »Braut und Bräutigam voraus genannt« – Sehr interessant war mir immer die Variante in der vierten Strophe des ›Schatzgräbers‹. Der schöne Knabe tritt an den Kreis heran: »Holde Augen sah ich blicken / Unter einem Blumenkranze«. – So ließ Goethe 1798 und 1800 drucken; erst in der Ausgabe der Werke von 1806 finden wir: »Unter *dichtem* Blumenkranze.« – Wer fühlt nicht, daß erst durch den Hinzutritt des Adjektivs das liebliche Bild vollendet wird? –

* Von der Sprache Goethes, wie sie sich in den Werken der Jugend und des Mannesalters zeigt, läßt sich in einem ungleich tieferen und umfassenderen Sinne sagen, was La Motte mit glücklichem Ausdruck von der Sprache Racines sagt: Combien d'alliances de mots inusitées jusqu'à lui, dont on n'a presque pas aperçu l'audace! Ce qu'il inventait, semblait plutôt manquer à la langue que la violer. – Œuvres de Monsieur Houdar de la Motte (Paris 1754) 4, 419–20.

** Der vorbereitenden Arbeiten für diese Ausgabe wird in den Briefen an Zelter mehrfach gedacht. 27. Dezbr. 1814: »Jetzt bin ich mit der neuen Ausgabe meiner Werke beschäftigt, die mich zu wunderlichen Betrachtungen veranlaßt, indem ich genötigt bin, über die abgeschiedenen und immer aufs neue spukenden Geister Revue zu halten«. –

seinen Dank sagt, daß dieser bei dem Drucke eines neuen Werkes die Revision übernehmen will, weil »man sich auf die Meister und Gesellen gar nicht verlassen kann«; – wenn man sieht, wie umständlich er ein einzelnes Wort ausdeutet und dessen Gebrauch rechtfertigt*, – so darf man wohl daraus den Schluß ziehen, daß es ihm, ob er sich auch nicht selbst zu einer mühevollen Durchsicht seiner Werke herbeiließ, doch durchaus keine gleichgültige Sache war, wenn ein stumpfer, nachlässiger Korrektor anstatt eines kühn treffenden, scharf bezeichnenden Wortes ihm ein mattes, ungeschicktes, nichtssagendes in den Text einschwärzte. Und so darf es uns denn auch nicht Wunder nehmen, wenn er noch in späten Jahren in einem besondern Aufsatz**, mit jenem würdigen Ernst, der uns fast zu einem Lächeln reizen könnte, laute Klage erhebt über die vielfachen Fehler und Versehen, welche den Druck deutscher Werke zu verunzieren pflegen; er beschwert sich darüber, daß »die werte deutsche Nation, die sich mancher Vorzüge zu rühmen hat, in diesem Punkte leider allen übrigen nachsteht, die sowohl in schönem und prächtigem Druck, als, was noch mehr wert ist, in einem fehlerfreiem Ehre und Freude setzen«; und der Dichter des ›Werther‹ und des ›Faust‹ läßt es sich nicht verdrießen, hier eine ansehnliche Liste gar wundersamer Hör- und Druckfehler zu entwerfen; aber kein neckischer Dämon flüstert ihm während dieser Arbeit zu, daß er das reichste Material für ein solches Verzeichnis mit leichter Mühe aus einer ihm sehr naheliegenden, nur allzu ergiebigen Fundgrube, nämlich aus seinen eigenen Werken, gewinnen könnte.

Mögen nun die Freunde unserer Literatur, die Freunde Goethes sich zu ernster Tätigkeit vereinigen! Mögen alle, welche die Bedeutung dieser Studien richtig schätzen und sie tätig zu fördern befähigt sind, zur gemeinsamen Arbeit mutig und freudig herantreten. Hier ist so viel, so Schwieriges und so Verschiedenartiges zu leisten, daß jeder, dem es Ernst ist, reiche Gelegenheit findet, seinen Fleiß und Eifer, seinen Scharfsinn wie seine Gelehrsamkeit zu bewähren. Niemand aber lege Hand ans Werk, der nicht den Entschluß mitbringt, hier auch die kleinlichste Mühe willig zu übernehmen, auch das Unscheinbarste mit einer regen Sorgfalt zu behandeln. Niemand wähne, daß man mit solcher Arbeit nur an der Schale haften bleibe! Auch hier, dürfen wir mit dem Meister sagen, auch hier ist weder Kern noch Schale.[9] Bemächtigen wir uns nur ganz des Äußeren, so bleibt uns das Innere nicht vorenthalten. Und sollte es denn auch wirklich hie und da geschehen, daß uns die Arbeit, länger als wir wünschen, bei geringfügigen Äußerlichkeiten zu verweilen zwingt, so mögen wir, auf Goethe hinblickend und einem alten Dichterworte eine neue Wendung gebend, uns mit dem Gedanken trösten: Schön ist die Mühe, mit der ich dir, auch nur in deinen Vorhöfen, diene. –

Tadelnswert mag es manchen, andern wenigstens als ein Zeichen eng beschränkter Sinnesart erscheinen, daß ich zur Erfüllung einer *solchen* vaterländischen Pflicht so nachdrücklich gerade in diesem Zeitpunkte auffordere, da ganz

* ›Briefe von und an Goethe‹, herausgegeben von Riemer,[7] S. 200. Es ist das Wort *stängeln*, das uns im ›Westöstlichen Divan; begegnet 5, 225. »Einer sitzt auch wohl gestängelt / Auf den Ästen der Zypresse.«

** ›Hör-, Schreib- und Druckfehler‹. Bd. 45, 158–164.[8]

andere Pflichten einen jeden zu rufen scheinen, dem Deutschlands heilige Sache am Herzen liegt. Aber ein jeder dient dem Vaterlande auf *seine* Weise. Nicht allen wird es beschieden, mit dem Wort oder mit dem Schwert unmittelbar zu kämpfen für die Entscheidung der großen Angelegenheiten, an welche das Schicksal der Nation geknüpft ist. Auch wir, die der stillen, aber nie stillstehenden geistigen Arbeit hingegeben sind, auch wir dienen dem Vaterlande; zu seinem Wohl, zu seinem Ruhme muß alles ausschlagen, was wir Heilsames und Würdiges unternehmen. In der glorreichen Zeit, die über Deutschland leuchtend heraufzusteigen beginnt [10], soll das lebendige Fortwirken der großen Geister, die uns eine neue Epoche der Bildung begründet haben, allen Kreisen unseres Volkes einen immer reicheren geistigen Segen bringen. Unsere Pflicht sei es, nichts zu unterlassen, was diese segensvollen Einwirkungen fördern und sichern kann. Und der hat wahrlich keine unwürdige Aufgabe erkoren, der an seinem Teile daran mitarbeitet, daß die Werke unseres größten Dichters, geschützt vor jeglicher Unbill, in reiner, unverletzter Gestalt, ein köstliches Erbgut, den nachkommenden Geschlechtern überliefert werden.

Bonn am Rhein, im Spätsommer 1866.

54 *Herman Grimm*

Aus einer Rezension des »Leben Schleiermachers« von Wilhelm Dilthey — 1870

Es mag zehn Jahre her sein, daß es sich um eine Biographie Goethes handelte, deren Bearbeitung von guter Hand ein Buchhändler zu erlangen bestrebt war. Die Sache wurde damals von verschiedenen Personen, denen am Zustandekommen eines solchen Buches gelegen war, gründlich besprochen. Die größte Schwierigkeit schien darin zu liegen, daß uns Goethe noch zu nahe stand. Es gab für unser Auge noch keinen Punkt, von dem aus gesehen sein Leben als Ganzes genommen sich von natürlich gleichmäßigem Lichte bestrahlt darbot. Die Herrschaft seines Alters lag uns noch zu mächtig nahe in der Seele, um die stürmischen Zeiten seines ersten Auftretens als natürlichen Anfang dazufügen zu dürfen. Er fiel wie in zwei Personen auseinander, und die Zeiten, die dazwischen gehörten, waren undeutlich und bildeten keine rechte Brücke.

Heute würde bei einer Darstellung Goethes niemand mehr durch solche Bedenklichkeiten sich behindert fühlen. Goethe ist nun ganz in der Vergangenheit untergetaucht. Die Wellen eines neuen Daseins rollen ruhig über die Stelle hin, wo vor kurzem seine Stirne noch emporragte. Wir fragen nicht mehr: wie würde Goethe dazu sich gestellt haben? Wir fragen überhaupt nach dem Urteil derer nicht mehr, qui ante nos fuere.[1] Aus Epigonen sind wir plötzlich wieder Deukalionen [2] geworden. Wir meinen zum erstenmale aus dem Stein zu erwachen, sehen uns mit einer gewissen Ruhe (die gleichfalls diesen Ursprung nicht verleugnet)

Gegenwart und Zukunft an und wissen bestimmt, daß das Vergangene für immer abgetan sei. Keine übermächtige Verehrung berückt uns mehr den Sinn. Ein Licht, das mehr an Mondschein als Sonne erinnert, scheint über den Menschen und den Begebenheiten zu liegen und blendet unser Auge nicht. Eine Biographie Goethes ließe sich heute aus einem Gusse herstellen. Seine Jugend wäre uns nun nicht ferner als sein Alter, die innere Bewegung der Tage vor den Stürmen der Französischen Revolution erscheint uns heute historisch ebenso durchsichtig und interessant als die etwas tote Arbeitsamkeit der zwanziger Jahre, wo die dunkle Scheu, mit der man neue Bewegungen der Nationen herannahen fühlte, so ganz anders beschaffen war als die Erwartung der 70er und 80er Jahre auf einen unaussprechlichen Völkerfrühling. Alles das sind jetzt vollendete Tatsachen, unbedeutende Symptome, partikulare Handarbeit gegenüber der universellen Dampfarbeit der neuesten Tage.

Es ist auffallend, wie sehr vom Standpunkte des heutigen Lebens aus angesehen die Zeiten der Französischen Revolution und der napoleonischen Kriege nun friedlich erscheinen. Man glaubte während dieses umgestaltenden Überganges aus dem vorigen Jahrhundert in das heutige praktische Politik zu treiben: heute sehen wir, daß all diese Politik doch nur von als Soldaten, Revolutionären, Staatsmännern etc. verkleideten Humanisten gemacht wurde. Napoleon, der rohe, rücksichtslose Soldat, steht heute als durch und durch getränkt von klassischer Bildung da. Er holt Statuen und Gemälde nach Paris, führt Talma [3] mit sich, der Corneille spielt, hat ›Werthers Leiden‹ in seinem Handgepäck, schreibt aus Italien sentimentale Briefe an Josephine [4] und läßt Goethe zu sich bescheiden. Und bei der Plünderung Weimars verschafft das Geschrei der Christiane Vulpius, an den ersten besten französischen Offizier gerichtet, ›une sauvegarde pour Goethe!‹ diesem eine Schildwache vors Haus. Wir haben keine Goethes heute, allein ich zweifle, ob französische Offiziere heute von ihnen wissen würden. Wir leben in den Tagen, wo Humboldts [5] Marmorbüste nach seinem Tode in Berlin vergeblich für einen billigen Preis ausgeboten wurde, und wo nachts bei seinem Leichenbegängnisse der Pöbel seinen Sarg insultierte.

Das Durchdrungensein von einer Bildung, die von der Kenntnis des klassischen Altertums ausging und auf eine Umgestaltung der Welt in ihrem Sinne losarbeitete, ist das Kennzeichen der letzten großen Epoche hinter uns. Rousseau wußte nichts Besseres, als am Schlusse des ›Emil‹ seine ideale Gesellschaft in griechische Tempel mit ewigem Frühling einzulogieren, wo jeder aß und trank und keiner kochte. Nur die Gebildeten kamen in Betracht. Ein unsichtbares, williges Sklavenvolk tat ungefragt die niedere Arbeit hinter der Szene. Die Gebildeten allein sind es, die in der Französischen Revolution und in den Kriegen darauf die Macht in Händen haben, nur in Momenten lassen sie das aufgehetzte Volk los. Niemand ahnte unsere heutige Aufgabe: kolossale Massen materiell emporgestiegener, aber fast ganz bildungsloser Menschheit, in deren Händen und Stimmen die allgemeine Gewalt liegt, mit den Resten jener schwindenden humanistischen Bildung zu erziehen. Niemand würde vor 30 Jahren nur diese Aufgabe begriffen haben, weil niemand die Entwickelung des materiellen Lebens voraussah.

Was nun steht uns heute zu Gebote dieser Aufgabe gegenüber? Keine anderen Mittel doch, als die Gedanken der Epoche, von der ich eben sprach. Sie sind das geerbte Saatkorn, mit dem wir die ungeheuren Territorien der Gegenwart zu bestellen haben. Und so wendet sich die heutige Geschichtschreibung mit aller Energie den Tagen zu, die, freilich abgetan hinter uns liegend, nun bei all ihrer Schwäche, Beschränktheit und Machtlosigkeit den Schimmer eines Heroenalters zu tragen beginnen. Noch vor zwanzig Jahren klagten wir diese Männer an, die Erbschaft der Freiheitskriege übel verwaltet zu haben: heute verstummen solche Vorwürfe. Deutschland ist in seinen Anfängen auf dem besten Wege. Wir haben nicht mehr zu trauern über vergebliches Ringen nach einem Ziele, das offen zu nennen früher polizeilicher Hochverrat war. Wir besitzen so viel Freiheiten, daß wir oft Mühe haben, uns selber darin zurecht zu finden: wir werfen niemandem mehr vor, daß durch seine Schuld uns deren Genuß eine Reihe von Jahren zu spät zuteil geworden sei. Wir fragen dagegen mit erwachender Neugier: wie waren die Männer denn beschaffen, aus deren geistiger Arbeit unser heutiger Zustand erwachsen ist? Und nun, indem wir ganz objektiv diese Frage stellen, entfaltet sich die Zeit der letzten 25 Jahre des 18ten und der ersten 25 des jetzigen Jahrhunderts als das bewundrungswürdige Zusammenwirken einer großen, in ihren Interessen verbundenen Gesellschaft, welche, ganz Europa überspinnend, mit all ihren Intentionen auf geistige Arbeit gerichtet ist. Gerade die Abwesenheit des politischen Lebens im heutigen Sinne gibt diesen Bestrebungen für unseren Anblick das Allmächtige. Man kannte nichts als das. Nur dieser einzige Weg schien eröffnet, um den Fortschritt der Menschheit zu bewirken. Nach dieser einzigen Richtung hin schärfte sich alle Auffassung, alle Produktionskraft.

[...]

ANMERKUNGEN UND ERLÄUTERUNGEN

1 *Karl August Böttiger · Göthe's Tod*

ED Allgemeine Zeitung, Augsburg, April 1832, Außerordentliche Beilage Nr. 127 bis 134.

Karl August Böttiger (1760–1835), Altphilologe und Archäologe, von 1791–1804 Gymnasialdirektor in Weimar, ab 1804 Leiter des Pagen-Instituts in Dresden, Vorsteher der Dresdener Antiken-Sammlungen (seit 1813) und Studiendirektor der königlichen Ritterakademie. Von 1795–1803 war Böttiger Herausgeber von Bertuchs »Journal des Luxus und der Moden«, von 1796–1810 von Wielands »Neuem Teutschen Merkur«. Goethes persönlicher Verkehr mit dieser für das Weimarer literarische Leben wichtigen Tagesfigur fällt vor allem in die Zeit seines Bündnisses mit Schiller. Böttiger war den beiden Dichtern als gelehrter Archäologe und Philologe nützlich und versuchte sich auch sonst durch allerlei Vermittlungsdienste unentbehrlich zu machen. Seiner Vielgeschäftigkeit wegen trug er den Spottnamen »Magister Ubique«. Seine Briefe und sein von Karl Wilhelm Böttiger aus dem Nachlaß herausgegebenes Werk »Literarische Zustände und Zeitgenossen« (2 Bde., Leipzig 1838) sind wichtige, wennschon mit Vorsicht zu benutzende Quellen für die Kenntnis der Goethezeit. Böttiger hat die Aufgabe, den Nachruf auf Goethe für die einflußreiche »Allgemeine Zeitung« zu schreiben, offenbar nur mit Vorbehalten und nach Zögern übernommen. Am 25. März 1832 schreibt er an Friedrich Rochlitz: »Aber diese Aufgabe ist mir zu schwer, und eine innere Stimme sagt mir: Goethe mag dich nicht zum Totenredner haben! Sie wissen, wie sehr ich ihm (bei Gott, nicht durch meine Schuld) entfremdet wurde. Gerade die ›Allgemeine Zeitung‹ hat durch eine unglückliche Verwechslung seine frühere Abneigung befestigt.« (Bode III, 399).

1 Vgl. T. 7.

2 Die »Vollständige Ausgabe letzter Hand« erschien von 1827–1831 in 40 Bänden bei Cotta in Stuttgart. Nach Goethes Tod erschienen 20 weitere Nachlaßbände (1832 bis 1842).

3 »Trauerworte bei Goethe's Bestattung am 26sten März 1832« von D. Johann Friedrich Röhr, Großherzoglicher Oberhofprediger. Die Trauerrede ist wiederabgedruckt in: Goethes Tod. Dokumente und Berichte der Zeitgenossen. Hg. von Carl Schüddekopf. Leipzig 1907. S. 107–110. – Auch in: Den Manen Goethes. Gedenkreden von 1832 bis 1949. Ausgewählt und eingel. von Walter Iwan. Weimar 1957. S. 19–24.

4 Der durch seine glänzende Beredsamkeit berühmte griech. Kirchenvater Chrysostomos (Chrysostomos = Goldmund) und der presbytanische Bischof Eucherius in Lyon, gest. ca. 450.

5 Die mit Goethe befreundeten Brüder Melchior und Sulpiz Boisserée.

6 Vgl. »Römische Elegien« IV., V. 16 f.: »Diese Göttin, sie heißt *Gelegenheit;* lernet sie kennen!/Sie erscheinet euch oft, immer in andrer Gestalt.« (H.A. 1, S. 159).

7 Gemeint ist die »Campagne in Frankreich«.

8 Goethes Verleger Johann Friedrich Cotta.

9 Christian Gottlob Voigt (1743–1819), seit 1807 Oberkammerpräsident und seit 1815 Präsident des Staatsministeriums in Weimar. Goethe stand mit ihm in engem, freundschaftlichem Briefwechsel.

10 Im April 1817 wurde das historisch-romantische Drama »Der Hund des Aubry oder der Wald von Bondy« von Caroline Jagemann auf der Weimarer Bühne gegen Goethes Einspruch, der das Auftreten eines Hundes auf der Bühne untersagt hatte, gegeben. Goethe reichte daraufhin seinen Rücktritt von der Theaterleitung ein.

11 Das Festspiel »Des Epimenides Erwachen«, zu dem Iffland als Direktor des Berliner Nationaltheaters im Mai 1814 Goethe aus Anlaß der Feier der Rückkehr Friedrich Wilhelms III. aufgefordert hatte. Das Stück wurde erst am 30. März 1815 aufgeführt.

12 Kritischer Anordner oder Überarbeiter eines Schriftwerkes, bes. in der Homer-Philologie gebräuchlich.
13 Goethes 50jähriges Dienstjubiläum am 7. November 1825. Bei der von Böttiger erwähnten »Münze« handelt es sich um die Jubiläumsmedaille von Henri François Brandt. – Schulte-Strathaus Taf. 136.
14 Gemeint ist der franz. Bildhauer Pierre Jean David d'Angers (1788–1856), der während seines Aufenthalts in Weimar vom 26. August bis zum 2. September 1829 die Kolossal-Büste Goethes schuf, die im Frühjahr 1831 in der Ausführung in Marmor vollendet wurde.
15 Die Statuette »Goethe im Hausrock« von Christian Daniel Rauch (1777–1857), die der Bildhauer während seiner beiden letzten Besuche bei Goethe 1828 und 1829 schuf.
16 In einem Brief vom 18. Februar 1832 an Goethe hatte der Archäologe und Kunsthistoriker Wilhelm Johann Carl Zahn (1800–1871) von der Ausgrabung eines Hauses in Pompeji berichtet, das dem Dichter zu Ehren »Casa di Goethe« genannt wurde. Anwesend bei der Ausgrabung war auch der englische Dichter Sir Walter Scott. – Vgl. B.a.G, Nr. 698. Goethes Antwort auf Zahns Brief: H.A. Briefe IV, Nr. 1527.
17 Diese bekannte Kantische Formel für das Genie wurde zuerst von Fichte 1798 auf Goethe übertragen. Vgl. Goethe im Urteil I, T. 35.
18 Gemeint ist »Die natürliche Tochter«.
19 Der Altphilologe Friedrich August Wolf (1759–1824) in seinen »Prolegomena ad Homerum« (Halle 1795). Für Goethes Sammelwerk »Winkelmann und sein Jahrhundert« (1805) steuerte Wolf einen Beitrag »Winckelmann als Philologe« bei.
20 Die jährlichen Preisaufgaben für bildende Künstler, die die Weimarischen Kunstfreunde in Goethes Zeitschrift »Propyläen« veröffentlichten (von 1799–1805).
21 Vgl. Goethe im Urteil I, T. 72, Anmkg. 1.
22 »Epilog zum Andenken Goethes von L. Tieck. Gesprochen in Dresden nach Darstellung der ›Iphigenia‹ von Goethe, den 29. März 1832, von Mad. Mevius, Herrn Carl und Emil Devrient und Herrn Pauli«. Abgedruckt in: Goethes Tod. A.a.O. S. 119–123.

2 *Friedrich von Müller · Goethe in seiner practischen Wirksamkeit*

E Friedrich von Müller, Goethe in seiner practischen Wirksamkeit. Ein Beytrag zu Seiner Charakteristik. Weimar 1832.

D Goethes Persönlichkeit. Drei Reden des Kanzlers Friedrich von Müller, gehalten in den Jahren 1830 und 1832. Hg. und eingel. von Wilhelm Bode. Berlin 1901. S. 51–56; 59–68; 71–91.

Der Jurist Theodor Adam Heinrich Friedrich von Müller (1779–1849), seit 1801 im Dienst des Herzogtums Sachsen-Weimar, wurde 1803 zum Regierungsrat und im Dezember 1806 zum Geheimen Regierungsrat ernannt. Er erwarb sich große Verdienste um den Fortbestand Sachsen-Weimars als eines souveränen Staates durch seine geschickten Berliner Friedensverhandlungen mit Napoleon. 1807 wurde er geadelt, 1815 ernannte ihn Carl August zum Kanzler (= Justizminister). Die 1870 aus Müllers Nachlaß von Carl August Hugo von Burkhart veröffentlichten »Unterhaltungen mit Goethe« gehören zu den bedeutendsten Gesprächszeugnissen, die wir aus dem Goethe-Kreis besitzen. Gegenüber den auf Lehrhaftigkeit und monumentale Harmonisierung bedachten Eckermannschen »Gesprächen« geben die »Unterhaltungen« des Kanzlers von Müller ein realistisch-nüchternes Bild des oft von Stimmungen heimgesuchten und von unkontrollierten Emotionen bestimmten Gesprächspartners. Der vorliegende Text wurde von Müller als Vorlesung in der Akademie gemeinnütziger Wissenschaften zu Erfurt am 12. September 1832 gehalten. Im gleichen Jahr erschien u.d.T. »Goethe in seiner ethischen Eigenthümlichkeit« ein weiterer »Beitrag zu seiner Charakteristik«. – Kanzler von Müller, Unterhaltungen mit Goethe. Kritische Ausgabe, besorgt von E. Grumach. Weimar 1956.

1 In Müllers »Unterhaltungen mit Goethe« heißt es unter dem 30. November 1816: »Bei Anpreisung der Vorteile, die jedem gebildeten Menschen das Zeichnen gewähre, sagte Goethe das gewichtige und doch so einfache Wort: ›Es entwickelt und nötigt zur *Aufmerksamkeit* und das ist ja doch die höchste aller Fertigkeiten und Tugenden.‹ Wie traf mich diese Wahrheit.«
2 Vgl. Goethes Aufsatz »Von deutscher Baukunst« (1772).
2a Vgl. »Tag- und Jahreshefte 1790«. H.A. 10, S. 434.
3 »Herrn Staatsminister von Voigt. Zur Feier des 27. September 1816«, V. 7 f. H.A. 1, S. 344.
4 Vgl. Wilhelm von Humboldts Rezension von Goethes »Zweitem Römischen Aufenthalt«. Goethe im Urteil I, S. 481.
5 Vgl. »Campagne in Frankreich«, Den 4. Oktober (H.A. 10, S. 255).
6 Gemeint ist der erste Band von Humboldts Reisewerk »Ideen zu einer Geographie der Pflanzen nebst einem Naturgemälde der Tropenländer« (1807), der Goethe 1807 intensiv beschäftigte. – Ruppert Nr. 4107.
7 Vgl. »Dichtung und Wahrheit«, 10. Buch (H.A. 9, S. 448).
8 Die »Patriotischen Phantasien« (1774) von Justus Möser waren Gegenstand des ersten Gesprächs zwischen Goethe und Carl August gewesen. Vgl. »Dichtung und Wahrheit«, 15. Buch (H.A. 10, S. 52 f.).
9 Ludwig I., König von Bayern, besuchte Goethe am 28. August 1827 und überreichte ihm das Großkreuz des Verdienstordens der Bayrischen Krone. Vgl. Müllers »Unterhaltungen mit Goethe«, 30. August 1827.
10 Fast wörtliches, aber umgestelltes Zitat aus dem Brief vom 29. Januar 1830 (H.A. Briefe IV, S. 370).
11 Brief an Zelter vom 15. November 1831 (W.A. IV, 49, S. 141).
12 Wörtlich heißt es am Schluß von Goethes Brief an Zelter vom 5. Oktober 1830: »Vorstehendes liegt schon viele Wochen. Das Pariser Erdbeben hat seine Erschütterungen durch Europa lebhaft verzweigt; ihr habt davon ja auch einen Fieberanstoß empfunden. Alle Klugheit der noch Bestehenden liegt darin, daß sie die einzelnen Paroxismen unschädlich machen, und das beschäftigt uns denn auch an allen Orten und Enden. Kommen wir darüber hinaus, so ist's wieder auf eine Weile ruhig. Mehr sag ich nicht. ›Außerhalb Trojas versieht man's und innerhalb Trojas desgleichen.« (Reineke Fuchs.)‹« (H.A. Briefe IV, S. 400 f.).
13 Zitatmontage aus Briefen an Zelter vom 15. Februar 1830 und vom 17. September 1831. H.A. Briefe IV, S. 372 u. 449.
14 Brief an Zelter vom 21. November 1830. H.A. Briefe IV, S. 410.
15 Vgl. Brief an Zelter vom 10.–14. Dezember 1830. H.A. Briefe IV, S. 412.
15a Von Goethe zitiert in einem zurückgehaltenen Passus seines Briefes an Zelter vom 3. Januar 1832. W.A. IV, 49, S. 398.
16 Vgl. Brief an Zelter vom 5. November 1831. H.A. Briefe IV, S. 453.
17 Vgl. die Briefe an Zelter vom 18. und vom 28. Juni 1831. H.A. Briefe IV, S. 431 u. 435.
18 Vgl. Goethes Aufsatz »Principes de Philosophie zoologique« (1830/32). H.A. 13, S. 219–250 u. Anmkg.
19 Brief an Zelter vom 6. November 1830. H.A. Briefe IV, S. 408.

3 *Johannes Falk · Goethe aus näherm persönlichen Umgange dargestellt*

ED Johannes Falk, Goethe aus näherm persönlichem Umgange dargestellt. Ein nachgelassenes Werk. Leipzig 1832. S. 8–25.

Johannes Daniel Falk (1768–1826), Schriftsteller und Pädagoge. Studium der Philologie in Halle unter F. A. Wolf, nach absolviertem Studium journalistische Tätigkeit. Als satirischer Schriftsteller wurde er vor allem durch sein »Taschenbuch für Freunde des Scherzes und der Satire«, das von 1797 bis 1803 in sieben Bänden erschien, bekannt, 1797 siedelte er nach Weimar über; Kontakt mit Wieland und Herder, seit 1806 Legationsrat, während der Zeit der französischen Besetzung engere Beziehungen zu Goethe. 1813 begründete der an sozialen Fragen interessierte Falk die »Gesellschaft der Freunde in der Not« und errichtete eine Erziehungsanstalt für verwahrloste Knaben, die später den Namen »Falksches Institut« erhielt. Das aus seinem Nachlaß veröffentlichte Werk »Goethe aus näherm persönlichen Umgange dargestellt« war bereits 1824 abgeschlossen. Im »Vorwort« heißt es: »Goethe nicht etwa mittelbar aus seinen Werken, sondern unmittelbar aus seinem Leben selbst zu schildern, soweit es mir im Umgange mit ihm zugänglich ward, ist der Zweck dieser Blätter. Es sind geordnete, gewissenhafte Auszüge aus meinem sorgfältig geführten Tagebuche, wie deren vielleicht von anderen, welche so glücklich waren, in dieses Edlen Nähe zu weilen, ähnliche zu hoffen und zu wünschen stehen, und wofern sie nur wahrhaft und treu sind, so viel gesprochene Bände seiner Schriften sein werden.« Die Glaubwürdigkeit der von Falk vor allem in den Abschnitten III–VI seines Werkes überlieferten Gespräche mit Goethe ist bis heute umstritten.

1 Gemeint sind Goethes Logenrede »Zu brüderlichem Andenken Wielands« (1813) und die Rezension der »Lyrischen Gedichte« von Johann Heinrich Voß in der Jenaischen »Allgemeinen Literatur-Zeitung« von 1804.

2 Kontaminiertes Zitat aus dem Dialog zwischen dem Zigeunerhauptmann und seinem Burschen. »Das Jahrmarktsfest zu Plundersweilern«, V. 140 ff.

3 Aus »Vanitas! vanitatum vanitas!« J.A. 1, S. 83 f.

4 »Torquato Tasso« III, 4, V. 2035 f.

4 *Karl August Varnhagen von Ense · Im Sinne der Wanderer*

E Über Kunst und Alterthum VI, 3, 1832, S. 533–551.

D K. A. Varnhagen von Ense, Vermischte Schriften. Dritte vermehrte Auflage. Zweiter Theil. Leipzig 1875. S. 294–302. = Ausgewählte Schriften von K. A. Varnhagen von Ense. Bd. 18.

Zu Karl August Varnhagen von Ense vgl. Goethe im Urteil I, Einleitung zu Nr. 77. Der einleitende Abschnitt des vorliegenden Textes nimmt Bezug auf einen Brief von Rahel Varnhagen an ihren Mann vom 17. Dezember 1808, der von diesem, zusammen mit anderen Auszügen aus Rahels Briefen, u.d.T. »Ueber Goethe, Bruchstücke aus Briefen. Hrsg. von K. A. Varnhagen von Ense« 1812 im »Morgenblatt für gebildete Stände« (Nr. 161–176) veröffentlicht wurde. In Rahels Brief heißt es: »Das ganze Buch [gemeint ist der ›Wilhelm Meister‹] ist für mich nur ein Gewächs, um den Kern als Text herumgewachsen, der im Buche selbst vorkommt, und so lautet: ›O wie sonderbar ist es, daß dem Menschen nicht allein so manches Unmögliche, sondern auch so manches Mögliche versagt ist!‹ [...] Und dann die andre, daß dem Menschen jeder Strich Erde, Fluß und Alles genommen ist. Mit einem Zauberschlage hat Goethe durch dies Buch die ganze Prosa unsers infamen kleinen Lebens festgehalten, und uns noch anständig genug vorgehalten.« Die beiden Stellen finden sich: Wilhelm Meisters Lehrjahre IV, 20 und I, 10 (H.A. 7, S. 280 u. 39). Die beiden Kern- und Schlüsselstellen für Rahels »Wilhelm-Meister«-Deutung werden von Varnhagen immer wieder zitiert. Im Hinblick auf die »Wanderjahre« haben sie für Varnhagen die Funktion, den Zusammenhang mit den »Lehrjahren« zu dokumentieren und zugleich das divinatorische Vermögen der Lebensgefährtin zu unterstreichen. So heißt es bereits in Varnhagens Anzeige der 1. Fassung der »Wanderjahre« im »Gesellschafter« vom 13. Juni 1821, 94stes Blatt, S. 435 f.: »Zum Schlusse noch eine Bemerkung. Schon vorlängst [1812 im ›Morgenblatt für gebildete Stände‹] war über ›Wilhelm Meisters Lehrjahre‹ die bedeutende, jedoch vielen Personen seltsamlich dünkende Behauptung geäußert und auch in gedruckten Blättern mitgeteilt worden: daß dieses Werk zwei besondere Textstellen in sich trage, die vereint des ganzen Buches innerster Keim seien, aus welchem es durch Goethe's Geist, wie durch Sonne, hervorgetrieben worden, der feste Kern, um welchen die Dichtung wie schwellende Frucht umher gewachsen; die eine Stelle nämlich, wo gesagt wird: daß der kleineste Raum unsres Weltteils schon in Besitz genommen, das Land, die Flüsse, die Wege, und jeder Besitz befestigt sei; und die andere Stelle, wo Meister in die Betrachtung ausbricht: ›O wie sonderbar ist es, daß dem Menschen nicht allein so manches Unmögliche, sondern auch so manches Mögliche versagt ist!‹ Es wurde nicht vorausgesetzt, daß der Dichter diese Texte mit Absicht gewählt und ausgeführt habe; nur daß die Sache wirklich so sei wurde geradezu behauptet, und übrigens gefragt: ob Goethe selbst wohl diese Stellen in solcher Bedeutung kenne und nehme? Nun aber werden jene Behauptung und diese Frage durch ›Wilhelm Meisters Wanderjahre‹ auf höchst merkwürdige und glänzende Art beleuchtet, indem die bezugreiche Stelle auf den ersten drei Seiten des letzten Kapitels dieses Bandes den einen jener Texte nur noch bedeutungsvoller, und gleichsam zum Text des *neuen* Werkes gesteigert, mit großartigem Ausspruche, der den eigentümlichen Inhalt unserer Zeit in seiner Tiefe berührt, ausdrücklich wiederholt und neuer Beherzigung übergibt.« Das »Letzte Kapitel« der 1. Fassung der »Wanderjahre« [= Wanderjahre, 2. Fassung III, 9. H.A. 8, S. 384, Z. 20 – 392, Z. 10] wiederholt die erste der beiden genannten Stellen. Der Aufsatz »Im Sinne der Wanderer« nimmt diesen Faden wieder auf, diesmal aus Anlaß der Verdoppelung der Textstellen in der Zweitfassung der »Wanderjahre« (vgl. H.A. 8, S. 384 u. 408). Zu diesem Komplex und zur Deutung des Varnhagenschen Aufsatzes von 1832 vgl. Klaus F. Gille, »Wilhelm Meister« im Urteil der Zeitgenossen. Ein Beitrag zur Wirkungsgeschichte Goethes. Assen 1971. S. 200–206; 306–312.

1 In den von Varnhagen 1821 in Gubitz' »Der Gesellschafter oder Blätter für Geist und Herz« (Nr. 131–138) veröffentlichten »Bruchstücken aus wirklich gewechselten Briefen«. Abgedruckt bei Fambach u.d.T. »Ueber ›Wilhelm Meisters Wanderjahre‹« S. 252–271. Vgl. bes. S. 265. Zur Aufschlüsselung der Verfasser vgl. Gille, a.a.O. S. 257 f.

2 Heinrich Gustav Hothos Rezension der »Wanderjahre« in den Berliner »Jahrbüchern für wissenschaftliche Kritik«, Jg. 1829, Nr. 108–112; Jg. 1830, Nr. 41–48. Wiederabgedruckt bei Fambach S. 314–366.

5 *Christian Hermann Weiße · Aus einer Rezension der Vorlesungen »Ueber Goethe's Faust« von Karl Ernst Schubarth*

ED Berliner »Jahrbücher für wissenschaftliche Kritik«, Jg. 1832, Oktober, Nr. 67 bis 68, Sp. 531–540.

Christian Hermann Weiße (1801–1866), Philosoph, seit 1845 Professor in Leipzig, Hegelianer, in seinem Spätwerk Schelling nahestehend. 1830 erscheint sein »System der Ästhetik als Wissenschaft von der Idee des Schönen«. Die vorliegende Rezension der 1830 in Berlin erschienenen Vorlesungen »Ueber Goethe's Faust« von Karl Ernst Schubarth (vgl. Goethe im Urteil I, Einleitung zu Nr. 59) enthält bereits die Grundgedanken seines 1837 in Leipzig erscheinenden Werkes »Kritik und Erläuterung des Goethe'schen Faust. Nebst einem Anhange zur sittlichen Beurtheilung Goethe's«, das die Periode der »philosophischen« »Faust«-Deutung abschließt. Friedrich Theodor Vischer beschließt sein kritisches Autodafé der frühen »Faust«-Literatur (vgl. T. 21) mit der Besprechung von Weißes Schrift und attestiert ihr, »den ersten kritischen Versuch an Faust« gemacht zu haben, die erste Schrift zu sein, »die es wagt, mit Freiheit des Geistes das Gedicht sich gegenständlich zu halten und seine ästhetischen Mängel zwischen seinen unübertrefflichen Vorzügen aufzusuchen.« Auch Hans Titze teilt in seiner Dissertation »Die philosophische Periode der deutschen Faustforschung (1817–1839)« (Greifswald 1916) diese positive Einschätzung von Weiße und weist darauf hin, daß sich in seinem Werk der Übergang von der philosophischen zur philologischen »Faust«-Deutung abzeichne. Die späteren Arbeiten Weißes über Goethe, so sein großer »Wahlverwandtschaften«-Aufsatz von 1841, sind abgedruckt in: Weiße, Kleine Schriften zur Aesthetik und ästhetischen Kritik. Hg. von Rudolf Seydel. Leipzig 1867. (Nachdruck: 1966).

1 Der Dichter Jakob Michael Reinhold Lenz.

2 Gemeint ist Ludwig Tieck in seiner Abhandlung »Goethe und seine Zeit«. Vgl. Goethe im Urteil I, T. 76. In Weißes »Kritik und Erläuterung« wird Tieck namentlich genannt (S. 31).

3 Thomas Carlyles große Rezension der Bände 6–10 der »Ausgabe letzter Hand« in Frasers »The Foreign Review«, Vol. II, No. 3, 1828. – Fambach S. 272–313.

4 Gemeint ist vermutlich Friedrich Müllers (Maler Müllers) »Fausts Leben dramatisiert« (1778) und »Situationen aus Fausts Leben« (1776).

5 »Faust, ein Fragment«. In: Goethes Schriften. 7. Band. Leipzig 1790. S. 1–168.

6 Beide Zitate in der zwölften Vorlesung. Schubarth, a.a.O. S. 383 f. u. 385.

7 Ergänzend hierzu heißt es in Weißes Schrift »Kritik und Erläuterung des Goethe'schen Faust« (a.a.O. S. 54 ff.): »Mit diesen Bemerkungen über den Charakter des ersten Teils der Tragödie steht auch, was wir von der Wirkung wissen, welche diese gewaltige Dichtung auf Zeit und Volk geübt hat, keineswegs im Widerspruche. Es bedarf nur einer unbefangenen Prüfung dessen, was jeder in sich selbst, und einer aufmerksamen Erwägung dessen, was er von andern erfahren hat, um sich zu überzeugen, wie der Genuß, die Geistesnahrung, die wir von Jugend auf aus dem Werke gezogen haben, das uns allen ein Begleiter durchs Leben geworden ist, mehr das Resultat des anhaltenden, mit begeisterter Liebe gepflogenen Studiums sein möchte, als, wie meist bei andern Werken unsers Dichters, und noch auffallender bei den Werken Shakespeare's, das Resultat eines gewaltigen, augenblicklich mit *einem* Schlag sich ergebenden Totaleindrucks. Die Begeisterung für dieses Werk knüpft sich fast überall zunächst an einzelne Stellen, nicht selten an solche, in denen der lyrische oder auch der philosophische Gehalt vor dem eigentlich dramatischen vorwiegt. Der Eindruck dieser Stellen weckt die Ahnung eines Rätsels, eines Geheimnisses, das in dem Werke verborgen sei, und in dem Streben nach der Enthüllung dieses Geheimnisses erwächst erst schrittweise und allmählich die Vertrautheit auch mit der übrigen Dichtung. Hiernach bestimmt sich denn auch die Art und Weise der Kritik, der ästhetisch-spekulativen Betrachtung, die wir meist an dem Werke geübt sehen. Je weniger dasselbe als ein Ganzes der unmittelbaren Anschauung klar und faßlich vorliegt, um so mehr findet man sich geneigt, das *hier* Vermißte, die Einheit und die leitende Idee der Dichtung, *hinter* derselben, als eine in ihr verborgene und verhüllte aufzusuchen. Daher jene Deutungsversuche, jene Bestrebungen, das Verständnis des Gedichts, welches sich auf dem Wege unmittelbarer Anschauung nicht ergeben will, durch Reflexion zu vermitteln. Schon vor der Erscheinung des zweiten Teiles, der noch auf andere Weise solche Deutungslust in Anspruch nimmt, hat sich jenes Bestreben vielfach hervorgetan; schon damals war man beflissen, den in dem Werke niedergelegten Ideen als einer nur einem emsigen Studium desselben sich aufschließenden Weltweisheit nachzugehen. – Auch wir leugnen keineswegs, daß Blüten sowohl als Früchte solcher Weltweisheit in reicher Fülle durch die Dichtung ausgestreut sind, und daß ihnen nachzuspüren allerdings der Mühe lohnt. Nur meinen wir, daß solches erst dann mit unzweideutigem Erfolg wird geschehen können, wenn eine *Kritik* des Werkes im eigentlichen Wortsinne vorangegangen, das heißt, wenn über die Entstehung und die Zusammensetzung des Werkes im ganzen, über den dichterischen Wert und Charakter der einzelnen Szenen das richtige Bewußtsein eröffnet ist. In Ermangelung solcher Kritik laufen jene Deutungen Gefahr, dem Dichter entweder abenteuerliche und sittlich bedenkliche, oder auch, was wir noch öfter haben geschehen sehen, triviale Gedanken, Gemeinplätze unterzuschieben, und solche für den eigentlichen Gehalt der Dichtung auszugeben.«

8 Dresdner Morgenzeitung, hg. von Fr. Krankling und K. L. Kind. Jg. 1828, Nr. 117 bis 121.

9 Gemeint ist der erst nach Goethes Tod veröffentlichte zweite Teil des »Faust« (vgl. T. 8). Weiße hat den zweiten Teil des »Faust« rezensiert in der »Leipziger Literatur-Zeitung«, Jg. 1833, Nr. 203.

6 *Ludwig Börne · Aus: Briefe aus Paris. Dritter Theil*

ED Ludwig Börne, Briefe aus Paris 1831–1832. Dritter Theil. Paris. Bei L. Brunet. 1833. S. 20–21; 25–57. = Gesammelte Schriften von Ludwig Börne. Elfter Theil.
Zu Ludwig Börne vgl. Goethe im Urteil I, Einleitung zu Nr. 83. Die von Börne besprochenen »Tag- und Jahres-Hefte als Ergänzung meiner sonstigen Bekenntnisse« waren 1830 im 31. Band der »Ausgabe letzter Hand« erschienen. Am 30. September 1831 schreibt Börne an Jeanette Wohl: »Es ist doch herrlich in Paris! Da sitze ich abends 8 Uhr auf meinem Zimmer, rauche eine Pfeife, lese einen Band von Goethe und bekümmere mich um die ganze Welt nicht. Kann man das in Deutschland auch haben?« Und am 1. Oktober: »Ich habe schon zu 2 Aufsätzen hier viel notiert. 1. zum Cholera-Aufsatz, [...] und dann über eine Fortsetzung von Goethes Leben, welche schon im vorigen Jahre unter dem Titel ›Tag- und Jahrs-Hefte als Ergänzung meiner sonstigen Bekenntnisse, von 1749 bis 1806‹ erschienen, und die mir hier zum erstenmale vor Gesicht gekommen.«

1 Louis René Edouard Prinz von Rohan (1734–1803), 1760 Koadjutor, später Fürstbischof und 1778 Kardinal in Straßburg. Graf Cagliostro war ein vertrauter Freund von Rohan. Dieser Umstand wurde für Goethe der äußere Anlaß, eine diesem Manne entsprechende Figur zum Mittelpunkt seines Lustspiels »Der Groß-Cophta« zu machen. Rohan erscheint als »Der Domherr«, Cagliostro als »Der Graf«.

2 Vgl. »Campagne in Frankreich«, Am 28. August. H.A. 10, S. 198.

3 Nach dem Astronomen Sir Friedrich Wilhelm Herschel, dem Erbauer großer Teleskope.

4 Vgl. Goethe im Urteil I, Einleitung zu Nr. 29.

5 Am 2. Januar 1802 hatte in Weimar die mit großer Sorgfalt vorbereitete Aufführung des »Ion« von August Wilhelm Schlegel mit Karoline Jagemann in der Titelrolle stattgefunden. Unmittelbar nach der Aufführung sandte der mit den Brüdern Schlegel verfeindete Karl August Böttiger (vgl. T. 1) eine umfangreiche kritische Rezension des Stücks an Bertuch zur Veröffentlichung im »Journal des Luxus und der Moden«. Goethe wußte mit einem scharfen Protest (Brief an Bertuch vom 12. Januar) das Erscheinen zu verhindern. Am 13. Januar 1802 wendet er sich brieflich an Wieland, um einem Abdruck der Rezension in dessen »Neuem Teutschen Merkur« zuvorzukommen. Vgl. H.A. Briefe II, Nr. 767 u. Anmkg.

6 Johann Nepomuk Mälzel baute, nach Versuchen anderer, 1816 zum erstenmal ein Metronom.

7 Der dänische Dichter Adam Gottlob Oehlenschläger (1779–1850) hatte Goethe seinen »Hakon Jarl« in deutscher Übersetzung am 29. April 1806 aus dem Manuskript vorgelesen.

8 Gemeint ist Weheditz.

9 Die von Lorenz Oken seit Anfang August herausgegebene naturwissenschaftlich-enzyklopädische Zeitschrift »Isis«. Vgl. dazu Goethes Brief an Carl August vom 5. Oktober 1816 (H.A. Briefe III, Nr. 1069 u. Anmkg.).

10 Im Text: Gebiet. Offenbar Druckfehler.

7 *Carl Vogel · Aus: Die letzte Krankheit Goethe's*

ED Die letzte Krankheit Goethe's, beschrieben und nebst einigen andern Bemerkungen über denselben, mitgetheilt von Dr. Carl Vogel. Nebst einer Nachschrift von C. W. Hufeland. In: Journal der practischen Heilkunde. Hg. von C. W. Hufeland. Bd. 76, 2. Stück, Berlin 1833, S. 18–30.

Dr. Carl Vogel (1798–1864), seit Juli 1826 als Nachfolger des 1825 gestorbenen Wilhelm Rehbein großherzoglicher Hofmedikus in Weimar und Hausarzt Goethes. Goethe urteilt über ihn im Brief an Zelter vom 27. Juni 1826: »Angekommen wäre er! uns gefällt er, gefällt sich auch und wird sich gut behagen, wenn nur erst die häuslichen Einrichtungen in Ordnung sind. Er ist klar, offen, heiter, sich selbst deutlich und wird es dadurch bald auch andern. Sein Handwerk versteht er, und so wird alles gut gehn. Er hat keinen Schein von Affektiertem, Anmaßlichem, Zurückhaltendem und so wird er bei uns bald zu Hause sein.« 1834 erscheint in Jena Vogels Buch »Goethe in amtlichen Verhältnissen. Aus den Acten, besonders durch Correspondenzen zwischen ihm und dem Großherzoge Carl August, Geh. Rath v. Voigt u.A.«

1 Christian Daniel Rauchs Goethe-Büste von 1820 (Schulte-Strathaus, Taf. 118). – Das im Auftrag von König Ludwig I. von Bayern von dessen Hofmaler Josef Carl Stieler geschaffene bekannte Goethe-Porträt von 1828 (Schulte-Strathaus, Taf. 153). – Die Tuschzeichnung von Karl August Schwerdgeburth von 1832, zu der das Brustbild von 1831/32 die Vorarbeit bildete (Schulte-Strathaus, Taf. 164/65). – Rauchs Statuette »Goethe im Hausrock« (vgl. T. 1, Anmkg. 15).

2 Vgl. »Dichtung und Wahrheit«, 4. Buch (H.A. 9, S. 147 f.).

3 in der Nacht vom 25. zum 26. November 1830. Vgl. Goethes Briefe an Zelter vom 1. und 14. Dezember 1830. Vgl. auch Eckermann an Carlyle am 23. November 1830.

4 Indem es keine Gegengründe gibt, durch die ...!

5 Die Auswärtskehrung eines Augenlides, die sehr häufig am Unterlid alter Menschen durch Erschlaffen der Lidhaut und des Lidschließmuskels entsteht.

6 Anspielung auf Molières Komödie »Le malade imaginaire« (1673).

7 »Tag- und Jahreshefte«, 1794. H.A. 10, S. 444. Das Zitat stark verändert.

8 *Karl Rosenkranz · Goethe's Faust. Zweiter Theil der Tragödie*

ED Berliner »Jahrbücher für wissenschaftliche Kritik«, Jg. 1833, Juni, Nr. 101–103. Der Philosoph und Literarhistoriker Johann Karl Friedrich Rosenkranz (1805 bis 1879) ist der bedeutendste der Hegelianischen Goethe-Kritiker und -Interpreten des 19. Jahrhunderts. Der spätere Biograph Hegels und Diderots, der Mitherausgeber der Werke Kants und Verfasser zahlreicher literarhistorischer und literaturkritischer Werke, war in seiner Hallenser Studienzeit Schüler des Hegelianers Hermann Friedrich Wilhelm Hinrichs, der 1825 den ersten systematischen Kommentar zu Goethes »Faust« veröffentlicht hatte. 1833 wurde Rosenkranz als Nachfolger Herbarts auf den Lehrstuhl Kants in Königsberg berufen, wo er als beliebter und hochangesehener akademischer Lehrer 40 Jahre gewirkt hat. 1829 erscheint seine Schrift »Über Calderons Tragödie vom wunderthätigen Magus. Ein Beitrag zum Verständnis der Faustischen Fabel«, in der der »katholische« Faust Calderons mit dem »protestantischen« von Goethe verglichen wird. 1831 veröffentlicht Rosenkranz sein »Geistlich Nachspiel zur Tragödie Faust«, das Goethe gewidmet war und das er dem Dichter mit einem unbeantwortet gebliebenen Begleitschreiben zugeschickt hatte. Das 1847 erschienene Werk »Göthe und seine Werke« (vgl. T. 32) ist die erste systematische Gesamtwürdigung des Dichters und zugleich Höhepunkt und Abschluß der durch Hegel inspirierten philosophisch-spekulativen Goethe-Kritik. Die vorliegende Rezension ist der erste umfassendere Versuch einer Deutung des aus Goethes Nachlaß 1832 im 41. Band der »Ausgabe letzter Hand« erschienenen zweiten Teils des »Faust«.

1 Von dem Blankversdrama »Dr. Faustus« (um 1588–1590) des englischen Dramatikers

Christopher Marlowe (1564–1593) sind nur Bruchstücke erhalten. Er dramatisiert den Stoff der alten deutschen Volksbücher.

2 Die »Faustischen Szenen« von Gustav Pfizer (1807–1890) waren 1831 im »Morgenblatt für gebildete Stände« erschienen. – »Fortsetzung des Faust von Göthe. Der Tragödie zweiter Theil« (Berlin 1823) von C. C. L. Schöne. – »Faust, eine Tragödie von Göthe, fortgesetzt von J. D. Hoffmann« (Leipzig 1833).

3 »Faustus, ein Gedicht« (Leipzig 1833) von Ludwig Bechstein. Vgl. Rosenkranz' Besprechung in »Zur Geschichte der Deutschen Literatur«, Königsberg 1836. S. 152 bis 156.

4 Vgl. Rosenkranz' »Ästhetik des Häßlichen« (1853).

5 Faust II, 3. Akt, Schattiger Hain, V. 9900 ff.

6 Im Wiederabdruck der Abhandlung in dem 1836 erschienenen Band »Zur Geschichte der Deutschen Literatur« hat Rosenkranz folgenden neuen Schluß hinzugefügt:

»Blicken wir auf das zurück, was wir im Eingang von dem Gegensatz in den Charakteren Wilhelm Meisters und Fausts sagten, daß jener der von außen *bestimmte*, dieser der *sich aus sich bestimmende* sei, so können wir diesen Gegensatz auch so fassen, daß Meister immer auf *Bildung*, Faust auf *Freiheit* ausgeht. Meister ist daher immer nach neuen Eindrücken begierig, um sie auf sich *wirken* zu lassen, seine Kenntnisse zu erweitern, seinen Charakter abzurunden. Seine Bildungsfähigkeit und sein Kultureifer, die Vielseitigkeit der erstern, der Fleiß des letztern, nötigen ihn zu einer gewissen Zahmheit und in bezug auf andere Zuvorkommenheit. Faust hingegen will *selbst wirken*. Er will nur besitzen, was er selbst schafft. Eben darum hat er sich dem Teufel verbündet, weil derselbe im Weltlichen die höchste Macht ist, die er nun schonungslos für seine Zwecke verwendet, so daß der Teufel wirklich einen harten, launischen, unersättlichen Herrn an ihm hat. Wilhelm (den, wie es in ›Karls Versuchen und Hindernissen‹ treffend heißt, so brav an sich hatte bilden lassen) wäre die Bekanntschaft des Teufels, moralisch psychologisch und ästhetisch zwar sehr *interessant* gewesen, aber den Mut einer Fraternität mit ihm hätte er nie gehabt. Diese *Autonomie* und *Autarkie* des Faust hat dem deutschen Volk und seiner Literatur einen mächtigen Impuls gegeben. Allein wenn man nun in der Fortsetzung des ›Faust‹ auch die Fortdauer des titanenhaften Unmuts erwartete, so irrte man. Das *Ungeheure der Tendenzen* hört nicht auf; man müßte denn blind dagegen sein wollen. Aber an die Stelle des *Genießens* der Welt tritt nach der Katastrophe mit Gretchen das *werktätige* Eingreifen in dieselbe, ein Zug, welchen ja auch Klinger u. a. immer festgehalten haben. Nun kann aber die *Arbeit an sich* dem Geist noch keine Befriedigung geben, sondern es kommt auch auf den *Inhalt* an. Oder vielmehr, die äußere Objektivität der Arbeit ist gleichgültig; ob jemand Gelehrter, Künstler, Krieger, Hofmann, Priester, Manufakturist, Kaufmann u.s.w. sei, das ist *zufällig:* ob er aber *die Freiheit wolle* oder nicht, ist nicht zufällig: sondern notwendig, denn der Geist an und für sich ist frei. Mit der engen Studierstube, in Wagners Genossenschaft, beginnt Faust; mit dem Blick auf das völkerverbindende Meer, mit Handel und Grenzstreitigkeiten, blind und einsam, endet er seinen Lauf.

In der *Welt* realisiert sich nun zwar die Freiheit, allein als *absolut* kann sie nicht in ihr, nur in *Gott* zur Existenz kommen.

Es ist daher ganz richtig, wenn Goethe von der Freiheit der Völker den Übergang zur religiösen Freiheit macht. Mehr kann der Mensch nicht vollbringen, als die *Verwirklichung der Volksfreiheit*, denn die Menschheit hat nur in den Völkern konkrete Existenz; sind die Völker frei, ist sie auch frei. Dieser Gedanke muß also Faust aufs höchste entzücken. Mit ihm aber stirbt er auch schon der Welt ab; der Himmel hat sich über ihm geöffnet. Aber, wenn gleich der Himmel Gnade spendet und wenn er den, der *strebend irrte*, liebend in sich aufnimmt, so fordert er doch auch bußfertige Gesinnung und völlige Reinigung vom Irdischen. Diesen Kampf, dies Ringen der Seele finde ich in den Gesängen der Einsiedler und der Chöre auf eine erschütternd-erhabene Weise ausgesprochen, und wüßte nicht, was unsere Zeit an *geistlicher Kraft*, sowohl an zermalmender Stärke wie an unwankender Hoffnung, gerade Höheres produziert hätte, obwohl ich gestehen muß, in der jüngeren so fruchtbaren, lyrischen Literatur des Pietismus nicht genugsam bewandert zu sein, ob sich darin nicht solche Perlen finden.

Übrigens sieht man bald, daß der gefügige Meister und der störrische Faust die beiden Seelen sind, die in Goethes Genius vereint waren. Er war Dichter und wurde Hofmann; er war Hofmann und blieb Dichter. Aber in weiterem Sinne ist jener Gegensatz auch der aller modernen Völker, namentlich der Deutschen. Sie wollen sich bilden und scheuen deshalb keine Art von Gesellschaft, wenn sie nur gefördert werden. Aber sie wollen auch frei sein. Sie lieben die Bildung so ehrlich, daß sie vielleicht eine Zeitlang darüber der Freiheit vergessen. Dann mahnt sie aber der Geist. Sie seufzen auf, wie Faust, daß sie so lange über Philosophie, Theologie u.s.w. im dumpfen Mauerloch gesessen. Mit Löwengrimm werfen sie alle Kultur der Freiheit halber beiseite und schließen im edlen Wahnsinn sogar mit dem Teufel einen Bund.« (S. 139–142).

Bei dem im Text erwähnten Werk »Karls Versuche und Hindernisse« handelt es sich um den sogenannten »Doppelroman« der Berliner Romantik. Dieses Werk, das 1808 unter dem Titel »Die Versuche und Hindernisse Karls« erschien, entstammt dem Nordsternbund, einer Gemeinschaft junger Berliner Literaten und Adepten A. W. Schlegels. Es handelt sich um einen zeitkritischen Roman, dessen meiste Kapitel abwechselnd von Varnhagen von Ense und Wilhelm Neumann geschrieben wurden. Einige Kapitel stammen auch von Bernhardi und Fouqué. Vgl. Klaus F. Gille, »Wilhelm Meister« im Urteil der Zeitgenossen. Ein Beitrag zur Wirkungsgeschichte Goethes. Assen 1971. S. 204 ff.

9 *Heinrich Heine · Aus: Zur Geschichte der neueren schönen Literatur in Deutschland*

ED Heinrich Heine, Zur Geschichte der neueren schönen Literatur in Deutschland. Paris & Leipzig 1833. S. 88–144.

Zu Heinrich Heine vgl. Goethe im Urteil I, S. LXX ff. und Einleitung zu Nr. 71.

Der vorliegende Text ist die deutsche Fassung des von Heine für die von Alexandre Victor Bohain herausgegebene Zeitschrift »L'Europe littéraire« geschriebenen »Etat actuel de la Litterature en Allemagne«. Die französische Fassung war im März 1833 erschienen, die deutsche folgte im April. An Varnhagen von Ense schreibt Heine am 28. März 1833: »Heute morgen ist bei Heideloff allhier [in Paris] ein Buch von mir ausgegeben worden, nämlich meine Artikel über Literatur (die ich für die ›Europe littéraire‹ geschrieben) in deutscher Sprache. Ich will Ihnen beide Versionen schikken; es sind gute Schwertschläge drin, und ich habe meine Soldatenpflicht streng ausgeübt.« Am 8. April 1833 heißt es in einem Brief an Heinrich Laube: »Ich schickte Ihnen mein Programm zur deutschen Literatur [...]. Es war nötig, nach Goethes Tode dem deutschen Publikum eine literarische Abrechnung zu überschikken. Fängt jetzt eine neue Literatur an, so ist dies Büchlein auch zugleich ihr Programm, und ich, mehr als jeder andere, mußte wohl dergleichen geben.« Heines Programmschrift von 1833 ist von ihm mit wenigen Veränderungen in die »Romantische Schule« von 1836 übernommen worden.

1 In Goethes Brief an Zelter vom 20. Oktober 1831 heißt es über das Verhältnis Schillers zu den Brüdern Schlegel, wie es sich in dessen Briefwechsel mit ihm dokumentiert: »Schiller liebte sie nicht, ja er haßte sie, und ich weiß nicht ob aus dem Briefwechsel hervorgeht, daß ich in unserm engen Kreise wenigstens, soziale Verhältnisse zu vermitteln suchte.« (H.A. Briefe IV, S. 455).

2 Er erschien 1828/29 in 6 Bänden. Vgl. Goethe im Urteil I, T. 77. Über Heines Lektüre des Briefwechsels vgl. seinen Brief an Varnhagen von Ense vom 27.–28. Februar 1830.
3 Schiller an Goethe, 16. Mai 1797.
4 Johann Heinrich Voß.
5 Das von Goethe angeregte und mitverantwortete, von Heinrich Meyer verfaßte Manifest »Neu-deutsche religios-patriotische Kunst«, erschienen 1817 im zweiten Heft von »Über Kunst und Altertum«, S. 5–62; Anmerkungen S. 133–162. Heine vergleicht die Wirkung des Aufsatzes mit dem Staatsstreich Napoleons, der am 9. November 1799 (dem 18. Brumaire des Revolutionskalenders) das Direktorium stürzte.
6 Paul François Comte de Barras (1755–1829), franz. Politiker, von 1792 bis 1794 Mitglied des Nationalkonvents, entscheidend am Sturz Robespierres beteiligt. – Louis-Jérôme Gohier (1746–1830), franz. Politiker.
7 In seiner Menzel-Rezension von 1828. Vgl. Goethe im Urteil I, S. 400.
8 Revolutionslied, das 1792 bei der Belagerung der italienischen Stadt Carmagnola entstand und um den Freiheitsbaum oder um die Guillotine herum gesungen und getanzt wurde.
9 Vgl. Goethe im Urteil I, T. 61. Heine hatte die Absicht, »eine Batterie gegen das Pustkuchentum loszufeuern«, wie er Ende 1827 an Varnhagen von Ense schreibt. Ein Splitter dieses nicht zur Ausführung gekommenen Plans findet sich in dem Satz »vid. Goethe und die Traktätchenverfasser« im 14. Kapitel von »Ideen. Das Buch Le Grand« im zweiten Teil der »Reisebilder«. Vgl. Anmkg. 26.
10 Gemeint ist wohl Gretchen.
11 Die Bajadere Vasantasena ist die Hauptgestalt in dem indischen Drama »Mrichchakatika«, das einem König Sudraka zugeschrieben wird.
12 In der Handschrift heißt es: »Ich stimme daher ganz überein mit jener erhabenen Ansicht, welche die Goetheaner von der Kunst hegen, indem sie letztere, gleich einer unabhängigen zweiten Welt, so hoch stellen, daß«.
13 Nach Friedrich Schlegels »Athenäum«-Fragment Nr. 80: »Der Historiker ist ein rückwärtsgekehrter Prophet.«
14 Vgl. die Menzel-Rezension von 1828 (Goethe im Urteil I, T. 74). Die schlagwortartige Prägung »Ende der Kunstperiode« benutzt Heine erst 1831 in dem Aufsatz »Französische Maler«.
15 Charles Nodier (1780–1844), Schriftsteller der franz. Romantik.
16 »Venetianische Epigramme« 66.
16a Beim »schwarzen Pfaffen« denkt Heine, wie die Lesarten zeigen, an den orthodoxen evangelischen Theologen Ernst Wilhelm Hengstenberg, den Herausgeber der »Evangelischen Kirchenzeitung«, in der der »Briefwechsel zwischen Schiller und Goethe« (im Jg. 1830) und die »Wahlverwandtschaften« (im Jg. 1831) einer scharf moralisierenden Kritik unterzogen worden waren. Mit dem »Sansculotten mit der Pike« ist Joseph Görres gemeint, der eine Zeitlang Anhänger der Französischen Revolution gewesen war.
17 In seinen Vorlesungen über die »Geschichte der alten und neuen Litteratur« (1815). Vgl. Goethe im Urteil I, T. 58.
18 Vgl. Heines Menzel-Rezension von 1828. Goethe im Urteil I, S. 400 u. Anmkg.
19 Adolf Müllner (1774–1829), deutscher Dramatiker, Hauptvertreter der romantischen Schicksalstragödie neben Zacharias Werner. Er griff Goethe vor allem in den von ihm redigierten Zeitschriften an (»Literaturblatt« zum »Morgenblatt für gebildete Stände«, »Hekate« und das »Mitternachtblatt«). Vgl. Holtzmann S. 45–50.
20 Friedrich Karl Julius Schütz (1779–1844), Professor in Halle. Er veröffentlichte »Goethe und Pustkuchen« (Halle 1822) und »Goethes Philosophie« (7 Bde., Hamburg 1825/27). Vgl. Holtzmann S. 61–67. – Der alte Schütz ist Christian Gottfried (1747–1832), der Begründer und langjährige Herausgeber der Jenaischen »Allge-

meinen Literatur-Zeitung«. Am 27. November 1823 schreibt Heine an Ludwig Robert: »Ich hab auch – Professor Schütz' dickes Buch über Goethe und Pustkuchen durchblättert; ich mußte gleich die Fenster öffnen, des fatalen Geruchs wegen.«

21 Franz Anton Ritter von Spaun (1753–1826), österreichischer Regierungsbeamter, Mathematiker und Publizist. Spaun war wegen einer angeblich gefährlichen Schrift zehn Jahre gefangen gehalten worden. Vgl. Holtzmann S. 5–24.

22 So dargestellt auf einem Bild von Murillo.

23 Heine denkt hier vor allem an den von ihm hochgeschätzten niederländischen Maler Jan Steen. Vgl. das XI. Kap. der »Memoiren des Herrn von Schnabelewopski«.

24 Vgl. 2. Moses 7 f.

25 Heine denkt hier an den Verfasser der »Beyträge zur Poesie mit besonderer Hinweisung auf Goethe« (1824). Vgl. Goethe im Urteil I, T. 66. Heine bestätigt den Empfang des Eckermannschen Werkes in einem Brief vom 27. November 1823 an Ludwig Robert und erwähnt es im dritten Teil der »Reisebilder«, Kap. XXVI.

26 Heine meint Karl Immermanns »Brief an einen Freund über die falschen Wanderjahre Wilhelm Meisters« (1823). Goethe im Urteil I, T. 65. Am 21. Januar 1823 schreibt Heine an Immermann: »Ihre Schrift über Goethe und Pustkuchen hab ich nochmals gelesen und nicht genug bewundern können. Sie verdienen die größte Würdigung.« Am 10. April 1823 heißt es im Brief an Immermann: »Jener Brief über die ›Wanderjahre‹, worin sie ein so freudiges Talent der Darstellung, des kritischen Zersetzens und der scharfsinnigsten Kombinationen gezeigt, hat hier [in Berlin] vielen Beifall gefunden. [...] Es ist merkwürdig, daß aus Westfalen, wo die falschen ›Wanderjahre‹ geschrieben sind, auch eine Schrift wie die Ihrige hervorgegangen. Ich äußerte jüngst darüber in Gesellschaft das amerikanische Sprichwort: ›In den Ländern, wo viele Schlangen sind, wachsen auch viele Kräuter, die ihren Biß heilen.‹ – Mein von Schmerzen zerdrückter Kopf verbietet mir leider, so wie Sie, wackerer Immermann, den Feldzug gegen die Lemgoer Glaubensarmee mitzumachen; aber früh oder spät werden Sie doch meine Stimme hören, und in Paris, wo jetzt Liebe für deutsche Literatur, besonders für Goethe, auftaucht, gedenke ich das Meinige zu tun.«

27 Heine verkehrte während seiner Berliner Zeit im Salon der Rahel Varnhagen, der ein Zentrum des Goethe-Kultes und der Goethe-Wirkung gewesen ist. Mit Varnhagen von Ense (vgl. T. 4), der dem liberalen Flügel der »Goetheaner« angehörte, stand er bis zu seinem Tode in freundschaftlicher Beziehung. Am 3. Januar 1846 schreibt er ihm aus Paris: »denn Sie sind immer mein wahlverwandtester Waffenbruder gewesen, in Spiel und Ernst; Sie haben gleich mir die alte Zeit begraben helfen und bei der neuen Hebammendienst geleistet – ja, wir haben sie zutage gefördert [...].«

28 Vgl. Goethe im Urteil I, T. 40.

29 Vgl. Goethe im Urteil I, T. 59. Heine erwähnt Schubarth bereits in »Die Nordsee« im zweiten Band der »Reisebilder«.

30 Willibald Alexis, Pseudonym für Georg Wilhelm Heinrich Häring (1798–1871), Schriftsteller und Publizist, Nachahmer Walter Scotts, später Mitbegründer des kulturhistorischen Romans. Er war Herausgeber des »Berliner Conversationsblatts«, 1827–1835, ab 1830 vereint mit »Der Freimüthige«.

31 Friedrich Gottlieb Zimmermann (1782–1835), Pädagoge und Publizist in Hamburg; seit 1807 Lehrer am Johanneum. Über Zimmermanns »Dramaturgische Blätter für Hamburg« schreibt Heine am 1. Juni 1827 an Friedrich Merckel: »Auch Zimmermann grüß mir herzlich. Die ›Dramaturgischen Blätter‹ hab ich noch nicht von Treuttel & Würtz erhalten. Aber Moscheles hat sie und die zwei ersten Nummern mir mitgeteilt. Ganz vortrefflich. Ich bin hier oft im Theater, und dann denk ich immer: Sähe dieses Zimmermann mit seiner kritischen Brille, wieviel Neues und interessant Vergleichendes erführen wir.« Am 31. Dezember 1827 heißt es in Heines

Brief an Merckel aus München: »Schreib mir einiges aus Zimmermanns Vorlesungen über Goethe. Ich würde täglich 48 Kreuzer (das ist hier viel Geld) drum geben, wenn ich ihn hören könnte.«

32 Die »Historia von Dr. Johann Faust« erschien 1587.

33 Albertus Magnus, Albert Graf von Bollstädt (zwischen 1193 und 1207 bis 1280), Dominikaner, der auf philosophisch-theologischem und naturwissenschaftlichem Gebiet als der bedeutendste Gelehrte seiner Zeit galt. – Raimundus Lullus (1232–1316), katalanischer Mystiker und Gelehrter; hielt die Bekehrung der Mohammedaner für seine Lebensaufgabe; gilt als Begründer der katalanischen Literatur. – Paracelsus, eigentlich Theophrast Bombast von Hohenheim (1493–1541), deutscher Arzt, Naturforscher und Philosoph. – Agrippa von Nettesheim (1486–1535), deutscher Arzt und Philosoph. – Roger Bacon (um 1214–1294), englischer Philosoph der Scholastik, bedeutender Mathematiker.

34 Eine Überlieferung des 17. Jahrhunderts vermengt Faust zu Unrecht mit Gutenbergs Geschäftsteilhaber Fust.

35 Der »West-östlich Divan« erschien erst 1819, also sechs Jahre nach Madame de Staëls »De l'Allemagne«.

36 Weiße Haremssklavin.

37 Jean Baptist Debureau (1796–1846), franz. Schauspieler, einer der besten Komiker seiner Zeit. Über diesen Schauspieler am Théâtre des Funambules in Paris berichtet Heine auch in seinen Briefen »Über die französische Bühne« (8. Brief).

38 Symbolischer Blumengruß.

39 Vgl. die »Noten und Abhandlungen zu besserem Verständnis des Westöstlichen Divans« und die Briefe Goethes an H. Meyer, 25. 8. 1819 (H.A. Briefe III, S. 462), an A. W. Schlegel, 15. 12. 1824 (H.A. Briefe IV, S. 131) und an W. v. Humboldt, 22. 10. 1826.

40 Am 22. Juni 1808 schreibt Goethe an Zelter: »Lesen Sie doch ja Friedrich Schlegel: Über die Sprache und Weisheit der Indier, und bewundern, wie er ein ganz krudes christ-katholisches Glaubensbekenntnis mit den herrlichsten Ansichten über Welt- Menschen- und Kulturgeschichte zu verweben gewußt hat. Man kann dieses Büchlein also auch für eine Deklaration seines Übertritts zur alleinseligmachenden Kirche ansehen.« Friedrich Schlegels »Über die Sprache und Weisheit der Indier. Ein Beitrag zur Begründung der Altertumskunde« war 1808 erschienen.

41 In der »Romantischen Schule«: Hinterlist.

42 Vermutlich mündliche Überlieferung.

43 Vgl. T. 3. Einen Teil von Falks Buch nahm Heine in französischer Übersetzung in die erste Auflage seines Werkes »De l'Allemagne« (1835) auf.

44 Nach der griechischen Sage war der König Admetos, ein Teilnehmer am Argonautenzug, eine Zeitlang Dienstherr des Apollon.

45 In dem Abschnitt »Goethe und Kotzebue« seines Buches berichtet Falk über die Versuche des Goethegegners August von Kotzebue, dem geselligen Kreis der Abendgesellschaften in Goethes Haus einen neuen gesellschaftlichen Mittelpunkt entgegenzusetzen. Wörtlich heißt es u. a.: »Von nun an faßte er den Entschluß, jenen Zirkel, wo nicht zu sprengen, doch ihm gegenüber einen neuen geistlichen Hof in Japan zu bilden. Selbst ein Dalai-Lama oder Patriarch an diesem Orte zu werden, das konnte ihm nicht einfallen, und dazu besaß er auch zu viel Verstand; aber daß man Schiller zum Oberhaupt der deutschen Dichtkunst förmlich ausrief und er sodann bescheiden in den Hintergrund zurücktrat, das konnte doch wohl eine Wirkung hervorbringen, die dem gewünschten Ziele etwas näher führte.« Es folgt dann die ausführliche Schilderung der öffentlichen Feier zu Ehren Schillers.

46 Agni, Varuna, Yama und Indra sind Gestalten der indischen Mythologie. Agni verkörpert das Feuer, Varuna ist der Beherrscher des Meeres, Yama gilt als Sohn der Sonne und Indra ist der Kampfgott. Die Erzählung von dem Liebespaar Nala und

Damajanti findet sich im dritten Buch des indischen Volksepos »Mahabharata«. Sie war 1820 von Kosegarten übersetzt worden.

47 Am 2. Oktober 1824, im Anschluß an die Harzreise.

48 Im Text: dem Adler. Verbessert nach dem Text der »Romantischen Schule«. Adler und Blitz sind nach der griech. Mythologie Attribute des Zeus (römisch: Jupiter).

49 Über den Besuch bei Goethe vgl. Heines Briefe an Rudolf Christiani vom 26. Mai 1825 und an Moses Moser vom 1. Juli 1825. Vgl. Goethe im Urteil I, S. LXX ff.

50 Frauen,, die nach der griech. Sage von Zeus verführt wurden.

51 Goethe, Scott, Champollion, Cuvier.

52 Ferdinand VII. von Spanien war 1832 schwer erkrankt; er starb im September 1833.

10 *Heinrich Laube · Aus: Reisenovellen. Zweiter Band*

ED Heinrich Laube, Reisenovellen. Zweiter Band. Leipzig 1834. S. 246–250.

Heinrich Laube (1806–1884), Dramatiker, Erzähler und Journalist des Jungen Deutschland. Redakteur der »Zeitung für die elegante Welt«, eines führenden Organs des Jungen Deutschland. Seine »Reisenovellen« erschienen 1834–1837 in 6 Bänden. Dem vorliegenden Text folgt in dem Goethe-Abschnitt der »Reisenovellen« eine Biographie Goethes, die Laube nach der Rückkehr von seiner Italienreise für C. Brüggemanns »Neuestes Konversationslexikon für alle Stände« geschrieben hatte. Das Goethe-Bild, das Laube in seinen »Reisenovellen« entwirft, ist stark abhängig von Börne und Heine. So heißt es in direktem Anschluß an Heines »Zur Geschichte der neueren schönen Literatur in Deutschland« (T. 9) in dem biographischen Teil: »Seine [Goethes] Worte haben nie gehandelt, sie sind nur wie schöne Sternbilder vorübergezogen, und der schöne Eindruck, den sie machten, das war allein ihre Handlung. Er hat nicht wie die größten Männer aller Zeiten im Mittelpunkte der Geschichte gestanden, einsam, isoliert, ein Individuum, stand er zu Weimar, ein Jupiter, der Donner und Blitz nur chemisch untersucht und seinen Adler mit süßem Backwerk füttert.« Laubes Goethedarstellung im dritten Band seiner »Geschichte der deutschen Literatur«, Stuttgart 1840, S. 325–446, ist eine oberflächliche Kompilation aus zeitgenössischen Literaturgeschichten.

1 Vgl. T. 9.

2 Vgl. Goethe im Urteil I, T. 72, Anmkg. 1.

11 *Ludolf Wienbarg · Aus: Aesthetische Feldzüge*

ED L[udolf] Wienbarg, Aesthetische Feldzüge. Dem jungen Deutschland gewidmet. Hamburg 1834. S. 247–256; 257–258; 264–268; 269–275.

Ludolf Wienbarg (1802–1872), Publizist, Ästhetiker, Biograph und Übersetzer. Seine »Aesthetischen Feldzüge« sind das Hauptwerk der Ästhetik und Literaturprogrammatik des Jungen Deutschland, dem seine dem Werk vorangestellte Widmung den Namen gab. Im zweiten Band seines ein Jahr vor den »Aesthetischen Feldzügen« erschienenen Reiseberichts »Holland in den Jahren 1831 und 1832« heißt es: »Goethe ist gestorben, ach wär' er erst jetzt geboren. Goethe, ein Kind unserer Zeit, welche eiserne Hand würde er aus der Wiege strecken. [Absatz] Ausgeleuchtet hat die Sonne seines Jahrhunderts, das schöne griechische Kunst- und Südlicht, das Winckelmann am deutschen Himmel heraufführte; es ist verflogen, wie sein Widerspiel, das kalte Fouqueische Nordlicht und wie der romantische Mondschein der Schlegelianer und Tieckianer, der, Gott weiß, in welcher alten deutschen Burg- und Klosterruine steckt und verwittert. Wer aber führt uns wie Winckelmann die Sonne des neuen Jahrhunderts am deutschen Himmel herauf, wer ist der Sonnengott des neuen Tages, der, gleich Goethe, im goldenen Sonnenwagen sitzt und die schnaubenden Rosse spielend bändigt? Hähne genug, die den Tag ankrähen, die auf dem faulen Mist des Eigendünkels dem alten Tage und der untergegangenen Sonne spöttisch nachkrähen. Häute genug, die fröstelt und schauert, Nasen genug, die im Morgenwinde, im französischen, umherfliegt. – Und über den greisen Sonnengott des vorigen Jahrhunderts sind sie hergefallen, haben ihm, als er unten am Horizont in die blassen noch im Sterben schönen Abendwolken hinabfuhr, Kot in den Wagen geworfen. Die Elenden! Mißgönnten sie ihm sein behagliches Ende, hatten sie so wenig Achtung vor seinen silbernen Haaren, so wenig Mitleid mit dem, vor dem sie Ehrfurcht fühlen sollten? Oder wie konnten sie dem Greise anmuten, seine Natur zu verwandeln, sich, sein langes Leben, sein Jahrhundert zu verleugnen, die Jugend gegen das Alter zum Streit zu führen, sich einen neuen Begriff vom Volk und deutschen Philistern zu machen, die schöne einheitliche Kunstform seines Lebens zu zerschlagen und auf *ihre* Art und Weise aufs neue die Massen zu bearbeiten? Und welche Massen? Wo war, wo ist denn das deutsche Volk, das einen Dichter, wie Goethe, aus der Sphäre der Weltpoesie gegenwärtig und mächtig in seinen Kreis zu bannen vermocht, wo wuchsen die Taten, die einen Dichter (wie ihn) begeistern, wo grünten die Kränze, die eine Schläfe, wie die seinige zieren sollten?« (S. 79 ff.). Als weiteres wichtiges Dokument seiner Goethe-Rezeption ist neben den »Aesthetischen Feldzügen« Wienbargs Aufsatz »Goethe und die Weltliteratur« zu nennen, der 1835 in seiner Aufsatzsammlung »Zur neuesten Literatur« erschien. Neudruck: Ludolf Wienbarg, Ästhetische Feldzüge. Textredaktion: Jürgen Jahn. [Mit einer Einleitung von Walter Dietze]. Berlin und Weimar 1964. S. 199–214.

1 Über den Dramatiker Ernst Benjamin Salomo Raupach vgl. Wienbargs Aufsatz »Raupach und die deutsche Bühne«. In: Zur neuesten Literatur. Mannheim 1835. Neudruck, a.a.O., S. 230–239. – Über Karl Immermann vgl. Wienbargs Aufsatz »Karl Immermann«. In: Zur neuesten Literatur. Mannheim 1835. Neudruck, a.a.O., S. 240–256.

2 Im zweiten Band von Wienbargs »Holland in den Jahren 1831 und 1832« heißt es: »Verdenkt man es ihm [Goethe], daß er nicht, wie Klopstock, erhabene Bardieten, prahlende Hermannsschlachten sang, oder keine Gleimschen Grenadierlieder oder keine Arndtschen Vater-Blücherlieder dichtete. Glaubt ihr, daß Goethe ein Dichter war, dem erhabene Leere, nüchterner Phantasierausch, negative Begeisterung zusagte. Wähnt ihr, daß er seine Unsterblichkeit an Windeierlegen vergeuden sollte. Und was glaubt ihr, und wäre der alte Goethe 1830 in des alten Lafayettes Haut gefahren und hätte im Taumel der jungen Freiheit seine unsterbliche Leier am Apoll von Belvedere zerschmettert, und hätte mit vor Alter und Freude zitternder Hand Deutschlands Reichsfahne aufgepflanzt auf die Zinne des großherzoglichen Schlosses zu Weimar, worin er so oft Tee getrunken, und hätte gerufen, herbei, ihr Deutschen, herbei! und hätte gefleht und beschworen, herbei ihr Enkel Hermanns, herbei! und hätte mit steigender Angst, wie das wahnsinnige Klärchen in den Gassen von Brüssel, zu den Waffen, ihr Leute, herbei, ihr Bürger! gerufen – was, denkt ihr, was hätten ihm die Spieß- und Pfahlbürger von Hamburg und Frankfurt, von Wien und Berlin dazu getan und geantwortet, und wie viele glaubt ihr wohl, wie viele Enkel Hermanns hätten sich unterwegs an den Bajonetten der Preußen und Österreicher aufgerannt?« (S. 81 f.).

3 Vgl. T. 9.

4 »Faust I«, Studierzimmer, V. 1972–1979.

5 Wienbarg folgt hier einer Legendenbildung, nach der Goethe eine Liebesbeziehung zur Herzogin Louise von Sachsen-Weimar gehabt haben sollte.

6 In seiner Menzel-Rezension von 1828. Vgl. Goethe im Urteil I, S. 401.

7 Vgl. Goethes Aufsatz »Noch ein Wort für junge Dichter«. H.A. 12, S. 360.

8 Nach Walter Dietze ein typisch »jungdeutscher« Gedankengang und Vergleich, der von der Überzeugung ausgeht, die deutsche Reformation sei eine Art Vorläufer der kleinbürgerlich-liberalen Literaturrevolution nach 1830. Vgl. Walter Dietze, Junges Deutschland und deutsche Klassik. Zur Ästhetik und Literaturtheorie des Vormärz. Berlin 1958. S. 209 ff.

12 *Theodor Mundt · Aus: Ueber Bewegungsparteien in der Literatur*

ED Literarischer Zodiacus. Journal für Zeit und Leben, Wissenschaft und Kunst. Redigirt von Dr. Theodor Mundt. Leipzig. Jg. 1835. Januar, S. 2–10.
Zu Theodor Mundt vgl. Goethe im Urteil I, Einleitung zu Nr. 78.

1 Goethes Aufsatz »Shakespeare und kein Ende«, Teil I u. II veröffentlicht 1815, Teil III 1826. H.A. 12, S. 287–298 u. Anmkg.

2 Mundt bezieht sich hier auf die »Schicksalsnovelle vom jungen Wolfgang und der alten Philistria«, die den Abschluß von Ludwig Tiecks Abhandlung »Goethe und seine Zeit« von 1828 (vgl. Goethe im Urteil I, T. 76) bildet. Diese »Schicksalsnovelle« ist in Goethe im Urteil I nicht enthalten. Die Bezeichnung »Wolfgang Apollo« findet sich zuerst in Heines »Reisebildern«, »Zweiter Teil. Die Nordsee« von 1827 (Goethe im Urteil I, S. 384).

3 Michael Beer (1800–1833), dramatischer Dichter, Bruder des Komponisten Meyerbeer. Sein Trauerspiel »Der Paria« erschien 1823 und wurde 1824 von Eckermann in »Kunst und Altertum« besprochen. Goethe fügte dieser Besprechung ein Schlußwort u.d.T. »Die drei Paria« an (Kunst und Altertum V, 1, 1824). J.A. 37, S. 271 f.

4 Vgl. dazu Mundts Besprechung von Menzels »Die deutsche Literatur« im »Berliner Conversations-Blatt«, Jg. 1828, Nr. 131, S. 516–526.

13 *[Bettina von Arnim] · Aus: Goethe's Briefwechsel mit einem Kinde. Seinem Denkmal. Dritter Theil: Tagebuch*

ED [Bettina von Arnim] Goethe's Briefwechsel mit einem Kinde. Seinem Denkmal. Dritter Theil: Tagebuch. Berlin 1835. S. 2 f.; 6–8; 10 f.; 16–18; 18 f.; 19 f.; 23 f.; 30; 30–33; 54; 67 f.; 98; 109; 113–115; 153–159; 221–223; 230 f.; 232.
Anna Elisabeth (Bettina) von Arnim (1785–1859), geb. Brentano, die Tochter der mit Goethe befreundeten Maximiliane Brentano und Enkelin der Sophie von La Roche, seit 1811 verheiratet mit Achim von Arnim, Dichterin und Publizistin der Romantik. Bettina von Arnim hatte Goethe im April 1807 in Weimar kennengelernt. Ihr zweiter Besuch im November 1807 erweckte in Goethe die Bereitschaft zu einem lockeren brieflichen Kontakt. Eine persönliche Auseinandersetzung zwischen Bettina und Christiane von Goethe hatte den abrupten Abbruch der Beziehungen mit Hausverbot zur Folge. Die romanhafte Weiter- und Umdichtung der tatsächlich gewechselten Briefe zwischen Goethe und Bettina in ihrem Werk »Goethe's Briefwechsel mit einem Kinde« ist lange Zeit als literarischer Betrug und mutwillige Fälschung betrachtet worden. Seit der quellenkritischen Untersuchung von Waldemar Oehlke »Bettina von Arnims Briefromane« (1905) hat sich die Auffassung durchgesetzt, Bettinas Buch als eigenständige dichterische Leistung zu werten. Als zentrales Dokument romantischen Goethekults hat es eine wichtige Funktion in der Wirkungsgeschichte Goethes im 19. Jahrhundert. Sein Erscheinen 1835 kam einer literarischen Sensation gleich. So schreibt Theodor Mundt 1835 im »Literarischen Zodiacus«: »›Goethes Briefwechsel mit einem Kinde‹ erregt in allen Zirkeln den lebhaftesten Enthusiasmus, enthusiastischen Haß auf der einen, enthusiastische Liebe und Bewunderung auf der anderen Seite. [...] Seit der [Henriette] Sontag und Hegel war Berlin in keine so große Parteispaltung, in kein so leidenschaftliches Pro und Contra geraten als in diesen Tagen durch den genialen, romantischen, mystischen, prophetischen, wundersam herumirrlichtelierenden Kobold Bettina, die Sibylle der romantischen Literaturperiode, und doch das von herzinniger Liebe gequälte Kind Goethes, des legitimen olympischen Vaters der deutschen Poesie!« Von den zeitgenössischen Rezensionen seien hier folgende genannt: Jacob Grimm (Göttingische Gelehrte Anzeigen, 1835, St. 92, S. 915 f.), Willibald Alexis (Blätter für literarische Unterhaltung, 1835, Nr. 79), Joseph Görres (Morgenblatt für gebildete Stände, 1835, Nr. 78–87), Christian Hermann Weiße (Jahrbücher für wissen-

schaftliche Kritik, 1835, Nr. 84–85), Ludwig Börne (vgl. T. 14), Georg Gottfried Gervinus (Ueber den Göthischen Briefwechsel. Leipzig 1836. S. 153–185), Christian Dietrich Grabbe (entstanden 1835, erst aus Grabbes Nachlaß veröffentlicht). Über den »Dritten Theil«, der hier in Auswahl dokumentiert ist, schreibt Bettina am 4. Juli 1834 an Clemens Brentano: »Der 3te Teil enthält ein Tagebuch in dem ich alle leidenschaftliche Begeistrung ausließ die ich nicht unmittelbar in Briefen ihm mitteilen wollte, dieses Buch hat Goethe sehr geliebt, es enthält die Geschichte meiner Kinderjahre bis zu dem Augenblick wo ich zuerst von ihm hörte, zugleich ist es vermischt mit einer mystischen Philosophie die aus meiner Seele hervorwächst worin ich ihm beweise daß alles Schicksal eine Spiegelung des Himmlischen Lebens sei. Welche Sprache ich gehabt habe die ich jetzt nicht mehr habe ist zu bewundern, wie tief das alles mich rührt, in welchen wohltätigen Seelenzustand es mich versetzt, ich kann Dirs nicht sagen, in dieser Stimmung möcht ich bleiben bis an das Ende meiner Tage.« (Corona 7, 1937, S. 41).

1 Vgl. Goethes Gedicht »An den Mond«, 1. Fassung, Strophe 6, 2. Fassung, Strophe 9. H.A. 1, S. 129 f.

2 Vgl. Goethes Gedicht »Auf dem See«, Z. 11 f. H.A. 1, S. 102.

3 Es war die zweite Begegnung. Vgl. Einleitung.

4 Goethe an Bettina, 3. November 1809. H.A. Briefe III, S. 114. Text von Bettina verändert.

5 Gemeint sind Luise (Lulu) von La Roche (1759–1832), die jüngere Schwester von Bettinas Mutter, verheiratet mit Christian von Möhn, und Sophie von La Roche.

6 Vgl. Bettina an Goethe vom 15. Juni 1807, der erste Brief der Korrespondenz. B.a.G. I, Nr. 324.

7 Gemeint ist Fürst Hermann von Pückler-Muskau, dem Bettina ihren »Briefwechsel mit einem Kinde« widmete.

14 *Ludwig Börne · Goethe's Briefwechsel mit einem Kinde*

ED Morgenblatt für gebildete Stände, Literatur-Blatt vom 14. u. 16. Dezember 1835, Nr. 127 u. 128.

Zu Ludwig Börne vgl. Goethe im Urteil I, Einleitung zu Nr. 83.

1 Marie de Rabutin Chantal, Marquise de Sévigné (1626–1696), Verfasserin der berühmten »Lettres«, deren erste Sammlung 1725 erschien. Von 1735–1754 folgten erweiterte Ausgaben, 1818 erschien die vollständige Sammlung.

2 Bettina hatte Goethe Ende März 1808 »Dokumente philantropischer Christen- und Judenschaft« aus Frankfurt geschickt, u. a. die 1808 bei Varrentrapp in Frankfurt anonym erschienene polemische Schrift »Bemerkungen über des Herrn Geh. Finanzrath Israel Jacobsohn unterthänigste Vorstellung«. In seinem Brief an Bettina vom 20. April 1808 bemerkt Goethe dazu [hier zitiert nach der Fassung im »Briefwechsel mit einem Kinde«]: »Es war mir sehr angenehm, zu sehen, daß man den finanzgeheimrätlichen jakobinischen Israelssohn so tüchtig nach Hause geleuchtet hat. Kannst du mir den Verfasser der kleinen Schrift wohl nennen? Es sind treffliche einzelne Stellen drin, die in einem Plädoyer von Beaumarchais wohl hätten Platz finden können. Leider ist das Ganze nicht rasch, kühn und lustig genug geschrieben, wie es hätte sein müssen, um jenen Humanitätssalbader vor der ganzen Welt ein für allemal lächerlich zu machen. Nun bitte ich aber noch um die Judenstädtigkeit selbst, damit ich ja nicht zu bitten und zu verlangen aufhöre.« Bettina hat ihrer Antwort auf dieses Schreiben im »Briefwechsel mit einem Kinde« folgenden Passus hinzugedichtet: »Dem Primas [Karl Theodor von Dalberg] hüte ich mich wohl, Deine Ansichten über die Juden mitzuteilen, denn einmal geb ich Dir nicht recht, und hab auch meine Gründe; ich leugne auch nicht, die Juden sind ein heißhungriges, unbescheidenes Volk; wenn man ihnen den Finger reicht, so reißen sie einem bei der

Hand an sich, daß man um und um purzeln möchte; das kommt eben daher, daß sie so lang in der Not gesteckt haben; ihre Gattung ist doch Menschenart, und diese soll doch einmal der Freiheit teilhaftig sein, zu Christen will man sie absolut machen, aber aus ihrem engen Fegfeuer der überfüllten Judengasse will man sie nicht herauslassen; das hat nicht wenig Überwindung der Vorurteile gekostet, bis die Christen sich entschlossen hatten, ihre Kinder mit den armen Judenkindern in *eine* Schule zu schicken, es war aber ein höchst genialer und glücklicher Gedanke von meinem [Franz Josef] Molitor, fürs erste Christen- und Judenkinder in *eine* Schule zu bringen; die können's denn miteinander versuchen und den Alten mit gutem Beispiel vorgehen. Die Juden sind wirklich voll Untugend, das läßt sich nicht leugnen; aber ich sehe gar nicht ein, was an den Christen zu verderben ist; und wenn denn doch alle Menschen Christen werden sollen, so lasse man sie ins himmlische Paradies – da werden sie sich schon bekehren, wenn's ihnen gefällig ist.« (Bettina von Arnim, Werke und Briefe. Zweiter Band. Hg. von Gustav Konrad. Darmstadt 1959. S. 108).

3 Bettina von Arnim, Werke und Briefe. Zweiter Band. Hg. von Gustav Konrad. Darmstadt 1959. S. 91.

4 Vgl. »Noten und Abhandlungen zu besserem Verständnis des Westöstlichen Divans«, Abschnitt »Vergleichung«. H.A. 2, S. 184 ff.

5 Bettina an Goethe, 28. November 1810. B.a.G. II, S. 72.

6 Bettina an Goethe, 28. November 1810. B.a.G. II, S. 73.

7 Über die Tiroler Volkserhebung unter Andreas Hofer im April 1809 berichtet Bettina in ihren Briefen an Goethe vom April 1809 bis Februar 1810. Hofers Hinrichtung schildert sie in ihrem Brief vom 10. März 1810 aus Landshut.

8 »Belagerung von Mainz«, 25. Juli 1793. H.A. 10, S. 391.

9 »Harzreise im Winter«, V. 43 ff. H.A. 1, S. 51.

15 *F. Gustav Kühne · Wie die Kunst bei den Deutschen nach Brot geht! Eine Rede, gehalten bei der Eröffnung eines literarischen Vereines*

ED Literarischer Zodiacus. Jg. 1. 1835. Bd. 2. November. S. 305; 308–323.
Ferdinand Gustav Kühne (1806–1888), Publizist, Verfasser von Novellen und historischen Romanen, von 1835–1842 Redakteur der »Eleganten Welt«, von 1846–1859 der Zeitschrift »Europa«. Mit seinen frühen Novellen (»Eine Quarantäne im Irrenhause«, 1835) gehört Kühne zum Jungen Deutschland.

1 Seit 1827. Er hielt dort seine Antrittsvorlesung am 26. November.

2 Die Romane von Walter Scott und James Fenimore Cooper.

3 Vgl. T. 14, Anmkg. 7.

4 Vgl. T. 14, Anmkg. 7. Vgl. Kühnes Rezension des »Briefwechsels mit einem Kinde« in: Literarischer Zodiacus 1835, Bd. 1, S. 237–243.

5 Vgl. Kühnes Rede »Schiller als Prophet« von 1852. Schiller – Zeitgenosse aller Epochen. Dokumente zur Wirkungsgeschichte Schillers in Deutschland. Teil I: 1782–1859. Hg., eingeleitet und kommentiert von Norbert Oellers. Frankfurt am Main 1970. S. 401.

6 Vgl. Ludwig Börne, Denkrede auf Jean Paul. Vorgetragen im Museum zu Frankfurt, am 2. Dezember 1825.

7 Vgl. Carl August von Weimar in seinen Briefen. Hg. von Hans Wahl. Weimar 1915. S. 53–72.

8 Vgl. »Torquato Tasso« V, 2: »Der Mensch gewinnt, was der Poet verliert« (V. 3078).

9 Anspielung auf Johann Heinrich Voß.

16 *Karl Gutzkow · Aus: Ueber Göthe im Wendepunkte zweier Jahrhunderte*

ED Karl Gutzkow, Ueber Göthe im Wendepunkte zweier Jahrhunderte. Berlin 1836. S. 15–52; 55–70; 203–207; 250–256. – Von dieser Abhandlung erschienen die

Abschnitte I und II in der »Allgemeinen Zeitung«, 1836, Außerordentliche Beilage Nr. 27–29 u. 32–34 (18.–22. Januar) u.d.T. »Goethe und der Wendepunkt zweier Jahrhunderte«. Eine überarbeitete Fassung erschien in Gutzkows »Gesammelten Werken«, Bd. 12. Jena 1876. S. 1–88.

Karl Ferdinand Gutzkow (1811–1878), Erzähler, Dramatiker und Kritiker des Jungen Deutschland, 1831/32 Mitarbeiter an Wolfgang Menzels »Literaturblatt« in Stuttgart, 1835 Redakteur des Literaturblattes zu Dullers »Phönix«, von 1837–1843 Redakteur des »Telegraph für Deutschland«, 1842–1846 Aufenthalt in Paris, 1846 bis 1849 Dramaturg des Hoftheaters Dresden, bis 1861 freier Schriftsteller, 1852 bis 1862 Herausgeber der wöchentlichen »Unterhaltungen am häuslichen Herd«. In Auseinandersetzung und Abrechnung mit der Goetheopposition der Zeit, vor allem mit Wolfgang Menzel, seinem ehemaligen Mentor, und dem Jungen Deutschland, unternimmt Gutzkow in der vorliegenden Schrift den großangelegten Versuch einer positiven Vermittlung Goethes an die zeitgenössische Literatur. Die Perspektive der historisierenden Objektivität, die Gutzkow Goethe gegenüber einnimmt, ist charakteristisch für die Wendung der meisten jungdeutschen Autoren nach 1835. In engem Zusammenhang damit steht die Rückgewinnung der Kunstidee der Goetheschen Kunstperiode für die zukünftige eigene literarische Produktion. Im Vorwort zu seiner Abhandlung schreibt Gutzkow: »Je mehr sich die Erinnerung der Goethischen Individualität und seines gesellschaftlichen Daseins schwächt, desto größer wird die Teilnahme an der Objektivität seines Ruhmes werden. Die Ideenkreise, welche Goethes Schriften wecken, werden mit ihrem Mittelpunkte nicht mehr nach Weimar fallen, sondern sich immer mehr jener unsichtbaren Metropolis nähern, nach welcher sich die Dichter aller Zeiten in der Ausführung ihrer Ideale sehnten. Die Jugend zumal nimmt die persönlichen und individuellen Überlieferungen großer Männer immer nur als Reliquien einer Andacht hin, welche nicht mehr der Leidenschaft, der Liebe und dem Hasse, sondern nur noch dem Wissenstriebe und dem Gedächtnisse Nahrung gibt. [...] Da man heutiges Tages immer erst von der Zeit auf die Literatur zu kommen pflegt, und man Mühe hat sich allmählich aus einem gewissen allgemeinen Enthusiasmus, und einer durchaus vagen und gegenstandslosen Leidenschaftlichkeit herauszuarbeiten, so betrachtete ich Goethen durchgehends unter dem Gesichtspunkte seiner Zeit, suchte alle seine Vorzüge verhältnismäßig zu bestimmen, und dachte immer an die Begriffe, welche der heutigen Jugend im Ohre summen. Für die keimende Literatur insbesondere hielt ich gern die technische Rücksicht fest, und suchte alles herauszustellen, was für die Regelung des Geschmackes, die Sichtung des Urteils, die Fertigkeit der eigenen Produktion einige Erleichterungswinke abwerfen konnte. Die Literatur soll die Zustände einfangen, soll sie verkörpern und anschaulich machen. Sie soll aus den Widersprüchen des Lebens wenigstens immer die Harmonie der Kunst herzustellen suchen, damit die Begriffe der letzteren nicht in die Strömung so gewaltig fortgerissen werden, daß alle geregelte Form allmählich zu verschwinden droht. Für den Fortschritt des Gedankens nicht weniger, ist die künstlerische Stufe die erste, welche von Wichtigkeit ist; denn hier faßt sich der Gedanke in seinen zerrissenen Teilen zum erstenmal straff zusammen, und gibt, da in der Kunst nichts ohne Totalität und schöpferischen Mittelpunkt sein darf, von dem Ideale, das in sich selbst noch nicht erreicht schien, doch schon die Vorstellung, daß es wird erreicht werden. Kann man deutlicher sprechen, um von jenen jungen Männern, die man mit dem Namen einer neuen Schule hat bezeichnen wollen, den Verdacht einer anarchischen Tendenz abzuwenden?« (S. II–III; V–VII).

1 Das Ergebnis der Ministerkonferenz der deutschen Bundesstaaten, die unter Vorsitz von Metternich im August 1819 in Karlsbad stattgefunden hatte: Aufhebung der Pressefreiheit und Unterdrückung der liberalen und patriotischen Bewegungen an den Universitäten, die zur sog. Demagogenverfolgung führte. Im Unterschied zu den Weimarer Regierungskreisen, wo man über die Karlsbader Beschlüsse empört war, verhielt Goethe sich abwartend und vermittelnd.

2 Goethe an Zelter, 4. Oktober 1831. (H.A. Briefe IV, S. 452 f.). Vgl. Gutzkows Aufsatz »Goethe, Uhland und Prometheus« im »Phönix«, Jg. 1835, S. 117–119. Wiederabdruck in: Karl Gutzkow, Liberale Energie. Eine Sammlung seiner kritischen Schriften. Ausgewählt und eingeleitet von Peter Demetz. Frankfurt/Berlin/Wien 1974. S. 75–79. In Gutzkows Aufsatz »Vergangenheit und Gegenwart. 1830–1838« von 1839 heißt es: »Ich erinnere hier an den großen Eindruck, den ›der sittlich-religiös-patriotische Bettlermantel‹ machte, welchen Goethe der Uhlandschen Poesie umwarf. Ich stellte damals ›Goethe, Uhland und Prometheus‹ zusammen und bereue keinen der harten Ausdrücke, die ich, im polemischen Interesse, gegen die Schwäbische Schule und ihren Anhang brauchte. Goethe hatte einen dunklen Schlagschatten auf die sonnigen Höhen jener Poesie fallen lassen.« (Abschnitt über Theodor Mundt.)

2 a Auf S. 3 f. von Gutzkows Schrift heißt es: »Erst die Römer waren es, welche an die Literatur heterogene Maßstäbe legten und für die Kunstkritik praktische Zwecke einführten. Cicero war es, der mit seiner zusammengelesenen tuskulanischen Weisheit gegen die Schilderung des Schmerzes polemisierte, und durch den Philoktet des Sophokles zu beweisen suchte, daß die Dichter das Volk entnerven, wenn sie Heroen klagend aufführen. Cicero glaubte, daß man die Römer zu Gladiatoren bilden müßte.« [...].

3 Griechischer Chorlyriker, um 640–555 (?) v. Chr.

4 Vgl. Goethe im Urteil I, Einleitung zu Nr. 59.

5 In seiner Rezension von »Goethe's Briefwechsel mit einem Kinde« von Bettina von Arnim im »Morgenblatt für gebildete Stände«, Jg. 1835, Nr. 78–87. Vgl. Gutzkows Aufsatz »Görres über Goethe« im »Phönix«, Jg. 1835, S. 333 f. Wiederabdruck in: Gutzkow, Liberale Energie. Eine Sammlung seiner kritischen Schriften. A.a.O., S. 79–81.

6 Johann Nepomuk Cosmas Michael Denis (Ps. Sined der Barde), 1729–1800, österreichischer Lyriker und Dramatiker. Bedeutend als Übersetzer Ossians und Chorführer der patriotischen Bardendichtung in Österreich.

7 Goethes Rezension von »Über die Liebe des Vaterlandes« (Wien 1771) von Joseph von Sonnenfels im Jg. 1772 der »Frankfurter Gelehrten Anzeigen«. J.A. 36, S. 67–70.

8 Der oberste Himmel; Ort des Lichtes.

9 »Aus Goethes Brieftasche. I. Nach Falconet und über Falconet.« (1776). H.A. 12, S. 28.

10 »Dritte Wallfahrt nach Erwins Grabe im Juli 1775«. H.A. 12, S. 30.

17 *Georg Wilhelm Friedrich Hegel · Aus: Vorlesungen über die Ästhetik*

E Georg Wilhelm Friedrich Hegel, Vorlesungen über die Ästhetik. Herausgegeben von Heinrich Gustav Hotho. 3 Bände. Berlin 1835–1838.

D Hegel, Sämtliche Werke. Jubiläumsausgabe in zwanzig Bänden. Herausgegeben von Hermann Glockner. Stuttgart 1927–1930. Auswahl: XII, 54; XIV, 272 f.; XII, 369–371; XII, 382 f.; XIV, 445; XIII, 203; XII, 388–390; XII, 393 f.; XII, 540; XII, 540 f.; XII, 317 f.; XIV, 478; XIV, 462 f.; XII, 492 f.; XII, 277 f.; XII, 325–327; XIV, 416–418; XII, 353 f.; XII, 398–400; XII, 364–366; XIV, 506; XIV, 538 f.; XIV, 568–570; XIV, 564; XII, 309–312.

Zu Georg Wilhelm Friedrich Hegel vgl. Goethe im Urteil I, Einleitung zu Nr. 75.

Hegel hat seine Vorlesungen über die Ästhetik zweimal in Heidelberg (1817 u. 1818) und viermal in Berlin (1820/21, 1823, 1826 u. 1828/29) gehalten. Dem Hegel-Schüler Heinrich Gustav Hotho, der die Vorlesungen 1835–1838 im Rahmen der ersten Gesamtausgabe Hegels herausgab, lagen eigenhändig geschriebene Hefte Hegels sowie zehn Vorlesungsnachschriften vor. Der hier unternommene Versuch einer systematischen Zusammenstellung sämtlicher auf Goethe und seine Werke sich beziehender Abschnitte und Stellen der Vorlesungen muß notwendigerweise auf die Darbietung des jeweiligen Kontextes, in dem die Äußerungen stehen, verzichten. Auch wenn durch dieses Verfahren perspektivische Verkürzungen und argumentative Verzerrungen in Kauf genommen werden müssen, ist die Einbeziehung der Hegelschen Ästhetik-Vorlesungen im Rahmen einer Dokumentation der Wirkungsgeschichte Goethes unverzichtbar. Die betont hohe Bewertung und Einschätzung der Periode der Klassik (»Hermann und Dorothea«) und des Alterswerkes (»West-östlicher Divan«), wie wir sie auch bei den Hegel-Schülern (Hotho, Rosenkranz, Weiße u. a.) finden, setzt gegenüber der Kanonisierung des jungen Goethe in der Spätromantik (L. Tieck) und im Jungen Deutschland (Wienbarg, Gutzkow) neue, für die weitere Entwicklung des Goethe-Bildes im 19. Jahrhundert folgenreiche Akzente.

1 Calderons Dramen »La gran Cenobia« (1635) und »La hija del aire« (Die Tochter der Luft) (1664).
2 Von Sophokles.
3 In seinem Aufsatz »Philostrats Gemälde« in »Kunst und Altertum«, II, 1818, 1. J.A. 35, S. 69–139.
4 »Tambursgesell« aus dem ersten Teil von »Des Knaben Wunderhorn«.
5 »Blumengruß«. H.A. 1, S. 252.
6 »Affiche«. J.A. 4, S. 158.
7 »Zur Abwechslung«. J.A. 4, S. 158.
8 Aus dem »Buch Suleika«. H.A. 2, S. 71.
9 »An Suleika«, V. 9 ff. H.A. 2, S. 61.
10 »Die künftige Geliebte«, V. 51 f.
11 »Dichtung und Wahrheit«, 13. Buch. H.A. 9, S. 588.
12 »Woldemar. Eine Seltenheit aus der Naturgeschichte« von Friedrich Heinrich Jacobi. Die erste Fassung erschien 1779, die umgearbeitete und erweiterte 1794.
13 »Luise. Ein laendliches Gedicht in drey Idyllen« (1795) von Johann Heinrich Voß.
14 »Hermann und Dorothea«, 1. Gesang, V. 166 f. H.A. 2, S. 443.
15 In seiner Besprechung der »Iphigenie«, zuerst erschienen in Göschens Zeitschrift »Kritische Übersicht der neuesten schönen Literatur der Deutschen«, Jg. 2, 1789, 2. Stück, S. 72–112.
16 Die vorigen Zitate: »Iphigenie auf Tauris« V, 3. H.A. 5, S. 59 f.
17 Die vorigen Zitate: »Iphigenie auf Tauris« V, 6. H.A. 5, S. 66 f.

18 *Johann Peter Eckermann · Vorrede zu seinen »Gesprächen mit Goethe in den letzten Jahren seines Lebens«*

E Johann Peter Eckermann, Gespräche mit Goethe in den letzten Jahren seines Lebens. 2 Bände. Leipzig 1836.

D Johann Peter Eckermann, Gespräche mit Goethe in den letzten Jahren seines Lebens. Nach dem ersten Druck, dem Originalmanuskript des dritten Teils und Eckermanns handschriftlichem Nachlaß neu hg. von H. H. Houben. 24. Aufl. Wiesbaden 1949. S. 7–10.

Abdruck mit freundlicher Genehmigung des Verlags F. A. Brockhaus, Wiesbaden.

Zu Johann Peter Eckermann vgl. Goethe im Urteil I, Einleitung zu Nr. 66.

1 Habent sua fata libelli. Terentianus Maurus, Carmen heroicum, V. 258.
2 Zu Rauch vgl. T. 1, Anmkg. 15. – Das Goetheporträt (1819) des englischen Malers und Kupferstechers George Dawe (1781–1829). Schulte-Strathaus Taf. 116. – Zu Stieler vgl. T. 7, Anmkg. 1. – Zu David vgl. T. 1, Anmkg. 14.

19 *Ernst Freiherr von Feuchtersleben · Aus: Göthe's naturwissenschaftliche Ansichten*

E Dr. Ernst Freiherr von Feuchtersleben, Beiträge zur Literatur, Kunst- und Lebens-Theorie. Wien 1837. S. 99–140.

D Ernst Frhrn. von Feuchtersleben's sämtliche Werke. Herausgegeben von Friedrich Hebbel. Fünfter Band. Wien 1852. S. 81–90; 96–99; 104–116.

Ernst Freiherr von Feuchtersleben (1806–1849), österreichischer Arzt und Dichter, berühmt geworden durch sein Buch »Diätetik der Seele« (Wien 1838). 1836 erscheint bei Cotta der erste Band seiner Gedichte, 1839 in Wien sein Buch »Die Gewißheit und Würde der Heilkunst«. Im Jahre 1840 wird Feuchtersleben zum Sekretär der Gesellschaft der Wiener Ärzte gewählt, 1845 erscheint sein »Lehrbuch der ärztlichen Seelenkunde«, das in zahlreiche Sprachen übersetzt wurde. Friedrich Hebbel hat auf Veranlassung der Witwe Feuchterslebens dessen Werke herausgegeben. Die siebenbändige Ausgabe erschien 1851–1853 in Wien mit einer umfangreichen Würdigung des Lebens und der Werke durch Hebbel. In seinem Feuchtersleben-Aufsatz von 1851 schreibt Franz Grillparzer: »Das Ziel seines Strebens und der Mittelpunkt seines Wesens war übrigens die Bildung, insofern damit die möglichste Erweiterung und harmonische Durchdringung aller Fähigkeiten und Erkenntnisse gemeint ist. Die entgegengesetzte Ansicht, daß jedes Wirken und jedes Talent eine gewisse Einseitigkeit, ein Übergewicht nach *einer* Seite, voraussetze, gab er zwar zu, war aber nicht geneigt, die Übereinstimmung seines Innern einer solchen, wenn auch geistreichen, Störung preiszugeben. Daß unter diesen Umständen Goethe sein Ideal sein mußte, leuchtet von selbst ein. Nie ist vielleicht der Kultus für diesen allerdings Größten aller Deutschen weiter getrieben worden, als von ihm. Er war nicht geneigt, einen Wertunterschied zwischen den früheren und späteren Arbeiten des außerordentlichen Mannes zuzugeben; ja, ich habe alle Ursache zu glauben, daß ihn die späteren mehr befriedigten als die früheren; wie denn auch Goethe als Mensch und Mann bis zu seinem Ende immer im Fortschreiten begriffen war, nur daß die Bildungskraft, schon nach Naturgesetzen, ebenso sehr abnahm. Soweit es Feuchtersleben bei seiner Gutmütigkeit möglich war, grollte er mir ein wenig, wenn ich jenen Unterschied, nach seiner Meinung zu sehr, hervorhob. Wir ließen uns daher über diesen Punkt nicht leicht in ein Gespräch ein. Freunde müssen auch Geheimnisse vor einander haben.«

1 Vgl. T. 25.

2 Christoph Heinrich Pfaff »Ueber Newton's Farbentheorie, Herrn von Goethe's Farbenlehre und den chemischen Gegensatz der Farben. Ein Versuch in der experimentellen Optik«, Leipzig 1813. – Ruppert Nr. 4965.

3 Johann Georg Zimmermann (1728–1795), schweizer Arzt, seit 1768 in Hannover. Vgl. »Dichtung und Wahrheit«, 15. Buch. H.A. 10, S. 63–68.

4 Hermann Boerhaave (1668–1738), berühmter niederländischer Mediziner. Seine »Aphorismi de cognoscendis et curandis morbis in usum doctrinae domesticae digesti« erschienen 1709 in Leiden. Vgl. »Dichtung und Wahrheit«, 8. Buch. H.A. 9, S. 344.

5 J. G. Herders »Ideen zur Philosophie der Geschichte der Menschheit« (1784–1791), vgl. »Italienische Reise«, 5. Oktober 1787 u.ö. und »Gott. Einige Gespräche« (1787), vgl. »Italienische Reise«, 28. August 1787 u.ö.

6 Angelica Kauffmann. Vgl. »Geschichte der Farbenlehre«, Konfession des Verfassers. H.A. 14. S. 255 f.

7 Vgl. »Geschichte der Farbenlehre«, Konfession des Verfassers. H.A. 14, S. 263. Vgl. auch H.A. Briefe II, Einleitung zu Nr. 584 (S. 567).

8 Das erste Stück der »Beyträge zur Optik« erschien im Herbst 1791.

9 Kleine, enge Öffnung, Loch.

10 »Geschichte der Farbenlehre«, Konfession des Verfassers. H.A. 14, S. 265.

11 Goethe stand mit dem Maler Philipp Otto Runge (1777–1810) im Briefwechsel über Probleme der Farbenlehre. Runges theoretische Schrift »Farben-Kugel« (1810) hat

Goethe im Manuskript vorgelegen und ist von ihm in der »Geschichte der Farbenlehre« gewürdigt worden. H.A. 14, S. 217.

12 In seiner Abhandlung »Ueber das Sehn und die Farben« (Leipzig 1816). Ruppert Nr. 5081. Vgl. T. Nr. 40.

13 Der norwegisch-deutsche Naturforscher und Naturphilosoph Henrik Steffens (1773 bis 1845), mit Goethe seit 1801 in lockerem Briefwechsel.

14 Petrus Camper (1722–1789), niederländischer Anatom. Vgl. Goethes Aufsatz »Principes de Philosophie zoologique«. H.A. 13, S. 233.

15 In seinem Werk »Gott. Einige Gespräche« (vgl. Anmkg. 5). Vgl. »Italienische Reise«, Zweiter Römischer Aufenthalt, September 1787. Bericht. H.A. 13, S. 405.

16 Hans Christian Oerstedt (1777–1851), dänischer Physiker.

17 »Tag- und Jahreshefte«, 1820. H.A. 10, S. 523.

18 Verweis von Feuchtersleben auf die »Italienische Reise« (H.A. 11, S. 16).

19 Verweis von Feuchtersleben auf die »Tag- und Jahreshefte«, 1822 (J.A. 30, S. 374).

20 Verweis von Feuchtersleben auf die »Tag- und Jahreshefte«, 1807 (J.A. 30, S. 215).

21 Luke Howard (1772–1864), englischer Meteorologe. Vgl. Goethes Gedicht zu »Howards Ehrengedächtnis« (H.A. 1, S. 350) und seinen Aufsatz »Luke Howard to Goethe. A biographical Sketch« (H.A. 13, S. 304 f.).

22 Vgl. Goethes Aufsatz »Spiraltendenz der Vegetation«. H.A. 13, S. 130–148.

23 »Ansichten von der Nachtseite der Naturwissenschaft« (Dresden 1808) von Gotthilf Heinrich Schubert.

24 Vgl. »Dichtung und Wahrheit«, 8. Buch. H.A. 9, S. 342 u. Anmkg.

25 »Herrn Georgii von Wellings Opus Mago-Cabbalisticum et Theosophicum, darinnen der Ursprung, Natur, Eigenschafften und Gebrauch des Saltzes, Schwefels und Mercurii ... beschrieben ... wird« (Homburg vor der Höhe 1735). Vgl. »Dichtung und Wahrheit«, 8. Buch. H.A. 9, S. 341 u. Anmkg.

26 Hinweis von Feuchtersleben auf den Abschnitt »Paradoxer Seitenblick auf die Astrologie« aus den im 55. Band der »Ausgabe letzter Hand« 1833 veröffentlichten »Nachträgen zur Farbenlehre«.

27 Hinweis von Feuchtersleben auf den Abschnitt »Ferneres über Mathematik und Mathematiker« im Band 50 der »Ausgabe letzter Hand«, S. 188 f.

28 Hinweis von Feuchtersleben auf die »Maximen und Reflexionen«. H.A. 12, S. 435.

29 »Tag- und Jahreshefte«, 1790 (H.A. 10, S. 436).

30 Hinweis von Feuchtersleben auf den Aufsatz »Wolkengestalt nach Howard«, »Ausgabe letzter Hand« Band 51, S. 209.

31 Aus Goethes Aufsatz »Problem und Erwiderung«. Zur Morphologie II, 1, 1823.

32 Nicht ermittelt.

33 Das Toblersche Fragment »Die Natur« von 1783. H.A. 13, S. 45–47.

34 »Faust I«, Studierzimmer, V. 1940 f.

35 Vgl. T. 2, S. 7.

36 »Die Leiden des jungen Werthers«, 1. Buch, 18. August. H.A. 6, S. 53.

37 Numa Pompilius (715–672 v.Ch.), der sagenumwobene zweite König der Römer. Seine »Muse« war die Nymphe Egeria, von der er Ratschläge empfangen haben soll.

38 Wer du seist, Gott hat es befohlen.

39 J. D. Falk, Göthe aus näherm persönlichen Umgange dargestellt (vgl. T. 3), Abschnitt IV. Göthes wissenschaftliche Ansichten.

40 Die Philosophie, leichtfertig genossen, führt von Gott ab, bis ins Innerste ausgeschöpft, führt sie zu Gott zurück.

41 An die Herzogin Louise vom [12.–] 23. Dezember 1786. H.A. Briefe II, S. 31.

42 Siehe Anmkg. 39.

43 Vgl. Goethes Gedicht »Groß ist die Diana der Epheser«. H.A. 1, S. 285 f.

44 »Zur Morphologie«, Freundlicher Zuruf. W.A. II, 6, S. 244.

20 *Friedrich Theodor Vischer · Die Litteratur über Göthe's Faust. Eine Uebersicht (Einleitung)*

ED Hallische Jahrbücher für deutsche Wissenschaft und Kunst. Jg. 1839, Nr. 9–67. Auswahl (Einleitung): Nr. 9–11, 10.–12. Januar. – Wiederabdruck: Vischer, Kritische Gänge. Bd. 2. Tübingen 1844. S. 49–215. – Vischer, Kritische Gänge. Zweite, vermehrte Aufl. Hg. von Robert Vischer. Bd. 2. Leipzig 1914. S. 199–319.

Friedrich Theodor Vischer (1807–1887), Philosoph, Literaturkritiker und Dichter, der bedeutendste nachhegelsche deutsche Ästhetiker des 19. Jahrhunderts. Für die Wirkungsgeschichte Goethes sind Vischers Arbeiten zum »Faust«, dessen wichtigster, wennschon einseitiger und umstrittener, Interpret er neben Kuno Fischer im 19. Jahrhundert wurde, von größter Bedeutung. Bereits 1834 hält er, damals noch Repetent am Tübinger Stift, Vorlesungen über Goethes »Faust« an der Universität. 1839 erscheint in den »Hallischen Jahrbüchern«, dem von Arnold Ruge herausgegebenen Organ der Junghegelianer, seine Generalabrechnung mit der bisherigen Literatur zu Goethes »Faust«, »einer der wenigen glänzenden Waffengänge« der deutschen Literaturkritik, wie noch fünfzig Jahre später Erich Schmidt schreibt. Vischers Kampf gilt der spekulativ-allegorischen »Faust«-Interpretation sowie dem zweiten Teil des Goetheschen Werkes selbst, dessen erbittertster Gegner er wird. Die Reihe seiner dem »Faust« gewidmeten Schriften wird fortgesetzt durch die »Kritischen Bemerkungen über den Ersten Theil von Göthes ›Faust‹, namentlich den ›Prolog im Himmel‹« (Zürich 1857) und dem großen Aufsatz »Zum zweiten Teile von Goethes Faust« (in: Vischer, Kritische Gänge. N.F.H. 3. Stuttgart 1861, S. 135–178). Die Summe seiner lebenslangen Beschäftigung mit der Goetheschen Faustdichtung enthält sein Buch »Göthes Faust. Neue Beiträge zu Kritik des Gedichts« (Stuttgart 1876. 3. Aufl. 1921). 1862 war in Tübingen Vischers berühmte »Faust«-Parodie erschienen: »Faust. Der Tragödie dritter Theil in drei Akten. Treu im Geiste des zweiten Theiles des Götheschen Faust gedichtet von Deutobold Symbolizetti Allegoriowitsch Mystifizinsky«. Eine zweite, stark vermehrte Auflage mit einem wichtigen Nachspiel erschien 1886. Die Tendenz der Parodie wird in folgenden Versen deutlich: »Das Abgeschmackteste/Hier wird es geschmeckt/Das Allervertrakteste/Hier wird es bezweckt/Das Unverzeihliche/Hier sei es verzieh'n/Das ewig Langweilige/ Zieht uns dahin!« In seinem Aufsatz »Pro domo« (in: Vischer, Kritische Gänge. N.F. Bd. 2, 4. H. Stuttgart 1873) hat Vischer das Geheimnis des Pseudonyms seiner Parodie gelüftet und sein Werk gegen Angriffe verteidigt und erläutert: »Ich wollte mich gegen Goethe auf Goethe stützen, ich wollte von dem greisenhaften Dichter an den ursprünglichen und gesunden appellieren. Ich bin aufs innigste überzeugt: Wenn man Goethe dem Jüngling, nein, auch Goethe dem Mann diesen seinen zweiten Teil Faust hätte hinzeigen und sagen können: sieh, dies wirst du einmal machen, ihm hätte zuerst die Hand zu einer ausgiebigen Ohrfeige gezuckt, dann aber wäre er in Lachen ausgebrochen. [...] Genug, ich wollte dieser Retter sein, ich wollte Goethe von Goethe retten und ich lebe des Glaubens, daß er im Elysium mir dankt; denn Goethe im Elysium ist ja der verjüngte, der wahre Goethe, nicht der Allegorientrödler und Geheimnisdüftler von 70–82 Jahren.«

Im Aufsatz »Die Litteratur über Göthe's Faust« von 1839 werden von Vischer folgende »Faust«-Schriften analysiert:

1. Reihe, in der »die Nationalgarden des gesunden Menschenverstandes defilieren, die ohne den Schlüssel der Philosophie dieses tiefsinnige Gedicht aufzuschließen unternehmen.«

K. E. Schubarth, Ueber Goethe's Faust. Vorlesungen. Berlin 1830.

J. Falk, Göthe aus näherm persönlichen Umgange dargestellt. Leipzig 1832. Mit einem Anhang über Göthes »Faust«.

M. Enk, Briefe über Göthe's Faust. Wien 1834.

F. Deycks, Göthe's Faust. Andeutungen über den Sinn und Zusammenhang des ersten und zweiten Theils der Tragödie. Koblenz 1834.

C. G. Carus, Briefe über Göthe's Faust. Leipzig 1835.

W. E. Weber, Goethe's Faust. Uebersichtliche Beleuchtung beyder Theile zur Erleichterung des Verständnisses. Halle 1836.

H. Düntzer, Göthe's Faust in seiner Einheit und Ganzheit wider seine Gegner dargestellt. Nebst Andeutungen über Idee und Plan des Wilhelm Meister und zwei Anhängen: über Byrons Manfred und Lessings Doktor Faust. Köln 1836.

C. Schönborn, Zur Verständigung über Göthe's Faust. Breslau 1838.

J. Leutbecher, Ueber den Faust von Göthe. Eine Schrift zum Verständniß dieser Dichtung nach ihren beiden Theilen für alle Freunde und Verehrer des großen Dichters. Nürnberg 1838.

2. Reihe, »das Linien-Militär der Philosophen.«

[C. F. Göschel], Ueber Göthe's Faust und dessen Fortsetzung. Nebst einem Anhange von dem ewigen Juden. Leipzig 1824.

[C. F. Göschel], Herolds Stimme zu Göthe's Faust, ersten und zweiten Theils, mit besonderer Beziehung auf die Schlußszene des ersten Theils. Leipzig 1831.

H. F. W. Hinrichs, Aesthetische Vorlesungen über Göthe's Faust als Beitrag zur Anerkennung wissenschaftlicher Kunstbeurtheilung. Halle 1825.

F. A. Rauch, Vorlesungen über Göthe's Faust. Büdingen 1830.

K. Rosenkranz, Über Calderons Tragödie vom wunderthätigen Magus. Ein Beitrag zum Verständnis der Faustischen Fabel. Halle und Leipzig 1829.

K. Rosenkranz, Geistlich Nachspiel zur Tragödie Faust. 1831.

Ch. H. Weiße, Kritik und Erläuterung des Goethe'schen Faust. Nebst einem Anhange zur sittlichen Beurtheilung Goethe's. Leipzig 1837.

1 »Dichtung und Wahrheit«, 10. Buch. H.A. 9, S. 413.

2 »Faust I«, Studierzimmer, V. 1866 f.

3 Vgl. Goethe an Schiller, 2. Dezember 1803.

4 Siehe Einleitung.

5 Goethe an Schiller, 6. Januar 1798. H.A. Briefe II, S. 323.

6 Die Germanisten Friedrich Heinrich von der Hagen (1780–1856) und Franz Joseph Mone (1796–1871).

7 Karl Gottlob Cramer (1758–1817) und Christian Heinrich Spieß (1755–1819), Verfasser vielgelesener Räuber- und Ritterromane.

8 »Faust II«, 4. Akt, Hochgebirg, V. 10329 f. H.A. 3, S. 312.

9 In Ch. H. Weißes »Faust«-Kommentar (siehe Einleitung) S. 255 ff.

10 »Drei Tage in der Unterwelt« (Stuttgart 1826) von Wilhelm Waiblinger. Das Zitat: Erster Tag.

11 Vgl. T. 26, Anmkg. 1.

21 *Arnold Ruge und Theodor Echtermeyer · Aus: Der Protestantismus und die Romantik. Ein Manifest. Zweiter Artikel*

ED Hallische Jahrbücher für deutsche Wissenschaft und Kunst. Jg. 1839, Nr. 265 bis 266, 5. u. 6. November.

Arnold Ruge (1803–1880), philosophischer und politischer Schriftsteller, gründete 1838 die »Hallischen Jahrbücher für deutsche Wissenschaft und Kunst«, nach dem Verbot in Preußen ab Juli 1841 fortgesetzt als »Deutsche Jahrbücher« (bis Januar 1843), die das führende Organ der Junghegelianer wurden. In Paris trat Ruge u.a. mit Heine und K. Marx in enge Beziehung und gab 1844 die »Deutsch-Französischen Jahrbücher« heraus. – Ernst Theodor Echtermeyer (1805–1844), Schriftsteller, von 1831–1841 Gymnasiallehrer am Pädagogium in Halle, Mitherausgeber der »Hallischen Jahrbücher«, Begründer der berühmten Gedichtanthologie »Auswahl deutscher Gedichte« (1835), die in zahlreichen Bearbeitungen (zuletzt 1966 durch Benno von Wiese) bis heute die am weitesten verbreitete Sammlung deutscher Lyrik ist. – Das Manifest »Der Protestantismus und die Romantik. Zur Verständigung über die Zeit und ihre Gegensätze« (1839/40) ist das Kernstück der anti-idealistischen und antiromantischen Literaturpolitik und -kritik der »Hallischen Jahrbücher«. Der hier abgedruckte Abschnitt über Schiller und Goethe stammt von Echtermeyer (vgl. A. Ruge's sämtliche Werke. 2. Aufl. Bd. 1. Mannheim 1847. S. 203 ff.).

1 Aus der Sammlung »Sprichwörtlich«. J.A. 4, S. 10.
2 Schillers Epigramm »Das Höchste«.
3 Von Schiller. Zuerst im »Musenalmanach für das Jahr 1797«.
4 Vgl. Gespräch mit Eckermann am 30. März 1824.
5 Carl August an Knebel vom 4. Oktober 1781. Carl August von Weimar in seinen Briefen. Hg. von Hans Wahl. Weimar 1915. S. 55 ff.

22 *Friedrich Wilhelm Riemer · Aus: Mittheilungen über Goethe*

ED Friedrich Wilhelm Riemer, Mittheilungen über Goethe. Aus mündlichen und schriftlichen, gedruckten und ungedruckten Quellen. Erster Band. Berlin 1841. S. IX bis XXVII; XXXI–XXXII; 41–54; 464–466.

Friedrich Wilhelm Riemer (1774–1845), Altphilologe, Schüler von F. A. Wolf, zunächst Hauslehrer bei Wilhelm von Humboldt in Rom, von 1803–1808 Erzieher von Goethes Sohn August, bis 1812 Sekretär im Haus des Dichters, danach Professor am Weimarer Gymnasium und seit 1814 Bibliothekar. Zusammen mit dem Kanzler von Müller, dem Arzt Dr. Vogel, J. P. Eckermann, dem Privatgelehrten Christian Theodor Musculus und Goethes Sekretär Johann Christian Schuchardt gehört Riemer zu jenem kleinen Kreis derer, die sich nach Goethes Tod in Weimar in der Pflege, der Aufarbeitung und der Publikation des Goetheschen Nachlasses zusammenfanden. 1833 gibt Riemer nach Goethes Bestimmung dessen Briefwechsel mit Zelter heraus, 1836 veröffentlicht er den zweiten Band von Heinrich Meyers »Geschichte der bildenden Künste bei den Griechen und Römern«. Hauptgeschäft bleibt die Arbeit an der Veröffentlichung der Nachlaßbände zur »Ausgabe letzter Hand« und die Vorbereitung der Quartausgabe von Goethes Werken. Nach der Veröffentlichung der »Mittheilungen über Goethe« 1841 plante Riemer einen großen Kommentar zu Goethes Werken, der nicht mehr zur Ausführung gekommen ist. 1846 erschienen als letzte, vor seinem Tode fertiggestellte Veröffentlichung die »Briefe von und an Goethe nebst Aphorismen und Brocardica«.

Der erste Band von Riemers »Mittheilungen«, dem die vorliegende Auswahl entnommen ist, gibt ein facettenreiches Bild Goethes, seiner Angewohnheiten, Eigenarten, Tugenden und Fehler, seiner menschlichen Beziehungen und seiner Wirkungsgeschichte aus der persönlichen Sicht des engen Mitarbeiters und den Erfahrungen des täglichen Umgangs. Die oft pedantisch-verschnörkelte, zitaten- und anspielungsreiche Ausdrucksweise Riemers hat in Thomas Manns »Lotte in Weimar« ihre meisterhafte Nachschöpfung gefunden. Riemers Goethe-Bild hat einen stark apologetischen Einschlag. Seine Tagebücher registrieren mit gereiztem Unmut die wachsende Opposition gegen Goethe seit Ende der 20er Jahre. Die Widerlegung der negativen Urteile über Goethe wird zum eigentlichen Movens der eigenen Gegendarstellung, die dank ihrer zupackenden Genauigkeit und Realistik der Gefahr einer nur panegyrischen Affirmation entgangen ist. Riemers Auseinandersetzung mit Börne und dem Jungen Deutschland ist nicht frei von antisemitischer Verunglimpfung (vgl. den Abschnitt »XI. Juden«, S. 427–442). Im Geiste des Jungen Deutschland hat Gustav Kühne in seinen »Porträts und Silhouetten« (Hannover 1843, 2. Theil, S. 20–25) Riemers »Mittheilungen« scharf kritisiert.

1 Anspielung auf J. D. Falks Buch »Göthe aus näherm persönlichen Umgange dar-

gestellt« (vgl. T. 3), mit dem Riemer sich kritisch im zweiten Abschnitt des ersten Bandes seiner »Mittheilungen« auseinandersetzt (S. 19–30).

2 Riemer hat die beiden ersten Bände der Eckermannschen »Gespräche« (vgl. T. 18) im Manuskript gelesen und mit dem Verfasser durchgesprochen.

3 Brief an Lavater vom 4. Oktober 1782. H.A. Briefe II, S. 408.

4 Friedrich Wilhelm Schelling, Über Goethes Tod. In: Allgemeine Zeitung. Augsburg. Nr. 97, 6. April 1832. Außerordentliche Beilage. Wiederabgedruckt in: Die Manen Goethes. Gedenkreden von 1832 bis 1949. Ausgewählt und eingeleitet von Walter Iwan. Weimar 1957. S. 25 f.

5 Vgl. Einleitung zu Nr. 2.

6 Vgl. Einleitung zu Nr. 7.

7 H.A. 1, S. 309, Nr. 34.

8 In Goethes Brief an Lavater vom 20. September 1780 heißt es: »Hab ich dir das Wort Individuum est ineffabile [,] woraus ich eine Welt ableite, schon geschrieben?« H.A. Briefe I, S. 325 u. Anmkg.

9 Originalanmerkung Riemers: z. B. dem Charakteristiker G's in der Zeitung für die elegante Welt, 1837, Nr. 1–3. – Der bei Riemer nicht genannte Verfasser ist Stephan Schütze.

10 »Dichtung und Wahrheit«, 10. Buch. H.A. 9, S. 413.

11 »Maximen und Reflexionen«. H.A. 12, S. 464, Nr. 701.

12 Vollständig lautet der Satz in H. Laubes »Geschichte der deutschen Literatur«, Bd. 2. Stuttgart 1839: »Es wird stets vergessen, daß jeder Fortschritt mit einiger Unhöflichkeit und Grausamkeit beginnt, daß erschlagen werden muß, was nicht sterben mag.«

13 »Stella«, 2. Akt. H.A. 4, S. 322.

14 Variation des bekannten Ausspruchs des Grafen George Louis Leclerc de Buffon: »Le style est l'homme même.«

15 Aus Goethes Besprechung von Christian Kefersteins geologischem Atlas »Teutschland, geognostisch-geologisch dargestellt« (1821) in »Zur Naturwissenschaft«, I, 4, 1822.

16 Vgl. T. 1, Anmkg. 15.

17 Dr. Vogel. Vgl. T. 7.

18 Hinweis von Riemer: Ilias III, 210 f.

19 Anspielung auf den »Magister Ubique« K. A. Böttiger. Vgl. T. 1.

20 H.A. 10, S. 545.

21 Anmerkung von Riemer: S. v. Knebels liter. Nachlaß Bd. II, S. 271, Nr. 22.

22 Vgl. Goethes Aufsatz »Antik und modern«. H.A. 12, S. 173.

23 Brief an Lavater vom 24. Juli 1780.

24 Verweis von Riemer auf die »Zahmen Xenien« IV. J.A. 4, S. 69, V. 1006 f.

25 Vgl. »Zueignung«, V. 22. H.A. 3, S. 9.

26 Vgl. das Gedicht »Künstlers Fug und Recht«, V. 38. J.A. 2, S. 108.

27 »An den Mond«, 2. Fassung, Strophe 8. H.A. 1, S. 130.

28 Verweis Riemers auf Goethes Brief an Zelter vom 19. März 1827.

29 Hinweis von Riemer auf das Goethesche Xenion »Grabschrift, gesetzt von A.v.J.«. J.A. 4, S. 135. Zur Anschuldigung, er sei ein »Fürstenknecht«, vgl. auch Goethes Gespräch mit Eckermann vom 27. April 1825.

30 Gemeint ist Ludwig Tieck. Zu Tiecks Reaktion auf Riemers »Mittheilungen über Goethe« vgl. dessen Brief an Riemer vom 3. Juli 1841. Abgedruckt in: Dichter über ihre Dichtungen. Ludwig Tieck. Band 9/III. Hg. von Uwe Schweikert. München 1971. S. 224–227.

31 Schlußverse von Goethes Gedicht »Ins Einzelne« aus »Epigrammatisch«. J.A. 2, S. 175. Wörtlich lauten die Verse: »Und was erst eine Flotte schien,/Ist ganz und gar zerstoben.«

23 *Georg Gottfried Gervinus · Aus: Geschichte der poetischen National-Literatur der Deutschen. Fünfter Theil*

ED G[eorg] G[ottfried] Gervinus, Neuere Geschichte der poetischen National-Literatur der Deutschen. Zweiter Theil. Von Göthes Jugend bis zur Zeit der Befreiungskriege. Leipzig 1842. S. 511–522; 718–735. = Historische Schriften von G. G. Gervinus. Sechster Band. Geschichte der deutschen Dichtung V.

Georg Gottfried Gervinus (1805–1871), Historiker, Literarhistoriker und Politiker, Schüler von Friedrich Christoph Schlosser, 1835 Professor in Heidelberg, 1836 in Göttingen, wurde 1837 als einer der »Göttinger Sieben« amtsenthoben, 1844 Honorarprofessor in Heidelberg, gehörte 1848 vorübergehend der Frankfurter Nationalversammlung an. Seine fünfbändige »Geschichte der poetischen National-Literatur der Deutschen« (1835–1842) ist die bedeutendste Gesamtdarstellung der deutschen Literatur in der ersten Hälfte des 19. Jahrhunderts. 1871–1874 erschien die 5. Auflage, hg. von K. Bartsch. Seit der 4. Auflage (1853) trägt das Gesamtwerk den Titel »Geschichte der deutschen Dichtung«. Aufsehen und Widerspruch erregte seine im Sinne des vormärzlichen Liberalismus begründete These, daß mit den Werken Schillers und Goethes der Kreis der schönen Literatur für Deutschland geschlossen und daß es jetzt an der Zeit sei, die politische Umgestaltung Deutschlands in Angriff zu nehmen. Gervinus hat diese These bereits in der 1833 in den »Heidelberger Jahrbüchern der Literatur« erschienenen programmatischen Rezension der Literaturgeschichten von August Wilhelm Bohtz (1832) und Karl Herzog (1831) entwickelt. Im Hinblick auf die literarhistorische Behandlung Goethes heißt es hier: »Noch *eine* Sache haben wir auf dem Herzen, die uns immer besonders wehe tat. Wenn wir in vielen unserer Literaturbücher alles eigene Urteil allzu häufig vermißten, so geschah es uns fast immer, daß, wo wir ja einmal eines antrafen, wir es lieber wieder vermißt hätten. Wir deuten auf die törichten Erhebungen und Herabsetzungen der Goethe, Voß u.a., auf die kindischen Befehdungen der Romantiker, auf die ewigen Zänkereien über Goethe und Schiller und tausend Dinge der Art, die an der Tagesordnung sind. Es würde uns ekeln, wenn wir auf die Jämmerlichkeiten näher eingehen wollten, die eine Erörterung dieser Dinge mit sich führen würde. Wir müssen nur bei dieser Gelegenheit bedauern, daß bei so gewichtigen Stimmen, die über alle jene und andere Fragen durch die allerbefugtesten Beurteiler abgegeben worden sind, das Geschrei der Zwerge und Pygmäen immer fortdauern kann, die sich mit lästiger Zudringlichkeit herbeidrängen. Warum sind denn Humboldts ›Ästhetische Versuche‹ [vgl. Goethe im Urteil I, T. 40] ein so vergessenes Buch bei uns und warum werden es seine Briefe mit Schiller so bald sein, die zwei merkwürdigsten Ehrendenkmale, die jemals großen Männern von Zeitgenossen gesetzt worden sind? Dahin sind wir schon gekommen, daß eine etwas schwierige Form und Untersuchung uns von solchen Werken, die unser wärmstes Interesse an unseren gefeiertsten Namen angehen, abschreckt? Dann wehe uns und unserer gepriesenen Gründlichkeit, wenn dem so ist! Und wie sollte es anders sein, da wir in der Tat lieber das Büchlein von Goethe [von Oscar Ludwig Bernhard Wolff, 1832] zur Hand zu nehmen scheinen, oder was des Gestorbenen Freunde nicht aufhören, darüber zu publizieren, wie er sich räusperte und spuckte. Von Nationalapostaten lassen wir unser Volk beflecken und unsere Duldung ist nicht die Verachtung der Niederträchtigkeit dabei; unordentliche Genien bekämpfen unsere romantische Schule, wenn auch mit gerechten, doch nicht mit ehrlichen, nicht mit erlaubten Waffen; wilde Geister ohne Klarheit und ohne Wissen reißen unsere größten Heroen in den Kot; anbrüchige Jünglinge nehmen es sich heraus, ihre moralischen Charaktere zu verdammen; hirnlose Schwärmer vermissen in ihnen ihre politischen Tollheiten und knüpfen daran ihre Verurteilung; beschränkte literarische Faktionäre und Finsterlinge grollen über die Köpfe, die uns aus Armseligkeit und Dunkelheit herausrissen! Dergleichen drängt sich in unsere Literargeschichten ein, statt daß diese dazu da sind, dergleichen abzuwehren, diesem Unwesen zu steuern, und wo es ernsthafte, natürliche Spaltungen und nicht bloß törichte Reibungen sind, zu vermitteln und aufzuklären. Wo wäre nun der Literarhistoriker, der dies getan hätte? Mit gleichgültigem Lobe gehen sie an jedem vorüber, der ihnen vorkommt, oder sie tragen, soviel an ihnen ist, noch bei, den Zwiespalt größer zu machen. Sie hätten finden sollen und erklären, warum der Streit über den Vorzug Goethes und Schillers ein natürlicher, ein nie ganz zu beseitigender ist, sie hätten aber mit Benutzung der genannten Werke von Humboldt dem, der hier Vermittlung und Aufklärung suchte, von *einer* Seite her eine einleuchtende Belehrung geben können, und wenn sie wüßten, was literarhistorische Studien sind, auch noch von einer anderen Seite. Sie hätten sich des künstlerischen Charakters in Goethe annehmen sollen, und daraus das erläutern, was in seinen Schriften von moralischer Seite abstößt, ausgehend von seinem eigenen Grundsatz, daß, ›wer sittlich wirke, keine seiner Bemühungen verliere, daß aber, wer künstlerisch verfahre, in jedem Werke *alles* verloren habe, wenn es nicht als ein solches anerkannt wird.‹ Man müßte in ähnlicher Weise, wie oben versucht ward, seinen politischen Charakter aus den Umständen erläutern und überhaupt jede Forderung an den Dichter ablehnen, die ihn als Dichter nicht angeht. Man müßte bei Humboldt lernen, den einfältigen Tadel, daß Schiller in einem gewissen Sinne kein Dichter sei, in seinen größten Ruhm umzuwandeln. Man müßte von Niebuhr und Goethe hören, daß es Voß ist, der es mit seinem Homer dahin brachte, daß hinfort in allen Nationen durch uns Deutsche die Vermittlung der Kunde des Altertums geschehen muß, von Goethe und Schiller muß man Ehrfurcht vor dem Naturdichter lernen, der so wie *er* das Griechentum im Gesang nachahmt, von Humboldt muß man hören, daß solche Verdienste die höchsten sind, die sich ein Mensch erwerben kann. Man muß überhaupt erst loben lernen, ehe man tadelt, und jedes Ding von jeder Seite nehmen. Das ist des Geschichtschreibers Pflicht vor anderen. Die unseren aber, die in diesem Felde arbeiten, betrachten den einen Gegenstand von da, den anderen von dort, trauen dabei bald selbstvergnüglich nur ihrem eignen Auge, bald allen zugleich, loben alles aus Gutmütigkeit oder tadeln einzelnes aus Parteisucht, haben weder die Fähigkeit, auf eignen Füßen zu ruhen, noch auch nur sich eine wirkliche, taugliche, feste Stütze zu suchen. Man könnte mit einigem Rezeptionsvermögen und sonst einfachem Sinn und Takte eine sehr gute deutsche Literaturgeschichte zusammensetzen ohne viel eignes Zutun, denn es ist zerstreut sehr vieles Material da, das nur der Verarbeitung harret. Niemand wußte es nur zu übersehen, geschweige zu benutzen.« (Nr. 78, S. 1233 ff.). 1836 erscheint Gervinus' Schrift »Ueber den Göthischen Briefwechsel«, in der er anhand einer Analyse des Briefwechsel zwischen Goethe und Schiller die Positionen beider Dichter antithetisch-typologisch einander gegenüberstellt. Goethe wird in dieser Gegenüberstellung zugunsten Schillers abgewertet, sein Spätwerk scharf verurteilt. Ein Grundwiderspruch von Gervinus' Goethekritik, der auf seine undialektische Auffassung des Verhältnisses von Kunst und politischer Tat zurückweist, liegt in dem Vorwurf, der Dichter habe durch seine praktisch-amtliche Tätigkeit sein Künstlertum korrumpiert. So heißt es in Gervinus' Besprechung der Eckermannschen »Gespräche mit Goethe« in den »Blättern für literarische Unterhaltung« 1837, Nr. 137–138, 17.–19. Mai: »Es war ein großer Irrtum von ihm [Goethe], daß er sich in dem praktischen Leben in einer gewissen Zeit meinte hervortun zu müssen. Die Periode praktischer Richtung ist in jeder Mannesperiode eine natürliche, allein sie muß sich nicht eben notwendig in einer geschäftlichen Stellung äußern; sie stellt sich bei Schiller z. B. ganz natürlich in seinen wissenschaftlichen Studien dar, in seiner Beschäftigung mit der Geschichte. Dadurch, daß Goethe sich das wirkliche, handelnde Leben verleiden ließ oder vielmehr selbst verleidete, was auch in diesen Gesprächen mehrfach angedeutet wird, entfremdete er sich jener Gattung der handelnden Poesie, in der er das Größte hätte erreichen können. So aber ist hier der Fortgang seiner menschlichen Entfaltung eigentümlich gestört.«

1 »Der Spaziergang«, V. 74.
2 In W. v. Humboldts Brief an Schiller vom 23. Oktober 1795 heißt es: »Ihr Dichtercharakter aber ist gerade Erweiterung des Dichtercharakters überhaupt.«
3 Vgl. T. 21, Anmkg. 2.
4 Schiller, »Das Ideal und das Leben«, V. 105 f.
5 Der Umfassende, der Vielseitige.
6 Der In-Sich-Geschlossene, der Ungeteilte.
7 Schiller, »Das Ideal und das Leben«, V. 77 f.
8 Schiller an Goethe, 17. August 1797.
9 »Noch ein Wort für junge Dichter«. H.A. 12, S. 360.
10 Wilhelm von Humboldt an Schiller, 6. November 1795.
11 Gespräch mit Eckermann, 11. September 1828.
12 An den Herzog Carl August vom 5. November 1816.
13 Gemeint ist »Ueber Kunst und Alterthum«.
14 Das Sich-Nicht-Wundern, die Gleichgültigkeit.
15 Gespräch mit Eckermann, 18. Februar 1829.
16 Vgl. Goethes Brief an Zelter vom 16. Dezember 1829. H.A. Briefe IV, Nr. 1477.
17 »Sibyllinisch mit meinem Gesicht/Soll ich im Alter prahlen!/ Je mehr es ihm an Fülle gebricht,/Desto öfter wollen sie's malen!« Aus den »Sprüchen«. H.A. 1, S. 323.
18 »Wenn ich dumm bin, lassen sie mich gelten;/ Wenn ich Recht hab', wollen sie mich schelten.« »Zahme Xenien«, V. 1008 f. J.A. 4, S. 69.
19 »Faust II«, Großer Vorhof des Palastes, V. 11574 ff. H.A. 3, S. 348.
20 Brief an Zelter vom 26. Juli 1828. H.A. Briefe IV, S. 292.
21 So bereits wörtlich in Gervinus' Schrift »Ueber den Göthischen Briefwechsel«, Leipzig 1836, S. 150.
22 Vgl. Gervinus' Besprechung der Eckermannschen »Gespräche« in den »Blättern für literarische Unterhaltung«, Jg. 1837, Nr. 137–138, 17.–19. Mai.
23 Aus dem Aufsatz »Neueste deutsche Poesie« von 1827. J.A. 38, S. 107.
24 »Zahme Xenien« VII, V. 153 ff. J.A. 4, S. 105.
25 Vgl. Goethes Aufsatz »Noch ein Wort für junge Dichter«. H.A. 12, S. 361.
26 Vgl. Eckermanns »Gespräche mit Goethe«, 20. April 1825.
27 Vgl. Eckermanns »Gespräche mit Goethe«, 15. April 1829.
28 Vgl. Goethes Briefe an G. H. L. Nicolovius von Ende November 1825 und an Reinhard vom 26. Dezember 1825. H.A. Briefe IV, S. 159 u. 169.
29 Von »Trauer« bis »Eremiten« fast wörtliches Zitat aus Goethes Aufsatz »Für junge Dichter«. H.A. 12, S. 359, Z. 5–10.
30 Juvenal, Satiren I, 79. Übers.: Wenn das Talent versagt, so schmiedet Entrüstung die Verse. Der Zusatz »sc. non facit poetam = dies macht keinen Dichter.
31 In den späteren Auflagen: Selbstquälerei.
32 Vgl. Goethes Briefe an Zelter vom 18. u. 28. Juni 1831. H.A. Briefe IV, S. 431 f. u. 435.
33 Gegen die Literatur des Weltschmerzes und der »Zerrissenheit« des Jungen Deutschland gerichtet. Vgl. dazu Gervinus' Aufsatz »Ueber Börne's Briefe aus Paris«, zuerst »Deutsche Jahrbücher« Jg. 1835, wiederabgedruckt in: Gesammelte kleine historische Schriften von G. G. Gervinus. Karlsruhe 1838. S. 385–410.
34 Zitatkollage aus Eckermanns »Gesprächen mit Goethe« vom 11. 6. 1825, 13. 2. 1829, 18. 9. 1823 u. 29. 1. 1826.
35 Aus den Versen am Schluß des Aufsatzes »Für junge Dichter«. H.A. 12, S. 359.
36 In den späteren Auflagen: Verschwendung.
37 Vgl. Chamissos »Trinkspruch in einer literarischen Gesellschaft 1831«.
38 Aus Goethes Aufsatz »Literarischer Sansculottismus«. H.A. 12, S. 241.
39 Aus Goethes Aufsatz »Für junge Dichter«. H.A. 12, S. 359.

D Druckvorlage, Datierung und Nummerierung nach: Franz Grillparzer, Sämtliche Werke. Historisch-kritische Ausgabe. Begründet von August Sauer, fortgeführt von Reinhold Backmann. Wien 1909–1948. Der Abschnitt »Zur Literaturgeschichte« ist gedruckt nach: I. Abteilung, Bd. 14. Prosaschriften II, S. 159–163.
Zu Franz Grillparzer vgl. Goethe im Urteil I, Einleitung zu Nr. 63.

1 »Geschichte der Farbenlehre«, Sechste Abteilung, Ungewisse Anfänge der Sozietät. H.A. 14, S. 133 f.
2 August Sauer vermutet, daß Grillparzer einen Aufsatz über Goethe plante, der wie sein Shakespeare-Aufsatz nicht zustande kam.
3 Italienische Geheimbündler im 19. Jahrhundert. Die Carbonari wollten die Befreiung und Einheit Italiens herbeiführen.
4 »Die natürliche Tochter« V, 7, V. 2724 f. H.A. 5, S. 293.
5 Bezieht sich auf »Goethe's Briefwechsel mit einem Kinde« von Bettina von Arnim. Vgl. T. 13.
6 Vermutlich gerichtet gegen das Werk »Die deutsche Literatur« von Wolfgang Menzel, von dem 1836 eine zweite, stark vermehrte Auflage erschienen war. Zu Menzel vgl. Goethe im Urteil I, Nr. 67 u. 73.
7 Auch diese Eintragung ist vermutlich gegen Menzel gerichtet, dessen Hauptvorwurf gegen Goethe seine proteische Verwandlungsfähigkeit und Vielseitigkeit war.
8 Gemeint ist das Gedicht »Geistes-Gruß«.
9 Eckermanns »Gespräche mit Goethe«. Vgl. T. 18.
10 »Blicke auf die drei Hauptliteraturen unserer Zeit«, anonym erschienen im Jg. 1836.
11 Gemeint ist Ludwig Börne.
12 Friedrich von Gentz.
13 Vom 21. September 1810, abgedruckt in: Galerie von Bildnissen aus Rahels Umgang, 2. Teil. Leipzig 1836. S. 206 f.
14 Hier: in den Zeiten des Übergangs, des Pöbels.
15 Es handelt sich um das Gespräch über den »Faust« vom 13. Februar 1831.
16 Diese Eintragung bezieht sich auf G. G. Gervinus' Schrift »Ueber den Göthischen Briefwechsel« (Leipzig 1836), wo es auf S. 89 heißt: »Bei Gelegenheit ihrer Forschungen über die Natur des Drama und Epos zweifelt Goethe in seinem Mangel an Selbstkenntnis, ob er wohl fähig sei, eine wahre Tragödie zu schreiben. Ich erschrecke, sagt er, vor dem bloßen Unternehmen, und bin beinahe überzeugt, daß ich mich durch den bloßen Versuch zerstören könnte! Wirklich fällt es auf den ersten Augenblick auf, daß keines seiner Dramen den strengen Forderungen einer Tragödie genügt. Auch Schillern frappierte diese Wahrheit, die er doch mit dem sonstigen Genius Goethe nicht verträglich fand.«
17 In Gervinus' Schrift heißt es u.a. (S. 150): »Es gehörte das deutsche Volk dazu, dem großen Künstler nachzusehen, daß er ihm nach der ersten Darlegung seines ungemeinen Vermögens, Dichtungen hinwarf, die ihn meinethalb der Ungeschmack des Publikums schreiben heißen konnte, von denen ihn aber die Achtung vor der Würde der Kunst ewig hätte abhalten müssen; es gehörte unsere Gutmütigkeit hierzu, daß wir uns an den Spätfrüchten seiner Muse die Zähne ausbissen, die uns, mit deutlichen Worten, zum Schaden unserer Zähne geboten waren, und daß wir uns durch des Dichters kontemptive Behandlung in unserer Vergötterung nicht irren ließen.«
18 Gemeint ist die Tragödie »Leben und Tod der heiligen Genoveva« (1799/1800) und das Lustspiel »Kaiser Octavianus« (1804) von Ludwig Tieck. Zu Goethes Urteil über die »Genoveva« vgl. H.A. Briefe II, Anmkg. zu 400, 29.
19 Ernst von Feuchtersleben (vgl. T. 19), der im Jg. 1836 von Kaltenbecks »Blättern für Literatur, Kunst und Kritik« einen Aufsatz über »Goethe und Schiller« veröffentlicht hatte. Für die gleiche Zeitschrift hatte Grillparzer offenbar seinen Bei-

trag bestimmt, der dort aber nicht erschien. Wiederabdruck von Feuchterslebens Aufsatz in: Ernst Frhrn. von Feuchtersleben's sämmtliche Werke. Hg. von F. Hebbel. Bd. 5. Wien 1852. S. 231–240.

20 Vom 19. Januar 1802.

21 Ursprünglicher Schluß der »Italienischen Reise«, 31. August 1817 (Zum April 1788). H.A. 5, S. 443.

22 Vgl. Einleitung zu Nr. 1.

23 Vgl. T. 23.

24 Gervinus und der Historiker Friedrich Christoph Dahlmann gehörten zu den Göttinger Sieben, die von König Ernst August am 14. 2. 1837 als Hochschullehrer entlassen wurden, weil sie den König wegen der Aufhebung der Verfassung von 1833 des Verfassungsbruches beschuldigt hatten.

25 Göthe's Briefe an Frau von Stein aus den Jahren 1776 bis 1826. Zum erstenmal herausgegeben durch Adolf Schöll. 3 Bände. Weimar 1848–1851.

26 »Charlotte von Kalb und ihre Beziehungen zu Schiller und Göthe« (Berlin 1852) von Ernst Köpke, Professor am Friedrich-Werderschen Gymnasium zu Berlin.

27 Der hier gekürzte Text ist als Vortrag, vermutlich für die Wiener »Akademie der Wissenschaften«, konzipiert. Der Vortrag wurde nicht gehalten und zu Lebzeiten Grillparzers nicht veröffentlicht.

28 Aus dem Gedicht »Rechenschaft«. J.A. 1, S. 92.

29 Erschienen 1813 in London.

30 Vgl. Grillparzers Auseinandersetzung mit Pustkuchens falschen Wanderjahren in seinen Tagebüchern 1822. Vgl. Goethe im Urteil I, S. 333.

31 Gervinus.

25 *Carl Gustav Carus · Aus: Göthe. Zu dessen näherem Verständniß*

ED Carl Gustav Carus, Göthe. Zu dessen näherem Verständniß. Leipzig 1843. S. 47 bis 57; 60–64; 70–82; 96–105.

Zu Carl Gustav Carus vgl. Goethe im Urteil I, Einleitung zu Nr. 82.

1 Düngepulver.

2 Calderon, Das Leben ein Traum I, 2.

3 Vgl. T. 7.

4 Orden der Wachsamkeit oder vom weißen Falken, von Herzog Ernst August gestiftet und 1816 von Großherzog Carl August erneuert. Goethe hielt eine Rede zur Ordensfeier. W.A. I, 36, S. 375 ff.

5 »West-östlicher Divan«, aus dem »Buch der Sprüche«. H.A. 2, S. 58.

6 Erschienen 1841.

7 Ein Pariser Zoll ist der 12. Teil eines Fußes: 0,027 m, eine Linie der 12. Teil eines Zolls: 0,225 cm.

7a Christoph Wilhelm Hufeland (1762–1836) war von 1783 bis 1793 Goethes Arzt gewesen. Aus der »Nachschrift«, die Hufeland zu der Schrift von Carl Vogel »Die letzte Krankheit Goethe's« (T. 7) beisteuerte, zitiert Carus im Abschnitt »Persönliches Verhältnis« folgenden Passus: »Es ist mir nie ein Mensch vorgekommen, welcher zu gleicher Zeit körperlich und geistig in so hohem Grade vom Himmel begabt gewesen wäre, und auf diese Weise in der Tat das Bild des vollkommensten Menschen darstellte. Aber nicht bloß die Kraft war zu bewundern, die bei ihm in so außerordentlichem Grade Leib und Seele erfüllte, sondern mehr noch das herrliche Gleichgewicht, was sich sowohl über die physischen als geistigen Funktionen ausbreitete, und die schönste Eintracht, in welcher beides vereinigt war, so daß keines, wie so oft geschieht, auf Kosten des andern lebte, oder es störte Man kann in Wahrheit sagen, daß dieses hauptsächlich seinen Geist auszeichnete, daß alle Geisteskräfte in gleich hohem Grade und in der schönsten Harmonie vorhanden waren und daß selbst die bei ihm so lebendige, so schöpferische Phantasie durch die Herrschaft des Verstandes gemäßigt und gezügelt wurde. Und eben dies galt von den physischen; kein System, keine Funktion hatte das Übergewicht; alle wirkten gleichsam zusammen zur Erhaltung eines schönen Gleichgewichts.« (S. 43 f.)

8 Aus dem »Buch der Sprüche«. H.A. 2, S. 53.
9 Aus dem »Buch der Sprüche«. H.A. 2, S. 54.
10 Aus dem »Buch der Sprüche«. H.A. 2, S. 53.
11 Aus Schillers Distichon »Unterschied der Stände« (Votivtafeln).
12 »West-östlicher Divan«, aus dem »Buch der Sprüche«. H.A. 2, S. 55.
13 Vgl. Goethe an Zelter vom 29. Januar 1830. H.A. Briefe IV, S. 370.
14 Giotto di Bondone (1276–1336), ital. Maler. Das von Carus erwähnte Bild ist eine der vier allegorischen Darstellungen im Vierungsgewölbe der Unterkirche von San Francesco; die im Turm sitzende Gestalt ist die Keuschheit, die in die Hölle gestürzte ein kleiner Amor. Abbildung bei Rintelen, Giotto und die Giottoapokryphen. Basel 1923. S. 200.
15 Goethe an Carus vom 23. März 1818, mitgeteilt im Abschnitt »Persönliches Verhältnis« des vorliegenden Werkes.
16 Lorenz Oken (1779–1851) veröffentlichte 1807 »Über die Bedeutung der Schädelknochen«.
17 Vgl. T. 19, Anmkg. 21.
18 An Auguste Gräfin zu Stolberg vom 13. Februar 1775. H.A. Briefe I, S. 177.
19 Aus den »Sprüchen«. H.A. 1, S. 305.
20 V. 1–4 des Gedichts »Phänomen« aus dem »Buch des Sängers« des »West-östlichen Divan«. H.A. 1, S. 13.
21 Aus der Sammlung »Sprichwörtlich«. J.A. 4, S. 20.
22 Aus den »Noten und Abhandlungen zu besserem Verständnis des West-östlichen Divans«, Abschnitt »Entschuldigung«. H.A. 2, S. 242.

26 *Friedrich Theodor Vischer · Aus: Vorrede zu »Kritische Gänge«*

E Friedrich Theodor Vischer, Kritische Gänge. Band 1. Tübingen 1844. S. XXXVII ff.
D Friedrich Theodor Vischer, Kritische Gänge. Zweiter Band. Hg. von Robert Vischer. Zweite, vermehrte Auflage. Leipzig 1914. S. XIV–XIX.

Zu Friedrich Theodor Vischer vgl. Einleitung zu Nr. 20. Der hier abgedruckte Abschnitt aus dem Vorwort zum ersten Band der »Kritischen Gänge« knüpft an Vischers Abhandlung »Die Litteratur über Göthe's Faust« von 1839 (vgl. T. 20) an. Die im vorliegenden Text in Umrissen entwickelte sozialrevolutionäre »Korrektur« des »Faust II« ist von Vischer breiter ausgeführt worden in seinem Aufsatz »Zum zweiten Teile von Goethes Faust« im dritten Heft der Neuen Folge der »Kritischen Gänge«, Stuttgart 1861, S. 135–178.

1 Vgl. Einleitung zu Nr. 5 u. Nr. 20.
2 In der 2. Aufl. der »Kritischen Gänge« S. 245.
3 Am Schluß der elften der »Vorlesungen über die Methode des akademischen Studiums« (1803) von Schelling heißt es über das Faustfragment von 1790: »An jenen Widerstreit, der aus unbefriedigter Begier nach Erkenntnis der Dinge entspringt, hat der Dichter seine Erfindungen in dem eigentümlichsten Gedicht der Deutschen geknüpft und einen ewig frischen Quell der Begeisterung geöffnet, der allein zureichend war, die Wissenschaft zu dieser Zeit zu verjüngen und den Hauch eines neuen Lebens über sie zu verbreiten. Wer in das Heiligtum der Natur eindringen will, nähre sich mit diesen Tönen einer höheren Welt und sauge in früher Jugend die Kraft in sich, die wie in dichten Lichtstrahlen von diesem Gedicht ausgeht und das Innerste der Welt bewegt.«

27 a *Friedrich Hebbel · Aus den Tagebüchern und Briefen*

E Friedrich Hebbel, Tagebücher. Mit einem Vorwort herausgegeben von F. Bamberg. 2 Bände. Berlin 1885–1887. – Friedrich Hebbels Briefwechsel mit Freunden und berühmten Zeitgenossen. Hg. von Felix Bamberg. 2 Bände. Berlin 1890–1892.

D Friedrich Hebbel, Tagebücher. Historisch-kritische Ausgabe von R. M. Werner. 4 Bände. Berlin-Steglitz 1903. = Hebbel, Sämtliche Werke. Historisch-kritische Ausgabe. 2. Abtheilung. Bd. 1–4.

Christian Friedrich Hebbel (1813–1863), der bedeutendste deutsche Dramatiker des 19. Jahrhunderts.

1 Briefwechsel zwischen Goethe und [Carl Friedrich Graf von] Reinhard in den Jahren 1807 bis 1832. [Hg. von Karl von Reinhard.] Stuttgart 1850.

2 Gespräch mit Eckermann am 21. Oktober 1823.

3 Vgl. T. 13.

4 Von Heinrich von Kleist. Goethes Urteil ist überliefert von J. D. Falk in seinem Buch »Göthe aus näherm persönlichen Umgange dargestellt« (vgl. T. 3). Wörtlich lautet die Stelle: »Auch in seinem ›Kohlhaas‹, artig erzählt und geistreich zusammengestellt, wie er sei, komme doch alles gar zu ungefüg. Es gehöre ein großer Geist des Widerspruches dazu, um einen so einzelnen Fall mit so durchgeführter, gründlicher Hypochondrie im Weltlaufe geltend zu machen. Es gebe ein Unschönes in der Natur, ein Beängstigendes, mit dem sich die Dichtkunst bei noch so kunstreicher Behandlung weder befassen, noch aussöhnen könne.« (S. 120 f.).

5 Gemeint sind die »Briefe aus der Schweiz. (Erste Abteilung)«, die als Briefe Werthers vor seiner Bekanntschaft mit Lotte fingiert sind. Sie erschienen zuerst 1808 im 11. Band der ersten Cottaschen Ausgabe.

6 Die erste Buchausgabe von Goethes Übersetzung der Selbstbiographie von Benvenuto Cellini erschien 1803.

7 Goethe an Schiller vom 24.–25. November 1797. Die Stelle lautet wörtlich: »Alles Poetische sollte rhythmisch behandelt werden!«

8 In seinen »Tagebüchern«, deren erste 6 Bände 1861–1862 erschienen waren. Vgl. T. 39.

9 Friedrich Schlegel in seiner Rezension von Goethes »Werken« von 1808. Goethe im Urteil I, S. 249.

10 »Wilhelm Meisters Lehrjahre«, 8. Buch, 5. Kap. H.A. 7, S. 544.

11 »Wilhelm Meisters Lehrjahre«, 8. Buch, 8. Kap. H.A. 7, S. 577.

12 Vgl. Goethe im Urteil I, S. 175, T. 38 e.

13 Vgl. Goethe im Urteil I, T. 73.

14 »Die natürliche Tochter« III, 1, V. 1183–1187. H.A. 5, S. 250.

15 Vgl. T. 27 b.

27 b *Friedrich Hebbel · Aus dem Vorwort zur »Maria Magdalene«*

E Friedrich Hebbel, Maria Magdalene. Ein bürgerliches Trauerspiel. Nebst einem Vorwort, betreffend das Verhältnis der dramatischen Kunst zur Zeit und verwandte Punkte. Hamburg 1844.

D Friedrich Hebbel, Sämmtliche Werke. Historisch kritische Ausgabe, besorgt von Richard Maria Werner. Erste Abteilung. Vermischte Schriften III. Berlin [1903]. S. 40–44. = Hebbel, Säkular Ausgabe, Bd. 11.

28 *August Friedrich Christian Vilmar · Aus: Geschichte der deutschen National-Literatur*

E August Friedrich Christian Vilmar, Vorlesungen über die Geschichte der deutschen National-Literatur. 2 Bände. Marburg und Leipzig 1845.

D August Friedrich Christian Vilmar, Geschichte der deutschen National-Literatur. Dritte vermehrte Auflage. Zweiter Band. Marburg und Leipzig 1848. S. 238–244; 264–279.

August Friedrich Christian Vilmar (1800–1868), evangelischer Theologe, Schriftsteller und Literarhistoriker, konservativer Landtagsabgeordneter in Hessen, 1851 bis 1855 Verwaltung der Superintendentur Kassel, seit 1855 Professor in Marburg. Von 1848–1853 war Vilmar Herausgeber der Zeitschrift »Der Hessische Volksfreund«, 1856 erschien sein theologisches Hauptwerk »Die Theologie der Tatsachen wider die Theologie der Rhetorik« (4. Aufl. 1948). Aus Vilmars Anhängern entstand 1866 die antipreußische »Hessische Rechtspartei«. Seine vom konservativen, protestantischen Standpunkt aus geschriebene »Geschichte der deutschen National-Literatur« hatte eine ungemeine Verbreitung in der zweiten Hälfte des 19. Jahrhunderts. Bis 1883 erschienen 21 Auflagen, und auch danach wurde sie in Neubearbeitungen und Fortsetzungen bis in die Mitte des 20. Jahrhunderts hinein wieder aufgelegt. Aufgabe und Tendenz seiner Literaturgeschichte hat Vilmar im Vorwort zur vierten Ausgabe (1850) folgendermaßen umrissen: »Die Gelehrsamkeit, die Wissenschaft, die Kritik waren und sind anderwärts auf diesem Gebiete hinreichend vertreten, dem *Leben* war und ist noch immer verhältnismäßig wenig dargeboten worden. Dem Leben aber hat diese Geschichte der deutschen Literatur dienen wollen, dem ganzen und vollen Leben meines Volkes, in der Kraft seiner Taten, wie in der Macht seiner Lieder, in dem Stolze seiner angebornen Weltherrschaft, wie in der selbstverschuldeten Demütigung unter Fremde, in dem lachenden Glanze seiner Fröhlichkeit wie in dem tiefen Ernst seiner christlichen Frömmigkeit. Daß für dieses ganze und volle Leben unseres Volkes, für das Erleben, nicht bloß für das Wissen seiner Geschichte noch Sinn und Empfänglichkeit in reichem Maße verbreitet ist, das hat die freundliche Aufnahme dieses Buches auch in den letzten, schweren Zeiten bewiesen, in welchen die Mehrzahl sich von der Vergangenheit und den wahrhaftigen Erlebnissen des deutschen Volkes gänzlich ab und den nur allzu unbestimmten Gedanken einer zweifelhaften Zukunft mit Leidenschaft zuzuwenden schien. Gewiß, unsere Aufgabe ist noch nicht erfüllt, und eine reiche Zukunft liegt noch vor uns; aber der Zeiger, welcher still und unverrückt auf die Stunde der Zukunft hinweist, ist kein anderer, als der Sinn für das Leben der Vergangenheit, der Sinn für die Treue, die Liebe und die Freude unserer Väter; der Beruf des deutschen Volkes in der Zukunft wird kein anderer sein als der er seit fast zwei Jahrtausenden gewesen ist: ein Hüter zu sein unter den Völkern für Zucht und für Sitte, für Gerechtigkeit und für Hingebung, für Dichtung und Wissenschaft in ihrer stillen Innerlichkeit und für den Glauben der christlichen Kirche in seiner weltüberwindenden Herrlichkeit.«

Die in der vorliegenden Dokumentation abgedruckten Abschnitte über Goethe sind stark abhängig von C. G. Carus' Goethedarstellung (vgl. T. 25).

1 Brief an Auguste Gräfin zu Stolberg vom 13. Februar 1775. H.A. Briefe I, S. 177.

2 Vgl. T. 25. Anmkg. 13.

3 Goethe hat sich in verschiedenen Etappen seines Lebens mit Friedrich August Wolfs »Prolegomena ad Homerum« (Halle 1795) beschäftigt und kritisch auseinandergesetzt. Vgl. H.A. Briefe II, Anmkg. zu S. 252, 29 (S. 583 f.).

4 »Tag- und Jahreshefte« 1793. H.A. 10, S. 438 f.

5 Gespräch mit Eckermann vom 12. Mai 1825.

6 In dem Abschnitt »Goethe und Schiller« seiner »Mittheilungen über Goethe« (vgl. T. 22), Band 1, S. 454–463.

7 Vgl. »Maximen und Reflexionen«. H.A. 12, S. 471, Nr. 751.

8 »Epilog zu Schillers ›Glocke‹«, V. 30 ff. H.A. 1, S. 257.

9 Nicht ermittelt.

10 »Dichtung und Wahrheit«, 13. Buch. H.A. 9, S. 580.

11 »Schillers Leben in drei Büchern« (Stuttgart 1840) von Gustav Schwab und »Die

neuere Deutsche National-Literatur nach ihren ethischen und religiösen Gesichtspunkten. Zur inneren Geschichte des deutschen Protestantismus« (2 Bde., Leipzig 1847–1849) von Heinrich Gelzer.

29 *Karl Grün · Aus: Ueber Göthe vom menschlichen Standpunkte*

ED Karl Grün, Ueber Göthe vom menschlichen Standpunkte. Darmstadt 1846. S. III–V; XVI–XXIX; 317–323.

Karl Grün (1817–1887), politischer Schriftsteller, Historiker und Literarhistoriker, gehörte dem radikalen Flügel der Linkshegelianer an, war 1848 Abgeordneter der preußischen Nationalversammlung. Grün wurde von Marx und Engels als einer der Hauptvertreter des »wahren« Sozialismus in der »Deutschen Ideologie« (1845/46) bekämpft. 1844 erschien sein Buch »Friedrich Schiller als Mensch, Geschichtschreiber, Denker und Dichter«. In seinem Werk »Ueber Göthe vom menschlichen Standpunkte« macht Grün den Versuch, in Abgrenzung gegen die politischen Goethegegner (Börne) und in scharfer Opposition gegen die konservativen Goetheaner den »sozialistischen« Kern des Goetheschen Werkes herauszuarbeiten. Sein Hauptziel wird in der Einleitung umschrieben: »Diesen Herren Atomisten, Goetheanern und Goethomanen wollen wir das Brett unter den Füßen wegziehen, indem wir den rätselhaften Geheimderat von Weimar als Flügelmann oder Tambour-Major direkt in unsere Reihen stellen.« Gegen diesen Versuch einer Inanspruchnahme Goethes für den »wahren« Sozialismus richtet sich die berühmte Rezension des Grünschen Buches durch Friedrich Engels, die Teil der gemeinsam mit Karl Marx unternommenen Kampagne gegen die rivalisierenden sozialistischen Strömungen der 40er Jahre in Deutschland ist. Vgl. T. 30.

1 Anspielung auf Ludwig Börnes 14. Brief aus Paris: »Seit ich fühle, habe ich Goethe gehaßt, seit ich denke, weiß ich warum.« Goethe im Urteil I, S. 515.

2 Zu den »Faust«-Kommentaren von Enk, Loewe, Deycks und Göschel vgl. Einleitung zu Nr. 20, zu Riemer vgl. T. 22, zu Carus vgl. T. 25, zu Eckermann vgl. T. 18.

3 Die Festung Hohenasperg bei Stuttgart, die Festung Magdeburg und das österreichische Staatsgefängnis Spielberg, wo u a. die Carbonari-Verschwörer eingekerkert waren. Vgl. das Gedicht »Spielberg« (1846) von Hermann Rollett.

4 Anspielung auf Goethes »Egmont«.

5 Aus den »Vorlesungen über die Geschichte der Philosophie«. Hegel, Sämmtliche Werke. Hg. von H. Glockner. Bd. 19. Stuttgart 1959. S. 529.

6 Zu George Sand vgl. T. 47. In einem undatierten Briefentwurf der Bettina heißt es: »Wie vielen mutwilligen Beleidigungen war ich nicht ausgesetzt? – hat man nicht erst jetzt wieder in allen öffentlichen Blättern meine Korrespondenz über Sozialismus und Kommunismus der George Sand mit mir erfabelt, welche Korrespondenz nie existierte, vielleicht um meine Interessen an der Armut zu verdächtigen.« (Bettina von Arnim, Werke und Briefe. 5. Band. Hg. von Joachim Müller. Darmstadt 1961. S. 498).

7 »Buch des Unmuts«. H.A. 1, S. 44.

8 »Zahme Xenien« V. J.A. 4, S. 87.

9 »Zahme Xenien« V. J.A. 4, S. 83.

10 »Cophtisches Lied«, V. 5 ff. J.A. 1, S. 82 f.

11 »Zahme Xenien« IV. J.A. 4, S. 67.

12 »Eigentum«. H.A. 1, S. 307.

13 »Sendschreiben«, V. 13 ff. J.A. 2, S. 106.

14 »Sendschreiben«, V. 41 f. J.A. 2, S. 107.

15 Vgl. »Der Gott und die Bajadere«. H.A. 1, S. 273 ff.

16 »Sprichwörtlich«. J.A. 4, S. 11.

17 »Maximen und Reflexionen«. H.A. 12, S. 410, Nr. 329.

30 *Friedrich Engels · Rezension über Karl Grün »Ueber Göthe vom menschlichen Standpunkte«*

E Karl Marx / Friedrich Engels, Deutscher Sozialismus in Versen und Prosa. 2. Teil. In: Deutsche Brüsseler Zeitung, Jg. 1847, Nr. 93–98, 21. November–9. Dezember.
D Karl Marx / Friedrich Engels, Über Kunst und Literatur. Auswahl und Redaktion: Manfred Kliem. Bd. 1. Berlin (DDR) 1967. S. 457–458; 465–483.

Der Ende 1846 geschriebene Artikel von Friedrich Engels (1820–1895) über das Goethe-Buch von Karl Grün (vgl. T. 29) sollte ursprünglich, in umgearbeiteter und gekürzter Fassung, in den zweiten Band der »Deutschen Ideologie«, als Ergänzung zu den Abschnitten, die der Kritik des »wahren« Sozialismus gewidmet sind, aufgenommen werden. Am 15. Januar 1847 schreibt Engels an Marx: »A propos Grün – ich werde den Artikel über Grüns Goethe umarbeiten, auf ½–¾ Bogen reduzieren und ihn für unsere Publikation zurechtmachen, *wenn's* Dir recht ist, worüber Du mir bald schreiben sollst. Das Buch ist zu charakteristisch, Grün preist alle *Philistereien* Goethes als *menschlich*, er macht den Frankfurter und *Beamten* Goethe zum ›wahren Menschen‹, während er alles Kolossale und Geniale übergeht oder gar bespukt. Dergestalt, daß dies Buch den glänzendsten Beweis liefert, daß *der Mensch = der deutsche Kleinbürger*. Dies hatte ich nur angedeutet, könnte es aber ausführen und den Rest des Artikels ziemlich streichen, da er für unser Ding nicht paßt. Was meinst Du?« Engels Grün-Rezension, von den Zeitgenossen und in der zweiten Hälfte des 19. Jahrhunderts kaum beachtet, ist bis heute Ausgangspunkt und Grundlage der marxistischen Goethe-Interpretation geblieben. Vgl. zuletzt von marxistischer Seite: Alexander Dymschiz, Ein Beispiel dialektischer Interpretation – Friedrich Engels über Goethe. In: Weimarer Beiträge 8/1973. S. 141–158.

1 »Die soziale Bewegung in Frankreich und Belgien. Briefe und Studien«, Darmstadt 1845. Marx und Engels setzen sich in der »Deutschen Ideologie« mit Grüns Buch auseinander. Vgl. Marx/Engels, Über Kunst und Literatur, a.a.O., Bd. 2, S. 147–153.
2 »Faust I«, Nacht, V. 512 f. H.A. 3, S. 24.
3 Moses Heß (1812–1875), sozialistischer Publizist und Philosoph, Mitbegründer und Mitarbeiter der »Rheinischen Zeitung«, einer der Begründer des »wahren« Sozialismus; Mitglied des Bundes der Kommunisten, stand seit 1846 in offenem politischen Gegensatz zu Marx und Engels. In seiner »Philosophie der Tat« (1843) ist er um einen Ausgleich der geistigen und der sozialen Revolution bemüht.
4 »Gedichte Ludwigs des Ersten, Königs von Bayern«, Dritter Theil. München 1839. S. 92.
5 Nach marxistischer Auffassung »eine reaktionäre Richtung, die in den vierziger Jahren des 19. Jahrhunderts in Deutschland hauptsächlich unter der kleinbürgerlichen Intelligenz Verbreitung fand. Die Vertreter des ›wahren‹ Sozialismus – Karl Grün, Moses Heß, Hermann Kriege u.a. – schoben den Ideen des Sozialismus eine sentimentale Predigt der Liebe und der Bruderschaft unter und verneinten die Notwendigkeit der bürgerlich-demokratischen Revolution.« (Kommentar in: Marx/Engels, Über Kunst und Literatur, a.a.O., Bd. 1. S. 653). Mit den »wahren« Sozialisten setzen sich Marx und Engels auseinander in: »Die deutsche Ideologie«, »Zirkular gegen Kriege«, »Deutscher Sozialismus in Versen und Prosa«, »Die wahren Sozialisten« und im »Manifest der Kommunistischen Partei«.
6 Aus dem Zyklus »Epigrammatisch«. J.A. 2, S. 157.
7 Aus Pierre Joseph Proudhons Schrift »Qu'est-ce que la propriété?«, Paris 1841. S. 1 ff.
8 Urbain Jean Joseph Leverrier (1811–1877), franz. Astronom, berechnete 1846 die Bahn des damals noch unbekannten Planeten Neptun, und Charles Jackson (1805 bis 1880), nordamerikanischer Arzt; entdeckte die anästhesierende Wirkung des Äthers und wandte ihn 1846 erstmalig an.

9 Anspielung auf Goethes Lustspiel »Der Bürgergeneral«, wo ein Dorfbarbier zum Jakobinergeneral avanciert und sich eines Milchtopfes bemächtigt und die Milch zum großen Ärger seiner bäuerlichen Wirtsleute vertilgt, wodurch er eine Balgerei hervorruft.

10 »Briefe aus der Schweiz. Erste Abteilung« (1808). Das Zitat dieses fingierten Werther-Briefes lautet vollständig: »So habe ich denn Ferdinanden nichts vorzuwerfen! auch mich hat ein liebes Abenteuer erwartet. Abenteuer? warum brauche ich das alberne Wort, es ist nichts Abenteuerliches in einem sanften Zuge, der Menschen zu Menschen hinzieht. Unser bürgerliches Leben, unsere falschen Verhältnisse, das sind die Abenteuer, das sind die Ungeheuer, und sie kommen uns doch so bekannt, so verwandt wie Onkel und Tanten vor!« J.A. 16, S. 154.

11 »Wilhelm Meisters Lehrjahre«, 5. Buch, 3. Kap. H.A. 7, S. 289–293.

12 Bei dem von Engels erwähnten Artikel handelt es sich um eine in Nr. 103 der »Frankfurter Gelehrten Anzeigen« vom 25. Dezember 1772 erschienene Rezension Goethes über das Buch Alexander von Jochs »Über Belohnung und Strafe nach Türkischen Gesetzen«.

13 Philippe Joseph Benjamin Buchez (1796–1865), franz. Politiker und Historiker, bürgerlicher Republikaner, ein Ideologe des christlichen Sozialismus.

14 »Venetianische Epigramme« Nr. 53. H.A. 1, S. 180, Nr. 22.

15 Kammerdiener des preußischen Königs Friedrich Wilhelm II., seit 1782 zum Schein vermählt mit Wilhelmine Enke, der späteren Gräfin von Lichtenau.

16 »Hermann und Dorothea« IX, Gesang »Urania«, V. 305 f. H.A. 2, S. 514.

17 Vgl. Hegels »Vorlesungen über die Philosophie der Geschichte«, Einleitung.

18 Karl Theodor Welcker (1790–1869), badischer Jurist, liberaler Publizist, Mitglied der Frankfurter Nationalversammlung, und Johann Adam von Itzstein (1775–1855), badischer Politiker, Führer der liberalen Opposition im Badischen Landtag, Mitglied der Frankfurter Nationalversammlung.

19 »Zahme Xenien« V. J.A. 4, S. 83.

20 »Maximen und Reflexionen«. H.A. 12, S. 382, Nr. 136.

21 »Zahme Xenien« IV. J.A. 4, S. 67.

22 H.A. 1, S. 307, Nr. 27.

23 Vollblut-Spießbürger.

24 Montagnards = wörtlich »Bergbewohner«; so nannten sich die Jakobiner, die Vertreter der Bergpartei im Konvent, während der Französischen Revolution.

25 Aus dem Gedicht »Vanitas! vanitatum vanitas!«, V. 43 f. »Nun hab' ich mein Sach auf Nichts gestellt./ Juchhe!/ Und mein gehört die ganze Welt.« J.A. 1, S. 85.

26 Évariste Désiré de Forges, Vicomte de Parny (1753–1814), franz. Dichter des Rokoko. Die deutsche Übersetzung der zitierten Verse lautet: ». . . der friedliche Krämer,/ der seine Pfeife hinten im Laden raucht;/ er fürchtet seine Frau und ihren arroganten Ton;/ die Herrschaft über das Haus überläßt er ihr,/ auf den geringsten Wink gehorcht er stumm./ So lebt er denn gehörnt, geschlagen und zufrieden.«

27 »Warnung« aus dem Zyklus »Epigrammatisch«. J.A. 2, S. 161.

31 *Karl Rosenkranz · Aus: Göthe und seine Werke*

E Karl Rosenkranz, Göthe und seine Werke. Königsberg 1847.
D Karl Rosenkranz, Göthe und seine Werke. Zweite verbesserte und vermehrte Auflage. Königsberg 1856. S. 1–6.
Zu Karl Rosenkranz vgl. Einleitung zu Nr. 8.

1 Vgl. T. 23. Zu Rosenkranz' Urteil über Gervinus vgl. die Vorrede zur ersten Auflage seines Goethe-Buches.

2 Herzog Ulrich von Württemberg (1498–1550), verlor, vom Kaiser in die Acht erklärt, 1519 das Land.

3 Franz I. (1494–1547), seit 1515 König von Frankreich.
4 Heinrich IV. (1553–1610), seit 1589 König von Frankreich.
5 Ludwig XIV. (1638–1715), seit 1643 König von Frankreich.
6 Goethe an J. H. Meyer vom 28. Mai 1817: »Da sich alles in Vereine trennt, so werden wir den unsrigen ja wohl auch sammlen.«
7 Johannes Ronge (1813–1887), Mitbegründer des Deutschkatholizismus, trat u.a. durch die Bildung von Reformvereinen hervor.
8 Das isolierende Hervorheben.
9 Beschränken.
10 Beleg-, Beweisstellen.
11 Epos von Luís Vaz de Camões, erschienen 1572.
12 Aus den »Sprüchen«: »Im Auslegen seid frisch und munter!/ Legt ihr's nicht aus, so legt was unter.« H.A. 1, S. 329.
13 »Dichtung und Wahrheit«, 20. Buch. H.A. 10, S. 177.
14 Vgl. »Dichtung und Wahrheit«, 10. Buch (H.A. 9, S. 397), »Tag- und Jahreshefte«, 1749 bis 1764 (H.A. 10, S. 428), Brief an Zelter vom 14. Oktober 1821 (H.A. Briefe IV, S. 16) und Gespräche mit Eckermann vom 18. September 1823.
15 »Dichtung und Wahrheit«, 7. Buch. H.A. 9, S. 283.
16 Vgl. Goethe im Urteil I, T. 73.
17 Aus den von K. Rosenkranz in seinem Werk »Hegels Leben« (Berlin 1844) mitgeteilten Aphorismen Hegels aus seiner Berliner Periode (S. 555).
18 Vgl. T. 23, Anmkg. 16.

32 *Johann Peter Eckermann · Vorrede zum dritten Teil seiner »Gespräche mit Goethe in den letzten Jahren seines Lebens«*

E Johann Peter Eckermann, Gespräche mit Goethe in den letzten Jahren seines Lebens. Dritter Theil. Magdeburg 1848.

D Johann Peter Eckermann, Gespräche mit Goethe in den letzten Jahren seines Lebens. Nach dem ersten Druck, dem Originalmanuskript des dritten Teils und Eckermanns handschriftlichem Nachlaß neu hg. von H. H. Houben. Vierundzwanzigste Originalauflage. Wiesbaden 1949. S. 409–413.

Abdruck mit freundlicher Genehmigung des Verlags F. A. Brockhaus, Wiesbaden.

Zu Johann Peter Eckermann vgl. Goethe im Urteil I, Einleitung zu Nr. 66 und Goethe im Urteil II, T. 18. Für den dritten Teil seiner »Gespräche mit Goethe« benutzte Eckermann die Tagebücher des schweizer Naturforschers Frédéric Soret (1795 bis 1865), der als Erzieher des Sohnes der Erbgroßherzogin Maria Paulowna seit 1822 in Weimar weilte und mit Goethe bis zu dessen Tode in engem wissenschaftlichen und gesellschaftlichen Verkehr stand. (Vgl. Goethe im Urteil I, Einleitung zu Nr. 62). Wegen eines Zerwürfnisses mit dem Verleger Brockhaus erschien der dritte Teil der »Gespräche« im Verlag der Heinrichshofenschen Buchhandlung in Magdeburg. Der Absatz des dritten Teils blieb noch hinter dem enttäuschenden der beiden ersten zurück. Bis 1867 hatte der Verleger von 2500 gedruckten Exemplaren nur 1500 abgesetzt.

1 Schiller, Das Mädchen aus der Fremde, V. 9 f.: »Beseligend war ihre Nähe,/Und alle Herzen wurden weit.«
2 In einem 1837 in der Quartausgabe zum erstenmal mitgeteilten Bruchstück zum vierten Teil von »Dichtung und Wahrheit« heißt es: »In meiner besten Zeit sagten mir öfters Freunde, die mich freilich besser kennen mußten: was ich lebte, sei besser, als was ich spreche, dieses besser, als was ich schreibe, und das Geschriebene besser als das Gedruckte.« (W.A. I, 36, S. 232). Vgl. Goethes Brief an Reinhard vom 22. Januar 1811.
3 In den »Œuvres posthumes. Mémoires« (Paris 1804), T. II, p. 313 von Jean-François

Marmontel (1723–1799) heißt es: »Qui n'a connu Diderot que dans ses écrits, ne l'a point connu. Ses systèmes sur l'art d'écrire altéroient son beau naturel. Lorsqu'en parlant il s'animoit, et que, laissant couler de source l'abondance de ses pensées, il oublioit ses théories et se laissoit aller à l'impulsion du moment, c'étoit alors qu'il étoit ravissant.«

4 Vgl. Goethes Aufsatz »Wiederholte Spiegelungen«, der 1833 in den »Nachgelassenen Werken« erschienen war. Er wurde veranlaßt durch eine Abhandlung des Bonner Philologen Näke, der 1822 die erste Wallfahrt nach Sesenheim unternommen und darüber berichtet hatte. J.A. 25, S. 221–223.

5 Soret.

33 *Heinrich Viehoff · Vorwort zu »Goethe's Leben. Zweiter Theil«*

ED Heinrich Viehoff, Goethe's Leben. Zweiter Theil. Stuttgart 1848. S. III–VI. – Das Gesamtwerk erschien in vier Bänden. Stuttgart 1847–1854.

Heinrich Viehoff (1804–1886), Literarhistoriker und Übersetzer, 1833 Lehrer am Gymnasium zu Emmerich, 1838 Oberlehrer an der Realschule zu Düsseldorf, 1850 Direktor der Realschule und Provinzialgewerbeschule zu Trier. Aus seinen Veröffentlichungen zu Goethe ist neben der Goethe-Biographie, die 1887 in 5. Auflage erschien, Viehoffs umfangreicher Kommentar »Goethe's Gedichte erläutert und auf ihre Veranlassung, Quellen und Vorbilder zurückgeführt« (3 Teile, 1846/53) hervorzuheben. Eine treffende zeitgenössische Charakteristik von Viehoffs Goethe-Schriften hat Hermann Hettner in seiner Rezension der beiden ersten Teile der Erläuterungen zu Goethes Gedichten in den »Heidelberger Jahrbüchern der Literatur« 1848 (Nr. 32–33) gegeben: »Herr Viehoff denkt sich seine Erklärung deutscher Dichter, für die er sich schon seit Jahren vielfach tätig gezeigt hat, als moderne Philologie. Er ist Philolog und nichts als Philolog. Hierin liegen alle seine Schwächen und Vorzüge. Gerade diesem philologischen Tick verdanken wir die genaue chronologische Sichtung und Reihenfolge, in die ich durchweg das wesentlichste Verdienst des ganzen Buches setze, diesem philologischen Tick verdanken wir auch die sorgfältige Sammlung der Varianten, die uns den lehrreichen Genuß gewähren, dem Künstler selbst beim Schaffen in die Werkstatt hineinlauschen zu können. Aber ihm verdanken wir auch andererseits die zahllosen Pedanterien und Trivialitäten der erklärenden Noten, die einem oft die Lektüre recht gründlich verleiden. Und was wichtiger als dies ist, dieser philologische Tick bannt Herrn Viehoff überall nur an das biographische Interesse und läßt ihn nirgends zu einer eigentlich künstlerischen, ästhetischen Auffassung gelangen. Dieses Buch gibt uns vortreffliche Handhaben zur Beurteilung Goethes, aber nie diese kritische Beurteilung selber.«

1 Gemeint ist A. F. C. Vilmar (vgl. T. 28). Vgl. Vilmar, Geschichte der deutschen National-Literatur. Dritte vermehrte Auflage. Zweiter Band. Marburg und Leipzig 1848. S. 200.

2 Heinrich Döring, Göthes Leben. Weimar 1828. 2. Aufl. 1833. – Goethe. Ein biographisches Denkmal. Jena 1840. = Goethe's sämmtliche Werke. Supplement. 2. Aufl. 1849.

3 Vgl. T. 31.

4 1844 war in New York Henry C. Brownings »Life of Goethe. From his autobiographical papers and the contributions of his contemporaries« in 2 Bänden erschienen. Als weiterer biographischer Beitrag von angelsächsischer Seite erschien 1855 das einflußreiche und vielgelesene Werk »The life and works of Goethe. With sketches of his age and contemporaries from published and unpublished sources« von George Henry Lewes (1817–1878) in London in 2 Bänden. Es erlebte zahlreiche Auflagen. Eine deutsche Übersetzung von Julius Freese erschien 1857 in Berlin in 2 Bänden. Sie erfuhr bis 1903 18 Auflagen.

5 Vgl. T. 32, Anmkg. 2.
6 Karl Hoffmeister, Schillers Leben, Geistesentwicklung und Werke im Zusammenhang, 3 Bände. Stuttgart 1838–1842. – Vgl. Heinrich Viehoff, Schillers Leben, Geistesentwicklung und Werke, auf der Grundlage der Karl Hoffmeister'schen Schriften neu bearbeitet. 2. Auflage. Stuttgart 1888.
7 Vgl. Einleitung zum vorliegenden Text.
8 Aus dem Xenion »An die Freier«. H.A. 1, S. 221, Nr. 96.

34 *Ferdinand Gregorovius · Aus: Göthe's Wilhelm Meister in seinen socialistischen Elementen entwickelt*

E Ferdinand Gregorovius, Göthe's Wilhelm Meister in seinen socialistischen Elementen entwickelt. Königsberg 1849.
D Ferdinand Gregorovius, Göthe's Wilhelm Meister in seinen socialistischen Elementen entwickelt. Zweite Ausgabe. Schwäb. Hall 1855. S. 180–197.
Ferdinand Gregorovius (1821–1891), Schriftsteller, Kulturhistoriker, bekannt geworden durch seine »Geschichte der Stadt Rom« (8 Bände, 1859–1872). Gregorovius hatte in Königsberg Theologie und Philosophie studiert, er war Schüler von Karl Rosenkranz und stand im Vormärz dem Liberalismus nahe, in dessen Geiste er 1843 unter dem Pseudonym Ferdinand Fuchsmund sein zeitpolemisches Werk »Konrad Siebenhorns Höllenbriefe an seine lieben Freunde in Deutschland« und 1845 unter eigenem Namen seinen zweibändigen Roman »Werdomar und Wladislaw aus der Wüste der Romantik« veröffentlichte. Sein Werk über Goethes »Wilhelm Meister« knüpft an die »sozialistische« Interpretation des Romans durch seinen Lehrer Karl Rosenkranz und durch Karl Grün (vgl. T. 29) an. Die »Wanderjahre«-Interpretation erfährt durch Gregorovius einen im 19. Jahrhundert nicht mehr überbotenen Höhepunkt. – Vgl. T. 41 u. 47. – Vgl. Bernd Peschken, Literatur und Politik im Wechselverhältnis. Zu Ferdinand Gregorovius' Goethe-Bild 1849. Eine Außenbetrachtung. In: Jahrbuch der deutschen Schillergesellschaft. Jg. 14 (1970), S. 488–519.

1 Aus »Ferneres über Weltliteratur« (1829), zuerst 1833 in den »Nachgelassenen Werken« veröffentlicht. J.A. 38, S. 204.
2 Vgl. Anmkg. 1.
3 »Wilhelm Meisters Wanderjahre«, 2. Buch, 11. Kap. H.A. 8, S. 268–283.
4 »Wilhelm Meisters Wanderjahre«, 3. Buch, 18. Kap. H.A. 8, S. 460.
5 »Wilhelm Meisters Wanderjahre«, 3. Buch, 3. Kap. H.A. 8, S. 329 f.
6 Stephanus 405 a.
7 Charles Fourier (1772–1837), franz. utopischer Sozialist.
8 Die »Utopia« von Sir Thomas More (gen. Morus), 1478–1535, erschien 1516.
9 Die Komödie »Hippēs«, aufgeführt 424 v. Chr.
10 »Geschichte der Erziehung und des Unterrichts im Altertum«, 2 Bände, Elberfeld 1834–1838, von Johann Friedrich Cramer (1802–1859), Professor in Stralsund.
11 Eugène Sue (eig. Marie-Joseph), 1804–1857, franz. Schriftsteller; sein vielbeachteter Roman »Les Mystères de Paris« war 1842/43 erschienen.
12 Gesang der Arbeiter.
13 Wilhelm Weitling (1808–1871), Schneidergeselle, führendes Mitglied und Theoretiker des Bundes der Gerechten, Vertreter des utopischen Arbeiterkommunismus. Sein Werk »Das Evangelium eines armen Sünders« war 1845 in Bern erschienen.
14 »Wilhelm Meisters Wanderjahre«, 3. Buch, 1. Kap. H.A. 8, S. 318.

35 *[Anonym] · Deutschland und die Goethefeier*

ED Illustrirte Zeitung. 8. Band, Nr. 321, Leipzig den 25. August 1849.
Die im Verlag von Johann Jakob Weber in Leipzig seit 1843 erscheinende »Illu-

strirte Zeitung« (»Die Leipziger«) war eine der beliebtesten und einflußreichsten Bilderblatt-Zeitungen in Deutschland. Der Verfasser des hier abgedruckten Goethe-Gedenkartikels konnte nicht ermittelt werden.

1 Nicht ermittelt.
2 Schiller, Das Ideal und das Leben, V. 105 f.
3 Anfang der zweiten Strophe von Schillers »Worte des Glaubens« (1798).
4 »Reisebilder« III, Kap. XXVI.
5 Schiller, Die Künstler, V. 34 f.
6 Schiller, Die Künstler, V. 60 f.
7 Nicht ermittelt.
8 Napoleon.
9 Gespräch vom 4. Januar 1824.
10 Vgl. Goethes Bericht über seine Begegnung mit Napoleon im September 1808 in Erfurt. H.A. 10, S. 543–547. Das Zitat: S. 545.
11 Gespräch vom 14. März 1830.
12 »Dichtung und Wahrheit«, 1. Buch. H.A. 9, S. 10.

36 *[Julian Schmidt] · Zu Goethe's Jubelfeier. Studien zu Goethe's Werken von Heinrich Düntzer*

ED Die Grenzboten 8/III (1849), S. 201–211.
Julian Schmidt (1818–1886), Publizist und Literarhistoriker, ab 1848 gemeinsam mit Gustav Freytag Redakteur der einflußreichen Zeitschrift »Die Grenzboten«. Seine 1853 in zwei Bänden erschienene »Geschichte der deutschen Nationalliteratur im neunzehnten Jahrhundert« ist das programmatische Manifest des nationalliberalen Flügels des nach 1848 sich konstituierenden Frührealismus. Charakteristisch für die Position J. Schmidts in den Jahren kurz vor und nach der 48er Revolution ist sein Kampf gegen die Romantik und das Junge Deutschland, die Reflexionspoesie des Vormärz, den Hegelianismus und den Idealismus der deutschen Klassik, sein Eintreten für eine mit dem Leben verbundene Dichtung, die den Leitwerten des Gesunden, Naiven und Volkstümlichen unterstellt wird. Die 5., stark veränderte und erweiterte Auflage von Schmidts Literaturgeschichte erschien 1865/67 in 3 Bänden. Die Polemik gegen die Klassik wird in den späteren Auflagen zurückgenommen und gemäß der nationalpolitischen Entwicklung affirmativ aufgelöst. Der scharfen Attacke gegen Schmidt durch Ferdinand Lasalle in dessen Schrift »Herr Julian Schmidt der Literarhistoriker« (1862) steht die positive Einschätzung durch Wilhelm Dilthey und Wilhelm Scherer gegenüber. Das von J. Schmidt im vorliegenden Text rezensierte Buch »Zu Goethe's Jubelfeier. Studien zu Goethe's Werken« des bekannten Goetheforschers und Goethe-Auslegers Heinrich Düntzer (1813–1901) war 1849 in Elberfeld erschienen.

1 Der Begriff ist dem Goethe-Buch von Karl Rosenkranz entnommen.
2 Gemeint sind die Abschnitte »Aus Ottiliens Tagebuche«.
3 Ungenaues Zitat aus »Faust I«, Studierzimmer, V. 1830 ff. H.A. 3, S. 60.
4 Gegen Hegel und die Hegelianer gerichtet.
5 Vgl. T. 31.
6 Vgl. T. 29.
7 Schmidts Rezension erschien u.d.T. »Die Poesie und die Scholastik« in Wigands »Epigonen«, Leipzig 1848, Bd. 5, S. 209–236. Vgl. dazu Rosenkranz' Vorrede zur 2. Auflage seines Werkes von 1856.
8 Vgl. den Abschnitt »Über Goethe's politische Ansicht und seine Stellung zu den Bewegungen der Zeit« in Düntzers Werk. (S. I–LXXVIII).
9 Vgl. dazu Julian Schmidts Aufsatz »Moderne Charaktermasken«. In: Die Grenzboten 8/IV (1849), S. 241–259.

37 *Gustav Freytag · Eine Bemerkung über Goethe zum 28. August 1849*

E Die Grenzboten 8/III (1849), S. 396–400.
D Gustav Freytag, Vermischte Aufsätze aus den Jahren 1848 bis 1894. Hg. von Ernst Elster. Band 1. Leipzig 1901. S. 50–56.
Gustav Freytag (1816–1895) hat in seinen »Erinnerungen aus meinem Leben« (1887) ausführlich über die Anfänge der »Grenzboten« (vgl. Einleitung zu Nr. 35) und seine Zusammenarbeit mit Julian Schmidt als Mitredakteur der Zeitschrift berichtet.

1 »Den 6. Juni 1816«. H.A. 1, S. 345.

38 *Karl August Varnhagen von Ense · Aus den »Tagebüchern« 1836–1856*

ED Karl August Varnhagen von Ense, Tagebücher. Hg. von Ludmilla Assing. Bd. 1–6. Leipzig 1861–1862. Bd. 7–8. Zürich 1865. Bd. 9–14. Hamburg 1868–1870. Bd. I, 7, 11, 72, 84, 92 f., 177, 234, 255, 356; II, 93 f., 97 ff., 194; III, 79 f.; VI, 106, 337, 392 f.; VII, 73, 297, 303; VIII, 122, 242 f., 269, 436 f.; IX, 75, 177; X, 34, 272, 283, 287 f.; XI, 212 f., 238; XII, 133 f., 175 f., 225, 242 f.; XIII, 178.
Zu Karl August Varnhagen von Ense vgl. Goethe im Urteil I, Einleitung zu Nr. 77 und Goethe im Urteil II, Einleitung zu Nr. 4.
Varnhagen von Ense, nach Goethes Tod einer seiner prominentesten Statthalter und vielbefragte und vielbesuchte Autorität in Sachen Goethe und der Goethezeit, hat in seinen »Tagebüchern« sensibel den Wandel der Wirkungsgeschichte des Dichters registriert und kommentiert. Wie Bettina von Arnims »Briefwechsel mit einem Kinde« sind Varnhagens »Tagebücher« hervorragendes Zeugnis dafür, daß bedingungslose Goetheverehrung und politische Kritik an den bestehenden Verhältnissen in Preußen sich nicht auszuschließen brauchen. Varnhagens soziale und politische Auffassungen, die ihn in zunehmendem Maße zur Unterstützung der demokratischen Bestrebungen im Vormärz führten, sind nach der gescheiterten 48er Revolution Gegenstand heftiger Kritik von seiten der Vertreter des erstarkten Nationalismus unter preußischer Führung geworden. So wird in der das Denunziatorische streifenden umfangreichen Kritik der Varnhagenschen »Tagebücher« durch Rudolf Haym in den »Preußischen Jahrbüchern« 1863 (S. 445–515) die Verbindung von politischem Liberalismus und Goethekult scharf angegriffen und als spezifisches Moment der überwundenen »literarisch-ästhetischen« der »seitdem angebrochenen realistisch-politischen Epoche« entgegengesetzt. »Habt ihr recht gehört, wenn er die Goethe und Fichte seine Lehrer nennt, wenn er erzählt, daß er die Hälfte seines Lebens mit dem Verstehen ihres Geistes und mit dem Studium ihrer Werke verbracht habe? Glaubt es ihm nicht! Und wenn er hundertmal sein Sprüchlein hersagt: ›Durch Bildung zur Freiheit! Freiheit in Bildungsformen‹, wenn er gar von einer ›höheren Ausgleichung‹ redet, durch welche die Schuld seiner Schimpfreden von vornherein gesühnt sei – glaubt es ihm nicht! Und wenn er zum Zeugnis der edlen Geistesnahrung, die er genossen, Band um Band seiner gedruckten Exerzitien, diese Musterschriften eines feinen, höchstgebildeten, unendlich humanen Sinnes, diese von Schönheit, Weisheit und Milde überfließenden Werke herbeischleppt – sagt es ihm auf den Kopf, daß er niemals etwas anderes als den Schatten jener hohen Genien gewahr geworden und daß er, er putze die Häßlichkeit seines Gemüts mit dem Namen edler Leidenschaft für Freiheit und Vaterland auf, wie er wolle, daß er dennoch nichts, schlechterdings nichts mit ihnen gemein habe.« (Zitiert nach: Rudolf Haym, Zur deutschen Philosophie und Literatur. Ausgewählt, eingel. und erl. von Ernst Howald. Zürich und Stuttgart. 1963. S. 170 f. = Klassiker der Kritik.).

1 »Wilhelm Meisters Wanderjahre«, 1. Buch, 10. Kap. H.A. 8, S. 118.
2 Nicht bei Goethe nachzuweisen.
3 Vgl. T. 13.

4 Nicht ermittelt.

5 Varnhagens 1833 verstorbene Frau, derem Andenken er seither eine Reihe von Publikationen gewidmet hatte. Vgl. »Rahel. Ein Buch des Andenkens für ihre Freunde. Hg. von Karl August Varnhagen von Ense«, 3 Bände. Berlin 1834. Eine einbändige Ausgabe unter dem gleichen Titel war bereits 1833 als Handschrift gedruckt.

6 »Wilhelm Meisters Lehrjahre«, 7. Buch, 7. Kap. H.A. 7, S. 463.

7 Der Schauspieler Karl Seydelmann (1793–1843), seit 1838 am Königlichen Schauspielhaus Berlin. Am 16. Mai 1838 notiert Varnhagen in seinem »Tagebuch«: »Die gestrige Vorstellung des ›Faust‹ macht großen Lärm und wird allgemein besprochen. Die Vornehmen und Frommen sind verletzt und aufgebracht durch manches Wort, das auf sie gefallen und das vom Publikum lebhaft goutiert worden ist. Der Hof hat das Flohlied sehr unanständig gefunden, die ganze hohe Welt ist voll dumpfer Unzufriedenheit. Warum kam der Hof zu dergleichen! Es war allerdings vieles beißend und schlagend, und hauptsächlich durch solche Gegenwart. Da sie nun doch nicht geradezu den ganzen ›Faust‹ von Goethe zu verwerfen wagen, so muß Seydelmann um so mehr herhalten; er habe die Sache, heißt es, so arg und gemein gemacht. Man ist der Meinung, dergleichen sollte nicht oft wiederholt, sondern in der Stille wieder beseitigt werden. Ich sehe schon, die Sache fällt!« Zu Seydelmanns Interpretation des Mephistopheles vgl. Deutsche Schauspielkunst. Zeugnisse zur Bühnengeschichte klassischer Rollen. Gesammelt von Monty Jacobs. Berlin 1954. T. Nr. 6–12.

8 Der Musiker und Komponist Anton Heinrich Radziwill, Fürst zu Nieswiecz (1775 bis 1833), hatte 1819 in Berlin die erste (nichtöffentliche) »Faust«-Aufführung veranlaßt. Sie fand am 24. Mai im Schloß Monbijou statt und brachte einzelne Szenen mit musikalischer Begleitung in Kompositionen von Radziwill. Vgl. Goethe an Brühl vom 2. Juni 1819.

9 Heinrich Gustav Hotho (1802–1873), Kunstschriftsteller, Professor der Ästhetik und Kunstgeschichte an der Universität Berlin. – Friedrich Carl von Savigny (1779–1861), Jurist, seit 1810 Professor an der Berliner Universität und seine Familie. – Der Komponist Felix-Mendelssohn-Bartholdy (1809–1847) und seine Familie. – Eduard Gans (1798–1839), Professor der Rechts- und Staatswissenschaften in Berlin. – Karl Werder (1806–1893), Professor der Philosophie an der Berliner Universität. – Ferdinand Benary (1805–1880) und Agathon Benary (1807–1860), Professoren an der Berliner Universität. – Kurt Otto von Arnim (1779–1861), Bruder Achim von Arnims, Obermundschenk, unter dem Namen »Pitt-Arnim« eine bekannte Persönlichkeit der damaligen Berliner Hofgesellschaft.

10 »Geschichte des großen deutschen Kriegs vom Tode Gustav Adolfs ab« (2 Teile, Stuttgart 1843) von Friedrich Wilhelm Barthold (1799–1858), Historiker, ab 1834 Prof. in Greifswald.

11 Vgl. T. 23.

12 Varnhagen denkt hier an Riemers »Mittheilungen über Goethe« (vgl. T. 22). Die tiefe Erbitterung Riemers über Gervinus' Schrift »Ueber den Göthischen Briefwechsel« (1836) war ein wesentliches Motiv zur Abfassung seiner »Mittheilungen« gewesen. Varnhagen stand mit Riemer in freundschaftlichem Verkehr.

13 Joseph Freiherr von Hormayr (1782–1848), österreichischer Geschichtsschreiber.

14 Johann Jacob Otto August Rühle von Lilienstern (1780–1847), preußischer Offizier, Schriftsteller und Historiker, Erzieher des Prinzen Bernhard von Sachsen-Weimar, 1820 Chef des Großen Generalstabes in Berlin, 1835 Generalleutnant, 1844 Generalinspekteur des Erziehungs- und Bildungswesens im preußischen Heer, mit Goethe seit 1808 persönlich bekannt.

15 Christian Erhard Kapp (1739–1824), Arzt in Leipzig, philosophischer Schriftsteller. Sein Buch »Friedrich Wilhelm Joseph von Schelling. Ein Beitrag zur Geschichte des Tages von einem vieljährigen Beobachter« war 1843 anonym im Verlag von Otto Wigand in Leipzig erschienen.

16 Hier zuerst überliefert.

17 Zuerst überliefert in: Karl Ludwig von Knebels Literarischer Nachlaß und Briefwechsel. Hg. von Karl August Varnhagen von Ense und Theodor Mundt. Bd. 1. Leipzig 1835. S. XXXVII.

18 Allwina Frommann (1800–1875), Tochter des Jenaer Buchhändlers und Verlegers Karl Friedrich Ernst Frommann.

19 Goethes Briefe an Frau von Stein wurden 1848–1851 zuerst veröffentlicht. Vgl. T. 24, Anmkg. 25.

20 »Hermann und Dorothea«, 9. Gesang, V. 305 ff. Das Zitat lautet vollständig: »Nicht dem Deutschen geziemt es, die fürchterliche Bewegung/ Fortzuleiten und auch zu wanken hierhin und dorthin./ ›Dies ist unser!‹ so laß uns sagen und so es behaupten!«

21 Friedrich Heinrich von der Hagen (1780–1856), Germanist, Professor in Berlin.

22 Friedrich Karl Freiherr von Tettenborn (1778–1845), Offizier in österreichischen, dann in russischen Diensten, wo er zum General avancierte; seit 1818 in seinem Vaterland Baden als Diplomat tätig. – Wilhelm Friedrich Graf von Bentheim (1782 bis 1839), kommandierte das österreichische Regiment Vogelsang, in das Varnhagen im Jahre 1809 als Fähnrich eintrat; war nach dem Kriege vorübergehend als Diplomat tätig, später (1827) österreichischer Feldmarschalleutnant und in den Fürstenstand erhoben. Über beide vgl. Varnhagens »Denkwürdigkeiten und vermischte Schriften« (9 Bde., 1837–1859).

23 Venetianische Epigramme 57. J.A. 1, S. 218.

24 Der »Briefwechsel zwischen Goethe und F. H. Jacobi hg. von Max Jacobi« war 1846 in Leipzig erschienen.

25 Es handelt sich um das Buch »Frauenbilder aus Goethe's Jugendzeit. Studien zum Leben des Dichters« (Stuttgart und Tübingen 1852) von Heinrich Düntzer (vgl. Einleitung zu Nr. 36). Varnhagen stand mit Düntzer in persönlichem Verkehr.

26 Erzbischof in Thessalonike im 12. Jahrhundert, Verfasser eines Kommentars zur »Ilias« und »Odyssee«, der zwar aus abgeleiteten Quellen geschöpft ist und für die Kritik wenig Wert hat, aber für die Erklärung die Schätze ausgebreiteter Gelehrsamkeit bietet.

27 Vgl. T. 33.

28 Vgl. Varnhagen von Ense an Goethe vom 7. November 1823. (B.a.G. II, Nr. 554). Goethe ließ den Brief, dessen Absender nicht genannt war, unbeantwortet. Vgl. Gespräch mit Eckermann vom 27. Dezember 1826.

29 Vgl. Einleitung zu Nr. 4.

30 Von Julian Schmidt (vgl. T. 36).

31 Politische Richtung, die sich aus den Abgeordneten der Frankfurter Nationalversammlung bildete. Die Gothaer hatten wegen der Erbkaiserfrage die Nationalversammlung verlassen und unterstützen die preußische Unionspolitik. Ihre Vertreter, zu denen Friedrich Christoph Dahlmann, Heinrich Freiherr von Gagern und Karl Mathy gehörten, tagten im Juni 1849 in Gotha und beschlossen Wahlen zu einem Unionsparlament.

32 Wörtlich heißt es am Schluß von Julian Schmidts Aufsatz: »Wenn also die Jacobi, Schlosser, Stolberg u.s.w. über die Tendenz des Romans entrüstet waren, so kann man das von ihrem Standpunkt wohl begreifen; wie es aber mit ihrem eigenen Christentum beschaffen war, zeigt am deutlichsten, daß sie die Bekenntnisse einer schönen Seele von diesem Anathem ausnahmen. In Beziehung auf die Subjektivität der Pflicht standen sie auf einer Stufe mit Goethe. Unsrer Zeit wäre, im Gegensatz zu beiden, das schöne Wort des Plutarch einzuschärfen: ›Fremdling, die Gesetze und Gebräuche der Menschen sind verschieden; einigen heißt dieses schön und gut, andern jenes: aber das gilt allgemein, ist gut und schön für alle, daß jeder unter seinen Mitbürgern, was gemeine Sitte ist, verehre, und diese Ehrfurcht in allen seinen Handlungen beweise.‹«

33 »Deutsche Geschichte vom Tode Friedrichs d. Großen bis zur Gründung des Deutschen Bundes« (4 Bde., Berlin 1854–1857) von Ludwig Häusser (1818–1867), Historiker, Prof. in Heidelberg.

34 Edward George Bulwer (1803–1873), englischer Romanschriftsteller, Dramatiker und Staatsmann.

35 2. Aufl u.d.T. »Geschichte der deutschen Literatur im 19. Jahrhundert«, 3 Bde., Leipzig 1855. Vgl. T. 45.

39 *Joseph Freiherr von Eichendorff · Aus: Der deutsche Roman des achtzehnten Jahrhunderts in seinem Verhältniß zum Christenthum*

E Joseph Freiherr von Eichendorff, Der deutsche Roman des achtzehnten Jahrhunderts in seinem Verhältniß zum Christenthum. Leipzig 1851.

D Literarhistorische Schriften von Freiherrn Joseph von Eichendorff II. Abhandlungen zur Literatur. Auf Grund von Vorarbeiten von Franz Ranegger hg. von Wolfram Mauser. Regensburg 1965. S. 166–183. = Eichendorff, Historisch-Kritische Ausgabe VIII, 2.

Abdruck mit freundlicher Genehmigung des Verlags W. Kohlhammer, Stuttgart.

Im Unterschied zu den meisten anderen bedeutenderen Schriftstellern der deutschen Romantik sind die inneren und äußeren Beziehungen von Joseph Freiherrn von Eichendorff (1788–1857) zu Goethe nicht von lebensbestimmender Bedeutung gewesen. Am 29. Mai 1830 schickte er sein Trauerspiel »Der letzte Held von Marienburg« an Goethe. In Eichendorffs Begleitbrief heißt es: »Heldenhaft, aber glücklicher als er, haben Ew. Exzellenz über ein halbes Jahrhundert lang den Banner der Poesie über dem Strome einer stürmischen, vielfach bewegten Zeit emporgehalten und ein neues, unvergängliches Reich deutscher Dichtkunst begründet, dem wir alle freudig und dankbar angehören.« (B.a.G. II, Nr. 665). Eichendorffs Brief blieb unbeantwortet, das Stück wird in Goethes Tagebüchern nicht erwähnt. Eichendorffs späte Auseinandersetzung mit Goethe in seinen vom Standpunkt des Katholizismus aus geschriebenen literaturgeschichtlichen Werken ist stark abhängig von Heinrich Gelzers Buch »Die neuere deutsche National-Literatur nach ihren ethischen und religiösen Gesichtspunkten. Zur innern Geschichte des deutschen Protestantismus«, zweite umgearbeitete und vermehrte Auflage. Zweiter Theil. Leipzig 1849. Zu Eichendorffs Goethe-Bild vgl. neben der vorliegenden Schrift auch »Zur Geschichte des Dramas« (Leipzig 1854) und »Geschichte der poetischen Literatur Deutschlands« (2 Bde., Paderborn 1857).

1 Der Humanitätsbildung der Menschheit.

2 Gespräch mit Eckermann vom 20. Februar 1831.

3 Brief an Lavater vom 22. Februar 1776. H.A. Briefe I, S. 208.

4 Brief an Lavater vom 28. Oktober 1779. H.A. Briefe I, S. 279.

5 »Feier der Geburtsstunde des Erbprinzen Karl Friedrich«, Z. 8. »Er lebt, und er wird leben!« J.A. 3, S. 97.

6 Gespräch mit Eckermann vom 11. März 1828.

7 »Dichtung und Wahrheit«, 13. Buch. H.A. 9, S. 579.

8 Von »sie mag« bis »Verdienst« Schlußabschnitt des Toblerschen Fragments »Die Natur« aus dem »Tiefurter Journal« von 1783 (H.A. 13, S. 47); letzter Satz aus den »Zahmen Xenien« II. »Ich bin so guter Dinge,/So heiter und so rein,/Und wenn ich einen Fehler beginge,/Könnt's keiner sein.« J.A. 4, S. 43.

9 Kontamination von fünf Goethe-Zitaten aus der »Italienischen Reise«. Übernommen aus Gelzer.

10 Gemeint ist die Literatur des Jungen Deutschland. Zur Auseinandersetzung Eichendorffs mit der nachromantischen Literatur vgl. den Schlußteil seiner Schrift »Über

die ethische und religiöse Bedeutung der neueren romantischen Poesie in Deutschland« (1847).

11 »Venetianische Epigramme« 66. »Vieles kann ich ertragen. Die meisten beschwerlichen Dinge/Duld' ich mit ruhigem Mut, wie es ein Gott mir gebeut./Wenige sind mir jedoch wie Gift und Schlange zuwider,/ Viere: Rauch des Tabaks, Wanzen und Knoblauch und †.« J.A. 1, S. 219.

12 Brief an Lavater vom 29. Juli 1782. H.A. Briefe I, S. 402.

13 Brief an Lavater vom 8. Januar 1777. H.A. Briefe I, S. 231.

14 Brief an Lavater vom 22. Juni 1781. H.A. Briefe I, S. 364.

15 Brief an Lavater vom 9. August 1782. H.A. Briefe I, S. 403 f.

16 Brief an Lavater und Pfenninger vom 26. April 1774. H.A. Briefe I, S. 159.

17 Gespräch mit Eckermann vom 11. März 1832.

18 Gespräch mit Eckermann vom 11. März 1832.

19 Gespräch mit Eckermann vom 1. April 1827.

20 Nach der von der Kirche verurteilten Lehre des iro-schottischen Mönches Pelagius (gest. nach 418), der die Erbsünde und die Gnade leugnete und lehrte, daß der Mensch aus natürlichen Kräften das Gute tun und Vollkommenheit erringen könne.

21 In seinem »Wilhelm-Meister«-Aufsatz von 1798. Vgl. Goethe im Urteil I, S. 160.

22 Vgl. Novalis über den »Wilhelm Meister« (1800). Goethe im Urteil I, S. 176.

23 Humor hier, wie öfter bei Eichendorff, in der in der Medizin üblich gewesenen Bedeutung von »Hauptsaft«, Grundzug.

24 Gemeint ist das epische Fragment »Achilleis« von 1799.

25 Vgl. die »Noten und Abhandlungen zum West-östlichen Divan«, Abschnitt »Alttestamentliches«.

26 Brief an J. H. Merck vom 8. März 1776.

27 1797 schreibt Carl August an Knebel: »Goethe schreibt mir Relationen, die man in jedes Journal könnte rücken lassen. Es ist gar possierlich, wie der Mensch feierlich wird.«

28 Schiller an Goethe vom 8. Juli und 3. Juli 1796. Das zweite Zitat ungenau. B.a.G. I, S. 246 u. 239.

29 »Wilhelm Meisters Wanderjahre«, 1. Buch, 4. Kap. H.A. 8, S. 35 f.

30 »Wilhelm Meisters Wanderjahre«, 1. Buch, 6. Kap. H.A. 8, S. 65.

31 Vgl. »Wilhelm Meisters Wanderjahre«, 2. Buch, 1. Kap.: »es ist die Religion der Völker und die erste glückliche Ablösung von einer niedern Furcht.« H.A. 8, S. 156.

32 »Wilhelm Meisters Wanderjahre«, 2. Buch, 2. Kap. H.A. 8, S. 164.

33 »Wilhelm Meisters Wanderjahre«, 3. Buch, 11. Kap. H.A. 8, S. 405.

34 »Wilhelm Meisters Wanderjahre«, 3. Buch, 9. Kap. H.A. 8, S. 386.

35 »Wilhelm Meisters Wanderjahre«, 3. Buch, 1. Kap. H.A. 8, S. 313.

36 Gemeint ist der Saint-Simonismus.

37 Henrik Steffens in seiner Schrift »Von der falschen Theologie und dem wahren Glauben« (1823).

38 »Unterhaltungen zur Schilderung Göthescher Dicht- und Denkweise. Ein Denkmal« (2 Bde., Schleusingen 1834) von Carl Friedrich Göschel.

39 Wolfgang Menzel, Die deutsche Literatur. Zweite vermehrte Auflage. Dritter Theil Stuttgart 1836. S. 324.

40 In Eichendorffs Schrift »Zur Geschichte der neuern romantischen Poesie in Deutschland« (1846) heißt es im Ersten Artikel: »Seine [Goethes] Poesie war und blieb eine Naturpoesie im höheren Sinne. Da ist nichts Gemachtes; in gesundem, frischem Trieb greift sie fröhlich und ahnungsreich in die schöne weite Welt hinaus, sich von allem Nektar der Erde nährend und stärkend. Sie gibt *alles*, was die Natur Köstliches geben kann: plastische Vollendung und sinnliche Genüge, aber sie gibt auch nicht *mehr*. Ihre Harmonie ist ihre Schönheit, die Schönheit ihre Religion; so

wächst sie unbekümmert in steigender Metamorphose bis zur natürlichen Symbolik des Höchsten, vor dem sie scheu verstummt.«

40 *Arthur Schopenhauer · Aus: Parerga und Paralipomena: kleine philosophische Schriften. Zweiter Band. Kapitel VII. Zur Farbenlehre*

E Arthur Schopenhauer, Parerga und Paralipomena: kleine philosophische Schriften. Zweiter Band. Berlin 1851.

D Arthur Schopenhauer, Parerga und Paralipomena: kleine philosophische Schriften. Zweite, verbesserte und beträchtlich vermehrte Auflage, aus dem handschriftlichen Nachlasse des Verfassers herausgegeben von Dr. Julius Frauenstädt. Zweiter Band. Berlin 1862. S. 190–194; 212–214.

Der Philosoph Arthur Schopenhauer (1788–1860) war von Goethe zur Beschäftigung mit der Optik angeregt worden. Seine Abhandlung »Über das Sehn und die Farben«, Leipzig 1816 (Ruppert Nr. 5081), fand nur die bedingte Zustimmung des Dichters. Der Briefwechsel zwischen Goethe und Schopenhauer in den Jahren 1814–1818 ist thematisch von dem gemeinsamen Interesse an einer Farbentheorie bestimmt, die von der exakt-naturwissenschaftlichen Lehre Newtons abweichen sollte. Der Schopenhauerschüler Friedrich Grävell hat um die Jahrhundertmitte im Sinne seines Lehrers sich zum Anwalt der Goetheschen Farbenlehre gemacht und in einer Reihe von Schriften die Optik Newtons bekämpft. Vgl. Grävells Arbeiten: Göthe im Recht gegen Newton (1857); Charakteristik der Newton'schen Farbentheorie (1858); Ueber Licht und Farben (1859); Die zu sühnende Schuld gegen Göthe (1860).

1 Die Abhandlung »Über das Sehn und die Farben« erschien 1854 in zweiter, verbesserter, von Schopenhauer selbst besorgter Auflage bei J. F. Hartknoch in Leipzig.
2 Zu George Sand vgl. T. 47.
3 »Faust I«, Studierzimmer, V. 1928 f. H.A. 3, S. 63.
4 Wer nicht frei die Wahrheit ausspricht, ist ein Verräter der Wahrheit.

41 *Hermann Hettner · Goethe und der Socialismus*

E Deutsches Museum. Zeitschrift für Literatur, Kunst und öffentliches Leben. Herausgegeben von Robert Prutz. 2. Jg., 1. Bd. Leipzig 1852. S. 121–132.

D Hermann Hettner, Kleine Schriften. Braunschweig 1884. S. 433–451.

Hermann Hettner (1821–1882), Kunst- und Literarhistoriker, 1847 Privatdozent in Heidelberg, 1851 Professor in Jena, 1855 Direktor der Antikensammlung in Dresden und Professor für Kunstgeschichte und Literatur an der Akademie der bildenden Künste. Die ästhetischen Prinzipien des jungen, unter dem Einfluß Feuerbachs stehenden Hettner entwickeln sich in Auseinandersetzung mit der spekulativen Ästhetik Hegels. Seine Schrift »Die romantische Schule in ihrem inneren Zusammenhange mit Goethe und Schiller« (1850) führt die Romantikkritik der »Hallischen Jahrbücher« (vgl. T. 21) weiter und formuliert in der Forderung nach einer Verbindung von Kunst und Leben wesentliche Leitsätze des programmatischen Frührealismus. Im Gegensatz zu Gervinus, mit dem er die politische Auffassung einer fortschrittlich-demokratischen Erneuerung der gesellschaftlichen Verhältnisse in Deutschland teilt, ist Hettner leidenschaftlich an der Literatur seiner eigenen Gegenwart interessiert und macht dieses Interesse zur Basis seiner literaturgeschichtlichen Arbeiten. Seine im Gedankenaustausch mit Gottfried Keller entstandene Programmschrift »Das moderne Drama« (1852) enthält die erste realistische Dramentheorie in Deutschland. Während die Darstellung Goethes und Schillers in seinem Buch über die »Romantische Schule« von 1850 noch stark durch die Polemik gegen den »falschen Idealismus« der Klassik und Romantik gekennzeichnet ist, gehört die große

Darstellung des »Klassischen Zeitalters der deutschen Literatur« im Schlußteil seiner »Literaturgeschichte des achtzehnten Jahrhunderts« (1856–1870) zu den bleibenden Leistungen der liberalen Literaturgeschichtsschreibung im 19. Jahrhundert.

1 Vgl. T. 34.
2 Vgl. T. 29.
3 Zu Varnhagen vgl. T. 4. Karl Rosenkranz hatte bereits in seiner Abhandlung über »Ludwig Tieck und die romantische Schule« in den »Hallischen Jahrbüchern für deutsche Wissenschaft und Kunst« 1838 mit Nachdruck auf die Bedeutung der »Wanderjahre« hingewiesen. Hier heißt es u.a. (S. 1300 f.): »Auch auf Goethe müssen wir hier noch einmal zurückkommen, insofern seine ›Wanderjahre‹ über alles das, was unsere moderne Belletristik in Ansehung der Auffassung der sozialen Zustände produziert hat, weit hinaus sind. [...] Goethe hat in die *Zukunft* zu dringen und ein *positives Bild neuer Zustände* entworfen. Er hat in dem Novellenzyklus der ›Wanderjahre‹ eine *Idee* verfolgt, die ideale Gestaltung des gesellschaftlichen Lebens. Überall begegnen wir darin den Wurzeln, aus denen es hervorsproßt, dem Familienleben; überall öffnet sich uns der Äther der nationalen und religiösen Freiheit, in die seine Gipfel hinausragen; aber die Hauptsache ist, zu zeigen, wie der *einzelne* es anzufangen habe, zwischen diesen Mächten der unteren und oberen Welt sich eine *würdige* Existenz zu schaffen, in der seine *Individualität* sich offenbaren und gestalten kann. Er muß, nach außen hin, *wandern*, nach innen, *entsagen!* d.h. ohne *Beweglichkeit* einerseits, ohne *Charakterfestigkeit*, Willensstärke auf der anderen, ohne Verbindung mit den Menschen und doch ohne eine einseitige Richtung im Verkehre mit ihnen, ist jetzt in der Welt keine Befriedigung mehr möglich, man müßte denn sich in den Indifferentismus und Zynismus *fallen* lassen. Von der Idylle des Familienlebens des Zimmermanns Joseph dehnt sich unser Blick gemach bis hinüber nach Amerikas jugendlichem Boden und schwärmt mit Makarien in das Universum hinaus. Es ist eine fremde Welt, in die wir treten, aber doch sehen wir die Anfänge ihrer Realisation überall in der unseren. Die Einrichtung der Wohnungen, der Gärten; die Anordnung der Möbel; die Bequemlichkeit des Genusses bis auf das Essen nach der Karte; die Erziehung zu den verschiedensten Berufsarten, während das allgemein Menschliche, die drei Ehrfurchten, für alle ist; die Industrie, wie sie durch den Handel die Völker vereinigt; die Assoziation freier Männer zu Kulturzwecken; das Verhältnis der Juden zur Gesellschaft, – doch was soll dieser dürre Katalog des unendlichen Reichtums, der in diesem sozialen Kodex enthalten ist? Man muß erstaunen, wie Goethe alle Bedürfnisse des Menschen, selbst die Beichte, darin umfaßt und zur selbstbewußten Heiterkeit gewendet hat.« – In seinem Buch »Göthe und seine Werke« von 1847 (vgl. T. 31) analysiert Rosenkranz die »Wanderjahre« im Zusammenhang mit den beiden anderen, von ihm so benannten »Sozialromanen«, den »Lehrjahren« und den »Wahlverwandtschaften«. Vgl. T. 47.
4 Vgl. T. 29, Anmkg. 6.
5 Vgl. T. 24, Anmkg. 25.
6 »Campagne in Frankreich«. H.A. 10, S. 359.
7 »Campagne in Frankreich«. H.A. 10, S. 206 f.
8 »Campagne in Frankreich«. H.A. 10, S. 359.
9 »Reineke Fuchs«, 8. Gesang, V. 109–119. H.A. 2, S. 369.
10 »Belagerung von Mainz«. H.A. 10, S. 391.
11 »Vier Jahreszeiten«, Nr. 62. J.A. 1, S. 242.
12 J.A. 30, S. 207. Im Frühjahr versandte der Buchhändler Johann Philipp Palm (geb. 1766) die antinapoleonische Flugschrift »Deutschland in seiner tiefen Erniedrigung«, um derentwillen er am 26. August in Braunau erschossen wurde. Goethes Tagebuch vermerkt am 25. Juli den Organisationsplan eines Volksaufstandes, den Freiherr v. Tümpling, ein Freund des Herzogs Carl August, vortrug.
13 Überliefert von Ernst Moritz Arndt, 21. April 1813.

14 »Wilhelm Meisters Wanderjahre«, 3. Buch, 9. Kap. H.A. 8, S. 391.
15 »Den Vereinigten Staaten«. H.A. 1, S. 333.
16 Vgl. T. 4, Anmkg. 3.
17 Vgl. Anmkg. 3.
18 Aus Goethes Rezension von Wielands »Gedanken über eine alte Aufschrift« (1772) in den »Frankfurter Gelehrten Anzeigen« Jg. 1772, 20. März. J.A. 36, S. 76.
19 Schiller an Goethe vom 8. Juli 1796. B.a.G. I, S. 246.
20 Brief an Zauper vom 7. September 1821. H.A. Briefe IV, S. 8.
21 Gespräch mit Eckermann vom 6. Mai 1827 über den »Faust«. Vgl. das Gespräch vom 19. August 1806 mit Luden über den »Faust«.
22 »Wilhelm Meisters Wanderjahre«, 1. Buch, 6. Kap. H.A. 8, S. 69.
23 »Wilhelm Meisters Wanderjahre«, 2. Buch, 1. Kap. H.A. 8, S. 157.
24 »Wilhelm Meisters Wanderjahre«, 3. Buch, 9. Kap. H.A. 8, S. 385.
25 »Wilhelm Meisters Wanderjahre«, 3. Buch, 9. Kap. H.A. 8, S. 390.

42 a *Viktor Hehn · Deutsche Dichtung nach Schiller und Goethe*

ED Viktor Hehn, Über Goethes Gedichte. Aus dessen Nachlaß herausgegeben von Eduard von der Hellen. Stuttgart und Berlin 1911. S. 1–8.

Viktor Hehn (1813–1890), Kultur- und Literarhistoriker. Nach dem Studium in seiner Geburtsstadt Dorpat unternahm Hehn Studienreisen in Deutschland und Italien und kehrte 1846 als Lektor für deutsche Sprache und Literatur nach Dorpat an die dortige Universität zurück. 1851 wurde er wegen der persönlichen Verbindung zu einer politischen Angeklagten von der russischen Geheimpolizei verhaftet und nach einer viermonatigen Haft in der Peter-Paul-Festung in Petersburg nach Tula in der Nähe von Moskau verbannt. Nach Aufhebung der Verbannung ging er 1855 als Bibliothekar nach Petersburg, seit 1873 lebte er in Berlin. Während seiner Dorpater Zeit als Lektor hat Hehn zweimal über Goethe gelesen, im Sommer 1848 über Goethes Lyrik und im Sommer 1851 über »Hermann und Dorothea«. Beide Vorlesungen wurden erst nach Hehns Tod aus dessen Nachlaß veröffentlicht. Während die Lyrik-Vorlesung von Hehn nur zum Teil überarbeitet worden ist, sind die Vorlesungen über »Hermann und Dorothea« in der Tulaer Zeit zum Buch ausgereift. Im Unterschied zu der Vorlesung über Goethes Gedichte, die noch stark durch ein von Börne inspiriertes politisch-aufklärerisches Pathos gekennzeichnet ist, reflektiert das Buch über »Hermann und Dorothea« die politische Resignation der Jahre unmittelbar nach der 48er Revolution und partizipiert in der Betonung und Aufwertung der konservativen und gegenzivilisatorischen Momente des Goetheschen Versepos an der Kanonisierung dieses Werkes zur überparteilichen Idylle deutscher Bürgertugenden in der Epoche des poetischen Realismus nach 1850. Hehns sich hier ankündigende konservative Wendung wird vollends deutlich in seinen 1887 erschienenen bedeutenden »Gedanken über Goethe«, in deren Kernstück, der großen polemischen Abhandlung »Goethe und das Publikum«, in offen antisemitischer Attitüde gegen die politische Publizistik des Vormärz polemisiert wird und »Heine und Börne, diese zwei klugen, mit scharfer Witterung begabte Gnome«, für die vermeintliche Goetheferne und Goethefeindschaft des 19. Jahrhunderts verantwortlich gemacht werden.

1 Horaz, Oden III, 6, 46 f.: »Aetas parentum ... tulit nos nequiores.«
2 Vgl. Friedrich Schlegels Gedicht »Das Athenaeum« (1800).
3 In seinem Roman »Heinrich von Ofterdingen« (1802).
4 In Ludwig Tiecks Novellen »Dichterleben« (1826/31) und »Der Tod des Dichters« (1834).
5 Gemeint sind das Charakterlustspiel »Gottsched und Gellert« (1847) und das Drama »Die Karlsschüler« (1846) von Heinrich Laube, der Roman »Schillers Heimatjahre« (1846) von Hermann Kurz, die bürgerliche Tragödie »Richard Savage oder Der Sohn einer Mutter« (1839) und das Lustspiel »Das Urbild des Tartüffe« (1847) von Karl

Gutzkow, die Novelle »Lessing« (1834) von Alexander Freiherr von Ungern-Sternberg, das Trauerspiel »Uriel Acosta« (1846) und das Lustspiel »Der Königsleutnant« (1849) von Karl Gutzkow.

6 Hehn hat die hier nur skizzierte Gegenüberstellung in dem Aufsatz »Südwest und Nordost«, der seine »Gedanken über Goethe« eröffnet, weiter ausgeführt.

7 In seiner Abhandlung »Von dem Berufe unserer Zeit für die Gesetzgebung und Rechtswissenschaft« war Friedrich Carl von Savigny 1814 der von Thibaut und anderen verfochtenen Forderung »eines allgemeinen bürgerlichen Rechtes für Deutschland« entgegengetreten.

8 In seiner Schrift »Die Bestimmung des Menschen« (1800).

9 Statt der Sätze »In eine ergreifende Spitze« bis »schreckliche Fragen stellend« bietet die unbearbeitete, ältere Fassung folgende Ausführungen: »Zu dem eigentlichen Liberalismus der Menge und ihrer philosophischen Führer kam dann noch der immer wachsende Einfluß des Kommunismus und Sozialismus. Dieser erklärte Kunstgenuß für ein Raffinement der mit Glücksgütern gesegneten herrschenden Klassen; vor allen Dingen müsse das Leben aus seinen Fesseln gelöst, das Weib aus dem Drucke seiner niederen Stellung emporgehoben, dem Elend und der Armut, dem Schmutz und der Roheit der zahlreichen Hälfte der Menschheit abgeholfen werden. Der Kommunismus hatte dringende Bedürfnisse zu befriedigen, schreiende Mißstände abzustellen; die Reinheit der Kunstform galt ihm so viel wie nichts. Daher in unzähligen Romanen, in Tragödien, z. B. bei Hebbel, das soziale Problem behandelt wird; leider ist die Reflexion darauf das prius, der Ausgangspunkt, und die Phantasie muß hintennach die Verkörperung, das Beispiel suchen, welches natürlich in sich tot und vom Eishauch der philosophischen Idee durchkältet erscheint, während bei dem wahrhaften Dichter Idee und Individuum in einer unlöslichen Einheit sich durchdringt und die erstere abgesondert von ihrem individuellen Körper dem Dichter gar nicht zum Bewußtsein kommt. Hin und wieder behauptet der Kommunismus freilich, die wahre Poesie solle in voller Herrlichkeit erst dann ihre Blüte entfalten und ihre beseligende Macht üben, wenn in der neuen Gesellschaft nur Glück und Frieden und reine Menschlichkeit herrschen wird. Aber das ist weitaussehend. Fürs erste müssen wir noch dankbar sein, wenn der Kommunismus überhaupt die frühere Poesie eines Blickes würdigt; geschieht dies, so bestimmt sich die Schätzung nicht nach dem ästhetischen Wert, sondern nach der möglichen Beziehung zu der kommenden neuen Ära; unter Goethes Werken z. B. fällt die Krone der Bedeutsamkeit den Wanderjahren und dem *zweiten* Teil des Faust zu.«

42 b *Viktor Hehn · Aus: Ueber Goethes Hermann und Dorothea*

ED Viktor Hehn, Ueber Goethes Hermann und Dorothea. Aus dessen Nachlaß herausgegeben von Albert Leitzmann und Theodor Schiemann. Stuttgart 1893. S. 26–29; 36–48.

1 Brief an Karl Lessing vom 11. November 1774.

2 Das Zitat stammt nicht aus der Ankündigung der »Horen«, sondern aus der »Einladung zur Mitarbeit« an den »Horen«. Schillers Werke. Nationalausgabe. Bd. 21. Weimar 1958. S. 103.

3 Brief an Jeanette Wohl vom 10. Februar 1828.

4 Vgl. T. 6.

5 In Gustav Pfizers Vorrede zu seinem Buch »Der Wälsche und der Deutsche. Aeneas Sylvius Piccolomini und Gregor von Heimburg«, Stuttgart 1844.

6 Gottschalk Eduard Guhrauer, Goethe im Verhältnis zu Politik und Geschichte. In: Minerva. Hg. von Franz Alexander Bran. Jg. 1846, Bd. 4, S. 228.

7 »Dichtung und Wahrheit«, 17. Buch. H.A. 10, S. 114.

8 »Faust I«, Vor dem Tor, V. 861 ff. H.A. 3, S. 34.

9 Bei Goethe nicht nachgewiesen.
10 Jean Paul, Vorschule der Ästhetik, XII. Programm, § 73. Die Idylle. »Goethes Hermann und Dorothea ist kein Epos, aber eine epische Idylle.«
11 Vgl. Wilhelm von Humboldts Abhandlung über »Hermann und Dorothea« (1799), Kap. LXXVII. Zwiefache Gattung der Epopee.
12 Vgl. T. 17.
13 »Hermann und Dorothea«, 4. Gesang, V. 123 f. H.A. 2, S. 464.
14 »Hermann und Dorothea«, 5. Gesang, V. 19. H.A. 2, S. 469.
15 »Hermann und Dorothea«, 9. Gesang, V. 299 f. H.A. 2, S. 514.
16 Vgl. T. 29.
17 Vgl. T. 42 a, Anmkg. 9.
18 Schillers Epigramm »Das Höchste«.
19 Vgl. T. 41, Anmkg. 11.

13 *Hermann von Helmholtz · Ueber Goethe's naturwissenschaftliche Arbeiten*

E Allgemeine Monatsschrift für Wissenschaft und Literatur. Braunschweig. Jg. 1853. Mai. S. 383–398.

D Hermann von Helmholtz, Populäre Wissenschaftliche Vorträge. Erstes Heft. Braunschweig 1865. S. 31–53.

Die vorliegende Abhandlung, die der Physiologe und Physiker Hermann von Helmholtz (1821–1894) am 18. Januar 1853 als Vortrag in der Deutschen Gesellschaft zu Königsberg gehalten hat, ist die erste umfassende Auseinandersetzung mit Goethes naturwissenschaftlichen Arbeiten und der ihnen zugrunde liegenden Methode aus der Sicht der modernen exakten Naturwissenschaft. Geht es Helmholtz in der Abhandlung von 1853, wie er später formuliert, »überwiegend um eine Verteidigung des wissenschaftlichen Standpunktes der Physiker gegen die Vorwürfe, die der Dichter ihnen gemacht hatte«, so wird in der späten Abhandlung »Goethe's Vorahnungen kommender naturwissenschaftlicher Ideen«, die er 1892 als Rede vor der Goethe-Gesellschaft in Weimar gehalten hat, stärker das positive Moment der »künstlerischen« Naturanschauung Goethes als notwendiges Supplement zur physikalisch-empirischen der exakten Wissenschaften hervorgehoben. Am Schluß seiner Rede von 1892 formuliert Helmholtz noch einmal seine Grundthese: »Wo es sich um Aufgaben handelt, die durch die in Anschauungsbildern sich ergehenden dichterischen Divinationen gelöst werden können, hat sich der Dichter der höchsten Leistungen fähig gezeigt; wo nur die bewußt durchgeführte induktive Methode hätte helfen können, ist er gescheitert. Aber wiederum, wo es sich um die höchsten Fragen über das Verhältnis der Vernunft zur Wirklichkeit handelt, schützt ihn sein gesundes Festhalten an der Wirklichkeit vor Irrgängen und leitet ihn sicher zu Einsichten, die bis an die Grenzen menschlicher Vernunft reichen.« Dies ist im wesentlichen auch noch die Meinung der heutigen Naturwissenschaftler zu dieser Frage. Im Jahre 1875 verfaßte Helmholtz folgende »Nachschrift« zur vorliegenden Abhandlung: »Hier ist zu konstatieren, daß in dem seit der ersten Abfassung dieses Aufsatzes verflossenen Vierteljahrhundert die Gedankenkeime, welche Goethe im Gebiete der Naturwissenschaften ausgesät hat, zu voller und zum Teil reicher Entwickelung gelangt sind. Unverkennbar stützt sich Darwins Theorie von der Umbildung der organischen Formen vorzugsweise auf dieselben Analogien und Homologien im Baue der Tiere und Pflanzen, welche der Dichter, als der erste Entdecker, zunächst nur in der Form ahnender Anschauung, seinen ungläubigen Zeitgenossen darzulegen versucht hatte. Darwins Verdienst ist es, daß er mit großem Scharfsinne und aufmerksamer Beobachtung den ursächlichen Zusammenhang, dessen Wirkungen diese Übereinstimmungen in dem Typus der verschiedensten Organismen sind oder doch sein könnten, aufgespürt und so die dichterische Ahnung zur Reife des klaren Begriffes entwickelt hat. Ich brauche nicht hervorzuheben, welche Umwälzung in der ganzen Auffassung der Lebenserscheinungen diese Erkenntnisse hervorgerufen haben.

Aber auch den Ideen, welche sich Goethe gebildet hatte über die Wege, die die Naturforscher einschlagen, und die Ziele, denen sie nachstreben müssen, ist man in naturwissenschaftlichen Kreisen unverkennbar näher gekommen.

In dieser Beziehung möchte ich hinweisen auf meine Rede zum Gedächtnis von Gustav Magnus. Was Goethe suchte, war das Gesetzliche in den Phänomenen; das war ihm die Hauptsache, welche er sich nicht durch metaphysische Gedankengebilde verwirren lassen wollte. Wenn die Naturforscher ihrerseits nun dazu gelangen, die Kraft aufzufassen als das Gesetz, das von aller Zufälligkeit der Erscheinung gereinigt und, in seiner Herrschaft über die Wirklichkeit, als objektiv gültig anerkannt ist, so besteht über die letzten Ziele wohl kaum noch eine erhebliche Divergenz der Meinungen. Den entschiedensten Ausdruck hat diese Auffassung in Kirchhoffs Vorlesungen über mathematische Physik empfangen, wo er die Mechanik geradezu unter die beschreibenden Naturwissenschaften einreiht. Goethes Versuch, seine Anschauungen an dem Beispiel der Farbenlehre praktisch durchzuführen, können wir freilich nicht als gelungen betrachten, aber das Gewicht, was er selbst auf diese Richtung seiner Arbeiten legte, wird verständlich. Er sah auch da ein hohes Ziel vor sich, zu dem er uns führen wollte; sein Versuch, einen Anfang des Weges zu entdecken, war jedoch nicht glücklich und leitete ihn leider in unentwirrbares Gestrüpp.« (Zitiert nach: H. v. Helmholtz, Vorträge und Reden, 5. Aufl., Bd. 1, Braunschweig 1903, S. 46–47)

1 »Dem Menschen wie den Tieren ist ein Zwischenknochen der obern Kinnlade zuzuschreiben«. H.A. 13, S. 184–196.

2 Vgl. T. 19, Anmkg. 14. Helmholtz gibt hier Ausführungen aus Goethes »Vorträgen über die drei ersten Kapitel des Entwurfs einer allgemeinen Einleitung in die vergleichende Anatomie, ausgehend von der Osteologie« aus dem Jahre 1796 wieder.

3 »Erster Entwurf einer allgemeinen Einleitung in die vergleichende Anatomie, ausgehend von der Osteologie«, Jena, im Januar 1795. Auszug: H.A. 13, S. 170–184.

4 Der franz. Naturforscher Georges Frédéric Baron de Cuvier (1769–1832).

5 »Der Verfasser teilt die Geschichte seiner botanischen Studien mit«. H.A. 13, S. 162 ff.

6 H.A. 13, S. 64–102.

7 »Bedeutende Fördernis durch ein einziges geistreiches Wort«. H.A. 13, S. 40.

8 Der Mediziner Lorenz Oken (1779–1851) wurde 1807 durch Förderung Goethes an die Universität Jena berufen und sandte Goethe im gleichen Jahr sein Antrittsprogramm »Über die Bedeutung der Schädelknochen« zu. Oken hatte, unabhängig von Goethe, den Zwischenknochen nachentdeckt. Der Prioritätsstreit spielte nach Goethes Tod eine Rolle und hat die Forschung bis ins 20. Jahrhundert hinein beschäftigt.

9 »Geschichte der Farbenlehre«, Konfession des Verfassers. H.A. 14, S. 251–269, speziell S. 254.

10 »Geschichte der Farbenlehre«, Konfession des Verfassers. H.A. 14, S. 156.

11 Vgl. T. 19, Anmkg. 7.

12 Vgl. T. 19, Anmkg. 8.

13 Friedrich Albert Karl Gren (1760–1798), Professor der Medizin und der Chemie in Halle.

14 Vgl. Gespräch mit Eckermann vom 30. Dezember 1823.

15 Vgl. Gespräch mit Eckermann vom 19. Februar 1829.

16 »Glückliches Ereignis«. H.A. 10, S. 538–542.

17 Das gemeinsame Interesse an der Farbenlehre war Hauptgegenstand des Briefwechsels zwischen Hegel und Goethe. 1822 hielt der Hegel-Schüler Leopold von Henning zum erstenmal öffentliche Vorlesungen über Goethes Farbenlehre an der Berliner

Universität (vgl. Goethe im Urteil I, T. 64). In seiner »Physiologischen Optik« (2., umgearbeitete Aufl., Hamburg und Leipzig 1896, S. 307) urteilt Helmholtz über das Verhältnis von Goethe und Hegel wie folgt: »Das große Aufsehen, welches Goethes Farbenlehre in Deutschland machte, beruhte zum Teil darauf, daß das große Publikum, ungeübt in der Strenge wissenschaftlicher Untersuchungen, natürlich mehr geneigt war einer künstlerisch-anschaulichen Darstellung des Gegenstandes zu folgen, als mathematisch physikalischen Abstraktionen. Dann bemächtigte sich auch die Hegelsche Naturphilosophie der Goetheschen Farbenlehre für ihre Zwecke. Hegel wollte ähnlich wie Goethe in den Naturerscheinungen den unmittelbaren Ausdruck gewisser Ideen oder gewisser Stufen des dialektisch sich entwickelnden Denkens sehen, darin liegt seine Verwandtschaft mit Goethe und sein prinzipieller Gegensatz gegen die theoretische Physik.«

18 »Faust I«, Nacht, V. 672 f. H.A. 3, S. 28.

19 Aus den Zusätzen und Erläuterungen zum Abdruck des Aufsatzes über den Zwischenkieferknochen (vgl. Anmkg. 1) in »Zur Morphologie« I, 2, 1820, Abschnitt VIII. J.A. 39, S. 199.

20 »On the Origin of Species by means of natural Selection« von Charles Darwin erschien 1859.

21 »Geschichte der Farbenlehre«, Konfession des Verfassers. H.A. 14, S. 263.

22 Aus dem polemischen Teil der »Farbenlehre«, § 148, 360, 645, 647, 654, 658.

44 *Alexander Jung · Aus: Göthe's Wanderjahre und die wichtigsten Fragen des 19. Jahrhunderts*

ED Alexander Jung, Göthe's Wanderjahre und die wichtigsten Fragen des 19. Jahrhunderts. Mainz 1854. S. 316–324.

Alexander Jung (1799–1884), Schriftsteller, Literarhistoriker, Publizist, stand zeitweilig dem Jungen Deutschland nahe. Seine »Vorlesungen über die moderne Literatur der Deutschen« (Danzig 1842) wurden für Friedrich Engels zum Anlaß einer prinzipiellen Auseinandersetzung mit dem Jungen Deutschland. (K. Marx / Fr. Engels, Über Kunst und Literatur. Bd. 2. Berlin 1968. S. 498–512). Jungs synthetische »Wanderjahre«-Interpretation zielt ab auf eine Versöhnung von Religion und Sozialismus, von Idealismus und Realismus. Im »organisierten Kultus der Arbeit und Feier« als der Perspektive der Zukunft glaubt Jung das soziale Problem, den Gegensatz von besitzenden und besitzlosen Klassen gelöst zu haben. Der Optimismus seines Buches ist der des kapitalistischen Unternehmers in dem Jahrzehnt des wirtschaftlichen und materiellen Aufschwungs der ersten Gründerzeit nach 1850. Vgl. T. 47.

1 Ferdinand Gregorovius. Vgl. T. 34.

2 »Wilhelm Meisters Lehrjahre«, 8. Buch, 7. Kap. H.A. 7, S. 564.

3 Vgl. T. 47.

4 Es handelt sich um die sog. Gesellschaft der Friedensfreunde, eine von dem nordamerikanischen Quäker Elihu Burrit und dem englischen liberalen Wirtschaftspolitiker Richard Cobden u.a. gegründete Vereinigung, die auf Abrüstung und Unterwerfung der staatlichen Streitigkeiten unter völkerrechtliche Schiedsgerichte hinarbeitete. In dem Abschnitt »Die Wanderjahre und das Ausland« schreibt Jung (S. 297): »Auch der Friedenskongreß, eine Erscheinung in unsern Tagen von großer Bedeutung, vorausgesetzt, daß die daran Beteiligten reine Zwecke verfolgen, welcher jüngst seine dritte Sitzung gehalten hat, ist europäischerseits vorzüglich von England, Frankreich und Deutschland beschickt worden, was auch gar nicht unerwartet befunden werden kann, denn diese drei Länder bilden in der Tat, wie stark auch die Wogen der Überstürzung über zwei von ihnen in letzter Zeit drein schlugen, die feste Triarchie, worin die Zukunft und der Sieg der Intelligenz über rohe, revolutionäre

Gewalten beschlossen liegt.« Kongresse der Friedensfreunde hatten in Brüssel (1848), Paris (1849), Frankfurt a. M. (1850) und London (1851) stattgefunden.

45 *Julian Schmidt · Aus: Weimar und Jena in den Jahren 1794–1806*

ED Julian Schmidt, Weimar und Jena in den Jahren 1794–1806. Supplement zur ersten Auflage der Geschichte der deutschen National-Literatur im neunzehnten Jahrhundert. Leipzig 1855. S. 76–84. = Schmidt, Geschichte der deutschen Literatur im 19. Jahrhundert. 2. Aufl. Bd. 3.
Zu Julian Schmidt vgl. Einleitung zu T. 36.

1 »Torquato Tasso« II, 1, V. 1103 f. H.A. 5, S. 103.
2 Mittheilungen über Göthe und Schiller in Briefen von Heinrich Voß. Hg. von Abraham Voß. Heidelberg 1834. – Neuausgabe, hg. von Hans Gerhard Gräf. Leipzig [1896].
3 Zu Henrik Steffens vgl. T. 19, Anmkg. 13.
4 Schiller, Der Antritt des neuen Jahrhunderts, V. 33 ff.
5 Charlotte Sophie Stieglitz, geb. Willhöft (1806–1834), seit 1828 mit dem Schriftsteller Heinrich Stieglitz (1801–1849) verheiratet; sie beging Selbstmord, um ihren Mann zu besonderen poetischen Leistungen zu begeistern, ein Fall, der in der damaligen Öffentlichkeit großes Aufsehen erregte.
6 Schiller, Wallensteins Tod IV, 12, Schluß von Theklas Monolog.

46 *Theodor Wilhelm Danzel · Einleitung zu dem Commentar zu Goethe's Werken*

ED Theodor Wilhelm Danzel, Gesammelte Aufsätze. Herausgegeben von Otto Jahn. Leipzig 1855. S. 166–175.
Theodor Wilhelm Danzel (1818–1850), Literarhistoriker und Ästhetiker, neben Gervinus und Hettner einer der Begründer einer wissenschaftlichen Literaturgeschichtsschreibung in Deutschland, seit 1845 Privatdozent in Leipzig. Außer seinen beiden Hauptwerken, dem Buch über »Gottsched und seine Zeit. Auszüge aus seinem Briefwechsel« (Leipzig 1848) und der Lessing-Biographie (Leipzig 1850), von der nur der erste Band fertiggestellt wurde, hat Danzel eine Reihe wichtiger kleinerer Schriften und Aufsätze veröffentlicht, von denen im Zusammenhang einer Wirkungsgeschichte Goethes vor allem »Über Goethes Spinozismus. Ein Beitrag zur tieferen Würdigung des Dichters und Forschers« (Hamburg 1843) und die Abhandlung »Goethe und die Weimarischen Kunstfreunde in ihrem Verhältniß zu Winckelmann« (Blätter für litterarische Unterhaltung 1846, Nr. 282–289) zu nennen sind. Die erst aus Danzels Nachlaß veröffentlichte »Einleitung zu dem Commentar zu Goethe's Werken« ist die theoretische Rechtfertigung eines geplanten »exegetischen Handbuchs zu Goethes Werken«, zu dem Danzel durch den Goethe-Verehrer und -Sammler Salomon Hirzel angeregt worden war. Zur Ausführung dieses Handbuchs ist es nicht mehr gekommen.

1 Brief an Zelter vom 4. August 1803. H.A. Briefe II, S. 454.
2 Vgl. »Dichtung und Wahrheit«, 10. Buch. H.A. 9, S. 397.
3 Brief an Charlotte von Stein vom 30. Januar 1776?
4 Vgl. T. 23, Anmkg. 20.
5 Vgl. dazu Danzels Abhandlung »Über Goethes Spinozismus. Ein Beitrag zur tieferen Würdigung des Dichters und Forschers«, Hamburg 1843.
6 Gespräch mit Eckermann vom 18. Januar 1825.
7 Brief an Schiller vom 15. November 1796.
8 Vgl. Einleitung zum vorliegenden Text und T. 53.

47 *Karl Rosenkranz · Ueber den Vergleich von Göthe's Wanderjahren mit G. Sand's Compagnon du tour de France*

ED Karl Rosenkranz, Göthe und seine Werke. Zweite verbesserte und vermehrte Auflage. Königsberg 1856. S. 402–417; 422–431. [Als »Nachtrag 1856«].

Zu Karl Rosenkranz vgl. Einleitung zu T. 8 und T. 31. Der Roman »Le Compagnon du tour de France« der franz. Schriftstellerin George Sand (d.i. Amandine-Lucie-Aurore Dupin, Baronne Dudevant, 1804–1876) war 1840 in Paris erschienen. 1841 erschien in Leipzig u.d.T. »Der französische Handwerksbursche« die erste deutsche Übersetzung von Wilhelm Ludwig Wesche in 2 Bänden.

1 Vgl. T. 4, Anmkg. 3.

2 In 4 Bänden, Stuttgart 1839–1840.

3 Vgl. T. 41, Anmkg. 3.

4 »Eritis sicut Deus. Ein anonymer Roman«, erschienen 1854. Die Verfasserin war Wilhelmine Canz. Vgl. Rosenkranz' ausführliche Besprechung im zweiten Band seiner »Neuen Studien«, Leipzig 1876. S. 248–268.

5 Im dritten Band von Laubes »Geschichte der deutschen Literatur« heißt es wörtlich (S. 415 f.): »1821 erschienen Goethe's Wanderjahre. Welch ein Eckstein sind sie für alle Kritik geworden! Wo ist darin der leichte, liebliche Sinn Goethe's, der da schildert, ohne streng zu folgern? Kaum auf einzelnen Seiten flattert er umher. Das Interesse eines Buches, was er Roman nennt, sollte überwiegend ein poetisches sein, ein pathologisches, wie Schiller gern sagte. Ist es das? Nein, die kleinen Geschichten irren schüchtern umher, die später hinzugekommene Absicht, welche sie zusammenklammern soll, stellt sich nur zu deutlich dar als später hinzu gekommene Absichtlichkeit.«

6 Von Karl Immermann. Im Text »Epigramm«, offenbar Druckfehler.

7 Karl Gutzkows Roman »Die Ritter vom Geiste« war 1850/51, Gustav Freytags »Soll und Haben« 1855 erschienen.

8 Vgl. T. 23.

8 a Vgl. »Dichtung und Wahrheit«, 10. Buch. H.A. 9, S. 446 f. u. Anmkg.

9 In Julian Schmidts Aufsatz »Wilhelm Meister im Verhältniß zu unsrer Zeit« in »Die Grenzboten« 1855 heißt es wörtlich: »Der Einzelne macht nicht, wie es in dem wahren Handwerk geschieht, in der Arbeit selbst und in dem Umgang mit seinen Genossen mit Freude und Behagen seine eigne Persönlichkeit geltend, sondern er gibt sie um der Arbeit willen auf, er betrachtet sich als einen Entsagenden. Das ist nicht das gesunde Verhältnis des Menschen zu seinem Beruf; er soll sich ihm nicht als eine Maschine fügen, sondern er soll sich in der ganzen Kraft eines Gemüts, seiner Eigentümlichkeiten, ja seiner Laune dabei betätigen.«

10 Emile Montégut (1825–1895) in einem Artikel in der »Revue des deux mondes« vom 1. März 1855.

11 Über die »Wanderjahre« heißt es in G. H. Lewes »The Life and Works of Goethe« (vgl. T. 33, Anmkg. 4): »There are pages in the ›Wanderjahre‹ which he alone could have written; but I cannot bring myself to regard the whole book as anything better than a collection of sketches and studies, often incomplete, and sometimes not worth completing. It is very unequal, some parts being as feeble as others are admirable. The story of ›The Man of Fifty‹ has capital points, and the ›New Melusina‹ is a charming fairy tale; but much of what is symbolical seems to me only fantastic; and as a composition the work is feeble, and careless even to impertinence.« (Buch 7, Kap. 6).

12 Rosenkranz' eigene Wirkungsstätte. Vgl. seine Autobiographie »Von Magdeburg bis Königsberg«, Berlin 1873. Jubiläums Ausgabe: Leipzig 1878.

13 Heinrich Düntzer, Zu Goethe's Jubelfeier. Studien zu Goethe's Werken. Elberfeld und Iserlohn 1849. S. 318–375. (»Wilhelm Meisters Wanderjahre«.).

14 In Jungs Buch (vgl. T. 44) S. 296–316.
15 Der Roman »Consuelo« war 1842, der Roman »La Comtesse de Rudolstadt« 1843 bis 1845 in 9 Bänden erschienen.
16 »Allgemeine praktische Philosophie« (1808) und »Allgemeine Pädagogik« (1806) von Johann Friedrich Herbart (1776–1841).
17 »Wilhelm Meisters Wanderjahre«, 3. Buch, 1. Kap. H.A. 8, S. 312.

48 *Herman Grimm · Aus: Schiller und Goethe*

ED Herman Grimm, Essays. Hannover 1859. S. 293–296; 341–353.
Herman Grimm (1828–1901), Kunst- und Literarhistoriker, der älteste Sohn des Germanisten Wilhelm Grimm, seit 1873 Professor für Neuere Kunstgeschichte in Berlin. Seine vielgelesenen, mit stilistischer Verve geschriebenen Biographien über Michelangelo (2 Bde., 1860–1863), Raphael (1872) und seine Vorlesungen über Goethe (2 Bde., 1876) sind in der Nachfolge Carlyles und Emersons dem Kult der großen Persönlichkeit verpflichtet. Durch sein Elternhaus und durch persönliche Beziehungen zu Bettina von Arnim und Marianne von Willemer war Herman Grimm noch unmittelbar an den Traditions- und Wirkungsbereich der Goethezeit angeschlossen und sah es als seine Aufgabe, dieses Erbe an die nachgoethesche, realistische Epoche zu vermitteln. Im Wintersemester 1874/75 und im folgenden Sommer hat Grimm die fünfundzwanzig Vorlesungen über Goethe in Berlin gehalten, die er im Herbst 1876 als Buch erscheinen ließ. Es wurde die repräsentative Goethe-Darstellung des neugegründeten Reiches, dem sie sich kritiklos affirmierte. Im Unterschied zur gleichzeitig sich konstituierenden Goethe-Philologie des Positivismus, mit deren Vertretern er in freundschaftlichem Verkehr stand, beharrt Grimm auf dem freien, vorwissenschaftlich-essayistischen Umgang mit den Quellen und akzentuiert die ästhetische Bewertung des Gegenstandes vor seiner positivistisch-genetischen Ableitung und Erklärung. Grimms Arbeiten zu Goethe haben im 20. Jahrhundert in Reinhard Buchwald einen verehrenden, wennschon vielfach kritiklosen Apologeten, Interpreten und Herausgeber gefunden. Im Vorwort zur 5. Auflage seiner Goethe-Vorlesungen, datiert »Weihnachten 1893«, hat Grimm seine Intention als Goethe-Interpret erläutert: »Meine Gedanken gingen auf allgemeine Kunsthistorie, die ich mit Literaturgeschichte verband: Geschichte der nationalen bildenden Phantasie. Mir war bei Goethe weder, wie Julian Schmidt, um die moralischen Wirkungen, noch, wie Loeper, um die einzelnen Erlebnisse, Manuskripte und Drucke zu tun. Was Goethe erlebte, um es in Phantasiebilder umzuwandeln, dies zu erkennen, erschien mir als die höchste Aufgabe. Ich verließ mich auf eigenes Gefühl und eigene Erfahrungen, indem ich, was andere sagten, ohne Umstände für unzureichend erklärte. Ich lebte in meiner Jugend in einer Umgebung, von denen fast alle persönlich mit Goethe verkehrt hatten, und rechnete mich selbst dazu, als sei mir dies Vorrecht durch eine Art von Erbschaft zuteil geworden.« Das für Grimms wissenschaftliches Selbstverständnis wie für sein Verhältnis zur Kultur der Goethezeit außerordentlich aufschlußreiche Vorwort zur 5. Auflage seines »Goethe« ist unter dem Titel »Erinnerungen und Ausblicke« auch in seinem Buch »Beiträge zur Deutschen Culturgeschichte«, Berlin 1897, S. 185–213, abgedruckt.

1 Vgl. T. 24, Anmkg. 25.
2 Schiller's Briefe. Mit geschichtlichen Einleitungen und Erläuterungen. Ein Beitrag zur Charakteristik Schiller's als Mensch, Dichter und Denker, und ein nothwendiges Supplement zu dessen Werken. 2 Bände. Berlin 1853. – 2. Aufl. 1857.
3 »Literarischer Sansculottismus«. H.A. 12, S. 241–243.
4 Vgl. »Nachlese zu Aristoteles' Poetik«. H.A. 12, S. 342–345.
5 Überliefert von Henriette von Knebel, 16. Januar 1806.
6 »Noch ein Wort für junge Dichter«. H.A. 12, S. 360.

7 Vgl. Herman Grimm, Goethe in Italien. Vorlesung gehalten zum Besten des Goethedenkmals in Berlin. Berlin 1861.
8 Vgl. Schillers »Egmont«-Rezension von 1788. Goethe im Urteil I, S. 104–111.

49 *Karl Gutzkow · Nur Schiller und Goethe?*

ED Unterhaltungen am häuslichen Herd. Hg. von Karl Gutzkow. Neue Folge. Fünfter Band. Leipzig 1860. S. 621–624; 638–639.
Zu Karl Gutzkow vgl. Einleitung zu Nr. 16. Zum vorliegenden Text vgl. auch Karl Gutzkows Aufsatz »Ein Dritter neben Goethe und Schiller« in: Unterhaltungen am häuslichen Herd. Neue Folge I (1855/56), S. 175 a–176 b.

1 Schiller, An die Freude, V. 1.
2 Eingangsvers des Schillerschen Gedichtes »Würde der Frauen«.
3 Das Doppelstandbild Goethes und Schillers in Weimar von Ernst Rietschel (1804 bis 1861). Es wurde 1857 enthüllt.
4 Gemeint sind die »Horen«.
5 Jean François Ducis (1733–1816), franz. Dramatiker, Bearbeiter Shakespeares für die franz. Bühne. Seine neoklassizistische »Othello«-Bearbeitung erschien 1792.
6 Rudolf Gottschall, Die deutsche Nationalliteratur in der ersten Hälfte des neunzehnten Jahrhunderts. Breslau 1855. Zur Funktion Jean Pauls als gegenklassischer Kontrastfigur zu Goethe vgl. auch die Einleitung zu Goethe im Urteil I, S. LX f.
7 Wie z. B. »Das Schönste ... aus Jean Pauls Schriften«, 12 Bde., Leipzig 1826–1837.

50 *Karl Köstlin · Aus: Göthe's Faust, seine Kritiker und Ausleger*

ED Karl Köstlin, Göthe's Faust, seine Kritiker und Ausleger. Tübingen 1860. S. 1–5.
Karl Reinhold Köstlin (1819–1894), Theologe, Philosoph und Ästhetiker, seit 1849 Privatdozent der Theologie in Tübingen, 1857 a.o. Professor und 1863 o. Professor für Philosophie und Ästhetik in Tübingen. Köstlin hat über drei Jahrzehnte hindurch regelmäßig jedes zweite Semester eine Vorlesung über Goethe und seine Werke oder über Goethes »Faust«, die Faustsage und die Faustliteratur gehalten. Sein Hauptwerk, die »Aesthetik«, erschien 1863–1869.

1 Gemeint ist Vischer. Vgl. T. 20.
2 »Kritik und Erläuterung des Goethe'schen Faust« (Leipzig 1837) von Christian Hermann Weiße. Vgl. T. 5.
3 »Kritische Bemerkungen über den Ersten Theil von Göthes ›Faust‹, namentlich den ›Prolog im Himmel‹« (Zürich 1857) von Friedrich Theodor Vischer.
4 »Goethe's Faust. Erster und zweiter Theil. Zum erstenmal vollständig erläutert« (Leipzig 1850) von Heinrich Düntzer. – 2. Aufl. 1857.

51 *Adolf Schöll · Aus: Goethe als Staats- und Geschäftsmann*

E Preußische Jahrbücher 10 (1862), S. 423–470; 585–616; 11 (1863), S. 135–161; 211–240.
D Adolf Schöll, Goethe in den Hauptzügen seines Lebens und Wirkens. Berlin 1882. S. 120–130; 136–138; 141–146; 276–279.
Adolf Schöll (1805–1882), Archäologe, Literarhistoriker und Kunstschriftsteller, Direktor der Kunstanstalten in Weimar, Herausgeber der Briefe Goethes an Charlotte von Stein (vgl. T. 24, Anmkg. 25). Schölls Abhandlung ist die erweiterte Fassung eines Vortrags, den er am 17. März 1861 im Rahmen eines Zyklus von Goethevorträgen zum Besten des Goethedenkmals in der Singakademie in Berlin gehalten hat. Neben Schöll sprachen in dieser Vortragsreihe Rudolf Virchow, Hermann Hettner, Berthold Auerbach, Herman Grimm und Heinrich Gustav Hotho. Der

junge Wilhelm Dilthey hat alle Vorträge in der Preußischen Zeitung ausführlich rezensiert. Zum Vortrag von Schöll vgl. Dilthey, Schriften XVI, S. 46–50.

1 »Italienische Reise«, 3. und 20. Dezember 1786. H.A. 11, S. 147 u. 150.
2 »Italienische Reise«, 2. Dezember 1786 und 23. August 1787 (»Zweiter Römischer Aufenthalt«). H.A. 11, S. 146 u. 386.
3 Am 1. Oktober 1776 war Herder mit seiner Familie in Weimar eingetroffen.
4 Goethes Schriften. Leipzig, bei G. J. Göschen. 8 Bde., 1787–1790.
5 Goethes Neue Schriften. Berlin, bei J. F. Unger. 7 Bde., 1792–1800.
6 Gemeint sind Lenz, Heinse und Klinger.
7 Gemeint ist der Zwischenkieferknochen.
8 Vgl. T. 43, Anmkg. 1.
9 Brief an Charlotte von Stein vom 9./10. Juli 1786. H.A. Briefe I, S. 514.
10 Brief an Charlotte von Stein vom 22. April 1781. H.A. Briefe I, S. 354.
11 Brief an Charlotte von Stein vom 1.–3. Januar 1780. H.A. Briefe I, S. 291 f.
12 Herr von Warnsdorf, Probst zu Prosteizella. Vgl. Goethes Brief an Charlotte von Stein vom 9. April 1782.
13 Guillaume Thomas François Raynal (1713–1796), franz. Schriftsteller, wurde 1781 wegen seines Werkes »Histoire philosophique et politique des établissements et du commerce des Européens dans les deux Indes« (in 2., veränderter Aufl. 1781) aus Frankreich verbannt. Auf seinen anschließenden Reisen durch Deutschland kam er im Frühjahr 1782 auch nach Weimar.
14 Christian Bernhard von Isenflamm, Geh. Legationsrat am Wiener Hof. Am 31. August 1782 schreibt Goethe an Charlotte von Stein: »Isenflamm ist angekommen [,] mit dem will ich brav politisieren. Der soll mir Wien in- und auswendig schildern.«
15 Brief an Charlotte von Stein vom 1. September 1781. Der aus Regensburg gebürtige, früh in Paris ansässige Friedrich Melchior von Grimm (1723–1807), schrieb seit 1753 in Fortsetzung der Raynalschen »Correspondance littéraire« gemeinsam mit Diderot literarische Bulletins für mehrere deutsche Fürsten.
16 Wilhelm Freiherr von Edelsheim (1737–1793), Minister des Markgrafen Karl Friedrich von Baden, stand seit 1775 mit Carl August im Briefwechsel.
17 Brief an Charlotte von Stein vom 7. Juni 1784. H.A. Briefe I, S. 440.
18 Vgl. Brief an Charlotte von Stein vom 6. April 1782. H.A. Briefe I, S. 390.
19 Brief an Charlotte von Stein vom 9. Juli 1784. H.A. Briefe I, S. 446.
20 Vgl. Brief an Charlotte von Stein vom 11. März 1781. H.A. Briefe I, S. 347.
21 Vgl. Brief an Charlotte von Stein vom 10. Mai 1782. – Krummhälser = Schieferhäuer, die krumm liegend arbeiten müssen.
22 Vgl. Goethe im Urteil I, T. 6, S. 20 f.
23 H.A. 1, S. 114–120. Gemeint sind der Theatermeister und Hoftischler des Weimarer Liebhabertheaters Johann Martin Mieding und die Schauspielerin Corona Schröter.
24 H.A. 1, S. 107–112.

52 *Moritz Müller · Göthe als Arbeiter! Rede im Arbeiter-Bildungs-Verein zu Pforzheim am 28. August*

ED Moritz Müller, Göthe als Arbeiter! Rede im Arbeiter-Bildungs-Verein zu Pforzheim am 28. August. Eigenthum des Arbeiter-Bildung-Vereins zu Pforzheim 1865. S. 5–12.

Die vorliegende Rede von Moritz Müller, dem Vorsitzenden des Pforzheimer Arbeiter-Bildungs-Vereins, ist ein gutes Beispiel für die Aufklärungs- und Bildungsarbeit in den in den 50er und 60er Jahren überall in Deutschland entstehenden lokalen Arbeitervereinen und Arbeiterbildungsvereinen. Im Vorwort zu seiner Schrift schreibt Müller: »Man muß Goethe *wiederholt* lesen. Mir gefiel er früher, wie ich Arbeiter war, auch nicht, aber indem ich nicht nachließ im Studium, lernte ich ihn immer mehr verehren und lieben und jetzt lese ich manches von Goethe alle Jahre einmal, und jedesmal mit wiederholtem Genuß.«

1 »Dichtung und Wahrheit«, 14. Buch. H.A. 10, S. 35.
2 Gespräch mit Eckermann von Anfang März 1832.
3 Brief an Knebel vom 3. Dezember 1781. H.A. Briefe I, S. 376.
4 Tagebuch vom 13. Januar 1779.
5 Gespräch mit Eckermann vom 25. März 1831.
6 Gespräch mit Eckermann vom 14. März 1830.
7 Gespräch mit Eckermann am 4. Januar 1824.
8 Brief an Charlotte von Stein vom 4. Dezember 1777.
9 Gespräch mit Eckermann am 11. März 1832.
10 Robert Prutz (1816–1872), Lyriker, Erzähler und Dramatiker, bedeutender Programmatiker und Historiker der politischen Vormärzdichtung, begründete 1851 mit Wolfsohn die Zeitschrift »Deutsches Museum« (1851–1867). 1856 erschien in der von Brockhaus in Leipzig herausgegebenen Sammlung »Unterhaltende Belehrungen zur Förderung allgemeiner Bildung« sein Bändchen »Goethe. Eine biographische Schilderung.«
11 Vgl. Herders Brief an seine Frau vom 4. November 1788 aus Rom.
12 H.A. 1, S. 149.

53 *Michael Bernays · Aus: Über Kritik und Geschichte des Goetheschen Textes*

ED Michael Bernays, Über Kritik und Geschichte des Goetheschen Textes. Berlin 1866. S. 3–9; 79–89.

Michael Bernays (1834–1897), Literaturwissenschaftler, wurde 1873 auf den ersten Lehrstuhl für neue deutsche Literaturgeschichte in München berufen. Mit seiner bahnbrechenden Schrift »Über Kritik und Geschichte des Goetheschen Textes« von 1866 hat Bernays die Textkritik der Goetheschen Werke begründet. Die Abhandlung ist dem Shakespearforscher Nicolaus Delius (1813–1888) gewidmet, der in dem einleitenden Abschnitt als »hochverehrter Freund« angesprochen wird. Das Ergebnis seiner Untersuchungen zur Textgeschichte der Jugendwerke Goethes wird von Bernays am Ende des ersten Abschnitts zusammengefaßt (S. 44): »Der Text der großen Jugendwerke Goethes, der uns seit etwa achtzig Jahren überliefert ist, zeigt mannigfache Verschiedenheiten von dem Texte der ersten, echten Originalausgaben; diese Verschiedenheiten gereichen stets zu seinem Nachteil; aus zwingenden innern Gründen ist es unmöglich, den Ursprung derselben dem Dichter zuzuschreiben; vielmehr ist es unzweifelhaft dargetan, daß sie samt und sonders aus den Himburgischen Nachdrucken stammen; überall wo die Entstehung der späteren Lesart aus diesen Nachdrucken sich erweisen läßt, ist demnach die ursprüngliche Lesart der Originalausgaben unweigerlich wiederherzustellen. [Absatz] Und somit ist die Kritik der Jugendwerke Goethes auf unerschütterlicher Basis fest gegründet.« In der von Salomon Hirzel veranstalteten, von Bernays mitredigierten und eingeleiteten dreibändigen Ausgabe »Der junge Goethe« (Leipzig 1875) wurde die Bernayssche Textkritik zum erstenmal realisiert. Diese Ausgabe, die von Max Morris 1909–1912 in 6 Bänden erneuert worden ist, wurde für die Weimarer Sophien-Ausgabe wegweisend und in vieler Hinsicht eine Art programmatisches Vorbild. Philologisch mustergültig ist auch die von Bernays herausgegebene Ausgabe von Goethes Briefen an F. A. Wolf (Berlin 1868). Bernays' »Schriften zur Kritik und Literaturgeschichte« erschienen 1895–1899 in 4 Bänden.

1 Der Philologe Joachim Meyer war 1864 von Cotta mit der Aufgabe betraut worden, Schillers Werke in einer vollständigen Ausgabe historisch-kritisch zu edieren. Nach Meyers Tod (1865) übernahm Karl Goedeke auf der Grundlage von dessen Vor-

arbeiten die Edition. Sie erschien 1867–1876 (15 Teile in 17 Bänden) und bezeichnet einen Markstein in der Geschichte der Schillerphilologie.

2 David Ruhnken (1723–1798), deutscher Altphilologe, Professor in Leiden, bedeutender Textkritiker.

3 Salomon Hirzel (1804–1877), Buchhändler, Verleger, Goethesammler und -forscher. In seiner 1853 gegründeten Verlagsbuchhandlung erschienen u.a. die Werke von Freytag, Treitschke und das Grimmsche Wörterbuch. Er war Besitzer einer umfassenden Goethebibliothek, deren Katalog er zuerst 1848 als »Verzeichnis einer Goethebibliothek« veröffentlichte. Die Bibliothek vermachte er nach seinem Tode der Universitätsbibliothek in Leipzig. Vgl. Verzeichnis von Salomon Hirzels Goethe-Sammlung der Universitäts-Bibliothek zu Lepzig. Nach Hirzels Verzeichnis von 1874 neu herausgegeben von Reinhard Fink. Leipzig 1932. Bernays stand seit Beginn der 60er Jahre mit Hirzel in freundschaftlichem Verkehr. Auf die Zusendung der Schrift »Über Kritik und Geschichte des Goetheschen Textes« schreibt Hirzel am 27. Februar 1867 an Bernays: »Als ich das violette Büchlein von Ihrer Güte empfing, fiel ich natürlich gleich darüber her, aber die Andachtstunden, in denen ich es im Zusammenhang von Anfang bis Ende lesen konnte, fand ich erst am zweiten Weihnachtstage. Ich hatte und habe noch den Eindruck, daß Sie mit diesem opusculum Ihren Namen unzertrennlich mit Goethes Namen verbunden haben. Die Kritik des Goetheschen Textes wird noch viele, heute noch ungeborene Geister beschäftigen, und immer wird man auf Sie als den Bahnbrecher zurückkommen.« Vgl. Ludwig Geiger, Salomon Hirzel und Michael Bernays. In: Goethe-Jahrbuch 21 (1900), S. 194 bis 207.

4 Der Plan einer Ausgabe von »Ausgewählten Werken« Goethes ist nicht realisiert worden.

5 Die von dem Altphilologen und Germanisten Karl Lachmann (1793–1851) herausgegebene Ausgabe der »Sämmtlichen Schriften« von Lessing erschien 1838–1840 in 13 Bänden.

6 Die von John Murray (1745–1793) begründete berühmte Verlagsanstalt in London. Sein Sohn John (1778–1843) war mit Byron befreundet und gab dessen Werke heraus.

7 Vgl. Einleitung zu Nr. 22.

8 Von 1820. J.A. 37, S. 154–159.

9 Nach der Schlacht bei Königgrätz am 3. Juli 1866 im Krieg zwischen Preußen und Österreich.

54 *Herman Grimm · Aus einer Rezension des »Leben Schleiermachers« von Wilhelm Dilthey*

ED Die Grenzboten. Zeitschrift für Politik und Literatur. 29. Jg. II. Semester. 1. Band. Leipzig 1870. S. 1–3.

Zu Herman Grimm vgl. Einleitung zu Nr. 48. Der erste Band [mehr nicht erschienen] von Wilhelm Diltheys »Leben Schleiermachers« war 1870 in Berlin erschienen.

1 Die vor uns waren.

2 Deukalion, der Sohn des Prometheus und der Klymene, überlebte mit seinem Weibe Pyrrha als einziger die große Flut, mit der Zeus das sündige Geschlecht der Menschen vernichten wollte. Aus Steinen, die Deukalion und Pyrrha hinter sich warfen, entstand das neue Geschlecht der Hellenen.

3 François Joseph Talma (1763–1826), franz. Schauspieler, seit 1787 an der Comédie Française, gründete 1791 ein »Théâtre de la Republique«, war 1799 an der Napoleonischen Reform der Comédie Française maßgebend beteiligt.

4 Napoleons erste Frau, von der er sich nach kinderloser Ehe 1809 scheiden ließ.

5 Gemeint ist Alexander von Humboldt, der 1859 gestorben war.

Register

Das Register bezieht sich auf die Einleitung des Herausgebers und die in diesem Band abgedruckten Dokumente. Es gliedert sich in drei Teile: ein Personenregister, ein Register der Werke Goethes und ein Begriffsregister. Das Begriffsregister bietet in strenger Auswahl einige zentrale Deutungskategorien und -aspekte, die für den hier dokumentierten Zeitraum konstitutiv sind. – Zahlen in eckigen Klammern verweisen auf Stellen, an denen die Personen ohne Namen, die Werke ohne Titel erwähnt werden. – Zahlen mit vorangestelltem Sternchen verweisen auf Verfassernamen und Werke in den Überschriften der Dokumente.

1. Personen

2. Goethes Werke

Gedichte

Epen und Prosadichtungen

Dramatische Dichtungen

Autobiographische Schriften

Schriften zur Kunst und Literatur

Schriften zur Naturwissenschaft

Werksausgaben, Übersetzungen und Sonstiges

3. Begriffe

Bezeichnungen Goethes:

Goethe, Briefe

Herausgegeben von Karl Robert Mandelkow unter Mitarbeit von Bodo Morawe
2028 Seiten Text. 894 Seiten Kommentar und Register

Band 1 Briefe der Jahre 1764–1786. 2. Auflage 1969
Band 2 Briefe der Jahre 1786–1805. 2. Auflage 1969
Band 3 Briefe der Jahre 1805–1821. 2. Auflage 1970
Band 4 Briefe der Jahre 1821–1832. 2. Auflage 1976

Briefe an Goethe

Herausgegeben von Karl Robert Mandelkow
1170 Seiten Text. 312 Seiten Kommentar und Register

Band 1 Briefe der Jahre 1764–1808. 1. Auflage 1965
Band 2 Briefe der Jahre 1809–1832. 1. Auflage 1969

Die mit größter Akribie veranstaltete *vierbändige Edition von Briefen Goethes* enthält insgesamt 1530 Briefe, die auf über 800 Seiten kommentiert werden. Der leitende Gesichtspunkt bei dieser Ausgabe ist die Wahrung des organischen Zusammenhangs mit den Werkbänden. Der erste Band enthält die Briefe bis 1786, dem Jahr des Aufbruchs nach Italien, der zweite Band (bis zum Todesjahr Schillers) zeigt die sogenannte ›klassische‹ Epoche im Leben und Wirken Goethes, der dritte und vierte Band zeigen den späten Goethe, dessen Briefsprache zu einem wandlungs- und nuancenreichen Instrumentarium ausgebildet ist.
Die *zweibändige Sammlung von Briefen an Goethe* schließt eine empfindliche Lücke in der Goethephilologie. Zum ersten Mal liegen die zum vollen Verständnis der Briefe Goethes notwendigen Briefe seiner Korrespondenten, die bisher mühsam in den schwer greifbaren und oft seit mehr als hundert Jahren nicht mehr aufgelegten Einzelbriefwechseln oder in entlegenen Zeitschriften aufgesucht werden mußten, in einer alle wesentlichen Texte berücksichtigenden, umfassenden Auswahlausgabe vor. Die Bände enthalten in chronologischer Folge 700 Briefe von mehr als 200 Adressanten und geben ein repräsentatives Bild der alle Bereiche der Kunst, Literatur, Wissenschaft und Politik seiner Zeit widerspiegelnden weltweiten brieflichen Beziehungen des Dichters. Neben bekannten Briefpartnern findet der Leser auch weniger beachtete und weithin unbekannte berücksichtigt. Reich vertreten sind die ausländischen Korrespondenten des Dichters, deren Briefe die einzigartige Ausstrahlungskraft Goethes in den Raum der von ihm zuerst bezeichneten Weltliteratur dokumentieren.